W9-BTG-420

WITHDRAWN

FOLLETT WORLD-WIDE ITALIAN DICTIONARY

FOLLETT

WORLD-WIDE

DICTIONARIES

ITALIAN

Italian-English   English-Italian

(AMERICAN ENGLISH)

Compiled by VITTORE E. BOCCHETTA
Former Professor of Humanities, Verona, Italy
Former Lecturer in Italian, University of Chicago
Candidate for Ph.D., University of Chicago

with a

TRAVELER'S CONVERSATION GUIDE

Containing hundreds of expressions and items of information
useful to tourists, students, and businessmen

1965

FOLLETT PUBLISHING COMPANY • CHICAGO

Library of Congress Catalog Card Number 65-12915

EDITORS: Richard J. Wiezell, M.A.
            Jean Rich, M.S.

123456789

A DICTIONARY OF FIRSTS

Recent years have brought a tremendous upsurge of interest in everything Italian, including the country, its people, its music and art, its literature—and its LANGUAGE. A growing number of Americans proudly claim Italian as their favorite foreign tongue. And with good reason! For it is, without question, one of the most beautiful and expressive languages in the world.

However, the means of acquiring a good speaking acquaintance with this language have not kept pace with the increasing demand. Outside the universities there have been few opportunities for oral instruction, and until now there has never been available in this country an Italian-English, English-Italian dictionary thoroughly designed to teach American students how the language is pronounced. The FOLLETT WORLD-WIDE ITALIAN DICTIONARY is the *first* to meet this need. The pronunciation is supplied for every one of the 18,000 Italian words here included. And a clear set of rules is provided for pronouncing any word in the language just from seeing it spelled.

But pronunciation is only one of the *firsts* which users of this work will enjoy.

Included in both languages are many scientific and general words of recent origin that have never before appeared in any Italian-English dictionary. The knowledge of Italian here conveyed is completely up to date.

When entry words have two or more distinct meanings, subject labels (in parentheses) guide the user to the particular translation that fits the meaning. This feature guarantees the appropriate word for every occasion, thereby avoiding the embarrassment that comes from using the wrong word to translate a given meaning.

All entries of Italian irregular verbs are identified by means of asterisks. These asterisks signify that complete conjugations for such verbs are supplied in alphabetical order in the Italian grammar section on pages 27 to 37.

Hundreds of the more common personal names in both languages are conveniently assembled and translated in separate lists on pages 270 to 277 and 513 to 519.

Translations and pronunciations are provided at the end of the book for hundreds of conversational questions and expressions in both English and Italian. This section will prove useful to travelers and students alike.

5

For motorists and others who may be interested, six pages of traffic information are included, much of it in the form of pictures for quick recognition.

In addition to these *firsts*, this dictionary has all the usual features common to other good foreign language dictionaries, such as gender indication for all noun entries on the Italian side of the work. On the English side, all noun equivalents in Italian are also indicated as to gender, with the exception of masculine nouns ending in **-o** and feminine nouns ending in **-a, -sione, -tione,** and **-zione.**

The vocabulary includes just about every word in both languages that American users will have need of.

Especially helpful are the translations of abundant idioms, each entered under its appropriate key word.

The last three pages contain the sort of special statistical information that travelers sooner or later feel an interest in but seldom find conveniently at hand when wanted.

The compiler and publisher of this dictionary have spared no pains or expense in their effort to make it the best of its kind. It is hoped, therefore, that purchasers will begin their use of it by thoroughly acquainting themselves with its many features. Only by so doing will they get from it all the benefits that it is capable of providing.

THE PUBLISHER

CONTENTS

Italian-English

7

English-Italian

8

PRONUNCIATION KEY

Symbols	*English Sounds*
	Vowels
â	*a*rm, f*a*ther
ā	b*a*by, g*a*te
e	b*e*t, m*e*n
ē	b*e*, h*e*
ō	g*o*, sp*o*ke
ô	g*o*ne, n*o*rth
ū	bl*ue*, t*oo*
	Consonants
b	*b*a*b*y, tu*b*
ch	*ch*ild, cat*ch*
d	*d*a*d,* su*dd*en
f	*f*at, a*f*ter
g	*g*ate, ba*g*
j	*j*et, a*j*ar
k	*k*itten, ta*k*e
l	*l*ate, *li*ly
m	*m*et, da*m*p
n	*n*ot, se*n*d
p	*p*at, sto*p*
r	ve*r*y (with a trill)
s	*s*at, la*s*t
sh	*sh*op, di*sh*
t	*t*ell, *t*as*t*e
v	*v*ery, gi*v*e
w	*w*e, *qu*ack
y	*y*es, *y*ou
z	*z*ero, ro*s*e

GUIDE TO ITALIAN PRONUNCIATION

Beginning students of Italian will find the pronunciations in this dictionary very helpful in learning to speak the language. Not only are all the main entries accurately pronounced throughout, but complete Italian pronunciations are provided for all the various inflected endings of regular verbs and for hundreds of conversational phrases. With such help readily available at the flip of a page, acquiring a good speaking acquaintance with this new language is almost as simple as learning to pronounce the unfamiliar words we sometimes encounter in our native language.

But it won't always be convenient to consult a FOLLETT WORLD-WIDE ITALIAN DICTIONARY every time one wants the pronunciation of an Italian word. Sooner or later the serious student will need a sufficient mastery of the language to enable him to pronounce any word from seeing it spelled. Fortunately, such a mastery is not hard to acquire.

Italian is one of the easiest new languages for Americans to learn to speak. It has only 21 letters, one of which is always silent. It has only 26 sounds, all but one of which are completely familiar to English-speaking students. But like American English, the language is pronounced somewhat differently in different parts of the country. In most parts of Italy it is correct to give the letters *e* and *o* only one sound apiece, regardless of stress or position. But in Central Italy (which includes Florence and Rome) each of these letters has two different sounds, depending, first, on whether it is stressed or unstressed and, second, on where it occurs in the word. Because of these regional variations, it is impossible to provide pronunciations or rules that are wholly accurate for such widely scattered places as Milan, Venice, Florence, Rome, Naples and Palermo.

Nevertheless, American visitors to Italy will have little difficulty with regional differences once they become sufficiently familiar with the pronunciations and guide rules provided in this dictionary.

The first rule of good Italian pronunciation is to utter every syllable of every word clearly and distinctly. More use is made of the lips, tongue, and lower jaw than is customary in English speech. Vowel sounds, even when they are unstressed, are always pure and full-rounded—never slurred. Consonants (except *h*) are always plainly audible—never dropped (as the *t* in lis*t*en and the *b* in clim*b*).

Stress and Accent

There are no rules that will enable anyone unfamiliar with the language to tell where the stress falls in Italian words. It usually falls on the next-to-last syllable. *Examples*: **anno** (ân′nō), **madre** (mâ′drā), **economia** (ā·kō·nō·mē′â), **esitare** (ā·zē·tâ′rā). But in many words the stress falls on other syllables. *Examples*: **edile** (e′dē·lā), **piccolo** (pēk′kō·lō), **perchè** (pār·kā′).

In the inflection of verbs the stress often changes position from form to form. *Examples*: **esitare** (ā·zē·tâ′rā), **esito** (e′zē·tō), **esitano** (e′zē·tâ·nō), **esiterò** (ā·zē·tâ·rō′).

When the stress falls on the last vowel of a word, the vowel is written or printed with an accent mark, thus: **ò**. This accent is part of the spelling and must always appear in writing and printing. *Examples*: **più** (pyū) **perchè** (pār·kā′), **civiltà** (chē·vēl·tâ′).

Some one-syllable words are written with accent marks to distinguish them from words similar in spelling and sound but different in meaning. *Examples*: **di** (meaning *of*) and **dì** (meaning *day*), **se** (meaning *if*) and **sè** (meaning *oneself*).

The Italian Alphabet and Its Sounds

Asterisks (*) refer to the explanatory notes on the following pages.

Italian Letter	English Sound	Phonetic Symbol	Italian Word	Phonetic Respelling
a	father	â	capra	kâ′prâ
b	baby	b	basta	bâ′stâ
c*	car	k	cava	kâ′vâ
	child	ch	cine	chē′nā
d	dim	d	donna	dōn′nâ
e*	they	ā	mente	mān′tā
	bet	e	fegato	fe′gâ·tō
f	fat	f	fede	fā′dā
g*	gate	g	gamba	gâm′bâ
	gentle	j	gente	jān′tā
h	(silent)	(none)	hanno	ân′nō
i*	police	ē	di	dē
	yes	y	dieci	dyā′chē
l	lap	l	lana	lâ′nâ
m	met	m	meno	mā′nō
n	not	n	nano	nâ′nō
o*	spoken	ō	piccolo	pēk′kō·lō
	gone	ô	gomito	gô′mē·tō
p	pat	p	pasta	pâ′stâ
q	quack	k	quando	kwân′dō
r*	(see below)	r	caro	kâ′rō
s*	sat	s	sala	sâ′lâ
	rose	z	rosa	rō′zâ
t	taste	t	tardi	târ′dē
u*	too	ū	uno	ū′nō
	quit	w	uomo	wō′mō
v	valve	v	vivo	vē′vō
z, zz*	lets	ts	razza	râ′tsâ
	adz	dz	mezzo	mā′dzō

Combined Letters

ch	chorus	k	chiaro	kyâ′rō
ci*	chart	ch	ciao	châ′ō
	cheese	chē	ciclo	chē′klō
gh	ghost	g	ghiro	gē′rō
gi*	digest	j	giorno	jōr′nō
	gee	jē	giglio	jē′lyō
gli*	million	ly	foglia	fô′lyâ
	will ye	lyē	egli	â′lyē
gn	onion	ny	bagno	bâ′nyō
qu	quack	kw	questo	kwā′stō
sc*	shine	sh	scena	shâ′nâ
	scar	sk	scusa	skū′zâ
sch	scheme	sk	schema	skâ′mâ
sci*	shop	sh	scialle	shâl′lâ
	she	shē	sci	shē

11

Guide to Italian Pronunciation

c   has the sound of *k* when it is followed by the letters a, o, u, h, l, or r. *Examples*: **caro** (kâ′rō), **corpo** (kōr′pō), **cuore** (kwō′rā), **che** (kā), **classe** (klâs′sä), **credo** (krä′dō).

    has the sound of *ch* when it is followed by e or i. *Examples*: **cena** (chā′nâ), **cine** (chē′nä), **cielo** (chä′lō), **ciao** (châ′ō). (See the two sounds of **ci** below.)

e   has the sound of *e* in b*e*t when it occurs with stress:
      1) in the third-from-last (or fourth-from-last) syllable of a word. *Examples*: **iberico** (ē·be′rē·kō), **medico** (me′dē·kō).
      2) in the next-to-last syllable when the last syllable is spelled with two vowels. *Examples*: **sedia** (se′dyâ), **secchio** (sek′kyō).

    has the sound of *ey* in *they* (*a* in b*a*by) in all other situations, both stressed and unstressed. *Examples*: **cine** (chē′nä), **quel** (kwäl), **temere** (tä·mä′rä), **genovese** (jä·nō·vä′zä), **gentilmente** (jän·tēl·mân′tä).

g   has the sound of *g* in g*a*te when followed by a, o, u, h, l, or r. *Examples*: **gamba** (gâm′bâ), **gola** (gō′lâ), **gusto** (gū′stō), **ghiro** (gē′rō), **globo** (glō′bō), **grande** (grän′dä). *Exception*: **gl** has the sound of *ly* in certain words. See below.

    has the sound of *g* in g*e*ntle (*j* in *j*et) when followed by e or i. *Examples*: **gente** (jän′tä), **gigante** (jē·gân′tä), **giallo** (jâl′lō). See the two sounds of **gi** below.

i   has the sound of *i* in pol*i*ce (*e* in b*e*) when it is the only vowel in a syllable or follows another vowel in the same syllable. *Examples*: **di** (dē), **Dio** (dē′ō), **idea** (ē·dä′â), **difficile** (dēf·fē′chē·lä), **eroico** (ā·rô′ē·kō), **eroicamente** (ā·rōē·kâ·mān′tä).

    has the sound of *y* in *y*et when it is unstressed and is followed by another vowel. *Examples*: **dieci** (dyā′chē), **più** (pyū), **bestia** (be′styâ). *Exception*: **i** is silent before a, e, o, and u when it follows c or g: **ciao** (châ′ō), **giocare** (jō·kâ′rä).

o   has the sound of *o* in g*o*ne when it occurs with stress:
      1) in the third-from-last (or fourth-from-last) syllable of a word. *Examples*: **povero** (pô′vä·rō), **geografo** (jä·ô′grâ·fō).
      2) in the next-to-last syllable when the last syllable is spelled with two vowels. *Examples*: **goccia** (gô′châ), **gloria** (glô′ryâ).

    has the sound of *o* in g*o* in all other situations, both stressed and unstressed. *Examples*: **piccolo** (pēk′kō·lō), **nove** (nō′vä), **orbo** (ōr′bō), **opporre** (ōp·pōr′rä).

r   is unlike any sound natural to English. It is produced by rapidly vibrating the tip of the tongue against the base of the upper front teeth. *Examples*: **caro** (kâ′rō), **rosa** (rō′zâ), **tardi** (târ′dē).

s   has the sound *s* in ro*s*e (*z* in *z*ero):
      1) between vowels. *Examples*: **rosa** (rō′zâ), **contesa** (kōn·tä′zâ).
      2) before b, d, g, l, m, n, r, or v. *Examples*: **sguardo** (zgwâr′dō), **slavo** (zlâ′vō), **mutismo** (mū·tē′zmō), **svolta** (zvōl′tâ).

    has the sound *s* in *s*at in all other situations; *Examples*: **sano** (sâ′nō), **scala** (skâ′lâ), **scansia** (skân·sē′â), **stesso** (stäs′sō), **gres** (gräs).

The Italian Alphabet and Its Sounds

u   has the sound of *oo* in t*oo* when it is the only vowel sound in a syllable or follows another vowel in the same syllable. *Examples*: **uno** (ū'nō), **tutto** (tūt'tō), **più** (pyū), **rauco** (râ'ū·kō), **raucedine** (râū·che'dē·nā).

has the sound of *w* in *w*ay when followed by a vowel in the same syllable. *Examples*: **nuovo** (nwō'vō), **guerra** (gwār'râ), **quel** (kwāl), **cuore** (kwō'rā).

z, zz   usually has the sound of *dz* in a*dz*:
   1) at the start of words. *Examples*: **zampa** (dzâm'pâ), **zio** (dzē'ō), **zuppa** (dzūp'pâ).
   2) in all verbs ending in **-izzare**, including all their inflected forms: **-izzante, -izzato**, etc. *Examples*: **scandalizzare** (skân·dâ·lē·dzâ'rā), **fertilizzante** (fār·tē·lē·dzân'tā).

usually has the sound of *ts* in le*ts* when it occurs elsewhere. *Examples*: **azionare** (â·tsyō·nâ'rā), **ambizioso** (âm·bē·tsyō'zō), **altezza** (âl·tā'tsâ), **alleanza** (âl·lā·ân'-tsâ).

Exceptions: there are too many exceptions, however, to account for them all. Certain words may be pronounced either *dz* or *ts* within the same region.

ci   has the sound of *ch* in *ch*art when it is followed by a, e, o, or u. *Examples*: **ciao** (châ'ō), **provincia** (prō·vēn'châ), **ciò** (chō), **ciuco** (chū'kō), **sufficiente** (sūf·fē·chān'tā).

has the sound of *chee* in *chee*se when it is not followed in the same syllable by another vowel. *Examples*: **ci** (chē), **dieci** (dyā'chē), **ciclo** (chē'klō).

gi   has the sound of *g* in *g*entle (*j* in *j*ug) when it is followed in the same syllable by a, o, or u. *Examples*: **già** (jâ), **grigio** (grē'jō), **giubba** (jūb'bâ).

has the same sound of *gee* (*jee* in *jee*p) when it is not followed in the same syllable by another vowel. *Examples*: **dogi** (dō'jē), **geologia** (jā·ō·lō·jē'â).

gl   has the sound of *gl* in *gl*ad when followed by a, e, o, or u. *Examples*: **glaciale** (glâ·châ'lā), **gleba** (glā'bâ), **globo** (glō'bō).

gli   has the sound of *lli* in mi*lli*on when it is followed in the same syllable by another vowel (a, e, o, u). *Examples*: **foglia** (fō'lyâ), **biglietto** (bē·lyāt'tō), **figlio** (fē'lyō).

has the sound of *l ye* in wi*ll ye* when it occurs at the end of a word. *Examples*: **gli** (lyē), **egli** (ā'lyē).

has the sound of *glee* when it is followed in the same word by a consonant. *Examples*: **glicogeno** (glē·kō'jā·nō), **negligenza** (nā·glē·jān'tsâ).

sc   has the sound of *sh* in *sh*ine before e or i. *Examples*: **scena** (shā'nâ), **scimmia** (shēm'myâ).

has the sound of *sc* in *sc*ar in all other cases. *Examples*: **scusa** (skū'zâ), **schema** (skā'mâ), **scritto** (skrēt'tō).

sci   has the sound of *sh* in *sh*op when it is followed by another vowel. *Examples*: **scialle** (shâl'lā), **scienza** (shān'tsâ), **sciocco** (shōk'kō), **sciupare** (shū·pâ'rā).

has the sound of *she* when it is not followed in the same syllable by another vowel. *Examples*: **sci** (shē), **scibile** (shē'bē·lā), **trascinare** (trâ·shē·nâ'rā).

13

Guide to Italian Pronunciation

Diphthongs

When two vowels occur together in words, they are usually pronounced as one syllable. Such one-syllable combinations are known as *diphthongs*. Some well-known English examples are *oi* in *boil* and *ou* in *house*. Diphthongs are frequent occurrences in Italian, and it is therefore important to know how to pronounce them.

The five vowels occur in just about every possible combination. But the more common diphthongs combine a *strong* vowel with a *weak* one. Strong vowels (**a, e,** and **o**) are so-called because they usually *sound* stronger (louder) than weak vowels (**i** and **u**) when combined. *Examples:* **mai** (mâ′ē), **causa** (kâ′ū·zâ), **poi** (pō′ē), **Europa** (āū·rō′pâ), **piace** (pyâ′chā), **dieci** (dyâ′chē), **Pasqua** (pâ′skwâ), **uomo** (wō′mō).

When the two weak vowels (**i, u**) combine to form a diphthong, it is usually the **u** that is stressed. *Examples:* **piuma** (pyū′mâ), **più** (pyū). Where the **i** is stressed, **u** has the sound of w. *Examples:* **guida** (gwē′dâ), **qui** (kwē).

The combination of two strong vowels (**a, e, o**) results, not in a diphthong, but in two syllables. *Examples:* **paese** (pâ·ā′zā), **poeta** (pō·ā′tâ), **ciaō** (châ′ō), **boa** (bō′â), **eroe** (ā·rō′ā), **poeticamente** (pō·ā·tē·kâ·mān′tâ).

Two syllables also result when **i** and **u** carry the stress in combination with **a, e,** or **o**. *Examples:* **zio** (dzē′ō), **siano** (sē′â·nō), **Aida** (â·ē′dâ), **eroina** (ā·rō·ē′nâ), **due** (dū′â), **tuo** (tū′ō).

Syllable Division

Both in speaking and writing, Italian words divide into syllables according to the following simple rules:

1) a single consonant always belongs with the vowel which follows it. *Examples:* **rosa** (rō′zâ), **capitolo** (kâ·pē′tō·lō).

2) When **l, m, n,** and **r** are followed by other consonants, these four letters belong with the preceding vowels. *Examples:* **alto** (âl′tō), **lento** (lān′tō), **corpo** (kōr′pō).

3) All double consonants are separated. *Examples:* **accollare** (âk·kōl·lâ′rā), **passato** (pâs·sâ′tō), **correre** (kôr′rā·râ).

4) When **s** is followed by a consonant (or consonants) other than s, it is never separated from what follows. *Examples:* **basta** (bâ′stâ), **questo** (kwâ′stō), **destro** (dâ′strō), **lasciare** (lâ·shâ′rā).

5) Any consonant followed by **l** or **r** belongs in the syllable that follows it. *Examples:* **ciclo** (chē′klō), **madre** (mâ′drā).

A BRIEF GUIDE TO ITALIAN GRAMMAR

GENDER OF NOUNS AND ADJECTIVES

1 The Noun

Nouns in Italian are either masculine or feminine, the gender having been determined by custom and usage. Those ending in **-o** are usually masculine, and those ending in **-a, -sione, -tione,** and **-zione** are usually feminine.

Examples:
il libro the book
la coperta the cover
la tensione the tension
la questione the question
la rivoluzione the revolution

Nouns referring to people usually have a masculine and a feminine form, often contrary to English. Masculine nouns ending in **-o** customarily change the **-o** to **-a** for the feminine form. Those ending in **-e** usually change the **-e** to **-a**; others have no special feminine form, the difference being shown by the feminine article. Some change **-ore** to **-oressa** or **-rice.** Those masculine nouns ending in **-a** usually have no special form for the feminine, the difference being shown by the gender of the article; a few change the **-a** to **-essa.**

Examples:

ladro male thief	**ladra** woman thief
signore gentleman	**signora** lady
il cantante the male singer	**la cantante** the female singer
professore male professor	**professoressa** lady professor
pittore male painter	**pittrice** woman painter
il socialista the man socialist	**la socialista** the woman socialist
poeta male poet	**poetessa** woman poet

As in English, some nouns are completely different in the feminine form.

Examples:

uomo man	**donna** woman
marito husband	**moglie** wife
genero son-in-law	**nuora** daughter-in-law
fratello brother	**sorella** sister

2 The Adjective

Contrary to English usage, in Italian the adjective always takes the gender of the noun it modifies. Masculine adjectives that end in **-o** change the **-o** to **-a** for the feminine form; masculine adjectives that end in **-e** are unchanged in the feminine.

Examples:

lo studente serioso	**la studentessa seriosa**
l'uomo gentile	**la donna gentile**

NUMBER OF NOUNS AND ADJECTIVES

1 The Noun

Masculine singular forms ending in **-o** and **-a** change the **-o** or **-a** to **-i** to form the plural.

Examples:

ragazzo boy	**ragazzi** boys
soldato soldier	**soldati** soldiers
artista male artist	**artisti** male artists

Feminine singular forms ending in **-a** change the **-a** to **-e** to form the plural.

Examples:

donna woman	**donne** women
ragazza girl	**ragazze** girls
artista woman artist	**artiste** woman artists

Masculine and feminine singular forms ending in **-e** change the **-e** to **-i** to form the plural.

Examples:

il cantante the male singer	**i cantanti** the male singers
la cantante the woman singer	**le cantanti** the woman singers
l'origine the origin	**le origini** the origins
il pittore the male painter	**i pittori** the male painters
la pittrice the woman painter	**le pittrici** the woman painters

Masculine and feminine singular forms of one syllable, those in which the last vowel is accented, and those ending in **-i**, do not change in the plural.

Examples:

il re the king	**i re** the kings
la virtù the virtue	**le virtù** the virtues
la civiltà the civilization	**le civiltà** the civilizations
l'analisi the analysis	**le analisi** the analyses

Feminine singular forms that end in **-cia** and **-gia** preceded by a consonant, and in which the **i** is not stressed, change **-cia** and **-gia** to **-ce** and **-ge** respectively. Otherwise, the general rule of change from **-a** to **-e** applies.

Examples:

guancia cheek	**guance** cheeks
mancia tip	**mance** tips
farmacia drug store	**farmacie** drug stores
valigia suitcase	**valigie** suitcases
camicia shirt	**camicie** shirts

Masculine and feminine singular forms ending in **-co, -go, -ca,** and **-ga** generally change to **-chi, -ghi, -che,** and **-ghe,** inserting the **h** to maintain the hard sound of **c** and **g**. There are some common words which are exceptions, however.

Examples:

tacco heel	**tacchi** heels
lago lake	**laghi** lakes
monaca nun	**monache** nuns
spiga ear of corn	**spighe** ears of corn
amico friend	**amici** friends
greco Greek	**greci** Greeks

As in English, in Italian some plural forms are entirely different.

Examples:

bue ox	**buoi** oxen
uomo man	**uomini** men
dio god	**dei** gods

Some masculine singular forms become feminine in the plural by changing **-o** to **-a.** Such nouns often have a regular plural which has a figurative meaning.

Examples:

l'uovo the egg	**le uova** the eggs
il dito the finger	**le dita** the fingers
il braccio the arm	**le braccia** the arms (human)
	i bracci the arms (of the sea)

2 The Adjective

Masculine singular forms ending in **-o** change **-o** to **-i** to form the plural.

Examples:

il libro giallo the yellow book	**i libri gialli** the yellow books
il cappello rosso the red hat	**i cappelli rossi** the red hats

Feminine singular forms ending in **-a** change **-a** to **-e** to form the plural.

Example:

la camicia rossa the red shirt	**le camicie rosse** the red shirts

Masculine and feminine singular forms ending in **-e** change the **-e** to **-i** to form the plural.

Examples:
una signora gentile a kind woman   **delle signore gentili** some kind women
un signore gentile a kind man   **dei signori gentili** some kind men

The use of **h** to retain the hard sound of **c** and **g** is the same as for the plural of nouns.

Example:
un libro bianco a white book   **dei libri bianchi** some white books

ARTICLES

1 The Definite Article "the"

	Singular			Plural	
Masculine:	**il**	**lo**	**l'**	**i**	**gli**
Feminine:	**la**	**l'**		**le**	

The eight forms of the definite article are used as follows:

MASCULINE SINGULAR

- **il** before nouns beginning with any consonant *except* **s** followed by another consonant, or **z**

    Examples: **il maestro** **il padre** **il salone**

- **lo** before nouns beginning with **s** followed by another consonant, or **z**

    Examples: **lo sbaglio** **lo zucchero** **lo zio**

- **l'** before nouns beginning with any vowel

    Examples: **l'amico** **l'uovo** **l'occhio**

FEMININE SINGULAR

- **la** before nouns beginning with any consonant

    Examples: **la parola** **la donna** **la spazzola**

- **l'** before nouns beginning with any vowel

    Examples: **l'amica** **l'ostrica** **l'uva**

MASCULINE PLURAL

- **i** before nouns beginning with any consonant *except* **s** followed by another consonant, or **z**

    Examples: **i maestri** **i padri** **i saloni**

- **gli** before nouns beginning with any vowel, **s** followed by another consonant, or **z**

    Examples: **gli amici** **gli sbagli** **gli zii**

18

FEMININE PLURAL

- **le** before all nouns

    Examples: **le parole**   **le donne**   **le amiche**

2 The Indefinite Article "a" or "an"

Masculine:

un	**uno**

Feminine:

una	**un'**

The four forms of the indefinite article are used as follows:

MASCULINE

- **un** before nouns beginning with any vowel or consonant except **s** followed by another consonant, or **z**

    Examples: **un uomo**   **un cavallo**   **un tavolo**

- **uno** before nouns beginning with **s** followed by another consonant, or **z**

    Examples: **uno sbaglio**   **uno sfogo**   **uno zio**

FEMININE

- **una** before nouns beginning with any consonant

    Examples: **una donna**   **una stanza**   **una tazza**

- **un'** before nouns beginning with any vowel

    Examples: **un'amica**   **un'estasi**   **un'unità**

3 The Combined Preposition

	a	da	di	in	su	con
il	al	dal	del	nel	sul	col
lo	allo	dallo	dello	nello	sullo	
l'	all'	dall'	dell'	nell'	sull'	
la	alla	dalla	della	nella	sulla	
i	ai	dai	dei	nei	sui	coi
gli	agli	dagli	degli	negli	sugli	
le	alle	dalle	delle	nelle	sulle	

Italian Grammar

The various forms of the definite article combine with the prepositions **a, da, di, in, su,** and **con** as shown above. Those forms not given for **con** exist, but are considered obsolete.

Examples:

del padre of the father	**dei padri** of the fathers
dalla madre from the mother	**dalle madri** from the mothers
nello sguardo in the glance	**negli sguardi** in the glances
sul libro in the book	**sui libri** in the books
nel paese in the village	**nei paesi** in the villages
col ragazzo with the boy	**coi ragazzi** with the boys

In Italian, the combined prepositions formed with **di** are often used to indicate the partitive quality of the following noun. In English translation, this same idea is usually rendered by the words *some* or *any*.

Examples:

dei libri some books	**dell'antipasto** some hors d'oeuvres
del denaro some money	**degli sbagli** some mistakes
dello zucchero some sugar	**della frutta** some fruit

PRONOUNS

1 The Subject Pronouns

	Singular		Plural
I	**io**	we	**noi**
you *(familiar)*	**tu**	you *(familiar)*	**voi**
he	**lui, egli**	they *(m)*	**loro, essi**
she	**lei, ella**	they *(f)*	**loro, esse**
you *(formal)*	**Lei**	you *(formal)*	**Loro**

The subject pronouns are used much less than in English, since the verb ending is usually enough to clarify the subject. They are used when stress on the subject is indicated. The forms **egli, ella, essi,** and **esse** are literary. In conversation the alternatives are always used.

Examples:

Io dico che non è vero!	I say it isn't so!
Ci sono andato io, non lui	I'm the one who's been there, not he.
Noi americani viaggiamo assai.	We Americans travel quite a bit.
Lei è molto gentile.	You're very kind.

20

2 The Object Pronouns

	Singular					Plural		
	direct	indirect	preposition			direct	indirect	preposition
me	mi	mi (me)	me	us		ci	ci (ce)	noi
you (fam)	ti	ti (te)	te	you (fam)		vi	vi (ve)	voi
him, it (m)	lo	gli (glie)	lui	them (m)		li	loro	loro
her, it (f)	la	le (glie)	lei	them (f)		le	loro	loro
you (for m)	La	Le (Glie)	Lei	you (for m)		Li	Loro	Loro
you (for f)	La	Le (Glie)	Lei	you (for f)		Le	Loro	Loro

The pronouns precede all indicative and subjunctive forms of the verb and all formal commands (those using **Lei** or **Loro**). They follow and are attached to the present participle, the infinitive, and all familiar commands. (However, the pronouns may also *precede* negative familiar commands, at the speaker's option.) The forms **loro** and **Loro** are exceptions to the foregoing: they always follow *all* forms of the verb and are never attached to them. The indirect object pronouns precede the direct when used in combination. When pronouns are attached, the final **e** of the infinitive is dropped.

Examples:

Mi scrive ogni settimana.	He writes me every week.
Ti dico la verità.	I'm telling you *(fam)* the truth.
Non posso dirti il perchè.	I can't tell you the reason.
Mi dica subito.	Tell me at once. *(for)*
Dimmi pure.	Go right ahead and tell me. *(fam)*
Ci ha visto ieri sera.	He saw us yesterday evening.
È stato fatto per noi.	It was done for us.
Sono andato da lei.	I went over to her place.
Non la vedo più.	I don't see her any longer.
Non La vedo quasi mai.	I almost never see you *(for)*.
Manderò loro il libro stasera.	I'll send them the book tonight.
Scriverò Loro una lettera subito.	I'll write you *(for)* at once.
Non farlo adesso.	Don't do it now. *(fam)*
Non la scrivere adesso.	Don't write it now. *(fam)*
Faccia pure.	Go right ahead and do it. *(for)*
Non lo faccia oggi.	Don't do it today.
Non posso descriverlo.	I can't describe it.

The indirect forms **mi, ti, ci,** and **vi** change to **me, te, ce,** and **ve,** respectively, when used in combination with other pronouns. The indirect forms **gli** and **le** change to **glie** when combined with other pronouns and are fused with them. The indirect form **Le** changes to **Glie** when combined with other pronouns and also fuses with them.

Examples:

Adesso Glielo faccio io.	I'll do it for you this time. (*for*)
Non posso dirtelo.	I can't tell it to you. (*fam*)
Me lo racconti dopo.	Tell me about it later. (*for*)
Te l'ho detto tante volte.	I've told you about it so many times.
Ce lo dirai tu.	You'll tell us about it.
Non posso spiegarglielo.	I can't explain it to him.

The prepositional forms of the pronoun are often used as substitutes for the direct and indirect forms, whenever the speaker wishes to stress or emphasize the pronoun. In such cases, the prepositional forms normally follow the verb.

Examples:

Ho visto lui, non lei.	I saw *him*, not *her*.
Riguarda noi, non te.	It's *our* concern, not *yours*.
Scrive a noi, non a te.	He's writing *us*, not *you*.

ADVERBS

Most adverbs are derived from the corresponding adjective by adding the suffix **-mente** to the feminine form of the adjective.

Examples:

Adjective	*Adverb*
rapido quick	**rapidamente** quickly
garbato polite	**garbatamente** politely

In the case of invariable adjectives ending in **e**, the **e** is dropped before adding **-mente** in adjectives ending in **-le** or **-re** preceded by a vowel. Otherwise, **-mente** is added *without* dropping the final **e**.

Examples:

Adjective	*Adverb*
generale general	**generalmente** generally
cortese courteous	**cortesemente** courteously

NEGATION

Italian does not make use of any auxiliary verb, such as the English *do*, to form negative statements. The adverb **non** is regularly placed before the conjugated verb to convey the negative idea. The double negative is common when the negative adjective or pronoun follows the verb. If they precede, the adverb **non** is no longer used.

Examples:

Mi dispiace, ma non so dirtelo.	I'm sorry, but I can't tell you.
Non è partito ancora.	He hasn't left yet.
Nessuno lo sa.	No one knows.
Non ha scritto a nessuno.	He has written no one.
Non vedo nessuno.	I don't see anyone.

QUESTIONS

As in the case of negative statements, there is no Italian form which corresponds to the English auxiliary *do*. Questions are regularly formed by the inversion of subject and verb, as in English questions formed with the verb *to be*.

Examples:

È italiano Lei?	Are you Italian?
Gliel'ha detto lui?	Did he tell him?
È tornata la sua sorella?	Has his sister returned?

CONJUGATION OF VERBS

1 Regular Verbs

All regular verbs entered in the dictionary conform to one of the following basic patterns.

In the regular conjugations below, the verb forms are given in the following order: first, second, and third person singular; followed by first, second, and third person plural.

–ARE VERBS *Example:* **amare** (â·mâ′rā) to love

PRESENT PARTICIPLE **amando** (â·mân′dō)
PAST PARTICIPLE **amato** (â·mâ′tō)
PRESENT **amo** (â′mō), **ami** (â′mē), **ama** (â′mâ), **amiamo** (â·myâ′mō), **amate** (â·mâ′tā), **amano** (â′mâ·nō)
FUTURE **amerò** (â·mā·rō′), **amerai** (â·mā·râ′ē), **amerà** (â·mā·râ′), **ameremo** (â·mā·rā′mō), **amerete** (â·mā·rā′tā), **ameranno** (â·mā·rân′nō)
CONDITIONAL **amerei** (â·mā·rā′ē), **ameresti** (â·mā·rā′stē), **amerebbe** (â·mā·rāb′bā), **ameremmo** (â·mā·rām′mō), **amereste** (â·mā·rā′stā), **amerebbero** (â·mā·reb′bā·rō)
PRESENT SUBJUNCTIVE **ami** (â′mē), **ami** (â′mē), **ami** (â′mē), **amiamo** (â·myâ′mō), **amiate** (â·myâ′tā), **amino** (â′mē·nō)
IMPERFECT **amavo** (â·mâ′vō), **amavi** (â·mâ′vē), **amava** (â·mâ′vâ), **amavamo** (â·mâ·vâ′mō), **amavate** (â·mâ·vâ′tā), **amavano** (â·mâ′vâ·nō)
PAST DEFINITE **amai** (â·mâ′ē), **amasti** (â·mâ′stē), **amò** (â·mō′), **amammo** (â·mâm′mō), **amaste** (â·mâ′stā), **amarono** (â·mâ′rō·nō)
PAST SUBJUNCTIVE **amassi** (â·mâs′sē), **amassi** (â·mâs′sē), **amasse** (â·mâs′sā), **amassimo** (â·mâs′sē·mō), **amaste** (â·mâ′stā), **amassero** (â·mâs′sā·rō)

–ERE VERBS *Example:* **credere** (kre′dā·rā) to believe

PRESENT PARTICIPLE **credendo** (krā·dān′dō)
PAST PARTICIPLE **creduto** (krā·dū′tō)
PRESENT **credo** (krā′dō), **credi** (krā′dē), **crede** (krā′dā), **crediamo** (krā·dyâ′mō), **credete** (krā·dā′tā), **credono** (kre′dō·nō)
FUTURE **crederò** (krā·dā·rō′), **crederai** (krā·dā·râ′ē), **crederà** (krā·dā·râ′), **crederemo** (krā·dā·rā′mō), **crederete** (krā·dā·rā′tā), **crederanno** (krā·dā·rân′nō)
CONDITIONAL **crederei** (krā·dā·rā′ē), **crederesti** (krā·dā·rā′stē), **crederebbe** (krā·dā·rāb′bā), **crederemmo** (krā·dā·rām′mō), **credereste** (krā·dā·rā′stā), **crederebbero** (krā·dā·reb′bā·rō)
PRESENT SUBJUNCTIVE **creda** (krā′dâ), **creda** (krā′dâ), **creda** (krā′dâ), **crediamo** (krā·dyâ′mō), **crediate** (krā·dyâ′tā), **credano** (kre′dâ·nō)
IMPEFECT **credevo** (krā·dā′vō), **credevi** (krā·dā′vē), **credeva** (krā·dā′vâ), **credevamo** (krā·dā·vâ′mō), **credevate** (krā·dā·vâ′tā), **credevano** (krā·de′vâ·nō)
PAST DEFINITE **credei** (krā·dā′ē), **credesti** (krā·dā′stē), **credè** (krā·dā′), **credemmo** (krā·dām′mō), **credeste** (krā·dā′stā), **crederono** (krā·de′rō·nō)
PAST SUBJUNCTIVE **credessi** (krā·dās′sē), **credessi** (krā·dās′sē), **credesse** (krā·dās′sā), **credessimo** (krā·des′sē·mō), **credeste** (krā·dā′stā), **credessero** (krā·des′sā·rō)

Conjugation of Verbs

–IRE VERBS (ISC) *Example:* **capire** (kâ·pē'rā) to understand

PRESENT PARTICIPLE **capendo** (kâ·pän'dō)
PAST PARTICIPLE **capito** (kâ·pē'tō)
PRESENT **capisco** (kâ·pē'skō), **capisci** (kâ·pē'shē), **capisce** (kâ·pē'shā), **capiamo** (kâ·pyâ'mō), **capite** (kâ·pē'tā), **capiscono** (kâ·pē'skō·nō)
FUTURE **capirò** (kâ·pē·rō'), **capirai** (kâ·pē·râ'ē), **capirà** (kâ.pē·râ'), **capiremo** (kâ·pē·rā'mō), **capirete** (kâ·pē·rā'tā), **capiranno** (kâ·pē·rân'nō)
CONDITIONAL **capirei** (kâ·pē·rā'ē), **capiresti** (kâ·pē·rā'stē), **capirebbe** (kâ·pē·rāb'bā), **capiremmo** (kâ·pē·rām'mō), **capireste** (kâ·pē·rā'stā), **capirebbero** (kâ·pē·reb'bā·rō)
PRESENT SUBJUNCTIVE **capisca** ((kâ·pē'skâ), **capisca** (kâ·pē'skâ), **capisca** (kâ·pē'skâ), **capiamo** (kâ·pyâ'mō), **capiate** (kâ·pyâ'tā), **capiscano** (kâ·pē'skâ·nō)
IMPERFECT **capivo** (kâ·pē'vō), **capivi** (kâ·pē'vē), **capiva** (kâ·pē'vâ), **capivamo** (kâ·pē·rā'mō), **capirete** (kâ·pē·rā'tā), **capiranno** (kâ·pē·rân'nō)
PAST DEFINITE **capii** (kâ·pē'ē), **capisti** (kâ·pē'stē), **capì** (kâ·pē'), **capimmo** (kâ·pēm'mō), **capiste** (kâ·pē'stā), **capirono** (kâ·pē'rō·nō)
PAST SUBJUNCTIVE **capissi** (kâ·pēs'sē), **capissi** (kâ·pēs'sē), **capisse** (kâ·pēs'sā), **capissimo** (kâ·pēs'sē·mō), **capiste** (kâ·pē'stā), **capissero** (kâ·pēs'sā·rō)

–IRE VERBS *Example:* **dormire** (dōr·mē'rā) to sleep

PRESENT PARTICIPLE **dormendo** (dōr·män'dō)
PAST PARTICIPLE **dormito** (dōr·mē'tō)
PRESENT **dormo** (dōr'mō), **dormi** (dōr'mē), **dorme** (dōr'mā), **dormiamo** (dōr·myâ'mō), **dormite** (dōr·mē'tā), **dormono** (dōr'mō·nō)
FUTURE **dormirò** (dōr·mē·rō'), **dormirai** (dōr·mē·râ'ē), **dormirà** (dōr·mē·râ'), **dormiremo** (dōr·mē·rā'mō), **dormirete** (dōr·mē.rā'tā), **dormiranno** (dōr·mē·rân'nō)
CONDITIONAL **dormirei** (dōr·mē·rā'ē), **dormiresti** (dōr·mē·rā'stē), **dormirebbe** (dōr·mē·rāb'bā), **dormiremmo** (dōr·mē·rām'mō), **dormireste** (dōr·mē·rā'stā), **dormirebbero** (dōr·mē·reb'bā·rō)
PRESENT SUBJUNCTIVE **dorma** (dōr'mâ), **dorma** (dōr'mâ), **dorma** (dōr'mâ), **dormiamo** (dōr·myâ'mō), **dormiate** (dōr·myâ'tā), **dormano** (dôr'mâ·nō)
IMPERFECT **dormivo** (dōr·mē'vō), **dormivi** (dōr·mē'vē), **dormiva** (dōr·mē'vâ), **dormivamo** (dōr·mē·vâ'mō), **dormivate** (dōr·mē·vâ'tā), **dormivano** (dōr·mē'vâ·nō)
PAST DEFINITE **dormii** (dōr·mē'ē), **dormisti** (dōr·mē'stē), **dormì** (dōr·mē'), **dormimmo** (dōr·mēm'mō), **dormiste** (dōr·mē'stā), **dormirono** (dōr·mē'rō·nō)
PAST SUBJUNCTIVE **dormissi** (dōr·mēs'sē), **dormissi** (dōr·mēs'sē), **dormisse** (dōr·mēs'sā), **dormissimo** (dōr·mēs'sē·mō), **dormiste** (dōr·mē'stā), **dormissero** (dōr·mēs'sā·rō)

VERB USAGE

The present tense in Italian is sometimes used in cases where the future is called for in English, when the future is immediate.

Examples:

Vado subito.	I'll go at once.
Partiamo stasera.	We'll leave this evening.

24

The imperfect tense is used in Italian instead of the past definite or the compound past when repeated or habitual action is implied in the past. The modal *used to* is often used in English to convey the same idea. The imperfect is also used when indefinite time is implied in the past.

Examples:

Andavo alla spiaggia ogni fine di settimana.	I used to go to the beach every weekend.
Andavamo in città ogni domenica.	We went to town every Sunday.
Eravamo lì nel pomeriggio.	We were there in the afternoon.

The compound past **(passato prossimo)** or present perfect, is used for a single action in the past, or when definite time limits are indicated.

Examples:

Sono andati a Fiesole ieri sera.	They went to Fiesole last night.
Siamo rimasti a Volterra per tre giorni.	We stayed in Volterra for three days.

The past definite is also used for a single action in the past, or when definite time limits are indicated. It is a more formal tense and is found in writing more often than conversation. It is also used in combination with the compound past to clarify the time element of actions in the past.

Examples:

Dante scrisse la Divina Commedia, capolavoro del medioevo italiano.	Dante wrote *The Divine Comedy,* a masterpiece of the Italian Middle Ages.
Le ho dato il libro che comprai l'altro ieri.	I gave her the book that I bought the day before yesterday.

2 Auxiliary Verbs avere and essere

As in English, the verb **avere** *(to have)* is used to form the compound tenses, *but not exclusively*. Many verbs of motion, all reflexive and reciprocal verb forms, verbs that imply change in condition, and verbs in the passive voice are conjugated with the verb **essere** *(to be)*. The Italian equivalent of our present perfect, using the auxiliary in the present tense with the past participle, is often used with the idea of the simple past in English. The past participle always agrees with the subject when the verb **essere** is used; it never does when **avere** is used.

Examples:

L'ho fatto io ieri l'altro.	I did it the day before yesterday.
La mia sorella non è ancora partita.	My sister hasn't left yet.
La lettera è stata scritta da me.	The letter was written by me.

Conjugation of Verbs

È stato visto dappertutto.	He has been seen everywhere.
Si è fatta male.	She hurt herself.
Si sono parlati per mezz'ora.	They talked to one another for a half-hour.
Ci siamo visti in città.	We saw each other in town.
Non ho mai sentito una cosa simile.	I've never heard anything like that before.

In the conjugations below, the verb forms are given in the following order: first, second, and third person singular; followed by first, second, and third person plural.

avere (â·vā′rā) to have
PRESENT PARTICIPLE **avendo** (â·vān′dō)
PAST PARTICIPLE **avuto** (â·vū′tō)
PRESENT **ho** (ō), **hai** (â′ē), **ha** (â), **abbiamo** (âb·byâ′mō), **avete** (â·vā′tā), **hanno** (ân′nō)
FUTURE **avrò** (â·vrō′), **avrai** (â·vrâ′ē), **avrà** (â·vrâ′), **avremo** (â·vrā′mō), **avrete** (â·vrā′tā), **avranno** (â·vrân′nō)
CONDITIONAL **avrei** (â·vrā′ē), **avresti** (â·vrā′stē), **avrebbe** (â·vrāb′bā), **avremmo** (â·vrām′mō), **avreste** (â·vrā′stā), **avrebbero** (â·vreb′bā·rō)
PRESENT SUBJUNCTIVE **abbia** (âb′byâ), **abbia** (âb′byâ), **abbia** (âb′byâ), **abbiamo** (âb·byâ′mō), **abbiate** (âb·byâ′tā), **abbiano** (âb·byâ′nō)
IMPERFECT **avevo** (â·vā′vō), **avevi** (â·vā′vē), **aveva** (â·vā′vâ), **avevamo** (â·vā·vâ′mō), **avevate** (â·vā·vâ′tā), **avevano** (â·ve′vâ·nō)
PAST DEFINITE **ebbi** (āb′bē), **avesti** (â·vā′stē), **ebbe** (āb′bā), **avemmo** (â·vām′mō), **aveste** (â·vā′stā), **ebbero** (eb′bā·rō)
PAST SUBJUNCTIVE **avessi** (â·vās′sē), **avessi** (â·vās′sē), **avesse** (â·vās′sā), **avessimo** (â·ves′sē·mō), **aveste** (â·vā′stā), **avessero** (â·ves′sā·rō)

essere (es′sā·rā) to be
PRESENT PARTICIPLE **essendo** (ās·sān′dō)
PAST PARTICIPLE **stato** (stâ′tō)
PRESENT **sono** (sō′nō), **sei** (sā′ē), **è** (ā), **siamo** (syâ′mō), **siete** (syā′tā), **sono** (sō′nō)
FUTURE **sarò** (sâ·rō′), **sarai** (sâ·râ′ē), **sarà** (sâ·râ′), **saremo** (sâ·rā′mō), **sarete** (sâ·rā′tā), **saranno** (sâ·rân′nō)
CONDITIONAL **sarei** (sâ·rā′ē), **saresti** (sâ·rā′stē), **sarebbe** (sâ·râb′bā), **saremmo** (sâ·rām′mō), **sareste** (sâ·rā′stā), **sarebbero** (sâ·reb′bā·rō)
PRESENT SUBJUNCTIVE **sia** (sē′â), **sia** (sē′â), **sia** (sē′â), **siamo** (syâ′mō), **siate** (syâ′tā), **siano** (sē′â·nō)
IMPERFECT **ero** (ā′rō), **eri** (ā′rē), **era** (ā′râ), **eravamo** (ā·râ·vâ′mō), **eravate** (ā·râ·vâ′tā), **erano** (e′râ·nō)
PAST DEFINITE **fui** (fū′ē), **fosti** (fō′stē), **fu** (fū), **fummo** (fūm′mō), **foste** (fō′stā), **furono** (fū′rō·nō)
PAST SUBJUNCTIVE **fossi** (fōs′sē), **fossi** (fōs′sē), **fosse** (fōs′sā), **fossimo** (fôs′sē·mō), **foste** (fō′stā), **fossero** (fôs′sā·rō)

26

3 Irregular Verbs

The following list contains all the irregular verbs entered in this dictionary. For those verbs whose conjugation is identical to a root verb, the user is referred to that verb (for example, **rimettere** see **mettere**).

In the conjugations offered below, only those tenses containing one or more irregular forms are given. Other tenses are formed on the model of the regular verbs given previously.

The present subjunctive is not given when the regular subjunctive endings are used with the stem of the first person singular of the present indicative (for example, **dica, dica, dica, diciamo, diciate, dicano** from **dico**).

It will be noted that many of the verbs given below show an irregularity only in the past participle and in the past definite. As stated previously, the past participle always agrees with the subject when the verb **essere** is used, and never does so with forms of the verb **avere**. However, when the verb **avere** is employed, the past participle *always* agrees with third-person direct object pronouns, singular or plural. The past participle may or may not agree in gender and number with first- and second-person direct object pronouns, noun objects, or preceding relative pronouns, at the speaker's option.

Space does not permit including the pronunciation of inflected forms of irregular verbs. But comparison with the pronunciations already given for the inflected forms of regular verbs plus the rules of pronunciation set forth on pages 10-14, should enable the reader to supply his own pronunciation for the words listed here.

The verb forms are given in the following order: first, second, and third person singular; followed by first, second, and third person plural.

accadere to happen, see **cadere**
accendere to ignite
  PAST PARTICIPLE **acceso**
  PAST DEFINITE **accesi, accendesti, accese, accendemmo, accendeste, accesero**
accludere to enclose
  PAST PARTICIPLE **accluso**
  PAST DEFINITE **acclusi, accludesti, accluse, accludemmo, accludeste, acclusero**
accogliere to receive, see **cogliere**
accorgersi to perceive
  PAST PARTICIPLE **accorto**
  PAST DEFINITE **accorsi, accorgesti, accorse, accorgemmo, accorgeste, accorsero**
accorrere to run up, see **correre**
addurre to allege
  PRESENT PARTICIPLE **adducendo**
  PAST PARTICIPLE **addotto**
  PRESENT **adduco, adduci, adduce, adduciamo, adducete, adducono**
  IMPERFECT **adducevo, adducevi, adduceva, adducevamo, adducevate, adducevano**
  PAST DEFINITE **addussi, adducesti, addusse, adducemmo, adduceste, addussero**

  PAST SUBJUNCTIVE **adducessi, adducessi, adducesse, adducessimo, adduceste, adducessero**
adempiere to fulfill, see **compiere**
affliggere to afflict
  PAST PARTICIPLE **afflitto**
  PAST DEFINITE **afflissi, affliggesti, afflisse, affliggemmo, affliggeste, afflissero**
aggiungere to add, see **giungere**
ammettere to admit, see **mettere**
andare to go
  PRESENT **vado, vai, va, andiamo, andate, vanno**
  FUTURE **andrò, andrai, andrà, andremo, andrete, andranno**
  CONDITIONAL **andrei, andresti, andrebbe, andremmo, andreste, andrebbero**
  PRESENT SUBJUNCTIVE **vada, vada, vada, andiamo, andiate, vadano**
apparire to appear
  PAST PARTICIPLE **apparso**
  PRESENT **appaio, appari, appare, appariamo, apparite, appaiono**
  PAST DEFINITE **apparsi, apparisti, apparse, apparimmo, appariste, apparsero**
appartenere to belong, see **tenere**
appendere to hang up, see **pendere**
apprendere to learn, see **prendere**

Conjugation of Verbs

aprire to open
  PAST PARTICIPLE **aperto**
  PAST DEFINITE **apersi, apristi, aperse, aprimmo, apriste, apersero**
ardere to burn
  PAST PARTICIPLE **arso**
  PAST DEFINITE **arsi, ardesti, arse, ardemmo, ardeste, arsero**
arrendersi to surrender, see **rendere**
ascendere to ascend, see **scendere**
ascrivere to ascribe, see **scrivere**
assistere to attend
  PAST PARTICIPLE **assistito**
assolvere to absolve, see **solvere**
assumere to assume
  PAST PARTICIPLE **assunto**
  PAST DEFINITE **assunsi, assumesti, assunse, assumemmo, assumeste, assunsero**
astrarre to abstract, see **trarre**
attendere to wait for, see **tendere**
attenere to maintain, see **tenere**
attingere to reach, see **tingere**
attrarre to attract, see **trarre**
avvenire to happen, see **venire**
avvincere to bind, see **vincere**
avvolgere to roll up, see **volgere**

benedire to bless, see **dire**
benvolere to like, see **volere**
bere to drink
  PRESENT PARTICIPLE **bevendo**
  PAST PARTICIPLE **bevuto**
  PRESENT **bevo, bevi, beve, beviamo, bevete, bevono**
  FUTURE **berrò, berrai, berrà, berremo, berrete, berranno**
  CONDITIONAL **berrei, berresti, berrebbe, berremmo, berreste, berrebero**
  IMPERFECT **bevevo, bevevi, beveva, bevevamo, bevevate, bevevano**
  PAST DEFINITE **bevvi, bevesti, bevve, bevemmo, beveste, bevvero**
  PAST SUBJUNCTIVE **bevessi, bevessi, bevesse, bevessimo, beveste, bevessero**

cadere to fall
  FUTURE **cadrò, cadrai, cadrà, cadremo, cadrete, cadranno**
  CONDITIONAL **cadrei, cadresti, cadrebbe, cadremmo, cadreste, cadrebbero**
  PAST DEFINITE **caddi, cadesti, cadde, cademmo, cadeste, caddero**
capovolgere to upset, see **volgere**
chiedere to request
  PAST PARTICIPLE **chiesto**

PAST DEFINITE **chiesi, chiedesti, chiese, chiedemmo, chiedeste, chiesero**
chiudere to close
  PAST PARTICIPLE **chiuso**
  PAST DEFINITE **chiusi, chiudesti, chiuse, chiudemmo, chiudeste, chiusero**
cingere to encircle
  PAST PARTICIPLE **cinto**
  PAST DEFINITE **cinsi, cingesti, cinse, cingemmo, cingeste, cinsero**
circoncidere to circumcise, see **decidere**
circonvenire to circumvent, see **venire**
cogliere to gather
  PAST PARTICIPLE **colto**
  PRESENT **colgo, cogli, coglie, cogliamo, cogliete, colgono**
  PAST DEFINITE **colsi, cogliesti, colse, cogliemmo, coglieste, colsero**
coinvolgere to involve, see **volgere**
commuovere to move, see **muovere**
comparire to appear, see **apparire**
compiangere to regret, see **piangere**
compiere or **compire** to accomplish
  PRESENT PARTICIPLE **compiendo**
  PAST PARTICIPLE **compiuto** or **compito**
  PRESENT **compio, compi, compie, compiamo, compite, compiono**
  FUTURE **compirò, compirai, compirà, compiremo, compirete, compiranno**
  CONDITIONAL **compirei, compiresti, compirebbe, compiremmo, compireste, compirebbero**
  PRESENT SUBJUNCTIVE **compia, compia, compia, compiamo, compiate, compiano**
  IMPERFECT **compivo, compivi, compiva, compivamo, compivate, compivano**
  PAST DEFINITE **compii, compisti, compì, compimmo, compiste, compirono**
  PAST SUBJUNCTIVE **compissi, compissi, compisse, compissimo, compiste, compissero**
comporre to compose, see **porre**
comprendere to understand, see **prendere**
comprimere to squeeze
  PAST PARTICIPLE **compresso**
  PAST DEFINITE **compressi, comprimesti, compresse, comprimemmo, comprimeste, compressero**
compromettere to risk, see **mettere**
concludere to conclude, see **accludere**
concorrere to compete, see **correre**
condividere to share in, see **dividere**
condolersi to sympathize, see **dolere**
condurre to conduct, see **addurre**
confarsi to suit, see **fare**
confondere to confuse, see **fondere**

congiungere to connect, see **giungere**

connettere to connect
PAST PARTICIPLE **connesso**
PAST DEFINITE **connessi, connettesti, connesse, connettemmo, connetteste, connessero**

conoscere to know
PAST DEFINITE **conobbi, conoscesti, conobbe, conoscemmo, conosceste, conobbero**

consistere to consist
PAST PARTICIPLE **consistito**

contendere to contest, see **tendere**

contenere to contain, see **tenere**

contorcere to contort, see **torcere**

contraddire to contradict, see **dire**

contraffare to counterfeit, see **fare**

contrarre to contract, see **trarre**

convergere to converge
PAST PARTICIPLE **converso**
PAST DEFINITE **conversi, convergesti, converse, convergemmo, convergeste, conversero**

convincere to convince, see **vincere**

convivere to cohabit, see **vivere**

coprire to cover
PAST PARTICIPLE **coperto**

correre to run
PAST PARTICIPLE **corso**
PAST DEFINITE **corsi, corresti, corse, corremmo, correste, corsero**

corrispondere to correspond, see **rispondere**

corrodere to corrode, see **rodere**

corrompere to corrupt, see **rompere**

cospargere to sprinkle, see **spargere**

crescere to grow
PAST DEFINITE **crebbi, crescesti, crebbe, crescemmo, cresceste, crebbero**

crocifiggere to crucify, see **figgere**

cuocere to cook
PRESENT PARTICIPLE **cocendo**
PAST PARTICIPLE **cotto**
PRESENT **cuocio, cuoci, cuoce, cociamo, cocete, cuociono**
FUTURE **cocerò, cocerai, cocerà, coceremo, cocerete, coceranno**
CONDITIONAL **cocerei, coceresti, cocerebbe, coceremmo, cocereste, cocerebbero**
PRESENT SUBJUNCTIVE **cuocia, cuocia, cuocia, cociamo, cociate, cuociano**
IMPERFECT **cocevo, cocevi, coceva, cocevamo, cocevate, cocevano**
PAST DEFINITE **cossi, cocesti, cosse, cocemmo, coceste, cossero**
PAST SUBJUNCTIVE **cocessi, cocessi, cocesse, cocessimo, coceste, cocessero**

dare to give
PRESENT **do, dai, dà, diamo, date, danno**
FUTURE **darò, darai, darà, daremo, darete, daranno**
CONDITIONAL **darei, daresti, darebbe, daremmo, dareste, darebbero**
PRESENT SUBJUNCTIVE **dia, dia, dia, diamo, diate, diano**
PAST DEFINITE **diedi, desti, diede, demmo, deste, diedero**
PAST SUBJUNCTIVE **dessi, dessi, desse, dessimo, deste, dessero**

decadere to decay, see **cadere**

decidere to decide
PAST PARTICIPLE **deciso**
PAST DEFINITE **decisi, decidesti, decise, decidemmo, decideste, decisero**

decomporre to decompose, see **porre**

decorrere to elapse, see **correre**

decrescere to decrease, see **crescere**

dedurre to deduce, see **addurre**

deflettere to deflect
PAST PARTICIPLE **deflesso**
PAST DEFINITE **deflessi, deflettesti, deflesse, deflettemmo, defletteste, deflessero**

deludere to delude
PAST PARTICIPLE **deluso**
PAST DEFINITE **delusi, deludesti, deluse, deludemmo, deludeste, delusero**

deporre to deposit, see **porre**

descrivere to describe, see **scrivere**

desistere to desist, see **esistere**

desumere to infer, see **assumere**

detenere to detain, see **tenere**

detrarre to detract, see **trarre**

devolvere to devolve, see **volvere**

difendere to defend
PAST PARTICIPLE **difeso**
PAST DEFINITE **difesi, difendesti, difese, difendemmo, difendeste, difesero**

dimettere to dismiss, see **mettere**

dipendere to depend, see **pendere**

dipingere to paint
PAST PARTICIPLE **dipinto**
PAST DEFINITE **dipinsi, dipingesti, dipinse, dipingemmo, dipingeste, dipinsero**

dire to say
PRESENT PARTICIPLE **dicendo**
PAST PARTICIPLE **detto**
PRESENT **dico, dici, dice, diciamo, dite, dicono**
IMPERFECT **dicevo, dicevi, diceva, dicevamo, dicevate, dicevano**

Conjugation of Verbs

PAST DEFINITE **dissi, dicesti, disse, dicemmo, diceste, dissero**
PAST SUBJUNCTIVE **dicessi, dicessi, dicesse, dicessimo, diceste, dicessero**
dirigere to direct
PAST PARTICIPLE **diretto**
PAST DEFINITE **diressi, dirigesti, diresse, dirigemmo, dirigeste, diressero**
dischiudere to disclose, see **chiudere**
disciogliere to untie, see **sciogliere**
disconoscere to ignore, see **conoscere**
discorrere to discourse, see **correre**
discutere to discuss
PAST PARTICIPLE **discusso**
PAST DEFINITE **discussi, discutesti, discusse, discutemmo, discuteste, discussero**
disdire to deny, see **dire**
disfare to undo, see **fare**
disgiungere to detach, see **giungere**
disperdere to disperse, see **perdere**
dispiacere to displease, see **piacere**
disporre to dispose, see **porre**
dissolvere to dissolve, see **solvere**
dissuadere to dissuade
PAST PARTICIPLE **dissuaso**
PAST DEFINITE **dissuasi, dissuadesti, dissuase, dissuademmo, dissuadeste, dissuasero**
distendere to stretch, see **tendere**
distinguere to distinguish
PAST PARTICIPLE **distinto**
PAST DEFINITE **distinsi, distinguesti, distinse, distinguemmo, distingueste, distinsero**
distogliere to divert, see **togliere**
distrarre to distract, see **trarre**
distruggere to destroy
PAST PARTICIPLE **distrutto**
PAST DEFINITE **distrussi, distruggesti, distrusse, distruggemmo, distruggeste, distrussero**
divellere to uproot
PAST PARTICIPLE **divelso**
PAST DEFINITE **divelsi, divellesti, divelse, divellemmo, divelleste, divelsero**
divenire to become, see **venire**
dividere to divide
PAST PARTICIPLE **diviso**
PAST DEFINITE **divisi, dividesti, divise, dividemmo, divideste, divisero**
dolere to pain
PRESENT **dolgo, duoli, duole, dogliamo, dolete, dolgono**
FUTURE **dorrò, dorrai, dorrà, dorremo, dorrete, dorrano**

CONDITIONAL **dorrei, dorresti, dorrebbe, dorremmo, dorreste, dorrebbero**
PRESENT SUBJUNCTIVE **dolga, dolga, dolga, dogliamo, dogliate, dolgano**
PAST DEFINITE **dolsi, dolesti, dolse, dolemmo, doleste, dolsero**
dovere to owe
PRESENT **devo, devi, deve, dobbiamo, dovete, devono**
FUTURE **dovrò, dovrai, dovrà, dovremo, dovrete, dovranno**
CONDITIONAL **dovrei, dovresti, dovrebbe, dovremmo, dovreste, dovrebbero**
PRESENT SUBJUNCTIVE **deva, deva, deva, dobbiamo, dobbiate, devano**

eccellere to excel
PAST PARTICIPLE **eccelso**
PAST DEFINITE **eccelsi, eccellesti, eccelse, eccellemmo, eccelleste, eccelsero**
eleggere to elect
PAST PARTICIPLE **eletto**
PAST DEFINITE **elessi, eleggesti, elesse, eleggemmo, eleggeste, elessero**
elidere to elide
PAST PARTICIPLE **eliso**
PAST DEFINITE **elisi, elidesti, elise, elidemmo, elideste, elisero**
eludere to elude, see **deludere**
emergere to emerge
PAST PARTICIPLE **emerso**
PAST DEFINITE **emersi, emergesti, emerse, emergemmo, emergeste, emersero**
emettere to emit, see **mettere**
empire to fill
PRESENT PARTICIPLE **empiendo**
PRESENT **empio, empi, empie, empiamo, empite, empiono**
PRESENT SUBJUNCTIVE **empia, empia, empia, empiamo, empiate, empiano**
erigere to erect
PAST PARTICIPLE **eretto**
PAST DEFINITE **eressi, erigesti, eresse, erigemmo, erigeste, eressero**
erompere to erupt, see **rompere**
escludere to exclude, see **accludere**
esigere to exact
PAST PARTICIPLE **esatto**
esistere to exist, see **assistere**
espandere to expand, see **spandere**
espellere to expel
PAST PARTICIPLE **espulso**
PAST DEFINITE **espulsi, espellesti, espulse, espellemmo, espelleste, espulsero**
esplodere to explode

PAST PARTICIPLE **esploso**
PAST DEFINITE **esplosi, esplodesti, esplose, esplodemmo, esplodeste, esplosero**
esporre to expose, see **porre**
esprimere to express, see **comprimere**
estendere to extend, see **tendere**
estinguere to extinguish, see **distinguere**
estollere to extol
PAST PARTICIPLE **estolto**
PAST DEFINITE **estolsi, estollesti, estolse, estollemmo, estolleste, estolsero**
estorcere to extort, see **torcere**
estrarre to extract, see **trarre**
estromettere to oust, see **mettere**
evadere to escape
PAST PARTICIPLE **evaso**
PAST DEFINITE **evasi, evadesti, evase, evademmo, evadeste, evasero**

fare to make
PRESENT PARTICIPLE **facendo**
PAST PARTICIPLE **fatto**
PRESENT **faccio, fai, fa, facciamo, fate, fanno**
FUTURE **farò, farai, farà, faremo, farete, faranno**
CONDITIONAL **farei, faresti, farebbe, faremmo, fareste, farebbero**
PRESENT SUBJUNCTIVE **faccia, faccia, faccia, facciamo, facciate, facciano**
IMPERFECT **facevo, facevi, faceva, facevamo, facevate, facevano**
PAST DEFINITE **feci, facesti, fece, facemmo, faceste, fecero**
PAST SUBJUNCTIVE **facessi, facessi, facesse, facessimo, faceste, facessero**
fendere to split
PAST PARTICIPLE **fesso**
figgere to fix
PAST PARTICIPLE **fitto**
PAST DEFINITE **fissi, figgesti, fisse, figgemmo, figgeste, fissero**
fingere to feign
PAST PARTICIPLE **finto**
PAST DEFINITE **finsi, fingesti, finse, fingemmo, fingeste, finsero**
flettere to flex
PAST PARTICIPLE **flesso**
PAST DEFINITE **flessi, flettesti, flesse, flettemmo, fletteste, flessero**
fondere to cast
PAST PARTICIPLE **fuso**
PAST DEFINITE **fusi, fondesti, fuse, fondemmo, fondeste, fusero**

fraintendere to misunderstand, see **tendere**
frangere to break
PAST PARTICIPLE **franto**
PAST DEFINITE **fransi, frangesti, franse, frangemmo, frangeste, fransero**
frapporre to insert, see **porre**
friggere to fry
PAST PARTICIPLE **fritto**
PAST DEFINITE **frissi, friggesti, frisse, friggemmo, friggeste, frissero**

genuflettersi to genuflect, see **flettere**
giacere to lie
PRESENT **giaccio, giaci, giace, giacciamo, giacete, giacciono**
PRESENT SUBJUNCTIVE **giaccia, giaccia, giaccia, giacciamo, giacciate, giacciano**
PAST DEFINITE **giacqui, giacesti, giacque, giacemmo, giaceste, giacquero**
giungere to arrive
PAST PARTICIPLE **giunto**
PAST DEFINITE **giunsi, giungesti, giunse, giungemmo, giungeste, giunsero**

illudere to deceive, see **deludere**
immergere to immerse, see **emergere**
immettere to infuse, see **mettere**
imporre to impose, see **porre**
imprimere to print, see **comprimere**
includere to include, see **accludere**
incorrere to incur, see **correre**
indire to notify, see **dire**
indisporre to upset, see **porre**
indulgere to gratify
PAST PARTICIPLE **indulto**
PAST DEFINITE **indulsi, indulgesti, indulse, indulgemmo, indulgeste, indulsero**
indurre to induce, see **addurre**
infliggere to inflict
PAST PARTICIPLE **inflitto**
PAST DEFINITE **inflissi, infliggesti, inflisse, infliggemmo, infliggeste, inflissero**
infondere to infuse, see **fondere**
inframmettere to interpose, see **mettere**
infrangere to violate, see **frangere**
ingiungere to enjoin, see **giungere**
insistere to insist
PAST PARTICIPLE **insistito**
intendere to intend, see **tendere**
intercorrere to elapse, see **correre**
interdire to forbid, see **dire**
interporre to interpose, see **porre**
interrompere to interrupt, see **rompere**

intervenire to intervene, see **venire**
intingere to dip, see **tingere**
intraprendere to undertake, see **prendere**
intrattenere to entertain, see **tenere**
introdurre to insert, see **addurre**
intromettersi to interfere, see **mettere**
invadere to invade, see **evadere**
involgere to involve, see **volgere**
irrompere to break out, see **rompere**
iscrivere to enroll, see **scrivere**

ledere to injure
   PAST PARTICIPLE **leso**
   PAST DEFINITE **lesi, ledesti, lese, ledemmo, ledeste, lesero**
leggere to read
   PAST PARTICIPLE **letto**
   PAST DEFINITE **lessi, leggesti, lesse, leggemmo, leggeste, lessero**

malintendere to misunderstand, see **tendere**
mantenere to maintain, see **tenere**
mettere to put
   PAST PARTICIPLE **messo**
   PAST DEFINITE **misi, mettesti, mise, mettemmo, metteste, misero**
mordere to bite
   PAST PARTICIPLE **morso**
   PAST DEFINITE **morsi, mordesti, morse, mordemmo, mordeste, morsero**
morire to die
   PAST PARTICIPLE **morto**
   PRESENT **muoio, muori, muore, moriamo, morite, muoiono**
   FUTURE **morrò, morrai, morrà, morremo, morrete, morranno**
   CONDITIONAL **morrei, morresti, morrebbe, morremmo, morreste, morrebbero**
   PRESENT SUBJUNCTIVE **muoia, muoia, muoia, moriamo, moriate, muoiano**
mungere to milk
   PAST PARTICIPLE **munto**
   PAST DEFINITE **munsi, mungesti, munse, mungemmo, mungeste, munsero**
muovere to move
   PAST PARTICIPLE **mosso**
   PAST DEFINITE **mossi, movesti, mosse, movemmo, moveste, mossero**

nascere to be born
   PAST PARTICIPLE **nato**
   PAST DEFINITE **nacqui, nascesti, nacque, nascemmo, nasceste, nacquero**
nascondere to hide
   PAST PARTICIPLE **nascosto**
   PAST DEFINITE **nascosi, nascondesti, nascose, nascondemmo, nascondeste, nascosero**
nuocere to harm
   PAST PARTICIPLE **nociuto**
   PRESENT **nuoccio, nuoci, nuoce, nociamo, nocete, nuocciono**
   PRESENT SUBJUNCTIVE **noccia, noccia, noccia, nociamo, nociate, nocciano**
   PAST DEFINITE **nocqui, nocesti, nocque, nocemmo, noceste, nocquero**

occorrere to be necessary, see **correre**
offendere to offend
   PAST PARTICIPLE **offeso**
   PAST DEFINITE **offesi, offendesti, offese, offendemmo, offendeste, offesero**
offrire to offer
   PAST PARTICIPLE **offerto**
omettere to omit, see **mettere**
opporre to oppose, see **porre**
opprimere to oppress, see **comprimere**
ottenere to obtain, see **tenere**

parere to appear
   PAST PARTICIPLE **parso**
   PRESENT **paio, pari, pare, pariamo, parete, paiono**
   FUTURE **parrò, parrai, parrà, parremo, parrete, parranno**
   CONDITIONAL **parrei, parresti, parrebbe, parremmo, parreste, parrebbero**
   PRESENT SUBJUNCTIVE **paia, paia, paia, pariamo, pariate, paiano**
   PAST DEFINITE **parvi, paresti, parve, parremmo, pareste, parvero**
pendere to hang
   PAST PARTICIPLE **peso**
   PAST DEFINITE **pesi, pendesti, pese, pendemmo, pendeste, pesero**
percorrere to travel across, see **correre**
percuotere to strike
   PRESENT PARTICIPLE **percotendo**
   PAST PARTICIPLE **percosso**
   PRESENT **percuoto, percuoti, percuote, percotiamo, percotete, percuotono**
   FUTURE **percoterò, percoterai, percoterà, percoteremo, percoterete, percoteranno**
   CONDITIONAL **percoterei, percoteresti, percoterebbe, percoteremmo, percote-**

reste, percoterebbero
PRESENT SUBJUNCTIVE percuota, percuota, percuota, percotiamo, percotiate, percuotano
IMPERFECT percotevo, percotevi, percoteva, percotevamo, percotevate, percotevano
PAST DEFINITE percossi, percotesti, percosse, percotemmo, percoteste, percossero
PAST SUBJUNCTIVE percotessi, percotessi, percotesse, percotessimo, percoteste, percotessero
perdere to lose
PAST PARTICIPLE perso
PAST DEFINITE persi, perdesti, perse, perdemmo, perdeste, persero
permanere to stay
PAST PARTICIPLE permaso
PRESENT permango, permani, permane, permaniamo, permanete, permangono
FUTURE permarrò, permarrai, permarrà, permarremo, permarrete, permarranno
CONDITIONAL permarrei, permarresti, permarrebbe, permarremmo, permarreste, permarrebbero
PRESENT SUBJUNCTIVE permanga, permanga, permanga, permaniamo, permaniate, permangano
PAST DEFINITE permasi, permanesti, permase, permanemmo, permaneste, permasero
permettere to permit, see mettere
persistere to persist
PAST PARTICIPLE persistito
persuadere to persuade
PAST PARTICIPLE persuaso
PAST DEFINITE persuasi, persuadesti, persuase, persuademmo, persuadeste, persuasero
pervenire to achieve, see venire
piacere to please
PRESENT piaccio, piaci, piace, piacciamo, piacete, piacciono
PRESENT SUBJUNCTIVE piaccia, piaccia, piaccia, piacciamo, piacciate, piacciano
PAST DEFINITE piacqui, piacesti, piacque, piacemmo, piaceste, piacquero
piangere to cry
PAST PARTICIPLE pianto
PAST DEFINITE piansi, piangesti, pianse, piangemmo, piangeste, piansero
piovere to rain
PAST DEFINITE piovvi, piovesti, piovve, piovemmo, pioveste, piovvero
porgere to hand over

PAST PARTICIPLE porto
PAST DEFINITE porsi, porgesti, porse, porgemmo, porgeste, porsero
porre to place
PRESENT PARTICIPLE ponendo
PAST PARTICIPLE posto
PRESENT pongo, poni, pone, poniamo, ponete, pongono
FUTURE porrò, porrai, porrà, porremo, porrete, porranno
CONDITIONAL porrei, porresti, porrebbe, porremmo, porreste, porrebbero
PRESENT SUBJUNCTIVE ponga, ponga, ponga, poniamo, poniate, pongano
IMPERFECT ponevo, ponevi, poneva, ponevamo, ponevate, ponevano
PAST DEFINITE posi, ponesti, pose, ponemmo, poneste, posero
PAST SUBJUNCTIVE ponessi, ponessi, ponesse, ponessimo, poneste, ponessero
posporre to postpone, see porre
possedere to own, see sedere
potere to be able
PRESENT posso, puoi, può, possiamo, potete, possono
FUTURE potrò, potrai, potrà, potremo, potrete, potranno
CONDITIONAL potrei, potresti, potrebbe, potremmo, potreste, potrebbero
predire to foretell, see dire
predisporre to predispose, see porre
prefiggere to prefix, see figgere
premettere to premise, see mettere
prendere to take
PAST PARTICIPLE preso
PAST DEFINITE presi, prendesti, prese, prendemmo, prendeste, presero
prescindere to disregard
PAST PARTICIPLE prescisso
PAST DEFINITE prescissi, prescindesti, prescisse, prescindemmo, prescindeste, prescissero
prescrivere to prescribe, see scrivere
presiedere to preside, see sedere
presumere to presume
PAST PARTICIPLE presunto
PAST DEFINITE presunsi, presumesti, presunse, presummemo, presumeste, presunsero
presupporre to imply, see porre
pretendere to claim, see tendere
prevalere to prevail, see valere
prevedere to foresee, see vedere
prevenire to warn, see venire
produrre to produce, see addurre
profondere to squander, see fondere

33

Conjugation of Verbs

promettere to promise, see **mettere**
promuovere to promote, see **muovere**
propendere to incline, see **pendere**
proporre to propose, see **porre**
prorompere to break out, see **rompere**
prosciogliere to free, see **sciogliere**
proscrivere to banish, see **scrivere**
proteggere to protect
  PAST PARTICIPLE **protetto**
  PAST DEFINITE **protessi, proteggesti, protesse, proteggemmo, proteggeste, protessero**
protrarre to prolong, see **trarre**
povenire to originate, see **venire**
provvedere to provide, see **vedere**
pungere to sting
  PAST PARTICIPLE **punto**
  PAST DEFINITE **punsi, pungesti, punse, pungemmo, pungeste, punsero**
putrefare to rot, see **fare**

racchiudere to lock in, see **chiudere**
raccogliere to collect, see **cogliere**
radere to shave
  PAST PARTICIPLE **raso**
  PAST DEFINITE **rasi, radesti, rase, rademmo, radeste, rasero**
raggiungere to reach, see **giungere**
rarefare to rarefy, see **fare**
ravvedersi to repent, see **vedere**
recidere to cut off
  PAST PARTICIPLE **reciso**
  PAST DEFINITE **recisi, recidesti, recise, recidemmo, recideste, recisero**
redigere to edit
  PAST PARTICIPLE **redatto**
  PAST DEFINITE **redassi, redigesti, redasse, redigemmo, redigeste, redassero**
redimere to redeem
  PAST PARTICIPLE **redento**
  PAST DEFINITE **redensi, redimesti, redense, redimemmo, redimeste, redensero**
reggere to uphold
  PAST PARTICIPLE **retto**
  PAST DEFINITE **ressi, reggesti, resse, reggemmo, reggeste, ressero**
rendere to render
  PAST PARTICIPLE **reso**
  PAST DEFINITE **resi, rendesti, rese, rendemmo, rendeste, resero**
reprimere to repress, see **comprimere**
resistere to resist
  PAST PARTICIPLE **resistito**
respingere to repel, see **spingere**
restringere to restrict, see **stringere**
richiedere to request, see **chiedere**

riconoscere to recognize, see **conoscere**
ricorrere to appeal, see **correre**
ridere to laugh
  PAST PARTICIPLE **riso**
  PAST DEFINITE **risi, ridesti, rise, ridemmo, rideste, risero**
ridurre to reduce, see **addurre**
riempire to fill, see **empire**
rifare to redo, see **fare**
riflettere to reflect, see **flettere**
rimanere to remain
  PAST PARTICIPLE **rimasto**
  PRESENT **rimango, rimani, rimane, rimaniamo, rimanete, rimangono**
  FUTURE **rimarrò, rimarrai, rimarrà, rimarremo, rimarrete, rimarranno**
  CONDITIONAL **rimarrei, rimarresti, rimarrebbe, rimarremmo, rimarreste, rimarrebbero**
  PRESENT SUBJUNCTIVE **rimanga, rimanga, rimanga, rimaniamo, rimaniate, rimangano**
  PAST DEFINITE **rimasi, rimanesti, rimase, rimanemmo, rimaneste, rimasero**
rimettere to replace, see **mettere**
rimpiangere to regret, see **piangere**
rinchiudere to enclose, see **chiudere**
rincrescere to cause regret, see **crescere**
rinvenire to find, see **venire**
riporre to put back, see **porre**
riprodurre to reproduce, see **addurre**
riscuotere to cash, see **scuotere**
risiedere to reside, see **sedere**
risolvere to resolve, see **solvere**
rispondere to answer
  PAST PARTICIPLE **risposto**
  PAST DEFINITE **risposi, rispondesti, rispose, rispondemmo, rispondeste, risposero**
ritenere to hold, see **tenere**
ritorcere to twist, see **torcere**
riuscire to succeed, see **uscire**
rivedere to revise, see **vedere**
rivolgersi to apply, see **volgere**
rodere to gnaw
  PAST PARTICIPLE **roso**
  PAST DEFINITE **rosi, rodesti, rose, rodemmo, rodeste, rosero**
rompere to break
  PAST PARTICIPLE **rotto**
  PAST DEFINITE **ruppi, rompesti, ruppe, rompemmo, rompeste, ruppero**

salire to go up
  PRESENT **salgo, sali, sale, saliamo, salite, salgono**

PRESENT SUBJUNCTIVE **salga, salga, salga, saliamo, saliate, salgano**

sapere to know
PRESENT **so, sai, sa, sappiamo, sapete, sanno**
FUTURE **saprò saprai, saprà, sapremo, saprete, sapranno**
CONDITIONAL **saprei, sapresti, saprebbe, sapremmo, sapreste, saprebbero**
PRESENT SUBJUNCTIVE **sappia, sappia, sappia, sappiamo, sappiate, sappiano**
PAST DEFINITE **seppi, sapesti, seppe, sapemmo, sapeste, seppero**

scadere to fall due, see **cadere**

scegliere to choose
PAST PARTICIPLE **scelto**
PRESENT **scelgo, scegli, sceglie, scegliamo, scegliete, scelgono**
PRESENT SUBJUNCTIVE **scelga, scelga, scelga, scegliamo, scegliate, scelgano**

scendere to go down
PAST PARTICIPLE **sceso**
PAST DEFINITE **scesi, scendesti, scese, scendemmo, scendeste, scesero**

scindere to split
PAST PARTICIPLE **scisso**
PAST DEFINITE **scissi, scindesti, scisse, scindemmo, scindeste, scissero**

sciogliere to untie
PAST PARTICIPLE **sciolto**
PRESENT **sciolgo, sciogli, sciolgie, sciogliamo, sciogliete, sciolgono**
PRESENT SUBJUNCTIVE **sciolga, sciolga, sciolga, sciogliamo, sciogliate, sciolgano**
PAST DEFINITE **sciolsi, sciogliesti, sciolse, sciogliemmo, scioglieste, sciolsero**

scommettere to bet, see **mettere**

scomparire to disappear, see **apparire**

scomporre to upset, see **porre**

sconfiggere to defeat, see **figgere**

scoprire to uncover, see **coprire**

scorgere to perceive, see **accorgersi**

scorrere to scan, see **correre**

scrivere to write
PAST PARTICIPLE **scritto**
PAST DEFINITE **scrissi, scrivesti, scrisse, scrivemmo, scriveste, scrissero**

scuotere to shake
PAST PARTICIPLE **scosso**
PAST DEFINITE **scossi, scotesti, scosse, scotemmo, scoteste, scossero**

sedere to sit
PRESENT **siedo, siedi, siede, sediamo, sedete, siedono**
PRESENT SUBJUNCTIVE **sieda, sieda, sieda, sediamo, sediate, siedano**

sedurre to seduce, see **addurre**

smettere to stop, see **mettere**

soccorrere to help, see **correre**

soddisfare to satisfy, see **fare**

soffriggere to brown, see **friggere**

soffrire to suffer, see **offrire**

soggiungere to reply, see **giungere**

solere to be used to
PAST PARTICIPLE **solito**
PRESENT **soglio, suoli, suole, sogliamo, solete, sogliono**
PRESENT SUBJUNCTIVE **soglia, soglia, soglia, sogliamo, sogliate, sogliano**

solvere to solve
PAST PARTICIPLE **solto**

sommergere to submerge, see **immergere**

sopprimere to suppress, see **comprimere**

sopraffare to overpower, see **fare**

sopraggiungere to overtake, see **giungere**

sopravvivere to survive, see **vivere**

sorgere to rise
PAST PARTICIPLE **sorto**
PAST DEFINITE **sorsi, sorgesti, sorse, sorgemmo, sorgeste, sorsero**

sorprendere to surprise, see **prendere**

sorreggere to support, see **reggere**

sorridere to smile, see **ridere**

sospendere to suspend, see **pendere**

sostenere to uphold, see **tenere**

sottomettere to subjugate, see **mettere**

sottoporre to submit, see **porre**

sottoscrivere to subscribe, see **scrivere**

sottrarre to subtract, see **trarre**

spargere to scatter
PAST PARTICIPLE **sparso**
PAST DEFINITE **sparsi, spargesti, sparse, spargemmo, spargeste, sparsero**

spegnere to extinguish
PAST PARTICIPLE **spento**
PRESENT **spengo, spegni, spegne, spegniamo, spegnete, spengono**
PRESENT SUBJUNCTIVE **spenga, spenga, spenga, spegniamo, spegniate, spengano**
PAST DEFINITE **spensi, spegnesti, spense, spegnemmo, spegneste, spensero**

spendere to spend
PAST PARTICIPLE **speso**
PAST DEFINITE **spesi, spendesti, spese, spendemmo, spendeste, spesero**

spingere to push
PAST PARTICIPLE **spinto**
PAST DEFINITE **spinsi, spingesti, spinse, spingemmo, spingeste, spinsero**

stare to be
PRESENT **sto, stai, sta, stiamo, state, stanno**
FUTURE **starò, starai, starà, staremo, starete, staranno**

Conjugation of Verbs

CONDITIONAL starei, staresti, starebbe, staremmo, stareste, starebbero
PRESENT SUBJUNCTIVE stia, stia, stia, stiamo, stiate, stiano
PAST DEFINITE stetti, stesti, stette, stemmo, steste, stettero
PAST SUBJUNCTIVE stessi, stessi, stesse, stessimo, steste, stessero

stendere to stretch, see tendere
storcere to twist, see torcere
strafare to overdo, see fare
stringere to squeeze
PAST PARTICIPLE stretto
PAST DEFINITE strinsi, stringesti, strinse, stringemmo, stringeste, strinsero

succedere to happen
PAST PARTICIPLE successo
PAST DEFINITE successi, succedesti, successe, succedemmo, succedeste, successero

supporre to suppose, see porre
svolgere to unroll, see volgere

tacere to keep quiet
PRESENT taccio, taci, tace, tacciamo, tacete, tacciono
PRESENT SUBJUNCTIVE taccia, taccia, taccia, tacciamo, tacciate, tacciano
PAST DEFINITE tacqui, tacesti, tacque, tacemmo, taceste, tacquero

tendere to tend
PAST PARTICIPLE teso
PAST DEFINITE tesi, tendesti, tese, tendemmo, tendeste, tesero

tenere to hold
PRESENT tengo, tieni, tiene, teniamo, tenete, tengono
FUTURE terrò, terrai, terrà, terremo, terrete, terranno
CONDITIONAL terrei, terresti, terrebbe, terremmo, terreste, terrebbero
PRESENT SUBJUNCTIVE tenga, tenga, tenga, teniamo, teniate, tengano
PAST DEFINITE tenni, tenesti, tenne, tenemmo, teneste, tennero

tergere to wipe
PAST PARTICIPLE terso
PAST DEFINITE tersi, tergesti, terse, tergemmo, tergeste, tersero

tingere to dye
PAST PARTICIPLE tinto
PAST DEFINITE tinsi, tingesti, tinse, tingemmo, tingeste, tinsero

togliere to take away

PAST PARTICIPLE tolto
PRESENT tolgo, togli, toglie, togliamo, togliete, tolgono
PRESENT SUBJUNCTIVE tolga, tolga, tolga, togliamo, togliate, tolgano
PAST DEFINITE tolsi, togliesti, tolse, togliemmo, toglieste, tolsero

torcere to twist
PAST PARTICIPLE torto
PAST DEFINITE torsi, torcesti, torse, torcemmo, torceste, torsero

tradurre to translate, see addurre
transigere to compromise, see esigere
trarre to take in
PRESENT PARTICIPLE traendo
PAST PARTICIPLE tratto
PRESENT traggo, trai, trae, traiamo, traete, traggono
FUTURE trarrò, trarrai, trarrà, trarremo, trarrete, trarranno
CONDITIONAL trarrei, trarresti, trarrebbe, trarremmo, trarreste, trarrebbero
PRESENT SUBJUNCTIVE tragga, tragga, tragga, traiamo, traiate, traggano
IMPERFECT traevo, traevi, traeva, traevamo, traevate, traevano
PAST DEFINITE trassi, traesti, trasse, traemmo, traeste, trassero
PAST SUBJUNCTIVE traessi, traessi, traesse, traessimo, traeste, traessero

trascendere to transcend, see scendere
trascorrere to elapse, see correre
trasmettere to transmit, see mettere
trattenere to withhold, see tenere
travolgere to overcome, see volgere

uccidere to kill
PAST PARTICIPLE ucciso
PAST DEFINITE uccisi, uccidesti, uccise, uccidemmo, uccideste, uccisero

udire to hear
PRESENT odo, odi, ode, udiamo, udite, odono
PRESENT SUBJUNCTIVE oda, oda, oda, udiamo, udiate, odano

ungere to grease
PAST PARTICIPLE unto
PAST DEFINITE unsi, ungesti, unse, ungemmo, ungeste, unsero

uscire to exit
PRESENT esco, esci, esce, usciamo, uscite, escono
PRESENT SUBJUNCTIVE esca, esca, esca, usciamo, usciate, escano

valere to be worth
PAST PARTICIPLE **valso**
PRESENT **valgo, vali, vale, valiamo, valete, valgono**
FUTURE **varrò, varrai, varrà, varremo, varrete, varranno**
CONDITIONAL **varrei, varresti, varrebbe, varremmo, varreste, varrebbero**
PRESENT SUBJUNCTIVE **valga, valga, valga, valiamo, valiate, valgano**
PAST DEFINITE **valsi, valesti, valse, valemmo, valeste, valsero**

vedere to see
PAST PARTICIPLE **visto**
FUTURE **vedrò, vedrai, vedrà, vedremo, vedrete, vedranno**
CONDITIONAL **vedrei, vedresti, vedrebbe, vedremmo, vedreste, vedrebbero**
PAST DEFINITE **vidi, vedesti, vide, vedemmo, vedeste, videro**

venire to come
PRESENT PARTICIPLE **venuto**
PRESENT **vengo, vieni, viene, veniamo, venite, vengono**
FUTURE **verrò, verrai, verrà, verremo, verrete, verranno**
CONDITIONAL **verrei, verresti, verrebbe, verremmo, verreste, verrebbero**
PRESENT SUBJUNCTIVE **venga, venga, venga, veniamo, veniate, vengano**
PAST DEFINITE **venni, venisti, venne, venimmo, veniste, vennero**

vincere to win
PAST PARTICIPLE **vinto**
PAST DEFINITE **vinsi, vincesti, vinse, vincemmo, vinceste, vinsero**

vivere to live
PAST PARTICIPLE **vissuto**
FUTURE **vivrò, vivrai, vivrà, vivremo, vivrete, vivranno**
CONDITIONAL **vivrei, vivresti, vivrebbe, vivremmo, vivreste, vivrebbero**
PAST DEFINITE **vissi, vivesti, visse, vivemmo, viveste, vissero**

volere to want
PRESENT **voglio, vuoi, vuole, vogliamo, volete, vogliono**
FUTURE **vorrò, vorrai, vorrà, vorremo, vorrete, vorranno**
CONDITIONAL **vorrei, vorresti, vorrebbe, vorremmo, vorreste, vorrebbero**
PRESENT SUBJUNCTIVE **voglia, voglia, voglia, vogliamo, vogliate, vogliano**
PAST DEFINITE **volli, volesti, volle, volemmo, voleste, vollero**

volgere to turn
PAST PARTICIPLE **volto**
PAST DEFINITE **volsi, volgesti, volse, volgemmo, volgeste, volsero**

ABBREVIATIONS

a	adjective	*interj*	interjection
adv	adverb	*lit*	literature
aesp	aerospace	*m*	masculine
agr	agriculture	*math*	mathematics
anat	anatomy	*mech*	mechanics
arch	architecture	*med*	medicine
art	article	*mil*	military
ast	astronomy	*min*	mineralogy
auto	automobile	*mus*	music
avi	aviation	*n*	noun
biol	biology	*naut*	nautical
bot	botany	*phot*	photography
chem	chemistry	*phys*	physics
coll	colloquial	*pl*	plural
com	commerce	*pol*	politics
comp	compound	*prep*	preposition
conj	conjunction	*print*	printing
dent	dentistry	*pron*	pronoun
eccl	ecclesiastic	*rad*	radio
elec	electricity	*rail*	railway
f	feminine	*sl*	slang
fam	familiar	*theat*	theatre
fig	figuratively	*TV*	television
for	formal	*vi*	verb intransitive
geog	geography	*vt*	verb transitive
geol	geology	*vt&i*	verb transitive and intransitive
gram	grammar	*zool*	zoology

* An asterisk following an Italian entry indicates that it is one of the irregular verbs for which conjugation is supplied in the grammar section, pages 27 to 37.

Italian-English

A

a (â) *prep* to, at, in, until
abate (â·bâ′tā) *m* abbot
abbacchiamento (âb·bâk·kyâ·mān′tō) *m* dejection, depression
abbacchiare (âb·bâk·kyâ′rā) *vt* to deject, depress
abbacchiarsi (âb·bâk·kyâr′sē) *vr* to lose one's courage; to become dejected
abbacchiato (âb·bâk·kyâ′tō) *a* dejected, dispirited, depressed
abbacchio (âb·bâk′kyō) *m* lamb
abbacinamento (âb·bâ·chē·nâ·mān′tō) *m* dazzling; bewilderment
abbacinare (âb·bâ·chē·nâ′rā) *vt* to dazzle, blind
abbaco (âb′bâ·kō) *m* abacus
abbadessa (âb·bâ·dās′sâ) *f* abbess
abbadia (âb·bâ·dē′â) *f* abbey
abbagliamento (âb·bâ·lyâ·mān′tō) *m* mistake, confusion
abbagliante (âb·bâ·lyân′tā) *a* dazzling; — *m* (*auto*) high-beam headlight
abbagliare (âb·bâ·lyâ′rā) *vt* to dazzle; to confuse, bewilder
abbaglio (âb·bâ′lyō) *m* dazzling, bewilderment; mistake
abbaiamento (âb·bâ·yâ·mān′tō) *m* barking
abbaiare (âb·bâ·yâ′rā) *vi* to bark
abbaiatore (âb·bâ·yâ·tō′rā) *m* muckraker
abbaino (âb·bâ·ē′nō) *m* dormer; attic window
abbandonamento (âb·bân·dō·nâ·mān′tō) *m* abandonment; surrender
abbandonare (âb·bân·dō·nâ′rā) *vt* to

abandon; to fail
abbandonarsi (âb·bân·dō·nâr′sē) *vr* to indulge oneself; to lose one's spirits
abbandonatamente (âb·bân·dō·nâ·tâ·mān′tā) *adv* carelessly; passionately
abbandonato (âb·bân·dō·nâ′tō) *a* abandoned, deserted
abbandono (âb·bân·dō′nō) *m* abandonment; recklessness
abbarbagliamento (âb·bâr·bâ·lyâ·mān′tō) *m* dazzling; dizziness
abbarbagliare (âb·bâr·bâ·lyâ′rā) *vt* to dazzle; to deceive, bewilder
abbarbicare (âb·bâr·bē·kâ′rā) *vi* to take root; to become established
abbarbicato (âb·bâr·bē·kâ′tō) *a* rooted; settled
abbarcare (âb·bâr·kâ′rā) *vt* to heap, pile up
abbassamento (âb·bâs·sâ·mān′tō) *m* abatement; reduction
abbassare (âb·bâs·sâ′rā) *vt* to lower; to cut off, reduce
abbassarsi (âb·bâs·sâr′sē) *vr* to stoop, bow down; to humble oneself; to debase oneself
abbasso (âb·bâs′sō) *adv* down; low; —! *interj* down with!
abbastanza (âb·bâ·stân′tsâ) *adv* enough; quite
abbattere (âb·bât′tā·rā) *vt* to knock down; to shoot down; to fell; to deject
abbattersi (âb·bât′tār·sē) *vr* to be dejected; to lose one's spirits; to be demolished
abbattimento (âb·bât·tē·mān′tō) *m* dem-

---

olition; cutting down; dejection
abbattuto (äb·bät·tü'tō) *a* demolished; dejected
abbazia (äb·bä·tsē'ä) *f* abbey
abbecedario (äb·bä·chä·dä'ryō) *m* primer, first reader
abbellimento (äb·bäl·lē·män'tō) *m* embellishment, beautifying
abbellire (äb·bäl·lē'rä) *vt* to embellish, beautify
abbeverare (äb·bä·vä·rä'rä) *vt* to water (*livestock*)
abbigliamento (äb·bē·lyä·män'tō) *m* wearing apparel; **industria dell'**— clothing industry
abbigliare (äb·bē·lyä'rä) *vt* to dress; to adorn; to clothe
abbigliarsi (äb·bē·lyär'sē) *vr* to get dressed; to attire oneself
abbinare (äb·bē·nä'rä) *vt* to couple, join
abbindolare (äb·bēn·dō·lä'rä) *vt* to cheat, deceive, defraud
abboccamento (äb·bōk·kä·män'tō) *m* interview
abboccare (äb·bōk·kä'rä) *vt* to bite (*fish*); **— all'amo** to take the bait
abboccarsi (äb·bōk·kär'sē) *vr* to confer with; to converse in private
abboccato (äb·bōk·kä'tō) *a* sweetish; palatable
abbonamento (äb·bō·nä·män'tō) *m* subscription
abbonare (äb·bō·nä'rä) *vt* to give a discount to
abbonarsi (äb·bō·när'sē) *vr* to subscribe; to take a subscription
abbondanza (äb·bōn·dän'tsä) *f* abundance, wealth
abbondare (äb·bōn·dä'rä) *vi* to abound; to teem
abbondevole (äb·bōn·de'vō·lä) *a* abundant, plentiful
abbondevolezza (äb·bōn·dä·vō·lä'tsä) *f* abundance, plenty
abbondevolmente (äb·bōn·dä·vōl·män'tä) *adv* abundantly; in large numbers
abbottonare (äb·bōt·tō·nä'rä) *vt* to button
abbottonato (äb·bōt·tō·nä'tō) *a* buttoned
abbozzare (äb·bō·tsä'rä) *vt* to delineate; to sketch; to outline, rough in
abbracciare (äb·brä·chä'rä) *vt* to hug, embrace
abbraccio (äb·brä'chō) *m* embrace, hug
abbreviare (äb·brä·vyä'rä) *vt* to abbreviate; to curtail
abbreviatura (äb·brä·vyä·tü'rä) *f* ab-

breviation, shortening
abbronzare (äb·brōn·dzä'rä) *vt* to bronze; to tan
abbronzato (äb·brōn·dzä'tō) *a* suntanned
abbronzatura (äb·brōn·dzä·tü'rä) *f* sunburn; bronzing; tanning
abbrunare (äb·brü·nä'rä), **abbrunire** (äb·brü·nē'rä) *vt* to brown; to tan
abbrunarsi (äb·brü·när'sē), **abbrunirsi** (äb·brü·nēr'sē) *vr* to become sunburned; to wear mourning
abbrunato (äb·brü·nä'tō), **abbrunito** (äb·brü·nē'tō) *a* browned; dark; tanned
abbrustolire (äb·brü·stō·lē'rä) *vt* to roast; to broil; to toast
abbrutimento (äb·brü·tē·män'tō) *m* brutality
abbrutire (äb·brü·tē'rä) *vt* to brutalize
abbrutirsi (äb·brü·tēr'sē) *vr* to become brutal
abbrutito (äb·brü·tē'tō) *a* brutalized
abbuono (äb·bwō'nō) *m* allowance
abdicare (äb·dē·kä'rä) *vi* to abdicate
abdicato (äb·dē·kä'tō) *a* abdicated
abdicazione (äb·dē·kä·tsyō'nä) *f* abdication
aberrazione (ä·bär·rä·tsyō'nä) *f* aberration
abete (ä·bä'tä) *m* fir tree
abietto (äb·byät'tō) *a* despicable, low, mean
abigeato (ä·bē·jä·ä'tō) *m* rustling, cattle theft
abile (ä'bē·lä) *a* able, skillful
abilità (ä·bē·lē·tä') *f* ability, aptitude
abilitazione (ä·bē·lē·tä·tsyō'nä) *f* certificate of competence
abilmente (ä·bēl·män'tä) *adv* ably
abisso (ä·bēs'sō) *m* abyss, chasm
abitabile (ä·bē·tä'bē·lä) *a* habitable
abitacolo (ä·bē·tä'kō·lō) *m* (*avi*) cockpit
abitante (ä·bē·tän'tä) *m* inhabitant
abitare (ä·bē·tä'rä) *vt&i* to live in, inhabit
abitazione (ä·bē·tä·tsyō'nä) *f* residence, home
abito (ä'bē·tō) *m* suit (*clothing*)
abituale (ä·bē·twä'lä) *a* habitual, accustomed
abitualmente (ä·bē·twäl·män'tä) *adv* usually, customarily
abituare (ä·bē·twä'ra) *vt* to accustom
abituarsi (ä·bē·twär'sē) *vr* to accustom oneself; to grow used to
abituato (ä·bē·twä'tō) *a* used to, in the habit of
abitudine (ä·bē·tü'dē·nä) *f* custom; usage
abluzione (ä·blü·tsyō'nä) *f* ablution

abolire (â·bō·lē′rā) *vt* to abolish; to do away with

abolizione (ā·bō·lē·tsyō′nā) *f* abolition

abominabile (â·bō·mē·nâ′bē·lā) *a* abominable, loathsome

abominare (â·bō·mē·nâ′rā) *vt* to abominate, loathe

abominazione (â·bō·mē·nâ·tsyō′nā) *f* abomination

abominevole (â·bō·mē·ne′vō·lā) *a* abominable

aborrire (â·bōr·rē′rā) *vt* to abhor; to detest

abortire (â·bōr·tē′rā) *vi* to miscarry; to come to nothing, fall short

aborto (â·bōr′tō) *m* miscarriage; abortion; falling short

abrasione (â·brâ·zyō′nā) *f* abrasion

abrogare (â·brō·gâ′rā) *vt* to abrogate

abside (âb′zē·dā) *f* apse

abusare (â·bū·zâ′rā) *vi* to take advantage of; to abuse; to impose on

abusato (â·bū·zâ′tō) *a* abused; misused

abusivamente (â·bū·zē·vâ·mān′tā) *adv* unjustly

abusivo (â·bū·zē′vō) *a* abusive; unjust

abuso (â·bū′zō) *m* abuse; imposition

accademia (âk·kâ·de′myâ) *f* academy

accademico (âk·kâ·de′mē·kō) *a* academic; scholastic

accademista (âk·kâ·dā·mē′stâ) *m&f* academy member

accadere * (âk·kâ·dā′rā) *vi* to happen

accalappiare (âk·kâ·lâp·pyâ′rā) *vt* to inveigle, entrap; to hoodwink

accalappiacani (âk·kâ·lâp·pyâ·kâ′nē) *m* dogcatcher

accalorarsi (âk·kâ·lō·râr′sē) *vr* to become excited; to be aroused

accampamento (âk·kâm·pâ·mān′tō) *m* encampment, camp

accampare (âk·kâm·pâ′rā) *vi* to encamp; to state, contend

accanire (âk·kâ·nē′rā) *vt* to irritate; to vex

accanirsi (âk·kâ·nēr′sē) *vr* to be persistent

accanito (âk·kâ·nē′to) *a* furious; obstinate

accanto (âk·kân′tō) *adv&prep* near, by, beside

accapparrare (âk·kâp·pâr·râ′rā) *vt (com)* to corner; to hoard

accappatoio (âk·kâp·pâ·tô′yō) *m* bathrobe

accapigliarsi (âk·kâ·pē·lyâr′sē) *vr* to come to blows; to scuffle, grapple

accapponare (âk·kâp·pō·nâ′rā) *vt* to castrate; **— la pelle** *(fig)* to cause goose pimples

accarezzare (âk·kâ·râ·tsâ′rā) *vt* to caress, pet

accasciamento (âk·kâ·shâ·mān′tō) *m* depression; fatigue

accasciare (âk·kâ·shâ′rā) *vt* to depress

accasciarsi (âk·kâ·shâr′sē) *vr* to become depressed

accattone (âk·kât·tō′nā) *m* mendicant, beggar

accecare (â·châ·kâ′rā) *vt* to blind; to bewilder

accedere (â·che′dā·rā) *vi* to approach; to consent to, accept

accelerare (â·châ·lâ·râ′rā) *vt* to speed up, accelerate

accelerato (â·châ·lâ·râ′tō) *a* accelerated; **— m** local train; **–re** (â·châ·lâ·râ·tō′rā) *m (auto)* accelerator pedal

accelerazione (â·châ·lâ·râ·tsyō′nā) *f* acceleration; *(auto)* pickup

accendere * (â·chen′dā·rā) *vt* to light; to illuminate; to motivate, stir

accendersi * (â·chen′dâr·sē) *vr* to catch fire; to burn

accendisigari (â·chân·dē·sē′gâ·rē) *m* cigarette lighter

accennare (â·chân·nâ′rā) *vt&i* to hint; to point out; to treat, deal with

accensione (â·chân·syō′nā) *f (auto)* ignition

accento (â·chân′tō) *m* accent

accerchiare (â·châr·kyâ′rā) *vt* to surround; to ring

accertare (â·châr·tâ′rā) *vt* to make sure of; to verify

acceso (â·châ′zō) *a* lighted, lit, on

accessibile (â·châs·sē′bē·lā) *a* approachable

accesso (â·châs′sō) *m* access; spasm, fit

accessorio (â·châs·sô′ryō) *a* accessory; **— m** fixture; equipment

accetta (â·chât′tâ) *f* hatchet

accettabile (â·chât·tâ′bē·lā) *a* acceptable, agreeable

accettare (â·chât·tâ′rā) *vt* to accept

accettazione (â·chât·tâ·tsyō′nā) *f* acceptance, agreement

accettevole (â·chât·te′vō·lā) *a* pleasant; acceptable

accettevolmente (â·chât·tā·vōl·mān′tā) *adv* acceptably

accezione (â·châ·tsyō′nā) *f* accepted meaning of a word; accepted expression

acchiappare (âk·kyâp·pâ′rā) *vt* to catch; to snare

acchito (âk·kē′tō) *m* lead, leading off

acciacchi (â·châk′kē) *mpl* infirmities;

---

k kid, **l** let, **m** met, **n** not, **p** pat, **r** very, **s** sat, **sh** shop, **t** tell, **v** vat, **w** we, **y** yes, **z** zero

weaknesses
acciaio (â·châ′yō) *m* steel
accidentale (â·chē·dän·tâ′lä) *a* accidental; casual, happenstance
accidentalmente (â·chē·dän·tâl·män′tä) *adv* accidentally
accidentato (â·chē·dän·tâ′tō) *a* uneven
accidente (â·chē·dän′tä) *m* apoplectic stroke; accident
accidia (â·chē′dyâ) *f* indolence; laziness
accigliarsi (â·chē·lyâr′sē) *vr* to knit one's brows; to scowl
accigliato (â·chē·lyâ′tō) *a* frowning; unhappy
accingersi (â·chēn′jär·sē) *vr* to get ready
accinto (â·chēn′tō) *a* ready, prepared
acciottolato (â·chŏt·tō·lâ′tō) *m* cobblestone pavement
acciuffare (â·chūf·fâ′rä) *vt* to catch; to grasp, grab
acciuga (â·chū′gâ) *f* anchovy
acclamare (âk·klâ·mâ′rä) *vt* to acclaim
acclamazione (âk·klâ·mâ·tsyō′nä) *f* acclamation
acclimatazione (âk·klē·mâ·tâ·tsyō′nä) *f* acclimatation
acclimatarsi (âk·klē·mâ·târ′sē) *vr* to grow acclimated; to get used to
accludere * (âk·klū′dä·rä) *vt* to enclose, attach
accluso (âk·klū′zō) *a* enclosed, attached
accogliere * (âk·kŏ′lyä·rä) *vt* to welcome; to receive
accoglienza (âk·kō·lyän′tsâ) *f* welcome; reception
accoglimento (âk·kō·lyē·män′tō) *m* reception; assemblage
accollare (âk·kōl·lâ′rä) *vt* to shoulder; to join
accollarsi (âk·kōl·lâr′sē) *vr* to take charge of; to assume
accollato (âk·kōl·lâ′tō) *a* high-necked
accoltellare (âk·kōl·tāl·lâ′rä) *vt* to stab with a knife
accomandare (âk·kō·mân·dâ′rä) *vt* to give into custody; to commend, hand over
accomandatario (âk·kō·mân·dâ·tâ′ryō) *m (com)* general partner
accomandita (âk·kō·mân·dē′tâ) *f* limited partnership
accomiatarsi (âk·kō·myâ·târ′sē) *vr* to take one's leave; to say good-bye; to part
accomodamento (âk·kō·mō·dâ·män′tō) *m* adjustment, settlement; repair
accomodare (âk·kō·mō·dâ′rä) *vt* to adjust; to repair

accomodarsi (âk·kō·mō·dâr′sē) *vr* to sit down, be seated
accomodato (âk·kō·mō·dâ′tō) *a* adjusted; repaired
accomodatura (âk·kō·mō·dâ·tū′râ) *f* adjusting; fixing, repairing
accompagnare (âk·kōm·pâ·nyâ′rä) *vt* to accompany, go with
accompagnatore (âk·kōm·pâ·nyâ·tō·rä) *m* escort; *(mus)* accompanist
acconciare (âk·kōn·châ′rä) *vt* to ready; to adapt
acconciatura (âk·kōn·châ·tū′râ) *f* hairdo
acconsentimento (âk·kōn·sän·tē·män′tō) *m* consent, agreement
acconsentire (âk·kōn·sän·tē′rä) *vi* to consent, agree
accontentare (âk·kōn·tän·tâ′rä) *vt* to please; to make happy
acconto (âk·kōn′tō) *m (com)* account; deposit
accoppare (âk·kōp·pâ′rä) *vt* to kill; to beat to death
accoppiamento (âk·kōp·pyâ·män′tō) *m* coupling
accoppiare (âk·kōp·pyâ′rä) *vt* to match; to unite
accorciare (âk·kōr·châ′rä) *vt* to make shorter, abbreviate
accordare (âk·kōr·dâ′rä) *vt* to grant; *(mus)* to tune; to permit
accordo (âk·kōr′dō) *m* agreement, consensus; **d'——!** agreed!
accorgersi * (âk·kōr′jär·sē) *vr* to notice, observe
accorgimento (âk·kōr·jē·män′tō) *m* shrewdness; circumspection; prudence
accorrere * (âk·kōr′rä·rä) *vi* to run; to rush up
accortamente (âk·kōr·tâ·män′tä) *adv* shrewdly, cunningly
accorto (âk·kōr′tō) *a* shrewd, circumspect
accostamento (âk·kōs·tâ·män′tō) *m* approach, access
accostare (âk·kō·stâ′rä) *vt* to approach, draw near
accreditare (âk·krä·dē·tâ′rä) *vt (com)* to extend credit to, credit
accreditarsi (âk·krä·dē·târ′sē) *vr* to gain esteem, be credited
accreditato (âk·krä·dē·tâ′tō) *a* accredited; authorized; estimable, worthy
accrescere * (âk·krē′shä·rä) *vt* to increase
accudire (âk·kū·dē′rä) *vi* to care for
accumulare (âk·kū·mū·lâ′rä) *vt* to accumulate
accumulatore (âk·kū·mū·lâ·tō′rä) *m (elec)* battery

â ârm, ā bāby, e bet, ē bē, ō gō, ô gône, ū blūe, b bad, ch child, d dad, f fat, g gay, j jet

accumulazione (âk·kū·mū·lâ·tsyō′nä) ƒ accumulation

accuratamente (âk·kū·râ·tâ·män′tä) adv accurately, exactly

accurato (âk·kū·râ′tō) a accurate, precise

accuratezza (âk·kū·râ·tä′tsä) ƒ accuracy

accusa (âk·kū′zä) ƒ accusation; **atto d'**— indictment; **capo d'**— count of an indictment **–re** (âk·kū·zâ′rä) vt to accuse, indict; **–to** (âk·kū·zâ′tō) a accused; **–to** m defendant

acerbo (â·chär′bō) a not ripe; sour

acerrimo (â·cher′rē·mō) a very fierce

acetico (â·che′tē·kō) a acetic

aceto (â·chä′tō) m vinegar; **–liera** (â·chä·tō·lyä′râ) ƒ set of cruets for oil and vinegar

acidità (â·chē·dē·tâ′) ƒ acidity

acido (â′chē·dō) a&m acid

acino (â′chē·nō) m grape; grapeseed

acqua (âk′kwâ) ƒ water; — **ossigenata** hydrogen peroxide; — **potabile** drinking water; — **di Colonia** cologne, toilet water; **–forte** (âk·kwâ·fōr′tä) ƒ etching; **–io** (âk·kwâ′yō) m sink; **–plano** (âk·kwâ·plâ′nō) m aquaplane; **–rio** (âk·kwâ′ryō) m aquarium; **–vite** (âk·kwâ·vē′tä) ƒ brandy; **–zzone** (âk·kwâ·tsō′nä) m shower of rain

acquattarsi (âk·kwât·târ′sē) vr to crouch; to hide

acquerello (âk·kwä·räl′lō) m water color

acquirente (âk·kwē·rän′tä) m&ƒ purchaser, customer

acquisire (âk·kwē·zē′rä) vt to acquire

acquistare (âk·kwē·stâ′rä) vt to buy

acquitrino (âk·kwē·trē′nō) m swamp, marsh

acre (â′krä) a acrid, sharp

acrobata (â·krō′bâ·tä) m&ƒ acrobat

acromatico (â·krō·mâ′tē·kō) a achromatic

acuire (â·kwē′rä) vt to whet, sharpen

aculeo (â·kū′lä·o) m sting; goad, spur; stimulus

acume (â·kū′mä) m sharpness, insight; subtlety

acustica (â·kū′stē·kâ) ƒ acoustics

acutezza (â·kū·tä′tsä) ƒ acuteness

acuto (â·kū′tō) a sharp

adagiare (â·dâ·jâ′rä) vt to lay; to put

adagio (â·dâ′jō) adv slowly; easily

adattabile (â·dât·tâ′bē·lä) a applicable

adattabilità (â·dât·tâ·bē·lē·tâ′) ƒ suitability, aptitude

adattamento (â·dât·tâ·män′tō) m adaptation; adjustment

adattare (â·dât·tâ′rä) vt to adapt

adatto (â·dât′tō) a fitting, suitable, fit

addebitare (âd·dä·bē·tâ′rä) vt to debit

addebito (âd·de′bē·tō) m debit

addentare (âd·dän·tâ′rä) vt to bite

addestrare (âd·dä·strâ′rä) vt to drill; to instruct; to prepare

addetto (âd·dä′tō) m attendant; — **d'ambasciata** attaché

addio (âd·dē′ō) interj&m good-bye

addirittura (âd·dē·rēt·tū′râ) adv absolutely, altogether

additamento (âd·dē·tâ·män′tō) m indication, designation

additare (âd·dē·tâ′rä) vt to indicate, show

addizionale (âd·dē·tsyō·nâ′lä) a additional

addizionare (âd·dē·tsyō·nâ′rä) vt to add

addizionatrice (âd·dē·tsyō·nâ·trē′chä) ƒ adding machine

addizione (âd·dē·tsyō′nä) ƒ (math) addition

addolcimento (âd·dōl·chē·män′tō) m softening; mitigation

addolcire (âd·dōl·chē′rä) vt to sweeten; to soften

addolcitore (âd·dōl·chē·tō′rä) m water softener

addolorare (âd·dō·lō·râ′rä) vt to afflict, grieve; to sadden

addolorarsi (âd·dō·lō·râr′sē) vr to be saddened

addolorato (âd·dō·lō·râ′tō) a saddened

addome (âd·dō′mä) m abdomen, belly

addormentare (âd·dōr·män·tâ′rä) vt to put to sleep

addormentarsi (âd·dōr·män·târ′sē) vr to fall asleep

addosso (âd·dōs′sō) prep&adv on; on one's back

addurre * (âd·dūr′rä) vt to adduce

adeguatamente (â·dä·gwâ·tâ·män′tä) adv equally; adequately

adeguato (â·dä·gwâ′tō) a adequate

adempiere * (â·dem′pyä·rä) vt to accomplish; to perform

adempimento (â·dâm·pē·män′tō) m execution, accomplishment; performance

aderente (â·dä·rän′tä) m follower; — a tight-fitting

aderire (â·dä·rē′rä) vi to join; to consent; to adhere

adesione (â·dä·zyō′nä) ƒ adherence

adesivo (â·dä·zē′vō) a adhesive

adesso (â·däs′sō) adv now, at the present time

adiacente (â·dyâ·chän′tä) a adjacent, contiguous

---

k kid, **l** let, **m** met, **n** not, **p** pat, **r** very, **s** sat, **sh** shop, **t** tell, **v** vat, **w** we, **y** yes, **z** zero

adiacenza (â·dyâ·chän'tsâ) *f* contiguity
adipe (â'dē·pä) *m* grease, fat
adiposo (â·dē·pō'zō) *a* adipose, fatty
adirare (â·dē·râ'rä) *vt* to anger
adirarsi (â·dē·râr'sē) *vr* to get angry
adirato (â·dē·râ'tō) *a* angry
adocchiare (â·dōk·kyâ'rä) *vt* to behold; to eye, ogle
adocchiato (â·dōk·kyâ'tō) *a* beheld; eyed
adolescente (â·dō·lä·shän'tä) *mf&a* adolescent; — *m&f* teenager
adolescenza (â·dō·lä·shän'tsä) *f* adolescence
adombramento (â·dōm·brâ·män'tō) *m* offense; shade; resentment
adombrare (â·dōm·brâ'rä) *vt* to shade
adombrarsi (â·dōm·brâr'sē) *vr* to get hurt; to become suspicious
adoperabile (â·dō·pä·râ'bē·lä) *a* employable; usable
adoperare (â·dō·pä·râ'rä) *vt* to use
adorabile (â·dō·râ'bē·lä) *a* adorable
adorare (â·dō·râ'rä) *vt* to adore, worship
adoratore (â·dō·râ·tō'rä) *m* adorer, worshiper
adornare (â·dōr·nâ'rä) *vt* to adorn
adorno (â·dōr'nō) *a* adorned; — *m* ornament
adottare (â·dōt·tâ'rä) *vt* to adopt; to make use of
adottato (â·dōt·tâ'tō) *a* adopted; used
adottivo (â·dōt·tē'vō) *a* adoptive; adopted
adozione (â·dō·tsyō'nä) *f* adoption
adulare (â·dū·lâ'rä) *vt* to flatter
adulatore (â·dū·lâ·tō'rä) *m* flatterer
adulazione (â·dū·lâ·tsyō'nä) *f* flattery
adulterare (â·dūl·tä·râ'rä) *vt* to adulterate; to represent falsely
adulterio (â·dūl·te'ryō) *m* adultery
adultero (â·dūl'tä·rō) *m* adulterer; — *a* adulterous
adulto (â·dūl'tō) *a&m* adult
adunare (â·dū·nâ'rä) *vt* to convene, gather
adunata (â·dū·nâ'tâ) *f* rally, meeting, gathering
aereo (â·e'rä·ō) *a* air; — *m* airplane; **in** — by plane
aerodinamico (â·ä·rō·dē·nâ'mē·kō) *a* streamlined
aerodromo (â·ä·rô'drō·mō) *m* airport
aerofaro (â·ä·rō·fâ'rō) *m* aerial beacon
aerogramma (â·ä·rō·grâm'mâ) *m* air letter
aerolito (â·ä·rô'·lē·tō) *m* (*ast*) aerolite
aerometro (â·ä·rô'mä·trō) *m* aerometer
aeronauta (â·ä·rō·nâ'ū·tä) *m&f* aeronaut, airman
aeronautica (â·ä·rō·nâ'ū·tē·kâ) *f* aero-

nautics; — **militare** air force
aeroplano (â·ä·rō·plâ'nō) *m* airplane
aeroporto (â·ä·rō·pōr'tō) *m* airport
aerosilurante (â·ä·rō·sē·lū·rân'tä) *m* torpedo plane
aerospazio (â·ä·rō·spâ'tsyō) *m* aerospace
aerostatica (â·ä·rō·stâ'tē·kâ) *f* aerostatics
aerostazione (â·ä·rō·stâ·tsyō'nä) *f* air terminal
aerostiere (â·ä·rō·styä'rä) *m* balloonist
aerotermo (â·ä·rō·tär'mō) *m* unit heater
aerotrasportato (â·ä·rō·trâ·spōr·tâ'tō) *a* transported by airplane, airborne
afa (â'fâ) *f* closeness, sultry weather
afelio (â·fe'lyō) *m* (*ast*) aphelion
affabile (âf·fâ'bē·lä) *a* affable, civil, pleasant
affabilità (âf·fâ·bē·lē·tâ') *f* affability, pleasantness
affabilmente (âf·fâ·bēl·män'tä) *adv* affably, pleasantly
affaccendato (âf·fâ·chän·dâ'tō) *a* busy, occupied
affacciarsi (âf·fâ·châr'sē) *vr* to show oneself, appear; to lean out
affamare (âf·fâ·mâ'rä) *vt* to famish
affamato (âf·fâ·mâ'tō) *a* starved, famished
affannare (âf·fân·nâ'rä) *vt* to bother, worry
affannarsi (âf·fân·nâr'sē) *vr* to bustle, be anxious; to go to a lot of trouble
affannato (âf·fân·nâ'tō) *a* anxious; upset
affanno (âf·fân'nō) *m* affliction; trouble
affannosamente (âf·fân·nō·zâ·män'tä) *adv* asthmatically; anxiously
affare (âf·fâ'rä) *m* affair; business; transaction
affarista (âf·fâ·rē'stä) *m* (*com*) speculator; go-getter
affascinante (âf·fâ·shē·nân'tä) *a* fascinating, charming
affaticare (âf·fâ·tē·kâ'rä) *vt* to fatigue
affatto (âf·fât'tō) *adv* completely; **non** — not at all
affermare (âf·fär·mâ'rä) *vt* to affirm; to certify
affermarsi (âf·fär·mâr'sē) *vr* to succeed; to make a good showing
afferrare (âf·fär·râ'rä) *vt* to grab; to conceive of, comprehend
affettare (âf·fät·tâ'rä) *vt* to slice; to affect, make a show of
affettato (âf·fät·tâ'tō) *a* sliced; affected
affetto (âf·fät'tō) *m* affection
affettivo (âf·fät·tē'vō) *a* emotional
affettuoso (âf·fät·twō'zō) *a* affectionate
affettuosamente (âf·fät·twō·zâ·män'tä)

adv affectionately

affettuosità (âf·fāt·twō·zē·tâ′) *f* fondness

affezionare (âf·fā·tsyō·nâ′rā) *vt* to make fond; to endear oneself to

affezionarsi (âf·fā·tsyō·nâr′sē) *vr* to grow fond of, become attached to

affezionato (âf·fā·tsyō·nâ′tō) *a* fond; affectionate; attached

affidare (âf·fē·dâ′rā) *vt* to commit, trust; to give to one's keeping

affidarsi (âr·fē·dâr′sē) *vr* to have confidence; to depend on

affilare (âf·fē·lâ′rā) *vt* to sharpen

affinchè (âf·fēn·kā′) *conj* so that; in order that; in order to

affine (âf·fē′nā) *a* related

affinità (âf·fē·nē·tâ′) *f* affinity

affissione (âf·fēs·syō′nā) *f* posting; **proibita l'—** post no bills

affisso (âf·fēs′sō) *m* poster; **vietati gli affissi** post no bills

affittare (âf·fēt·tâ′rā) *vt* to rent

affitto (âf·fēt′tō) *m* rent

affliggere * âf·flēj′jā·rā) *vt* to afflict; to upset, bother

afflitto (âf·flēt′tō) *a* afflicted; sad

afflizione (âf·flē·tsyō′nā) *f* affliction; grief

affogare (âf·fō·gâ′rā) *vt&i* to drown; to overwhelm

affogato (âf·fō·gâ′tō) *a* drowned; (*egg*) poached

affondamento (âf·fōn·dâ·mān′tō) *m* sinking; submerging

affondare (âf·fōn·dâ′rā) *vt* to sink

affrancatura (âf·frân·kâ·tū′râ) *f* postage

affresco (âf·frā′skō) *m* fresco

affrettare (âf·frāt·tâ′rā) *vt* to hurry, speed up

affrettato (âf·frāt·tâ′tō) *a* hasty; in a hurry

affrontare (âf·frōn·tâ′rā) *vt* to defy; to face; to insult

affronto (âf·frōn′tō) *m* affront, insult

affumicare (âf·fū·mē·kâ′rā) *vt* to cure, smoke

affumicato (âf·fū·mē·kâ′tō) *a* smoked, cured

affusolato (âf·fū·zō·lâ′tō) *a* slender; tapering

afoso (â·fō′zō) *a* sultry; excessively hot

Africa (â′frē·kâ) *f* Africa

africano (â·frē·kâ′nō) *a* African

agenda (â·jān′dâ) *f* notebook

agente (â·jān′tā) *m* agent; **— di cambio** stockbroker; **— di polizia** policeman; **— investigativo** detective; **— delle tasse**

tax collector

agenzia (â·jān·tsē′â) *f* agency; **— di collocamento** employment agency; **— di trasporti** freight company; **— di viaggi** travel agency

agevolazione (â·jā·vō·lâ·tsyō′nā) *f* facility; ease; (*com*) easy terms

aggeggio (âj·je′jō) *m* gadget

aggettivo (âj·jāt·tē′vō) *m* adjective

aggiornamento (âj·jōr·nâ·mān′tō) *m* updating

aggiornare (aj·jōr·nâ′rā) *vt* to adjourn; to update; **— vi** to dawn

aggiornato (âj·jōr·nâ′tō) *a* up-to-date

aggiramento (âj·jē·râ·mān′tō) *m* circumvention; fraud

aggirare (âj·jē·râ′rā) *vt* to surround; to turn around; to take in, defraud

aggirarsi (âj·jē·râr′sē) *vr* to ramble; to roam; to tramp

aggiratore (âj·jē·râ·tō′rā) *m* rambler; deceiver, swindler

aggiungere * (âj·jūn′jā·rā) *vt* to add; to rejoin

aggiunta (âj·jūn′tâ) *f* addition

aggiunto (âj·jūn′tō) *a* added

aggiustaggio (âj·jū·stâj′jō) *m* (*mech*) adjustment, alignment

aggiustare (âj·jū·stâ′rā) *vt* to fix; to adjust

aggiustatore (âj·jū·stâ·tō′rā) *m* (*mech*) fitter

aggrappare (âg·grâp·pâ′rā) *vt* to grapple; to grab hold of

aggrapparsi (âg·grâp·pâr′sē) *vr* to cling to tightly

aggravamento (âg·grâ·vâ·mān′tō) *m* surcharge; aggravation

aggravante (âg·grâ·vân′tâ) *a* aggravating

aggravare (âg·grâ·vâ′rā) *vt* to make worse, worsen

aggravarsi (âg·grâ·vâr′sē) *vr* to get worse, worsen

aggravio (âg·grâ′vyō) *m* injury; burden, charge

aggredire (âg·grā·dē′rā) *vt* to attack

aggregare (âg·grā·gâ′rā) *vt* to aggregate, mass together

aggregarsi (âg·grā·gâr′sē) *vr* to join, become a member

aggregato (âg·grā·gâ′tō) *a* aggregated; — *m* aggregation, assembly

aggressione (âg·grās·syō′nā) *f* aggression

aggressivo (âg·grās·sē′vō) *a* aggressive

aggressore (âg·grās·sō′rā) *m* aggressor

aggrottare (âg·grōt·tâ′rā) *vt* to pucker; (*agr*) to embank; **— le ciglia** to frown

agguantare (âg·gwân·tâ′rā) *vt* to catch hold of, clasp

agiatamente (â·jâ·tâ·mān'tä) adv comfortably, easily
agiatezza (â·jâ·tä'tsâ) f welfare, well-being
agiato (â·jâ'tō) a well off; wealthy
agilità (â·jē·lē·tâ') f agility; quickness
agire (â·jē'rä) vi to act; to behave
agitare (â·jē·tâ'rä) vt to shake; to upset
agitarsi (â·jē·târ'sē) vr to get excited
agitatore (â·jē·tâ·tō'rä) m agitator; ringleader
agitazione (â·jē·tâ·tsyō'nä) f agitation, excitement
agli (â'lyē) prep to the
aglio (â'lyō) m garlic
agnello (â·nyäl'lō) m lamb
ago (â'gō) m needle
agonia (â·gō·nē'â) f agony
agosto (â·gō'stō) m August
agricolo (â·grē'kō·lō) a agricultural
agricoltore (â·grē·kōl·tō'rä) m farmer
agricultura (â·grē·kūl·tū'râ) f farming
agrifoglio (â·grē·fō'lyō) m holly
agrimensore (â·grē·mān·sō'rä) m surveyor
agrumeto (â·grū·mä'tō) m citrus grove
agrumi (â·grū'mē) mpl citrus fruit
ai (â'ē) prep to the
aia (â'yâ) f threshing area; governess, tutor
aiuola (â·ywō'lâ) f flower bed
aiutante (â·yū·tân'tä) m helper, aid
aiutare (â·yū·tâ'rä) vt to help, be of assistance to
aiuto (â·yū'tō) m help
al (âl), allo (âl'lō), alla (âl'lâ), all' (âll) prep to the, on the; with; in the manner of
ala (â'lâ) f wing; –to (â·lâ'tō) a winged
alare (â·lâ'rä) m andiron
alba (âl'bâ) f dawn
Albania (âl·bâ·nē'â) f Albania
albanese (âl·bâ·nä'zä) a&m Albanian
albatro (âl'bâ·trō) m (bot) arbutus; (zool) albatross
albeggiare (âl·bäj·jâ'rä) vi to break (day); to dawn
albergatore (âl·bär·gâ·tō'rä) m hotel manager; hotelman
albergo (âl·bär'gō) m hotel; — diurno public bathing and washing facilities
albero (âl'bä·rō) m tree
albicocca (âl·bē·kōk'kâ) f apricot
albume (âl·bū'mä) m albumen
alcali (âl'kâ·lē) m alkali; –no (âl·kâ·lē'nō) a alkaline
alcole (âl·kō'lä), alcool (âl'kō·ōl) m alcohol

alcuno (âl·kū'nō) a&pron some, any, none, no
alesatore (â·lä·zâ·tō'rä) m ream, bore
alettone (â·lät·tō'nä) m (avi) aileron
alga (âl'gâ) f seaweed
algebra (âl'jä·brâ) f algebra
algebrico (âl·je'brē·kō) a algebraic
aliante (â·lyân'tä) m (avi) glider
alice (â·lē'chä) f anchovy
alienare (â·lyä·nâ'rä) vi to alienate; to make over
alienato (â·lyä·nâ'tō) a alienated; — mentale lunatic, madman
alimentare (â·lē·män·tâ'rä) a alimentary; paste alimentari spaghetti; generi alimentari groceries
alimentarista (â·lē·män·tâ·rē'stâ) m grocer
alimentazione (â·lē·män·tâ·tsyō'nä) f feeding; (mech) stoking
alimento (â·lē·män'tō) m nourishment
aliscafo (â·lē·skâ'fō) m hydrofoil speedboat
alito (â'lē·tō) m breath; breeze
allacciamento (âl·lâ·châ·män'tō) m lacing; (elec) connection, link
allacciare (âl·lâ·châ'rä) vt to lace
allargare (âl·lâr·gâ'rä) vt to broaden; to extend
allarme (âl·lâr'mä) m alarm
allattare (âl·lât·tâ'rä) vt to nurse, breastfeed
alleanza (âl·lä·ân'tsâ) f alliance
alleato (âl·lä·â'tō) a allied
allegato (âl·lä·gâ'tō) a enclosed; — m enclosure, attachment
alleggerire (âl·läj·jä·rē'rä) vt to lighten; to make easier
alleggerirsi (âl·läj·jä·rēr'sē) vr to relieve oneself; (fig) to undress
alleggerito (âl·läj·jä·rē'tō) a lightened, alleviated
allegoria (âl·lä·gō·rē'â) f allegory
allegria (âl·lä·grē'â) f gaiety, happiness
allegro (âl·lä'grō) a cheerful, gay
allenamento (âl·lä·nâ·män'tō) m training, workout, exercise
allenatore (âl·lä·nâ·tō'rä) m trainer, coach
allevare (âl·lä·vâ'rä) vt to breed; to raise, educate
alleviare (âl·lä·vyâ'rä) vt to alleviate
allibratore (âl·lē·brâ·tō'rä) m bookie, bookmaker
allievo (âl·lyä'vō) m pupil
allineare (âl·lē·nä·â'rä) vt to form into ranks; to line up
allinearsi (âl·lē·nä·âr'sē) vr to align one-

self; to get in line
allodola (âl·lô′dō·lâ) ƒ skylark
allogeno (âl·lô′jä·nō) *m* alien
alloggiare (âl·lōj·jä′rā) *vt* to house, lodge; — *vi* to stay, be accommodated
alloggio (âl·lôj′jō) *m* lodging
allontanamento (âl·lōn·tâ·nâ·mān′tō) *m* distance; remoteness
allontanare (âl·lōn·tâ·nâ′rā) *vt* to keep away; to take away
allora (âl·lō′râ) *adv* then
alloro (âl·lō′rō) *m* laurel; **foglie d'**— bay leaves
allume (âl·lū′mā) *m* alum
alluminio (âl·lū·mē′nyō) *m* aluminum
allungamento (âl·lūn·gâ·mān′tō) *m* lengthening, prolonging
allungare (âl·lūn·gâ′rā) *vt* to lengthen; to prolong
allusione (âl·lū·zyō′nā) ƒ allusion
alluvionato (âl·lū·vyō·nâ′tō) *m* flood victim; — *a* flooded
alluvione (âl·lū·vyō′nā) ƒ flood
almanacco (âl·mâ·nâk′kō) *m* almanac
almeno (âl·mä′nō) *adv* at least
alone (â·lō′nā) *m* halo
Alpi (âl′pē) ƒpl
alpinista (âl·pē·nē′stâ) *m&ƒ* mountain climber
alquanto (âl·kwân′tō) *adv* somewhat; a bit
alt! (âlt) *interj* stop!
altalena (âl·tâ·lä′nâ) ƒ swing
altamente (âl·tâ·mān′tā) *adv* highly; nobly
altare (âl·tâ′rā) *m* altar
alterare (âl·tä·râ′rā) *vt* to alter; to distort
alterazione (âl·tä·râ·tsyō′nä) ƒ alteration; distortion
alternare (âl·tär·nâ′rā) *vt* to alternate
alternarsi (âl·tär·nâr′sē) *vr* to follow each other; to take turns
alternativa (âl·tär·nâ·tē′vâ) ƒ alternative
alternato (âl·tär·nâ′tō) *a* alternating; **corrente alternata** alternating current
alternatore (âl·tär·nâ·tō′rā) *m* (*elec*) alternator
altezza (âl·tä′tsâ) ƒ height; loftiness
altigiano (âl·tē·jâ′nō) *m* mountaineer
altimetro (âl·tē′mâ·trō) *m* altimeter
altipiano (âl·tē·pyâ′nō) *m* plateau
alto (âl′tō) *a* high; tall; loud; **–forno** (âl·tō·fōr′nō) *m* blast furnace; **–loca-to** (âl·tō·lō·kâ′tō) *a* prominent; **–mare** (âl·tō·mâ′rā) *a* high sea; **–parlante** (âl·tō·pâr·lân′tā) *m* loudspeaker
altrimenti (âl·trē·mān′tē) *adv* otherwise, if not

altro (âl′trō) *a* other; **un** — another
altrove (âl·trō′vä) *adv* elsewhere, somewhere else
altrui (âl·trū′ē) *pron* another's, others', of others
alunno (â·lūn′nō) *m* pupil, scholar
alveare (âl·vä·â′rā) *m* beehive
alzare (âl·tsâ′rā) *vt* to lift, raise
alzarsi (âl·tsâr′sē) *vr* to get up, arise
amabile (â·mâ′bē·lä) *a* amiable, friendly
amabilità (â·mâ·bē·lē·tâ′) ƒ amiability, friendliness
amabilmente (â·mâ·bēl·mān′tā) *adv* kindly, friendly
amante (â·mân′tā) *a* fond; — ƒ&*m* mistress; lover
amare (â·mâ′rā) *vt* to love
amaretto (â·mâ·rāt′tō) *m* macaroon
amareggiare (â·mâ·rāj·jâ′rā) *vt* to embitter
amarezza (â·mâ·rā′tsâ) ƒ bitterness; resentfulness
amaro (â·mâ′rō) *a* bitter; — *m* bitters
ambasciata (âm·bâ·shâ′tâ) ƒ embassy
ambasciatore (âm·bâ·shâ·tō′rā) *m* ambassador
ambedue (âm·bä·dū′ä) *a&pron* both
ambiente (âm·byän′tā) *m* atmosphere, environment
ambiguamente (âm·bē·gwâ·mān′tä) *adv* ambiguously, vaguely
ambiguità (âm·bē·gwē·tâ′) ƒ ambiguity, vagueness
ambiguo (âm·bē′gwō) *a* ambiguous, vague
ambizione (âm·bē·tsyō′nä) ƒ ambition, heart's desire
ambizioso (âm·bē·tsyō′zō) *a* ambitious; covetous
ambo (âm′bō) *a&pron* both
ambra (âm′brâ) ƒ amber
ambulanza (âm·bū·lân′tsâ) ƒ ambulance
ambulatorio (âm·bū·lâ·tō′ryō) *m* dispensary
ameno (â·mä′nō) *a* cheerful, gay
America (â·me′rē·kâ) ƒ America
americanata (â·mä·rē·kâ·nâ′tâ) ƒ something spectacular; eccentric and exaggerated action
americano (â·mä·rē·kâ′nō) *m* American
amianto (â·myân′tō) *m* asbestos
amica (â·mē′kâ) ƒ girl friend; sweetheart
amichevole (â·mē·ke′vō·lä) *a* friendly
amicizia (â·mē·chē′tsyä) ƒ friendship; **fare** — to become friendly, establish a friendship
amico (â·mē′kō) *m* friend
amido (â′mē·dō) *m* starch

---

k kid, l let, m met, n not, p pat, r very, s sat, sh shop, t tell, v vat, w we, y yes, z zero

ammaccare (âm·mâk·kâ'rā) vt to bruise
ammaccato (âm·mâk·kâ'tō) a battered; bruised
ammaccatura (âm·mâk·kâ·tū'râ) f bruise; knob; lump; hammer mark; contusion
ammainare (âm·mâē·nâ'rā) vt to lower; to haul down (sails)
ammalarsi (âm·mâ·lâr'sē) vt to become ill, get sick
ammalato (âm·mâ·lâ'tō) a ill, sick; — m patient
ammannire (âm·mân·nē'rā) vt to prime, prepare
ammanco (âm·mân'kō) m deficit, shortage
ammansare (âm·mân·sâ'rā), **ammansire** (âm·mân·sē'rā) vt to tame; to calm; to pacify
ammassare (âm·mâs·sâ'rā) vt to amass; to heap; to gather
ammasso (âm·mâs'sō) m heap; mass
ammattire (âm·mât·tē'rā) vi to go mad, lose one's mind
ammattito (âm·mât·tē'tō) a mad, insane
ammazzare (âm·mâ·tsâ'rā) vt to kill, do away with
ammenda (âm·mān'dâ) f fine
ammettere * (âm·met'tā·rā) vt to admit
amministrare (âm·mē·nē·strâ'rā) vt to administer
amministrativamente (âm·mē·nē·strâ·tē·vâ·mān'tâ) adv administratively
amministrativo (âm·mē·nē·strâ·tē'vō) a administrative
amministrato (âm·mē·nē·strâ'tō) a administered
amministratore (âm·mē·nē·strâ·tō'rā) m administrator, manager
amministrazione (âm·mē·nē·strâ·tsyō'nā) f administration; business office
ammirabile (âm·mē·râ'bē·lā) a admirable
ammiraglio (âm·mē·râ'lyō) m admiral
ammirare (âm·mē·râ'rā) vt to admire; to think highly of
ammirativo (âm·mē·râ·tē'vō) a admirable
ammiratore (âm·mē·râ·tō'rā) m admirer
ammirazione (âm·mē·râ·tsyō'nā) f admiration
ammissibile (âm·mēs·sē'bē·lā) a admissible
ammissibilità (âm·mēs·sē·bē·lē·tâ') f admissibility
ammissione (âm·mēs·syō'nā) f admission
ammobiliato (âm·mō·bē·lyâ'tō) a furnished

ammogliare (âm·mō·lyâ'rā) vt to give in marriage; to marry
ammogliarsi (âm·mō·lyâr'sē) vr to get married; to marry
ammogliato (âm·mō·lyâ'tō) a married; — m married man
ammoniaca (âm·mō·nē'â·kâ) f ammonia
ammonire (âm·mō·nē'rā) vt to warn
ammonito (âm·mō·nē'tō) a admonished; under surveillance
ammonizione (âm·mō·nē·tsyō'nā) f admonition
ammontare (âm·mōn·tâ'rā) vi to amount; to cost; — m amount
ammorbidire (âm·mōr·bē·dē'rā) vt to make soft; to make supple
ammortamento (âm·mōr·tâ·mān'tō) m amortization
ammortizzare (âm·mōr·tē·dzâ'rā) vt to amortize; to break, deflect; to deaden, cushion
ammortizzatore (âm·mōr·tē·dzâ·tō'rā) m (auto) shock absorber
ammucchiare (âm·mūk·kyâ'rā) vt to pile up, amass, collect
ammuffire (âm·mūf·fē'rā) vi to get musty
ammuffito (âm·mūf·fē'tō) a moldy
ammutinarsi (âm·mū·tē·nâr'sē) vr to mutiny, to rebel
amnistia (âm·nē·stē'â) f amnesty
amo (â'mō) m fishhook
amore (â·mō'râ) m love; **–ggiare** (â·mō·râj·jâ'rā) vt&i to make love; to flirt **–vole** (â·mō·re'vō·lā) a loving; lovely; affectionate; **–volmente** (â·mō·râ·vōl·mân'tâ) adv kindly; lovably
amorosamente (â·mō·rō·zâ·mān'tâ) adv with love, lovingly
amoroso (â·mō·rō'zō) a amorous; fond; — m lover, suitor
amper (âm·pâr') m (elec) ampere; **–aggio** (âm·pâ·râj'jō) m amperage; **–ometro** (âm·pâ·rô'mâ·trō) m ammeter
ampiezza (âm·pyâ'tsâ) f largeness; amplitude
ampio (âm'pyō) a abundant; ample
amplesso (âm·plâs'sō) m hug, embrace
ampliare (âm·plyâ'rā) vt to amplify, extend
amplificare (âm·plē·fē·kâ'rā) vt to amplify; to enrich
amplificatore (âm·plē·fē·kâ·tō'rā) m amplifier
amplificazione (âm·plē·fē·kâ·tsyō'nā) f amplification
amputare (âm·pū·tâ'rā) vt to amputate
anabbagliante (â·nâb·bâ·lyân'tâ) a anti-

glare
anagrafe (â·nâ'grâ·fā) *f* vital statistics;
ufficio d' — bureau of records
analfabeta (â·nâl·fâ·bā'tâ) *a* illiterate
analisi (â·nâ'lē·zē) *f* analysis
analitico (â·nâ·lē'tē·kō) *a* analytical,
analytic
analizzare (â·nâ·lē·dzâ'rā) *vt* to analyse;
to break down, decompose
analizzatore (â·nâ·lē·dzâ·tō'rā) *m* analyst; *(TV)* scanning disk
ananasso (â·nâ·nâs'sō) *m* pineapple
anarchia (â·nâr·kē'â) *f* anarchy
anarchico (â·nâr'kē·kō) *m* anarchist
anatomia (â·nâ·tō·mē'â) *f* anatomy
anatra (â'nâ·trâ) *f* duck
anca (ân'kâ) *f* hip
anche (ân'kā) *adv* too, as well, also
ancora (ân'kō·râ) *f* anchor; **–ggio** (ân·kō·râj'jō) *m* anchorage, anchoring; **–re** (ân·kō·râ'rā) *vt* to anchor, cast anchor; **–rsi** (ân·kō·râr'sē) *vr* to anchor; lay anchor
ancora (ân·kō'râ) *adv* still, yet, as yet
andare * ân·dâ'râ) *vi* to go; — **a piedi** to walk; — **in macchina** to drive; to ride
andata (ân·dâ'tâ) *f* going; **biglietto di** — **semplice** one-way ticket; **biglietto di** — **e ritorno** round-trip ticket
aneddoto (â·ned'dō·tō) *m* anecdote
anello (ân·nāl'lō) *m* ring
anemografo (â·nâ·mô'grâ·fō) *m* anemograph
anemometro (â·nâ·mô'mā·trō) *m* anemometer
anemoscopio (â·nâ·mō·skô'pyō) *m* anemoscope
aneroide (â·nâ·rô'ē·dā) *m* aneroid
anestesia (â·nâ·stâ·zē'â) *f* anesthesia
anestesista (â·nâ·stâ·zē'stâ) *m* anesthetist
anestetico (â·nâ·ste'tē·kō) *a&m* anesthetic
anestizzante (â·nâ·stē·dzân'tā) *m* anesthetic
anestizzare (â·nâ·stē·dzâ'rā) *vt* to anesthetize
anestizzato (â·nâ·stē·dzâ'tō) *a* anesthetized
aneto (â·nâ'tō) *m (bot)* dill
anfibio (ân·fē'byō) *a* amphibious; — *m* amphibian; — *(mil)* duck, amphibious truck
anfiteatro (ân·fē·tâ·â'trō) *m* amphitheater
anfora (ân'fō·râ) *f* vase
angelo (ân'jā·lō) *m* angel
angheria (ân·gâ·rē'â) *f* imposition; an-

noyance
angolo (ân'gō·lō) *m* corner
angoscia (ân·gô'shâ) *f* anguish, torment
anguilla (ân·gwēl'lâ) *f* eel
anguria (ân·gū'ryâ) *f* watermelon
anima (â'nē·mâ) *f* soul; **–le** (â·nē·mâ'lā) *m* animal, beast; **–le** *a* bestial, beastly; stupid
animare (â·nē·mâ'rā) *vt* to animate; to encourage
animarsi (â·nē·mâr'sē) *vi* to take courage
animazione (â·nē·mâ·tsyō'nā) *f* animation
animella (â·nē·māl'lâ) *f* sweetbread
animosità (â·nē·mō·zē·tâ') *f* animosity
animoso (â·nē·mō'zō) *a* bold; malevolent, evil
anione (â·nyō'nā) *m (phys)* anion
annacquare (ân·nâk·kwâ'rā) *vt* to water; to add water to, dilute
annaffiare (ân·nâf·fyâ'rā) *vt* to water, sprinkle
annegare (ân·nâ·gâ'rā) *vt* to drown
annerire (ân·nâ·rē'rā) *vt&i* to blacken; to get black
annessione (ân·nâs·syō'nā) *f* annexation
annientare (ân·nyân·tâ'rā) *vt* to annihilate; to wipe out
anniversario (ân·nē·vâr·sâ'ryō) *m* anniversary
anno (ân'nō) *m* year; — **bisestile** leap year
annodare (ân·nō·dâ'rā) *vt* to tie; to knot
annoiare (ân·nō·yâ'rā) *vt* to bore; to tire out
annoiarsi (ân·nō·yâr'sē) *vi* to get bored; to be worn-out
annoiato (ân·nō·yâ'tō) *a* bored; weary
annotare (ân·nō·tâ'rā) *vt* to annotate; to footnote
annotazione (ân·nō·tâ·tsyō'nā) *f* annotation; note
annuale (ân·nwâ'lā), **annuo** (ân'nwō) *a* yearly, annual
annuario (ân·nwâ'ryō) *m* yearbook; directory
annullamento (ân·nūl·lâ·mân'tō) *m* annulment
annullare (ân·nūl·lâ'rā) *vt* to annul
annunziare (ân·nūn·tsyâ'rā) *vt* to announce; to publicize
annunziatore (ân·nūn·tsyâ·tō'rā) *m* announcer
annunzio (ân·nūn'tsyō) *m* announcement; — **pubblicitario** advertisement
ano (â'nō) *m* anus
anodico (â·nô'dē·kō) *a* anodic
anodino (â·nô'dē·nō) *a* anodyne

anodo (â'nō·dō) *m* (*elec*) anode
anonimo (â·nō'nē·mō) *a* anonymous
anormale (â·nōr·mâ'lā) *a* abnormal
anormalità (â·nōr·mâ·lē·tâ') *f* abnormality
ansia (ân'syâ), **ansietà** (ân·syā·tâ') *f* anxiety
ansiosamente (ân·syō·zâ·mān'tā) *adv* anxiously
ansioso (ân·syō'zō) *a* anxious
antartico (ân·târ'tē·kō) *m&a* antarctic
antenato (ân·tā·nâ'tō) *m* ancestor; predecessor
antenna (ân·tān'nâ) *f* antenna
antecessore (ân·tā·chās·sō'rā) *m* predecessor
anteprima (ân·tā·prē'mâ) *f* preview
anteriore (ân·tā·ryō'rā) *a* previous; front
anteriorità (ân·tā·ryō·rē·tâ') *f* priority
anteriormente (ân·tā·ryōr·mān'tā) *adv* previously, before
antiacido (ân·tyâ'chē·dō) *m&a* antacid
anticamente (ân·tē·kâ·mān'tā) *adv* formerly; in days of yore
anticamera (ân·tē·kâ'mâ·râ) *f* waiting room
antichità (ân·tē·kē·tâ') *f* antiquity
anticipare (ân·tē·chē·pâ'rā) *vt* to advance; to anticipate
anticipatamente (ân·tē·chē·pâ·tâ·mān'tā) *adv* in advance
anticipato (ân·tē·chē·pâ'tō) *a* in advance; **pagamento** — advance payment
anticipo (ân·tē'chē·pō) *m* advance
anticlericale (ân·tē·klā·rē·kâ'lā) anticlerical
antico (ân·tē'kō) *a* ancient
anticongelante (ân·tē·kōn·jā·lân·tā) *m* (*auto*) antifreeze
antidetonante (ân·tē·dā·tō·nân'tā) *a* antiknock
antidoto (ân·tē'dō·tō) *m* antidote
antifrizione (ân·tē·frē·tsyō'nā) *f* antifriction
antiincendio (ân·tē·ēn·chen'dyō) *a* fireproofing
antimagnetico (ân·tē·mâ·nye'tē·kō) *a* antimagnetic
antimeridiano (ân·tē·mâ·rē·dyâ'nō) *a* forenoon, morning
antimonio (ân·tē·mô'nyō) *m* (*chem*) antimony
antipasto (ân·tē·pâ'stō) *m* hors d'oeuvres, appetizers
antipatia (ân·tē·pâ·tē'â) *f* dislike
antipatico (ân·tē·pâ'tē·kō) *a* disagreeable
antiquariato (ân·tē·kwâ·ryâ'tō) *m* sec-

ondhand book ·business
antiquario (ân·tē·kwâ'ryō) *m* antique dealer
antiquato (ân·tē·kwâ'tō) antiquated
antisemita (ân·tē·sā·mē'tâ) *a* anti-semitic
antisettico (ân·tē·set'tē·kō) *a* antiseptic
antologia (ân·tō·lō·jē'â) *f* anthology
antracene (ân·trâ·châ'nā) *m* (*chem*) anthracene
antracite (ân·trâ·chē'tā) *m* anthracite
anzi (ân'tsē) *adv* rather, instead
anzianità (ân·tsyâ·nē·tâ') *f* seniority
anziano (ân·tsyâ'nō) *a* elder; elderly
anzichè (ân·tsē·kâ') *conj* rather than, in place of
anzitutto (ân·tsē·tūt'tō) *adv* above all
ape (â'pā) *f* bee
aperitivo (â·pā·rē·tē'vō) *m* aperitif
apertamente (â·pār·tâ·mān'tā) *adv* openly, publicly
aperto (â·pār'tō) *a* open
apertura (â·pār·tū'râ) *f* opening, aperture, hole
apoplessia (â·pō·plās·sē'â) *f* stroke
apostolo (â·pō'stō·lō) *m* apostle
appaiare (âp·pâ·yâ'rā) *vt* to match, find a mate for
appaltatore (âp·pâl·tâ·tō'rā) *m* contractor
appalto (âp·pâl'tō) *m* contract; bid
appannato (âp·pân·nâ'tō) *a* dim; dull
apparecchiare (âp·pâ·râk·kyâ'rā) *vt* to prepare; — **la tavola** to set the table
apparecchiatura (âp·pâ·râk·kyâ·tū'râ) *f* equipment
apparecchio (âp·pâ·rek'kyō) *m* apparatus; telephone; radio; plane
apparente (âp·pâ·rēn'tā) *a* apparent; —**mente** (âp·pâ·rân·tâ·mān'tā) *adv* apparently, seemingly
apparenza (âp·pâ·rān'tsâ) *f* appearance
apparire * (âp·pâ·rē'râ) *vi* to appear
apparizione (âp·pâ·rē·tsyō'nā) *f* apparition, vision
appartamento (âp·pâr·tâ·mān'tō) *m* apartment
appartenere * (âp·pâr·tā·nâ'rā) *vi* to belong; to be in one's field
appassire (âp·pâs·sē'râ) *vt&i* to dry; to wither
appassito (âp·pâs·sē'tō) *a* faded
appellarsi (âp·pāl·lâr'sē) *vi* to appeal
appello (âp·pāl'lō) *m* appeal; roll call; **corte d'** — court of appeals, appellate court
appena (âp·pā'nâ) *adv* hardly; as soon as; just as
appendere * (âp·pen'dā·râ) *vt* to hang

appendice (âp·pän·dē'chä) *f* appendix; **romanzo d'**— serial novel

appendicite (âp·pän·dē·chē'tä) *f* appendicitis

appetito (âp·pā·tē'tō) *m* appetite; **buon** —! enjoy your dinner!

appetitoso (âp·pā·tē·tō'zō) *a* appetizing, delicious

appiccicare (âp·pē·chē·kâ'rä) *vt* to stick; to glue together

applaudire (âp·plâū·dē'rä) *vt* to applaud

applauso (âp·plâ'ū·zō) *m* applause

applicare (âp·plē·kâ'rä) *vt* to apply; to place

applicazione (âp·plē·kâ·tsyō'nä) *f* application; appliance

appoggiare (âp·pōj·jâ'rä) *vt* to support

appoggiarsi (âp·pōj·jâr'sē) *vr* to lean against

appoggio (âp·pōj'jō) *m* support, backing

apporto (âp·pōr'tō) *m* contribution

appositamente (âp·pō·zē·tâ·män'tä) *adv* on purpose

apprendere * (âp·pren'dä·rä) *vt* to learn

apprendista (âp·prän·dē'stä) *m* apprentice

appresso (âp·prās'sō) *adv* later; next; nearby

apprezzare (âp·prā·tsâ'rä) *vt* to appreciate; to value

approdare (âp·prō·dâ'rä) *vi* to land

approdo (âp·prō'dō) *m* landing

approffittare (âp·prōf·fēt·tâ'rä) *vi* to make the most of, profit by

approffittarsi (âp·prōf·fēt·târ'sē) *vr* to draw profit from, avail oneself of, take advantage of

appropriare (âp·prō·pryâ'rä) *vt* to adjust; to suit; to appropriate

appropriarsi (âp·prō·pryâr'sē) *vi* to steal, make off with

appropriato (âp·prō·pryâ'tō) *a* proper, fitting

appropriazione (âp·prō·pryâ·tsyō'nä) *f* appropriation; — **indebita** embezzlement

approssimativo (âp·prōs·sē·mâ·tē'vō) *a* approximate

approssimato (âp·prōs·sē·mâ'tō) *a* approached

approssimazione (âp·prōs·sē·mâ·tsyō'nä) *f* approximation

approvabile (âp·prō·vâ'bē·lä) *a* commendable

approvare (âp·prō·vâ'rä) *vt* to approve, commend

approvazione (âp·prō·vâ·tsyō'nä) *f* approval; commendation

appuntamento (âp·pūn·tâ·män'tō) *m* appointment, date

appuntare (âp·pūn·tâ'rä) *vt* to sharpen; to pin on; to note

appunto (âp·pūn'tō) *m* remark; note; **per l'**— *adv* exactly, precisely

aprile (â·prē'lä) *m* April; **pesce d'**— April fool

apripista (â·prē·pē'stä) *m* bulldozer

aprire * (â·prē'rä) *vt* to open; to split

aprirsi * (â·prēr'sē) *vi* to burst; to split open

apriscatole (â·prē·skâ'tō·lä) *m* can opener

aquila (â'kwē·lâ) *f* eagle

aquilino (â·kwē·lē'nō) *a* hooked, aquiline

aquilone (â·kwē·lō'nä) *m* kite

arabo (â'râ·bō) *m* Arab; — *a* Arabian

arachide (â·râ'kē·dä) *f* peanut

aragosta (â·râ·gō'stä) *f* lobster

araldica (â·râl'dē·kâ) *f* heraldry

aranceto (â·rân·chä'tō) *m* orange grove

arancia (â·rân'châ) *f* orange; **-ta** (â·rân·châ'tâ) *f* orangeade

aratro (â'râ·trō) *m* plow

arazzo (â·râ'tsō) *m* tapestry

arbitro (âr'bē·trō) *m* judge; referee

arcangelo (âr·kân'jä·lō) *m* archangel

architetto (âr·kē·tät'tō) *m* architect

architettura (âr·kē·tät·tū'râ) *f* architecture

archiviare (âr·kē·vyâ'rä) *vt* to file; to put on file

archivio (âr·kē'vyō) *m* file; archives

arcivescovo (âr·chē·ve'skō·vō) *m* archbishop

arco (âr'kō) *m* arch; **strumenti ad** — string instruments; **tiro con l'**— archery; **-baleno** (âr·kō·bâ·lä'nō) *m* rainbow

ardente (âr·dän'tä) *a* burning; passionate

ardere * (âr'dä·rä) *vt&i* to burn

ardesia (âr·de'zyâ) *f* slate

ardito (âr·dē'tō) *a* bold, intrepid

area (â'râ·â) *f* area, zone

arena (â·râ'nâ) *f* arena; sand

arenoso (â·râ·nō'zō) *a* sandy

argano (âr'gâ·nō) *m* winch; capstan

argentato (âr·jän·tâ'tō) *a* silver-plated

argenteria (âr·jän·tä·rē'â) *f* silverware

argento (âr·jän'tō) *m* silver

argilla (âr·jēl'lâ) *f* clay

argine (âr'jē·nä) *m* embankment; barricade

argo (âr'gō) *m* argon

argomento (âr·gō·mān'tō) *m* argument subject; reason; indication

argutamente (âr·gū·tâ·mān'tä) *adv*

---

k kid, **l** let, **m** met, **n** not, **p** pat, **r** very, **s** sat, **sh** shop, **t** tell, **v** vat, **w** we, **y** yes, **z** zero

shrewdly, artfully; wittily
arguto (âr·gū'tō) *a* witty, sharp
arguzia (âr·gū'tsyâ) *f* wit, humor; guile
aria (â'ryâ) *f* air; appearance
arido (â'rē·dō) *a* arid; dull, insipid
ariete (â·ryä'tä) *m* (*zool*) ram; (*mil*) battering ram
aringa (â·rēn'gâ) *f* herring
arioso (â·ryō'zō) *a* airy, light
aristocratico (â·rē·stō·krâ'tē·kō) *a* aristocratic; patrician; noble
aristocrazia (â·rē·stō·krâ·tsē'â) *f* aristocracy, nobility
aritmetica (â·rēt·me'tē·kâ) *f* arithmetic
arlecchino (âr·lāk·kē'nō) *m* buffoon, jester
arma (âr'mâ) *f* armament, arm
armadietto (âr·mâ·dyät'tō) *m* small cabinet; — **per medicinali** medicine chest
armadio (âr·mâ'dyō) *m* wardrobe; — **a muro** closet
armamentario (âr·mâ·mān·tâ'ryō) *m* outfit; — **chirurgico** surgical instruments
armamento (âr·mâ·mān'tō) *m* (*mil*) armament; ship's rigging; (*mech*) assembly
armare (âr·mâ'rā) *vt* to arm; to put together, assemble
armata (âr·mâ'tâ) *f* fleet; **corpo d'—** army corps
armato (âr·mâ'tō) *a* armed; **–re** (âr·mâ·tō'rā) *m* shipowner
armatura (âr·mâ·tū'râ) *f* armor; (*elec*) armature; framework
arme (âr'mā) *f* weapon; **–ria** (âr·mâ·rē'â) *f* armory
armistizio (âr·mē·stē'tsyō) *m* armistice
armonia (âr·mō·nē'â) *f* harmony
armonica (âr·mô'nē·kâ) *f* harmonica
armonioso (âr·mō·nyō'zō) *a* harmonious, melodious
armonizzare (âr·mō·nē·dzâ'râ) *vt&i* to harmonize
arnese (âr·nā'zā) *m* tool; **cattivo —** rogue
arnione (âr·nyō'nā) *m* kidney
aroma (â·rō'mâ) *m* flavor, aroma; **–tico** (â·rō·mâ'tē·kō) *a* flavorful, aromatic
arpa (âr'pâ) *f* harp
arpia (âr·pē'â) *f* (*fig*) shrew, scold
arrabbiarsi (âr·râb·byâr'sē) *vr* to get angry
arrampicarsi (âr·râm·pē·kâr'sē) *vr* to climb
arrecare (âr·rā·kâ'rā) *vt* to cause, bring about, give
arredamento (âr·rā·dâ·mān'tō) *m* furnishings
arredare (âr·rā·dâ'rā) *vt* to furnish

arredatore (âr·rā·dâ·tō'rā) *m* interior decorator
arredo (âr·rā'dō) *m* outfit; (*eccl*) vestments
arrembare (âr·rām·bâ'râ) *vt* to board, get aboard (*forcibly*)
arrendevole (âr·rān·de'vō·lā) *a* limber, flexible; (*fig*) tractable; **–zza** (âr·rān·dā·vō·lā'tsâ) *f* litheness; willing obedience; pliancy
arrendersi * (âr·ren'dār·sē) *vr* to give oneself up, surrender, yield
arrestare (âr·rā·stâ'rā) *vt* to arrest
arresto (âr·rā'stō) *m* arrest; failure; — **alla dogana** customs stop
arretrare (âr·rā·trâ'rā) *vt&i* to withdraw; — *vi* to fall back
arretrato (âr·rā·trâ'tō) *m* arrears; — *a* backward; delinquent; **numero —** back issue
arricchimento (âr·rēk·kē·mān'tō) *m* enrichment; embellishment
arricchire (âr·rēk·kē'rā) *vt* to enrich; (*fig*) to enhance, point up
arricchirsi (âr·rēk·kēr'sē) *vr* to get rich, become rich
arricchito (âr·rēk·kē'tō) *a* enriched; — *m* parvenu; — **di guerra** war profiteer
arricciare (âr·rē·châ'râ) *vt* to curl; — **il naso** to turn up one's nose
arringa (âr·rēn'gâ) *f* harangue; (*law*) plea
arrischiare (âr·rē·skyâ'râ) *vt* to risk
arrischiato (âr·rē·skyâ'tō) *a* risky
arrivare (âr·rē·vâ'rā) *vt* to arrive; to succeed in
arrivato (âr·rē·vâ'tō) *a* arrived; successful; — *m* success
arrivederci (âr·rē·vā·dār'chē) *inter* goodbye, so long, see you later
arrivista (âr·rē·vē'stâ) *m* (*coll*) social climber
arrivo (âr·rē'vō) *m* arrival
arrogante (âr·rō·gân'tā) *a* overbearing; supercilious; **–mente** (âr·rō·gân·tā·mān'tā) *adv* domineeringly, haughtily
arroganza (âr·rō·gân'tsâ) *f* arrogance; insolence
arrossire (âr·rōs·sē'râ) *vi* to blush
arrostire (âr·rō·stē'râ) *vt* to roast
arrostito (âr·rō·stē'tō) *a* roasted
arrosto (âr·rō'stō) *m* roast
arrotare (âr·rō·tâ'rā) *vt* to sharpen, hone; to smooth out
arrotino (âr·rō·tē'nō) *m* knife sharpener
arrotolare (âr·rō·tō·lâ'rā) *vt* to roll
arrotondare (âr·rō·tōn·dâ'rā) *vt* to make round; to round off (*a figure*)

arroventare (âr·rō·vän·tâ'rā) *vt* to make red-hot
arroventato (âr·rō·vän·tâ'tō) *a* red-hot
arruffare (âr·rūf·fâ'rā) *vt* to ruffle; to tangle; to make disorderly
arrugginirsi (âr·rūj·jē·nēr'sē) *vr* to rust
arrugginito (âr·rūj·jē·nē'tō) *a* rusty
arruvidire (âr·rū·vē·dē'rā) *vt* to roughen, make rough
arsella (âr·sāl'lâ) *f* mussel
arsenico (âr·se'nē·kō) *m* arsenic
arso (âr'sō) *a* burnt, burned
arte (âr'tā) *f* art; — **sacra** religious art; —**fatto** (âr·tā·fât'tō) *a* adulterated; —**fice** (âr·te'fē·chā) *m* skilful craftsman; (*fig*) author, perpetrator
arteria (âr·te'ryâ) *f* artery
artico (âr'tē·kō) *a&m* arctic
articolazione (âr·tē·kō·lâ·tsyō'nā) *f* articulation; joint
articolo (âr·tē'kō·lō) *m* article
artificiale (âr·tē·fē·châ'lā) *a* artificial
artificialmente (âr·tē·fē·châl·män'tā) *adv* artificially
artificio (âr·tē·fē'chō) *m* ingenuity; device; trick, wile; **fuochi d'**— fireworks; —**so** (âr·tē·fē·chō'zō) *a* sly, cunning, tricky
artigianato (âr·tē·jâ·nâ'tō) *m* arts and crafts
artigiano (âr·tē·jâ'nō) *m* craftsman
artiglieria (âr·tē·lyā·rē'â) *f* artillery
artiglio (âr·tē'lyō) *m* claw
artista (âr·tē'stâ) *m&f* artist; — **di canto** singer; — **drammatico** actor
artistico (âr·tē'stē·kō) *a* artistic; tasteful
arto (âr'tō) *m* limb
artrite (âr·trē'tā) *f* arthritis
arzillo âr·dzēl'lō) *a* sprightly, active
asbesto (â·zbā'stō) *m* asbestos
ascella (â·shāl'lâ) *f* armpit
ascendente (â·shän·dān'tā) *a* ascending, upward; — *m* (*astr*) ascendant; forebear; power, influence
ascendere * (â·schen'dā·rā) *vt&i* to go up, climb; to rise
Ascensione (â·shän·syō'nā) *f* Ascension
ascensionista (â·shän·syō·nē'stâ) *m* mountain climber
ascensore (â·shän·sō'rā) *m* elevator
ascensorista (â·shän·sō·rē'stâ) *m* elevator operator
ascesa (â·shā'zâ) *f* ascent; climb
ascesso (â·shās'sō) *m* abscess
ascia (â'shâ) *f* ax
asciugacapelli (â·shū·gâ·kâ·pāl'lē) *m* hair dryer

asciugamano (â·shū·gâ·mâ'nō) *m* hand towel
asciugante (â·shū·gân'tā) *a* drying, absorbent; **carta** — blotting paper
asciugare (â·shū·gâ'rā) *vt* to wipe, dry off; to absorb
asciugato (â·shū·gâ'tō) *a* dried; wiped up
asciugatoio (â·shū·gâ·tô'yō) *m* towel
asciutto (â·shūt'tō) *a* dry; hard, merciless
ascoltare (â·skōl·tâ'rā) *vt* to listen to; to pay attention
ascoltatore (â·skōl·tâ·tō'rā) *m* listener
ascolto (â·skōl'tō) *m* listening; attention; **prestare** — to listen, pay attention
ascrivere * (â·skrē'vâ·rā) *vt* to attribute; to impute; to assign
asettico (â·set'tē·kō) *a* aseptic, antiseptic
asfalto (â·sfâl'tō) *m* asphalt
asfissia (â·sfēs'syâ) *f* asphyxia; —**re** (â·sfēs·syâ'rā) *vt* to asphyxiate
Asia (â'zyâ) *f* Asia
asiatico (â·zyâ'tē·kō) *m&a* Asiatic
asilo (â·zē'lō) *m* asylum; — **infantile** kindergarten; — **notturno** welfare center
asimmetria (â·sēm·mā·trē'â) *f* asymmetry
asimmetrico (â·sēm·me'trē·kō) *a* asymmetrical
asino (â'zē·nō) *m* donkey, ass
asma (â'zmâ) *f* asthma
asola (â'zō·lâ) *f* buttonhole
asparago (â·spâ'râ·gō) *m* asparagus
aspettare (â·spät·tâ'rā) *vt* to wait for, await
aspettarsi (â·spät·târ'sē) *vr* to expect; to count on
aspettativa (ä·spät·tâ·tē'vâ) *f* expectancy, anticipation; leave of absence
aspetto (â·spät'tō) *m* appearance; **sala d'**— waiting room
aspirante (â·spē·rân'tā) *m* applicant
aspirapolvere (â·spē·râ·pōl'vä·rā) *m* vacuum cleaner
aspirare (â·spē·râ'rā) *vt* to aspire to; to inhale
aspirativo (â·spē·râ·tē'vō) *a* aspirate, to be aspirated
aspirato (â·spē·râ'tō) *a* sought after; aspired to; (*gram*) aspirated; —**re** (â·spē·râ·tō'rā) *m* vacuum cleaner
aspirazione (â·spē·râ·tsyō'nā) *f* desire, aim; inhalation
aspirina (â·spē·rē'nâ) *f* aspirin
aspo (â'spō) *m* reel
asportare (â·spōr·tâ'rā) *vt* to take out, remove
asprezza (â·sprä'tsâ) *f* curtness, asperity; acidity, tart taste

---

k kid, **l** let, **m** met, **n** not, **p** pat, **r** very, **s** sat, **sh** shop, **t** tell, **v** vat, **w** we, **y** yes, **z** zero

aspro (â'sprō) *a* sour; harsh

assaggiare (âs·sâj·jâ'rā) *vt* to taste

assai (âs·sâ'ē) *adv* enough; much

assale (âs·sâ'lā) *m* axle (*auto*)

assalire (âs·sâ·lē'rā) *vt* to attack

assalitore (âs·sâ·lē·tō'rā) *m* aggressor; attacker

assaltare (âs·sâl·tâ'rā) *vt* to assault, assail

assalto (âs·sâl'tō) *m* assault, aggression

assassinare (âs·sâs·sē·nâ'rā) *vt* to murder; to assassinate

assassinio (âs·sâs·sē'nyō) *m* murder

assassino (âs·sâs·sē'nō) *m* murderer

asse (âs'sā) *m* axis; axle; wooden board

assediare (âs·sā·dyâ'rā) *vt* to lay siege to

assediato (âs·sā·dyâ'tō) *a* beset, attacked

assediante (âs·sā·dyân'tā) *m* besieger; — *a* besieging

assedio (âs·se'dyō) *m* siege

assegnamento (âs·sā·nyâ·mān'tō) *m* reliance; assignment

assegnare (âs·sā·nyâ'rā) *vt* to grant, award; to designate

assegno (âs·sā'nyō) *m* check; — **per viaggiatori** traveler's check

assemblea (âs·sām·blā'â) *f* assembly, gathering

assembramento (âs·sām·brâ·mān'tō) *m* concourse, assemblage, crowd

assennatezza (âs·sān·nâ·tā'tsâ) *f* sagacity; common sense, prudence

assennato (âs·sān·nâ'tō) *a* judicious; wise

assentarsi (âs·sān·târ'sē) *vr* to absent oneself; not to be present

assente (âs·sān'tā) *a* absent; missing

assenza (âs·sān'tsâ) *f* absence

asserire (âs·sā·rē'rā) *vt* to assert; to claim

asserzione (âs·sār·tsyō'nā) *f* declaration, affirmation

assestamento (âs·sā·stâ·mān'tō) *m* settlement, adjustment

assestare (âs·sā·stâ'rā) *vt* to put in order, arrange; to balance; — **un colpo** to deliver a blow

assetato (âs·sā·tâ'tō) *a* thirsty

assiale (âs·syâ'lā) *a* axial

assicurare (âs·sē·kū·râ'rā) *vt* to insure; to make certain of

assicurarsi (âs·sē·kū·râr'sē) *vr* to make sure, be certain

assicurata (âs·sē·kū·râ'tâ) *f* insured letter

assicurazione (âs·sē·kū·râ·tsyō'nā) *f* insurance; — **sulla vita** life insurance; — **per la responsabilità civile** liability insurance

assiduamente (âs·sē·dwâ·mān'tā) *adv* perseveringly

assiduo (âs·sē'dwō) *a* diligent

assieme (âs·syā'mā) *adv* together

assillare (âs·sēl·lâ'rā) *vt* to incite, goad; to urge, spur on; — *vi* to be riled up; to be upset

assillo (âs·sēl'lō) *m* urge, impulse; tormenting thought; bête noire, bugbear

assimilare (âs·sē·mē·lâ'rā) *vt* to assimilate, digest; (*fig*) to take in, grasp

assimilarsi (âs·sē·mē·lâr'sē) *vr* to be assimilated; to become like

assimilazione (âs·sē·mē·lâ·tsyō'nā) *f* assimilation

assistente (âs·sē·stân·tā) *m* assistant; — **sociale** social worker

assistenza (âs·sē·stân'tsâ) *f* assistance; — **sociale** social work

assistenziale (âs·sē·stân·tsyâ'lā) *a* charitable; **opere assistenziali** social welfare

assistenziario (âs·sē·stân·tsyâ'ryō) *m* welfare department

assistere * (âs·sē'stā·rā) *vt* to assist; — *vi* to be present

assistiti (âs·sē·stē'tē) *mpl* welfare cases, relief recipients

asso (âs'sō) *m* ace

associare (âs·sō·châ'rā) *vt* to associate

associarsi (âs·sō·châr'sē) *vi* to associate; to be associated; to join

associazione (âs·sō·châ·tsyō'nā) *f* association; — **a delinquere** crime syndicate

assodare (âs·sō·dâ'rā) *vt* to make solid; to make sure of

assolto (âs·sōl'tō) *a* acquitted

assolutamente (âs·sō·lū·tâ·mān'tā) *adv* absolutely

assoluto (âs·sō·lū'tō) *a&m* absolute; positive

assoluzione (âs·sō·lū·tsyō'nā) *f* absolution; acquittal

assolvere * (âs·sōl'vâ·rā) *vt* to absolve; to perform (*task*)

assomigliare (âs·sō·mē·lyâ'rā) *vi* to resemble

assonante (âs·sō·nân'tā) *a* assonant

assonanza (âs·sō·nân'tsâ) *f* assonance

assorbente (âs·sōr·bân'tā) *a* absorbent

assorbire (âs·sōr·bē'rā) *vt* to absorb; to engulf

assordire (âs·sōr·dē'rā) *vt* to deafen; to stun; — *vi* to become deaf

assortimento (âs·sōr·tē·mān'tō) *adv* assortment, line; variety

assortire (âs·sōr·tē'rā) *vt* to sort; to furnish, provide

assortito (âs·sōr·tē′tō) *a* assorted; various
assumere * (âs·sū′mä·rä) *vt* to assume; to employ; to fulfill
Assunzione (âs·sūn·tsyō′nä) *f* Assumption
assurdità (âs·sūr·dē·tâ′) *f* absurdity; nonsense
assurdo (âs·sūr′dō) *a* absurd, ridiculous
asta (â′stâ) *f* pole; **vendita all'**— auction sale
astemio (â·ste′myō) *m* teetotaler; — *a* abstemious
astenersi (â·stä·när′sē) *vr* to abstain
astensione (â·stän·syō′nä) *f* abstention
asterisco (â·stä·rē′skō) *m* asterisk
astio (â′styō) *m* grudge
astracan (â·strâ′kân) *m* astrakhan; **pelliccia d'**— astrakhan fur
astrale (â·strâ′lä) *a* astral
astrarre * (â·strâr′rä) *vt&i* to abstract; to set apart, highlight
astrarsi * (â·strâr′sē) *vr* to wander off
astrattismo (â·strât·tē′zmō) *m* abstract art
astro (â′strō) *m* star; **–fisica** (â·strō·fē′zē·kä) *f* astrophysics; **–fotometrico** (â·strō·fō·tō·me′trē·kō) *a* astrophotometric; **–logia** (â·strō·lō·jē′â) *f* astrology; **–logo** (â·strō′lō·gō) *m* astrologer; **–metria** (â·strō·mä·trē′â) *f* astrometry; **–nauta** (â·strō·nâ′ū·tä) *m* astronaut; **–nautica** (â·strō·nâ′ū·tē·kä) *f* space travel, astronautics; **–nave** (â·strō·nâ′vä) *f* spaceship; **–nomia** (â·strō·nō·mē′â) *f* astronomy; **–nomico** (â·strō·nô′mē·kō) *a* astronomical; **–nomo** (â·strō′nō·mō) *m* astronomer
astuccio (â·stū′chō) *m* case, box
astuto (â·stū′tō) *a* shrewd, clever
astuzia (â·stū′tsyâ) *f* craftiness, asstuteness; ruse
ateismo (â·tä·ē′zmō) *m* atheism
ateo (â′tä·ō) *m* atheist
atlante (â·tlân′tä) *m* atlas
atlantico (â·tlân′tē·kō) *a* Atlantic
atleta (â·tlä′tâ) m athlete
atletica (â·tle′tē·kâ) *f* athletics, sports
atmosfera (â·tmō·sfä′râ) *f* atmosphere
atomico (â·tô′mē·kō) *a* atomic; **energia atomica** atomic energy
atomizzare (â·tō·mē·dzâ′râ) *vt* to annihilate; to destroy
atomo (â′tō·mō) *m* atom; **scissione dell'**— atomic fission
atrio (â′tryō) *m* hall
atroce (â·trō′chä) *a* frightful, atrocious
atrocità (â·trō·chē·tâ′) *f* atrocity
atrofia (â·trō·fē′â) *f* atrophy

attaccamento (ât·tâk·kâ·mān′tō) *m* devotion, love
attaccapanni (ât·tâk·kâ·pân′nē) *m* coat hanger
attaccare (ât·tâk·kâ′râ) *vt* to attack; to attach; to sew; to stick
attacco (ât·tâk′kō) *m* attack
attecchire (ât·tāk·kē′râ) *vt* to stick, take hold
atteggiamento (ât·tāj·jâ·mān′tō) *m* attitude
atteggiare (ât·tāj·jâ′râ) *vt* to adapt, make conform; to cause to comply
atteggiarsi (ât·tāj·jâr′sē) *vr* to take an attitude, take a position
attempato (ât·tâm·pâ′tō) *a* grown old, elderly
attendarsi (ât·tän·dâr′sē) *vr* to camp out, pitch camp
attendente (ât·tän·dän′tä) *m* orderly
attendere * (ât·ten′dä·râ) *vt* to wait for, anticipate
attendibile (ât·tän·dē′bē·lä) *a* reliable
attendibilità (ât·tän·dē·bē·lē·tâ′) *f* trustworthiness; assurance
attenere * (ât·tä·nä′râ) *vi* to belong to
attenersi * (ât·tä·när′sē) *vr* to conform to; to stick to; — **alle istruzioni** to follow instructions
attentamente (ât·tän·tâ·mān′tä) *adv* carefully
attentare (ât·tän·tâ′râ) *vi* to attempt
attentato (ât·tän·tâ′tō) *m* attempt
attento (ât·tän′tō) *a* careful; **attenti a** beware of; watch out for; **attenti ai treni** railroad crossing
attenuare (ât·tä·nwâ′râ) *vt* to lessen; to diminish
attenzione (ât·tän·tsyō′nä) *f* attention; **—! lavori in corso!** caution! road under repair!; — **agli animali** beware of animals; **fare** — to be careful
atterraggio (ât·târ·râj′jō) *m* (*avi*) landing; — **di fortuna** emergency landing; — **cieco** blind landing; — **strumentale** instrument landing; **carrello di** — landing gear
atterrare (ât·târ·râ′râ) *vi* to land; — *vt* to fell; to knock to the ground
atterrire (ât·târ·rē′râ) *vt* to frighten
attesa (ât·tä′zâ) *f* waiting
attestare (ât·tä·stâ′râ) *vt* to testify to; to declare
attestato (ât·tä·stâ′tō) *m* testimonial
attiguo (ât·tē′gwō) *a* adjoining, next
attillato (ât·tēl·lâ′tō) *a* close-fitting; dressed up; coquettish
attimo (ât′tē·mō) *m* instant

attingere * (ât·tēn'jä·rä) *vt* to draw, come by, obtain; to arrive at

attinico (ât·tē'nē·kō) *a* actinic

attirare (ât·tē'râ'rä) *vt* to attract, call; to appeal to

attitudine (ât·tē·tū'dē·nä) *f* aptitude, talent, natural ability

attivamente (ât·tē·vä·mãn'tä) *adv* actively

attività (ât·tē·vē·tâ') *f* activity

attivo (ât·tē'vō) *a* active; animated

attizzare (ât·tē·tsâ'rä) *vt* to stir, poke (*fire*); to instigate; to egg on

attizzatoio (ât·tē·tsâ·tô'yō) *m* poker

atto (ât'tō) *m* act; action; deed; — di nascita birth certificate; — di morte death certificate

attonito *a* (ât·tô'nē·tō) *a* astonished

attorcigliare (ât·tōr·chē·lyâ'rä) *vt* to wind around, twist about

attorcigliarsi (ât·tōr·chē·lyâr'sē) *vr* to twist around, twine about

attore (ât·tō'rä) *m* actor; plaintiff (*law*)

attorno (ât·tōr'nō) *adv* around, all about

attraccare (ât·trâk·kâ'rä) *vt* to dock at, come alongside

attraente (ât·trâ·ân'tä) *a* attractive, charming

attrarre * (ât·trâr'rä) *vt* to attract; to appeal to

attrattiva (ât·trât·tē'vâ) *f* charm, appeal

attrattivo (ât·trât·tē'vō) *a* attractive, appealing

attraversamento (ât·trâ·vär·sâ·mân'tō) *m* crossing; — pedonale crosswalk

attraversare (ât·trâ·vär·sâ'rä) *vt* to cross, go across

attraverso (ât·trâ·vär'sō) *adv* across, to the other side of

attrazione (ât·trâ·tsyō'nä) *f* attraction; appeal

attrezzare (ât·trâ·tsâ'rä) *vt* to equip, provide

attrezzatura (ât·trâ·tsâ·tū'râ) *f* equipment

attrezzi (ât·trâ'tsē) *mpl* tools; borsa degli — tool kit

attribuire (ât·trē·bwē'rä) *vt* to attribute, lay; to regard, consider

attributo (ât·trē·bū'tō) *m* attribute

attrice (ât·trē'chä) *f* actrice

attrito (ât·trē'tō) *m* attrition

attuale (ât·twâ'lä) *a* actual; contemporary

attualità (ât·twâ·lē·tâ') *f* current events

attualmente (ât·twâl·mãn'tä) *adv* now, at the present time

attuare (ât·twâ'rä) *vt* to actuate; to accomplish, execute; to implement

attutire (ât·tū·tē'rä) *vt* to deaden, muffle; to alleviate

attutirsi (ât·tū·tēr'sē) *vr* to be muffled; to be alleviated

audace (âū·dâ'chä) *a* bold, daring

audacia (âū·dâ'châ) *f* daring, boldness, audacity

audiofrequenza (âū·dyō·frä·kwân'tsâ) *f* (*rad*) audiofrequency

auditorio (âū·dē·tô'ryō) *m* auditorium; television studio

audizione (âū·dē·tsyō'nä) *f* hearing, audition

augurare (âū·gū·râ'rä) *vt* to wish; to hope for

augurio (âū·gū'ryō) *m* wish; omen

aula (â'ū·lâ) *f* hall; schoolroom

aumentare (âū·mân·tâ'rä) *vt* to increase; to broaden

aumento (âū·mân'tō) *m* raise, increase; broadening

aureo (â'ū·rä·ō) *a* golden

aureomicina (âū·rä·ō·mē·chē'nâ) *f* aureomycin

auricolare (âū·rē·kō·lâ'rä) *a* auricular

aurora (âū·rō'râ) *f* daybreak, dawn

ausiliario (âū·zē·lyâ'ryō) *m* auxiliary

ausilio (âū·zē'lyō) *m* assistance, aid

auspici (âū·spē'chē) *mpl* auspices

auspicio (âū·spē'chō) *m* omen

austerità (âū·stä·rē·tâ') *f* austerity

austero (âū·stä'rō) *a* sober, austere; plain

austriaco (âū·strē'â·kō) *a&m* Austrian

autarchia (âū·târ·kē'â) *f* self-sufficiency

autenticare (âū·tän·tē·kâ'rä) *vt* to notarize; to authenticate

autentico (âū·ten'tē·kō) *a* authentic, real

autista (âū·tē'stä) *m* driver

auto (â'ū·tō) *m* car; –accensione (âū·tō·â·chän·syō'nä) *f* autoignition; –adescante (âū·tō·â·dä·skân'tä) *a* (*mech*) self-starting; –biografia (âū·tō·byō·grâ·fē'â) *f* autobiography; –blinda (âū·tō·blēn'dâ) *f* armored car; –bus (âū·tō·būs') *m* bus; –campeggio (âū·tō·kâm·pej'jō) *m* camping in a trailer; –carro (âū·tō·kâr'rō) *m* truck; –cisterna (âū·tō·chē·stär'nâ) *f* tank truck; –clave (âū·tō·klâ'vä) *f* autoclave; (*med*) sterilizer; –corriera (âū·tō·kōr·ryâ'râ) *f* intercity bus; –crazia (âū·tō·krâ·tsē'â) *f* autocracy; –decisione (âū·tō·dä·chē·zyō'nä) *f* self-determination; –dromo (âū·tō·drō'mō) *m* motordrome; –fficina (âū·tōf·fē·chē'nä) *f* auto repair shop; –genesi (âū·tō·jē'nä·zē) *f* abiogenesis; spontaneous generation; –geno (âū·tō'jä·nō) autogenic;

autogenetic; **–giro** (âū·tō·jē'rō) *m* gyroplane; autogyro; **–grafo** (âū·tô'grä·fō) *m* autograph; **–lesione** (âū·tō·lä·zyō'nä) *f* self-inflicted wound; **–lettiga** (âū·tō·lät·tē'gä) *f* ambulance; **–linea** (âū·tō·lē'nä·â) *f* bus line; **–ma** (âū·tō'mä) *m* robot, automation; **–matico** (âū·tō·mä'tē·kō) *a* automatic; **–mazione** (âū·tō·mâ·tsyō'nä) *f* automation; **–mezzo** (âū·tō·mä'dzō) *m* motor vehicle; **–mobile** (âū·tō·mō'bē·lä) *m* automobile; **–mobilismo** (âū·tō·mō·bē·lē'zmō) *m* motoring; **–mobilista** (âū·tō·mō·bē·lē'stä) *m* driver; **–motrice** (âū·tō·mō·trē'chä) *f* self-propelled railroad car; **–nomia** (âū·tō·nō·mē'â) *f* self-government; *(avi)* cruising range; **–parcheggio** (âū·tō·pâr·kej'jō) *m* parking lot; **–pompa** (âū·tō·pōm'pä) *f* fire engine; **–psia** (âū·tō·psē'â) *f* autopsy; **–pubblica** (âū·tō·pūb'blē·kâ) *f* taxi, taxicab; **–pullman** (âū·tō·pūl'män) *m* luxury bus; **–raduno** (âū·tō·râ·dū'nō) *m* automobile meet; **–re** (âū·tō'rä) *m* author; **–rimessa** (âū·tō·rē·mäs'sä) *f* garage; **–rità** (âū·tō·rē·tâ') *f* authority; **–rizzare** (âū·tō·rē·dzä'rä) *vt* to authorize; **–rizzazione** (âū·tō·rē·dzä·tsyō'nä) *f* authorization; **–scafo** (âū·tō·skä'fō) *m* motor boat; **–scatto** (âū·tō·skät'tō) *m* *(phot)* automatic release; **–stello** (âū·tō·stäl'lō) *m* motel; **–stop** (âū·tō·stōp') *m* hitchhiking; **–stoppista** (âū·tō·stōp·pē'stä) *m&f* hitchhiker; **–strada** (âū·tō·strä'dâ) *f* superhighway, expressway, turnpike; **–suggestione** (âū·tō·sūj·jä·styō'nä) *f* autosuggestion; **–tipia** (âū·tō·tē·pē'â) *f* autotype, facsimile; **–trasporto** (âū·tō·trä·spōr'tō) *m* trucking; **–treno** (âū·tō·trä'nō) *m* trailer truck; **–veicolo** (âū·tō·vä·ē'kō·lō) *m* motor vehicle; **–vettura** (âū·tō·vät·tū'râ) *f* passenger car

autunno (âū·tūn'nō) *m* fall, autumn

avallare (â·vâl·lâ'rä) *vt* to guarantee

avambraccio (â·vâm·brâ'chō) *m* forearm

Avana (â·vâ'nä) *f* Havana; **a–** *m* Havana cigar

avanguardia (â·vân·gwâr'dyä) *f* vanguard

avanguardista (â·vân·gwâr·dē'stä) *m* scout

avanscoperta (â·vân·skō·pär'tâ) *f* *(mil)* scouting

avanti (â·vân'tē) *adv* ahead; come in!; **–eri** (â·vân·tyä'rē) *adv* day before yesterday

avanzamento (â·vân·tsâ·män'tō) *m* progression; promotion

avanzare (â·vân·tsâ'rä) *vt* to advance; — *vi* to be left over

avanzata (â·vân·tsâ'tâ) *f* advance

avanzato (â·vân·tsâ'tō) *a* advanced; **cibo —** leftover food; **notte avanzata** late at night; **età avanzata** great age, old age

avanzo (â·vân'tsō) *m* leftover

avaro (â·vâ'rō) *a* stingy; — *m* miser

avena (â·vä'nä) *f* oats

avere * (â·vä'rä) *vt* to have

avi (â'vē) *mpl* ancestors

aviatore (â·vyâ·tō'râ) *m* aviator

aviatrice (â·vyâ·trē'chä) *f* aviatrix

aviazione (â·vyâ·tsyō'nä) *f* aviation

avidità (â·vē·dē·tâ') *f* great eagerness; greed

avido (â'vē·dō) *a* avid, anxious

aviere (â·vyä'rä) *m* aviator

aviogetto (â·vyō·jät'tō) *m* jet plane

aviolinea (â·vyō·lē'nä·â) *f* air line

avioraduno (â·vyō·râ·dū'nō) *m* air meet

aviorimessa (â·vyō·rē·mäs'sâ) *f* hangar

avitaminosi (â·vē·tâ·mē·nō'zē) *f* avitaminosis

avo (â'vō) *m* grandfather

avorio (â·vō'ryō) *m* ivory

avvallamento (âv·vâl·lâ·män'tō) *m* valley; hollow

avvallare (âv·vâl·lâ'rä) *vt* to hollow out; to level (*land*)

avvallarsi (âv·vâl·lâr'sē) *vr* to sink; *(fig)* to give up, admit defeat

avvalorare (âv·vâ·lō·râ'rä) *vt* to increase the value of; to strengthen

avvalorarsi (âv·vâ·lō·râr'sē) *vr* to increase in value; to make oneself valuable; to become stronger

avvantaggiamento (âv·vân·tâj·jä·män'tō) *m* advantage, benefit; improvement

avvantaggiare (âv·vân·tâj·jä'rä) *vt* to improve; to benefit

avvantaggiarsi (âv·vân·tâj·jâr'sē) *vr* to get profit from; to take advantage of

avvedutezza (âv·vä·dū·tä'tsâ) *f* prudence; keenness; astuteness

avveduto (âv·vä·dū'tō) *a* wary; prudent; shrewd

avvelenare (âv·vä·lä·nâ'rä) *vt* to poison

avvelenatore (âv·vä·lä·nâ·tō'rä) *m* poisoner

avvenenza (âv·vä·nän'tsâ) *f* charm; prettiness

avvenimento (âv·vä·nē·män'tō) *m* event, happening

avvenire * (âv·vä·nē'rä) *vi* to happen; — *m* future

avventare (âv·vän·tâ'rä) *vt* to hazard; to rush at; to fling

avventarsi (âv·văn·târ'sē) *vr* to pounce; to rush upon

avventato (âv·văn·tâ'tō) *a* rash, heedless

avventore (âv·văn·tō'rā) *m* customer

avventura (âv·văn·tū'râ) *f* adventure; **–re** (âv·văn·tū·râ'rā) *vt* to venture; **–rsi** (âv·văn·tū·râr'sē) *vr* to venture, dare; **–to** (âv·văn·tū·râ'tō) *a* fortunate, lucky

avventuriere (âv·văn·tū·ryā'rā) *m* adventurer

avverbio (âv·ver'byō) *m* adverb

avversario (âv·văr·sâ'ryō) *m* adversary; enemy

avversione (âv·văr·syō'nā) *f* dislike

avversità (âv·văr·sē·tâ') *f* adversity

avvertenza (âv·văr·tăn'tsâ) *f* notice, warning; foreword, preface

avvertimento (âv·văr·tē·măn'tō) *m* warning

avvertire (âv·văr·tē'rā) *vt* to notify; to warn; to sense, notice

avvezzare (âv·vā·tsâ'rā) *vt* to accustom

avviamento (âv·vyâ·măn'tō) *m* introduction to a subject; *(auto)* starter; **scuola d'— commerciale** business school, commercial college

avviare (âv·vyâ'rā) *vt* to start, activate

avviarsi (âv·vyâr'sē) *vr* to set out; to advance, proceed

avvicendamento (âv·vē·chān·dâ·măn'tō) rotation; alternation

avvicinamento (âv·vē·chē·nâ·măn'tō) *m* approach, drawing near

avvicinare (âv·vē·chē·nâ'rā) *vt* to bring closer

avvicinarsi (âv·vē·chē·nâr'sē) *vr* to get closer, draw nearer

avvilimento (âv·vē·lē·măn'tō) *m* dejection; debasement

avvilire (âv·vē·lē'rā) *vt* to mortify; to deject; to debase

avvilirsi (âv·vē·lēr'sē) *vr* to lose heart; to debase oneself

avviluppare (âv·vē·lūp·pâ'rā) *vt* to enfold; to wrap

avvilupparsi (âv·vē·lūp·pâr'sē) *vr* to wrap up, bundle up; to become involved

avvinazzato (âv·vē·nâ·tsâ'tō) *a* tipsy

avvincere * (âv·vēn'chā·rā) *vt* to truss up; to bind; to fascinate

avvincersi * (âv·vēn'chār·sē) *vr* to hug each other; to become obligated, obligate oneself

avvinto (âv·vēn'tō) *a* tied, bound; *(fig)* fascinated

avvisare (âv·vē·zâ'rā) *vt* to inform, advise

avviso (âv·vē'zō) *m* notice, advice

avvitamento (âv·vē·tâ·măn'tō) *m* *(avi)* spin; screwing

avvitare (âv·vē·tâ'rā) *vt* to screw

avvivare (âv·vē·vâ'rā) *vt* to animate; to make vivacious

avvizzire (âv·vē·tsē'rā) *vi* to wither

avvocato (âv·vō·kâ'tō) *m* lawyer

avvocatura (âv·vō·kâ·tū'râ) *f* practice of law

avvolgere * (âv·vôl'jā·rā) *vt* to wrap up; to envolve, mix up

avvolgimento (âv·vōl·jē·măn'tō) *m* winding; hoodwinking

avvoltoio (âv·vōl·tô'yō) *m* vulture

azienda (â·tsyăn'dâ) *f* business, firm; **— di soggiorno** municipal tourist bureau; **–le** (â·tsyăn·dâ'lā) *a* pertaining to business, business

azionare (â·tsyō·nâ'rā) *vt* to operate; to activate

azione (â·tsyō'nā) *f* action; share

azionista (â·tsyō·nē'stâ) *m* stockholder

azoto (â·dzō'tō) *m* nitrogen

azzannare (â·dzân·nâ'rā) *vt* to gore, tusk

azzardare (â·dzâr·dâ'rā) *vt* to risk

azzardo (â·dzâr'dō) *m* risk; **giuoco d'—** gambling

azzeccare (â·dzāk·kâ'rā) *vt* to guess

azzimo (â'dzē·mō) *a* unleavened

azzuffarsi (â·dzūf·fâr'sē) *vr* to come to blows, fight

azzurro (â·dzūr'rō) *a* blue; **–gnolo** (â·dzūr·rô'nyō·lō) *a* bluish

B

babbeo (bâb·bā'ō) *m* idiot, simpleton

babbo (bâb·bō) *m* dad

babordo (bâ·bōr'dō) *m* *(naut)* port

bacato (bâ·kâ'tō) *a* rotten; worm-eaten

bacca (bâk'kâ) *f* berry

baccalà (bâk·kâ·lâ') *m* codfish, cod

baccano (bâk·kâ'nō) *m* noise, racket

baccello (bâ·chāl'lō) *m* *(bot)* pod

bacchetta (bâk·kāt'tâ) *f* *(mus)* baton

baciare (bâ·châ'rā) *vt* to kiss

bacile (bâ·chē'lā) *m* basin

bacinella (bâ·chē·nāl'lâ) *f* shallow bowl; *(phot)* tray

bacio (bâ'chō) *m* kiss

baco (bâ'kō) *m* caterpillar; **— da seta** silkworm

â ârm, ā bāby, e bet, ē bē, ō gō, ô gône, ū blūe, b bad, ch child, d dad, f fat, g gay, j jet

bada 59 barb

badare (bâ·dâ′rā) *vi* to mind; to be careful

badessa (bâ·dās′sâ) *f* abbess

badia (bâ·dē′â) *f* abbey

badile (bâ·dē′lā) *m* shovel

baffi (bâf′fē) *mpl* mustache

bagagliaio (bâ·gâ·lyâ′yō) *m* baggage car

bagaglio (bâ·gâ′lyō) *m* baggage; **deposito bagagli** checkroom; **ufficio bagagli** baggage room

bagarino (bâ·gâ·rē′nō) *m* scalper on the stock market; ticket scalper

bagattella (bâ·gât·tāl′lâ) *f* bagatelle, trifle

baggianata (bâj·jâ·nâ′tâ) *f* foolishness, nonsense

bagliore (bâ·lyō′rā) *m* gleam, dazzle; beam, ray

bagnante (bâ·nyân′tā) *m&f* bather

bagnare (bâ·nyâ′rā) *vt* to wet; to dampen

bagnarola (bâ·nyâ·rō′lâ) *f* bathtub

bagnarsi (bâ·nyâr′sē) *vr* to get wet; to bathe; **vietato —** no swimming

bagnasciuga (bâ·nyâ·shū′gâ) *f* shoreline

bagnino (bâ·nyē′nō) *m* lifeguard

bagno (bâ′nyō) *m* bath; **costume da —** bathing suit; **stanza da —** bathroom; **vasca da —** bathtub; **−maria** (bâ·nyō·mâ·rē′â) *m* bain-marie

baia (bâ′yâ) *f* bay, harbor

baio (bâ′yō) *m* bay (*horse*)

baionetta (bâ·yō·nāt′tâ) *f* bayonet

baita (bâ′ē·tâ) *f* mountain hut

balaustra (bâ·lâ·ū′strâ), **balaustrata** (bâ·lâū·strâ′tâ) *f* railing

balbettare (bâl·bāt·tâ′rā) *vt* to stammer; to speak haltingly

balbuziente (bâl·bū·tsyân′tā) *m* stammerer

balcone (bâl·kō′nā) *m* balcony

baldacchino (bâl·dâk·kē′nō) *m* canopy

baldoria (bâl·dô′ryâ) *f* revelry, wassail

balena (bâ·lā′nâ) *f* whale

balenare (bâ·lā·nâ′rā) *vi* to flash; to lightning; (*fig*) to cross the mind

balenio (bâ·lā·nē′ō) *m* flashing, dazzling

baleno (bâ·lā′nō) *m* lightning flash; **in un —** in a flash, instantly

balestra (bâ·lā′strâ) *f* leaf spring

balestre (bâ·lā′strâ) *fpl* auto springs

balia (bâ·lyâ) *f* wet nurse

balistico (bâ·lē′stē·kō) *a* ballistic

balla (bâl′lâ) *f* bale

ballare (bâl·lâ′rā) *vt&i* to dance

ballatoio (bâl·lâ·tô′yō) *m* balcony, gallery

ballerina (bâl·lā·rē′nâ) *f* dancer

balletto (bâl·lāt′tō) *m* ballet

ballo (bâl′lō) *m* ball, dance

balneare (bâl·nā·â′rā) *a* bathing; **stazione —** bathing resort

balocco (bâ·lōk′kō) *m* toy

balordo (bâ·lōr′dō) *a* silly; mentally slow

balordaggine (bâ·lōr·dâj′jē·nâ) *f* silliness; foolish conduct; mental deficiency

balsamo (bâl′sâ·mō) *m* balsam

balsamico (bâl·sâ′mē·kō) *a* balmy; like balsam

baluardo (bâ·lwâr′dō) *m* bulwark

balza (bâl′tsâ) *f* cliff; wide ruffle

balzano (bâl·tsâ′nō) *a* strange, unpredictable; white-footed (*horse*)

balzare (bâl·tsâ′rā) *vi* to jump, leap; **— dal letto** to jump out of bed; **— in piedi** to jump to one's feet

bambagia (bâm·bâ′jâ) *f* cotton batting

bambinaia (bâm·bē·nâ′yâ) *f* nursemaid; **— a ore** baby-sitter

bambinesco (bâm·bē·nâ′skō) *a* childish

bambino (bâm·bē′nō) *m* baby; child

bambola (bâm′bō·lâ) *f* doll

banca (bân′kâ) *f* bank; **−rella** (bân·kâ·rāl′lâ) *f* street stall; pushcart; **−rio** (bân·kâ′ryō) *a* banking; **−rotta** (bân·kâ·rōt′tâ) *f* bankruptcy

banchetto (bân·kāt′tō) *m* banquet

banchiere (bân·kyâ′râ) *m* banker

banchina (bân·kē′nâ) *f* pier; platform

banco (bân′kō) *m* counter; bench; bank; **−nota** (bân·kō·nō′tâ) *f* banknote, bill

banda (bân′dâ) *f* band; gang

bandiera (bân·dyâ′râ) *f* flag

bandito (bân·dē′tō) *m* bandit

banditore (bân·dē·tō′rā) *m* auctioneer

bando (bân′dō) *m* exile; banishment; (*pol*) proclamation

bandoliera (bân·dō·lyâ′râ) *f* (*mil*) shoulder belt

bandolo (bân′dō·lō) *m* last of a skein; **— di un problema** clue for solving a problem

bar (bâr) *m* bar; café

bara (bâ′râ) *f* casket; bier

baracca (bâ·râk′kâ) *f* hut; barrack; **piantare — e burattini** to give it up as a bad job, give it up as a lost cause

barare (bâ·râ′rā) *vi* to cheat in a game

baratro (bâ′râ·trō) *m* crevice; abyss; gulf

barattare (bâ·rât·tâ′rā) *vt* (*com*) to trade on; to exchange, barter

baratto (bâ·rât′tō) *m* board of trade; bartering

barattolo (bâ·rât′tō·lō) *m* can; jar; tin

barba (bâr′bâ) *f* beard; **che —!** what a nuisance! **fare la —** to shave

barbabietola (bâr·bâ·bye′tō·lâ) *f* beet

barbagianni (bâr·bâ·jân′nē) *m* owl; (*fig*)

---

k kid, **l** let, **m** met, **n** not, **p** pat, **r** very, **s** sat, **sh** shop, **t** tell, **v** vat, **w** we, **y** yes, **z** zero

simpleton
barbaro (bâr′bâ·rō) *a* barbarous
barberia (bâr·bā·rē′â) *f* barbershop
barbetta (bâr·bāt′tâ) *f* goatee
barbiere (bâr·byä′rā) *m* barber
barbiturico (bâr·bē·tū′rē·kō) *m* barbiturate
barbone (bâr·bō′nā) *m* (*coll*) hobo; longbearded man
barboso (bâr·bō′zō) *a* boring
barbuto (bâr·bū′tō) *a* bearded
barca (bâr′kâ) *f* boat; **–iuolo** (bâr·kâ·ywō′lō) *m* boatman
barcollare (bâr·kōl·lâ′rā) *vi* to reel, stagger
barella (bâ·rāl′lä) *f* stretcher; **–re** (bâ·rāl·lâ′rā) *vt* to transport by stretcher; — *vi* to stagger
baricentro (bâ·rē·chān′trō) *m* center of gravity
barile (bâ·rē′lä) *m* barrel, cask
baritono (bâ·rē′tō·nō) *m* baritone
baro (bâ′rō) *m* cardsharp; cheat
baroccio (bâ·rô′chō) *m* handcart
barometro (bâ·rô′mä·trō) *m* barometer
barone (bâ·rō′nā) *m* baron
baronessa (bâ·rō·nās′sâ) *f* baroness
barra (bâr′râ) *f* bar; (*naut*) tiller
barricata (bâr·rē·kâ′tâ) *f* barricade
barriera (bâr·ryä′râ) *f* barrier; **— doganale** customs station
baruffa (bâ·rūf′fâ) *f* fight, brawl
barzelletta (bâr·dzāl·lät′tâ) *f* joke; witty story
basalto (bâ·zâl′tō) *m* (*min*) basalt
basare (bâ·zâ′rä) *vt* to base
base (bâ′zä) *f* base; basis
basetta (bâ·zät′tâ) *f* sideburn
basilica (bâ·zē′lē·kâ) *f* basilica
basilico (bâ·zē′lē·kō) *m* (*bot*) basil
bassifondi (bâs·sē·fōn′dē) *mpl* scum of society, underworld
basso (bâs′sō) *m* bass; — *a* low; mean
bassorilievo (bâs·sō·rē·lyä′vō) *m* bas-relief
bassotto (bâs·sōt′tō) *m* basset (*dog*)
basta! (bâ′stâ) *interj* that's enough!; **–re** (bâ·stâ′rā) *vt* to suffice, be sufficient
bastardo (bâ·stâr′dō) *m&a* hybrid; bastard
bastimento (bâ·stē·mān′tō) *m* ship, boat
bastione (bâ·styō′nä) *m* rampart; fortification
basto (bâ′stō) *m* packsaddle
bastonare (bâ·stō·nâ′rä) *vt* to beat, club
bastone (bâ·stō′nä) *m* club; cane; spade (*cards*)
batosta (bâ·tō′stâ) *f* blow, calamity

battaglia (bât·tâ′lyâ) *f* battle
battaglione (bât·tâ·lyō′nä) *m* battalion
battelliere (bât·tāl·lyä′rä) *m* boatman
battello (bât·tāl′lō) *m* boat, small craft
battere (bât′tâ·rä) *vt&i* to strike; to hit; to beat; to defeat; **— alla porta** to knock at the door; **— bandiera** (*fig*) to fly a flag; **—d'occhi** to blink one's eyes; **— di piedi** to stamp one's feet; **— il nemico** to defeat the enemy; **— il tacco** (*fig*) to abscond; to take to one's heels; **— le mani** to applaud, clap
batteria (bât·tā·rē′â) *f* battery; (*mus*) percussion instruments; **— da cucina** cooking utensils
batteriologia (bât·tā·ryō·lō·jē′â) *f* bacteriology
batteriologo (bât·tā·ryô′lō·gō) *f* bacteriologist
batterista (bât·tā·rē′stâ) *m* drummer
battersi (bât′tär·sē) *vr* to hit oneself; to beat each other up; to fight, battle; **battersela** to flee, take flight
battesimo (bât·te′zē·mō) *m* baptism; **nome di** — Christian name
battezzare (bât·tā·dzâ′rä) *vt* to christen; to baptize
batticuore (bât·tē·kwō′rä) *m* heartbeat
battistero (bât·tē·stä′rō) *m* baptistry
battistrada (bât·tē·strâ′dâ) *m* scout; tread (*tire*)
battuta (bât·tū′tâ) *f* beat; stroke; cue; (*mus*) bar
batuffolo (bâ·tūf′fō·lō) *m* wad
baule (bâ·ū′lä) *m* trunk
bauxite (bâûk·sē′tä) *f* (*min*) bauxite
bava (bâ′vâ) *f* foam (*mouth*); slobber; silk floss; **–glino** (bâ·vâ′lyē′nō) *m* bib
bavaglio (bâ·vâ′lyō) *m* gag
bavero (bâ′vä·rō) *m* coat collar
bazza (bâ′dzâ) *f* prominent chin; (*fig*) good fortune; windfall; trick (*cards*)
bazzicare (bâ·tsē·kâ′rä) *vt* to frequent
bazzotto (bâ·dzōt′tō) *a* soft-boiled
beatificare (bä·â·tē·fē·kâ′rä) *vt* (*eccl*) to beatify
beatificazione (bä·â·tē·fē·kâ·tsyō′nä) *f* beatification
beatitudine (bä·â·tē·tū′dē·nä) *f* exalted happiness, beautitude; bliss; **Sua B–** His Holiness
beato (bä·â′tō) *a* blessed; lucky
beccaccia (bāk·kâ′chä) *f* woodcock
beccaio (bāk·kâ′yō) *m* butcher
beccamorto (bāk·kâ·mōr′tō) *m* gravedigger; (*fig*) unpleasantness
beccare (bāk·kâ′râ) *vt* to peck
beccarsi (bāk·kâr′sē) *vi* to peck each

other; (*fig*) to get; — **un raffreddore** to catch a cold

beccheggio (bāk·kej'jō) *m* pitching (*ship*)

becchino (bāk·kē'nō) *m* gravedigger

becco (bāk'kō) *m* beak; burner; he-goat; cuckold

befana (bā·fä'nä) *f* Epiphany; Italian counterpart of Santa Claus

beffa (bāf'fä) *f* mockery, derision; **–rdo** (bāf·fär'dō) *m* derider; **–rdo** *a* mocking; **–re** (bāf·fä'rä) *vt* to mock, poke fun at; **–rsi** (bāf·fär'sē) *vr* to hold up to ridicule, make fun of

belare (bā·lä'rä) *vi* to bleat

belga (bāl'gä) *m&a* Belgian

belladonna (bāl·lä·dōn'nä) *f* (*bot*) belladonna

belletto (bāl·lāt'tō) *m* rouge

bellezza (bāl·lā'tsä) *f* beauty; **concorso di** — beauty contest; **istituto di —**, **salone di** — beauty parlor, beauty shop

bellico (bel'lē·kō) *a* having to do with war; **materiale** — military supplies; **–so** (bāl·lē·kō'zō) *a* pugnacious; bellicose; quarrelsome

belligerante (bāl·lē·jä·rän'tä) *m&a* belligerent

bellimbusto (bāl·lēm·bū'stō) *m* fop, dandy

bellino (bāl·lē'nō) *a* cute; pretty; darling

bello (bāl'lō) *a* beautiful; handsome; lovely; fine; wonderful

beltà (bāl·tâ') *f* beauty; loveliness; handsomeness

belva (bāl'vä) *f* wild beast; (*fig*) savage person

belvedere (bāl·vä·dä'rä) *m* observation car; belvedere

benaccetto (bān·nâ·chāt'tō) *a* welcome; well-received

benallevato (bā·nâl·lä·vä'tō) *a* well-bred

benalzato! (bā·nâl·tsä'tō) *a* (*coll*) good morning!

benamato (bā·nâ·mä'tō) *a* beloved

benarrivato (bā·när·rē·vä'tō) *a* welcome, pleasant

benaugurato (bā·nâü·gü·rä'tō) *a* auspicious; well-received

benavventurato (bā·nâv·vän·tü·rä'tō) *a* lucky, fortunate

bencreato (bān·krä·â'tō) *a* well-bred; well-born

benda (bān'dä) *f* bandage; **–re** (bān·dâ'rä) *vt* to bandage; to swathe

bene (bā'nä) *adv* well; O.K. (*coll*); — *m* good; love; **beni immobili** real estate

benedettino (bā·nä·dāt·tē'nō) *m&a* Benedictine

benedetto (bā·nä·dāt'tō) *a* blessed, holy

benedire * (bā·nä·dē'rä) *vt* to bless

benedizione (bā·nä·dē·tsyō'nä) *f* benediction

beneducato (bā·nä·dū·kâ'tō) *a* well brought up, well-mannered

benefattore (bā·nä·fât·tō'rä) *m* benefactor

beneficare (bā·nä·fē·kâ'rä) *vt* to benefit

beneficato (bā·nä·fē·kâ'tō) *a* benefited

beneficenza (bā·nä·fē·chān'tsä) *f* charity

beneficiario (bā·nä·fē·châ'ryō) *m* beneficiary; — *a* beneficial

beneficiata (bā·nä·fē·châ'tä) *f* benefit performance

beneficio (bā·nä·fē'chō) *m* benefit

benefico (bā·ne'fē·kō) *a* altruistic, beneficent

benemerenza (bā·nä·mä·rān'tsä) *f* merit, worth; good turn, favor

benemerito (bā·nä·me'rē·tō) *a* deserving

beneplacito (bā·nä·plâ'chē·tō) *m* approbation; consent

benessere (bā·nes'sä·rä) *m* well-being

benestante (bā·nä·stân'tä) *a* well-to-do

benevolo (bā·ne'vō·lō) *a* kind, gentle, benevolent

benfatto (bān·fât'tō) *a* handsome, well built (*person*)

beniamino (bān·yâ·mē'nō) *m* favorite

benigno (bā·nē'nyō) *a* benign

benino (bā·nē'nō) *adv* pretty well

beninteso (bā·nēn·tä'zō) *adv* of course, certainly; — *conj* provided; with the understanding that

benissimo (bā·nēs'sē·mō), **benone** (bā·nō'nä) *adv&a* very well; swell

benpensante (bān·pän·sân'tä) *a* sensible; judicious; — *m* a judicious, moderate person

benservito (bān·sär·ve'tō) *m* reference; **dare il** — (*fig*) to discharge, fire

bensì (bān·sē') *adv* indeed, of course

bentornato (bān·tōr·nä'tō) *m* welcome; **—!** *interj* welcome back!

benvenuto (bān·vä·nū'tō) *m&a* welcome

benvisto (bān·vē'stō) *a* liked; welcome

benvolere * (bān·vō·lä'rä) *vt* to like very much; — *m* attachment, affection, love

benzina (bān·dzē'nä) *f* gasoline; — **per l'accenditore** lighter fuel

bere * (bä'rä) *vt* to drink; to absorb

berlina (bär·lē'nä) *f* (*auto*) sedan

berlinetta (bär·lē·nät'tä) *f* (*auto*) two-door sedan

bernoccolo (bär·nôk'kō·lō) *m* bump; knock; swelling

berretto (bär·rāt'tō) *m* cap

bersaglio (bär·sä'lyō) *m* target

bertuccia (bär·tū'chä) *f* monkey; ape

bestemmia (bā·stem'myâ) *f* blasphemy, swear word; **–re** (bā·stäm·myâ'rā) *vt* to curse
bestia (be'styâ) *f* animal; — *a* stupid; **–le** (bā·styâ'lā) *a* brutal, beastly; **–lità** (bā·styâ·lē·tâ') *f* bestiality; absurdity; **–me** (bā·styâ'mā) *m* cattle
betatrone (bā·tâ·trō'nā) *m* betatron
betoniera (bā·tō·nyä'râ) *f* concrete mixer
bettola (bet'tō·lâ) *f* saloon; tavern
bevanda (bā·vân'dâ) *f* beverage
biacca (byäk'kâ) *f* white lead
biada (byâ'dâ) *f* fodder
biancastro (byân·kâ'strō) *a* whitish
biancheria (byân·kā·rē'â) *f* linen; — **intima** lingerie
bianco (byân'kō) *a* white; **–segno** (byân·kō·sā'nyō) *m* blank check; **–spino** (byân·kō·spē'nō) *m* hawthorn
biasimare (byâ·zē·mâ'râ) *vt* to reprove; to criticize; to blame
biasimo (byâ'zē·mō) *m* blame
biasimevole (byâ·zē·me'vō·lā) *a* blameworthy, reproachable
Bibbia (Bēb'byâ) *f* Bible
biberone (bē·bā·rō'nā) *m* nursing bottle
bibita (bē'bē·tâ) *f* drink; — **gasata** soft drink
bibliografia (bē·blyō·grâ·fē'â) *f* bibliography
biblioteca (bē·blyō·tā'kâ) *f* library; — **di prestito** lending library; — **pubblica** public library; **–rio** (bē·blyō·tā·kâ'ryō) *m* librarian
bicarbonato (bē·kâr·bō·nâ'tō) *m* bicarbonate
bicchiere (bēk·kyä'râ) *m* drinking glass, tumbler
bicicletta (bē·chē·klāt'tâ) *f* bicycle
bicimotore (bē·chē·mō·tō'râ) *m* motorbike
bidello (bē·dāl'lō) *m* janitor, custodian
bidone (bē·dō'nā) *m* drum; large can; (*fig*) swindle
bieco (byä'kō) *a* angry (*look*); sinister; evil; squinting
biella (byāl'lâ) *f* connecting rod
biennale (byān·nâ'lā) *a* biennial
bietola (bye'tō·lâ) *f* beet
bifolco (bē·fōl'kō) *m* peasant; farm laborer
biforcazione (bē·fōr·kâ·tsyō'nā) *f* junction, fork
biga (bē'gâ) *f* chariot
bigamia (bē·gâ·mē'â) *f* bigamy
bigamo (bē'gâ·mō) *a* bigamous; — *m* bigamist

bigio (bē'jō) *a* gray; dull
bigiotteria (bē·jōt·tā·rē'â) *f* costume jewelry
bigliettaio (bē·lyät·tâ'yō) *m* ticket seller; conductor
biglietteria (bē·lyät·tā·rē'â) *f* ticket office
biglietto (bē·lyät'tō) *m* ticket; — **da visita** calling card
bigodino (bē·gō·dē'nō) *m* hair curler
bilancia (bē·lân'châ) *f* scales; **–re** (bē·lân·châ'râ) *vt* to counterbalance; **–re** *vi* to balance; **–rsi** (bē·lân·châr'sē) *vi* to be in balance; to weigh one alternative against another; to evaluate one's possibilities
bilanciere (bē·lân·chä'râ) *m* pendulum; scale; beam (*scale*); balance wheel (*watch*)
bilancio (bē·lân'chō) *m* budget; balance sheet
bile (bē'lā) *f* bile
bilia (bē'lyâ) *f* billiard ball; table pocket; **–rdo** (bē·lyär'dō) *m* billiards
bilico (bē'lē·kō) *m* balance
bilingue (bē·lēn'gwā) *a* bilingual
bilione (bē·lyō'nā) *m* billion
bimbo (bēm'bō) *m* baby; child
bimetallico (bē·mā·tâl'lē·kō) *a* bimetallic
bimotore (bē·mō·tō'râ) *m* twin-engine plane
binario (bē·nâ'ryō) *m* track, rails
binoccolo (bē·nōk'kō·lō) *m* binoculars
biochimica (byō·kē'mē·kâ) *f* biochemistry
biografia (byō·grâ·fē'â) *f* biography
biologia (byō·lō·jē'â) *f* biology
biologo (byô'lō·gō) *m* biologist
biondo (byōn'dō) *a* blond, fair
biossido (byŏs'sē·dō) *m* dioxide
bipede (bē'pā·dā) *m&a* biped
biplano (bē·plâ'nō) *m* biplane
bipolare (bē·pō·lâ'râ) *a* bipolar
biposto (bē·pō'stō) *a* two-seat
birbante (bēr·bân'tā) *m* rascal
biricchino (bē·rēk·kē'nō) *m* prankster, mischief (*person*)
birillo (bē·rēl'lō) *m* bowling pin
birmano (bēr·mâ'nō) *m&a* Burmese
biro (bē'rō) *m* ballpoint pen
birra (bēr'râ) *f* beer
birreria (bēr·râ·rē'â) *f* beer garden; bar, saloon
bisavolo (bē·zâ'vō·lō) great-grandfather
bisbigliare (bē·zbē·lyâ'râ) *vt* to whisper
biscazziere (bē·skâ·tsyâ'râ) *m* gambling house operator
biscia (bē'shâ) *f* water snake, garter snake

biscotto (bē·skŏt'tō) *m* cracker; cookie

bisestile (bē·zā·stē'lā) *a* bissextile; **anno —** leap year

bisettrice (bē·zāt·trē'chā) *f* bisector

bisognare (bē·zō·nyâ'rā) *vi* to be needed, be wanting

bisogno (bē·zō'nyō) *m* need, necessity; **–so** (bē·zō·nyō'zō) *a* needy; destitute

bisso (bēs'sō) *m* fine linen

bistecca (bē·stāk'kâ) *f* beefsteak; **— ai ferri** broiled steak

bisticciarsi (bē·stē·châr'sē) *vi* to quarrel, wrangle, argue

bistrattare (bē·strât·tâ'rā) *vt* to abuse; to mistreat

bisturì (bē·stū·rē') *m* surgeon's knife, scalpel

bitume (bē·tū'mā) *m* bitumen

bituminoso (bē·tū·mē·nō'zō) *a* bituminous

bivalente (bē·vâ·lān'tā) *a* bivalent

bivalenza (bē·vâ·lān'tsâ) *f* bivalence

bivio (bē'vyō) *m* junction, fork

bizza (bē'dzâ) *f* brief anger; whim; **fare le bizze** to be in a foul mood; **–rria** (bē·dzâr·rē'â) *f* oddness; whimsy; **–rro** (bē·dzâr'rō) *a* bizarre, fantastic; **cavallo –rro** spirited horse

blandire (blân·dē'rā) *vt* to blandish; to fondle

blando (blân'dō) *a* soft; weak

blasone (blâ·zō'nâ) *m* escutcheon

blatta (blât'tâ) *f* cockroach

bleso (blā'zō) *m* lisper; **—** *a* lisping

blinda (blēn'dâ) *f* armor; **–to** (blēn·dâ'tō) *a* armored; **carro –to** armored car

bloccare (blōk·kâ'rā) *vt* to block; **— i freni** to jam the brakes

blocco (blōk'kō) *m* block; blockade

blu (blū') *a* blue

bluffare (blūf·fâ'rā) *vt* to bluff, deceive

blusa (blū'zâ) *f* blouse

boa (bō'â) *f* buoy; (*zool*) boa

bobina (bō·bē'nâ) *f* coil; spool

bocca (bōk'kâ) *f* mouth; **in — al lupo!** good luck to you!; **–le** (bōk·kâ'lā) *m* pitcher; **–porto** (bōk·kâ·pōr'tō) *m* (*naut*) hatch

bocce (bō'châ) *fpl* game of bowling

boccetta (bō·chāt'tâ) *f* small bottle, flask

bocchino (bōk·kē'nō) *m* cigarette holder

boccia (bō'châ) *f* carafe; flower bud; bowling ball

bocciare (bō·châ'rā) *vt* to flunk

bocciodromo (bō·chō·drō'mō) *m* bowling alley

bocciuolo (bō·chwō'lō) *m* bud

boccone (bōk·kō'nâ) *m* bite, mouthful

bocconi (bōk·kō'nē) *adv* flat on one's face; **cadere —** to fall flat on one's face

boia (bō'yâ) *m* executioner

boicottare (bōē·kōt·tâ'rā) *vt* to boycott

bolla (bōl'lâ) *f* bubble; blister

bollare (bōl·lâ'rā) *vt* to stamp

bollente (bōl·lān'tâ) *a* boiling

bolletta (bōl·lāt'tâ) *f* bill; **— del gas** gas bill; **essere in —** to be flat broke (*coll*)

bollettino (bōl·lāt·tē'nō) *m* bulletin; **— meteorologico** weather bulletin

bollire (bōl·lē'rā) *vi* to boil

bollito (bōl·lē'tō) *a* boiled; **— m** boiled beef; **–re** (bōl·lē·tō'rā) *m* kettle; boiler

bollitura (bōl·lē·tū'râ) *f* boiling

bollo (bōl'lō) *m* stamp; **carta da —** official paper; **marca da —** revenue stamp

bomba (bōm'bâ) *f* bomb; **— atomica** atomic bomb; **— all'idrogeno** H-bomb; **–rdamento** (bōm·bâr·dâ·mān'tō) *m* bombing; (*phys*) bombardment; **–rdare** (bōm·bâr·dâ'rā) *vt* to bomb, shell; to bombard; **–rdiere** (bōm·bâr·dyā'rā) *m* bombardier; bomber (*plane*)

bombetta (bōm·bāt'tâ) *f* derby, bowler (*hat*)

bombola (bōm'bō·lâ) *f* cylinder; glass tank

bonario (bō·nâ'ryō) *a* gentle, meek, kind, good-natured

bonifica (bō·nē'fē·kâ) *f* land reclamation

bonsenso (bōn·sān'sō) *m* common sense

bontà (bōn·tâ') *f* goodness

borace (bō·râ'châ) *m* borax

borbottare (bōr·bōt·tâ'rā) *vt* to mutter

bordata (bōr·dâ'tâ) *f* (*naut*) broadside; tack

bordeggiare (bōr·dāj·jâ'rā) *vi* to veer; (*naut*) to tack

bordello (bōr·dāl'lō) *m* brothel; racket

borderò (bōr·dā·rō') *m* list; note

bordo (bōr'dō) *m* edge; board; **a — on** board

borghese (bōr·gâ'zâ) *a* middle-class, bourgeois; **abito —** civilian clothes

borgo (bōr'gō) *m* suburb; village; **–mastro** (bōr·gō·mâ'strō) *m* mayor

boria (bō'ryâ) *f* arrogance, vainglory

borico (bō'rē·kō) *a* boric

borraccia (bōr·râ'châ) *f* canteen, bottle, water bottle

borsa (bōr'sâ) *f* handbag; briefcase; scholarship, fellowship; stock exchange; **— di gomma per acqua calda** hot-water bottle; **— di ghiaccio** ice bag; **–iolo** (bōr·sâ·yō'lō) *m* pickpocket; **–nerista** (bōr·sâ·nâ·rē'stâ) *m* black marketeer

borsellino (bōr·sāl·lē'nō) *m* purse

borsetta (bōr·sāt′tä) *f* handbag
borsista (bōr·sē′stä) *m* stockbroker
boscaglia (bō·skä′lyä) *f* wood, forest
boscaiolo (bō·skä·yō′lō) *m* woodsman
boschetto (bō·skät′tō) *m* grove, thicket
bosco (bō′skō) *m* woods; **–so** (bō·skō′zō) *a* woody
bossolo (bôs′sō·lō) *m* cartridge case (*gun*)
botanico (bō·tä′nē·kō) *a* botanical
botta (bōt′tä) *f* blow; misfortune
botte (bōt′tä) *f* cask
bottega (bōt·tä′gä) *f* store, shop
botteghino (bōt·tä·gē′nō) *m* box office
bottiglia (bōt·tē′lyä) *f* bottle
bottiglieria (bōt·tē·lyä·rē′ä) *f* store where bottled wine is sold; wineshop
bottino (bōt·tē′nō) *m* loot
bottone (bōt·tō′nä) *m* button
bove (bō′vä) *m* ox
bovini (bō·vē′nē) *mpl* cattle
bovino (bō·vē′nō) *a* bovine
bozza (bō′tsä) *f* printer's proof, galley; sketch
bozzetto (bō·tsät′tō) *m* draft; sketch
braccialetto (brä·châ·lät′tō) *m* bracelet
bracciante (brä·chän′tä) *m* laborer
braccio (brä′chō) *m* arm
bracciuolo (brä·chwō′lō) *m* arm (*chair*)
bracco (bräk′kō) *m* setter (*dog*)
brace (brä′chä) *f* embers
braciere (brä·chyä′rä) *m* brazier
braciuola (brä·chwō′lä) *f* chop, cutlet
brado (brä′dō) *a* untamed (*animal*)
brama (brä′mä) *f* desire; greed; **–re** (brä·mä′rä) *vt* to covet; to wish for
bramoso (brä·mō′zō) *a* yearning, greedy, desirous
branca (brän′kä) *f* branch, speciality; claw
branco (brän′kō) *m* flock; crowd; herd
brancolare (brän·kō·lä′rä) *vi* to grope one's way
branda (brän′dä) *f* cot
brandire (brän·dē′rä) *vt* to brandish
brando (brän′dō) *m* sword
brano (brä′nō) *m* passage, selection (*literature*)
bravamente (brä·vä·män′tä) *adv* bravely, courageously
bravare (brä·vä′rä) *vt&i* to menace; to brag
bravata (brä·vä′tä) *f* bravado
bravo (brä′vō) *a* skillful; **—!** *interj* well done! fine!
bravura (brä·vū′rä) *f* ability, skill; courage
breccia (bre′chä) *f* gap; breach; breccia
brefotrofio (brä·fō·trō′fyō) *m* foundling home

bretelle (brä·täl′lä) *fpl* suspenders
breve (brä′vä) *a* brief; **in —** in brief; **–mente** (brä·vä·män′tä) *adv* briefly
brevettare (brä·vät·tä′rä) *vt* to patent
brevetto (brä·vät′tō) *m* patent
brezza (brä′tsä) *f* breeze
bricco (brēk′kō) *m* kettle; pot; **— del caffè** coffee pot; **— del tè** teapot
briccone (brēk·kō′nä) *m* scoundrel
briciola (brē′chō·lä) *f* crumb
bridgista (brēd′jē′stä) *m* bridge player
briga (brē′gä) *f* care, worry; exertion
brigadiere (brē·gä·dyä′rä) *m* brigadier; police sergeant
brigante (brē·gän′tä) *m* highwayman; brigand
brigantino (brē·gän·tē′nō) *m* (*naut*) brigantine
brigantaggio (brē·gän·täj′jō) *m* robbery, banditry
brigare (brē·gä′rä) *vt&i* to intrigue; to strive; to solicit, petition
brigata (brē·gä′tä) *f* (*coll*) gang, crew; (*mil*) brigade
briglia (brē′lyä) *f* bridle
brillamento (brēl·lä·män′tō) *m* brilliance
brillante (brēl·län′tä) *a* brilliant; **— m** diamond
brillantina (brēl·län·tē′nä) *f* brilliantine
brillare (brēl·lä′rä) *vi* to shine; to glisten
brillo (brēl′lō) *a* tipsy
brina (brē′nä) *f* frost
brindare (brēn·dä′rä) *vi* to drink a toast
brindisi (brēn′dē·zē) *m* toast
brio (brē′ō) *m* vivacity; cheerfulness; spirit; **–sità** (bryō·zē·tä′) *f* vivacity; **–so** (bryō′zō) *a* lively; cheerful
britannico (brē·tän′nē·kō) *a* British
brivido (brē′vē·dō) *m* chill; thrill
brizzolato (brē·tsō·lä′tō) *a* grey-haired, grizzled
brocca (brōk′kä) *f* pitcher
broccolo (brôk′kō·lō) *m* broccoli
brodo (brō′dō) *m* broth
brogliaccio (brō·lyä′chō) *m* scratch pad
bromatologia (brō·mä·tō·lō·jē′ä) *f* dietetics
bromuro (brō·mū′rō) *m* bromide
bronchi (brōn′kē) *mpl* bronchi (*anat*); **–te** (brōn·kē′tä) *f* bronchitis
broncio (brōn′chō) *m* pouting
brontolare (brōn·tō·lä′rä) *vi* to grumble; to complain
bronzina (brōn·dzē′nä) *f* (*mech*) bushing
bronzo (brōn′dzō) *m* bronze
brossura (brōs·sū′rä) *f* paperback book
brucare (brū·kä′rä) *vt* to browse
bruciare (brū·châ′rä) *vt* to burn

â ârm, ā bāby, e bet, ē bē, ō gō, ô gône, ū blūe, b bad, ch child, d dad, f fat, g gay, j jet

bruciato (brū·châ'tō) *a* burnt, burned
bruciatura (brū·châ·tū'râ) *f* scorch, burn; burning
bruciore (brū·chō'rā) *m* burning, smarting; — **di stomaco** heartburn
bruco (brū'kō) *m* caterpillar
brullo (brūl'lō) *a* bare, naked; forsaken, abandoned
bruma (brū'mâ) *f* fog
bruna (brū'nâ), **brunetta** (brū·nāt'tâ) *f* brunette
brunire (brū·nē'rā) *vt* to brown; to burnish
brunito (brū·nē'tō) *a* browned; burnished
brunitura (brū·nē·tū'râ) *f* browning; burnishing
bruno (brū'nō) *a* brown; dark
brusco (brū'skō) *a* rude, brusque, sharp; *(fig)* unexpected, sudden; sour, sharp *(taste)*; **una brusca decisione** a quick decision; **con le brusche** brusquely
bruscolo (brū'skō·lō) *m* cinder
brutale (brū·tâ'lâ) *a* brutal
brutalità (brū·tâ·lē·tâ') *f* brutality
bruto (brū'tō) *m&a* brute
bruttezza (brū·tā'tsâ) *f* ugliness; unpleasantness
brutto (brūt'tō) *a* ugly; unvarnished, plain
buca (bū'kâ) *f* hole, perforation; — **delle lettere** mail drop; **–re** (bū·kâ'rā) *vt* to puncture; to make a hole in
bucatini (bū·kâ·tē'nē) *mpl* medium-size macaroni
bucato (bū·kâ'tō) *m* laundry, wash
buccia (bū'châ) *f* skin, rind
buccina (bū·chē'nâ) *f* bugle
buco (bū'kō) *m* hole
budello (bū·dāl'lō) *m* intestine
budino (bū·dē'nō) *m* pudding
bue (bū'ā) *m* ox; **carne di** — beef
bufalo (bū'fâ·lō) *m* buffalo
bufera (bū·fā'râ) *f* storm; tempest; hurricane
buffo (būf'fō) *a* comic, funny, droll; —, **–ne** (būf·fō'nâ) *m* buffoon, jester, clown
bugia (bū·jē'â) *f* falsehood; **–rdo** (bū·jâr'dō) *m* liar; **–rdo** *a* false
bugigattolo (bū·jē·gât'tō·lō) *m* cubbyhole
bugno (bū'nyō) *m* beehive
buio (bū'yō) *m* darkness; — *a* dark

bullo (būl'lō) *m (coll)* hoodlum
bullone (būl·lō'nâ) *m* bolt
buono (bwō'nō) *a* good; — *m* bond; **Buon Capo d'Anno** Happy New Year; **Buon Natale** Merry Christmas; **Buona Pasqua** Happy Easter; **Buona sera** Good evening; **Buona notte** Good night; **Buon viaggio** Have a pleasant journey
buonaccordo (bwō·nâk·kōr'dō) *m* harmony; *(mus)* harpsichord
buonanima (bwō·nâ'nē·mâ) *a* recently deceased
buonanno! (bwō·nân'nō) *m* Happy New Year!
buonappetito! (bwō·nâp·pâ·tē'tō) *m* enjoy your meal!
buonavoglia (bwō·nâ·vô'lyâ) *f* willingness, good will; **di** — willingly
buondì (bwōn·dē'), **buongiorno** (bwōn·jōr'nō) *m* good day, good morning
buongustaio (bwōn·gū·stâ'yō) *m* gourmet, gastronome, epicure
buongusto (bwōn·gū'stō) *m* good taste, discernment
buonsenso (bwōn·sān'sō) *m* common sense, sense
buontempo (bwōn·tām'pō) *m* good weather
burattino (bū·rât·tē'nō) *m* puppet
burbero (būr'bâ·rō) *a* rough, surly
burla (būr'lâ) *f* practical joke; **–re** (būr·lâ'rā) *vt&i* to poke fun at, to jest; to fool; **–rsi** (būr·lâr'sē) *vr* to ridicule, laugh at
burocrazia (bū·rō·krâ·tsē'â) *f* bureaucracy
burrasca (būr·râ'skâ) *f* storm
burrato (būr·râ'tō) *a* buttered
burro (būr'rō) *m* butter
burrone (būr·rō'nâ) *m* ravine
busecca (bū·zāk'kâ) *f* tripe
bussare (būs·sâ'rā) *vi* to knock
bussola (būs'sō·lâ) *f* compass; inner door
busta (bū'stâ) *f* envelope
bustina (bū·stē'nâ) *f* little envelope; *(mil)* overseas cap
busto (bū'stō) *m* bust; corset
buttare (būt·tâ'rā) *vt* to throw
buttero (būt'tâ·rō) *m* pockmark; cowboy

C

cabala (kâ'bâ·lâ) *f* cabala, occultism; cabal
cabalista (kâ·bâ·lē'stâ) *m* cabalist
cabalistico (kâ·bâ·lē'stē·kō) *a* cabalistic
cabina (kā·bē'nâ) *f* cabin; cockpit;

— **rimorchio** house trailer; — **telefonica** telephone booth
cablografare (kâ·blō·grâ·fâ'rā) *vi* to cable, send a cablegram
cablogramma (kâ·blō·grâm'mâ) *m* cable-

gram
cabotaggio (kâ·bŏt·tâj'jō) *m* (*naut*) coastal trade; limited trade
cacao (kâ·kâ'ō) *m* cocoa
caccia (kâ'châ) *f* hunting; — *m* fighter plane; **–gione** (kâ·châ·jō'nā) *f* game, venison; **–re** (kâ·châ'rā) *vt* to chase; to pursue; to banish; **–tore** (kâ·châ·tō'rā) *m* hunter; **–torpediniera** (kâ·châ·tōr·pā·dē·nyā'râ) *f* (*naut*) destroyer; **–vite** (kâ·châ·vē'tā) *m* screwdriver
cacio (kâ'chō) *m* cheese
cacofonia (kâ·kō·fō·nē'â) *f* cacophony
cacografia (kâ·kō·grâ·fē'â) *f* cacography, poor handwriting
cacto (kâk'tō) *m* cactus
cadauno (kâ·dâ·ū'nō) *pron* each one, every
cadavere (kâ·dâ'vâ·rā) *m* corpse, body, cadaver
cadenza (kâ·dān'tsâ) *f* cadence, rhythm; **–to** (kâ·dān·tsâ'tō) *a* rhythmical
cadere * (kâ·dā'rā) *vi* to fall
cadetto (kâ·dāt'tō) *m* cadet
caduco (kâ·dū'kô) *a* perishable; transitory
caffè (kâf·fā') *m* coffee; café; coffee-house; — **concerto** theater-restaurant; — **in polvere**, — **solubile** instant coffee
caffeina (kâf·fā·ē'nâ) *f* caffeine
caffelatte (kâf·fā·lât'tā) *m* coffee with milk
cafettiera (kâf·fā·tyā'râ) *f* coffeepot; jalopy
cafone (kâ·fō'nā) *m* yokel
cagionare (kâ·jō·nâ'rā) *vt* to cause, be the reason for
cagione (kâ·jō'nā) *f* cause
cagionevole (kâ·jō·nē'vō·lā) *a* sickly, infirm; weak
cagna (kâ'nyâ) *f* bitch; **–ra** (kâ·nyâ'râ) *f* barking; commotion, racket
cagnolino (kâ·nyō·lē'nō) *m* puppy
cala (kâ'lâ) *f* (*naut*) bay; creek
calabrese (kâ·lâ·brā'zā) *mf&a* Calabrian
calafatare (kâ·lâ·fâ·tâ'rā) *vt* (*naut*) to caulk
calamaio (kâ·lâ·mâ'yō) *m* inkwell
calamaro (kâ·lâ·mâ'rō) *m* squid
calamita (kâ·lâ·mē'tâ) *f* magnet
calamità (kâ·lâ·mē·tâ') *f* calamity, disaster
calamitoso (kâ·lâ·mē·tō'zō) *a* calamitous, disastrous
calapranzi (kâ·lâ·prân'dzē) *m* dumb-waiter
calare (kâ·lâ'rā) *vt* to lower; — *vi* to pounce upon
calca (kâl'kâ) *f* crowd

calcare (kâl·kâ'rā) *vt* to tread; to press; (*fig*) to lay stress upon
calcare (kâl·kâ'rā) *a* calcarious; — *m* limestone
calcagno (kâl·kâ'nyō) *m* heel
calce (kâl'chā) *f* lime, quicklime; **–struzzo** (kâl·châ·strū'tsō) *m* concrete
calciatore (kâl·châ·tō'rā) *m* soccer player
calcina (kâl·chē'nâ) *f* mortar, lime; **–ccio** (kâl·chē·nâ'chō) *m* fragment of mortar, piece of concrete
calcinare (kâl·chē·nâ'rā) *vt* to render (*fat*); to put lime on
calcio (kâl'chō) *m* kick; soccer; calcium
calcista (kâl·chē'stâ) *m* soccer player
calco (kâl'kō) *m* plaster cast
calcolare (kâl·kō·lâ'rā) *vt* to figure, compute
calcolatore (kâl·kō·lâ·tō'rā) *m* computer
calcolatrice (kâl·kō·lâ·trē'chā) *f* calculating machine
calcolo (kâl'kō·lō) *m* calculation; calculus; (*med*) stone
caldaia (kâl·dâ'yâ) *f* boiler
caldarrosta (kâl·dâr·rō'stâ) *f* roast chestnut
calderaio (kâl·dâ·râ'yō) *m* coppersmith
caldo (kâl'dō) *m* heat; — *a* warm; hot; **sentir** — to be warm, feel hot
calendario (kâ·lân·dâ'ryō) *m* calendar
calesse (kâ·lās'sā) *m* buggy, carriage
calibro (kâ'lē·brō) *m* gauge
calice (kâ'lē·chā) *f* chalice
caligine (kâ·lē'jē·nā) *f* fog; smog; mist; (*fig*) ignorance
callifugo (kâl·lē·fū'gō) *m* corn pad
calligrafia (kâl·lē·grâ·fē'â) *f* penmanship
callo (kâl'lō) *m* corn (*foot*)
calma (kâl'mâ) *f* calm; **—!** Don't get excited!; **–nte** (kâl·mân'tā) *m* sedative; **–re** (kâl·mâ'rā) *vt* to calm down
calmiere (kâl·myā'rā) *m* price-control authority
calmo (kâl'mō) *a* calm
calo (kâ'lō) *m* descent; diminishing; reduction
calore (kâ·lō'rā) *m* heat
caloria (kâ·lō·rē'â) *f* calorie
calorifero (kâ·lō·rē'fâ·rō) *m* heater
caloroso (kâ·lō·rō'zō) *a* warm
caloscia (kâ·lō'shâ) *f* overshoe, rubber
calotta (kâ·lōt'tâ) *f* scull cap; (*anat*) skull
calpestare (kâl·pā·stâ'rā) *vt* to trample, step on
calunnia (kâ·lūn'nyâ) *f* calumny; **–re** (kâ·lūn·nyâ'rā) *vt* to defame; **–tore**

â ârm, ā bāby, e bet, ē bē, ō gō, ô gône, ū blūe, b bad, ch child, d dad, f fat, g gay, j jet

(kâ·lūn·nyâ·tō'rā) *m* defamer
Calvario (kâl·vâ'ryō) *m* Calvary
Calvinismo (kâl·vē·nē'zmō) *m* Calvinism
calvinista (kâl·vē·nē'stâ) *m* Calvinist
calvizie (kâl·vē'tsyä) *f* baldness
calvo (kâl'vō) *a* bald
calza (kâl'tsâ) *f* sock; stocking
calzare (kâl·tsâ'rā) *vt* to wear; — *vi* to fit
calzatoio (kâl·tsâ·tô'yō) *m* shoehorn
calzatura (kâl·tsâ·tū'râ) *f* footwear
calzaturificio (kâl·tsâ·tū·rē·fē'chō) *m* shoe factory
calzino (kâl·tsē'nō) *m* anklet, sock
calzolaio (kâl·tsō·lâ'yō) *m* cobbler, shoemaker; shoe dealer
calzoni (kâl·tsō'nē) *mpl* trousers
camaleonte (kâ·mâ·lä·ōn'tä) *m* (*zool*) chameleon
camarilla (kâ·mâ·rēl'lâ) *f* gang, clique
cambiabile (kâm·byâ'bē·lä) *a* changeable, fickle
cambiale (kâm·byâ'lä) *f* promissory note
cambiamento (kâm·byâ·mān'tō) *m* change; mutation
cambiare (kâm·byâ'rä) *vt* to change
cambiato (kâm·byâ'tō) *a* changed
cambiavalute (kâm·byâ·vâ·lū'tä) *m* foreign money changer
cambio (kâm'byō) *m* change; — **di velocità** gearshift; **corso del** — exchange rate; **leva di** — gear shift
cambusa (kâm·bū'zâ) *f* (*naut*) galley; storage room
camera (kâ'mä·râ) *f* bedroom; — **ardente** mortuary chapel; — **d'aria** inner tube; — **di commercio** chamber of commerce
camerata (kâ·mä·râ'tâ) *m* comrade
cameriera (kâ·mä·ryä'râ) *f* waitress; maid
cameriere (kâ·mä·ryä'rä) *m* waiter; steward
camerino (kâ·mä·rē'nō) *m* closet; (*theat*) dressing room
camice (kâ'mē·chä) *m* smock
camiceria (kâ·mē·chä·rē'â) *f* shirt shop
camicetta (kâ·mē·chät'tâ) *f* blouse
camicia (kâ·mē'châ) *f* shirt; — **da notte** nightgown; –**io** (kâ·mē·châ'yō) *m* shirtmaker
camiciotto (kâ·mē·chōt'tō) *m* overalls; coverall
camiciuola (kâ·mē·chwō'lâ) *f* bodice; vest
caminetto (kâ·mē·nät'tō) *m* fireplace, hearth
camino (kâ·mē'nō) *m* fireplace, chimney
camionale (kâ·myō·nâ'lä) *f* highway
camioncino (kâ·myōn·chē'nō) *m* pick-up truck

camione (kâ·myō'nä) *m* motor truck; –**tta** (kâ·myō·nät'tâ) *f* jeep
camionista (kâ·myō·nē'stâ) *m* truck driver
cammello (kâm·māl'lō) *m* camel
cammeo (kâm·mä'ō) *m* cameo
camminare (kâm·mē·nâ'rä) *vi* to walk; to stroll
camminata (kâm·mē·nâ'tâ) *f* walk
cammino (kâm·mē'nō) *m* walk; way
camomilla (kâ·mō·mēl'lâ) *f* camomile
camorra (kâ·mōr'râ) *f* secret criminal gang; racket, extortion
camorrista (kâ·mōr·rē'stâ) *m* racketeer, gangster
camoscio (kâ·mô'shō) *m* chamois
campagna (kâm·pâ'nyâ) *f* country, rural areas; campaign
campagnuolo (kâm·pâ·nywō'lō) *m* peasant; — *a* rustic
campale (kâm·pâ'lä) *a* hard (*fig*); **battaglia** — pitched battle; **giornata** — hard day
campana (kâm·pâ'nâ) *f* bell; –**io** (kâm·pâ·nâ'yō), –**ro** (kâm·pâ·nâ'rō) *m* bellman
campanello (kâm·pâ·nāl'lō) *m* small bell; doorbell
campanile (kâm·pâ·nē'lä) *m* belfry
campanilismo (kâm·pâ·nē·lē'zmō) *m* sectionalism
campanilista (kâm·pâ·nē·lē'stâ) *m* sectionalist
campare (kâm·pâ'rä) *vi* to manage to get along, stick it out; **si campa** we get by
campata (kâm·pâ'tâ) *f* (*arch*) bay; bridge span
campeggiare (kâm·pāj·jâ'rä) *vi* to camp
campeggio (kâm·pej'jō) *m* camping
campestre (kâm·pä'strä) *a* rural, country
Campidoglio (kâm·pē·dô'lyō) *m* Capitol
campionario (kâm·pyō·nâ'ryō) *m* sample case
campionato (kâm·pyō·nâ'tō) *m* championship
campione (kâm·pyō·nä) *m* champion; sample
campo (kâm'pō) *m* field; — **di tennis** tennis court; — **sportivo** stadium; –**santo** (kâm·pō·sân'tō) *m* cemetery
camuffare (kâ·mūf·fâ'rä) *vt* to camouflage
camuso (kâ·mū'zō) *a* flat; **dal naso** — snub-nosed
canadese (kâ·nâ·dä'zä) *m&a* Canadian
canaglia (kâ·nâ'lyâ) *f* rabble, mob
canale (kâ·nâ'lä) *m* canal; channel
canapa (kâ'nâ·pâ) *f* hemp
canapè (kâ·nâ·pâ') *m* sofa

---

k kid, **l** let, **m** met, **n** not, **p** pat, **r** very, **s** sat, **sh** shop, **t** tell, **v** vat, **w** we, **y** yes, **z** zero

canapo (kâ·nâ·pō) *m* cable, rope; towline
canarino (kâ·nâ·rē′nō) *m* canary
canavaccio (kâ·nâ·vâ′chō) *m* canvass; (*lit*) plot
cancellare (kân·chăl·lâ′rā) *vt* to cancel; to erase
cancellata (kân·chăl·lâ′tâ) *f* fence, railing
cancellatura (kân·chăl·lâ·tū′râ) *f* erasure, taking out
cancellazione (kân·chăl·lâ·tsyō′nā) *f* cancelling, annulment
cancelleria (kân·chăl·lā·rē′â) *f* chancellery; chancery; **oggetti di —** stationery
cancelliere (kân·chăl·lyā′rā) *m* chancellor; court clerk
cancello (kân·chăl′lō) *m* gate
canceroso (kân·chă·rō′zō) *a* cancerous
cancrena (kân·krā′nâ) *f* gangrene
cancro (kân′krō) *m* cancer
candeggina (kân·dāj·jē′nâ) *f* bleach
candela (kân·dā′lâ) *f* candle; spark plug; **–bro** (kân·dā·lâ′brō) *m* candelabrum
candeliere (kân·dā·lyā′rā) *m* candlestick
candelora (kân·dā·lō′râ) *f* Candlemas
candente (kân·dān′tā) *a* glowing, incandescent
candidato (kân·dē·dâ′tō) *m* candidate
candidatura (kân·dē·dâ·tū′râ) *f* candidacy
candidezza (kân·dē·dā′tsâ) *f,* **candore** (kân·dō′râ) *m* dazzling whiteness; (*fig*) candor, innocence
candido (kân′dē·dō) *a* white; (*fig*) candid; artless
candito (kân·dē′tō) *a* candied
cane (kâ′nā) *m* dog; **— da caccia** hunting dog; **— da fermo** setter; **— da guardia** watch dog; **— da presa** retriever; **— da punta** pointer; **— poliziotto** police dog; **— randagio** stray dog
canestra (kâ·nā′strâ) *f,* **canestro** (kâ·nā′strō) *m* basket; **palla —** basketball
canfora (kân′fō·râ) *f* camphor
canicola (kâ·nē′kō·lâ) *f* dog days; (*ast*) Dog Star; **–re** (kâ·nē·kō·lâ′rā) *a* sultry (*weather*)
canile (kâ·nē′lā) *m* doghouse
canino (kâ·nē′nō) *m* puppy, whelp; **—** *a* canine; **dente —** eyetooth; **tosse canina** whooping cough
canizie (kâ·nē′tsyâ) *f* hoariness, gray hairs
canna (kân′nâ) *f* cane; reed; organ pipe; gun barrel
cannella (kân·nāl′lâ) *f* cinnamon
cannello (kân·nāl′lō) *m* tube; welding torch; blowpipe; **— della pipa** pipe stem; **–ni** (kân·nāl·lō′nē) *mpl* large macaroni

cannibale (kân·nē′bâ·lā) *m* cannibal
cannocchiale (kân·nōk·kyâ′lā) *m* binoculars
cannolo (kân·nō′lō) *m* cylindrical pastry filled with sweet cream
cannonata (kân·nō·nâ′tâ) *f* cannon shot; (*sl*) smash hit
cannone (kân·nō′nā) *m* cannon; clever person; big shot; **–ggiamento** (kân·nō·nāj·jâ·mān′tō) *m* gun shot; bombardment; **–ggiare** (kân·nō·nāj·jâ′rā) *vt* to bombard (*cannon*); to cannonade
cannoniera (kân·nō·nyâ′râ) *f* gunboat
cannoniere (kân·nō·nyā′rā) *m* gunner
cannuccia (kân·nū′châ) *f* pipe stem; **— da bere** drink
canoa (kâ·nō′â) *f* canoe
canone (kâ′nō·nā) *m* canon; rent; **— della radio** annual fee paid by owners of radio sets
canonica (kâ·nô′nē·kâ) *f* rectory
canonico (kâ·nô′nē·kō) *m* canon; **—** *a* canonical; **diritto —** canon law
canonizzare (kâ·nō·nē·dzâ′rā) *vt* to canonize
canoro (kâ·nō′rō) *a* melodious; musical
canottaggio (kâ·nōt·tâj′jō) *m* rowing
canottiera (kâ·nōt·tyâ′râ) *f* T-shirt; straw hat
canottiere (kâ·nōt·tyā′rā) *m* rower, oarsman
canotto (kâ·nōt′tō) *m* canoe; shell
cantante (kân·tân′tā) *m&f* singer
cantare (kân·tâ′rā) *vt&i* to sing
cantero (kân′tā·rō) *m* chamber pot
cantico (kân′tē·kō) *m* canticle
cantiere (kân·tyā′rā) *m* shipyard; construction yard
cantilena (kân·tē·lā′nâ) *f* singsong
cantina (kân·tē′nâ) *f* cellar
cantiniere (kân·tē·nyâ′rā) *m* butler; wine steward
canto (kân′tō) *m* song; singing; corner; canto
cantonata (kân·tō·nâ′tâ) *f* corner; angle; (*fig*) stupid mistake
cantone (kân·tō′nā) *m* corner; Swiss canton; (*arch*) corner stone
cantuccio (kân·tū′chō) *m* nook
canuto (kâ·nū′tō) *a* hoary
canzonare (kân·tsō·nâ′rā) *vt* to jeer, to poke fun at
canzone (kân·tsō′nâ) *f* song; **–tta** (kân·tsō·nât′tâ) *f* chanson, ballad; **–ttista** (kân·tsō·nât·tē′stâ) *m&f* balladeer, singer of chansons
canzoniere (kân·tsō·nyâ′rā) *m* songbook

â ârm, ā bāby, e bet, ē bē, ō gō, ô gône, ū blūe, b bad, ch child, d dad, f fat, g gay, j jet

caos (kâ·ōs) *m* chaos
capace (kâ·pä'chä) *a* ample; able
capacità (kâ·pâ·chē·tâ') *f* capacity
capanna (kâ·pân'nâ) *f* cottage
capannone (kâ·pän·nō'nä) *m* shed
caparbio (kâ·pâr'byō) *a* stubborn
caparra (kâ·pâr'râ) *f* earnest money
capeggiare (kâ·päj·jä'rä) *vt* to head, lead
capellini (kâ·pâl·lē'nē) *mpl* very thin spaghetti
capello (kâ·pâl'lō) *m* hair
capelluto (kâ·pâl·lü'tō) *a* hairy; **cuoio** — scalp
capestro (kâ·pä'strō) *m* halter; gallows
capezzale (kâ·pä·tsâ'lä) *m* bolster; **al** — **di** at the bedside of
capezzolo (kâ·pe'tsō·lō) *m* teat, nipple
capillare (kâ·pēl·lâ'rä) *a* capillary; **vasi capillari** capillaries
capire (kâ·pē'rä) *vt* to understand, comprehend
capitale (kâ·pē·tâ'lä) *a&m* capital
capitalista (kâ·pē·tâ·lē'stä) *m* capitalist
capitalizzare (kâ·pē·tâ·lē·dzâ'rä) *vt* to capitalize on
capitano (kâ·pē·tâ'nō) *m* captain
capitare (kâ·pē·tâ'rä) *vi* to arrive; to reach; to happen unexpectedly; to be by chance
capitello (kâ·pē·tâl'lō) *m* (*arch*) capital
capitolare (kâ·pē·tō·lâ'rä) *vi* to surrender, capitulate
capitolazione (kâ·pē·tō·lâ·tsyō'nä) *f* surrender, capitulation
capitolo (kâ·pē'tō·lō) *m* chapter
capitombolo (kâ·pē·tôm'bō·lō) *m* tumble, cropper
capo (kâ'pō) *m* head; **–banda** (kâ·pō·bân'dâ) *m* ringleader; (*mus*) bandmaster; **–caccia** (kâ·pō·kâ'chä) *m* master of the hounds (*hunt*); **–cchia** (kâ·pôk'kyâ) *f* head (nail, pin); **–ccia** (kâ·pō'châ) *m* family head; foreman; boss; **–chino** (kâ·pō·kē'nō) *adv* with bowed head; ˌ**–chino** *a* nodding; **–comico** (kâ·pō·kô'mē·kō) *m* leading comedian; actor-manager; **–cronista** (kâ·pō·krō·nē'stä) *m* city editor; **–cuoco** (kâ·pō·kwō'kō) *m* chef; **–danno** (kâ·pō·dân'nō) *m* New Year's Day; **–fabbrica** (kâ·pō·fâb'brē·kâ) *m* foreman; **–fila** (kâ·pō·fē'lä) *m* first in line; **–fitto** (kâ·pō·fēt'tō) *adv* headlong; **–giro** (kâ·pō·jē'rō) *m* dizziness; **–lavoro** (kâ·pō·lâ·vō'rō) *m* masterpiece; **–linea** (kâ·pō·lē'nä·â) *m* transportation terminal; **–lino** (kâ·pō·lē'nō) *m* little head; **far –lino** to peep out; **–lista** (kâ·pō·lē'stä)

m head of list; **–luogo** (kâ·pō·lwō'gō) *m* chief city; **–mastro** (kâ·pō·mâ'strō) *m* contractor; foreman (*building*); **–posto** (kâ·pō·pō'stō) *m* corporal of the guard; **–rale** (kâ·pō·râ'lä) *m* corporal; **–rione** (kâ·pō·ryō'nä) *m* chief; ward alderman; **–sala** (kâ·pō·sâ'lâ) *m* maître d'hôtel; master of ceremonies; **–saldo** (kâ·pō·sâl'dō) *m* stronghold; main point; key position; **–scuola** (kâ·pō·skwō'lâ) *m* founder of a literary movement; **–sezione** (kâ·pō·sä·tsyō'nä) *m* section head, department manager; **–squadra** (kâ·pō·skwâ'drâ) *m* group leader; foreman; **–stazione** (kâ·pō·stâ·tsyō'nä) *m* station master; **–stipite** (kâ·pō·stē'pē·tä) *m* family founder; (*arch*) column shaft; **–tare** (kâ·pō·tâ'rä) *vi* to capsize; **–treno** (kâ·pō·trä'nō) *m* train conductor; **–verso** (kâ·pō·vär'sō) *m* paragraph; **–volgere** * (kâ·pō·vôl'jä·rä) *vt* to turn over; **–volto** (kâ·pō·vōl'tō) *a* upside down; capsized
cappa (kâp'pâ) *f* topcoat; cape; k (*alphabet*)
cappare (kâp·pâ'rä) *vt* to pick out, select
cappella (kâp·pâl'lâ) *f* chapel; **–no** (kâp·pâl·lâ'nō) *m* chaplain
cappellaio (kâp·pâl·lâ'yō) *m* hatter
cappelleria (kâp·pâl·lâ·rē'â) *f* hat store
cappelliera (kâp·pâl·lyä'râ) *f* hat box
cappello (kâp·pâl'lō) *m* hat
capperi (kâp'pâ·rē) *mpl* (*bot*) capers
cappone (kâp·pō'nä) *m* capon
cappotta (kâp·pōt'tâ) *f* convertible car top
cappotto (kâp·pōt'tō) *m* overcoat; slam (*bridge game*)
cappuccino (kâp·pü·chē'nō) *m* Capuchin; demitasse with whipped cream
cappuccio (kâp·pü'chō) *m* hood
capra (kâ'prâ) *f* nanny goat; **–io** (kâ·prâ'yō) *m* goatherd
capretto (kâ·prät'tō) *m* kid
capriata (kâ·pryâ'tâ) *f* truss; scaffolding
capriccio (kâ·prē'chō) *m* whim
capriola (kâ·pryō'lâ) *f* somersault
capro (kâ'prō) *m* billy goat; **– espiatorio** (*fig*) scapegoat
capsula (kâp'psü·lâ) *f* capsule
carabina (kâ·râ·bē'nâ) *f* carbine
carabiniere (kâ·râ·bē·nyä'rä) *m* national policeman in Italy
caracollare (kâ·râ·cōl·lâ'rä) *vt&i* to wheel about, prance on horseback; to caracole
caraffa (kâ·râf'fâ) *f* carafe, decanter
caramella (kâ·râ·mâl'lâ) *f* caramel candy;

---

k kid, **l** let, **m** met, **n** not, **p** pat, **r** very, **s** sat, **sh** shop, **t** tell, **v** vat, **w** we, **y** yes, **z** zero

monocle; **–io** (kâ·râ·mãl·lâ'yō) *m* confectioner

carato (kâ·râ'tō) *m* carat

carattere (kâ·rât'tã·rã) *m* character; type

caratterista (kâ·rât·tã·rē'stâ) *m* character actor

caratteristica (kâ·rât·tã·rē'stē·kâ) *f* peculiarity; trait

caratteristico (kâ·rât·tã·rē'stē·kō) *a* characteristic

caratterizzare (kâ·rât·tã·rē·dzâ'rã) *vt* to characterize

carbonaia (kâr·bō·nâ'yâ) *f* coal pit; (*naut*) bunker; coaler (*ship*)

carbonaio (kâr·bō·nâ'yō) *m* coal dealer; charcoal burner; coalman

carbonaro (kâr·bō·nâ'rō) *m* (*pol*) Carbonaro

carbonchio (kâr·bôn'kyō) *m* (*med*) carbuncle

carbone (kâr·bō'nã) *m* charcoal; coal; carbon

carboniera (kâr·bō·nyã'râ) *f* (*naut*) collier, coal barge

carbonizzare (kâr·bō·nē·dzâ'rã) *vt* to char, carbonize

carborundum (kâr·bō·rūn'dūm) *m* carborundum

carburante (kâr·bū·rân'tã) *m* fuel

carburatore (kâr·bū·râ·tō'rã) *m* carburetor

carburo (kâr·bū'rō) *m* carbide

carcassa (kâr·kâs'sâ) *f* carcass; (*naut*) derelict

carcere (kâr'chã·rã) *m* jail

carceriere (kâr·chã·ryã'rã) *m* jailer

carciofo (kâr·chō'fō) *m* artichoke

carda (kâr'dâ) *f* carding machine; **–re** (kâr·dâ'rã) *vt* to comb out, card (*fibers*)

cardanico (kâr·dâ'nē·kō) *a* universal; **giunto —** (*mech*) universal joint

cardellino (kâr·dãl·lē'nō) *m* goldfinch

cardinale (kâr·dē·nâ'lã) *m&a* cardinal

cardine (kâr'dē·nã) *m* hinge

cardiologo (kâr·dyō'lō·gō) *m* cardiologist, heart specialist

cardo (kâr'dō) *m* thistle

carena (kâ·rã'nâ) *f* (*naut*) keel; **–re** (kâ·rã·nâ'rã) *vt* (*naut*) to careen; (*avi*) to fair

carestia (kâ·rã·stã'â) *f* famine

carezza (kâ·rã'tsâ) *f* caress; **–re** (kâ·rã·tsâ'rã) *vt* to caress; to coax, wheedle

carezzevole (kâ·rã·tse'vō·lã) *a* caressing; cajoling

cariato (kâ·ryâ'tō) *a* carious, decayed

carica (kâ'rē·kâ) *f* office; charge; **–re**

(kâ·rē·kâ'rã) *vt* to load; to wind a clock; to charge with; **–to** (kâ·rē·kâ'tō) *a* enriched; loaded

caricatura (kâ·rē·kâ·tū'râ) *f* caricature

carico (kâ'rē·kō) *m* load, burden

carie (kâ'ryã) *f* decay; cavity (*tooth*)

carità (kâ·rē·tâ') *f* charity; mercy; **per —!** for goodness' sake!

caritatevole (kâ·rē·tâ·te'vō·lã), **caritativo** ((kâ·rē·tâ·tē'vō) *a* charitable

carlinga (kâr·lēn'gâ) *f* cockpit; fuselage

carminio (kâr·mē'nyō) *m* carmine; (*coll*) lipstick

carnagione (kâr·nâ·jō'nã) *f* complexion

carnale (kâr·nâ'lã) *a* carnal, sensual; corporeal

carne (kâr'nã) *f* meat; flesh; **–fice** (kâr·ne'fē·chã) *m* hangman; **–vale** (kâr·nã·vâ'lã) *m* carnival; pre-Lenten period

carnivoro (kâr·nē'vō·rō) *a* carnivorous

caro (kâ'rō) *a* dear; expensive

carogna (kâ·rō'nyâ) *f* carrion; (*fig*) cad

carosello (kâ·rō·zâl'lō) *m* merry-go-round

carota (kâ·rō'tâ) *f* carrot

carovana (kâ·rō·vâ'nâ) *f* convoy; caravan

carpentiere (kâr·pãn·tyâ'rã) *m* carpenter

carreggiata (kâr·rãj·jâ'tâ) *f* roadbed; lane

carrettiere (kâr·rãt·tyâ'rã) *m* carter

carriaggio (kâr·ryâj'jō) *m* cartage

carriera (kâr·ryâ'rã) *f* career

carrista (kâr·rē'stâ) *m* driver of military tank

carro (kâr'rō) *m* car, wagon, truck; **— armato** tank; **— funebre** hearse; **–zza** (kâr·rō'tsâ) *f* carriage, coach; **–zzabile** (kâr·rō·tsâ'bē·lâ) *a* passable (*road*); **–zzella** (kân·rō·tsâl'lâ) *f* baby carriage; **–zzeria** (kâr·rō·tsâ·rē'â) *f* (*auto*) body; **–zziere** (kâr·rō·tsyâ'râ) *m* (*auto*) body maker; **–zzino** (kâr·rō·tsē'nō) *m* sulky

carrucola (kâr·rū'kō·lâ) *f* pulley

carta (kâr'tâ) *f* paper; card; map; **— carbone, — copiativa** carbon paper; **— da bollo** official paper; **— da parati** wall paper; **— da scrivere** writing paper **— di tornasole** litmus paper; **— d'identità** identity card; **— eliografica** heliographic paper; **— geografica** map; **— gommata** gummed paper; **— igienica** toilet paper; **— incatramata** tarred paper; **— intestata** letterhead; **— milimetrata** squared paper; **— moschicida** fly paper; **— oleata** oilpaper; **— ondulata** corrugated paper; **— pergamena** parchment paper; **— smerigliata** sandpaper; **— sugante** blotting paper; **— velina** tissue paper; **— vetrata** sandpaper; glass paper; **aver —**

bianca to have carte blanche; –ceo (kâr·tâ·chā'ō) a paper, papery; –pecora (kâr·tâ·pe'kō·râ) f vellum, parchment; –pesta (kâr·tâ·pā'stâ) f papier-mâché; carte da giuoco playing cards
carteggio (kâr·tej'jō) m documents; correspondence
cartella (kâr·tāl'lâ) f folder; schoolbag; portfolio
cartelliera (kâr·tāl·lyā'râ) f filing cabinet
cartello (kâr·tāl'lō) m sign; placard; –ne (kâr·tāl·lō'nā) m poster
cartiera (kâr·tyā'râ) f paper mill
cartilagine (kâr·tē·lâ'jē·nā) f cartilage
cartoccio (kâr·tô'chō) paper bag; paper cornucopia
cartolaio (kâr·tō·lâ'yō) m stationer
cartoleria (kâr·tō·lâ·rē'â) f stationery store
cartolina (kâr·tō·lē'nâ) f postcard; — illustrata picture postcard; — postale postal card, postcard
cartoncino (kâr·tōn·chē'nō) m thin cardboard
cartone (kâr·tō'nâ) m cardboard; — animato animated cartoon
cartuccia (kâr·tū'châ) f cartridge
casa (kâ'zâ) f house; home; firm; — colonica farmhouse; — communale town hall; — di ricovero poorhouse; — di salute sanitarium; private hospital; — di tolleranza brothel; — editrice publishing company; — signorile mansion; partita in — (sport) home game
casacca (kâ·zâk'kâ) f jacket
casaccio (kâ·zâ'chō) m nasty business; a — carelessly; at random
casale (kâ·zâ'lâ) m hamlet
casalingo (kâ·zâ·lēn'gō) a homemade; homey, cozy; oggetti casalinghi household appliances
casamento (kâ·zâ·mān'tō) m apartment house
casato (kâ·zâ'tō) m birth; lineage; family name
cascame (kâ·skâ'mâ) m waste
cascare (kâ·skâ'rā) vi to fall, tumble
cascata (kâ·skâ'tâ) f waterfall
cascina (kâ·shē'nâ) f dairy farm
casco (kâ'skō) m helmet
caseificio (kâ·zāē·fē'chō) m cheese factory
caseina (kâ·zā·ē'nâ) f casein
casella (kâ·zāl'lâ) f pigeonhole, compartment; — postale post-office box
caserma (kâ·zār'mâ) f barracks; — dei pompieri firehouse
casetta (kâ·zāt'tâ) f cottage

casimiro (kâ·zē·mē'rō) m cashmere
casino (kâ·zē'nō) m casino; clubhouse; (coll) brothel
caso (kâ'zō) m case; chance; — a parte particular case; far — a to pay attention to; in — che in case; in — contrario otherwise, on the contrary; in tal — under such circumstances; puta — che supposing that; a — by chance; mero — mere chance; non fa il — it doesn't matter
casolare (kâ·zō·lâ'râ) m hovel
caspita! (kâ'spē·tâ) interj heavens!
cassa (kâs'sâ) f box; crate; cash; cashier's counter; — cranica cranium; — da morto casket; — dell'orologio watch case; — di risparmio savings bank; — toracica chest; avanzo di — cash on hand; gran — (mus) bass drum; –forte (kâs·sâ·fōr'tâ) f safe; –panca (kâs·sâ·pân'kâ) wooden bench, seat
cassata (kâs·sâ'tâ) f cream cake tart; — siciliana ice cream; sherbert
casseruola (kâs·sâ·rūō'lâ) f saucepan
cassetta (kâs·sāt'tâ) f box; — di sicurezza safe-deposit box; — postale mailbox
cassetto (kâs·sāt'tō) m drawer; –ne (kâs·sāt·tō'nâ) m chest of drawers
cassiere (kâs·syā'râ) m cashier; teller
casta (kâ'stâ) f caste
castagna (kâ·stâ'nyâ) f chestnut
castagno (kâ·stâ'nyō) m chestnut tree; chestnut color
castello (kâ·stāl'lō) m castle
castigare (kâ·stē·gâ'râ) vt to punish
castigo (kâ·stē'gō) m punishment
castità (kâ·stē·tâ') f chastity
casto (kâ'stō) a chaste
castoro (kâ·stō'rō) m beaver
castrare (kâ·strâ'râ) vt to emasculate, castrate
castrato (kâ·strâ'tō) a castrated; — m eunuch
castroneria (kâ·strō·nâ·rē'â) f absurdity; gross error
casuale (kâ·zwâ'lâ) a by chance; casual
casualità (kâ·zwâ·lē·tâ') f happenstance, chance; fortuitousness
catacomba (kâ·tâ·kōm'bâ) f catacomb
catafalco (kâ·tâ·fâl'kō) m catafalque; scaffold
catalessi (kâ·tâ·lâs'sē) f trance, catalepsy
catalogo (kâ·tâ'lō·gō) m catalog
catapecchia (kâ·tâ·pek'kyâ) f slum dwelling
cataplasma (kâ·tâ·plâ'zmâ) m poultice
catarifrangente (kâ·tâ·rē·frân·jân'tâ) m

reflector
catarro (kâ·târ'rō) *m* catarrh
catasta (kâ·tâ'stâ) *f* heap, mound
catasto (kâ·tâ'stō) *m* real estate register
catastrofe (kâ·tâ'strō·fä) *f* catastrophe
catechismo (kâ·tä·kē'zmō) *m* catechism
categoria (kâ·tä·gō·rē'â) *f* category
catena (kâ·tä'nâ) *f* chain; **–ccio** (kâ·tä·nä'chō) *m* bolt
cateratta (kâ·tä·rât'tâ) *f* cataract
catinella (kâ·tē·nâl'lâ) *f* washbowl
catino (kâ·tē'nō) *m* basin
catrame (kâ·trä'mä) *m* tar
cattedra (kât'tä·drâ) *f* chair, professorship
cattedrale (kât·tä·drâ'lä) *f* cathedral
cattivo (kât·tē'vō) *a* bad; poor, badly done
cattolicismo (kât·tō·lē·chē'zmō), **cattolicesimo** (kât·tō·lē·che'zē·mō) *m* Catholicism
cattolico (kât·tô'lē·kō) *m&a* Catholic
cattura (kât·tū'râ) *f* capture; **mandato di —** warrant for arrest; **–re** (kât·tū·râ'rä) *vt* to seize, capture; **–to** (kât·tū·râ'tō) *a* seized, captured
caucciù (kâū·chū') *m* rubber
causa (kâ'ū·zâ) *f* cause; lawsuit; **a — di** because of; **far —** to sue, bring action; **–re** (kâū·zâ'râ) *vt* to cause; to effect, produce
caustico (kâ'ū·stē·kō) *a* caustic; trenchant
cautela (kâū·tä'lâ) *f* caution
cauterio (kâū·te'ryō) *m* (*med*) cauterizing
cauto (kâ'ū·tō) *a* careful; cautious
cauzione (kâū·tsyō'nä) *f* guarantee; bail
cava (kâ'vâ) *f* quarry
cavalcare (kâ·vâl·kâ'râ) *vi* to ride horseback; **—** *vt* to straddle
cavalcavia (kâ·vâl·kâ·vē'â) *m* overpass
cavaliere (kâ·vâ·lyä'râ) *m* horseman; rider; knight; dancing partner
cavalla (kâ·vâl'lâ) *f* mare
cavalleresco (kâ·vâl·lä·rä'skō) *a* chivalrous
cavalleria (kâ·vâl·lä·rē'â) *f* cavalry; chivalry
cavalletta (kâ·vâl·lât'tâ) *f* grasshopper
cavalletto (kâ·vâl·lât'tō) *m* easel
cavallo (kâ·vâl'lō) *m* horse; (*chess*) knight
cavallone (kâ·vâl·lō'nä) *m* large wave, comber
cavare (kâ·vâ'râ) *vt* to take out; to get, obtain
cavatappi (kâ·vâ·tâp'pē), **cavaturaccioli** (kâ·vâ·tū·râ'chō·lē) *m* corkscrew
cavatina (kâ·vâ·tē'nâ) *f* (*mus*) cavatina;

sustained air, lilting melody
caverna (kâ·vär'nâ) *f* grotto; cave
cavernoso (kâ·vär·nō'zō) *a* deep; deep-set (*eyes*)
cavezza (kâ·vä'tsâ) *f* halter (*horse*)
cavia (kâ'vyâ) *f* guinea pig
caviale (kâ·vyâ'lä) *m* caviar
caviglia (kâ·vē'lyâ) *f* ankle
cavillare (kâ·vēl·lâ'râ) *vi* to cavil, find fault
cavillo (kâ·vēl'lō) *m* cavil, unnecessary faultfinding; **–so** (kâ·vēl·lō'zō) *a* captious, faultfinding
cavità (kâ·vē·tâ') *f* hole; cavity
cavo (kâ'vō) *m* cable; **—** *a* hollow
cavolfiore (kâ·vōl·fyō'râ) *m* cauliflower
cavolo (kâ'vō·lō) *m* cabbage
cazzotto (kâ·tsōt'tō) *m* punch, blow
cazzuola (kâ·tswō'lâ) *f* trowel
ce (chä) *pron* to us, us; **—** *adv* here, there
cece (chä'chä) *m* chick-pea
cecità (chä·chē·tâ') *f* blindness; (*fig*) heedlessness, foolishness
ceco (chä'kō) *m&a* Czech
cedere (che'dä·râ) *vt&i* to yield, give in; to fall down, collapse
cedevole (chä·de'vō·lä) *a* yielding; (*fig*) docile
cedimento (chä·dē·mân'tō) *m* yielding, ceding; settling, subsidence
cedola (che'dō·lä) *f* coupon
cedro (chä'drō) *m* cedar; citron
ceduo (che'dwō) *a* ready for clearing; **bosco —** cordwood
ceffo (chäf'fō) *m* muzzle; snout; **brutto —** rascally face; **–ne** (châf·fō'nä) *m* slap, smack
celare (chä·lâ'râ) *vt* to hide; to cover up, dissemble
celata (chä·lâ'tâ) *f* ambush; visor (*helmet*)
celebrare (chä·lä·brâ'râ) *vt* to celebrate; to extole
celebrazione (chä·lä·brâ·tsyō'nä) *f* celebration
celebre (che'lä·brä) *a* famous; illustrious
celebrità (chä·lä·brē·tâ') *m* celebrity
celere (che'lä·râ) *a* quick; **—** *f* police riot squad
celerimetro (chä·lä·rē'mä·trō) *m* speedometer
celeste (chä·lä'stä) *a* celestial; blue
celia (che'lyâ) *f* joke, lark
celibe (che'lē·bä) *a* single; **—** *m* bachelor
cella (chäl'lâ) *f* cell; cellar; cave
cellofane (châl·lō·fâ'nä) *f* cellophane
cellula (chel'lū·lâ) *f* cell; **–re** (châl·lū·lâ'râ) *a* cellular; **–re** *m* jail; patrol wagon

celluloide (chāl·lū·lô′ē·dā) *f* celluloid

cembalo (chem′bâ·lō) *m* harpsichord; tambourine

cemento (chā·mān′tō) *m* cement, concrete; — **armato** reinforced concrete

cena (chā′nâ) *f* supper; **–re** (chā·nâ′rā) *vi* to have supper

cenciaiuolo (chān·châ·ywō′lō) *m* rag picker

cencio (chen′chō) *m* rag; **–so** (chān·chō′zō) *a* ragged

cenere (che′nā·rā) *f* ash

cenno (chān′nō) *m* hint; indication

censimento (chān·sē·mān′tō) *m* census

censo (chān′sō) *m* census; **–re** (chān·sō′rā) *m* critic, censor

censura (chān·sū′râ) *f* censorship; **–re** (chān·sū·râ′rā) *vt* to censure; to blame; to criticize

centauro (chān·tâ′ū·rō) *m* centaur

centellinare (chān·tāl·lē·nâ′rā) *vt* to sip on, drink in sips

centenario (chān·tā·nâ′ryō) *m&a* centennial

centesimo (chān·te′zē·mō) *m* centime; hundredth part

centigrado (chān·tē′grâ·dō) *m* centigrade

centimetro (chān·tē′mā·trō) *m* centimeter

centina (chen′tē·nâ) *f* truing; (*arch*) fantail; (*avi*) rib

centinaio (chān·tē·nâ′yō) *m* hundred; **a centinaia** by hundreds

cento (chān′tō) *a* hundred; **–mila** (chān·tō·mē′lâ) *a* hundred thousand

centrale (chān·trâ′lā) *a* central; — *f* central office; — **elettrica** power plant

centralinista (chān·trâ·lē·nē′stâ) *m&f* switchboard operator

centralino (chān·trâ·lē′nō) *m* telephone switchboard

centrare (chān·trâ′rā) *vt* to center; to hit dead center

centrifugo (chān·trē′fū·gō) *a* centrifugal

centripeto (chān·trē′pā·tō) *a* centripetal

centro (chān′trō) *m* center; centerpiece; downtown

centuplicare (chān·tū·plē·kâ′rā) to multiply by one hundred

centuria (chān·tū′ryâ) *f* century

ceppo (chāp′pō) *m* log

cera (chā′râ) *f* wax; mien; **–lacca** (chā·râ·lâk′kâ) *f* sealing wax

ceramica (chā·râ′mē·kâ) *f* ceramics; pottery

cerata (chā·râ′tâ) *f* oilskin, oilcloth

cerbiatto (chār·byât′tō) *m* young deer, fawn

cerbottana (chār·bōt·tâ′nâ) peashooter; blowpipe

cerca (chār′kâ) *f* search; **–re** (chār·kâ′rā) *vt&i* to seek; to try, make an attempt

cerchio (cher′kyō) *m* circle; loop; **–ne** (chār·kyō′nâ) *m* rim (*wheel*)

cereale (chā·rā·â′lā) *m* cereal

cerebrale (chā·rā·brâ′lā) *a* cerebral; — *m* intellectual

cereo (che′rā·ō) *a* waxy; wan, pale

cerfoglio (chār·fô′lyō) *m* chervil

cerimonia (chā·rē·mô′nyâ) *f* ceremony; **–le** (chā·rē·mō·nyâ′lā) *m* protocol

cerimoniere (chā·rē·mō·nyā′rā) *m* master of ceremonies

cerimonioso (chā·rē·mō·nyō′zō) *a* formal; ceremonious

cerino (chā·rē′nō) *m* wax match

cerniera (chār·nyā′râ) *f* hinge; — **lampo** zipper

cero (chā′rō) *m* taper, candle

cerotto (chā·rōt′tō) *m* plaster

certamente (chār·tâ·mān′tā) *adv* surely, of course

certezza (chār·tā′tsâ) *f* certainty

certificato (chār·tē·fē·kâ′tō) *m* certificate; — **medico** health certificate

certo (chār′tō) *a* certain, sure; — *adv* certainly

certosa (chār·tō′zâ) *f* charterhouse

certosino (chār·tō·zē′nō) *m* Carthusian monk

ceruleo (chā·rū′lā·ō) *a* cerulean

cerume (chā·rū′mā) *m* cerumen, wax in the ear

cerusico (chā·rū′zē·kō) *m* surgeon

cervello (chār·vāl′lō) *m* brain

cervo (chār′vō) *m* deer; — **volante** kite

cerziorare (chār·tsyō·râ′rā) *vt* to assure; to ascertain

cesellare (chā·zāl·lâ′rā) *vt* to chisel; to engrave

cesellatore (chā·zāl·lâ·tō′rā) *m* carver; engraver

cesello (chā·zāl′lō) *m* chisel

cesoia (chā·zô′yâ) *f* scissors

cespite (che′spē·tā) *m* source of one's income

cespuglio (chā·spū′lyō) *m* thicket; shrubbery

cessare (chās·sâ′rā) *vt* to cease, stop

cesso (chās′sō) *m* toilet

cesta (chā′stâ) *f* basket

cestinare (chā·stē·nâ′rā) *vt* to reject; to discard

cestino (chā·stē′nō) *m* small basket; — **da viaggio** lunch basket

cesura (chā·zū′râ) *f* caesura

---

k kid, **l** let, **m** met, **n** not, **p** pat, **r** very, **s** sat, **sh** shop, **t** tell, **v** vat, **w** we, **y** yes, **z** zero

ceto (chā'tō) *m* class; order; rank
cetra (chā'trâ) *f* cithern; harp; lyre
cetriuolo (chā·trywō'lō) *m* cucumber; (*fig*) fool
che (kā) *conj* than, that; — *pron* what, which, who
chè (kā) *conj* because
chellerina (kāl·lā·rē'nâ) *f* waitress
cheppia (kep'pyā) *f* shad
cherubino (kā·rū·bē'nō) *m* cherub
chi (kē) *pron* who, that, whom
chiacchiera (kyâk'kyā·râ) *f* gossip; **–re** (kyâ·kyā·râ'rā) *vi* to chat; **–ta** (kyâ·kyā·râ'tâ) *f* tittle-tattle, prattle
chiacchierone (kyâ·kyā·rō'nā) *m* prattler; gossip; windbag
chiamare (kyâ·mâ'rā) *vt* to call; to call upon
chiamata (kyâ·mâ'tâ) *f* call
chiara (kyâ'râ) *f* egg white
chiaramente (kyâ·râ·mān'tā) *adv* clearly, obviously
chiarezza (kyâ·rā'tsâ) *f* plainness; clearness
chiarificazione (kyâ·rē·fē·kâ·tsyō'nā) *f* clarification
chiarimento (kyâ·rē·mān'tō) *m* explanation
chiarire (kyâ·rē'râ) *vt* to clear up; to clarify
chiaro (kyâ'rō) *a* clear; light; **–re** (kyâ·rō'râ) *m* glimmer; **–scuro** (kyâ·rō·skū'rō) *m* interplay of light and shadow; chiaroscuro; **–veggente** (kyâ·rō·vâj·jān'tā) *a* clearsighted; **–veggente** *m&f* clairvoyant
chiasso (kyâs'sō) *m* noise; **–so** (kyâs·sō'zō) *a* noisy; loud
chiatta (kyât'tâ) *f* barge
chiave (kyâ'vā) *f* key; — **inglese** monkey wrench
chiazza (kyâ'tsâ) *f* stain, spot; scar; mottling; **–to** (kyâ·tsâ'tō) *a* mottled, speckled, spotted
chiavica (kyâ'vē·kâ) *f* sewer
chiavistello (kyâ·vē·stāl'lō) *m* door bolt
chicca (kēk'kâ) *f* candy
chicchera (kēk'kā·râ) *f* demitasse
chicchessia (kē·kās·sē'â) *pron* anybody, whoever
chicco (kēk'kō) *m* bean; grain
chiedere * (kye'dā·râ) *vt* to ask; to implore
chiesa (kyā'zâ) *f* church
chiesto (kyā'stō) *a* asked, requested, sought
chifel (kē'fāl) *m* crescent-shaped roll
chiglia (kē'lyâ) *f* keel

chilo (kē'lō) *m* kilogram; **–ciclo** (kē·lō·chē'klō) *m* kilocycle; **–gramma** (kē·lō·grâm'mâ) *m* kilogram; **–metro** (kē·lō·lō'-mā·trō) *m* kilometer; **–watt** (kē·lō·vât') *m* kilowatt
chimera (kē·mā'râ) *f* chimera
chimica (kē'mē·kâ) *f* chemistry
chimico (kē'mē·kō) *m* chemist; — *a* chemical
chimo (kē'mō) *m* chyme
chimono (kē·mō'nō) *m* kimono
china (kē'nâ) *f* slope; **–re** (kē·nâ'râ) *vt* to bow; to bend; **–rsi** (kē·nâr'sē) *vi* to bow down; to bend oneself; to stoop; (*fig*) to submit oneself
chincaglie (kēn·kâ'lyā) *fpl* trinkets
chineseria (kē·nā·zā·rē'â) *f* chinoiserie; red tape
chinino (kē·nē'nō) *m* quinine
chino (kē'nō) *a* inclined, bent
chioccia (kyō'châ) *f* brooding hen; **–re** (kyō·châ'râ) *vi* to cluck, to cackle
chiocciola (kyō'chō·lâ) *f* snail
chiodo (kyō'dō) *m* nail; — **di garofano** clove
chioma (kyō'mâ) *f* hair, head of hair; (*animal*) mane
chiosa (kyō'zâ) *f* annotation; comment
chiosco (kyō'skō) *m* newsstand; stand
chiostro (kyō'strō) *m* cloister
chiotto (kyōt'tō) *a* still, silent
chiromante (kē·rō·mân'tā) *m&f* palmist
chiromanzia (kē·rō·mân·tsē'â) *f* chiromancy, palmistry
chirurgia (kē·rūr·jē'â) *f* surgery
chirurgico (kē·rūr'jē·kō) *a* surgical
chirurgo (kē·rūr'gō) *m* surgeon
chissà (kēs·sâ') *interj* heaven only knows, who knows
chitarra (kē·târ'râ) *f* guitar
chiudere * (kyū'dā·râ) *vt* to close; — **a chiave** to lòck
chiunque (kyūn'kwâ) *pron* anybody, whoever
chiusa (kyū'zâ) *f* lock (*canal*); dam
chiuso (kyū'zō) *a* closed, shut
chiusura (kyū·zū'râ) *f* closing; — **lampo** zipper
ci (chē) *pron* us, to us; — *adv* here, there
ciabatta (châ·bât'tâ) *f* old shoe; slipper; **–re** (châ·bât·tâ'râ) *vi* to move with a shuffle
ciabattino (châ·bât·tē'nō) *m* cobbler
ciabattone (châ·bât·tō'nā) *m* fumbler
cialda (châl'dâ) *f* waffle
cialtrone (châl·trō'nā) *m* scoundrel
ciambella (châm·bāl'lâ) *f* ring-shaped cake; doughnut

â ârm, ā bāby, e bet, ē bē, ō gō, ô gône, ū blūe, b bad, ch child, d dad, f fat, g gay, j jet

ciamberlano (châm·bār·lâ′nō) *m* chamberlain

cianfrusaglia (chân·frū·zâ′lyâ) *f* trifle

cianidrico (châ·nē′drē·kō) *a* hydrocyanic, prussic

cianina (châ·nē′nâ) *f* cyanin

cianogeno (châ·nô′jā·nō) *m* cyanogen

cianotico (châ·nô′tē·kō) *a* cyanic; blue in color

cianotipia (châ·nō·tē·pē′â) *f* blueprint

cianuro (châ·nū′rō) *m* cyanide

ciao (châ′ō) *interj* hello, good-bye

ciaramella (châ·râ·māl′lâ) *f* bagpipe

ciarlare (châr·lâ′rā) *vi* to chatter

ciarlatano (châr·lâ·tâ′nō) *m* charlatan

ciascuno (châ·skū′nō) *a* each, every; — *pron* each one, every one

cibare (chē·bâ′rā) *vt* to nourish; to feed

cibaria (chē·bâ′ryâ) *f* foodstuff

cibo (chē′bō) *m* food

cicala (chē·kâ′lâ) *f* cicada

cicalino (chē·kâ·lē′nō) *m* electric buzzer

cicatrice (chē·kâ·trē′châ) *f* scar

cicca (chēk′kâ) *f* butt; stump

ciccia (chē′châ) *f* flesh, meat; *(coll)* fat

ciccioli (chē′chō·lē) *mpl* fatty scraps of meat

ciccione (chē·chō′nā) *m* fleshy individual; fat person

cicerone (chē·chā·rō′nā) *m* cicerone, guide

cicisbeo (chē·chē·zbā′ō) *m* gallant; gigolo; ladies' man

ciclamino (chē·klâ·mē′nō) *m* cyclamen

ciclismo (chē·klē′zmō) *m* cycling

ciclista (chē·klē′stâ) *m&f* cyclist

ciclo (chē′klō) *m* cycle

ciclomotore (chē·klō·mō·tō′rā) *m* motorbike

ciclone (chē·klō′nā) *m* tornado, cyclone

ciclope (chē·klō′pā) *m* cyclops

ciclopico (chē·klō′pē·kō) *a* enormous, cyclopean

ciclopista (chē·klō·pē′stâ) *f* bicycle path

ciclostile (chē·klō·stē′lā) *m* mimeograph

ciclotrone (chē·klō·trō′nā) *m (phys)* cyclotron

cicogna (chē·kō′nyâ) *f* stork

cicoria (chē·kô′ryâ) *f* chicory

ciecamente (chā·kâ·mân′tā) *adv* blindly; *(fig)* inconsiderately

cieco (châ′kō) *a* blind

cielo (châ′lō) *m* sky, heaven

cifra (chē′frâ) *f* figure, amount; **–rio** (chē·frâ′ryō) *m* code

ciglio (chē′lyō) *m* eyelash; edge

cigno (chē′nyō) *m* swan

cignone (chē·nyō′nā) *m* chignon

cigolare (chē·gō·lâ′rā) *vi* to squeak

cilecca (chē·lāk′kâ) *f* misfiring; jamming; **far —** to misfire

cilicio (chē·lē′chō) *m* sackcloth

ciliegia (chē·lye′jâ) *f* cherry

cilindrata (chē·lēn·drâ′tâ) *f (auto)* displacement of a cylinder

cilindro (chē·lēn′drō) *m* cylinder

cima (chē′mâ) *f* peak; summit

cimare (chē·mâ′rā) *vt* to shear *(fabric);* to lop off, trim

cimasa (chē·mâ′zâ) *f (arch)* cyma, curved molding

cimelio (chē·me′lyō) *m* ancient remains

cimentare (chē·mān·tâ′rā) *vt* to attempt, try; to risk

cimentarsi (chē·mān·târ′sē) *vi* to incur a risk; to test one's ability

cimice (chē′mē·châ) *f* bedbug

cimiero (chē·myâ′rō) *m* crest *(helmet)*

ciminiera (chē·mē·nyâ′râ) *f* smokestack

cimitero (chē·mē·tâ′rō) *m* cemetery

cimosa (chē·mō′zâ) *f* selvage *(fabric)*

cimurro (chē·mūr′rō) *m* glanders *(horse);* distemper *(dog)*

Cina (chē′nâ) *f* China

cinabro (chē·nâ′brō) *m* cinnabar

cincin (chēn·chēn′) *interj* Here's to you!; To your health!

cine (chē′nâ) *m* movie, movies, movie theater; **–asta** (chē·nâ·â′stâ) *m* film star; movie fan; **–città** (chē·nâ·chēt·tâ′) *f* movie studio; **–ma** (chē′nâ·mâ) *m* movie, movies; **–mateatro** (chē·nâ·mâ·tâ·â′trō) *m* movie theater; **–matografaio** (chē·nâ·mâ·tō·grâ·fâ′yō) *m* motion picture man; **–matografare** (chē·nâ·mâ·tō·grâ·fâ′râ) *vt* to film; **–matografia** (chē·nâ·mâ·tō·grâ·fē′â) *f* filmmaking; **–matografo** (chē·nâ·mâ·tô′grâ·fō) *m* motion picture theater; **–presa** (chē·nâ·prā′zâ) *f* movie shot; **–scopio** (chē·nâ·skô′pyō) *m* TV picture tube, kinescope; **–scrittore** (chē·nâ·skrēt·tō′rā) *m* motion picture writer; **–teca** (chē·nâ·tâ′kâ) *f* film library

cinese (chē·nâ′zâ) *a&m* Chinese

cinetica (chē·ne′tē·kâ) *f* kinetics

cingere * (chēn′jâ·râ) *vt* to gird; to encompass

cinghia (chēn′gyâ) *f* belt

cinghiale (chēn·gyâ′lâ) *m* wild boar

cinguettare (chēn·gwāt·tâ′rā) *vi* to chirp; to chatter; to twitter

cinguettio (chēn·gwāt·tē′ō) *m* chirping

cinico (chē′nē·kō) *a* cynical

ciniglia (chē·nē′lyâ) *f* chenille

cinodromo (che·nô′drō·mō) *m* dog track

cinofilo (chē·nô'fē·lō) *m* dog lover
cinquanta (chēn·kwân'tâ) *a* fifty
cinquantenario (chēn·kwân·tä·nâ'ryō) *m* fiftieth anniversary
cinquantesimo (chēn·kwân·te'zē·mō) *a* fiftieth
cinquantina (chēn·kwân·tē'nâ) *f* about fifty
cinque (chēn'kwä) *a* five
cinquecento (chēn·kwä·chän'tō) *a* five hundred; **il C–** the sixteenth century
cinquennio (chēn·kwen'nyō) *m* five-year period
cinta (chēn'tâ) *f* fence, enclosure
cintura (chēn·tū'râ) *f* belt; girdle
cinturino (chēn·tū·rē'nō) *m* belt; **— per orologio** wristwatch band
ciò (chō') *pron* this, that, it
ciocca (chōk'kâ) *f* cluster; lock
cioccolata (chōk·kō·lâ'tâ) *f* chocolate
cioccolatino (chōk·kō·lâ·tē'nō) *m* chocolate candy
ciocia (chō'châ) *f* sandal worn in the area of Rome; **–ro** (chō·châ'rō) *m* Roman peasant
cioè (chō·ā') *conj* that is, namely
ciondolare (chōn·dō·lâ'râ) *vt* to dangle, swing
ciondolo (chôn'dō·lō) *m* locket
ciotola (chô'tō·lâ) *f* cup, bowl
ciottolo (chôt'tō·lō) *m* cobblestone; pebble
cipiglio (chē·pē'lyō) *m* scowl, frown
cipolla (chē·pōl'lâ) *f* onion
cipresso (chē·präs'sō) *m* cypress
cipria (chē'pryâ) *f* face powder
circa (chēr'kâ) *adv* about; almost; circa
circo (chēr'kō) *m* circus
circolare (chēr·kō·la'râ) *a&f* circular; **—** *f* circular letter; **—** *vi* to circulate, move around
circolazione (chēr·kō·lâ·tsyō'nä) *f* circulation; traffic; **— vietata** do not enter; **documento di —** registration card
circolo (chēr'kō·lō) *m* circle; club
circoncidere * (chēr·kōn·chē'dä·râ) *vt* to circumcise
circoncisione (chēr·kōn·chē·zyō'nä) *f* circumcision
circondare (chēr·kōn·dâ'râ) *vt* to surround
circondario (chēr·kōn·dâ'ryō) *m* provincial district
circonferenza (chēr·kōn·fä·rän'tsâ) *f* circumference
circonflesso (chēr·kōn·flâs'sō) *a* circumflex
circonlocuzione (chēr·kōn·lō·cū·tsyō'nä)

f circumlocution; evasion
circonvallazione (chēr·kōn·vâl·lâ·tsyō' nä) *f* belt highway; belt bus line; bypass
circonvenire * (chēr·kōn·vä·nē'râ) *vt* to circumvent; to baffle
circoscritto (chēr·kō·skrēt'tō) *a* circumscribed, limited
circostanza (chēr·kō·stân'tsâ) *f* circumstance
circuire (chēr·kwē'râ) *vt* to surround, enclose; *(fig)* to entrap; to go around, bypass
circuitare (chēr·kwē·tâ'râ) *vi (avi)* to circle before landing
circuito (chēr·kwē'tō) *m* circuit; **corto —** short circuit
cirro (chēr'rō) *m* lock *(hair)*; *(bot)* cirrus, tendril; cirrus cloud; *(med)* scirrhus
cispa (chē'spâ) *f* bleariness; discharge of rheum from the eye
cisposo (chē·spō'zō) *a* bleary-eyed
cisterna (chē·stär'nâ) *f* cistern, tank; **acqua di —** rain water; **nave —** tanker *(naut)*
cistifellea (chē·stē·fel'lä·â) *f* gall bladder
citare (chē·tâ'râ) *vt* to cite, mention; to sue
citazione (chē·tâ·tsyō'nä) *f* subpoena; summons; quotation, citation
citofono (chē·tô'fō·nō) *m* intercom
citrato (chē·trâ'tō) *m* citrate; **— di magnesio** magnesium; **— di magnesia** effervescent antacid
citroniera (chē·trō·nyä'râ) *f* hothouse
citrullo (chē·trūl'lō) *m* nincompoop
città (chēt·tâ') *f* city; **— giardino** garden city
cittadina (chēt·tâ·dē'nâ) *f* town; **–nza** (chēt·tâ·dē·nân'tsâ) *f* citizenship
cittadino (chēt·tâ·dē'nō) *m* citizen; **—** *a* civic
ciuco (chū'kō) *m* jackass
ciuffo (chūf'fō) *m* lock, tuft
ciurma (chūr'mâ) *f* ship's crew; mob; hands; **–glia** (chūr·mâ'lyâ) *f* rabble, mob; **–re** (chūr·mâ'râ) *vt* to swindle, trick, cheat; to charm
civetta (chē·vät'tâ) *f* screechowl; *(fig)* flirt, coquette; **–re** (chē·vät·tâ'râ) *vi* to flirt
civetteria (chē·vät·tä·rē'â) *f* coquetry
civettuolo (chē·vät·twō'lō) *a* saucy, coquettish
civile (chē·vē'lä) *a&m* civilian; **—** *a* civilized; civil
civilista (chē·vē·lē'stâ) *m* civil lawyer
civilizzare (chē·vē·lē·dzâ'râ) *vt* to civilize
civilizzato (chē·vē·lē·dzâ'tō) *a* civilized;

â ârm, ä bāby, e bet, ē bē, ō gō, ô gône, ū blūe, b bad, ch child, d dad, f fat, g gay, j jet

–re (chē·vē·lē·dzâ·tō'rā) *a* civilizing
civilmente (chē·vēl·mān'tā) *adv* politely, civilly
civiltà (chē·vēl·tâ') *f* civilization; politeness
civismo (chē·vē'zmō) *m* civic pride, civic duty
clackson (klâk'sōn) *m* (*auto*) horn
clamoroso (klâ·mō·rō'zō) *a* sensational
clandestino (klân·dā·stē'nō) *a* underhand, clandestine
clarinetto (klâ·rē·nät'tō) *m* clarinet
classe (klâs'sā) *f* class
classicista (klâs·sē·chē'stâ) *m* classical scholar
classico (klâs'sē·kō) *a* classic; classical
classifica (klâs·sē'fē·kâ) *f* rating, grading;
–re (klâs·sē·fē·kâ'rā) *vt* to classify;
–tore (klâs·sē·fē·kâ·tō'rā) *m* folder;
–zione (klâs·sē·fē·kâ·tsyō'nā) *f* classification
classismo (klâs·sē'zmō) *m* class consciousness
clausola (klâ'ū·zō·lâ) *f* clause
claustrale (klâū·strâ'lā) *a* cloistered, solitary
claustro (klâ'ū·strō) *m* cloister
clausura (klâū·zū'râ) *f* seclusion, cloistering
clava (klâ'vâ) *f* club
clavicembalo (klâ·vē·chem'bâ·lō) *m* harpsichord
clavicola (klâ·vē'kō·lâ) *f* collarbone
clemente (klā·mān'tā) *a* mild, merciful, clement
clemenza (klā·mān'tsâ) *f* clemency
cleptomania (klāp·tō·mâ·nē'â) *f* kleptomania
clericale (klā·rē·kâ'lā) *a* clerical, pertaining to the clergy
clero (klā'rō) *m* clergy
clessidra (klās·sē'drâ) *f* water clock, clepsydra
cliente (kyān'tā) *m&f* customer, client; **–la** (klyān·tā'lâ) *f* patronage; clients, customers
clima (klē'mâ) *m* climate; **–tico** (klē·mâ'·tē·kō) *a* climatic; **stazione climatica** health resort, spa
clinica (klē'nē·kâ) *f* clinic, hospital
clinico (klē'nē·kō) *a* clinical
clistere (klē·stā'rā) *m* enema
cloaca (klō·â'kâ) *f* drain; sewer
clorato (klō·râ'tō) *m* chlorate
cloro (klō'rō) *m* chlorine; **–filla** (klō·rō·fēl'lâ) *f* chlorophyl; **–formio** (klō·rō·fôr'myō) *m* chloroform
cloruro (klō·rū'rō) *m* chloride

coabitare (kō·â·bē·tâ'rā) *vi* to cohabit
coadiuvare (kō·â·dyū·vâ'rā) *vt* to aid, assist, help; — *vi* to cooperate, to collaborate
coagulare (kō·â·gū·lâ'rā) *vt* to coagulate
coagulo (kō·â'gū·lō) *m* coagulum, clot (*blood*); curd (*milk*)
coalizione (kō·â·lē·tsyō'nā) *f* coalition
coalizzarsi (kō·â·lē·dzâr'sē) *vi* to form a coalition
coartare (kō·âr·tâ'rā) *vt* to force, coerce
coassiale (kō·âs·syâ'lā) *a* coaxial
cobalto (kō·bâl'tō) *m* cobalt
cocainomane (kō·kâē·nō'mâ·nā) *m* cocaine addict
coccarda (kōk·kâr'dâ) *f* cockade, rosette
cocchiere (kōk·kyā'rā) *m* coachman
cocchio (kōk'kyō) *m* carriage, coach; chariot
cocciniglia (kō·chē·nē'lyâ) *f* cochineal, red dye
coccio (kô'chō) *m* pottery fragment
cocciuto (kō·chū'tō) *a* stubborn
cocco (kōk'kō) *m* coconut; (*fig*) darling
coccodrillo (kōk·kō·drēl'lō) *m* crocodile
cocomero (kō·kō'mâ·rō) *m* watermelon
coda (kō'dâ) *f* tail; **far —** to stand in line
codardia (kō·dâr·dē'â) *f* cowardice
codardo (kō·dâr'dō) *a* cowardly; — *m* coward
codesto (kō·dā'stō) *a&pron* that
codice (kô'dē·chā) *m* code; — **della strada** traffic regulations; — **penale** criminal law code
coefficiente (kō·āf·fē·chān'tā) *m* coefficient
coerente (kō·ā·rān'tā) *a* consistent
coesione (kō·ā·zyō'nā) *f* cohesion
coesistenza (kō·ā·zē·stān'tsâ) *f* coexistence
coesore (kō·ā·zō'rā) *m* (*elec*) coherer
coetaneo (kō·ā·tâ'nâ·ō) *a* coetaneous, contemporary, coeval
cofano (kô'fâ·nō) *m* (*auto*) hood; coffer
coffa (kōf'fâ) *f* (*naut*) crow's nest, top, foretop
cogliere * (kô'lyâ·râ) *vt* to pick; to take hold of
cognata (kō·nyâ'tâ) *f* sister-in-law
cognato (kō·nyâ'tō) *m* brother-in-law
cognizione (kō·nyē·tsyō'nā) *f* knowledge; recognition
cognome (kō·nyō'mā) *m* family name, last name
coibente (kōē·bān'tā) *m* (*phys*) non-conducting, insulating material
coincidenza (kōēn·chē·dān'tsâ) *f* coincidence; connection, transfer

---

k kid, **l** let, **m** met, **n** not, **p** pat, **r** very, **s** sat, **sh** shop, **t** tell, **v** vat, **w** we, **y** yes, **z** zero

coincidere (koēn·chē'dā·rā) *vi* to coincide
coinvolgere * (koēn·vôl'jā·rā) *vt* to involve; to implicate
coito (kô'ē·tō) *m* coition
col (kŏl) *prep* with the
colà (kō·lâ') *adv* there
colabrodo (kō·lâ·brō'dō) *m* strainer
colare (kō·lâ'rā) *vt* to strain
colata (kō·lâ'tâ) *f* metal casting
colazione (kō·lâ·tsyō'nā) *f* lunch; breakfast; prima — breakfast
colei (kō·lā'ē) *pron* she
colera (kō·lā'rā) *f* cholera
colesterina (kō·lā·stā·rē'nâ) *f* cholesterol
colibrì (kō·lē·brē') *m* hummingbird
colica (kô'lē·kâ) *f* colic
colla (kŏl'lâ) *f* glue
collaborare (kŏl·lâ·bō·râ'rā) *vi* to contribute; to collaborate
collaborazione (kŏl·lâ·bō·râ·tsyō'nā) *f* collaboration
collaborazionista (kŏl·lâ·bō·râ·tsyō·nē'stâ) *m* collaborationist
collana (kŏl·lâ'nâ) *f* necklace; collection; series of related books
collare (kŏl·lâ'rā) *m* collar
collasso (kŏl·lâs'sō) *m* collapse; — cardiaco heart attack
collaterale (kŏl·lâ·tā·râ'lā) *a&m* collateral
collaudare (kŏl·lâû·dâ'rā) *vt* to test
collaudo (kŏl·lâ'û·dō) *m* testing
colle (kŏl'lā) *m* hill
collega (kŏl·lā'gâ) *m* colleague; –mento (kŏl·lā·gâ·mān'tō) *m* liaison; relationship
collegiale (kŏl·lā·jâ'lā) *m* student at a boarding school
collegio (kŏl·le'jō) *m* academy; boarding school
collera (kŏl'lā·râ) *f* rage; anger
colletta (kŏl·lāt'tâ) *f* collection
collettivismo (kŏl·lāt·tē·vē'zmō) *m* collectivism
collettività (kŏl·lāt·tē·vē·tâ') *f* community
collettivo (kŏl·lāt·tē'vō) *a* collective
colletto (kŏl·lāt'tō) *m* collar; — floscio soft collar
collettore (kŏl·lāt·tō'rā) *m* (mech) exhaust manifold; (elect) commutator; main sewer; — a collecting
collezione (kŏl·lā·tsyō'nā) *f* collection
collezionista (kŏl·lā·tsyō·nē'stâ) *m* collector
collimare (kŏl·lē·mâ'rā) *vi* to agree, be in accord, jibe; to coincide
collina (kŏl·lē'nâ) *f* hill

collisione (kŏl·lē·zyō'nā) *f* collision
collo (kŏl'lō) *m* neck; parcel
collocamento (kŏl·lō·kâ·mān'tō) *m* employment; situation
collocare (kŏl·lō·kâ'rā) *vt* to place; to situate
collocarsi (kŏl·lō·kâr'sē) *vr* to place oneself, range, take a position
collocazione (kŏl·lō·kâ·tsyō'nā) *f* placement, placing
collodio (kŏl·lō'dyō) *m* (chem) collodion
colloidale (kŏl·lōē·dâ'lā) *a* (chem) colloidal
colloquio (kŏl·lō'kwēō) *m* interview, talk
collusione (kŏl·lū·zyō'nā) *f* collusion
colluttazione (kŏl·lūt·tâ·tsyō'nā) *f* brawl, fight
colmare (kŏl·mâ'rā) *vt* to fill
colmo (kŏl'mō) *a* full; — *m* height, upper reaches
colombaia (kō·lōm·bâ'yâ) *f* dove cote
Colombia (kō·lôm'byâ) *f* Colombia; –no (kō·lōm'byâ'nō) *m&a* Colombian
colombo (kō·lōm'bō) *m* pigeon
colonia (kō·lō'nyâ) *f* colony; — estiva summer camp; –li (kō·lō·nyâ'lē) *mpl* spices
colonizzare (kō·lō·nē·dzâ'rā) *vt* to colonize
colonna (kō·lōn'nâ) *f* column; –to (kō·lōn·nâ'tō) *m* colonnade
colonnello (kō·lōn·nāl'lō) *m* colonel
colono (kō·lō'nō) *m* tenant farmer; sharecropper
colorante (kō·lō·rân'tâ) *a* coloring
colore (kō·lō'rā) *m* color; paint
colorire (kō·lō·rē'râ) *vt* to color, paint
colorito (kō·lō·rē'tō) *m* complexion, coloring
colossale (kō·lōs·sâ'lā) *a* colossal
Colosseo (kō·lōs·sā'ō) *m* Colosseum
colosso (kō·lōs'sō) *m* giant, colossus
colpa (kŏl'pâ) *f* fault
colpevole (kŏl·pe'vō·lā) *a* guilty
colpire (kŏl·pē'rā) *vt* to hit
colpo (kŏl'pō) *m* blow
coltellata (kŏl·tāl·lâ'tâ) *f* knife wound
coltelleria (kŏl·tāl·lā·rē'â) *f* cutlery
coltello (kŏl·tāl'lō) *m* knife
coltivare (kŏl·tē·vâ'rā) *vt* to cultivate
coltivatore (kŏl·tē·vâ·tō'rā) *m* cultivator; farmer; grower
coltivazione (kŏl·tē·vâ·tsyō'nā) *f* cultivation
colto (kŏl'tō) *a* educated, cultivated
coltre (kŏl'trā) *f* blanket
coltrone (kŏl·trō'nā) *m* quilt
coltura (kūl·tū'râ), cultura (kūl·tū'râ) *f*

culture
colubro (kō·lū'brō) *m* snake, serpent
colui (kō·lū'ē) *pron* he, the one who, he who
comandamento (kō·mân·dâ·mān'tō) *m* commandment
comandante (kō·mân·dân'tä) *m* commander; captain of a ship
comandare (kō·mân·dâ'rä) *vt* to command
comando (kō·mân'dō) *m* command
comare (kō·mâ'rä) *f* crony; housewife; godmother
combaciare (kōm·bâ·châ'rä) *vi* to tally, jibe, agree
combattente (kōm·bât·tän'tä) *m* combatant; **ex** — veteran
combattere (kōm·bât'tä·rä) *vt&i* to fight; to struggle against
combattimento (kōm·bât·tē·mān'tō) *m* fight, struggle
combinare (kōm·bē·nâ'rä) *vt* to arrange; to bring together
combinazione (kōm·bē·nâ·tsyō'nä) *m* combination; coincidence; **per** — by chance
combriccola (kōm·brēk'kō·lâ) *f* clique, ring, gang
combustibile (kōm·bū·stē'bē·lä) *m* fuel
come (kō'mä) *prep&conj* as, like; — *adv* how; — **mai?** how in the world?
cometa (kō·mâ'tâ) *f* comet
comico (kô'mē·kō) *a* funny; — *m* comedian
comignolo (kō·mē'nyō·lō) *m* chimney top; gable
cominciare (kō·mēn·châ'rä) *vt&i* to begin
comitato (kō·mē·tâ'tō) *m* committee
comitiva (kō·mē·tē'vâ) *f* party; **viaggio in** — conducted tour
comizio (kō·mē'tsyō) *m* meeting, rally
comma (kōm'mâ) *m* paragraph; (*gram*) clause between commas; comma
commedia (kōm·me'dyâ) *f* comedy
commediografo (kōm·mâ·dyō'grâ·fō) *m* playwright
commemorare (kōm·mâ·mō·râ'rä) *vt* to commemorate, celebrate
commenda (kōm·mān'dâ) *f* allowance; order of knighthood; **–tore** (kōm·mân·dâ·tō'rä) *m* commander; knight commander
commensale (kōm·mân·sâ'lä) *m* table companion
commentare (kōm·mân·tâ'rä) *vt* to comment on; to footnote
commentatore (kōm·mân·tâ·tō'rä) *m* commentator
commento (kōm·mân'tō) *m* comment;

annotation
commerciale (kōm·mär·châ'lä) *a* commercial
commercialista (kōm·mär·châ·lē'stâ) *m* business lawyer
commerciante (kōm·mär·chân'tä) *m* merchant, businessman
commerciare (kōm·mär·châ'rä) *vi* to be in business; — *vt* to deal in
commercio (kōm·mer'chō) *m* commerce; — **librario** book business
commessa (kōm·mäs'sâ) *f* order; salesgirl
commesso (kōm·mäs'sō) *m* clerk; — **viaggiatore** traveling salesman
commestibile (kōm·mä·stē'bē·lä) *m* foodstuff
commettere (kōm·met'tä·rä) *vt* to perpetrate; to commit
commiato (kōm·myâ'tō) *m* leave; departure
commilitone (kōm·mē·lē·tō'nä) *m* fellow soldier; companion; comrade
commissariato (kōm·mēs·sâ·ryâ'tō) *m* commissariat; — **di polizia** police station
commissario (kōm·mēs·sâ'ryō) *m* commissioner; — **di bordo** purser; — **di pubblica sicurezza** local chief of police
commissionare (kōm·mēs·syō·nâ'rä) *vt* to order, place an order for
commissionario (kōm·mēs·syō·nâ'ryō) *m* sales agent; commission salesman
commissione (kōm·mēs·syō'nä) *f* commission; committee; order
commisto (kōm·mē'stō) *a* mixed
commosso (kōm·mōs'sō) *a* moved; saddened
commovente (kōm·mō·vän'tä) *a* moving, touching; saddening
commozione (kōm·mō·tsyō'nä) *f* emotion; commotion
commuovere * (kōm·mwô'vä·rä) *vt* to move; to cause to feel sympathy for
commutare (kōm·mū·tâ'rä) *vt* to commute, set aside
commutatore (kōm·mū·tâ·tō'rä) *m* (*elec*) switch
comò (kō·mō') *m* chest of drawers
comodino (kō·mō·dē'nō) *m* bedside table
comodità (kō·mō·dē·tâ') *f* comfort; convenience
comodo (kô'mō·dō) *a* comfortable; convenient
compagnia (kōm·pâ·nyē'â) *f* company
compagno (kōm·pâ'nyō) *m* companion
companatico (kōm·pâ·nâ'tē·kō) *m* food eaten with bread
comparare (kōm·pâ·râ'rä) *vt* to compare

comparativo (kōm·pâ·râ·tē′vō) *a&m* comparative

comparazione (kōm·pâ·râ·tsyō′nā) *f* comparison, likening

compare (kōm·pâ′rā) *m* godfather; buddy (*coll*)

comparire * (kōm·pâ·rē′rā) *vi* to appear; to make one's appearance

comparsa (kôm·pâr′sâ) *f* (*theat*) extra

compartimento (kōm·pâr·tē·mān′tō) *m* compartment

compartire (kōm·pâr·tē′rā) *vt* to share, divide, partition

compassione (kōm·pâs·syō′nā) *f* sympathy; **-vole** (kōm·pâs·syō·ne′vō·lä) *a* pitiful, piteous, woeful; sympathizing, pitying

compasso (kōm·pâs′sō) *m* compass

compatibile (kōm·pâ·tē′bē·lä) *a* consistent; compatible

compatibilità (kōm·pâ·tē·bē·lē tâ′) *f* consistency; compatibility

compatire (kōm·pâ·tē′rā) *vt* to pity

compatto (kōm·pât′tō) *a* compact

compendiare (kōm·pān·dyâ′rā) *vt* to resume, summarize, make a compendium of

compendio (kōm·pen′dyō) *m* summary

compenetrare (kōm·pā·nā·trâ′rā) *vt* to penetrate, pervade

compenetrarsi (kōm·pā·nā·trâr′sē) *vr* to become diffused; to penetrate thoroughly

compensare (kōm·pān·sâ′rā) *vt* to reward

compensato (kōm·pān·sâ′tō) *a* compensated; — *m* plywood

compenso (kōm·pān′sō) *m* reward

competente (kōm·pā·tān′tä) *a* qualified, competent; — *m* expert

competenza (kōm·pā·tān′tsâ) *f* competence

competizione (kōm·pā·tē·tsyō′nä) *f* contest, competition

compiacente (kōm·pyä·chān′tä) *a* indulgent, complaisant, obliging

compiangere * (kōm·pyân′jä·rā) *vt* to pity

compilare (kōm·pē·lâ′rā) *vt* to compile

compire * (kōm·pē′rā), **compiere** (kôm′-pyä·rā) *vt* to complete, do, carry out

compito (kôm′pē·tō) *m* school work; duty; task

compiuto (kōm·pyū′tō) *a* completed, finished, accomplished

compleanno (kōm·plä·ân′nō) *m* birthday

complessivamente (kōm·plâs·sē·vâ·mān′tä) *adv* inclusively, on the whole, totally

complessivo (kōm·plâs·sē′vō) *a* inclusive,

encompassing; complete

complesso (kōm·plâs′sō) *a&m* complex; — *m* organization, outfit

completare (kōm·plä·tâ′rā) *vt* to complete, fulfill

completo (kōm·plä′tō) *a* complete; full; — *m* man's suit of clothing

complicare (kōm·plē·kâ′rā) *vt* to complicate; to confuse

complicato (kōm·plē·kâ′tō) *a* complicated

complicazione (kōm·plē·kâ·tsyō′nä) *f* complication

complice (kôm′plē·chä) *m&f* accomplice

complimentare (kōm·plē·mān·tâ′rā) *vt* to compliment, congratulate

complimenti (kōm·plē·mān′tē) *mpl* regards; congratulations; **fare i —** to compliment; to be ceremonious; to congratulate

complimento (kōm·plē·mān′tō) *m* compliment

complottare (kōm·plōt·tâ′rā) *vt&i* to plot

componente (kōm·pō·nān′tä) *m* component part

componimento (kōm·pō·nē·mān′tō) *m* composition; structure

comporre * (kōm·pōr′rā) *vt* to compose; to construct; to write up

comportamento (kōm·pōr·tâ·mān′tō) *m* behavior

comportarsi (kōm·pōr·târ′sē) *vr* to behave

compositoio (kōm·pō·zē·tô′yō) *m* (*print*) composing stick

compositore (kōm·pō·zē·tō′rā) *m* composer; typesetter

composizione (kōm·pō·zē·tsyō′nä) *f* composition; typesetting

composta (kōm·pō′stä) *f* compote

compostezza (kōm·pō·stä′tsä) *f* composure, self-possession, self-assurance

compostiera (kōm·pō·styä′rä) *f* compote (*dish*)

composto (kōm·pō′stō) *a* composed; compound; — *m* compound

compra (kōm′prâ) *f* purchase; **— vendita terreni** real estate agency; **-re** (kōm·prâ′rā) *vt* to purchase, buy; **-tore** (kōm·prâ·tō′rā) *m* buyer

comprendere * (kōm·pren′dä·rā) *vt* to understand; to contain, include

comprensorio (kōm·prän·sô′ryō) *m* reclamation area

compreso (kōm·prä′zō) *a* included, including; understood

compressa (kōm·prâs′sâ) *f* tablet; pad

compressione (kōm·prâs·syō′nä) *f* compression

compressore (kōm·prâs·sō′rā) *m* com-

pressor; — **stradale** steam roller
comprimere * (kōm·prē'mā·rā) *vt* to press, squeeze; to compress; to repress (*feeling*)
compromesso (kōm·prō·mās'sō) *a* involved; compromised; — *m* compromise
compromettere * (kōm·prō·met'tā·rā) *vt* to compromise; to involve
comproprietario (kōm·prō·pryā·tâ'ryō) *m* co-owner, joint owner
comprovare (kōm·prō·vâ'rā) *vt* to evidence, prove
compulsare (kōm·pūl·sâ'rā) *vt* to consult, have reference to
compunto (kōm·pūn'tō) *a* contrite; ashamed; afflicted; demure
computare (kōm·pū·tâ'rā) *vt* to compute
computista (kōm·pū·tē'stâ) *m* accountant
computisteria (kōm·pū·tē·stā·rē'â) *f* bookkeeping
computo (kôm'pū·tō) *m* computation, calculation
comunale (kō·mū·nâ'lā) *a* municipal; **palazzo** — city hall
comune (kō·mū'nā) *a* common; — *m* municipality; **–lla** (kō·mū·nāl'lâ) *f* gang, clique; **–mente** (kō·mū·nā·mān'tā) *adv* usually, commonly
comunicare (kō·mū·nē·kâ'rā) *vt* to communicate with; — *vi* to be connected
comunicato (kō·mū·nē·kâ'tō) *m* communiqué
communicazione (kō·mū·nē·kâ·tsyō'nā) *f* communication; telephone connection
comunione (kō·mū·nyō'nā) *f* Communion; communion
comunismo (kō·mū·nē'zmō) *m* Communism
comunista (kō·mū·nē'stâ) *m&a* Communist
comunità (kō·mū·nē·tâ') *f* community
comunque (kō·mūn'kwā) *adv* however
con (kōn) *prep* with
conato (kō·nâ'tō) *m* impulse; effort; attempt
conca (kōn'kâ) *f* vase; basin; tub; (*geog*) valley; lock (*canal*)
concatenare (kōn·kâ·tā·nâ'rā) *vt* to join; to link, unite
concatenazione (kōn·kâ·tā·nâ·tsyō'nā) *f* linking, connection, union
concavo (kôn'kâ·vō) *a* concave
concedere (kōn·che'dā·rā) *vt* to grant
concentramento (kōn·chān·trâ·mān'tō) *m* concentration
concentrare (kōn·chān·trâ'rā) *vt* to concentrate
concentrato (kōn·chān·trâ'tō) *m* concen-

trate; — *a* concentrated
concentrazione (kōn·chān·trâ·tsyō'nā) *f* concentration
concentrico (kōn·chen'trē·kō) *a* concentric
concepire (kōn·chā·pē'rā) *vt* to conceive; to originate
conceria (kōn·chā·rē'â) *f* tannery
concertista (kōn·chār·tē'stâ) *m&f* concert artist
concerto (kōn·chār'tō) *m* concert; agreement, accord
concessionario (kōn·chās·syō·nâ'ryō) *m* sole agent; distributor; dealer
concessione (kōn·chās·syō'nā) *f* concession; dealership
concetto (kōn·chāt'tō) *m* concept, idea
concezione (kōn·chā·tsyō'nā) *f* conception
conchiglia (kōn·kē'lyâ) *f* shell
concia (kôn'châ) *f* tanning; tannery; **–re** (kōn·châ'rā) *vt* to tan; to fix
conciliare (kōn·chē·lyâ'rā) *vt* to reconcile, conciliate
conciliarsi (kōn·chē·lyâr'sē) *vr* to agree with; to gain one's esteem, win one over
conciliazione (kōn·chē·lyâ·tsyō'nā) *f* conciliation, reconciliation
concilio (kōn·chē'lyō) *m* council
concimare (kōn·chē·mâ'rā) *vt* to fertilize; to manure
concime (kōn·chē'mā) *m* manure
conciso (kōn·chē'zō) *a* concise
concistoro (kōn·chē·stō'rō) *m* concistory
concitato (kōn·chē·tâ'tō) *a* excited, aroused
concittadino (kōn·chēt·tâ·dē'nō) *m* fellow citizen, countryman
concludere * (kōn·klū'dā·rā) *vt&i* to conclude; to come to a decision
conclusione (kōn·klū·zyō'nā) *f* conclusion
concordanza (kōn·kōr·dân'tsâ) *f* accord, agreement; concordance
concordare (kōn·kōr·dâ'rā) *vt* to cause to agree; to bring into harmony
concordato (kōn·kōr·dâ'tō) *a* arranged, agreed upon; — *m* agreement; concordate
concordia (kōn·kôr'dyâ) *f* harmony, peace; mutual consent, concord
concorrente (kōn·kōr·rān'tā) *m* competitor
concorrenza (kōn·kōr·rān'tsâ) *f* competition
concorrere * (kōn·kôr'rā·rā) *vi* to compete
concorso (kōn·kōr'sō) *m* attendance; contest

---

k kid, **l** let, **m** met, **n** not, **p** pat, **r** very, **s** sat, **sh** shop, **t** tell, **v** vat, **w** we, **y** yes, **z** zero

concreto (kŏn·krā'tō) *a* concrete, actual
concubina (kŏn·kū·bē'nâ) *f* concubine;
–to (kŏn·kū·bē·nâ'tō) *m* concubinage
concupiscente (kŏn·kū·pē·shān'tā) *a* concupiscent
concupiscenza (kŏn·kū·pē·shān'tsâ) *f* lust, concupiscence
concussione (kŏn·kūs·syō'nā) *f* extortion; concussion
condanna (kŏn·dân'nâ) *f* condemnation; sentence; **–re** (kŏn·dân·nâ'rā) *vt* to sentence; **–to** (kŏn·dân·nâ'tō) *m* convict
condensare (kŏn·dān·sâ'rā) *vt* to condense; to abridge
condensatore (kŏn·dān·sâ·tō'rā) *m* condenser
condimento (kŏn·dē·mān'tō) *m* seasoning
condire (kŏn·dē'rā) *vt* to season
condividere * (kŏn·dē·vē'dā·rā) *vt* to share
condizionale (kŏn·dē·tsyō·nâ'lā) *a* conditional; **condanna** — suspended sentence; — *m* (*gram*) conditional mood
condizionare (kŏn·dē·tsyō·nâ'rā) *vt* to condition; to prepare, ready
condizionato (kŏn·dē·tsyō·nâ'tō) *a* conditioned; **aria condizionata** air conditioning; **–re** (kŏn·dē·tsyō·nâ·tō'rā) *m* air conditioner
condizione (kŏn·dē·tsyō'nā) *f* condition, term
condoglianza (kŏn·dō·lyân'tsâ) *f* sympathy, condolence
condolersi * (kŏn·dō·lār'sē) *vr* to sympathize with, condole with
condonare (kŏn·dō·nâ'rā) *vt* to pardon, forgive, condone
condonato (kŏn·dō·nâ'tō) *a* pardoned, condoned
condono (kŏn·dō'nō) *m* pardon, forgiveness
condotta (kŏn·dōt'tâ) *f* behavior; management
condottiero (kŏn·dōt·tyā'rō) *m* leader, condottiere, mercenary soldier
condotto (kŏn·dōt'tō) *m* pipeline; — *a* led
conducente (kŏn·dū·chān'tā) *a* leading; — *m* conductor; driver
conducibilità (kŏn·dū·chē·bē·lē·tâ') *f* (*phys*) conductivity
condurre * (kŏn·dūr'rā) *vt* to take, escort
conduttività (kŏn·dūt·tē·vē·tâ') *f* (*phys*) conductivity
conduttore (kŏn·dūt·tō'rā) *m* driver; train conductor; operator
confabulare (kŏn·fâ·bū·lâ'rā) *vi* to talk,

chat
confacente (kŏn·fâ·chān'tā) *a* proper, suitable; agreeable to; becoming
confarsi * (kŏn·fâr'sē) *vr* to fit; to agree; to suit; to content oneself
confederare (kŏn·fā·dā·râ'rā) *vt* to confederate
confederato (kŏn·fā·dā·râ'tō) *a* confederated; — *m* confederate
confederazione (kŏn·fā·dā·râ·tsyō'nā) *f* confederacy, confederation
conferenza (kŏn·fā·rān'tsâ) *f* lecture; — **al vertice** summit conference; — **stampa** press conference
conferenziere (kŏn·fā·rān·tsyā'rā) *m* lecturer
conferire (kŏn·fā·rē'rā) *vt&i* to confer
conferma (kŏn·fār'mâ) *f* confirmation; **–re** (kŏn·fâr·mâ'rā) *vt* to confirm
confessare (kŏn·fās·sâ'rā) *vt* to confess
confessionale (kŏn·fās·syō·nâ'lā) *m&a* confessional
confessione (kŏn·fās·syō'nā) *f* confession
confessore (kŏn·fās·sō'rā) *m* confessor
confettiera (kŏn·fāt·tyā'râ) *f* candy box
confettiere (kŏn·fāt·tyā'rā) *m* confectioner
confetto (kŏn·fāt'tō) *m* piece of candy
confettura (kŏn·fāt·tū'râ) *f* marmalade
confezionare (kŏn·fā·tsyō·nâ'rā) *vt* to manufacture; to draw up; to outline
confezione (kŏn·fā·tsyō'nā) *f* ready-to-wear manufacture
conficcare (kŏn·fēk·kâ'rā) *vt* to nail in, drive in; to embed
conficcarsi (kŏn·fēk·kâr'sē) *vr* to be embedded, be thrust in
confidare (kŏn·fē·dâ'rā) *vt&i* to trust; to confide in; to be on familiar terms with
confidenza (kŏn·fē·dān'tsâ) *f* familiarity; confidence
confidenziale (kŏn·fē·dān·tsyâ'lā) *a* confidential
configurare (kŏn·fē·gū·râ'rā) *vt* to shape, outline; (*fig*) to idealize
configurazione (kŏn·fē·gū·râ·tsyō'nā) *f* configuration, contour
confinare (kŏn·fē·nâ'rā) *vt* to intern; — *vi* to border
confine (kŏn·fē'nā) *m* border
confino (kŏn·fē'nō) *m* internment
confiscare (kŏn·fē·skâ'rā) *vt* to confiscate
conflitto (kŏn·flēt'tō) *m* conflict
confluente (kŏn·flūân'tā) *m* confluent, tributary
confondere * (kŏn·fōn'dā·rā) *vt* to confuse; to mistake

conformare (kōn·fōr·mâ′rā) *vt* to conform

conformarsi (kōn·fōr·mâr′sē) *vr* to content oneself; to adapt oneself, accustom oneself

conforme (kōn·fōr′mā) *adv* in conformity; — *a* conforming

conformista (kōn·fōr·mē′stä) *m* conformist

conformità (kōn·fōr·mē·tâ) *f* conformity

confortabile (kōn·fōr·tâ′bē·lä) *a* consolable

confortare (kōn·fōr·tâ′rā) *vt* to comfort, solace

confortevole (kōn·fōr·te′vō·lä) *a* comfortable

conforto (kōn·fōr′tō) *m* comfort

confraternità (kōn·frâ·tär·nē·tâ′) *f* brotherhood; fraternity

confrontare (kōn·frōn·tâ′rā) *vt* to compare; to relate

confronto (kōn·frōn′tō) *m* comparison; (*law*) confrontation

confusione (kōn·fū·zyō′nä) *f* confusion

confuso (kōn·fū′zō) *a* confused

confutare (kōn·fū·tâ′rā) *vt* to refute; to deny

confutazione (kōn·fū·tâ·tsyō′nä) *f* refutation, confutation

congedare (kōn·jä·dâ′rā) *vt* to dismiss

congedo (kōn·jä′dō) *m* discharge; leave

congegno (kōn·jä′nyō) *m* device

congelare (kōn·jä·lâ′rä) *vt* to freeze

congelato (kōn·jä·lâ′tō) *a* frozen

congenito (kōn·je′nē·tō) *a* congenital

congestione (kōn·jä·styō′nä) *f* congestion; traffic jam

congettura (kōn·jät·tū′rä) *f* supposition

congiungere * (kōn·jūn′jä·rä) *vt* to join, unite

congiuntivo (kōn·jūn·tē′vō) *m* subjunctive

congiunto (kōn·jūn′tō) *m* relative

congiuntura (kōn·jūn·tū′rä) *f* trade outlook, market conditions; emergency

congiunzione (kōn·jūn·tsyō′nä) *f* conjunction

congiura (kōn·jū′rä) *f* plot; –re (kōn·jū·râ′rä) *vt&i* to plot; to conjure; –to (kōn·jū·râ′tō) *a* plotted; conjured

conglomerato (kōn·glō·mä·râ′tō) *m* concrete; conglomerate

congratulare (kōn·grâ·tū·lâ′rä) *vt* to congratulate

congratulazione (kōn·grâ·tū·lâ·tsyō′nä) *f* congratulation

congrega (kôn′grä·gâ) *f* congregation; –re (kōn·grä·gâ′rä) *vt* to congregate;

–zione (kōn·grä·gâ·tsyō′nä) *f* congregation

congressista (kōn·gräs·sē′stä) *m* member of a convention; congressman

congresso (kōn·gräs′sō) *m* congress; convention, meeting

congruente (kōn·grūän′tä) *a* congruent

congruenza (kōn·grūän′tsä) *f* congruence; consistency

congruo (kôn′grūō) *a* congruous

conguaglio (kōn·gwâ′lyō) *m* balance

coniare (kō·nyâ′rä) *vt* to coin

conico (kô′nē·kō) *a* conic

coniglio (kō·nē′lyō) *m* rabbit

conio (kō′nyō) *m* coinage

coniugare (kō·nyū·gâ′rä) *vt* to conjugate

coniugazione (kō·nyū·gâ·tsyō′nä) *f* conjugation

coniuge (kô′nyū·jä) *m* spouse

coniugi (kô′nyū·jē) *mpl* husband and wife, couple

connaturale (kōn·nâ·tū·râ′lä) *a* connatural, inborn

connazionale (kōn·nä·tsyō·nâ′lä) *m* compatriot

connessione (kōn·näs·syō′nä) *f* connection

connettere * (kōn·net′tä·rä) *vt* to connect

connivenza (kōn·nē·vän′tsä) *f* connivance

connubio (kōn·nū′byō) *m* marriage, match; blend, union

cono (kō′nō) *m* cone; — **gelato** ice cream cone

conoscente (kō·nō·shän′tä) *m&f* acquaintance

conoscenza (kō·nō·shän′tsä) *f* knowledge; acquaintance

conoscere * (kō·nô′shä·rä) *vt* to know; to be aware of

conoscitore (kō·nō·shē·tō′rä) *m* connoisseur

conosciuto (kō·nō·shū′tō) *a* known

conquista (kōn·kwē′stä) *f* conquest; –re (kōn·kwē·stâ′rä) *vt* to conquer; –tore (kōn·kwē·stâ·tō′rä) *m* conqueror; (*coll*) ladies' man

consacrare (kōn·sâ·krâ′rä) *vt* to consecrate

consacrazione (kōn·sâ·krâ·tsyō′nä) *f* consecration

consanguineo (kōn·sân·gwē′nä·ō) *a* akin; consanguineous

consanguinità (kōn·sân·gwē·nē·tâ′) *f* consanguinity

consapevole (kōn·sâ·pe′vō·lä) *a* aware, knowing; informed

conscio (kôn′shō) *a* conscious

---

k kid, **l** let, **m** met, **n** not, **p** pat, **r** very, **s** sat, **sh** shop, **t** tell, **v** vat, **w** we, **y** yes, **z** zero

consecutivo (kōn·sā·kū·tē'vō) *a* successive, consecutive; following

consegna (kōn·sā'nyâ) *f* assignment; delivery; **–re** (kōn·sā·nyâ'rā) *vt* to deliver; **–tario** (kōn·sā·nyâ·tâ'ryō) *m* consignee

conseguente (kōn·sā·gwān'tā) *a* ensuing, resulting, consequent; **–mente** (kōn·sā·gwān·tā·mān'tā) *adv* consequently, as a result

conseguenza (kōn·sā·gwān'tsâ) *f* consequence

conseguire (kōn·sā·gwē'rā) *vt* to attain

consenso (kōn·sān'sō) *m* consent

consentimento (kōn·sān·tē·mān'tō) *m* consent

consentire (kōn·sān·tē'rā) *vi* to consent

conserva (kōn·sār'vâ) *f* preserve; **— di pomodoro** tomato paste; **in —** canned; **conserve alimentari** canned foods; **–re** *vt* (kōn·sār·vâ'rā) to conserve; **–tivo** (kōn·sār·vâ·tē'vō) *a* conservative; **–tore** (kōn·sār·vâ·tō'rā) *a* conservative; *(coll)* traditionalist; **–torio** (kōn·sār·vâ·tō'ryō) *m* conservatory of music; finishing school; **–zione** (kōn·sār·vâ·tsyō'nā) *f* preservation, conservation

consesso (kōn·sās'sō) *m* meeting, assembly

considerare (kōn·sē·dā·râ'rā) *vt* to consider

considerazione (kōn·sē·dā·râ·tsyō'nā) *f* consideration

considerevole (kōn·sē·dā·re'vō·lā) *a* considerable

consigliare (kōn·sē·lyâ'rā) *vt* to advise

consigliere (kōn·sē·lyā'rā) *m* adviser; **— delegato** member of board of directors

consiglio (kōn·sē'lyō) *m* advice; council

consistente (kōn·sē·stān'tā) *a* solid, strong; consisting of

consistenza (kōn·sē·stān'tsâ) *f* solidity, firmness; consistency

consistere * (kōn·sē'stā·rā) *vi* to consist, be composed

consociazione (kōn·sō·châ·tsyō'nā) *f* association

consocio (kōn·sô'chō) *m* partner

consolare (kōn·sō·lâ'rā) *vt* to console; **—** *a* consular

consolato (kōn·sō·lâ'tō) *m* consulate; **—** *a* consoled

consolazione (kōn·sō·lâ·tsyō'nā) *f* consolation

console (kôn'sō·lā) *m* consul

consolidare (kōn·sō·lē·dâ'rā) *vt* to strengthen; to consolidate

consolidarsi (kōn·sō·lē·dâr'sē) *vr* to become firm; to strengthen oneself; to be consolidated; to take root

consolidato (kōn·sō·lē·dâ'tō) *m* funded debt

consonante (kōn·sō·nân'tā) *f* consonant

consorte (kōn·sōr'tā) *m&f* spouse

consorzio (kōn·sôr'tsyō) *m* combine, syndicate; **— agrario** farmers' cooperative

consueto (kōn·swā'tō) *a* customary, habitual, usual; **—** *m* custom, habit, wont

consuetudine (kōn·swā·tū'dē·nā) *f* custom

consulente (kōn·sū·lān'tā) *a&m* consultant

consultare (kōn·sūl·tâ'rā) *vt* to consult

consultivo (kōn·sūl·tē'vō) *a* advisory

consulto (kōn·sūl'tō) *m* consultation; **–re** (kōn·sūl·tō'rā) *m* adviser, counsellor

consumare (kōn·sū·mâ'rā) *vt* to consume; to use up

consumato (kōn·sū·mâ'tō) *m* consommé; **—** *a* used up; accomplished, finished

consumazione (kōn·sū·mâ·tsyō'nā) *f* consummation; drinks; meal

consumo (kōn·sū'mō) *m* consumption

consunto (kōn·sūn'tō) *a* consumptive

consunzione (kōn·sūn·tsyō'nā) *f* consumption

contabile (kōn·tâ'bē·lā) *m* accountant; bookkeeper

contabilità (kōn·tâ·bē·lē·tâ') *f* auditing; bookkeeping

contachilometro (kōn·tâ·kē·lô'mâ·trō) *m* speedometer

contadino (kōn·tâ·dē'nō) *m* peasant; farm hand

contagio (kōn·tâ'jō) *m* contagion; **–so** (kōn·tâ·jō'zō) *a* contagious

contagiri (kōn·tâ·jē'rē) *m (mech)* revolutions indicator, speedometer

contagocce (kōn·tâ·gō'chā) *m* medicine dropper

contaminare (kōn·tâ·mē·nâ'rā) *vt* to infect

contaminazione (kōn·tâ·mē·nâ·tsyō'nā) *f* contamination

contante (kōn·tân'tā) *a&m* cash

contare (kōn·tâ'rā) *vt* to count; to expect; to depend on

contatore (kōn·tâ·tō'rā) *m* meter

contatto (kōn·tât'tō) *m* contact

conte (kōn'tā) *m* count; **–a** (kōn·tā'â) *f* county; earldom; **–ssa** (kōn·tās'sâ) *f* countess

conteggiare (kōn·tāj·jâ'rā) *vt* to figure

conteggio (kōn·tej'jō) *m* count; **— alla rovescia** *(aesp)* countdown

contegno (kōn·tā'nyō) *m* behavior, deportment; aloofness

â ârm, **ā** bāby, **e** bet, **ē** bē, **ō** gō, **ô** gône, **ū** blūe, **b** bad, **ch** child, **d** dad, **f** fat, **g** gay, **j** jet

contemplare (kōn·tām·plâ'rā) *vt* to contemplate; to view

contemplativo (kōn·tām·plâ·tē'vō) *a* contemplative

contemplazione (kōn·tām·plâ·tsyō'nā) *f* contemplation

contemporaneo (kōn·tām·pō·râ'nā·ō) *a* contemporary

contendere * (kōn·ten'dā·rā) *vi* to contend

contenente (kōn·tā·nān'tā) *a* containing

contenere * (kōn·tā·nā'rā) *vt* to contain; to encompass

contentare (kōn·tān·tâ'rā) *vt* to please; to satisfy

contentezza (kōn·tān·tā'tsâ) *f* joy

contento (kōn·tān'tō) *a* glad; satisfied

contenuto (kōn·tā·nū'tō) *m* contents

contenzione (kōn·tān·tsyō'nā) *f* debate; contention

contenzioso (kōn·tān·tsyō'zō) *a* contentious, quarrelsome

contesa (kōn·tā'zâ) *f* contest; contention

conteso (kōn·tā'zō) *a* opposed; contested

contestare (kōn·tā·stâ'rā) *vt* to object; to contest

contestazione (kōn·tā·stâ·tsyō'nā) *f* objection; dispute; opposition; contention

contesto (kōn·tā'stō) *m* context; compound; structure; texture; — *a* formed; interwoven

contiguo (kōn·tē'gwō) *a* adjoining

continente (kōn·tē·nān'tā) *m* continent; — *a* temperate, continent

continenza (kōn·tē·nān'tsâ) *f* continence

contingentare (kōn·tēn·jān·tâ'rā) *vt* to ration

contingente (kōn·tēn·jān'tā) *a&m* contingent

contingenza (kōn·tēn·jān'tsâ) *f* contingence

continuamente (kōn·tē·nwâ·mān'tā) *adv* always, continually

continuamento (kōn·tē·nwâ·mān'tō) *m* continuation; prolongation

continuare (kōn·tē·nwâ'rā) *vt&i* to continue; to prolong

continuato (kōn·tē·nwâ'tō) *a* continued

continuazione (kōn·tē·nwâ·tsyō'nā) *f* continuation

continuità (kōn·tē·nwē·tâ') *f* continuity

continuo (kōn·tē'nwō) *a* continuous

conto (kōn'tō) *m* count; account; bill

contorcere * (kōn·tôr'chā·rā) *vt* to twist

contorno (kōn·tōr'nō) *m* side dish; contour; outline

contorsione (kōn·tōr·syō'nā) *f* contortion

contorto (kōn·tōr'tō) *a* twisted, contorted

contrabbandiere (kōn·trâb·bân·dyā'rā) *m* smuggler

contrabbando (kōn·trâb·bân'dō) *m* smuggling

contrabbasso (kōn·trâb·bâs'sō) *m* contrabass

contraccambiare (kōn·trâk·kâm·byâ'rā) *vt* to reciprocate; to exchange; to return

contraccolpo (kōn·trâk·kōl'pō) *m* counterblow; repercussion; retaliation

contrada (kōn·trâ'dâ) *f* district, region; country road

contradetto (kōn·trâd·dāt'tō) *a* contradicted

contraddire * (kōn·trâd·dē'rā) *vt* to contradict, gainsay

contraddizione (kōn·trâd·dē·tsyō'nā) *f* contradiction

contraente (kōn·trâ·ān'tā) *a* contracting; — *m* contractor

contraereo (kōn·trâ·e'rā·ō) *a* antiaircraft

contraffare * (kōn·trâf·fâ'rā) *vt* to counterfeit; to impersonate

contraffatto (kōn·trâf·fât'tō) *a* false; –re (kōn·trâf·fât·tō'rā) *m* counterfeiter

contraffazione (kōn·trâf·fâ·tsyō'nā) *f* forgery

contrafforte (kōn·trâf·fōr'tā) *m* (arch) buttress, pier

contralto (kōn·trâl'tō) *m* contralto

contrammiraglio (kōn·trâm·mē·râ'lyō) *m* rear admiral

contrappeso (kōn·trâp·pā'zō) *m* counterpoise, counterweight

contrappunto (kōn·trâp·pūn'tō) *m* counterpoint

contrariamente (kōn·trâ·ryâ·mān'tā) *adv* contrarily

contrariare (kōn·trâ·ryâ'rā) *vt* to contradict; to oppose, counteract

contrarietà (kōn·trâ·ryā·tâ') *f* adversity

contrario (kōn·trâ'ryō) *a* contrary

contrarre * (kōn·trâr'rā) *vt* to contract

contrassegno (kōn·trâs·sā'nyō) *m* sign, token

contrastante (kōn·trâ·stân'tā) *a* contrasting; — *m&f* contestant

contrastare (kōn·trâ·stâ'rā) *vt* to contrast

contrasto (kōn·trâ'stō) *m* contrast

contrattare (kōn·trât·tâ'rā) *vt&i* to bargain; to contract; to deal

contrattempo (kōn·trât·tâm'pō) *m* mishap; misfortune

contratto (kōn·trât'tō) *m* contract; — *a* contracted

contravvenzione (kōn·trâv·vān·tsyō'nā) *f* violation

contrazione (kōn·trâ·tsyō'nā) *f* contrac-

---

k kid, l let, m met, n not, p pat, r very, s sat, sh shop, t tell, v vat, w we, y yes, z zero

tion
contribuente (kŏn·trē·bwän'tä) *m* taxpayer
contribuire (kŏn·trē·bwē'rä) *vt* to contribute
contributo (kŏn·trē·bū'tō) *m* contribution
contrito (kŏn·trē'tō) *a* contrite
contrizione (kŏn·trē·tsyō'nä) *f* contrition
contro (kŏn'trō) *prep* against
controcurva (kŏn·trō·kūr'vä) *f* S-curve
controfigura (kŏn·trō·fē·gū'rä) *f* stand-in; substitute
controllare (kŏn·trōl·lä'rä) *vt* to verify, check
controllo (kŏn·trōl'lō) *m* control, check; **–re** (kŏn·trōl·lō'rä) *m* train conductor; auditor; ticket collector
contromarca (kŏn·trō·mâr'kâ) *f* check, ticket stub
contromarcia (cōn·trō·mâr'châ) *f* reverse *(auto)*
controproducente (kŏn·trō·prō·dū·chän'-tä) *a* self-defeating
controrivoluzione (kŏn·trō·rē·vō·lū·tsyō'nä) *f* counterrevolution
controversia (kŏn·trō·ver'syâ) *f* controversy
contumacia (kŏn·tū·mâ'châ) *f* default
contumelia (kŏn·tū·me'lyâ) *f* contumely, outrage, insult
conturbante (kŏn·tūr·bân'tä) *a* glamorous; disturbing
conturbare (kŏn·tūr·bâ'rä) *vt* to disturb; to upset
contusione (kŏn·tū·zyō'nä) *f* bruise
contuttochè (kŏn·tūt·tō·kä') *conj* although, though, despite the fact that
contuttociò (kŏn·tūt·tō·chō') *adv* however, nevertheless
convalescente (kŏn·vâ·lä·shän'tä) *m&f* convalescent
convalescenza (kŏn·vâ·lä·shän'tsâ) *f* recovery, convalescence
convalescenziario (kŏn·vâ·lä·shän·tsyâ'-ryō) *m* convalescent home, sanitarium
convalidare (kŏn·vâ·lē·dâ'rä) *vt* to validate; to prove
convegno (kŏn·vä'nyō) *m* meeting, convention
convenevoli (kŏn·vä·ne'vō·lē) *mpl* amenities, pleasantries
conveniente (kŏn·vä·nyän'tä) *a* convenient; appropriate; profitable
convenienza (kŏn·vä·nyän'tsâ) *f* convenience
convenire * (kŏn·vä·nē'rä) *vi* to agree; to be proper
convento (kŏn·vän'tō) *m* monastery; con-

vent
convenuto (kŏn·vä·nū'tō) *m* defendant
convenzione (kŏn·vän·tsyō'nä) *f* convention
convergere * (kŏn·ver'jä·rä) *vi* to converge
conversare (kŏn·vär·sâ'rä) *vi* to converse
conversazione (kŏn·vär·sâ·tsyō'nä) *f* conversation
conversione (kŏn·vär·syō'nä) *f* conversion
converso (kŏn·vär'sō) *m* lay brother
convertire (kŏn·vär·tē'rä) *vt* to convert
convertito (kŏn·vär·tē'tō) *m* convert
convesso (kŏn·väs'sō) *a* convex
convincente (kŏn·vēn·chän'tä) *a* convincing
convincere * (kŏn·vēn'chä·rä) *vt* to convince; to satisfy
convinzione (kŏn·vēn·tsyō'nä) *f* conviction
convitare (kŏn·vē·tâ'rä) *vt* to invite
convitato (kŏn·vē·tâ'tō) *m* guest; — *a* invited
convito (kŏn·vē'tō) *m* feast; banquet
convitto (kŏn·vēt'tō) *m* academy, boarding school, private school; **–re** (kŏn·vēt·tō'rä) *m* student at a boarding school
convivente (kŏn·vē·vän'tä) *m* cohabitant
convivenza (kŏn·vē·vän'tsâ) *f* cohabitation
convivere * (kŏn·vē'vä·rä) *vi* to cohabit
convocare (kŏn·vō·kâ'rä) *vt* to convoke; to bring into play
convogliare (kŏn·vō·lyâ'rä) *vt* to convey; to convoy
convoglio (kŏn·vô'lyō) *m* convoy
convulsione (kŏn·vūl·syō'nä) *f* convulsion
cooperare (kō·ō·pä·râ'rä) *vi* to cooperate
cooperativa (kō·ō·pä·râ·tē'vâ) *f* cooperative
coordinare (kō·ōr·dē·nâ'rä) *vt* to coordinate
copale (kō·pâ'lä) *f* patent leather; lacquer
coperchio (kō·per'kyō) *m* top, lid
coperta (kō·pär'tâ) *f* blanket; *(naut)* deck; **sopra** — on deck
copertina (kō·pär·tē'nâ) *f* book jacket, dust jacket
coperto (kō·pär'tō) *m* cover; cover charge; **–ne** (kō·pär·tō'nä) *m* tire; tarpaulin
copertura (kō·pär·tū'râ) *f* coverage
copia (kô'pyâ) *f* copy; print; **–lettere** (kō·pyâ·let'tä·rä) *f* automatic typewriting unit; **–re** (kō·pyâ'rä) *vt* to copy; **–tivo** (kō·pyâ·tē'vō) *a* copying; **–tore** (kō·pyâ·tō'rä) *m* imitator
copione (kō·pyō'nä) *m* script

â ârm, **ā** bāby, **e** bet, **ē** bē, **ō** gō, **ô** gône, **ū** blūe, **b** bad, **ch** child, **d** dad, **f** fat, **g** gay, **j** jet

copiosità (kō·pyō·zē·tâ′) *f* plentifulness, abundance, copiousness
copioso (kō·pyō′zō) *a* plentiful, abundant, copious
copista (kō·pē′stâ) *m* copyist
copisteria (kō·pē·stâ·rē′â) *f* letter service
coppa (kōp′pâ) *f* cup; bowl
coppia (kōp′pyâ) *f* couple, pair
copribusto (kō·prē·bü′stō) *m* bodice
copricapo (kō·prē·kâ′pō) *m* headgear
coprifuoco (kō·prē·fwō′kō) *m* curfew
copriletto (kō·prē·lât′tō) *m* bedspread
coprire * (kō·prē′rā) *vt* to cover
copula (kô′pū·lâ) *f* conjunction; copulation; *(gram)* copula, conjunction; **–re** (kō·pū·lâ′rā) *vt* to copulate
coraggio (kō·râj′jō) *m* courage; **–so** (kō·râj·jō′zō) *a* brave
corale (kō·râ′lā) *a* choral
corallo (kō·râl′lō) *m* coral
coramella (kō·râ·māl′lâ) *f* razor strop
coratella (kō·râ·tāl′lâ) *f* pluck
corazza (kō·râ′tsâ) *f* armor; **–ta** (kō·râ·tsâ′tâ) *f* battleship
corazziere (kō·râ·tsyā′rā) *m (mil)* cuirassier
corbellare (kōr·bāl·lâ′rā) *vt* to make fun of; to tease
corbelleria (kōr·bāl·lā·rē′â) *f* nonsense
corbello (kōr·bāl′lō) *m* basket
corbezzoli! (kōr·be′tsō·lē) *interj* gosh!
corda (kōr′dâ) *f* rope; string
cordiale (kōr·dyâ′lā) *a&m* cordial
cordialità (kōr·dyâ·lē·tâ′) *f* cordiality; regards
cordicella (kōr·dē·chāl′lâ) *f* string, lace
cordigliera (kōr·dē·lyā′râ) *f (geog)* cordillera
cordoglio (kōr·dô′lyō) *m* sorrow
cordoncino (kōr·dōn·chē′nō) *m* string, lace
cordone (kōr·dō′nā) *m* cordon
coreografia (kō·râ·ō·grâ·fē′â) *f* choreography
coreografo (kō·râ·ô′grâ·fō) *m* choreographer
coriaceo (kō·ryâ′châ·ō) *a* leathery; *(fig)* tough
coriandoli (kō·ryân′dō·lē) *mpl* confetti
coricare (kō·rē·kâ′râ) *vt* to put to bed
coricarsi (kō·rē·kâr′sē) *vr* to go to bed
corifeo (kō·rē·fâ′ō) *m* coryphaeus
corindone (kō·rēn·dō′nā) *m (min)* corundum
corinzio (kō·rēn′tsyō) *a* Corinthian
corista (kō·rē′stâ) *m* chorister; diapason
corna (kōr′nâ) *fpl* horns
cornacchia (kōr·nâk′kyâ) *f* crow

cornamusa (kōr·nâ·mū′zâ) *f* bagpipe
cornata (kōr·nâ′tâ) *f* butt, ram
cornea (kôr′nā·â) *f (anat)* cornea
corneo (kôr′nā·ō) *a* horny, corneous
cornetta (kōr·nāt′tâ) *f (mus)* cornet
cornice (kōr·nē′châ) *f* frame
cornicione (kōr·nē·chō′nā) *m* eaves, cornice; entablature
corniolo (kōr·nyō′lō) *m (bot)* dogwood
corno (kōr′nō) *m* horn
cornucopia (kōr·nū·kô′pyâ) *f* horn of plenty, cornucopia
cornuto (kōr·nū′tō) *a* horned; — *m* cuckold
coro (kō′rō) *m* choir, chorus
corollario (kō·rōl·lâ′ryō) *m* corollary
corona (kō·rō′nâ) *f* crown
coronario (kō·rō·nâ′ryō) *a* coronary
corpacciuto (kōr·pâ·chū′tō) *a* stout, fleshy
corpo (kōr′pō) *m* body; undershirt; **–rale** (kōr·pō·râ′lā) *a* bodily, corporeal; **–ralmente** (kōr·pō·râl·mān′tā) *adv* bodily, corporally; **–ratura** (kōr·pō·râ·tū′râ) *f* physique, build; **–razione** (kōr·pō·râ·tsyō′nâ) *f* guild; corporation
corpulento (kōr·pū·lān′tō) *a* stout, corpulent
corpuscolo (kōr·pū′skô·lō) *m* corpuscle
corredare (kōr·râ·dâ′râ) *vt* to equip, provide, furnish
corredo (kōr·râ′dō) *m* trousseau; outfit
correggia (kōr·rej′jâ) *f* girdle; leather belt
correggere (kōr·rej′jā·rā) *vt* to correct
correlativo (kōr·rā·lâ·tē′vō) *a* correlative
corrente (kōr·rān′tâ) *f* stream; current; — *a* running; — **alternata** alternating current; — **continua** direct current; **al** — up-to-date
correo (kōr·râ′ō) *m* accomplice
correre * (kōr′rā·rā) *vi* to run
corretto (kōr·rāt′tō) *a* correct; **–re** (kōr·rât·tō′râ) *m* corrector; *(print)* proofreader
correzionale (kōr·râ·tsyō·nâ′lā) *m* reformatory
correzione (kōr·râ·tsyō′nā) *f* correction
corridoio (kōr·rē·dô′yō) *m* corridor
corridore (kōr·rē·dō′râ) *m* runner
corriera (kōr·ryā′râ) *f* intercity bus
corriere (kōr·ryā′râ) *m* messenger, courier; mail
corrispettivo (kōr·rē·spât·tē′vō) *m* recompense; — *a* corresponding
corrispondente (kōr·rē·spōn·dān′tā) *m* correspondent
corrispondenza (kōr·rē·spōn·dān′tsâ) *f* correspondence

---

k kid, **l** let, **m** met, **n** not, **p** pat, **r** very, **s** sat, **sh** shop, **t** tell, **v** vat, **w** we, **y** yes, **z** zero

corrispondere * (kŏr·rē·spôn'dä·rä) *vi* to correspond

corrodere * (kŏr·rô'dä·rä) *vt* to corrode; to waste

corrompere * (kôr·rôm'pä·rä) *vt* to bribe, corrupt

corrosione (kŏr·rō·zyō'nä) *f* corrosion

corrosivo (kŏr·rō·zē'vō) *a* corrosive

corroso (kŏr·rō'zō) *a* corroded

corrotto (kŏr·rōt'tō) *a* corrupted

corrugare (kŏr·rū·gâ'rä) *vt* to corrugate

corruzione (kŏr·rū·tsyō'nä) *f* corruption

corsa (kŏr'sâ) *f* race; fare; stroke

corsaro (kŏr·sâ'rō) *m* pirate, corsair

corseggiare (kŏr·säj·jâ'rä) *vi* to pirate

corsetto (kŏr·sät'tō) *m* corset

corsia (kŏr·sē'â) *f* lane; ward

corsivo (kŏr·sē'vō) *m* italics

corso (kŏr'sō) *m* course; main street; Corsican

corte (kŏr'tä) *f* court; courtship; courtyard; –ggiare (kŏr·täj·jâ'rä) *vt* to court; –ggiatore (kŏr·täj·jä·tō'rä) *m* suitor; wooer

corteo (kŏr·tä'ō) *m* parade, procession

cortese (kŏr·tä'zä) *a* polite, courteous; –mente (kŏr·tä·zä·män'tä) *adv* courteously, politely, kindly

cortesia (kŏr·tä·zē'â) *f* politeness, courtesy

cortigiana (kŏr·tē·jâ'nâ) *f* courtesan

cortigiano (kŏr·tē·jâ'nō) *m* courtier; *(fig)* flatterer

cortile (kŏr·tē'lä) *m* courtyard

cortina (kŏr·tē'nâ) *f* curtain; — di acciaio iron curtain; — di fumo smoke screen; –ggio (kŏr·tē·nâj'jō) *m* curtains, drapes; *(mil)* barrage

corto (kŏr'tō) *a* short; — circuito short circuit; — di vista shortsighted; –metraggio (kŏr·tō·mä·trâj'jō) *m* short subject *(movies)*

corvetta (kŏr·vät'tâ) *f (naut)* corvette

corvino (kŏr·vē'nō) *a* crowlike; raven, jet black, corvine

corvo (kŏr'vō) *m* crow

cosa (kō'zâ) *f* thing; matter; che —? what?

coscia (kô'shâ) *f* thigh

coscienza (kō·shän'tsâ) *f* conscience; consciousness

coscio (kô'shō), cosciotto (kô·shōt'tō) *m* leg; — d'agnello leg of lamb

coscritto (kō·skrēt'tō) *m* draftee

coscrizione (kō·skrē·tsyō'nä) *f (mil)* draft

così (kō·zē') *adv* thus, so, in this way

cosmetico (kō·zme'tē·kō) *m&a* cosmetic

cosmico (kô'zmē·kō) *a* cosmic

cosmo (kô'zmō) *m* cosmos; –grafia (kō· zmō·grâ·fē'â) *f* cosmography; –logia (kō·zmō·lō·jē'â) *f* cosmology; –polita (kō·zmō·pō·lē'tâ) *a&m* cosmopolitan

cospargere * (kō·spâr'jä·rä) *vt* to sprinkle, to bedew; to strew

cospetto (kō·spät'tō) *m* view; presence; sight

cospicuo (kō·spē'kwō) *a* conspicuous; in evidence

cospirare (kō·spē·râ'rä) *vi* to plot, conspire

cospiratore (kō·spē·râ·tō'rä) *m* conspirator

cospirazione (kō·spē·râ·tsyō'nä) *f* plot, conspiracy

costa (kō'stâ) *f* coast; rib; slope; side

costà (kō·stâ') *adv* over there, there

costanza (kō·stân'tsâ) *f* constancy; faithfulness

costare (kō·stâ'rä) *vi* to cost

costata (kō·stâ'tâ) *f* chop *(meat)*

costatare (kō·stâ·tâ'rä) *vt* to ascertain

costei (kō·stâ'ē) *pron* she, that girl, that woman

costellazione (kō·stäl·lâ·tsyō'nä) *f* constellation

costernare (kō·stär·nâ'rä) *vt* to consternate; to upset

costernarsi (kō·stär·nâr'sē) *vi* to be dismayed

costernazione (kō·stär·nâ·tsyō'nä) *f* dismay

costiero (kō·styä'rō) *a* coastal

costipazione (kō·stē·pâ·tsyō'nä) *f* constipation; cold

costituire (kō·stē·twē'rä) *vt* to constitute; to set up

costituirsi (kō·stē·twēr'sē) *vr* to give oneself up, surrender; to be composed of

costituzione (kō·stē·tū·tsyō'nä) *f* constitution

costo (kō'stō) *m* cost

costola (kô'stō·lâ) *f* rib

costoletta (kō·stō·lät'tâ) *f* cutlet, chop

costoro (kō·stō'rō) *pron* these; those

costoso (kō·stō'zō) *a* costly, expensive

costringere * (kō·strēn'jä·rä) *vt* to compel, make

costruire (kō·strūē'rä) *vt* to construct

costruttore ((kō·strūt·tō'rä) *m* builder

costruzione (kō·strū·tsyō'nä) *f* construction

costui (kō·stū'ē) *pron* he, that fellow, that man

costumatezza (kō·stū·mâ·tâ'tsâ) *f* politeness

costumato (kō·stū·mâ'tō) *a* well-bred

costume (kō·stū'mä) *m* custom; costume;

habit

costumista (kō·stū·mē'stâ) *m* (*theat*) costumer

costura (kō·stū'râ) *f* seam

cotale (kō·tâ'lā) *pron* such a one, such

cotanto (kō·tân'tō) *a* as much; — *adv* so much

cote (kō'tā) *f* hone

cotechino (kō·tā·kē'nō) *m* pork sausage

cotenna (kō·tān'nâ) *f* rind; pigskin

cotesto (kō·tā'stō), **codesto** (kō·dā'stō) *a* that; — *pron* that one by you

cotogna (kō·tō'nyâ) *f* quince; **–ta** (kō·tō·nyâ'tâ) *f* quince jam

cotone (kō·tō'nā) *m* cotton; — **idrofilo** absorbent cotton

cotoniere (kō·tō·nyâ'rā) *m* cotton merchant

cotonificio (kō·tō·nē·fē'chō) *m* cotton mill

cotonina (kō·tō·nē'nâ) *f* calico

cottimo (kôt'tē·mō) *m* piecework

cotto (kōt'tō) *a* cooked; **ben** — well done; **poco** — rare

cottura (kōt·tū'râ) *f* cooking

cova (kō'vâ) *f* brooding, brood; **–re** (kō·vâ'rā) *vt* to hatch, brood; **–ta** (kō·vâ'tâ) *f* covey, brood; hatch

covo (kō'vō) *m* hole, den; lair

covone (kō·vō'nā) *m* sheaf

cozza (kō'tsâ) *f* mussel

cozzare (kō·tsâ'rā) *vt&i* to bump, bump into

cozzo (kō'tsō) *m* shock; collision; butt; clash; (*fig*) conflict, contrast

crac (krâk) *m* (*com*) crash, failure

crampo (krâm'pō) *m* cramp

cranio (krâ'nyō) *m* skull

crapula (krâ'pū·lâ) *f* intemperance in food and drink

crapulone (krâ·pū·lō'nā) *m* reveller; guzzler; debauchee

crasso (krâs'sō) *a* coarse, crass, gross; **ignoranza crassa** gross ignorance

cratere (krâ·tā'rā) *m* crater

crauti (krâ'ū·tē) *mpl* sauerkraut

cravatta (krâ·vât'tâ) *f* necktie

creanza (krā·ân'tsâ) *f* education; breeding; politeness

creare (krā·â'rā) *vt* to create; to bring up

creatore (krā·â·tō'rā) *m* creator

creatura (krā·â·tū'râ) *f* creature

creazione (krā·â·tsyō'nā) *f* creation

credente (krā·dān'tā) *m&f* believer

credenza (krā·dān'tsâ) *f* belief; cupboard; credit

credere (kre'dā·râ) *vi&t* to believe; to think

credibile (krā·dē'bē·lā) *a* credible

credibilità (krā·dē·bē·lē·tâ') *f* credibility

credito (kre'dē·tō) *m* credit; **–re** (krā·dē·tō'râ) *m* creditor

credo (krā'dō) *m* creed, belief

credulo (kre'dū·lō) *a* gullible

crema (krā'mâ) *f* cream; — **da scarpe** shoe polish; — **per la pelle** cold cream

cremagliera (krā·mâ·lyā'râ) *f* rack; **ferrovia a** — cog railway

crematoio (krā·mâ·tō'yō) *m* crematory

cremazione (krā·mâ·tsyō'nā) *f* cremation

cremeria (krā·mā·rē'â) *f* icecream parlor

cremisi (kre'mē·zē) *m* crimson

Cremlino (krām·lē'nō) *m* Kremlin

cremore (krā·mō'râ) *m* essence; — **tartaro** cream of tartar

crepa (krā'pâ) *f* crack

crepare (krā·pâ'râ) *vi* (*coll*) to die; to split open, crack open

crepitare (krā·pē·tâ'râ) *vi* to crackle

crepuscolo (krā·pū'skō·lō) *m* twilight

crescere * (kre'shā·râ) *vt* to grow

crescione (krā·shō'nā) *m* watercress

cresima (kre'zē·mâ) *f* (*eccl*) confirmation; **–re** (krā·zē·mâ'râ) *vt* to confirm

crespo (krā'spō) *m* crepe; — *a* curly, crisp, woolly

cresta (krā'stâ) *f* crest; comb of a cock

creta (krā'tâ) *f* clay; **–ceo** (krā·tâ'chā·ō) *a* chalky, claylike

cretino (krā·tē'nō) *m* moron, idiot

cricco (krēk'kō) *m* jack

criminale (krē·mē·nâ'lā) *m* criminal

criminalista (krē·mē·nâ·lē'stâ) *m* criminal lawyer; criminologist

criminalità (krē·mē·nâ·lē·tâ') *f* criminality

crimine (krē'mē·nā) *m* crime

crine (krē'nā) *m* horsehair

criniera (krē·nyā'râ) *f* mane

cripta (krēp'tâ) *f* crypt

crisi (krē'zē) *f* crisis

cristalleria (krē·stâl·lā·rē'â) *f* crystalware

cristallizzare (krē·stâl·lē·dzâ'râ) *vt* to crystallize

cristallizzato (krē·stâl·lē·dzâ'tō) *a* crystallized

cristallizzazione (krē·stâl·lē·dzâ·tsyō'nā) *f* crystallization

cristallo (krē·stâl'lō) *m* crystal, glass

cristianesimo (krē·styâ·ne'zē·mō) *m* Christianity

cristiano (krē·styâ'nō) *m* Christian

Cristo (krē'stō) *m* Christ

criterio (krē·te'ryō) *m* criterion

critica (krē'tē·kâ) *f* criticism; **–re** (krē·tē·kâ'râ) *vt* to criticize, find fault with

---

k kid, **l** let, **m** met, **n** not, **p** pat, **r** very, **s** sat, **sh** shop, **t** tell, **v** vat, **w** we, **y** yes, **z** zero

crit

critico (krē′tē·kō) *a* critical; — *m* critic
crivellare (krē·vāl·lä′rä) *vt* to riddle; to sift
crivello (krē·vāl′lō) *m* riddle; sieve
croccante (krōk·kän′tä) *a* crisp
crocchetta (krōk·kāt′tâ) *f* croquette
croce (krō′chä) *f* cross; **–rossina** (krō·chä·rōs·sē′nä) *f* Red Cross nurse; **–via** (krō·chä·vē′ä) *f* intersection
crociata (krō·chä′tâ) *f* crusade
crociera (krō·chä′rä) *f* cruise
crocifiggere * (krō·chē·fēj′jä·rä) *vt* to crucify
crocifissione (krō·chē·fēs·syō′nä) *f* crucifixion
crocifisso (krō·chē·fēs′sō) *m* crucifix
crogiuolo (krō·jwō′lō) *m* melting pot
crollare (krōl·lä′rä) *vi* to fall in, collapse; — *vt* to shrug, shake
crollo (krōl′lō) *m* crash, collapse
cromatico (krō·mä′tē·kō) *a* chromatic
cromo (krō′mō) *m* chromium
cromotelevisore (krō·mō·tä·lä·vē·zō′rä) *m* color television set
cronaca (krō′nä·kä) *f* news; chronicle
cronico (krō′nē·kō) *a* chronic
cronista (krō·nē′stä) *m* reporter
cronologico (krō·nō·lô′jē·kō) *a* chronological
cronometrista (krō·nō·mä·trē′stä) *m* timekeeper
cronometro (krō·nô′mä·trō) *m* stop watch
crosta (krō′stä) *f* crust; **–ceo** (krō·stä′·chä·ō) *m* shellfish; **–ta** (krō·stä′tâ) *f* pie
crostino (krō·stē′nō) *m* toast; canapé
crucciare (krū·chä′rä) *vt* to irritate; to worry
crucciarsi (krū·chär′sē) *vr* to get irritated; to get vexed
cruccio (krū′chō) *m* grief; anger, vexation; worry
cruciale (krū·chä′lä) *a* crucial; critical; decisive
cruciare (krū·chä′rä) *vt* to torment, grieve
cruciverba (krū·chē·vär′bä) *m* crossword puzzle
crudele (krū·dä′lä) *a* cruel
crudeltà (krū·dāl·tä′) *f* cruelty
crudezza (krū·dä′tsä) *f* rawness; crudeness; coarseness; (*fig*) rudeness
crudo (krū′dō) *a* raw; cruel
cruento (krūän′tō) *a* bloody; dreadful
crumiro (krū·mē′rō) *m* scab; strikebreaker
cruna (krū′nä) *f* eye of a needle
crusca (krū′skä) *f* bran
cruscotto (krū·skōt′tō) *m* dashboard
cubico (kū′bē·kō) *a* cubic
cubismo (kū·bē′zmō) *m* cubism

cubito (kū′bē·tō) *m* elbow; cubit (*measure*)
cubo (kū′bō) *m* cube
cuccagna (kūk·kä′nyä) *f* land of plenty; **albero di** — greased pole
cuccetta (kū·chät′tâ) *f* berth
cucchiaiata (kūk·kyä·yä′tâ) *f* spoonful
cucchiaino (kūk·kyä·ē′nō) *m* teaspoon
cucchiaio (kūk·kyä′yō) *m* spoon; — **da tavola** tablespoon
cuccia (kū′chä) *f* doghouse; dog bed
cucciolo (kū·chō′lō) *m* puppy
cucco (kūk′kō) *m* pet, favorite; **vecchio** — stupid old man
cuccù (kū·kū′), **cuculo** (kū′kū·lō) *m* cuckoo
cuccuma (kūk′kū·mä) *f* kettle
cucina (kū·chē′nä) *f* kitchen; range; cuisine; **libro di** — cookbook; **–re** (kū·chē·nä′rä) *vt&i* to cook
cuciniere (kū·chē·nyä′rä) *m* cook
cucinino (kū·chē·nē′nō) *m* kitchenette
cucire (kū·chē′rä) *vt* to sew; **macchina da cucire** sewing machine
cucitura (kū·chē·tū′rä) *f* sewing
cuffia (kūf′fyä) *f* baby cap; hood; bathing cap; headphone
cugina (kū·jē′nä) *f*, **cugino** (kū·jē′nō) *m* cousin
cui (kū′ē) *pron* whom, to whom
culatta (kū·lät′tâ) *f* breech (*gun barrel*); rump, seat
culla (kūl′lä) *f* cradle; **–re** (kūl·lä′rä) *vt* to rock, lull
culo (kū′lō) *m* bottom (*bottle*); arse; rump
culto (kūl′tō) *m* worship
cultura (kūl·tū′rä) *f* culture
cumulativo (kū·mū·lä·tē′vō) *a* cumulative
cumulo (kū′mū·lō) *m* heap
cuna (kū′nä) *f* cradle
cuneo (kū′nä·ō) *m* wedge
cunetta (kū·nät′tâ) *f* ditch
cuoca (kwō′kâ) *f* woman cook
cuocere * (kwō′chä·rä) *vt* to cook
cuoco (kwō′kō) *m* cook; **capo** — chef
cuoio (kwō′yō) *m* leather
cuore (kwō′rä) *m* heart
cupidigia (kū·pē·dē′jä) *f* greed
cupido (kū′pē·dō) *a* greedy, covetous, eager
cupo (kū′pō) *a* dark; deep
cupola (kū′pō·lä) *f* cupola, dome
cupone (kū·pō′nä) *m* coupon
cura (kū′râ) *f* care, treatment; **–re** (kū·râ′rä) *vt* to treat; to edit; **–to** (kū·râ′tō) *m* curate; pastor; **–to** *a* cured; **–to–re** (kū·râ·tō′rä) *m* (*law*) receiver

curia (kū'ryâ) *f* (*eccl*) curia; — **vesco-vile** bishop's court
curiosare (kū·ryō·zâ'rā) *vi* to pry, look around
curiosità (kū·ryō·zē·tâ') *f* curiosity; place of interest, tourist attraction
curioso (kū·ryō'zō) *a* curious
curva (kūr'vâ) *f* curve; — **e controcurva** double curve; — **stretta** sharp turn; **–re** (kūr·vâ'rā) *vt* to curve; to bend; **–rsi** (kūr·vâr'sē) *vr* to stoop, bow down **–tura** (kūr·vâ·tū'râ) *f* bending, curvature
curvo (kūr'vō) *a* curved, stooped

cuscinetto (kū·shē·nāt'tō) *m* pincushion; **stato** — buffer state; — **a sfere** ball bearing
cuscino (kū·shē'nō) *m* pillow
cuspide (kū'spē·dā) *f* point; peak
custode (kū·stō'dā) *m&f* caretaker
custodia (kū·stō'dyâ) *f* care; custody; keeping
custodire (kū·stō·dē'rā) *vt* to keep; to take care of, look after
cutaneo (kū·tâ'nā·ō) *a* cutaneous, of the skin
cute (kū'tā) *f* skin (*human*)
cuticola (kū·tē'kō·lâ) *f* cuticle

D

da (dâ) *prep* from, by, at; as
dabbenaggine (dâb·bâ·nâj'jē·nā) *f* simplicity; simplemindedness
dabbene (dâb·bā'nā) *a* naive, simple
daccapo (dâk·kâ'pō) *adv* once more, over again
dacchè (dâk·kā') *conj* since
dadi (dâ'dē) *mpl* dice
dado (dâ'dō) *m* die; cube; nut
daga (dâ'gâ) *f* dagger
dagherrotipo (dâ·gär·rô'tē·pō) *m* daguerrotype
dagli (dâ'lyē), **dai** (dâ'ē), **dalla** (dâl'lâ), **dalle** (dâl'lā), **dallo** (dâl'lō) *prep* from the; by the; at the
daino (dâ·ē'nō) *m* deer, buck; **pelle di —** buckskin
dalia (dâ'lyâ) *f* dahlia
daltonico (dâl·tô'nē·kō) *a* color-blind
daltonismo (dâl·tō·nē'zmō) *m* color blindness, daltonism
dama (dâ'mâ) *f* lady; checkers; — **di compagnia** lady-in-waiting
damascare (dâ·mâ·skâ'rā) *vt* to damask
damascato (dâ·mâ·skâ'tō) *a* damasked
damascatura (dâ·mâ·skâ·tū'râ) *f* damasking
damaschinare (dâ·mâ·skē·nâ'rā) *vt* to damascene
damasco (dâ·mâ'skō) *m* damask
damerino (dâ·mā·rē'nō) *m* fop, dandy
damigella (dâ·mē·jāl'lâ) *f* young maiden; — **d'onore** bridesmaid
damigiana (dâ·mē·jâ'nâ) *f* demijohn
damma (dâm'mâ) *f* doe, deer
danaro (dâ·nâ'rō) *m* money; **–so** (dâ·nâ·rō'zō) *a* moneyed, rich, well-to-do
danese (dâ·nā'zā) *a* Danish
Danimarca (dâ·nē·mâr'kâ) *f* Denmark
dannabile (dân·nâ'bē·lā) *a* blameworthy;

damnable
dannare (dân·nâ'rā) *vt* to condemn, damn; to harrass; to lay the blame on
dannato (dân·nâ'tō) *a* damned; blamed
dannazione (dân·nâ·tsyō'nā) *f* damnation
danneggiare (dân·nāj·jâ'rā) *vt* to damage
danneggiato (dân·nāj·jâ'tō) *a* damaged; — *m* victim
danno (dân'nō) *m* damage; **–so** (dân·nō'zō) *a* harmful
dante (dân'tā) *m* buck; **pelle di —** buckskin
dantesco (dân·tā'skō) *a* Dantesque, in the style of Dante
danza (dân'tsâ) *f* dance; **–nte** (dân·tsân'tā) *a* dancing
dappertutto (dâp·pär·tūt'tō) *adv* everywhere
dappocaggine (dâp·pō·kâj'jē·nā) *f* worthlessness; ineptness
dappoco (dâp·pō'kō) *a* worthless; inept
dappresso (dâp·prās'sō) *adv* close by, near, near at hand
dapprima (dâp·prē'mâ) *adv* first, at first
dardeggiare (dâr·dāj·jâ'rā) *vt* to dart; to shoot out
dardo (dâr'dō) *m* arrow; dart
dare * (dâ'rā) *vt* to give; — *vi* to look on; — *m* (*com*) debit; — **e avere** debits and credits; **passare al —** to transfer to the debit side of the ledger
darsena (dâr'sā·nâ) *f* (*naut*) basin, wet dock
darsi * (dâr'sē) *vr* to be a devotee of; to surrender; to addict oneself; — **agli affari** to go into business; — **all'alcool** to become an alcoholic; — **alla fuga** to flee; **darsela a gambe** to take to one's heels; — **al mare** to sail; — **d'attorno,** — **da fare** to work painstakingly; — **la**

briga di to go to the trouble of; — **il caso** to be necessary; — **pace** to become resigned; — **per vinto** to give in; **può** — maybe, perhaps

data (dâ'tä) *f* date; **–re** (dâ·tâ'rä) *vt* to date

datario (dâ·tâ'ryō) *m* (*eccl*) datary

dati (dâ'tē) *mpl* data, facts

dativo (dâ·tē'vō) *m* (*gram*) dative

dato (dâ'tō) *m* element; factor; indication; hint; — *a* established; given; indicated; devoted to; addicted; — **che** since, seeing that, in view of the fact that

datore (dâ·tō'rä) *m* giver; — **di lavoro** boss; patron

dattero (dât'tä·rō) *m* date; date palm

dattilografare (dât·tē·lō·grâ·fâ'rä) *vt* to type, typewrite

dattilografia (dât·tē·lō·grâ·fē'â) *f* typing

dattilografo (dât·tē·lô'grâ·fō) *m*, **dattilografa** (dât·tē·lô'grâ·fâ) *f* typist

dattiloscopia (dât·tē·lō·skō·pē'â) *f* verification of finger prints

dattiloscritto (dât·tē·lō·skrēt'tō) *a* typed, typewritten

dattorno (dât·tōr'nō) *adv* around; **levarsi** — to get rid of; **qui** — around here, in this area

davanti (dâ·vân'tē) *adv* in front, before

davanzale (dâ·vân·tsâ'lä) *m* window sill

davvero (dâv·vä'rō) *adv* really, indeed, in all earnestness

daziario (dâ·tsyâ'ryō) *a* concerning customs, customs; **cinta daziaria** series of toll gates; customs; **tariffa daziaria** customs duty

daziere (dâ·tsyä'rä) *m* customs official

dazio (dâ'tsyō) *m* duty, excise, tax

dea (dä'â) *f* goddess

deambulare (dä·âm·bū·lâ'rä) *vi* to walk about, stroll around

debellamento (dä·bäl·lâ·män'tō) *m* defeat, overthrow

debellare (dä·bäl·lâ'rä) *vt* to defeat; to subdue; to conquer

debellatore (dä·bäl·lâ·tō'rä) *m* conqueror

debilitante (dä·bē·lē·tân'tē) *a* weakening, debilitating

debilitare (dä·bē·lē·tâ'rä) *vt* to weaken

debilitazione (dä·bē·lē·tâ·tsyō'nä) *f* weakening, debilitation

debitamente (dä·bē·tâ·män'tä) *adv* properly, correctly

debito (de'bē·tō) *m* debt; — **ipotecario** mortgage; **essere pieno di debiti** to be up to one's neck in debts; **farsi** — **di** to make a special point of; **mettere a** —, **scrivere a** — to debit; **uscire di** — to

pay one's debts; — *a* proper, due; **a tempo** — in good time; — **modo** proper way; **–re** (dâ·bē·tō'rä) *m* debtor

debole (de'bō'lä) *a* weak; **–zza** (dä·bō'lä'tsâ) *f* weakness

debosciato (dä·bō·shâ'tō) *a* debauched

debraiare (dä·brâ·yâ'rä) *vt* (*auto*) to declutch, release the clutch of

debuttante (dä·būt·tân'tä) *m&f* (*theat*) actor or actress making his first stage appearance

debuttare (dä·būt·tâ'rä) *vi* to make one's debut

debutto (dä·būt'tō) *m* debut

decade (de'kâ·dä) *f* decade; group of ten

decadente (dä·kâ·dân'tä) *a* decadent, declining

decadenza (dä·kâ·dân'tsâ) *f* decline, decadence

decadere * (dä·kâ·dâ'rä) *vi* to decay; — **da una carica** to end a term in office; to lose one's office

decaduto (dä·kâ·dū'tō) *a* deposed; declining; impoverished

decaedro (dä·kâ·â'drō) *m* (*geom*) decahedron

decagono (dä·kâ'gō·nō) *m* (*geom*) decagon

decagrammo (dä·kâ·grâm'mō) *m* decagram

decalcare (dä·kâl·kâ'rä) *vt* to trace, make a tracing of

decalco (dä·kâl'kō) *m* tracing; **–mania** (dä·kâl·kō·mâ·nē'â) *f* decalcomania, transfer

decalitro (dä·kâ'lē·trō) *m* ten liters

decalogo (dä·kâ'lō·gō) *m* decalogue

decampare (dä·kâm·pâ'rä) *vi* to decamp

decano (dä·kâ'nō) *m* dean

decantare (dä·kân·tâ'rä) *vt* to extol; to decant (*alcohol*)

decantazione (dä·kân·tâ·tsyō'nä) *f* decanting; water purification

decapitare (dä·kâ·pē·tâ'rä) *vt* to behead

decapitazione (dä·kâ·pē·tâ·tsyō'nä) *f* beheading, decapitation

decappotabile (dä·kâp·pōt·tâ'bē·lä) *a* convertible

decarburare (dä·kâr·bū·râ'rä) *vt* to decarbonize

decatlon (dä·kât·lōn') *m* decathlon

decedere (dä·che'dä·rä) *vi* to die, pass on

deceduto (dä·chä·dū'tō) *a* dead, passed on

decennale (dä·chän·nâ'lä) *m* decennium

decenne (dä·chän'nä) *a* decennial, ten years old

decennio (dä·chen'nyō) *m* decade

decente (dä·chän'tä) *a* proper, decent

decentrare (dā·chän·trâ′rā) *vt* to decentralize

decenza (dā·chän′tsâ) *f* decency

decesso (dā·chās′sō) *m* death, demise

decidere * (dā·chē′dā·rā) *vt* to decide

decidersi * (dā·chē′dār·sē) *vr* to arrive at a decision, make up one's mind

deciduo (dā·chē′dwō) *a* deciduous

decifrabile (dā·chē·frâ′bē·lā) *a* decipherable

decifrare (dā·chē·frâ′rā) *vt* to decode

decifrazione (dā·chē·frâ·tsyō′nä) *f* deciphering; decoding; explanation

decima (de′chē·mâ) *f* tithe; **–le** (dā·chē·mâ′lā) *a* decimal; **–re** (dā·chē·mâ′rā) *vt* to decimate, ravage

decimazione (dā·chē·mâ·tsyō′nä) *f* decimation

decimetro (dā·chē′mä·trō) *m* decimeter

decimo (de′chē·mō) *m* tithe, tenth part; **—** *a* tenth; **–primo** (dā·chē·mō·prē′mō) *a* eleventh; **–secondo** (dā·chē·mō·sä·kōn′dō) *a* twelfth; **–terzo** (dā·chē·mō·tär′tsō) *a* thirteenth

decina (dā·chē′nâ) *f* about ten

decisamente (dā·chē·zâ·män′tā) *adv* positively, definitely, decidedly

decisione (dā·chē·zyō′nä) *f* decision

decisivamente (dā·chē·zē·vâ·män′tā) *adv* conclusively, finally, decisively

decisivo (dā·chē·zē′vō) *a* conclusive, final, decisive

deciso (dā·chē′zō) *a* decided, resolved, settled

declamare (dā·klâ·mâ′rā) *vt&i* to declaim, orate

declamazione (dā·klâ·mâ·tsyō′nä) *f* declaiming, harangue

declassare (dā·klâs·sâ′rā) *vt* to downgrade

declinare (dā·klē·nâ′rā) *vt&i* to decline

declinazione (dā·klē·nâ·tsyō′nä) *f* declination

declive (dā·klē′vä) *a* sloping, declining

declivio (dā·klē′vyō) *m* declivity, slope, hillside

decollaggio (dā·kōl·lâj′jō), **decollo** (dā·kōl′lō) *m* (*avi*) take-off

decollare (dā·kōl·lâ′rā) *vi* (*avi*) to take off

decolorante (dā·kō·lō·rân′tā) *m* decolorizer; bleach

decolorare (dā·kō·lō·râ′rā) *vt* to bleach; to decolorize

decolorazione (dā·kō·lō·râ·tsyō′nä) *f* bleaching

decomporre * (dā·kōm·pōr′rā) *vt* to take apart; (*math*) to factor; to decay

decomporsi * (dā·kōm·pōr′sē) *vr* to putrefy, become decomposed

decomposizione (dā·kōm·pō·zē·tsyō′nä) *f* putrefaction, decomposition

decomposto (dā·kōm·pō′stō) *a* decomposed, rotten

decompressione (dā·kōm·präs·syō′nä) *f* decompression

decorare (dā·kō·râ′rā) *vt* to decorate

decorativo (dā·kō·râ·tē′vō) *a* decorative

decorato (dā·kō·râ′tō) *a* decorated; **—** *m* medal winner; **–re** (dā·kō·râ·tō′rā) *m* decorator

decorazione (dā·kō·râ·tsyō′nä) *f* decoration

decoro (dā·kō′rō) *m* decorum; decency; **–samente** (dā·kō·rō·zâ·män′tä) *adv* decently; decorously; **–so** (dā·kō·rō′zō) *a* proper; decorous

decorrenza (dā·kōr·rän′tsâ) *f* beginning; coming into force; end of a period

decorrere * (dā·kôr′rā·rā) *vi* to go by, elapse; to accrue; **a — da** from, starting with

decorso (dā·kōr′sō) *m* development, course; lapse, period **— d′una malattia** the course of an illness; **—** *a* elapsed, gone by

decotto (dā·kōt′tō) *m* extract; decoction

decrepito (dā·krē′pē·tō) *a* ailing, decrepit

decrescente (dā·krā·shän′tā) *a* decreasing

decrescere * (dā·kre′shä·rā) *vi* to lessen; to decrease, diminish

decretare (dā·krā·tâ′rā) *vt* to decree; to stipulate

decreto (dā·krā′tō) *m* decree

decuplicare (dā·kū·plē·kâ′rā) *vt* to multiply by ten

decuplicazione (dā·kū·plē·kâ·tsyō′nä) *f* tenfold increase

deculpo (de′kū·plō) *a* ten times larger, multiplied by ten

decurtare (dā·kūr·tâ′rā) *vt* to cut down, curtail

dedalo (de′dâ·lō) *m* labyrinth, maze

dedica (de′dē·kâ) *f* dedication; **–re** (dā·dē·kâ′rä) *vt* to dedicate; **–rsi** (dā·dē·kâr′sē) *vr* to devote oneself, dedicate oneself; **–toria** (dā·dē·kâ·tō′ryâ) *f* dedication; **–torio** (dā·dē·kâ·tō′ryō) *a* dedicatory; **–zione** (dā·dē·kâ·tsyō′nä) *f* dedication, devotion

dedito (de′dē·tō) *a* dedicated; devoted; addicted

dedizione (dā·dē·tsyō′nä) *f* abnegation; submission

dedotto (dā·dōt′tō) *a* deducted; deduced; derived

dedurre * (dā·dūr′rā) *vt* to deduct, deduce, reason

---

deduttivo (dā·dūt·tē′vō) *a* deductive

deduzione (dā·dū·tsyō′nā) *f* deduction, reasoning

defalcamento (dā·fâl·kâ·mān′tō) *m* defection; default; curtailment

defalcare (dā·fâl·kâ′rā) *vt* to deduct; to curtail

defalcazione (dā·fâl·kâ·tsyō′nā) *f* defalcation; abatement

defecare (dā·fā·kâ′rā) *vt&i* to defecate; to empty *(bowels)*; *(chem)* to purify *(a liquid)*

defecazione (dā·fā·kâ·tsyō′nā) *f* bowel movement, defecation; excrement

defenestrare (dā·fā·nā·strâ′rā) *vt* to oust, turn out

deferente (dā·fā·rān′tā) *a* deferential

deferenza (dā·fā·rān′tsâ) *f* respect, deference; consideration; compliance

deferimento (dā·fā·rē·mān′tō) *m* deferment; regard, deference

deferire (dā·fā·rē′rā) *vt&i* to defer; — **all'autorità** to denounce; to submit for legal action

defezionare (dā·fā·tsyō·nâ′rā) *vi* to defect; — *vt* to betray

defezione (dā·fā·tsyō′nā) *f* defection; betrayal

deficiente (dā·fē·chān′tā) *a* feeble-minded

deficienza (dā·fē·chān′tsâ) *f* lack, insufficience, deficiency

deficit (de′fē·chēt) *m* deficit

definibile (dā·fē·nē′bē·lā) *a* definable

definire (dā·fē·nē′rā) *vt* to define; to limit

definitivamente (dā·fē·nē·tē·vâ·mān′tā) *adv* definitely, absolutely; once and for all

definitivo (dā·fē·nē·tē′vō) *a* conclusive, definitive

definizione (dā·fē·nē·tsyō′nā) *f* definition; limitation

deflazione (dā·fiâ·tsyō′nā) *f* deflation

deflettere * (dā·flet′tā·rā) *vi* to deflect

deflettore (dā·flāt·tō′rā) *m (avi)* deflector

deflorare (dā·flō·râ′rā) *vt* to rape, ravish; to deflower

deflorazione (dā·flō·râ·tsyō′nā) *f* rape, violation

deformare (dā·fōr·mâ′rā) *vt* to deform

deformazione (dā·fōr·mâ·tsyō′nā) *f* deformation

deforme (dā·fōr′mā) *a* deformed; ugly

deformità (dā·fōr·mē·tâ′) *f* deformity

defraudare (dā·frâū·dâ′rā) *vt* to defraud; to deceive

defraudazione (dā·frâū·dâ·tsyō′nā) *f* deceit, defrauding

defunto (dā·fūn′tō) *a* dead; late

degenerare (dā·jā·nā·râ′rā) *vi* to degenerate

degenerato (dā·jā·nā·râ′tō) *a&m* degenerate

degente (dā·jān′tā) *a* sick in bed; — *m* bed patient

degenza (dā·jān′tsâ) *f* period of illness; hospital stay; **certificato di** — medical certificate of illness

deglutire (dā·glū·tē′rā) *vt* to swallow

deglutizione (dā·glū·tē·tsyō′nā) *f* swallowing

degnamente (dā·nyâ·mān′tā) *adv* properly, worthily; adequately

degnare (dā·nyâ′rā) *vt* to grant, authorize

degnarsi (dā·nyâr·sē) *vr* to deign, see fit

degnazione (dā·nyâ·tsyō′nā) *f* compliance; authorization; condescension; authorization

degno (dā′nyō) *a* worthy; adequate

degradare (dā·grâ·dâ′rā) *vt* to degrade

degradazione (dā·grâ·dâ·tsyō′nā) *f* debasement, degradation

degrassaggio (dā·grâs·sâj′jō) *m* greasing

degustare (dā·gū·stâ′rā) *vt* to taste; to make a sampling of

degustazione (dā·gū·stâ·tsyō′nā) *f* tasting

deificare (dāē·fē·kâ′rā) *vt* to idolize, deify

deificazione (dāē·fē·kâ·tsyō′nā) *f* deification

delatore (dā·lâ·tō′rā) *m* informer

delazione (dā·lâ·tsyō′nā) *f* secret accusal; informing

delebile (dā·le′bē·lā) *a* removable, delible

delega (de′lā·gâ) *f* power of attorney; **–re** (dā·lā·gâ′rā) *vt* to delegate; **–to** (dā·lā·gâ′tō) *m* delegate; director; **–zione** (dā·lā·gâ·tsyō′nā) *f* commission; delegation

delibera (dā·lē′bâ·râ) *f* deliberation; auction sale; **–re** (dā·lē·bâ·râ′rā) *vt&i* to deliberate; **–tamente** (dā·lē·bâ·râ·tâ·mān′tā) *adv* on purpose, deliberately; **–to** (dā·lē·bâ·râ′tō) *a* resolved; **–to** *m* resolution

delicatamente (dā·lē·kâ·tâ·mān′tā) *adv* sensitively, delicately

delicatezza (dā·lē·kâ·tā′tsâ) *f* delicacy; tact

delicato (dā·lē·kâ′tō) *a* delicate; tactful

delinquente (dā·lēn·kwān′tā) *a&m* criminal

delinquenza (dā·lēn·kwān′tsâ) *f* crime

delinquere (dā·lēn′kwâ·rā) *vi (law)* to commit a crime; **associazione a** — partnership in crime

delirare (dā·lē·râ′rā) *vi* to be delirious

delirio (dā·lē′ryō) *m* delirium

delitto (dā·lēt′tō) *m* crime

delizia (dā·lē'tsyâ) *f* great joy, delight; tastiness

delizioso (dā·lē·tsyō'zō) *a* delightful; delicious; exquisite

delucidazione (dā·lū·chē·dâ·tsyō'nā) *f* explanation, elucidation

deludere * (dā·lū'dā·rā) *vt* to disappoint; to avoid

delusione (dā·lū·zyō'nā) *f* disappointment

deluso (dā·lū'zō) *a* tricked; disappointed

demagogia (dā·mâ·gō·jē'â) *f* demagoguery

demagogico (dā·mâ·gô'jē·kō) *a* demagogic

demagogo (dā·mâ·gō'gō) *m* demagogue

demaniale (dā·mâ·nyā'lā) *a* owned by the government

demanio (dā·mâ'nyō) *m* public property; government property

demarcazione (dā·mâr·kâ·tsyō'nā) *f* demarcation

demente (dā·mān'tā) *a* demented

demenza (dā·mān'tsâ) *f* madness, insanity

demilitarizzare (dā·mē·lē·tâ·rē·dzâ'rā) *vt* to demilitarize

democratico (dā·mō·krā'tē·kō) *a* democratic

democrazia (dā·mō·krā·tsē'â) *f* democracy

democristiano (dā·mō·krē·styâ'nō) *a&m* Christian Democrat

demodossologia (dā·mō·dōs·sō·lō·jē'â) *f* study of public opinion

demografico (dā·mō·grâ'fē·kō) *a* demographic

demolire (dā·mō·lē'rā) *vt* to wreck, knock down

demolizione (dā·mō·lē·tsyō'nā) *f* demolition

demone (de'mō·nā), **demonio** (dā·mô'nyō) *m* demon

demonietto (dā·mō·nyät'tō) *m* little devil, imp

demoralizzare (dā·mō·râ·lē·dzâ'rā) *vt* to demoralize; to cause to lose heart

demoralizzazione (dā·mō·râ·lē·dzâ·tsyō'nā) *f* demoralization, losing heart

denaro (dā·nâ'rō) *m* money; — **contante** cash; **denari** diamonds *(cards)*

denaturante (dā·nâ·tū·rân'tā) *m* denaturant

denaturare (dā·nâ·tū·râ'rā) *vt* to denature

denaturato (dā·nâ·tū·râ'tō) *a* denatured; **alcool** — denatured alcohol

denicotinizzare (dā·nē·kō·tē·nē·dzâ'rā) *vt* to denicotinize

denigrare (dā·nē·grâ'rā) *vt* to defame, cast aspersions on

denigratore (dā·nē·grâ'tō'rā) *m* slanderer

denigrazione (dā·nē·grâ·tsyō'nā) *f* detraction; defamation, slander

denominare (dā·nō·mē·nâ'rā) *vt* to name

denominativo (dā·nō·mē·nâ·tē'vō) *a* denominative

denominatore (dā·nō·mē·nâ·tō'rā) *m* *(math)* denominator

denominazione (dā·nō·mē·nâ·tsyō'nā) *f* title, denomination

denotare (dā·nō·tâ'rā) *vt* to signify, mean

densità (dān·sē·tâ') *f* density

denso (dān'sō) *a* dense

dentale (dān·tâ'lā), **dentario** (dān·tâ'ryō) *a* dental

dentaruolo (dān·tâ·rūō'lō) *m* pacifier

dentata (dān·tâ'tâ) *f* bite; bite mark

dentato (dān·tâ'tō) *a* notched; toothed; cogged; *(bot)* dentate

dentatura (dān·tâ·tū'râ) *f* set of teeth, denture

dente (dān'tā) *m* tooth; — **canino** eye tooth; — **d'elefante** tusk; — **del giudizio** wisdom tooth; — **per** — tit for tat; **otturare un** — to fill a tooth; **denti d'ingranaggio** cogs *(gear)*; **dai denti lunghi** *(fig)* greedy; **mal di denti** toothache; **mettere i denti** to cut one's teeth; **mostrare i denti** *(fig)* to show one's teeth *(fig)*; **non è pane per i tuoi denti** *(fig)* it's not your cup of tea; it's out of your field

dentellare (dān·tāl·lâ'rā) *vt* to indent, tooth; to make notches in

dentellatura (dān·tāl·lâ·tū'râ) *f* notching, toothing

dentello (dān·tāl'lō) *m* *(mech)* notch, tooth; *(arch)* dentil

dentiera (dān·tyā'râ) *f* denture, plate

dentifricio (dān·tē·frē'chō) *m* dentrifice

dentista (dān·tē'stâ) *m* dentist

dentro (dān'trō) *adv* inside, within

denudare (dā·nū·dâ'rā) *vt* to lay bare, denude

denudarsi (dā·nū·dâr'sē) *vr* to strip oneself; to undress

denuncia (dā·nūn'châ), **denunzia** (dā·nūn'tsyâ) *f* report; complaint, censuring

denunciare (dā·nūn·châ'rā), **denunziare** (dā·nūn·tsyâ'rā) *vt* to denounce; to report

denutrito (dā·n̄ū·trē'tō) *a* undernourished

denutrizione (dā·nū·trē·tsyō'nā) *f* undernourishment, inadequate diet

deodorante (dā·ō·dō·rân'tā) *a&m* deodorant; antiperspirant

deossidante (dā·ōs·sē·dân'tā) *a (chem)* deoxidizer

deossidazione (dā·os·sē·dâ·tsyō'nā) *f* deoxygenation

deperibile (dā·pā·rē'bē·lā) *a* perishable

deperimento (dā·pā·rē·mãn'tō) *m* decay; wasting away; decline; — **nervoso** nervous exhaustion

depilare (dā·pē·lâ'rā) *vt* to depilate

depilatorio (dā·pē·lâ'tō'ryō) *m* depilatory

depilazione (dā·pē·lâ·tsyō'nā) *f* hair removal

deplorare (dā·plō·râ'rā) *vt* to deplore

deplorevole (dā·plō·re'vō·lā) *a* deplorable

depolarizzare (dā·pō·lâ·rē·dzâ'rā) *vt (elec)* to depolarize

deponente (dā·pō·nãn'tā) *m (law)* witness; — *a&m* deponent

deporre * (dā·pōr'rā) *vt* to lay down; — *vi* to testify, give testimony

deportare (dā·pōr·tâ'rā) *vt* to deport

deportazione (dā·pōr·tâ·tsyō'nā) *f* deportation

depositante (dā·pō·zē·tân'tā) *m* depositor

depositario (dā·pō·zē·tâ'ryō) *m* depository

deposito (dā·pô'zē·tō) *m* deposit; — **bagagli** baggage room; — **di colli a mano** checkroom

deposizione (dā·pō·zē·tsyō'nā) *f* deposition; declaration

depravare (dā·prâ·vâ'rā) *vt* to corrupt, deprave

depravato (dā·prâ·vâ'tō) *a* depraved

depravazione (dā·prâ·vâ·tsyō'nā) *f* corruption, depravation

deprecare (dā·prā·kâ'rā) *vt* to deprecate; to disapprove of

depressione (dā·prās·syō'nā) *f* depression

depresso (dā·prās'sō) *a* dejected, saddened

deprezzamento (dā·prā·tsâ·mãn'tō) *m* depreciation, drop in value

deprezzare (dā·prā·tsâ'rā) *vt* to disparage

deprimente (dā·prē·mãn'tā) *a* depressing

depurare (dā·pū·râ'rā) *vt* to purify

depuratore (dā·pū·râ·tō'rā) *m* cleaner; — **d'acqua** water softener; — **d'aria** air cleaner; air filter

deputato (dā·pū·tâ'tō) *m* deputy; delegate

deputazione (dā·pū·tâ·tsyō'nā) *f* committee; delegation, authorized commission

deragliamento (dā·râ·lyâ·mãn'tō) *m* derailment

deragliare (dā·râ·lyâ'rā) *vi* to derail

derapare (dā·râ·pâ'rā) *vi* to skid, careen

derapata (dā·râ·pâ'tâ) *f (avi)* skidding

derelitto (dā·rā·lēt'tō) *m* derelict, waif; **ospizio dei derelitti** home for lost chil-

dren; — *a* abandoned, forsaken *(children)*

deretano (dā·rā·tâ'nō) *m* buttocks, derriere

deridere (dā·rē'dā·rā) *vt* to deride

derisione (dā·rē·zyō'nā) *f* ridicule

deriva (dā·rē'vâ) *f* drift; **–re** (dā·rē·vâ'rā) *vi* to derive; **–zione** (dā·rē·vâ·tsyō'nā) *f* derivation; telephone extension

derma (dãr'mâ) *f (anat)* skin; dermis; **–tite** (dãr·mâ·tē'tâ) *f (med)* dermatitis; **–tologia** (dãr·mâ·tō·lō·jē'â) *f (med)* dermatology

dermoide (dãr·mô'ê·dā) *f* imitation leather, leatherette

deroga (de'rō·gâ) *f* noncompliance; **–re** (dā·rō·gâ'rā) *vi* to fail to comply; to depart from; **–toria** (dā·rō·gâ·tō'ryâ) *f (law)* conditional clause

derrata (dãr·râ'tâ) *f* foodstuff

derubare (dā·rū·bâ'rā) *vt* to rob

desco (dã'skō) *m* table; table ready for dinner

descrittivamente (dā·skrēt·tē·vâ·mãn'tā) *adv* descriptively

descrittivo (dā·skrēt·tē'vō) *a* descriptive

descrivere * (dā·skrē'vâ·rā) *vt* to describe

descrizione (dā·skrē·tsyō'nā) *f* description

desensibilizzatore (dā·sãn·sē·bē·lē·dzâ·tō'rā) *m (phot)* desensitizer

deserto (dā·zãr'tō) *m* desert; — *a* abandoned, deserted

desiderabile (dā·zē·dâ·râ'bē·lā) *a* desirable

desiderare (dā·zē·dâ·râ'rā) *vt* to wish

desiderio (dā·zē·de'ryō) *m* desire, wish

desideroso (dā·zē·dâ·rō'zō) *a* anxious

designare (dā·zē·nyâ'rā) *vt* to designate

designazione (dā·zē·nyâ·tsyō'nā) *f* nomination, designation

desinare (dā·zē·nâ'rā) *m* dinner, supper; — *vi* to dine; **dopo —** after dinner

desinenza (dā·zē·nãn'tsâ) *f* ending, suffix

desistere * (dā·zē'stâ·rā) *vi* to desist; to refrain

desolante (dā·zō·lân'tā) *a* grievous, trying *(fig)*; distressing; discouraging

desolatamente (dā·zō·lâ·tâ·mãn'tā) *adv* desolately

desolato (dā·zō·lâ'tō) *a* dejected, desolate; **–re** (dā·zō·lâ·tō'rā) *m* destroyer, desolator

desolazione (dā·zō·lâ·tsyō'nā) *f* grief, anguish, distress; desolation; ruin

despota (de'spō·tâ) *m* despot

desquamazione (dā·skwâ·mâ·tsyō'nā) *f* scaling *(fish)*

destare (dā·stâ'rā) *vt* to awaken; to arouse,

stir up
destarsi (dā·stär'sē) *vr* to wake up, arise
destinare (dā·stē·nâ'rā) *vt* to destine, decree; to appoint; to address, send
destinatario (dā·stē·nâ·tâ'ryō) *m* addressee
destinato (dā·stē·nâ'tō) *a* intended; ordained, destined; — **a perire** doomed to perish; — **a New York** appointed to New York
destinazione (dā·stē·nâ·tsyō'nā) *f* destination
destino (dā·stē'nō) *m* fate; destination
destituire (dā·stē·twē'rā) *vt* to remove, turn out of office
destituzione (dā·stē·tū·tsyō'nā) *f* removal
desto (dā'stō) *a* wide awake *(fig)*; fast, sharp, lively
destra (dā'strâ) *f* right hand; **a** — to the right
destramente (dā·strâ·mān'tā) *adv* cleverly, dexterously
destreggiare (dā·strāj·jâ'rā) *vi*, **destreggiarsi** (dā·strāj·jâr'sē) *vr* to devise, contrive, manage smartly; to strive; to manipulate
destrezza (dā·strā'tsâ) *f* dexterity
destriero (dā·stryā'rō) *m* steed, war-horse
destro (dā'strō) *a* clever; — *m* chance; righthand side; **–rso** (dā·strōr'sō) *a* righthanded; clockwise
destrosio (dā·strô'zyō) *m* dextrose
desumere * (dā·zū'mā·rā) *vt* to deduce
desumibile (dā·zū·mē'bē·lā) *a* deducible; inferential
desunto (dā·zūn'tō) *a* deduced, inferred; derived
detenere * (dā·tā·nā'rā) *vt* to keep; to hold under arrest; to detain; to retain; — **un incarico** to hold a job, occupy a post
detentore (dā·tān·tō'rā) *m* holder; possessor
detenuto (dā·tā·nū'tō) *a* detained; — *m* prisoner, convict
detenzione (dā·tān·tsyō'nā) *f* detention
detergente (dā·tār·jān'tā) *a&m* detergent
detergere (dā·ter'jā·rā) *vt* to clean
deteriorabile (dā·tā·ryō·râ'bē·lā) *a* susceptible to deterioration
deterioramento (dā·tā·ryō·râ·mān'tō) *m* deterioration
deteriorare (dā·tā·ryō·râ'rā) *vt&i* to deteriorate, spoil
deteriorato (dā·tā·ryō·râ'tō) *a* deteriorated; damaged, wasted, spoiled
determinante (dā·tār·mē·nân'tā) *a* determining; **causa** — determining factor
determinare (dā·tār·mē·nâ'rā) *vt* to estab-

lish; to cause; to resolve, decide
determinarsi (dā·tār·mē·nâr'sē) *vr* to resolve, make up one's mind
determinatamente (dā·tār·mē·nâ·tâ·mān'tā) *adv* determinedly
determinatezza (dā·tār'mē·nâ·tā'tsâ) *f* resoluteness, firmness *(spirit)*; determination
determinativo (dā·tār·mē·nâ·tē'vō) *a* determining, decisive; clinching *(coll)*
determinato (dā·tār·mē·nâ'tō) *a* determined, fixed
determinismo (dā·tār·mē·nē'zmō) *m* determinism
detersivo (dā·tār·sē'vō) *m* detergent
detestabile (dā·tā·stâ'bē·lā) *a* hateful, detestable
detestare (dā·tā·stâ'rā) *vt* to detest, hate
detettore (dā·tāt·tō'rā) *m* detector
detonazione (dā·tō·nâ·tsyō'nā) *f* detonation
detrarre * (dā·trâr'rā) *vt* to deduct; to detract from
detrattore (dā·trât·tō'rā) *m* detractor
detrimento (dā·trē·mān'tō) *m* detriment, harm
detrito (dā·trē'tō) *m* debris; rubbish
detronizzare (dā·trō·nē·dzâ'rā) *vt* to dethrone
detta (dāt'tâ) *f* opinion; word; **a** — **di tutti** according to general opinion; **a** — **tua** according to you; **–fono** (dāt·tâ'fō·nō) *m* dictaphone; **–re** (dāt·tâ'rā) *vt* to dictate; **-to** (dāt·tâ'tō) *m* dictation; **–tura** (dāt·tâ·tū'râ) *f* dictation *(act)*; **scrivere sotto –tura** to write from dictation
dettagliante (dāt·tâ·lyân'tā) *m* retailer
dettagliare (dāt·tâ·lyâ'rā) *vt* to retail; to detail, relate in detail
dettagliatamente (dāt·tâ·lyâ·tâ·mān'tā) *adv* detailedly, in detail
dettaglio (dāt·tâ'lyō) *m* specific, detail; retail sale
detto (dāt'tō) *m* expression; saying, proverb, maxim; motto; witticism; **secondo il** — as the saying goes; **detti memorabili** memorable words, **i detti di Cristo** Christ's words; — *a* said, called, named; — **fatto** no sooner said than done; **Alessandro** — **il Grande** Alexander the Great; **è presto** — it is easy to say
deturpare (dā·tūr·pâ'rā) *vt* to disfigure; to spoil; to deface
deturpazione (dā·tūr·pâ·tsyō'nā) *f* disfigurement
devastare (dā·vâ·stâ'rā) *vt* to devastate, ruin
devastazione (dā·vâ·stâ·tsyō'nā) *f* ruin,

---

k kid, **l** let, **m** met, **n** not, **p** pat, **r** very, **s** sat, **sh** shop, **t** tell, **v** vat, **w** we, **y** yes, **z** zero

waste, havoc, devastation

deviare (dā·vyâ′rā) *vi* to deviate; to detour, switch

deviatore (dā·vyâ·tō′rā) *m* switchman

deviazione (dā·vyâ·tsyō′nā) *f* detour

deviazionista (dā·vyâ·tsyō·ne̅′stä) *m* deviationist; deviate

devitalizzare (dā·ve̅·tâ·le̅·dzâ′rā) *vt* to devitalize

devoluto (dā·vō·lü′tō) *a* transmitted, delivered over, transferred

devoluzione (dā·vō·lü·tsyō′nä) *f* transmission, transfer, devolution

devolvere * (dā·vôl′vä·rā) *vt* to transfer, devolve; to appropriate

devolversi * (dā·vôl′vär·se̅) *vr* to be transferred, devolve; to be assigned; to turn

devotissimo (dā·vō·te̅s′se̅·mō) *a* very devoted; highly devout; very sincerely

devoto (dā·vō′tō) *a* devout, pious; devoted, attached; destined; — *m* devout person

devozione (dā·vō·tsyō′nä) *f* devotion; **fare le proprie devozioni** to do one's devotions

di (dē) *prep* of, about, from, any, by, at, some, with

dì (dē) *m* day; **a — 10 di dicembre** on the 10th of December; **al — d'oggi** nowadays; **buon —** good day; **mezzodì** midday; **sul fare del —** at dawn

diabete (dyâ·bä′tä) *m* diabetes

diabolicamente (dyâ·bō·le̅·kâ·mān′tä) *adv* devilishly, diabolically

diabolico (dyâ·bô′le̅·kō) *a* devilish, diabolic

diacono (dyâ′kō·nō) *m (eccl)* deacon

diadema (dyâ·dä′mâ) *m* tiara

diafano (dyâ′fâ·nō) *a* transparent

diaframma (dyâ·frâm′mâ) *m* diaphragm

diagnosi (dyâ′nyō·ze̅) *f* diagnosis

diagnosticare (dyâ·nyō·ste̅·kâ′rā) *vt* to diagnose

diagnostico (dyâ·nyô′ste̅·kō) *a* diagnostic; — *m* diagnostician

diagonale (dyâ·gō·nâ′lä) *a* diagonal

diagramma (dyâ·grâm′mâ) *m* diagram

dialettale (dyâ·lät·tâ′lä) *a* dialectical

dialettica (dyâ·let′te̅·kâ) *f* dialectics

dialetto (dyâ·lät′tō) *m* dialect

dialogo (dyâ′lō·gō) *m* dialogue

diamante (dyâ·mân′tä) *m* diamond

diamantifero (dyâ·mân·te̅′fä·rō) *a* diamond-bearing

diamantino (dyâ·mân·te̅′nō) *a* adamant, rigid

diametro (dyâ′mä·trō) *m* diameter

diamine! (dyâ′me̅·nä) *interj* good heavens!

diana (dyâ′nä) *f* morning star; *(mil)* **suonar la —** to sound reveille

diapason (dyâ′pâ·zōn) *m* tuning fork

diapositiva (dyâ·pō·ze̅·te̅′vä) *f* slide; color transparency

diaria (dyâ′ryä) *f* travelling allowance

diario (dyâ′ryō) *m* diary; — *a* daily

diarrea (dyâr·rä′ä) *f* diarrhea

diavoleria (dyâ·vō·lä·re̅′â) *f* mischief, deviltry

diavoletto (dyâ·vō·lät′tō) *m* little devil, imp, mischief

diavolo (dyâ′vō·lō) *m* devil; —! *interj* heck! what the heck!

dibattere (dē·bât′tä·rā) *vt* to discuss, debate

dibattersi (dē·bât′tär·se̅) *vr* to struggle; to contest; to flounder

dibattimento (dē·bât·te̅·mān′tō) *m* debate

dibattuto (dē·bât·tü′tō) *a* discussed, debated; controversial; contested; **questione dibattuta** controversial issue

dicastero (dē·kâ·stä′rō) *m* government department; department of a Cabinet member

dicembre (dē·chäm′brä) *m* December

diceria (dē·chä·re̅′â) *f* rumor, gossip

dichiarare (dē·kyâ·râ′rä) *vt* to declare

dichiarazione (dē·kyâ·râ·tsyō′nä) *f* declaration; — **giurata** affidavit

diciannove (dē·chân·nō′vä) *a* nineteen; —**simo** (dē·chân·nō·ve′ze̅·mō) *a* nineteenth

diciassette (dē·châs·sät′tä) *a* seventeen; —**simo** (dē·châs·sät·te′ze̅·mō) *a* seventeenth

diciottesimo (dē·chōt·te′ze̅·mō) *a* eighteenth

diciotto (dē·chōt′tō) *a* eighteen

dicitore (dē·che̅·tō′rā) *m* speaker, lecturer

dicitura (dē·che̅·tü′râ) *f* phrasing, wording; style; delivery; pronunciation; **con la seguente —** worded as follows; **una bella —** a good delivery *(speech)*

dicotiledone (dē·kō·te̅·le′dō·nä) *m (bot)* dicotyledon

didascalia (dē·dâ·skâ·le̅′â) *f* caption; stage directions

didattico (dē·dât′te̅·kō) *a* educational

dieci (dyä′chē) *a* ten; —**mila** (dyä·chē·me̅′lâ) *a* ten thousand; —**millesimo** (dyä·chē·mēl·le′ze̅·mō) *a* ten thousandth; —**na** (dyä·chē′nä) *f* about ten; half a score

diesis (dyä′zēs) *m (mus)* sharp

dieta (dyä′tâ) *f* diet

dietetica (dyä·te′tē·kâ) *f* dietetics

dietetico (dyä·te′tē·kō) *a* dietetic

â ârm, ā bāby, e bet, ē bē, ō gō, ô gône, ü blūe, b bad, ch child, d dad, f fat, g gay, j jet

diet 99 dina

dietro (dyā′trō) *prep&adv* behind, after; — **accettazione** *(com)* on agreement, upon acceptance; — **front!** *(mil)* about face!; — **le quinte** *(fig)* behind the scene; — **le spalle** behind one's back; — **ricevuta** against receipt; — **richiesta** upon request; — **sborso di** on payment of; **andar** — to follow behind; **per di** — from behind; **tener** — to follow; to agree

difatti (dē·fât′tē) *adv* really, in fact

difendere * (dē·fen′dā′rā) *vt* to defend; to uphold

difensore (dē·fān·sō′rā) *m* defender

difesa (dē·fā′zâ) *f* defense; — **legittima** self defense; **prendere la** — **di** to take the side of; to go to the defense of; **senza** — defenseless

difeso (dē·fā′zō) *a* sheltered; protected, defended

difetto (dē·fāt′tō) *m* fault, flaw; **-so** (dē·fāt·tō′zō) *a* faulty; fallible

diffamare (dēf·fâ·mâ′rā) *vt* to defame

diffamazione (dēf·fâ·mâ·tsyō′nä) *f* defamation

differente (dēf·fā·rān′tä) *a* different

differenziale (dēf·fā·rän·tsyâ′lä) *a&m* differential

differire (dēf·fā·rē′rā) *vi* to delay, put off

difficile (dēf·fē′chē·lä) *a* difficult

difficilmente (dēf·fē·chēl·mān′tä) *adv* with difficulty; barely; hardly possible

difficoltà (dēf·fē·kōl·tâ′) *f* difficulty

diffida (dēf·fē′dâ) *f* warning; notice; **-re** (dēf·fē·dâ′rā) *vt* to enjoin, warn; **-re** *vi* to distrust

diffidente (dēf·fē·dān′tä) *a* distrustful

diffidenza (dēf·fē·dān′tsâ) *f* suspicion, diffidence

diffondere (dēf·fôn′dā·rā) *vt* to spread

diffusamente (dēf·fū·zâ·mān′tä) *adv* abundantly

diffusione (dēf·fū·zyō′nä) *f* diffusion

diffuso (dēf·fū′zō) *a* widespread, rife

difterite (dēf·tā·rē′tä) *f* diphtheria

diga (dē′gâ) *f* dam

digeribile (dē·jä·rē′bē·lä) *a* digestible

digerire (dē·jä·rē′rā) *vt* to digest

digerito (dē·jä·rē′tō) *a* digested

digestione (dē·jä·styō′nä) *f* digestion

digestivo (dē·jä·stē′vō) *a* digestive

digesto (dē·jä′stō) *m (law)* digest

digiunare (dē·jū·nâ′rā) *vi* to fast

digiuno (dē·jū′nō) *m* fast

dignità (dē·nyē·tâ′) *f* dignity

dignitario (dē·nyē·tâ′ryō) *m* dignitary

dignitosamente (dē·nyē·tō·zâ·mān′tä) *adv* with dignity, properly.

dignitoso (dē·nyē·tō′zō) *a* dignified

digressione (dē·grās·syō′nä) *f* digression

digrignare (dē·grē·nyâ′rā) *vi* to grind one's teeth, gnash one's teeth

dilagare (dē·lâ·gâ′rā) *vi* to overflow, run over

dilaniare (dē·lâ·nyâ′rā) *vt* to lacerate, tear

dilapidare (dē·lâ·pē·dâ′rā) *vt* to squander, spend foolishly

dilapidato (dē·lâ·pē·dâ′tō) *a* squandered, spent recklessly

dilatare (dē·lâ·tâ′rā) *vt* to dilate

dilatazione (dē·lâ·tâ·tsyō′nä) *f* expansion; dilation

dilazionare (dē·lâ·tsyō·nâ′rā) *vt* to delay

dilazione (dē·lâ·tsyō′nä) *f* respite, delay

dileguare (dē·lā·gwâ′rā) *vt* to disperse, scatter; to route, set to route

dilemma (dē·lâm′mâ) *m* dilemma

dilettante (dē·lāt·tân′tä) *m&a* amateur

dilettevole (dē·lāt·te′vō·lä) *a* delightful, charming

diletto (dē·lāt′tō) *m* delight; — *a* beloved

diligente (dē·lē·jân′tä) *a* diligent

diligenza (dē·lē·jân′tsâ) *f* diligence

diluire (dē·lwē′rā) *vt* to dilute

diluvio (dē·lū′vyō) *m* deluge

dimagrare (dē·mâ·grâ′rā), **dimagrire** (dē·mâ·grē′rā) *vi* to reduce, lose weight

dimensione (dē·mân·syō′nä) *f* dimension

dimenticanza (dē·mân·tē·kân′tsâ) *f* oversight; absentmindedness

dimenticare (dē·mân·tē·kâ′rā) *vt* to forget

dimesso (dē·mās′sō) *a* humble; dismissed

dimettere * (dē·met′tā·rā) *vt* to dismiss; to stop, give up

dimettersi * (dē·met′tār·sē) *vr* to resign

diminuire (dē·mē·nwē′rā) *vt&i* to decrease, abate, lessen

diminutivo (dē·mē·nū·tē′vō) *a&m* diminutive

diminuzione (dē·mē·nū·tysō′nä) *f* decrease

dimissionare (dē·mēs·syō·nâ′rā) *vt* to discharge, dismiss; — *vi* to resign

dimissionario (dē·mēs·syō·nâ′ryō) *a* resigning

dimissione (dē·mēs·syō′nä) *f* resignation

dimora (dē·mō′râ) *f* residence; **-re** (dē·mō·râ′rā) *vt* to stay, dwell, live; to delay

dimostrare (dē·mō·strâ′rā) *vt* to demonstrate; to evidence, show

dimostrazione (dē·mō·strâ·tsyō′nä) *f* evidence, demonstration

dinamica (dē·nâ′mē·kâ) *f* dynamics

dinamico (dē·nâ′mē·kō) *a* dynamic

dinamite (dē·nâ·mē′tä) *f* dynamite

---

k kid, **l** let, **m** met, **n** not, **p** pat, **r** very, **s** sat, **sh** shop, **t** tell, **v** vat, **w** we, **y** yes, **z** zero

dinamo (dē'nâ·mō) *f* generator; dynamo
dinanzi (dē·nân'tsē) *prep&adv* before
dinastia (dē·nâ·stē'â) *f* dynasty
dindo (dēn'dō), **dindio** (dēn'dyō) *m* turkey
dinoccolato (dē·nōk·kō·lâ'tō) *a* awkward; slouchy; sloppy
dinosauro (dē·nō·sâ'ū·rō) *m* dinosaur
dintorni (dēn·tōr'nē) *mpl* environs
Dio (dē'ō) *m* God, Almighty, Lord
dio (dē'ō) *m* deity, god
diocesi (dyō'chā·zē) *f* diocese
diodo (dyō'dō) *m* diode
dipanare (dē·pâ·nâ'rä) *vt* to unravel; to clear up, solve
dipartimento (dē·pâr·tē·män'tō) *m* department
dipendente (dē·pän·dän'tä) *a&m* dependent
dipendenza (dē·pän·dän'tsä) *f* dependence
dipendere * (dē·pen'dä·rä) *vi* to depend
dipingere * (dē·pēn'jä·rä) *vt* to paint; to describe, depict
dipinto (dē·pēn'tō) *a* painted; — *m* painting, picture
diploma (dē·plō'mâ) *m* diploma; **–re** (dē·plō·mâ'rä) *vt* to confer a diploma; **–rsi** (dē·plō·mâr'sē) *vr* to obtain a diploma, be graduated; **–tica** (dē·plō·mâ'tē·kâ) *f* art of diplomacy; **–ticamente** (dē·plō·mâ·tē·kâ·män'tä) *adv* diplomatically; **–tico** (dē·plō·mâ'tē·kō) *a* diplomatic; **–tico** *m* diplomat; **–to** (dē·plō·mâ'tō) *m* graduate; **–zia** (dē·plō·mâ·tsē'â) *f* diplomacy
diporto (dē·pōr'tō) *m* pleasure
diramare (dē·râ·mâ'rä) *vt* to send out, circulate
diramarsi (dē·râ·mâr'sē) *vr* to ramify, branch out
diramazione (dē·râ·mâ·tsyō'nä) *f* ramification, branching out
dire * (dē'rä) *vt* to say; to tell; — **pane al pane** *(fig)* to call a spade a spade *(fig)*; **a — il vero** to tell the truth; **aver a che — con qualcuno** to quarrel with somebody; **che cosa vuol —?** what does it mean?; **come si suol —** as the saying goes; **lasciar — to** let people talk; **mandare a — to** send word; **per così —** as it were, so to speak; **si dice** it is said; **vale a — that** is to say; **voler — to** mean to say; **al — di tutti** according to public opinion; **l'arte del — public** speaking; **oltre ogni — beyond** description
direttamente (dē·rät·tâ·män'tä) *adv* directly
direttissimo (dē·rät·tēs'sē·mō) *m* through train; — *a* very direct

direttiva (dē·rät·tē'vâ) *f* directive; policy; direction
diretto (dē·rät'tō) *a* direct; — *m* fast train
direttore (dē·rät·tō'rä) *m,* **direttrice** (dē·rät·trē'chä) *f* director, manager
direzione (dē·rä·tsyō'nä) *f* direction, management; board of directors
dirigente (dē·rē·jän'tä) *a&m* executive
dirigere * (dē·rē'jä·rä) *vt* to manage, run; *(mus)* to conduct
dirigersi * (dē·rē'jär·sē) *vr* to apply
dirigibile (dē·rē·jē'bē·lä) *m* dirigible
dirigismo (dē·rē·jē'zmō) *m* planned economy
dirimpetto (dē·rēm·pät'tō) *adv&prep* opposite
diritto (dē·rēt'tō) *m* right; law; — *a* straight; — **canonico** canon law; — **d'autore** copyright; **a buon — with** good reason, justifiedly; **maggior — all** the more reason; **sempre — straight** ahead; **a — o a rovescio** by fair means or foul
diroccato (dē·rōk·kâ'tō) *a* in ruins
dirottamente (dē·rōt·tâ·män'tä) *adv* excessviely, extremely, torrentially; **piangere — to** shed floods of tears
dirottare (dē·rōt·tâ'rä) *vt* to detour
dirotto (dē·rōt'tō) *a* pouring; torrential; **pioggia dirotta** downpour; **a — freely,** without restraint; **piove a — it's** raining cats and dogs
dirozzare (dē·rō·dzâ'rä) *vt* to educate; to polish; to refine
dirupo (dē·rū'pō) *m* precipice; ravine
disabbigliare (dē·zâb·bē·lyâ'rä) *vt* to undress
disabitato (dē·zâ·bē·tâ'tō) *a* deserted
disaccordo (dē·zâk·kōr'dō) *m* disaccord, disagreement
disadatto (dē·zâ·dât'tō) *a* maladjusted; not suitable
disadorno (dē·zâ·dōr'nō) *a* bare, plain, unadorned; **stile — terse** style
disagevole (dē·zâ·je'vō·lä) *a* uneasy; hard, difficult; uncomfortable, rough
disagio (dē·zâ'jō) *m* discomfort; anxiety, disquiet
disanimare (dē·zâ·nē·mâ'rä) *vt* to dispirit, discourage
disanimato (dē·zâ·nē·mâ'tō) *a* dispirited, discouraged
disapprovare (dē·zâp·prō·vâ'rä) *vt* to disapprove of
disappunto (dē·zâp·pūn'tō) *m* disappointment
disarcionare (dē·zâr·chō·nâ'rä) *vt* to unsaddle; to unhorse
disarmamento (dē·zâr·mâ·män'tō) **di-**

---

sarmo (dē·zâr′mō) *m* disarmament
disarmare (dē·zâr·mâ′rä) *vt* to dismantle; to disarm; *(naut)* to unrig; *(fig)* to subdue, quiet
disarmonico (dē·zâr·mô′nē·kō) *a* discordant
disarticolare (dē·zâr·tē·kō·lâ′rä) *vt* to disjoint, throw out of joint
disarticolarsi (dē·zâr·tē·kō·lâr′sē) *vr* to get dislocated, be thrown out of joint
disastrato (dē·zâ·strä′tō) *m* victim
disastro (dē·zâ′strō) *m* disaster
disastroso (dē·zâ·strō′zō) *a* catastrophic
disattento (dē·zât·tän′tō) *a* careless
disattenzione (dē·zât·tän·tsyō′nä) *f* carelessness, negligence, lack of attention
disavanzo (dē·zâ·vân′tsō) *m* deficit
disavventura (dē·zâv·vän·tū′rä) *f* bad luck, mishap, misfortune
disavvezzare (dē·zâv·vä·tsâ′rä) *vt* to dissuade; to help break the habit of; to disaccustom, wean away from
disavvezzato (dē·zâv·vä·tsâ′tō) *a* unaccustomed, not used
disboscamento (dē·zbō·skâ·män′tō) *m* deforestation
disboscare (dē·zbō·skâ′rä) *vt* to deforest
disbrigare (dē·zbrē·gâ′rä) *vt* to disentangle, disengage; to expedite, dispatch
disbrigarsi (dē·zbrē·gâr′sē) *vr* to hurry; to get rid of; to acquit oneself
disbrigo (dē·zbrē′gō) *m* dispatch; carrying through, completion
discapito (dē·skâ′pē·tō) *m* loss, damage; spoilage
discendente (dē·shän·dän′tä) *m* descendant; — *a* descending
discendenza (dē·shän·dän′tsâ) *f* extraction, lineage; origin, descent
discepolo (dē·she′pō·lō) *m* disciple
discernare (dē·shär′nä·rä) *vt* to discern
discernimento (dē·shär·nē·män′tō) *m* discernment; **aver** — to have good sense, have good judgment
discesa (dē·shä′zä) *f* descent; — **dei prezzi** decline in prices; — **in picchiata** *(avi)* nose dive; — **rapida** steep grade; **la** — **dei barbari** the barbarian invasion of Italy; **forte** — steep descent; **in** — downhill, going down
dischiudere * (dē·skyū′dä·rä) *vt* to disclose, reveal
dischiuso (dē·skyū′zō) *a* disclosed; open, above board
discinto (dē·shēn′tō) *a* undressed; messy; unprepared
disciogliere * (dē·shô′lyä·rä) *vt* to loosen; to untie, unbind; to release; to melt

disciolto (dē·shōl′tō) *a* loose; dissolved; melted
disciplina (dē·shē·plē′nâ) *f* discipline; **–re** (dē·shē·plē·nâ′rä) *vt* to discipline; **–tamente** (dē·shē·plē·nâ·tâ·män′tä) *adv* with discipline; **–to** (dē·shē·plē·nâ′-tō) *a* disciplined, well-trained
disco (dē′skō) *m* record; *(sports)* disc, quoit; *(rail)* signal; — **combinatore** telephone dial; — **sul ghiaccio** ice hockey; — **volante** flying saucer; **–teca** (dē·skō·tā′kâ) *f* record library
discolorare (dē·skō·lō·râ′rä) *vt* to discolor
discolpare (dē·skōl·pâ′rä) *vt* to justify, vindicate
discolparsi (dē·skōl·pâr′sē) *vr* to vindicate oneself, clear oneself
disconoscere * (dē·skō·nô′shä·rä) *vt* to disavow; to show ingratitude for
discordanza (dē·skōr·dân′tsâ) *f* disagreement, discordance; *(mus)* discord
discorde (dē·skōr′dä) *a* discordant, not agreed; dissonant
discordia (dē·skōr′dyâ) *f* dissension
discorrere * (dē·skōr′rä·rä) *vi* to talk
discorsa (dē·skōr′sâ) *f* tiresome talk
discorso (dē·skōr′sō) *m* talk, speech
discosto (dē·skō′stō) *adv&a* distant, far away; detached
discreditare (dē·skrâ·dē·tâ′rä) *vt* to discredit
discredito (dē·skre′dē·tō) *m* discredit
discrepanza (dē·skrä·pân′tsâ) *f* discrepancy, variance
discretamente (dē·skrä·tâ·män′tä) *adv* discreetly, fairly, tolerably
discretezza (dē·skrä·tä′tsâ) *f* moderation, discretion; prudence
discreto (dē·skrä′tō) *a* fair; discreet
discrezione (dē·skrä·tsyō′nä) *f* discretion
discriminare (dē·skrē·mē·nâ′rä) *vt* to discriminate between, choose among
discriminazione (dē·skrē·mē·nâ·tsyō′nä) *f* discrimination, taste
discussione (dē·skūs·syō′nä) *f* argument; debate; discussion
discutere * (dē·skū′tä·rä) *vt* to discuss; to argue
discutibile (dē·skū·tē′bē·lä) *a* debatable
disdegnare (dē·zdä·nyâ′rä) *vt* to disdain
disdegno (dē·zdä′nyō) *m* disdain
disdetta (dē·zdät′tä) *f* mishap, bad luck
disdire * (dē·zdē′rä) *vt* to cancel; to deny; — **la camera** to check out of a hotel
disdoro (dē·zdō′rō) *m* dishonor
disegnare (dē·zä·nyâ′rä) *vt* to draw
disegnatore (dē·zä·nyâ·tō′rä) *m* draftsman, designer

disegno (dē·zā′nyō) *m* drawing, design; — **di legge** parliamentary bill; **punta da** — thumbtack

diseredare (dē·zā·rā·dâ′rā) *vt* to disinherit

disertare (dē·zär·tâ′ra) *vt* to desert

diserzione (dē·zär·tsyō′nä) *f* desertion

disfare * (dē·sfâ′rā) *vt* to undo, untie; to disassemble

disfarsi * (dē·sfâr′sē) *vr* to dispose of; to be dissolved; — **di qualcuno** to get rid of someone, shake someone

disfatta (dē·sfât′tâ) *f* defeat

disfattista (dē·sfât·tē′stä) *m* defeatist

disfida (dē·sfē′dä) *f* defiance; challenge

disfunzione (dē·sfūn·tsyō′nä) *f (med)* disorder, malfunction; derangement

disgelo (dē·zjä′lō) *m* thawing

disgiungere * (dē·zjūn′jä·rä) *vt* to detach, disjoin

disgiuntivo (dē·zjūn·tē′vō) *a (gram)* disjunctive

disgrazia (dē·zgrâ′tsyâ) *f* accident; misfortune; **cadere in** — to fall into disfavor; **per** — unfortunately; **–tamente** (dē·zgrâ·tsyâ·tâ·mān′tä) *adv* unfortunately, unhappily; **–to** (dē·zgrâ·tsyâ′tō) *a* unfortunate; **–to** *m* ruffian

disguido (dē·zgwē′dō) *m* error in mail delivery, misrouting

disgustare (dē·zgū·stâ′rä) *vt* to disgust

disgustarsi (dē·zgū·stâr′sē) *vr* to feel disgust; to fall out, quarrel

disgusto (dē·zgū′stō) *m* disgust; disliking

disillusione (dē·zēl·lū·zyō′nä) *f* rude awakening; disappointment

disimpegnare (dē·zēm·pä·nyâ′rä) *vt* to free, disentangle; to carry out, discharge

disincagliare (dē·zēn·kâ·lyä′rä) *vt (naut)* to refloat

disincantato (dē·zēn·kân·tâ′tō) *a* disenchanted; disappointed

disinfestante (dē·zēn·fä·stân′tä) *m* exterminator

disinfestare (dē·zēn·fä·stâ′rä) *vt* to exterminate; to fumigate

disinfettante (dē·zēn·fāt·tân′tä) *a&m* disinfectant

disinfettare (dē·zēn·fāt·tâ′rä) *vt* to disinfect

disinfezione (dē·zēn·fä·tsyō′nä) *f* disinfection

disingannare (dē·zēn·gân·nâ′rä) *vt* to disillusion, disenchant; to give the true picture

disinganno (dē·zēn·gân′nō) *m* disenchantment, rude awakening

disinnestare (dē·zēn·nä·stâ′rä) *vt* to disconnect, separate

disintegrare (dē·zēn·tä·grâ′rä) *vt* to split

disintegrazione (dē·zēn·tä·grâ·tsyō′nä) *f* fission, splitting

disinteressato (dē·zēn·tä·rās·sâ′tō) *a* impartial

disinvolto (dē·zēn·vōl′tō) *a* nonchalant

disinvoltura (dē·zēn·vōl·tū′râ) *f* nonchalance; ease of manner

dislivello (dē·zlē·vāl′lō) *m* unevenness; gradient; drop

dislocamento (dē·zlō·kâ·mān′tō) *m* displacement

disobbediente (dē·zōb·bä·dyān′tä) *a* disobedient

disobbedire (dē·zōb·bä·dē′rä) *vt* to disobey

disobbligante (dē·zōb·blē·gân′tä) *a* rude

disobbligarsi (dē·zōb·blē·gâr′sē) *vi* to return a favor

disoccupare (dē·zōk·kū·pâ′rä) *vt* to terminate one's employment; to idle, put out of work

disoccuparsi (dē·zōk·kū·pâr′sē) *vr* to give up one's job; to curtail one's commitments

disoccupato (dē·zōk·kū·pâ′tō) *a* unemployed

disoccupazione (dē·zōk·kū·pâ·tsyō′nä) *f* unemployment

disonestà (dē·zō·nä·stâ′) *f* dishonesty

disonesto (dē·zō·nä′stō) *a* dishonest

disonorante (dē·zō·nō·rân′tä) *a* dishonoring

disonorare (dē·zō·nō·râ′rä) *vt* to dishonor

disonorato (dē·zō·nō·râ′tō) *a* without honor

disonore (dē·zō·nō′rä) *m* disgrace, shame; **–vole** (dē·zō·nō·re′vō·lä) *a* dishonorable

disopra (dē·sō′prâ) *adv* above, upstairs; — *m* top, upperside; **al** — above, up above; **al** — **di ogni sospetto** above suspicion; **il piano** — upstairs, the floor above

disordinare (dē·zōr·dē·nâ′rä) *vt* to disarrange, disorder; — *vi* to exceed

disordinatamente (dē·zōr·dē·nâ·tâ·mān′-tä) *adv* disorderly; inordinately

disordinato (dē·zōr·dē·nâ′tō) *a* untidy, messy

disordine (dē·zōr′dē·nä) *m* disorder

disorganizzato (dē·zōr·gâ·nē·dzâ′tō) *a* disorganized

disorganizzazione (dē·zōr·gâ·nē·dzâ·tsyō′nä) *f* disorganization

disorientamento (dē·zō·ryän·tâ·mān′tō)

m bewilderment

disorientare (dē·zō·ryän·tâ'rä) *vt* to bewilder, disorient

disorientarsi (dē·zō·ryän·târ'sē) *vr* to lose one's way

disorientato (dē·zō·ryän·tâ'tō) *a* bewildered; **essere —** to have lost one's bearings

disossato (dē·zōs·sâ'tō) *a* boned, without bones

disotto (dē·sōt'tō) *adv* below, downstairs; **—** *m* bottom, under side; **al — di** below, beneath; **—** *a* lower; **il piano —** downstairs, the lower floor; **la parte —** the lower part

dispaccio (dē·spä'chō) *m* dispatch; **— telegrafico** telegraph message

disparatamente (dē·spä·râ·tâ·män'tä) *adv* disparately; unevenly

dispari (dē'spä·rē) *a* odd, uneven

disparte (dē·spâr·tä) *adv* aside, apart; **in —** to one side; separately

dispensa (dē·spän'sâ) *f* pantry; section; dispensation; **–re** (dē·spän·sâ'rä) *vt* to dispense; **–rio** (dē·spän·sâ'ryō) *m* dispensary; **–to** (dē·spän·sâ'tō) *a* dispensed; distributed; exonerated; **–to dal servizio** exempted from service; **–to dalla posta** distributed by mail

dispepsia (dē·spä·psē'â) *f* dyspepsia

disperare (dē·spä·râ'rä) *vi* to despair; **far —** to drive to despair; to be the death of *(fig)*

disperarsi (dē·spä·râr'sē) *vr* to give up hope

disperatamente (dē·spä·râ·tâ·män'tä) *adv* desperately

disperato (dē·spä·râ'tō) *a* hopeless; useless; **—** *m* penniless man

disperazione (dē·spä·râ·tsyō'nä) *f* despair; uselessness

disperdere * (dē·sper'dä·rä) *vt* to disperse

dispersione (dē·spär·syō'nä) *f* dispersal

disperso (dē·spär'sō) *a* missing

dispetto (dē·spät'tō) *m* spite; **a — di** despite, in spite of; **far — to** annoy, vex; to spite; **–samente** (dē·spät·tō·zä·män'tä) *adv* maliciously; **–so** (dē·spät·tō'zō) *a* malicious, spiteful

dispiacente (dē·spyâ·chän'tä) *a* unpleasant; sorry

dispiacere (dē·spyâ·chä'rä) *m* sorrow; regret; **—** * *vi* to be displeasing, displease; to inconvenience; **mi dispiace** I am sorry; **se non ti dispiace** if you please

dispiaceri (dē·spyâ·chä'rē) *mpl* troubles *(fig)*; **aver —** to be in trouble

disponibile (dē·spō·nē'bē·lä) *a* available

disponibilità (dē·spō·nē·bē·lē·tâ') *f* availability

disporre * (dē·spōr'rä) *vt* to arrange; to dispose of; to order; **— di mezzi** to have means at one's disposal; **— le cose in modo da** to arrange matters so that; **poter — di** to be able to dispose of; **l'uomo propone e Dio dispone** man proposes, God disposes

disporsi * (dē·spōr'sē) *vr* to place oneself; to be prepared; to be ready for; **— a uscire** to be ready to leave

dispositivo (dē·spō·zē·tē'vō) *m* device; **— di segnalazione** indicator

disposizione (dē·spō·zē·tsyō'nä) *f* disposal; arrangement; order; **a —** available; on hand; at one's service; **d'accordo alla —** in accordance with the rules; **— per la musica** talent for music

disposto (dē·spō'stō) *a* inclined; prepared

dispotico (dē·spō'tē·kō) *a* despotic

dispotismo (dē·spō·tē'zmō) *m* despotism

dispregiativo (dē·sprä·jâ·tē'vō) *a* disparaging; *(gram)* pejorative

disprezzabile (dē·sprä·tsâ'bē·lä) *a* despicable

disprezzare (dē·sprä·tsâ'rä) *vt* to despise

disprezzo (dē·sprä'tsō) *m* contempt

disputa (dē'spū·tâ) *f* dispute, quarrel; **–re** (dē·spū·tâ'rä) *vt&i* to contend; to argue

disquisizione (dē·skwē·zē·tsyō'nä) *f* dissertation

dissanguare (dēs·sân·gwâ'rä) *vt* to bleed; to draw blood from

dissapore (dēs·sâ·pō'rä) *m* disappointment; disagreement, difference

dissecare (dēs·sä·kâ'rä) *vt* to dissect·

disseminare (dēs·sä·mē·nâ'rä) *vt* to spread, disseminate

disseminato (dēs·sä·mē·nâ'tō) *a* strewn; covered; disseminated; **— di fiori** covered with flowers; **— di pietre** strewn with stones

dis000 (dēs·sän'sō) *m* dissent, dissension

dissenteria (dēs·sän·tä·rē'â) *f* dysentery

dissentire (dēs·sän·tē'rä) *vi* to disagree, be in disagreement

disseppellire (dēs·säp·päl·lē'rä) *vt* to exhume, disinter; *(fig)* to revive

dissertazione (dēs·sär·tâ·tsyō'nä) *f* dissertation

disservizio (dēs·sär·vē'tsyō) *m* poor service

dissesto (dēs·sä'stō) *m* failure; trouble

dissetare (dēs·sä·tâ'rä) *vt* to quench one's thirst

dissezione (dēs·sä·tsyō'nä) *f* dissection

dissidente (dēs·sē·dän'tä) *m* dissenter

---

k kid, **l** let, **m** met, **n** not, **p** pat, **r** very, **s** sat, **sh** shop, **t** tell, **v** vat, **w** we, **y** yes, **z** zero

dissidio (dēs·sē'dyō) *m* disagreement
dissimile (dēs·sē'mē·lā) *a* dissimilar
dissimulare (des·sē·mū·lâ'rā) *vt* to dissimulate, hide, feign
dissimularsi (dēs·sē·mū·lâr'sē) *vr* to disguise oneself; to be hidden
dissimulatamente (dēs·sē·mū·lâ·tâ·mān'tā) *adv* deceptively; deceitfully
dissimulazione (dēs·sē·mū·lâ·tsyō'nā) *f* dissimulation; deceit, trickery
dissipare (dēs·sē·pâ'rā) *vt* to dispel; to waste; to squander; — **gli averi** to squander one's patrimony; — **i sospetti** to remove one's suspicions; to cast off one's doubts
dissiparsi (dēs·sē·pâr'sē) *vr* to vanish, disappear
dissociazione (dēs·sō·châ·tsyō'nā) *f* disassociation
dissodare (dēs·sō·dâ'rā) *vt* to clear *(land);* to break up *(soil)*
dissoluto (dēs·sō·lū'tō) *a* dissolute
dissoluzione (dēs·sō·lū·tsyō'nā) *f* dissolution
dissolvere * (dēs·sōl'vā·rā) *vt* to dissolve; to dispel
dissonanza (dēs·sō·nân'tsâ) *f* dissonance
dissotterrare (dēs·sōt·tār·râ'rā) *vt* to disinter
dissuadere * (dēs·swâ·dâ'rā) *vt* to dissuade
dissuasione (dēs·swâ·zyō'nā) *f* dissuasion
distaccamento (dē·stâk·kâ·mân'tō) *m* detachment
distaccare (dē·stâk·kâ'rā) *vt* to detach
distacco (dē·stâk'kō) *m* aloofness; distance; separation; parting; difference; — **doloroso** painful parting; — **notevole** considerable distance; **il — fra i due** the difference between the two
distante (dē·stân'tā) *a* distant, far
distanza (dē·stân'tsâ) *f* distance
distanziare (dē·stân·tsyâ'rā) *vt* to leave behind; to keep at a distance
distare (dē·stâ'rā) *vi* to be distant
distendere * (dē·sten'dâ·rā) *vt* to stretch out, extend
distensione (dē·stân·syō'nā) *f* relaxation
distesa (dē·stâ'zâ) *f* expanse; —**mente** (dē·stâ·zâ·mān'tā) *adv* at length, extensively
disteso (dē·stâ'zō) *a* stretched out; **lungo — at full length; per — in detail
distillare (dē·stēl·lâ'rā) *vt* to distill
distillarsi (dē·stēl·lâr'sē) *vr* to be distilled, be extracted; — **il cervello** to rack one's brain
distilleria (dē·stēl·lâ·rē'â) *f* distillery
distinguere * (dē·stēn'gwâ·rā) *vt* to distinguish

distinguersi * (dē·stēn'gwâr·sē) *vr* to stand out, be preeminent
distinta (dē·stēn'tâ) *f* list; itemized invoice; price list; —**mente** (dē·stēn·tâ·mān'tā) *adv* distinctly
distintivo (dē·stēn·tē'vō) *m* badge; — *a* distinctive
distinto (dē·stēn'tō) *a* distinct; distinguished; **modo — different way; refined manners; **famiglia distinta** eminent family; **nascita distinta** aristocratic birth; **pronuncia distinta** clear pronunciation
distinzione (dē·stēn·tsyō'nā) *f* distinction; **senza — indiscriminately
distogliere * (dē·stô'lyā·rā) *vt* to distract, divert, deter; to dissuade; to draw away
distorsione (dē·stōr·syō'nā) *f* sprain
distrarre * (dē·strâr'rā) *vt* to distract; to entertain, amuse, divert; — **fondi** to misappropriate funds
distrarsi * (dē·strâr'sē) *vr* to become distracted, divert one's attention; to relax
distrattamente (dē·strât·tâ·mān'tā) *adv* absentmindedly, inattentively, heedlessly
distratto (dē·strât'tō) *a* absent-minded, inattentive
distrazione (dē·strâ·tsyō'nā) *f* distraction; relaxation; misappropriation; amusement
distretto (dē·strāt'tō) *m* district
distrettuale (dē·strāt·twâ'lā) *a* of a district; **giudice — district judge
distribuire (dē·strē·bwē'rā) *vt* to distribute
distributore (dē·strē·bū·tō'rā) *m* distributor
distribuzione (dē·strē·bū·tsyō'nā) *f* distribution
districare (dē·strē·kâ'rā) to disentangle; to extricate
districato (dē·strē·kâ'tō) *a* disentangled; extricated
distrofia (dē·strō·fē'â) *f* dystrophy
distruggere * (dē·strūj'jâ·rā) *vt* to destroy
distrutto (dē·strūt'tō) *a* destroyed; —**re** (dē·strūt·tō'rā) *m* destroyer
distruzione (dē·strū·tsyō'nā) *f* destruction
disturbare (dē·stūr·bâ'rā) *vt* to disturb
disturbarsi (dē·stūr·bâr'sē) *vr* to bother, take the trouble
disturbo (dē·stūr'bō) *m* trouble
disubbidiente (dē·zūb·bē·dyān'tā) *a* disobedient
disubbidienza (dē·zūb·bē·dyān'tsâ) *f* disobedience
disubbidire (dē·zūb·bē·dē'rā) *vt&i* to disobey, disregard; to be heedless of

disuguaglianza (dē·zū·gwâ·lyân'tsâ) *f* unevenness; inequality; difference, disparity

disuguagliare (dē·zū·gwâ·lyâ'rā) *vt* to make unequal

disuguale (dē·zū·gwâ'lā) *a* unequal; uneven

disunione (dē·zū·nyō'nā) *f* disunity, discord

disunire (dē·zū·nē'rā) *vt* to disunite

disunirsi (dē·zū·nēr'sē) *vr* to become disunified, split up

disunito (dē·zū·nē'tō) *a* disunited

disusato (dē·zū·zâ'tō) *a* obsolete

disuso (dē·zū'zō) *m* disuse, obsolescence

disutile (dē·zū'tē·lā) *a* harmful; useless

disviare (dē·zvyâ'rā) *vt* to mislead, lead astray

disviarsi (dē·zvyâr'sē) *vr* to go astray, lose one's bearings

disvio (dē·zvē'ō) *m* straying; misrouting

dita (dē'tâ) *fpl* fingers; **mordersi le —** to regret something bitterly

ditale (dē·tâ'lā) *m* thimble

ditali (dē·tâ'lē) *mpl* elbow macaroni

dito (dē'tō) *m* finger; toe; **— alluce** big toe; **— annulare** ring finger; **— indice** forefinger, index finger; **— medio** middle finger; **— mignolo** little finger **— pollice** thumb; **a un — della tragedia** on the brink of tragedy; **il — di Dio** *(fig)* the hand of God; **legarsela al —** to bear a grudge; to make a point of remembering; **mostrare a —** to point at; **un — di vino** a drop of wine

ditta (dēt'tâ) *f* firm, concern

dittatore (dēt·tâ·tō'rā) *m* dictator

dittatoriale (dēt·tâ·tō·ryâ'lā) *a* dictatorial

dittatura (dēt·tâ·tū'râ) *f* dictatorship

dittongo (dēt·tōn'gō) *m* diphthong

diuretico (dyū·re'tē·kō) *a&m* diuretic

diurnista (dyūr·nē'stâ) *m* temporary employee; worker paid by the day; dayworker

diurno (dyūr'nō) *a* daily; **albergo —** public baths; **lavoro —** work paid by the day; daywork; **scuola diurna** day school

diuturno (dyū·tūr'nō) *a* continual; eternal

diva (dē'vâ) *f (theat)* star

divagare (dē·vâ·gâ'rā) *vi* to roam, ramble

divagazione (dē·vâ·gâ·tsyō'nā) *f* deviation; diversion

divano (dē·vâ'nō) *m* sofa, couch

divario (dē·vâ'ryō) *m* difference, discrepancy

divampare (dē·vâm·pâ'rā) *vi* to burst into flames; *(fig)* to break out; to flare up

divaricare (dē·vâ·rē·kâ'rā) *vt* to spread

apart; to stretch out, extend

divellere * (dē·vel'lā·rā) *vt* to uproot

divenire * (dē·vā·nē'rā), **diventare** (dē·vān·tâ'rā) *vi* to become, get; **— amici** to become friends; **— pallido** to turn pale; **— ricco** to grow wealthy; **— vecchio** to grow old; **far — matto** to drive mad

diverbio (dē·ver'byō) *m* argument, quarrel

divergenza (dē·vār·jän'tsâ) *f* disagreement, difference of opinion

diversamente (dē·vār·sâ·män'tā) *adv* in a different way, differently

diversità (dē·vār·sē·tâ') *f* variety, unlikeness; diversity

diversivo (dē·vār·sē'vō) *m* pastime

diverso (dē·vār'sō) *a* different; diverse

divertente (dē·vār·tän'tā) *a* amusing

divertimento (dē·vār·tē·mān'tō) *m* fun, recreation; **buon —** ! have fun!

divertire (dē·vār·tē'rā) *vt* to amuse; to give pleasure to

divertirsi (dē·vār·tēr'sē) *vr* to have a good time, enjoy oneself

divetta (dē·vāt'tâ) *f (theat)* starlet

dividendo (dē·vē·dän'dō) *m* dividend

dividere * (dē·vē'dā·rā) *vt* to divide; to share; to take part in

divieto (dē·vyâ'tō) *m* prohibition; **— di fumare** no smoking; **— di parcheggio, — di posteggio** no parking; **— di passaggio** do not enter; **— di segnalazione acustica** horn blowing forbidden; **— di sorpasso** no passing; **— di sosta** no parking; **— di svolta a destra** no right turn; **— di svolta a sinistra** no left turn; **— di svolta a destra o a sinistra** no turns; **— di transito** no thoroughfare

divinamente (dē·vē·nâ·mān'tā) *adv* exquisitely, divinely, beautifully

divinatorio (dē·vē·nâ·tô'ryō) *a* forecasting, predicting; divining

divinazione (dē·vē·nâ·tsyō'nā) *f* divining

divinità (dē·vē·nē·tâ') *f* divinity

divinizzare (dē·vē·nē·dzâ'rā) *vt* to deify

divino (dē·vē'nō) *a* divine

divisa (dē·vē'zâ) *f* uniform; currency; bills

divisare (dē·vē·zâ'rā) *vt* to plan, design, devise

divisibile (dē·vē·zē'bē·lā) *a* divisible

divisione (dē·vē·zyō'nā) *f* division

divismo (dē·vē'zmō) *m* filmdom, movie world; worship of movie stars

divisore (dē·vē·zō'rā) *m* divisor

divisorio (dē·vē·zô'ryō) *a* dividing; **muro — ** partition

divo (dē·vō) *m (theat)* star

divorare (dē·vō·râ'rā) *vt* to devour

divorato (dē·vō·râ'tō) *a* devoured; wasted; — **dalla febbre** wasted by fever; **–re** (dē·vō·râ·tō'rā) *m* big eater; **–re di ricchezze** squanderer, wastrel

divorziare (dē·vōr·tsyâ'rā) *vi* to get a divorce

divorzio (dē·vôr'tsyō) *m* divorce; **chiedere il —** to ask for a divorce

divulgare (dē·vūl·gâ'rā) *vt* to divulge, disclose

divulgazione (dē·vūl·gâ·tsyō'nā) *f* divulgation, spreading; **opera di —** popular literary work

dizionario (dē·tsyō·nâ'ryō) *m* dictionary

dizione (dē·tsyō'nā) *f* diction

do (dō) *m* (*mus*) do

doccia (dō'châ) *f* shower, shower bath

docente (dō·chān'tā) *m* teacher; **libero —** guest professor

docenza (dō·chān'tsâ) *f* teaching profession

docile (dō'chē·lā) *a* docile, tame

docilità (dō·chē·lē·tâ') *f* tameness, docility

docilmente (dō·chēl·mān'tā) *adv* submissively, mildly

documentare (dō·kū·mān·tâ'rā) *vt* to document, prove

documentario (dō·kū·mān·tâ'ryō) *m* documentary film

documenti (dō·kū·mān'tē) *mpl* papers

documento (dō·kū·mān'tō) *m* document

dodicenne (dō·dē·chān'nā) *a* twelve years old

dodicesimo (dō·dē·che'zē·mō) *a* twelfth

dodici (dô'dē·chē) *a* twelve

doga (dō'gâ) *f* stave; **–re** (dō·gâ'rā) *vt* to put the staves on (*barrel*)

dogale (dō·gâ'lā) *a* of the doge

dogana (dō·gâ'nâ) *f* duty, customs; **–le** (dō·gâ·nâ'lā) *a* customs, concerning customs

doganiere (dō·gâ·nyâ'rā) *m* customs official

dogaressa (dō·gâ·rās'sâ) doge's wife

dogato (dō·gâ'tō) *m* office of the doge

doge (dō'jā) *m* doge

doglia (dō'lyâ) *f* labor pains; birth pains

dogma (dōg'mâ) *m* dogma; **–tico** (dōg·mâ'tē·kō) *a* dogmatic; **–tizzare** (dōg·mâ·tē·dzâ'rā) *vt* to dogmatize

dolce (dōl'châ) *a* sweet; soft; mild; (*mus*) dolce; (*gram*) soft; **— m** candy; **— ricordo** pleasant memory; **acqua —** fresh water; soft water; **carattere —** mild temper; **carbone —** charcoal; **clima —** mild climate; **–mente** (dōl·châ·mān'tā) *adv* softly; **–ria** (dōl·châ·rē'â) *f* candy

store; **–zza** (dōl·châ'tsâ) *f* sweetness; **— mia!** sweetheart!

dolciastro (dōl·châ'strō) *a* sweetish

dolciumi (dōl·chū'mē) *mpl* candies

dolente (dō·lān'tā) *a* sorry

dolere * (dō·lā'rā) *vi* to hurt, ache; to cause sorrow; to make grieve

dolicocefalo (dō·lē·kō·che'fâ·lō) dolichocephalous

dollaro (dōl'lâ·rō) *m* dollar

dolo (dō'lō) *m* fraud; **–so** (dō·lō'zō) *a* deceitful, fraudulent; **incendio –so** arson

dolore (dō·lō'rā) *m* sorrow; pain; **— di denti** toothache; **— di stomaco** stomach-ache; **— di testa** headache

dolorosamente (dō·lō·rō·zâ·mān'tā) *adv* painfully; unfortunately

doloroso (dō·lō·rō'zō) *a* sad; painful; unfortunate

domanda (dō·mân'dâ) *f* question; application; request; **–re** (dō·mân·dâ'rā) *vt* to ask; to inquire about; **-rsi** (dō·mân·dâr'sē) *vr* to wonder, question

domani (dō·mâ'nē) *m&adv* tomorrow; **dopo–** (dō·pō·dō·mâ'nē), **— l'altro** day after tomorrow; **— otto** week from tomorrow; **pensare a —** to think of the future; **un — non lontano** the near future

domare (dō·mâ'rā) *vt* to tame; **— una sommossa** to suppress a rebellion; **— un cavallo** to break a horse; **— un incendio** to get a fire under control

domato (dō·mâ'tō) *a* subdued; quenched; broken; tamed; **–re** (dō·mâ·tō'rā) *m* tamer, trainer

domattina (dō·mât·tē'nâ) *adv* tomorrow morning

domenica (dō·me'nē·kâ) *f* Sunday; **–le** (dō·mâ·nē·kâ'lā) *a* Sunday, concerning Sunday

domenicano (dō·mâ·nē·kâ'nō) *a&m* Dominican

domestica (dō·me'stē·kâ) *f* housemaid; **–re** (dō·mâ·stē·kâ'rā) *vt* to tame

domestichezza (dō·mâ·stē·kâ'tsâ) *f* familiarity

domestico (dō·me'stē·kō) *m* servant; **— a** domestic

domicilio (dō·mē·chē'lyō) *m* home address; residence

dominante (dō·mē·nân'tā) *a* prevailing; outstanding; dominant

dominare (dō·mē·nâ'rā) *vt&i* to dominate

dominatore (dō·mē·nâ·tō'rā) *m* ruler; **— a** ruling, dominant

dominazione (dō·mē·nâ·tsyō'nā) *f* domination

dominio (dō·mē'nyō) *m* control, power
domino (dō'mē·nō) *m* domino
donare (dō·nâ'rā) *vt* to donate
donatore (dō·nâ·tō'rā) *m* donor; — **di sangue** blood donor
donazione (dō·nâ·tsyō'nā) *f* donation
donde (dōn'dā) *adv* from where; as a result, consequently
dondolare (dōn·dō·lâ'rā) *vt* to rock, sway
dondolo (dōn'dō·lō) *m* toy; swaying; **sedia a** — rocking chair
donna (dōn'nâ) *f* woman; queen (*cards*); — **di servizio** housemaid; **–ccia** (dōn·nâ'châ) *f* woman of easy virtue; illtempered woman; **–iuolo** (dōn·nâ·ywō'lō) *m* ladies' man
dono (dō'nō) *m* gift
donzella (dōn·dzāl'lâ) *f* maid, maiden
dopo (dō'pō) *prep* after; *adv* later; **–guerra** (dō·pō·gwār'râ) *m* postwar period; **–pranzo** (dō·pō·prân'dzō) *m* afternoon; — **si vedrà** we'll see later on; **il giorno** — the next day; **poco** — shortly afterwards
doppiaggio (dōp·pyâj'jō) *m* film dubbing
doppiamente (dōp·pyâ·mān'tā) *adv* doubly
doppiare (dōp·pyâ'rā) *vt* (*naut*) to double, sail around; to dub (*movies*)
doppietta dōp·pyāt'tâ) *f* double-barreled shotgun
doppio (dōp'pyō) *a* double; two-faced; **–ne** (dōp·pyō'nā) *m* copy, duplicate
dorare (dō·râ'rā) *vt* to gild
dorato (dō·râ'tō) *a* gilded, gilt
dorico (dō'rē·kō) *a* Doric; Dorian
dormiglione (dōr·mē·lyō'nā) *m* sleepyhead; lazybones
dormire (dōr·mē'rā) *vi* to sleep; **chi dorme non piglia pesci** (*fig*) the early bird catches the worm
dormitina (dōr·mē·tē'nâ) *f* nap, short sleep
dormitorio (dōr·mē·tō'ryō) *m* dormitory
dormiveglia (dōr·mē·ve'lyâ) *m* doze; fitful sleep
dorsale (dōr·sâ'lā) *a* dorsal
dorso (dōr'sō) *m* back
dosaggio (dō·zâj'jō) *m* dosage
dosare (dō·zâ'rā) *vt* to dose
dose (dō'zā) *f* dose
dosso (dōs'sō) *m* back; **togliersi di** — to get rid of; to take off
dotare (dō·tâ'rā) *vt* to endow; to furnish, provide
dotazione (dō·tâ·tsyō'nā) *f* endowment; donation
dote (dō'tā) *f* dowry; talent; quality

dotto (dōt'tō) *a* learned; **–re** (dōt·tō'rā) *m* doctor; scholar; **–ressa** (dōt·tō·rās'sâ) *f* woman doctor
dottrina (dōt·trē'nâ) *f* doctrine; — **cristiana** catechism
dove (dō'vā) *adv* where; **il** — the place; **per ogni** — everywhere
dovere (dō·vā'rā) *m* duty; **avere il** — **di** to have the duty of, be obliged; **farsi un** — **di** to make a point of, consider it one's duty to; **prima il** —, **dopo il piacere** work before pleasure; **stare a** — to behave properly; — * *vt&i* to owe; to have to; to be obliged to; to feel it one's duty to; to be due
doveroso (dō·vā·rō'zō) *a* right; dutiful; legitimate
dovunque (dō·vūn'kwā) *adv* wherever
dovuto (dō·vū'tō) *a* right, just, proper; due; rightful; **a tempo** — in due time; **in modo** — in the proper way; **in dovuta considerazione** in just consideration
dozzina (dō·dzē'nâ) *f* dozen; board; **–le** (dō·dzē·nâ'lā) *a* common, cheap; **–nte** (dō·dzē·nân'tā) *m* boarder, lodger
draga (drâ'gâ) *f* dredge; **–ggio** (drâ·gâj'jō) *m* dredging; **–mine** (drâ·gâ·mē'nâ) *m* minesweeper; **–re** (drâ·gâ'rā) *vt* to dredge
drago (drâ'gō) *m* dragon
dramma (drâm'mâ) *m* drama; **–tica** (drâm·mâ'tē·kâ) *f* dramatic art, dramatics; **–tico** (drâm·mâ'tē·kō) *a* dramatic; **–tizzare** (drâm·mâ·tē·dzâ'rā) *vt* to dramatize; **–turgo** (drâm·mâ·tūr'gō) *m* playwright
drappeggio (drâp·pej'jō) *m* drapery
drappello (drâp·pāl'lō) *m* platoon
drappo (drâp'pō) *m* cloth; drapery; — **funebre** pall
drastico (drâ'stē·kō) *a* drastic
drenaggio (drā·nâj'jō) *m* drainage
drenare (drā·nâ'rā) *vt* to drain
dribblare (drēb·blâ'rā) *vt* to dribble (*sport*)
dritto (drēt'tō) *a* straight; honest
drizzare (drē·tsâ'rā) *vt* to straighten
droga (drō'gâ) *f* drug; spice; **–re** (drō·gâ'rā) *vt* to drug, dope; to spice
drogheria (drō·gâ·rē'â) *f* grocery store
droghiere (drō·gyâ'rā) *m* grocer
dromedario (drō·mâ·dâ'ryō) *m* dromedary
dualismo (dwâ·lē'zmō) *m* dualism; duality
dualista (dwâ·lē'stâ) *m&f* dualist
dualità (dwâ·lē·tâ') *f* duality; dualism
dubbio (dūb'byō) *m* doubt; —, **–so** (dūb·byō'zō) *a* doubtful, dubious

dubitabile (dū·bē·tâ′bē·lā) *a* questionable, open to doubt
dubitare (dū·bē·tâ′rā) *vi* to doubt
duca (dū′kâ) *m* duke; **–le** (dū·kâ′lā) *a* ducal
duce (dū′chā) *m* captain; leader, chief
duchessa (dū·kās′sâ) *f* duchess
due (dū′ā) *a* two; — **volte** twice; **tutt'e** — **both; uno dei** — one or the other, one of the two
duecento (dwä·chän′tō) *a* two hundred; **il D–** the thirteenth century
duellante (dwäl·län′tä) *m* duelist
duellare (dwäl·lâ′rä) *vi* to duel, fight a duel
duemila (dwä·mē′lâ) *a* two thousand
duetto (dwät′tō) *m* duet
duna (dū′nâ) *f* dune
dunque (dūn′kwä) *adv* so, therefore
duodeno (dwō·dä′nō) *m* duodenum
duo (dū′ō) *m* (*mus*) duo, duet; **–decimo** (dwō·de′chē·mō) *a* twelfth
duolo (dwō′lō) *m* suffering, grief
duomo (dwō′mō) *m* cathedral
duplex (dū′plāks) *m* telephone party line
duplicare (dū·plē·kâ′rä) *vt* to duplicate

duplicato (dū·plē·kâ′tō) *m* duplicate
duplice (dū′plē·chä) *a* double, twofold; **in** — **copia** in duplicate
duplicità (dū·plē·chē·tâ′) *f* duplicity, falseness
durabile (dū·râ′bē·lä) *a* durable
duramente (dū·râ·män′tä) *adv* hard; harshly; bitterly; sharply; roughly; cruelly
durante (dū·rân′tä) *prep* during; — *a* lasting
durare (dū·râ′rä) *vt* to endure; — *vi* to last
durata (dū·râ′tâ) *f* duration
duraturo (dū·râ·tū′rō), **durevole** (dū·re′vō·lä) *a* durable, lasting
durevolezza (dū·rā·vō·lā′tsâ) *f* durability
durevolmente (dū·rā·vōl·män′tä) *adv* lastingly, durably
durezza (dū·rā′tsâ) *f* hardness, harshness
duro (dū′rō) *a* hard, tough; stale; **–ne** (dū·rō′nä) *a* stupid; **–ne** *m* callous
duttile (dūt′tē·lä) *a* ductile, plastic; yielding
duttilità (dūt·tē·lē·tâ′) *f* plasticity; pliability

E

e (ā) *conj* and; well then? and so?
ebanista (ā·bâ·nē′stâ) *m* cabinet maker
ebano (e′bâ·nō) *m* ebony
ebbene (āb·bä′nä) *adv* well then
ebbrezza (āb·brā′tsâ) *f* intoxication; (*fig*) rapture
ebbro (āb′brō) *a* drunk; — **d'amore** mad with love; — **di gioia** exultant with joy
ebdomadario (āb·dō·mâ·dâ′ryō) *a&m* weekly
ebete (e′bā·tä) *a* stupid, obtuse
ebetismo (ā·bā·tē′zmō) *m* stupidity, dullness
ebollizione (ā·bōl·lē·tsyō′nä) *f* boiling; (*fig*) enthusiasm, excitement
ebraico (ā·brâ′ē·kō) *a&m* Hebrew
ebreo (ā·brä′ō) *a* Jewish; — *m* Jew
ecatombe (ā·kâ·tōm′bä) *f* massacre, slaughter
eccedenza (ā·chā·dän′tsâ) *f* excess; surplus
eccedere (ā·che′dā·rä) *vt&i* to exceed; to exaggerate, carry too far
eccellente (ā·chāl·län′tä) *a* excellent; **–mente** (ā·chāl·län·tä·män′tä) *adv* very well, excellently
eccellenza (ā·chāl·län′tsâ) *f* excellence; **Vostra Eccelenza** Your Excellency

eccellere * (ā·chel′lā·rä) *vt* to excel; to outshine
eccentricamente (ā·chän·trē·kâ·män′tä) *adv* eccentrically
eccentricità (ā·chän·trē·chē·tâ′) *f* eccentricity
eccentrico (ā·chen′trē·kō) *a&m* eccentric
eccepibile (ā·chä·pē′bē·lä) *a* questionable, objectionable
eccepire (ā·chä·pē′rä) *vt* to take exception to, object to
eccessivamente (ā·chäs·sē·vâ·män′tä) *adv* excessively, overly
eccessività (ā·chäs·sē·vē·tâ′) *f* excessiveness; overstatement
eccessivo (ā·chäs·sē′vō) *a* excessive, overdone
eccesso (ā·chäs′sō) *m* excess
eccetera (ā·che′tä·râ) *m* and so forth
eccetto (ā·chät′tō) *prep* except; but; **tutti** — **uno** all but one
eccettuare (ā·chät·twâ′rä) *vt* to except
eccettuato (ā·chät·twâ′tō) *a* excepted; omitted, left out
eccezionale (ā·chä·tsyō·nâ′lä) *a* exceptional
eccezione (ā·chä·tsyō′nä) *f* exception
eccidio (ā·chē′dyō) *m* massacre

eccitabile (ā·chē·tâ′bē·lā) *a* excitable, emotional
eccitamento (ā·chē·tâ·mān′tō) *m* excitement; fervor
eccitante (ā·chē·tân′tā) *m* stimulant; — *a* stimulating, moving
eccitare (ā·chē·tâ′rā) *vt* to excite, stir; to arouse, move
eccitativo (ā·chē·tâ·tē′vō) *a* moving, rousing
eccitato (ā·chē·tâ′tō) *a* excited; –re (ā·chē·tâ·tō′rā) *m* arouser; –re *a* exciting
eccitazione (ā·chē·tâ·tsyō′nā) *f* excitement, arousing, stimulation
ecclesiastico (āk·klā·zyâ′stē·kō) *a* ecclesiastical; — *m* clergyman
ecco (āk′kō) *adv* here; —! *interj* look!; –mi qua! Here I am!; — fatto that's done; — tutto that's all
eccome (āk·kō′mā) *adv* and how, how in the world
echeggiante (ā·kāj·jân′tā) *a* resounding, reverberating
echeggiare (ā·kāj·jâ′rā) *vi* to echo; to reverberate
eclettico (ā·klet′tē·kō) *a&m* eclectic
eclissare (ā·klēs·sâ′rā) *vt* to eclipse
eclissarsi (ā·klēs·sâr′sē) *vr* to abscond, disappear
eclissi (ā·klēs′sē) *m* eclipse
eclittica (ā·klēt′tē·kâ) *f* ecliptic
eco (ā′kō) *m* echo; — della stampa service providing newspaper clippings; fare — alle parole di to mouth the words of; farsi — della diceria to repeat a rumor
economato (ā·kō·nō·mâ′tō) *m* stewardship; administration
economia (ā·kō·nō·mē′â) *f* economy; — planificata controlled economy; — politica political economy; political economics
economicamente (ā·kō·nō·mē·kâ·mān′tā) *adv* economically
economico (ā·kō·nō′mē·kō) *a* economical; cheap
economista (ā·kō·nō·mē′stâ) *m* economist
economizzare (ā·kō·nō·mē·dzâ′rā) *vt* to economize; to husband
economizzatore (ā·kō·nō·mē·dzâ·tō′rā) *m* economizer; saver
economo (ā·kô′nō·mō) *m* administrator; steward; — *a* saving, thrifty
ecumenico (ā·kū·me′nē·kō) *a* ecumenical
eczema (āk·dzā′mâ) *m* eczema
ed (ād) *conj* and
edema (ā·dā′mâ) *m* (*med*) edema
edera (e′dā·râ) *f* ivy

edicola (ā·dē′kō·lâ) *f* newsstand
edicolista (ā·dē·kō·lē′stâ) *m* newsstand operator
edificare (ā·dē·fē·kâ′rā) *vt* to build; to edify, educate
edificante (ā·dē·fē·kân′tā) *a* educative, edifying
edificio (ā·dē·fē′chō) *m* building
edile (e′dē·lā) *a* building; — *m* building contractor
edilizia (ā·dē·lē′tsyâ) *f* construction; building industry
edilizio (ā·dē·lē′tsyō) *a* building
edito (e′dē·tō) *a* published; edited
editore (ā·dē·tō′rā) *m* publisher; editor; — *a* publishing; casa editrice publishing house
editoriale (ā·dē·tō·ryâ′lā) *m* editorial
editto (ā·dēt′tō) *m* edict
edizione (ā·dē·tsyō′nā) *f* edition; — esaurita edition out of print
edonista (ā·dō·ne′stâ) *mf&a* hedonist
edotto (ā·dōt′tō) *a* notified, informed
educare (ā·dū·kâ′rā) *vt* to educate, teach
educatamente (ā·dū·kâ·tâ·mān′tā) *adv* politely, in a well-bred manner
educativo (ā·dū·kâ·tē′vō) *a* educational
educato (ā·dū·kâ′tō) *a* well-mannered, polite
educatore (ā·dū·kâ·tō′rā) *m* educator
educazione (ā·dū·kâ·tsyō′nā) *f* good manners; education; senza — rowdy, ill-mannered
effeminatamente (āf·fā·mē·nâ·tâ·mān′tā) *adv* effeminately
effeminatezza (āf·fā·mē·nâ·tā′tsâ) *f* effeminacy
efferatamente (āf·fā·râ·tâ·mān′tā) *adv* brutally
efferatezza (āf·fā·râ·tā′tsâ) *f* ferociousness; barbarism
efferato (āf·fā·râ′tō) *a* savage, ferocious
effervescente (āf·fār·vā·shân′tā) *a* effervescent
effervescenza (āf·fār·vā′shān′tsâ) *f* effervescence; (*fig*) agitation, excitement
effetti (āf·fāt′tē) *mpl* possessions, effects; bills
effettista (āf·fāt·tē′stâ) *m* sensationalist
effettivamente (āf·fāt·tē·vâ·mān′tā) *adv* really, as a matter of fact
effettivo (āf·fāt·tē′vō) *a* actual, true; present, current
effetto (āf·fāt′tō) *m* effect; (*mech*) action; (*com*) bill; a quest' — to this purpose; far l' — di to seem; to give the appearance of; in — really, truly; in fact
effettuabile (āf·fāt·twâ′bē·lā) *a* feasible

k kid, **l** let, **m** met, **n** not, **p** pat, **r** very, **s** sat, **sh** shop, **t** tell, **v** vat, **w** we, **y** yes, **z** zero

effettuare (ãf·fãt·twâ′rã) *vt* to fulfill, complete

effettuazione (ãf·fãt·twã·tsyõ′nã) *f* completion, fulfillment, carrying out

efficace (ãf·fē·kâ′chã) *a* effective; **–mente** (ãf·fē·kâ·chã·mãn′tã) *adv* efficiently, effectively

efficacia (ãf·fē·kâ′châ) *f* efficacy, effect

efficiente (ãf·fē·chyãn′tã) *a* efficient; **–mente** (ãf·fē·chyãn·tã·mãn′tã) *adv* efficiently, effectively

efficienza (ãf·fē·chyãn′tsã) *f* efficiency **essere in** — to be in good working order

effige (ãf·fē′jã) *f* effigy

effimero (ãf·fē′mã·rõ) *a* short-lived

efflusso (ãf·flūs′sõ) *m* outflow

effrazione (ãf·frã·tsyõ′nã) *f* housebreaking

effusione (ãf·fū·zyõ′nã) *f* effusion; (*fig*) warmheartedness

effuso (ãf·fū′zõ) *a* given out; diffused; distributed

egemonia (ã·jã·mõ·nē′â) *f* hegemony

egida (e′jē·dâ) *f* auspices, sponsorship

Egitto (ã·jēt′tõ) *m* Egypt

egiziano (ã·jē·tsyâ′nõ) *a&m* Egyptian

egli (ã′lyē) *pron* he

egloga (e′glõ·gâ) *f* eglogue

egoismo (ã·gõ·ē′zmõ) *m* egoism

egoista (ã·gõ·ē′stâ) *m* egoist

egoisticamente (ã·gõē·stē·kâ·mãn′tã) *adv* selfishly

egoistico (ã·gõ·ē′stē·kõ) *a* selfish

egotismo (ã·gõ·tē′zmõ) *m* egotism

egotista (ã·gõ·tē′stâ) *m* egotist

egregiamente (ã·grã·jâ·mãn′tã) *adv* excellently

egregio (ã·gre′jõ) *a* distinguished

egresso (ã·grãs′sõ) *m* way out, exit

egretta (ã·grãt′tâ) *f* egret

eguaglianza (ã·gwâ·lyân′tsâ) *f* equality

eguagliare (ã·gwâ·lyâ′rã) *vt* to equalize; to make even

eguale (ã·gwâ′lã) *a* equal; **rendere** — to level; to smooth out

eiaculare (ã·yâ·kū·lâ′rã) *vt* to ejaculate

eiaculazione (ã·yâ·kū·lâ·tsyõ′nã) *f* ejaculation

eiettore (ã·yãt·tõ′rã) *m* (*mech*) release, ejector

eiezione (ã·yã·tsyõ′nã) *f* ejection, release

elaborare (ã·lâ·bõ·râ′rã) *vt* to work out in detail; to elaborate

elaborato (ã·lâ·bõ·râ′tõ) *a* carefully done; detailed

elaborazione (ã·lâ·bõ·râ·tsyõ′nã) *f* elaboration; refinement

elargire (ã·lâr·jē′rã) *vt* to lavish, expend profusely

elargizione (ã·lâr·jē·tsyõ′nã) *f* lavish donation; munificence

elasticamente (ã·lâ·stē·kâ·mãn′tã) *adv* resiliently, bouyantly

elasticità (ã·lâ·stē·chē·tâ′) *f* elasticity; bouyancy

elastico (ã·lâ′stē·kõ) *m* rubber band; spring; — *a* elastic; bouyant, adaptable

elefante (ã·lã·fân′tã) *m* elephant; **–essa** (ã·lã·fân·tãs′sâ) *f* female elephant

elegante (ã·lã·gân′tã) *a* smart, elegant; **–mente** (ã·lã·gân·tã·mãn′tã) *adv* smartly, elegantly

elegantone (ã·lã·gân·tõ′nã) *a* overly elegant; chic

eleganza (ã·lã·gân′tsâ) *f* elegance

eleggere * (ã·lej′jâ·rã) *vt* to elect; to select

eleggibile (ã·lãj·jē′bē·lã) *a* eligible

eleggibilità (ã·lãj·jē·bē·lē·tâ′) *f* qualification, eligibility

elegia (ã·lã·jē′â) *f* elegy

elementale (ã·lã·mãn·tâ′lã) *a* elemental

elementare (ã·lã·mãn·tâ′rã) *a* elementary

elemento (ã·lã·mãn′tõ) *m* element; component

elemosina (ã·lã·mõ′zē·nâ) *f* charity; **–re** (ã·lã·mõ·zē·nâ′rã) *vt&i* to solicit alms, beg; to entreat

elencare (ã·lãn·kâ′rã) *vt* to list

elenco (ã·lãn′kõ) *m* list; — **telefonico** telephone book

elettivo (ã·lãt·tē′võ) *a* elective

eletto (ã·lãt′tõ) *a* elected; chosen

elettorale (ã·lãt·tõ·râ′lã) *a* electoral; **scheda** — ballot; **urna** — ballot box

elettorato (ã·lãt·tõ·râ′tõ) *m* right to vote, suffrage

elettore (ã·lãt·tõ′rã) *m* voter

elettricamente (ã·lãt·trē·kâ·mãn′tã) *adv* electrically, with electricity

elettricista (ã·lãt·trē·chē′stâ) *m* electrician

elettricità (ã·lãt·trē·chē·tâ′) *f* electricity

elettrico (ã·let′trē·kõ) *a* electrical, electric

elettrificare (ã·lãt·trē·fē·kâ′rã) *vt* to electrify; to charge with a current

elettrificazione (ã·lãt·trē·fē·kâ·tsyõ′nã) *f* electrification

elettrizzare (ã·lãt·trē·dzâ′rã) *vt* to thrill, to excite, electrify

elettro (ã·lãt′trõ) *m* yellow amber; **–biologia** (ã·lãt·trõ·byõ·lõ·jē′â) *f* electrobiology; **–calamita** (ã·lãt·trõ·kâ·lâ·mē′tâ) *f* electromagnet; **–cardiogramma** (ã·lãt·trõ·kâr·dyõ·grâm′mâ) *m* electrocardiogram; **–cuzione** (ã·lãt·trõ·kū·tsyõ′nã) *f* electrocution; **–dinamica** (ã·lãt·trõ·

dē·nâ'mē·kâ) *f* electrodynamics; **–do**
(ā·lāt·trō'dō) *m* electrode; **–domestico** (ā·lāt·trō·dō·me'stē·kō) *m* electrical appliance; **–dotto** (ā·lāt·trō·dōt'tō)
m power plant; **–lisi** (ā·lāt·trō·lē'zē) *f*
electrolysis; **–lito** (ā·lāt·trō·lē'tō) *m*
electrolyte; **–metallurgia** (ā·lāt·trō·mā·
tâl·lūr·jē'â) *f* electrometallurgy; **–metro**
(ā·lāt·trô'mā·trō) *m* electrometer; **–motore** (ā·lāt·trō·mō·tō'rā) *m&a* electro-
motor; **–motrice** (ā·lāt·trō·mō·trē'chā)
f electrified railroad car; **–ne** (ā·lāt·trō'-
nā) *m* electron; **–nica** (ā·lāt·trô'nē·kâ)
f electronics; **–nico** (ā·lāt·trô'nē·kō) *a*
electronic; **–scopio** (ā·lāt·trō·skô'pyō)
m electroscope; **–squasso** (ā·lāt·trō·
skwâs'sō) *m* electric shock; jolt of electricity; **–statica** (ā·lāt·trō·stâ'tē·kâ) *f*
electrostatics; **–statico** (ā·lāt·trō·stâ'tē·
kō) *a* electrostatic; **–tecnica** (ā·lāt·trō·
tek'nē·kâ) *f* electrical engineering;
–tecnico (ā·lāt·trō·tek'nē·kō) *a* electric; **–terapia** (ā·lāt·trō·tā·râ·pē'â) *f*
electrotherapy; **–termica** (ā·lāt·trō·ter'-
mē·kâ) *f* electrothermics; **–termico** (ā·
lāt·trō·ter'mē·kō) *a* electrothermic;
–tipia (ā·lāt·trō·tē·pē'â) *f* electrotype;
–treno (ā·lāt·trō·trā'nō) *m* electrified
train
elevare (ā·lā·vâ'rā) *vt* to raise; to hoist
elevarsi (ā·lā·vâr'sē) *vr* to raise oneself;
to stand out, tower above
elevatamente (ā·lā·vâ·tâ·mān'tā) *adv*
highly, loftily
elevatezza (ā·lā·vâ·tā'tsâ) *f* loftiness,
highness; nobility
elevato (ā·lā·vâ'tō) *a* high, raised
elevatore (ā·lā·vâ·tō'rā) *m* elevator
elevazione (ā·lā·vâ·tsyō'nā) *f* elevation
elezione (ā·lā·tsyō'nā) *f* election; appointment; choice; option
elfo (āl'fō) *m* elf
elica (e'lē·kâ) *f* propeller; (*naut*) screw
elicottero (ā·lē·kôt'tâ·rō) *m* helicopter
elidere * (ā·lē'dā·rā) *vt* to cancel out; to
elide; to suppress
eliminare (ā·lē·mē·nâ'rā) *vt* to eliminate;
to delete; to exclude; to obviate
eliminarsi (ā·lē·mē·nâr'sē) *vr* to be elimi-
nated; to be obviated
eliminatoria (ā·lē·mē·nâ·tô'ryâ) *f* (*sport*)
heat
eliminatorio (ā·lē·mē·nâ·tô'ryō) *a* elemi-
nating; deleting
eliminazione (ā·lē·mē·nâ·tsyō'nā) *f* elimination, removal; exclusion; suppression
ella (āl'lâ) *pron* she
ellisse (āl·lēs'sā) *f* ellipse

ellissoide (āl·lēs·sô'ē·dā) *m&a* ellipsoid
ellissi (āl·lēs'sē) *f* ellipsis
ellittico (āl·lēt'tē·kō) *a* elliptical
ellenico (āl·le'nē·kō) *m&a* Hellenic
elmetto (āl·māt'tō) (*mil*) helmet
elmo (āl'mō) *m* helmet
elocuzione (ā·lō·kū·tsyō'nā) *f* elocution;
oratorical style
elogiare (ā·lō·jâ'rā) *vt* to praise, commend
elogiabile (ā·lō·jâ'bē·lā) *a* commendable, praiseworthy
elogiatore (ā·lō·jâ·tō'rā) *m* eulogist
elogio (ā·lô'jō) *m* praise
eloquente (ā·lō·kwän'tā) *a* eloquent;
golden-tongued; **–mente** (ā·lō·kwän·
tā·mān'tā) *adv* forcefully, eloquently
eloquenza (ā·lō·kwän'tsâ) *f* eloquence
elsa (āl'sâ) *f* hilt
elucubrare (ā·lū·kū·brâ'rā) *vt* to muse,
mull over
elucubrazione (ā·lū·kū·brâ·tsyō'nā) *f*
musing, thoughtful consideration
eludere * (ā·lū'dā·rā) *vt* to elude, evade;
to avoid
elusione (ā·lū·zyō'nā) *f* evasion, avoidance
elusivo (ā·lū·zē'vō) elusive, evasive
emaciato (ā·mâ·châ'tō) *a* emaciated
emanare (ā·mâ·nâ'rā) *vt&i* to emanate
from, spring from, originate; to publicize
emanazione (ā·mâ·nâ·tsyō'nā) *f* issue, issuing; promulgation
emancipare (ā·mân·chē·pâ'rā) *vt* to free,
liberate
emancipazione (ā·mân·chē·pâ·tsyō'nā) *f*
liberation, emancipation
emarginare (ā·mâr·jē·nâ'rā) *vt* to note on
the margin; to make marginal notes on
emarginato (ā·mâr·jē·nâ'tō) *a* annotated;
foot-noted
emblema (ām·blā'mâ) *m* emblem, sign
embolia (ām·bō·lē'â) *f* embolism
embolo (em'bō·lō) *m* embolus, blood clot
embrice (em'brē·chā) *m* roofing tile
embriologia (ām·bryō·lō·jē'â) *f* embryol-
ogy
embriologo (ām·bryô'lō·gō) *m* embryolo-
gist
embrionale (ām·bryō·nâ'lā) *a* embryonic;
inchoate
embrione (ām·bryō'nā) *m* embryo
emendamento (ā·mān·dâ·mān'tō) *m*
amendment
emendare (ā·mān·dâ'rā) *vt* to amend
emendarsi (ā·mān·dâr'sē) *vr* to correct
oneself, reform

emergenza (ā·mār·jän'tsâ) *f* emergency

emergere * (ā·mēr'jä·rā) *vi* to distinguish oneself; to out, become public

emerso (ā·mār'sō) *a* emerged

emerito (ā·me'rē·tō) *a* emeritus; eminent

emeroteca (ā·mä·rō·tä'kâ) *f* periodical room

emesso (ā·mäs'sō) *a* emitted, issued

emettere * (ā·met'tä·rā) *vt* to emit; — **un grido** to cry out

emicrania (ā·mē·krâ'nyâ) *f* migraine headache

emigrante (ā·mē·grân'tä) *a&m* emigrant

emigrare (ā·mē·grâ'rä) *vi* to emigrate

emigrato (ā·mē·grâ'tō) *m* emigrant

emigrazione (ā·mē·grâ·tsyō'nä) *f* emigration

eminente (ā·mē·nän'tä) *a* eminent, well-known; **–mente** (ā·mē·nän·tä·män'tä) *adv* eminently; highly, greatly

eminenza (ā·mē·nän'tsâ) *f* eminence

emisfero (ā·mē·sfä'rō) *m* hemisphere

emissario (ā·mēs·sâ'ryō) *m* emissary

emissione (ā·mēs·syō'nä) *f* emission; broadcast

emittente (ā·mēt·tän'tä) *m* broadcaster; broadcasting station; — *a* broadcasting; issuing

emofilia (ā·mō·fē·lē'â) *f* hemophilia

emoglobina (ā·mō·glō·bē'nâ) *f* hemoglobin

emolliente (ā·mōl·lyän'tä) *a&m* emollient

emolumento (ā·mō·lū·män'tō) *m* fee; wages

emorragia (ā·mōr·râ·jē'â) *f* hemorrhage

emorroidi (ā·mōr·rô'ē·dē) *fpl* hemorrhoids

emostatico (ā·mō·stâ'tē·kō) *m&a* hemostatic

emoteca (ā·mō·tä'kâ) *f* blood bank

emotivo (ā·mō·tē'vō) *a* excitable

emozionale (ā·mō·tsyō·nâ'lä) *a* emotional, excitable

emozionante (ā·mō·tsyō·nân'tä) *adv* touching, thrilling

emozione (ā·mō·tsyō'nä) *f* emotion; suspense

empietà (ām·pyä·tâ') *f* impiety

empio (em'pyō) *a* impious; cruel

empire * (ām·pē'rä) *vt* to fill; to fill in, close up

empiricamente (ām·pē·rē·kâ·män'tä) *adv* empirically, experimentally

empirico (ām·pē'rē·kō) *a* empirical

emporio (ām·pô'ryō) *m* bazaar; market place; department store

emù (ā·mū') *m* (*zool*) emu

emulare (ā·mū·lâ'rä) *vt* to emulate; to rival

emulazione (ā·mū·lâ·tsyō'nä) *f* emulation

emulsione (ā·mūl·syō'nä) *f* emulsion

encefalite (ān·chä·fâ·lē'tä) *f* encephalitis

enciclica (ān·chē'klē·kâ) *f* encyclical

enciclopedia (ān·chē·klō·pä·dē'â) *f* encyclopedia

enciclopedico (ān·chē·klō·pe'dē·kō) *a* encyclopedic

encomiabile (ān·kō·myâ'bē·lä) *a* laudable, worthy of commendation

encomiare (ān·kō·myâ'rä) *vt* to commend, praise

encomio (ān·kô'myō) *m* praise

endemico (ān·de'mē·kō) *a* endemic

endivia (ān·dē'vyâ) *f* endive

endocardo (ān·dō·kâr'dō) *m* endocardium

endocrino (ān·dō'krē·nō) *a* endocrine; **–logia** (ān·dō·krē·nō·lō·jē'â) *f* endocrinology

endogeno (ān·dô'jä·nō) *a* endogenous

endogetto (ān·dō·jät'tō) *m* rocket

endovenoso (ān·dō·vä·nō'zō) *a* intravenous

energetico (ā·nār·je'tē·kō) *m* tonic

energia (ā·nār·jē'â) *f* power; energy; determination

energicamente (ā·nār·jē·kâ·män'tä) *adv* energetically, forcefully

energico (ā·ner'jē·kō) *a* vigorous, resolute

energumeno (ā·nār·gū'mä·nō) *m* demoniac

enfasi (en'fâ·zē) *f* stress, emphasis

enfaticamente (ān·fâ·tē·kâ·män'tä) *adv* emphatically

enigma (ā·nēg'mâ) *f* puzzle, riddle

enigmista (ā·nēg·mē'stâ) *m* puzzler

enigmistico (ā·nēg·mē'stē·kō) *a* puzzling

enimmistica (ān·nēm·mē'stē·kâ) *m* brain-teaser

enologo (ā·nô'lō·gō) *m* wine-making expert; expert in wines

enorme (ā·nōr'mä) *a* enormous

enormità (ā·nōr·mē·tâ') *f* hugeness; enormity

ente (än'tä) *m* being; agency; institution; — **morale** (*law*) body corporate; (*com*) corporation

enteroclisma (ān·tä·rō·klē'zmâ) *m* enema

entità (ān·tē·tâ') *f* entity; significance, import

entomologia (ān·tō·mō·lō·jē'â) *f* entomology

entrambi (ān·trâm'bē) *pron* both

entrante (ān·trân'tä) *a* next, coming

entrare (ān·trâ'rä) *vi* to enter; — **in particolari** to go into details; — **in**

possesso di to take possession of
entrata (ān·trâ'tä) *f* entrance; *(com)* income, asset; — **libera** free admission; — **in vigore** *(law)* enforcement; — **pubblica** government revenue
entro (ān'trō) *prep* within
entusiasmare (ān·tū·zyâ·zmâ'rä) *vt* to enthuse; to awaken the interest of
entusiasmarsi (ān·tū·zyâ·zmâr'sē) *vr* to become enthusiastic; to be inspired
entusiasmo (ān·tū·zyâ'zmō) *m* enthusiasm
entusiasta (ān·tū·zyâ'stä) *a* enthusiastic
enumerare (ā·nū·mā·râ'rä) *vt* to enumerate
enunciare (ā·nūn·châ'rä) *vt* to enunciate
enunciato (ā·nūn·châ'tō) *a* enunciated
enunciazione (ā·nūn·châ·tsyō'nä) *f* enunciation
epa (ā'pâ) *f* belly
epatite (ā·pâ·tē'tä) *f* hepatitis
epicentro (ā·pē·chān'trō) *m* focal point; epicenter
epiciclo (ā·pē·chē'klō) *m* epicycle
epico (e'pē·kō) *a* epic
epicureo (ā·pē·kū·rā'ō) *a&m* epicurean
epidemia (ā·pē·dā·mē'â) *f* epidemic
epidermide (ā·pē·der'mē·dä) *f* epidermis
Epifania (ā·pē·fâ·nē'â) *f* Epiphany
epiglottide (ā·pē·glôt'tē·dä) *f* epiglottis
epigrafe (ā·pē'grâ·fä) *f* dedication, preface
epigramma (ā·pē·grâm'mâ) *m* epigram
epilessia (ā·pē·lās·sē'â) *f* epilepsy
epilettico (ā·pē·let'tē·kō) *a* epileptic
epilogo (ā·pē'lō·gō) *m* epilogue
episcopale (ā·pē·skō·pâ'lä) *a* episcopal
episodio (ā·pē·zō'dyō) *m* episode
epistolario (ā·pē·stō·lâ'ryō) *m* exchange of letters; correspondence
epitaffio (ā·pē·tâf'fyō) *m* epitaph
epitelio (ā·pē·te'lyō) *m* epithelium
epiteto (ā·pē'tä·tō) *m* epithet
epoca (e'pō·kâ) *f* epoch, age
epopea (ā·pō·pā'â) *f* epic poem, saga
eppure (āp·pū'rä) *conj* yet, nonetheless, nevertheless
epurare (ā·pū·râ'rä) *vt* to purge
epurazione (ā·pū·râ·tsyō'nä) *f* purge, purification
equamente (ā·kwâ·mān'tä) *adv* fairly, justly
equanime (ā·kwâ'nē·mä) *a* just, fair; calm, composed
equanimità (ā·kwâ·nē·mē·tâ') *f* justness; composure
equatore (ā·kwâ·tō'rä) *m* equator
equatoriale (ā·kwâ·tō·ryâ'lä) *a* equatorial
equazione (ā·kwâ·tsyō'nä) *f* equation

equestre (ā·kwā'strä) *a* equestrian
equidistante (ā·kwē·dē·stân'tä) *a* equidistant
equilibrato (ā·kwē·lē·brâ'tō) *a* sensible, stable
equilibrio (ā·kwē·lē'bryō) *m* balance; stability
equilibrismo (ā·kwē·lē·brē'zmō) *m* acrobatics
equilibrista (ā·kwē·lē·brē'stâ) *m* tightrope walker
equinozio (ā·kwē·nô'tsyō) *m* equinox
equipaggiare (ā·kwē·pâj·jâ'rä) *vt* to equip
equipaggio (ā·kwē·pâj'jō) *m* crew
equità (ā·kwē·tâ') *f* equity; fairness
equitazione (ā·kwē·tâ·tsyō'nä) *f* horsemanship
equivalente (ā·kwē·vâ·lān'tä) *a&m* equivalent
equivoco (ā·kwē'vō·kō) *m* misunderstanding; — *a* equivocal, unclear
equo (e'kwō) *a* fair; equitable
era (ā'râ) *f* era
erario (ā·râ'ryō) *m* treasury
erba (ār'bâ) *f* grass; herb; **in** — immature; inexperienced; latent
erbaccia (ār·bâ'châ) *f* weed
erbaggio (ār·bâj'jō) *m* vegetable
erbivendolo (ār·bē·ven'dō·lō) *m* vegetable dealer
erbivoro (ār·bē'vō·rō) *a* herbivorous
erede (ā·râ'dä) *m* heir
ereditiera (ā·rā·dē·tyâ'râ) *f* heiress
eredità (ā·rā·dē·tâ') *f* inheritance; **lasciare in** — to bequeath, leave in one's will
ereditario (ā·rā·dē·tâ'ryō) *a* hereditary
ereditato (ā·rā·dē·tâ'tō) *a* inherited
eremita (ā·rā·mē'tä) *m* hermit
eremo (ā·rā'mō) *m* hermitage
eresia (ā·rā·zē'â) *f* heresy
eretico (ā·re'tē·kō) *a&m* heretic
eretto (ā·rāt'tō) *a* erect
erezione (ā·rā·tsyō'nä) *f* erection
ergastolano (ār·gâ·stō·lâ'nō) *m* prisoner convicted for life
ergastolo (ār·gâ'stō·lō) *m* penitentiary; life sentence; life imprisonment
erica (e'rē·kâ) *f* heather
erigere * (ā·rē'jä·rä) *vt* to erect; to build; to found; to institute
ermellino (ār·māl·lē'nō) *m* ermine
ermetico (ār·me'tē·kō) *a* hermetic
ernia (er'nyâ) *f* rupture, hernia
eroe (ā·rō'ä) *m* hero
eroina (ā·rō·ē'nâ) *f* heroine; *(med)* heroin
eroicamente (ā·rōē·kâ·mān'tä) *adv* hero-

ically
eroico (ā·rô′ē·kō) *a* heroic
eroismo (ā·rō·ē′zmō) *m* heroism
erogare (ā·rō·gâ′rā) *vt* to give, distribute, deal out
erogatore (ā·rō·gâ·tō′rā) *m* distributor; — *a* distributing
erogazione (ā·rō·gâ·tsyō′nā) *f* distribution; donation
erompere * (ā·rôm′pā·rā) *vi* to break out
erosione (ā·rō·zyō′nā) *f* erosion
erotico (ā·rô′tē·kō) *a* erotic
erpete (er′pā·tā) *m (med)* shingles
erpice (er′pē·chā) *m* harrow, cultivator
errare (ār·râ′rā) *vi* to err; to make a mistake; to wander
errabondo (ār·râ·bōn′dō) *a* rambling, wandering
errante (ār·rân′tā) *a* errant; wandering; roaming; **cavaliere** — knight errant
errata corrige (ār·râ′tâ kôr′rē·jā) *(print)* errata
errato (ār·râ′tō) *a* wrong, mistaken
erroneo (ār·rō′nā·ō) *a* wrong, mistaken
errore (ār·rō′rā) *m* mistake
erta (ār′tâ) *f* ascent; slope
erto (ār′tō) *a* steep
erudire (ā·rū·dē′rā) *vt* to educate, teach
erudirsi (ā·rū·dēr′sē) *vr* to educate oneself
erudito (ā·rū·dē′tō) *a* learned; — *m* scholar
erudizione (ā·rū·dē·tsyō′nā) *f* erudition
eruttare (ā·rūt·tâ′rā) *vi* to belch
eruttazione (ā·rūt·tâ·tsyō′nā) *f* belching
eruzione (ā·rū·tsyō′nā) *f* eruption; *(med)* inflammation; rash
esacerbare (ā·zâ·chār·bâ′rā) *vt* to aggravate; to exasperate
esacerbarsi (ā·zâ·chār·bâr′sē) *vr* to be exasperated; to be at one's wit's end
esaedro (ā·zâ·â′drō) *m* hexahedron
esagono (ā·zâ′gō·nō) *m* hexagon
esagonale (ā·zâ·gō·nâ′lā) *a* hexagonal
esagerare (ā·zâ·jâ·râ′rā) *vt* to exaggerate; — *vi* to go too far
esageratamente (ā·zâ·jā·râ·tâ·mān′tâ) *adv* exaggeratedly
esagerato (ā·zâ·jā·râ′tō) *a* exaggerated
esagerazione (ā·zâ·jā·râ·tsyō′nā) *f* exaggeration
esalare (ā·zâ·lâ′rā) *vt&i* to exhale
esalante (ā·zâ·lân′tā) *a* exhaling
esaltare (ā·zâl·tâ′rā) *vt* to extol, praise highly
esaltarsi (ā·zâl·târ′sē) *vr* to sing one's own praises; to become overly enthusiastic

esaltato (ā·zâl·tâ′tō) *a* fanatical; — *m* fanatic
esaltazione (ā·zâl·tâ·tsyō′nā) *f* exaltation; excess enthusiasm
esame (ā·zâ′mā) *f* examination
esaminando (ā·zâ·mē·nân′dō) *m* candidate for an academic degree
esaminare (ā·zâ·mē·nâ′rā) *vt* to examine; to put to the test
esangue (ā·zân′gwā) *a* bloodless
esanime (ā·zâ′nē·mā) *a* lifeless
esasperare (ā·zâ·spâ·râ′rā) *vt* to exasperate
esasperarsi (ā·zâ·spâ·râr′sē) *vr* to become irritated
esasperato (ā·zâ·spâ·râ′tō) *a* exasperated, irritated
esasperazione (ā·zâ·spâ·râ·tsyô′nā) *f* exasperation, irritation
esattezza (ā·zât·tâ′tsâ) *f* exactness, precision, care
esatto (ā·zât′tō) *a* exact, correct
esattore (ā·zât·tō′rā) *m* revenue agent, tax collector
esattoria (ā·zât·tō·rē′â) *f* internal revenue office
esaudimento (ā·zâū·dē·mân′tō) *m* agreement; granting
esaudire (ā·zâū·dē′rā) *vt* to grant; to agree to
esaudito (ā·zâū·dē′tō) *a* granted; complied with
esauriente (ā·zâū·ryân′tā) *a* exhaustive, complete
esaurimento (ā·zâū·rē·mân′tō) *m* exhaustion; breakdown
esaurire (ā·zâū·rē′rā) *vt* to exhaust; *(com)* to sell out
esaurirsi (ā·zâū·rēr′sē) *vr* to overwork oneself; to become exhausted
esaurito (ā·zâū·rē′tō) *a* sold out; out of print
esausto (ā·zâ′ū·stō) *a* exhausted
esautorare (a·zâū·tō·râ′rā) *vt* to discredit, cast aspersions on
esazione (ā·zâ·tsyō′nā) *f* tax collection
esca (ā′skâ) *f* bait; *(fig)* temptation
escandescenza (ā·skân·dā·shān′tsâ) *f* fit of anger, outburst of rage
escavatore (ā·skâ·vâ·tō′rā) *m* excavator
escavazione (ā·skâ·vâ·tsyō′nā) *f* excavation
esclamare (ā·sklâ·mâ′rā) *vi* to exclaim
esclamativo (ā·sklâ·mâ·tē′vō) *a* exclamatory
esclamazione (ā·sklâ·mâ·tsyō′nā) *f* exclamation
escludere * (ā·sklū′dā·rā) *vt* to exclude; to

rule out
esclusione (ā·sklū·zyō′nä) *f* exclusion
esclusiva (ā·sklū·zē′vä) *f* exclusive right; sole dealership
esclusivo (ā·sklū·zē′vō) *a* exclusive
escluso (ā·sklū′zō) *a* excluded; expected
escomiare (ā·skō·myâ′rä) *vt* to dismiss
escremento (ā·skrā·mān′tō) *m* excrement
escrescenza (ā·skrā·shān′tsâ) *f* outgrowth
escursione (ā·skūr·syō′nä) *f* excursion
escursionista (ā·skūr·syō·nē′stä) *m&f* member of a tour
escussione (ā·skūs·syō′nä) *f* examination of witnesses
esecrare (ā·zā·krâ′rä) *vt* to detest, have a loathing for
esecutivo (ā·zā·kū·tē′vō) *a* executive; — *m* executive board, board of directors
esecutore (ā·zā·kū·tō′rä) *m* (*law*) executor; executioner; performer; (*pol*) enactor
esecuzione (ā·zā·kū·tsyō′nä) *f* execution; performance; (*pol*) enactment
esedra (ā·zā′drä) *f* outdoor bench
eseguire (ā·zā·gwē′rä) *vt* to execute; to perform; to accomplish; to fulfill; — **un progetto** to carry out a plan; — **un pagamento** to make a payment
esempio (ā·zem′pyō) *m* example; sample, demonstration; instance
esemplare (ā·zām·plâ′rä) *m* copy, pattern; — *a* exemplary
esentare (ā·zän·tâ′rä) *vt* to exempt
esente (ā·zän′tä) *a* exempt, free
esenzione (ā·zän·tsyō′nä) *f* exemption
esequie (ā·ze′kwēä) *fpl* funeral services
esercente (ā·zār·chän′tä) *a* practicing; — *m* dealer; shopkeeper, merchant; tradesman
esercire (ā·zār·chē′rä) *vt* to operate, carry on (*business*)
esercitare (ā·zār·chē·tâ′rä) *vt* to exercise; to exert; to practice, make use of
esercitarsi (ā·zār·chē·târ′sē) *vr* to practice; (*sport*) to train, work out
esercitato (ā·zār·chē·tâ′tō) *a* trained; experienced
esercitazione (ā·zār·chē·tâ·tsyō′nä) *f* exercise
esercito (ā·zer′chē·tō) *m* army
esercito (ā·zār·chē′tō) *a* operated, managed; carried on
esercizio (ā·zār·chē′tsyō) *m* drill; exercise; business
esibire (ā·zē·bē′rä) *vt* to show, display; to sport, make a show of
esibirsi (ā·zē·bēr′sē) *vr* to show oneself; to volunteer; (*theat*) to play a part

esibitore (ā·zē·bē·tō′rä) *m*, **esibitrice** (ā·zē·bē·trē′chä) *f* exhibitor
esibizione (ā·zē·bē·tsyō′nä) *f* exhibit, display
esibizionismo (ā·zē·bē·tsyō·nē′zmō) *m* exhibitionism; show, pomp
esibizionista (ā·zē·bē·tsyō·nē′stâ) *m* show-off (*coll*)
esigente (ā·zē·jän′tä) *a* demanding
esigenza (ā·zē·jän′tsâ) *f* exigency; requirement
esigere * (ā·zē′jä·rä) *vt* to collect; to demand, exact, require
esigibile (ā·zē·jē′bē·lä) *a* collectible
esiguo (ā·zē′gwō) *a* meager
esile (e′zē·lä) *a* slender, slight
esilità (ā·zē·lē·tâ′) *f* slenderness, slightness
esiliare (ā·zē·lyâ′rä) *vt* to exile
esiliarsi (ā·zē·lyâr′sē) *vr* to seclude oneself
esiliato (ā·zē·lyâ′tō) *a* exiled; — *m* exile (*person*)
esilio (ā·zē′lyō) *m* exile
esimere (ā·zē′mä·rä) *vt* to exempt, release; to dispense with, do away with
esimersi (ā·zē′mär·sē) *vr* to evade; to avoid; to shirk, to get out of doing; to be able to help, refrain from
esistente (ā·zē·stän′tä) *a* existent; existing, living; extant
esistenza (ā·zē·stän′tsâ) *f* existence
esistere * (ā·zē′stän·tä) *vi* to exist, live
esitabile ā·zē·tâ′bē·lä) *a* a marketable
esitante (ā·zē·tân′tä) *a* hesitant, hesitating
esitare (ā·zē·tâ′rä) *vt* to hesitate
esitazione (ā·zē·tâ·tsyō′nä) *f* hesitation
esito (e′zē·tō) *m* success; outcome, upshot; (*com*) sale
esiziale (ā·zē·tsyâ′lä) *a* fatal, deadly
esodo (e′zō·dō) *m* exodus; flight
esofago (ā·zō′fâ·gō) *m* esophagus
esoftalmico (ā·zōf·tâl′mē·kō) *a* (*med*) exophthalmic
esonerare (ā·zō·nä·râ′rä) *vt* to exonerate, clear
esonero (ā·zô′nä·rō) *m* exoneration; exemption
esorbitante (ā·zōr·bē·tân′tä) *a* exorbitant
esorbitare (ā·zōr·bē·tâ′rä) *vi* to exceed
esorcismo (ā·zōr·chē′zmō) *m* exorcism
esorcizzare (ā·zōr·chē·dzâ′rä) *vt* to exorcise
esordire (ā·zōr·dē′rä) *vi* to start, begin
esordio (ā·zôr′dyō) *m* debut; beginning
esoso (ā·zō′zō) *a* hateful; stingy; greedy
esotico (ā·zô′tē·kō) *a* exotic
espandere * (ā·spân′dä·rä) *vt* to spread; to

---

k kid, **l** let, **m** met, **n** not, **p** pat, **r** very, **s** sat, **sh** shop, **t** tell, **v** vat, **w** we, **y** yes, **z** zero

expand, enlarge
espansione (ā·spân·syō'nä) *f* expansion
espansionismo (ā·spân·syō·nē'zmō) *m*
(pol) expansionism
espansività (ā·spân·sē·vē·tâ') *f* expansiveness
espansivo (ā·spân·sē'vō) *a* demonstrative; expansive
espatriare (ā·spâ·tryâ'rā) *vt* to exile, banish
espatrio (ā·spâ'tryō) *m* expatriation
espediente (ā·spā·dyän'tä) *m* expedient
espellere * (ā·spel'lā·rä) *vt* to expel; to shoot out, eject
esperienza (ā·spā·ryän'tsä) *f* experiment; experience
esperimentare (ā·spā·rē·män·tâ'rā) *vt* to experience, undergo; to test, put to the test
esperimentato (ā·spā·rē·män·tâ'tō) *a* experienced, skillful; proven, tested
esperimentatore (ā·spā·rē·män·tâ·tō'rā) *m* tester, experimenter
esperimento (ā·spā·rē·män'tō) *m* experiment
espertamente (ā·spär·tâ·män'tä) *adv* skillfully
esperto (ā·spär'tō) *a* skilled; — *m* expert
espettorare (ā·spät·tō·râ'rā) *vt* to expectorate
espiare (ā·spyâ'rā) *vt* to expiate
espiatorio (ā·spyâ·tô'ryō) *a* expiatory, serving as an atonement; **capro —** whipping boy, scapegoat
espiazione (ā·sypâ·tsyō'nä) *f* expiation
espirare (ā·spē·râ'rä) *vt* to expire
espirazione (ā·spē·râ·tsyō'nä) *f* expiration
espletare (ā·splā·tâ'rā) *vt* to complete, fulfill; to execute, perform
esplicare (ā·splē·kâ'rä) *vt* to explain in detail; to detail
esplicito (ā·splē'chē·tō) *a* explicit
esplodere * (ā·splô'dä·rā) *vt&i* to explode
esplorare (ā·splō·râ'rā) *vt* to explore
esploratore (ā·splō·râ·tō'rā) *m* explorer; **giovane —** boy scout
esplorazione (ā·splō·râ·tsyō'nä) *f* exploration; *(mil)* reconnaissance
esplosione (ā·splō·zyō'nä) *f* explosion
esplosivo (ā·splō·zē'vō) *a&m* explosive
esploso (ā·splō'zō) exploded
esponente (ā·spō·nän'tä) *a&m* exponent
esporre * (ā·spōr'rä) *vt* to display, exhibit, show; to open, expose
esportare (ā·spōr·tâ'rä) *vt* to export
esportatore (ā·spōr·tâ·tō'rā) *m*, **esportatrice** (ā·spōr·tâ·trē'chä) *f* exporter

esportazione (ā·spōr·tâ·tsyō'nä) *f* export, exporting
esposimetro (ā·spō·zē'mä·trō) *m* exposure meter
espositore (ā·spō·zē·tō'rā) *m*, **espositrice** (ā·spō·zē·trē'chä) *f* exhibitor
esposizione (ā·spō·zē·tsyō'nä) *f* exposition, exhibit; show, demonstration
esposto (ā·spō'stō) *a* displayed; — *m* report
espressamente (ā·sprās·sâ·män'tä) *adv* purposely; on purpose
espressione (ā·sprās·syō'nä) *f* expression
espressività (ā·sprās·sē·vē·tâ') *f* expressiveness
espressivo (ā·sprās·sē'vō) *a* clear, meaningful
espresso (ā·sprās'sō) *m* special delivery
esprimere * (ā·sprē'mä·rā) *vt* to express
esprimersi * (ā·sprē'mär·sē) *vr* to express oneself
espropriare (ā·sprō·pryâ'rā) *vt* to take over, expropriate; to evict
espropriazione (ā·sprō·pryâ·tsyō'nä) *f* expropriation; eviction
espugnare (ā·spū·nyâ'rā) *vt* to conquer; to storm, overrun
espulsione (ā·spūl·syō'nä) *f* expulsion
espulso (ā·spūl'sō) *a* expelled; **–re** (ā·spūl·sō'rä) *m (mech)* ejector, release
essa (ās'sâ) *pron* she
esse (ās'sä) *pron fpl* they
essenza (ās·sän'tsä) *f* essence
essenziale (ās·sän·tsyâ'lä) *a* essential
essenzialmente (ās·sän·tsyâl·män'tä) *adv* essentially
essere * (es'sä·rā) *vi* to be, exist; to become; to happen; to stand; **— di** to belong to; **— in grado di** to be able to
essicare (ās·sē·kâ'rä) *vt* to dry up
essicarsi (ās·sē·kâr'sē) *vr* to become dry, dry up
essicativo (ās·sē·kâ·tē'vō) *a* drying, dehydrating
essicazione (ās·sē·kâ·tsyō'nä) *f* drying, dehydrating
esso (ās'sō) *pron* he
essi (ās'sē) *pron mpl* they
essudare (ās·sū·dâ'rä) *vt&i* to exude
essudazione (ās·sū·dâ·tysō'nä) *f* exudation
est (āst) *m* east; East; Orient; **dell'—** eastern; Oriental
estasi (e'stâ·zē) *f* ecstasy; great enthusiam
estasiare (ā·stâ·zyâ'rā) *vt* to enrapture; to enthuse
estasiarsi (ā·stâ·zyâr'sē) *vr* to become enthusiastic; to gush

---

â ârm, ā bāby, e bet, ē bē, ō gō, ô gône, ū blūe, b bad, ch child, d dad, f fat, g gay, j jet

estasiato (ā·stâ·zyâ′tō) *a* enraptured; highly enthused
estatico (ā·stâ′tē·kō) *a* ecstatic
estate (ā·stâ′tā) *f* summer
estendere * (ā·sten′dā·rā) *vt* to extend; to reach out
estendersi * (ā·sten′dār·sē) *vr* to expand; to stretch oneself
estensamente (ā·stän·sâ·män′tā) *adv* extensively; fully
estensione (ā·stän·syō′nā) *f* extension
estensivo (ā·stän·sē′vō) *a* extensive
estenuante (ā·stā·nwân′tā) *a* oppressive, exhausting
esteriore (ā·stā·ryō′rā) *a* external; — *m* exterior; outer surface
esteriorità (ā·stā·ryō·rē·tâ′) *f* external appearances
esternamente (ā·stär·nâ·män′tā) *adv* externally, outwardly
esterno (ā·stär′nō) *a* external; — *m* outside; **alunno** — day pupil
estero (e′stā·rō) *a* foreign; **all′**— abroad, overseas
esterrefatto (ā·stär·rā·fât′tō) *a* frightened, horrified
esteso (ā·stā′zō) *a* extensive; far-reaching
esteta (ā·stā′tâ) *m* aesthete
estetica (ā·ste′tē·kā) *f* aesthetics
estetista (ā·stā·tē′stâ) *m* beautician
estimare (ā·stē·mâ′rā) *vt* to estimate
estimativo (ā·stē·mâ·tē′vō) *a* estimated; approximate
estimatore (ā·stē·mâ·tō′rā) *m* appraiser, estimator
estimazione (ā·stē·mâ·tsyō′nā) *f* estimation; appraisal
estimo (e′stē·mō) *m* survey; appraisal
estinguere * (ā·stēn·gwā·rā) *vt* to extinguish; — **il conto** to pay the bill
estinguersi * (ā·stēn′gwār·sē) *vr* to be extinguished, die out
estinto (ā·stēn′tō) *a* extinct; dead; **–re** (ā·stēn·tō′rā) *m* fire extinguisher
estinzione (ā·stēn·tsyō′nā) *f* extinction
estivo (ā·stē′vō) *a* summer; **scuola estiva** summer school
estollere * (ā·stōl′lā·rā) *vt* to extol, praise
estorcere * (ā·stôr′chā·rā) *vt* to extort
estorsione (ā·stōr·syō′nā) *f* extortion
estradare (ā·strā·dâ′rā) *vt* to extradite
estradizione (ā·strā·dē·tsyō′nā) *f* extradition
estraneo (ā·strâ′nā·ō) *m* stranger; alien; — *a* extraneous
estrarre * (ā·strâr′rā) *vt* to extract; to pull out, draw out
estratto (ā·strât′tō) *m* extract; — *a* drawn

out, extracted; **–re** (ā·strât·tō′rā) *m* extractor
estrazione (ā·strā·tsyō′nā) *f* extraction
estremista (ā·strā·mē′stâ) *m* extremist
estremità (ā·strā·mē·tâ′) *f* extremity; **da una — all′altra** from one end to the other
estremo (ā·strā′mō) *a&m* extreme
estro (ā′strō) *m* imagination, fancy; inspiration; **–so** (ā·strō′zō) *a* whimsical
estromettere * (ā·strō·met′tā·rā) *vt* to oust
estuario (ā·stwâ′ryō) *m* estuary, mouth
esuberante (ā·zū·bā·rân′tā) *a* exuberant; **–mente** (ā·zū·bā·rân·tā·mān′tā) *adv* exuberantly
esuberanza (ā·zū·bā·rân′tsâ) *f* exuberance; plenty
esulare (ā·zū·lâ′rā) *vi* to go into exile
esule (e′zū·lā) *m* refugee, exile
esultante (ā·zūl·tân′tā) *a* exultant, jubilant
esultanza (ā·zūl·tân′tsâ) *f* exultation
esultare (ā·zūl·tâ′rā) *vi* to exult
esumare (ā·zū·mâ′rā) *vt* to exhume
età (ā·tâ′) *f* age
etano (ā·tâ′nō) *m* ethane
etere (e′tā·rā) *m* ether
etereo (ā·te′rā·ō) *a* ethereal
eternamente (ā·tār·nâ·mān′tā) *adv* eternally
eternare (ā·tār·nâ′rā) *vt* to perpetuate
eternit (e′tār·nēt) *m* building material of asbestos and cement
eternità (ā·tār·nē·tâ′) *f* eternity
eterno (ā·tār′nō) *a* eternal; **in** — forever
eterodina (ā·tā·rō·dē′nâ) *f* heterodyne
eterodosso (ā·tā·rō·dōs′sō) *a* unorthodox
eterogeneo (ā·tā·rō·je′nâ·ō) *a* heterogeneous
etica (e′tē·kâ) *f* ethics
eticamente (ā·tē·kâ·mān′tā) *adv* ethically
etichetta (ā·tē·kāt′tâ) *f* label; etiquette; **senza** — unceremoniously
etico (e′tē·kō) *a* ethical; *(med)* consumptive
etile (ā·tē′lā) *m (chem)* ethyl; **–ne** (ā·tē·lā′nā) *m* ethylene
etimologia (ā·tē·mō·lō·jē′â) *f* etymology
etimologico (ā·tē·mō·lō′jē·kō) *a* etymological
Etiopia (ā·tyô′pyâ) *f* Ethiopia
etnico (et′nē·kō) *a* ethnic
etnologia (āt·nō·lō·jē′â) *f* ethnology
etnologo (āt·nō′lō·gō) *m* ethnologist
etrusco (ā·trū′skō) *a&m* Etruscan
ettagono (āt·tâ′gō·nō) *m* heptagon
ettaro (et′tâ·rō) *m* hectare
ettogrammo (āt·tō·grâm′mō) *m* hecto-

gram, 100 grams

ettolitro (ăt·tŏ'lē·trō) *m* hectoliter

ettowatt (ăt·tŏ'vât) *m* 100 watts

eucaristia (āū·kâ·rē·stē'â) *f* Eucharist

eucaristico (āū·kâ·rē'stē·kō) *a* Eucharistic

eufemismo (āū·fā·mē'zmō) *m* euphemism

eufonia (āū·fō·nē'â) *f* euphony

eugenetica (āū·jā·ne'tē·kâ) *f* eugenics

eunuco (āū·nŭ'kō) *m* eunuch

Europa (āū·rō'pâ) *f* Europe

europeo (āū·rō·pā'ō) *a&m* European

eutanasia (āū·tâ·nâ'zyâ) *f* euthanasia

evacuare (ā·vâ·kwâ'rā) *vt* to evacuate

evadere * (ā·vâ'dā·rā) *vt&i* to escape; to flee; to settle *(obligation)*; to fill *(an order)*

evanescente (ā·vâ·nä·shän'tä) *a* evanescent, ephemeral

evangelista (ā·vân·jä·lē'stä) *m* evangelist

evangelizzare (ā·vân·jä·lē·dzâ'rä) *vt&i* to evangelize

evaporare (ā·vâ·pō·râ'rä) *vt&i* to evaporate

evaporazione (ā·vâ·pō·râ·tsyō'nä) *f* evaporation

evasione (ā·vâ·zyō'nä) *f* evasion

evasivamente (ā·vâ·zē·vâ·män'tä) *adv* evasively

evaso (ā·vâ'zō) *m* fugitive

evenienza (ā·vā·nyän'tsâ) *f* occurrence; emergency; eventuality; **per ogni —** just in case

evento (ā·vän'tō) *m* event

eventuale (ā·vän·twâ'lä) *a* possible; eventual

eventualmente (ā·vän·twâl·män'tä) *adv* later on; possibly

eventualità (ā·vän·twâ·lē·tâ') *f* possibility; need, necessity

evidente (ā·vē·dän'tä) *a* evident, obvious

evidentemente (ā·vē·dän·tä·män'tä) *adv* clearly, obviously

evidenza (ā·vē·dän'tsâ) *f* evidence; **arrendersi all' — dei fatti** to be convinced of the truth of the evidence

evirare (ā·vē·râ'rä) *vt* to emasculate; to weaken

evirato (ā·vē·râ'tō) *a* emasculated

evitare (ā·vē·tâ'rä) *vt* to avoid; to get around, get out of

evitabile (ā·vē·tâ'bē·lä) *a* preventable, avoidable

evo (ā'vō) *m* age; **— medio** Middle Ages; **— moderno** present day, present

evocare (ā·vō·kâ'rä) *vt* to call upon, evoke; to bring to mind

evocazione (ā·vō·kâ·tsyō'nä) *f* evoking; remembrance

evolutista (ā·vō·lū·tē'stä) *m* evolutionist

evolutivo (ā·vō·lū·tē'vō) *a* evolutive, evolutionary

evolto (ā·vōl'tō) *a* evolved; civilized

evoluzione (ā·vō·lū·tsyō'nä) *f* evolution

evolvere (ā·vōl'vä·rä) *vt* to evolve, develop

evolversi (ā·vōl'vär·sē) *vr* to develop

ex (äks) *prefix* late, past, former

F

fa (fâ) *adv* ago; **tempo —** some time ago; **— m** *(mus)* F, fa; **— diesis** F sharp

fabbisogno (fâb·bē·zō'nyō) *m* needs, necessary items

fabbrica (fâb'brē·kâ) *f* factory; building; **marca di —** trademark

fabbricare (fâb·brē·kâ'rä) *vt* to manufacture, fabricate; to construct

fabbricato (fâb·brē·kâ'tō) *m* building; **—** *a* built, made manufactured

fabbricatore (fâb·brē·kâ·tō'rä) *m* manufacturer, builder

fabbricazione (fâb·brē·kâ·tsyō'nä) *f* manufacture

faccenda (fâ·chän'dâ) *f* business, affair; chore, task

faccendiere (fâ·chän·dyä'rä) *m* meddler

faccetta (fâ·chät'tâ) *f* facet

facchinata (fâb·kē·nâ'tâ) *f* toil, drudgery; foul language

facchino (fâk·kē'nō) *m* porter

faccia (fâ'châ) *f* face; front; **cambiar —** to change completely; **— tosta** effrontery; nerve *(sl)* **—le** (fâ·châ'lä) *a* facial; **–ta** (fâ·châ'tâ) *f* façade

face (fâ'châ) *f* flame, torch

faceto (fâ·châ'tō) *a* witty, humorous

facezia (fâ·che'tsyâ) *f* joke; note of humor

fachiro (fâ·kē'rō) *m* fakir

facile (fâ'chē·lä) *a* easy; inclined

facilità (fâ·chē·lē·tâ') *f* ease, facility

facilitare (fâ·chē·lē·tâ'rä) *vt* to facilitate, make easy

facilitazione (fâ·chē·lē·tâ·tsyō'nä) *f* *(com)* easy credit terms; making easy

facilmente (fâ·chēl·män'tä) *adv* easily; more than likely

facilone (fâ·chē·lō'nä) *m* easy-going person; person easy to get along with

facinoroso (fâ·chē·nō·rō'zō) *a* wicked;

â ârm, ā bāby, e bet, ē bē, ō gō, ô gône, ū blūe, b bad, ch child, d dad, f fat, g gay, j jet

lawless
facoltà (fâ·kōl·tâ′) *f* faculty; power; means
facoltativo (fâ·kōl·tâ·tē′vō) *a* optional
facoltoso (fâ·kōl·tō′zō) *a* well-to-do, with means
facondia (fâ·kôn′dyâ) *f* eloquence
facondo (fâ·kōn′dō) *a* talkative; eloquent
fagiano (fâ·jâ′nō) *m* pheasant
fagiolini (fâ·jō·lē′nē) *mpl* string beans
fagiuolo (fâ·jwō′lō) *m* bean; **andare a —** *(coll)* to be fine with, please
fagotto (fâ·gōt′tō) *m* bundle; *(mus)* bassoon
faina (fâ·ē′nâ) *f (zool)* marten
falange (fâ·lân′jā) *f* phalanx
falce (fâl′chā) *f* scythe; **–tto** (fâl·chāt′tō) *m* sickle
falciare (fâl·châ′rā) *vt* to mow
falciatore (fâl·châ·tō′rā) *m* harvester
falciatrice (fâl·châ·trē′chā) *f* mechanical harvester
falco (fâl′kō) *m* hawk; **–ne** (fâl·kō′nā) *m* falcon
falda (fâl′dâ) *f* brim *(hat)*; flap; bottom *(coat)*; **— di monte** foot of a mountain; **— di neve** snowflake
falegname (fâ·lā·nyâ′mā) *m* carpenter; **–ria** (fâ·lā·nyâ·mä·rē′â) *f* carpentry
falena (fâ·lā′nâ) *f* moth
falla (fâl′lâ) *f* leak; weaving fault
fallace (fâl·lâ′chā) *a* fallacious
fallacia (fâl·lâ′châ) *f* fallacy
fallibile (fâl·lē′bē·lā) *a* fallible
fallibilità (fâl·lē·bē·lē·tâ′) *f* fallibility
fallimentare (fâl·lē·mān·tâ′rā) *a* ruinous; causing bankruptcy; **procedura —** bankruptcy proceedings
fallimento (fâl·lē·mān′tō) *m* failure; *(com)* bankruptcy
fallire (fâl·lē′rā) *vi* to fail; *(com)* to go bankrupt
fallito (fâl·lē′tō) *a* failed; bankrupt
fallo (fâl′lō) *m* fault, error
falò (fâ·lō′) *m* bonfire
falsamente (fâl·sâ·mān′tā) *adv* falsely
falsare (fâl·sâ′rā) *vt* to forge; to distort, falsify
falsariga (fâl·sâ·rē′gâ) *f* example, sample
falsario (fâl·sâ′ryō) *m* counterfeiter
falsificare (fâl·sē·fē·kâ′rā) *vt* to falsify; to counterfeit
falsificatore (fâl·sē·fē·kâ·tō′rā) *m* forger
falsificazione (fâl·sē·fē·kâ·tsyō′nâ) *f* forgery; counterfeiting
falsità (fâl·sē·tâ′) *f* falsehood
falso (fâl′sō) *a* false; forged
fama (fâ′mâ) *f* fame

fame (fâ′mā) *f* hunger; **aver —** to be hungry; **–lico** (fâ′me·lē·kō) *a* starving; famished
famigerato (fâ·mē·jä·râ′tō) *a* notorious; of ill repute, with a bad reputation
famiglia (fâ·mē′lyâ) *f* family
familiare (fâ·mē·lyâ′rā) *a* familiar; colloquial; **—** *m* relative; servant
familiarità (fâ·mē·lyâ·rē·tâ′) *f* familiarity
familiarizzarsi (fâ·mē·lyâ·rē·dzâr′sē) *vr* to become familiar
famosamente (fâ·mō·zâ·mān′tā) *adv* famously
famoso (fâ·mō′zō) *a* famous; notorious
fanale (fâ·nâ′lē) *m* lamp; *(auto)* headlight
fanaticamente (fâ·nâ·tē·kâ·mān′tā) *adv* fanatically
fanatico (fâ·nâ′tē·kō) *a* fanatical; **—** *m* fanatic
fanatismo (fâ·nâ·tē′zmō) *m* bigotry
fanciulla (fân·chūl′lâ) *f* girl
fanciullaggine (fân·chūl·lâj′jē·nä) *f* puerility, childishness
fanciullescamente (fân·chūl·lä·skâ·mān′tä) *adv* childishly
fanciullezza (fân·chūl·lā′tsâ) *f* childhood
fanciullo (fân·chūl′lō) *m* boy
fandonia (fân·dô′nyâ) *f* humbug, tall tale
fanfara (fân·fâ′râ) *f* brass band
fanfaronata (fân·fâ·rō·nâ′tâ) *f* bravado, blustering manner
fanfarone (fân·fâ·rō′nä) *m* braggart
fanghiglia (fân·gē′lyâ) *f* slush, mire
fango (fân′gō) *m* mud; **–so** (fân·gō′zō) *a* muddy
fannullone (fân·nūl·lō′nä) *m* loafer, idler
fantascienza (fân·tâ·shyân′tsâ) *f* science fiction
fantasia (fân·tâ·zē′â) *f* fancy; fiction
fantasioso (fân·tâ·zyō′zō) *a* fanciful, whimsical
fantasma (fân·tâ′zmâ) *m* phantom
fantasticamente (fân·tâ·stē·kâ·mān′tä) *adv* fantastically
fantasticare (fân·tâ·stē·kâ′rā) *vi* to daydream; to engage in flights of fancy
fantasticheria (fân·tâ·stē·kā·rē′â) *f* reverie, daydreaming
fante (fân′tā) *m* infantryman; jack *(cards)*; **–ria** (fân·tâ·rē′â) *f* infantry
fantino (fân·tē′nō) *m* jockey
fantoccio (fân·tô′chō) *m* puppet; figurehead
fantomatico (fân·tō·mâ′tē·kō) *a* ghostly
farabutto (fâ·râ·būt′tō) *m* crook; *(coll)* rogue, cad
farad (fâ′râd) *m* farad

---

k kid, **l** let, **m** met, **n** not, **p** pat, **r** very, **s** sat, **sh** shop, **t** tell, **v** vat, **w** we, **y** yes, **z** zero

faraglione (fâ·râ·lyō′nä) *m* cliff
farcire (fâr·chē′rā) *vt* to stuff
farcito (fâr·chē′tō) *a* stuffed
fardello (fâr·dāl′lō) *m* bundle; burden;
far — to leave, make one's departure
fare * (fâ′rā) *vt* to make; to do; — **caldo**
to be warm; — **coraggio** to encourage;
— **fiasco** to fail; — **finta** to feign; —
freddo to be cold; — **fronte a** to face;
— **il maestro** to teach; — **le carte** to
deal the cards; — **male** to injure; —
onore to honor; — **paura** to scare; —
sapere to inform; — **silenzio** to be silent;
— **tardi** to be late; — **una domanda** to
question; — **una parte** to play a part; —
uno scherzo to play a trick; — **vedere** to
show; — **visita** to visit; **fa lo stesso** it
makes no difference
faretra (fâ·rā′trâ) *f* quiver
farfalla (fâr·fâl′lâ) *f* butterfly; (*mech*)
throttle
farina (fâ·rē′nä) *f* flour; –**ceo** *a* (fâ·rē·
nâ′chä·ō) farinaceous
farinoso (fâ·rē·nō′zō) *a* floury
faringe (fâ·rēn′jä) *f* pharynx
fariseo (fâ·rē·zä′ō) *a* hypocrite
farmaceutica (fâr·mâ·che′ū·tē·kâ) *f*
pharmaceutics
farmaceutico (fâr·mâ·che′ū·tē·kō) *a*
pharmaceutical
farmacia (fâr·mâ·chē′â)*f* drugstore
farmacista (fâr·mâ·chē′stâ) *m* druggist
farmaco (fâr′mâ·kō) *m* medicine
faro (fâ′rō) *m* headlight; lighthouse; — **di**
atterraggio (*avi*) landing light
farragine (fâr·râ′jē·nä) *f* hodgepodge,
potpourri
farsa (fâr′sâ) *f* farce
farsi * (fâr′sē) *vr* to become; to be done;
— **capire** to make oneself understood;
— **la barba** to shave; — **male** to hurt
oneself
fascia (fâ′shâ) *f* strip; bandage; –**re** (fâ·
shâ′rā) *vt* to bandage
fasciatura (fâ·shâ·tū′râ) *f* bandaging
fascicolo (fâ·shē′kō·lō) *m* pamphlet
fascino (fâ′shē·nō) *m* charm, glamour
fascio (fâ′shō) *m* bundle
fascismo (fâ·shē′zmō) *m* Fascism
fascista (fâ·shē′stâ) *m&a* Fascist
fase (fâ′zä) *f* phase; period; era
fastidio (fâ·stē′dyō) *m* trouble; –**samente**
(fâ·stē·dyō·zâ·mân′tä) *adv* with difficulty; –**so** (fâ·stē·dyō′zō) *a* annoying;
tiresome
fasto (fâ′stō) *m* display, pomp; –**samente**
(fâ·stō·zâ·mân′tä) *adv* pompously; –**so**
(fâ·stō′zō) *a* pompous

fata (fâ′tâ) *f* fairy
fatale (fâ·tâ′lä) *a* fatal; inevitable
fatalista (fâ·tâ·lē′stâ) *m* fatalist
fatalità (fâ·tâ·lē·tâ′) *f* destiny, fate
fatica (fâ·tē′kâ) *f* effort, toil; fatigue; –**re**
(fâ·tē·kâ′rā) *vi* to work hard
faticosamente (fâ·tē·kō·zâ·mân′tä) *adv*
laboriously, with great effort
faticoso (fâ·tē·kō′zō) *a* fatiguing
fato (fâ′tō) *m* fortune; destiny
fatta (fât′tâ) *f* sort; action; –**ccio** (fât·tâ′-
chō) *m* crime, evildoing
fattezze (fât·tā′tsä) *fpl* features (*face*);
outline
fattibile (fât·tē′bē·lä) *a* feasible
fatto (fât′tō) *m* fact; deed; — *a* done;
made; **badare al** — **suo** to mind one's
own business; **cogliere sul** — to catch
in the act; **giorno** — broad daylight; **in**
— **di** regarding, as concerns
fattore (fât·tō′rā) *m* factor; farmer; maker
fattoria (fât·tō·rē′â) *f* farm
fattorino (fât·tō·rē′nō) *m* messenger; bus
conductor; mailman
fattura (fât·tū′râ) *f* (*com*) invoice; –**re**
(fât·tū·râ′râ) *vt* to invoice
fatuamente (fâ·twâ·mân′tä) *adv* foolishly
fatuità (fâ·twē·tâ′) *f* foolishness
fatuo (fâ′twō) *a* silly, foolish
fausto (fâ′ū·stō) *a* lucky; happy
fautore (fâū·tō′rā) *m* patron, supporter
fava (fâ′vâ) *f* broad bean
favilla (fâ·vēl′lâ) *f* spark
favo (fâ′vō) *m* (*med*) carbuncle; honey-
comb
favola (fâ′vō·lâ) *f* fable
favolosamente (fâ·vō·lō·zâ·mân′tä) *adv*
fabulously; incredibly
favore (fâ·vō′rā) *m* favor; **fare un** — to
do a favor; **giorni di** — (*com*) days of
grace; –**ggiare** (fâ·vō·rāj·jâ′râ) *vt* to
support, favor; –**ggiamento** (fâ·vō·râj·
jâ·mân′tō) *m* support, backing; –**vole**
(fâ·vō·re′vō·lä) *a* favorable; **tempo**
–**vole** opportune time
favorire (fâ·vō·rē′râ) *vt* to aid; to oblige
favoritismo (fâ·vō·rē·tē′zmō) *m* partiality
favorito (fâ·vō·rē′tō) *a* favorite; favored
fazione (fâ·tsyō′nä) *f* faction; political
party
faziosamente (fâ·tsyō·zâ·mân′tä) *adv*
contentiously; in an argumentive way
fazioso (fâ·tsyō′zō) *a* dissentive; argumentive
fazzoletto (fâ·tsō·lāt′tō) *m* handkerchief
febbraio (fāb·brâ′yō) *m* February
febbre (fāb′brā) *f* fever; **aver** — to run
a fever; — **da cavallo** high fever

â ârm, **ā** bāby, **e** bet, **ē** bē, **ō** gō, **ô** gône, **ū** blūe, **b** bad, **ch** child, **d** dad, **f** fat, **g** gay, **j** jet

febbrile (fäb·brē'lä) *a* feverish; agitated
fecale (fä·kâ'lä) *a* fecal
feccia (fä'chä) *f* scum
fecola (fe'kō·lä) *f* starch
fecondare (fä·kōn'dâ·rä) *vt* to pollinate; to fertilize
fecondativo (fä·kōn·dâ·tē'vō) *a* creative
fecondo (fä·kōn'dō) *a* fertile
fede (fä'dä) *f* faith; wedding ring; certificate; — **di nascita** birth certificate; **degno di** — trustworthy; **far** — to bear witness; **prestar** — to give credence to; **romper** — to break one's word
fedele (fä·dä'lä) *a* faithful
fedelmente (fä·däl·män'tä) *adv* loyally; exactly
fedeltà (fä·däl·tâ') *f* faithfulness; exactness
federa (fe'dä·rä) *f* pillowcase
federale (fä·dä·rä'lä) *a* federal
federare (fä·dä·rä'rä) *vt* to federate
federazione (fä·dä·rä·tsyō'nä) *f* federation
fedina (fä·dē'nâ) *f* police record
fegataccio (fä·gä·tä'chō) *m* madcap, daredevil
fegato (fe'gâ·tō) *m* liver; (*sl*) courage; **aver** — to be brave; **–so** (fä·gä·tō'zō) (*med*) bilious; cross, testy
felce (fäl'chä) *f* fern
felice (fä·lē'chä) *a* happy; **–mente** (fä·lē·chä·män'tä) *adv* happily; safely
felicità (fä·lē·chē·tâ') *f* happiness
felicitare (fä·lē·chē·tâ'rä) *vt* to congratulate; to bless; to make happy
felicitazione (fä·lē·chē·tâ·tsyō'nä) *f* congratulation
felino (fä·lē'nō) *a* feline
fellone (fäl·lō'nä) *a* ruthless
fellonia (fäl·lō·nē'â) *f* felony; treason
felpato (fäl·pâ'tō) *a* soft, carpet-like
feltro (fäl'trō) *m* felt
femmina (fem'mē·nâ) *f* woman; female
femminile (fäm·mē·nē'lä) *a* feminine
femore (fe'mō·rä) *m* thighbone
fendere * (fen'dä·rä) *vt* to split, cleave
fenditura (fän·dē·tū'râ) *f* cleft, split, opening
fenico (fe'nē·kō) *a* carbolic
fenolo (fä·nō'lō) *m* phenol
fermentare (fär·män·tâ'rä) *vt* to ferment; to foment
fermentazione (fär·män·tâ·tsyō'nä) *f* fermentation; fomenting
fermento (fär·män'tō) *m* ferment; agitation, foment
feroce (fä·rō'chä) *a* ferocious; wild; **–mente** (fä·rō·chä·män'tä) *adv* savagely, fiercely

ferragosto (fär·râ·gō'stō) *m* Assumption Day
ferramenta (fär·râ·män'tâ) *fpl* hardware
ferravecchio (fär·râ·vek'kyō) *m* scrap iron dealer
ferreo (fer'rä·ō) *a* iron; strong
ferri (fär'rē) *mpl* tools; **cuocere ai** — to grill (*food*)
ferriera (fâr·ryä'râ) *f* steel mill, iron works
ferro (fär'rō) *m* iron; (*fig*) sword; — **da calze** knitting needle; — **da stiro** flatiron; **–via** (fär·rō·vē'â) *f* railroad; **-viario** (fär·rō·vyâ'ryō) *a* railroad; **–viere** (fär·rō·vyâ'rä) *m* railroad man
fertile (fer'tē·lä) *a* fertile
fertilità (fär·tē·lē·tâ') *f* fertility
fertilizzante (fär·tē·lē·dzân'tä) *m* fertilizer
fertilizzare (fär·tē·lē·dzâ'rä) *vt* to fertilize
fertilizzazione (fär·tē·lē·dzâ·tsyō'nä) *f* fertilization
fertilmente (fär·tēl·män'tä) *adv* fruitfully
fervente (fär·vän'tä) *a* fervent; **–mente** (fär·vän·tä·män'tä) *adv* fervently
fervore (fär·vō'rä) *m* zeal, fervor
fesso (fäs'sō) *a* cleft, cracked open
fessura (fäs·sū'râ) *f* crack, crevice
festa (fä'stâ) *f* feast; party; holiday; **far —** **a** to welcome; to fete
festeggiamento (fä·stäj·jâ·män'tō) *m* rejoicing
festeggiare (fä·stäj·jâ'rä) *vt* to celebrate; to rejoice over
festino (fä·stē'nō) *m* banquet
festività (fä·stē·vē·tâ') *f* festivity; celebration
festivo (fä·stē'vō) *a* festive; **giorno —** holiday
fetale (fä·tâ'lä) *a* fetal
feto (fä'tō) *m* fetus
fetente (fä·tän'tä) *a* stinking
fetido (fe'tē·dō) *a* malodorous
fetore (fä·tō'rä) *m* stench
fetta (fät'tâ) *f* slice; rasher
fettuccia (fät·tū'châ) *f* ribbon
fettuccine (fät·tū·chē'nä) *fpl* noodles
feudale (fäū·dâ'lä) *a* feudal
feudalismo (fäū·dâ·lē'zmō) *m* feudalism
fiaba (fyâ'bâ) *f* fable
fiacca (fyâk'kâ) *f* laziness; weakness; **batter —** (*coll*) to be sluggish; **–re** (fyâk·kâ'rä) *vt* to tire; to break down
fiacchere (fyâk'kä·rä) *m* carriage
fiacco (fyâk'kō) *a* weary; sluggish; lazy
fiaccola (fyâk'kō·lâ) *f* torch; **–ta** (fyâk·kō·lâ'tâ) *f* torchlight parade

---

k kid, **l** let, **m** met, **n** not, **p** pat, **r** very, **s** sat, **sh** shop, **t** tell, **v** vat, **w** we, **y** yes, **z** zero

fiacre (fyâ′krā) *m* hansom, carriage

fiala (fyâ′lâ) *f* vial

fiamma (fyâm′mâ) *f* flame; **–nte** (fyâm·mân′tä) *a* flaming; **–nte nuovo** brandnew

fiammifero (fyâm·mē′fâ·rō) *m* match (*light*)

fiammingo (fyâm·mēn′gō) *m&a* Flemish

fiancheggiare (fyân·kāj·jâ′rä) *vt* to border on; (*fig*) to help, support; (*mil*) to flank

fianco (fyân′kō) *m* hip; flank; side; **di —** sideways; on one side; **— destro!** right turn!; **— sinistro!** left turn!

fiaschetteria (fyâ·skät·tä·rē′â) *f* wine shop

fiasco (fyâ′skō) *m* flask; fiasco

fiatare (fyâ·tâ′rä) *vi* to breathe; (*fig*) to tell in secret

fiato (fyâ′tō) *m* breath

fibbia (fēb′byâ) *f* buckle

fibra (fē′brâ) *f* fiber; (*fig*) character, moral fiber

fibroso (fē·brō′zō) *a* fibrous

ficcanaso (fēk·kâ·nâ′zō) *m* busybody; intruder

fico (fē′kō) *m* fig; **non valere un —** to be absolutely worthless

fidanzamento (fē·dân·tsâ·mân′tō) *m* engagement

fidanzarsi (fē·dân·tsâr′sē) *vr* to get engaged

fidanzata (fē·dân·tsâ′tâ) *f* fiancée

fidanzato (fē·dân·tsâ′tō) *m* fiancé; **— a** engaged

fidare (fē·dâ′rä) *vt* to trust, have confidence in

fidarsi (fē·dâr′sē) *vr* to rely upon; to confide in; to dare

fidatamente (fē·dâ·tâ·mān′tä) *adv* trustingly

fidato (fē·dâ′tō) *a* faithful; devoted

fido (fē′dō) *m* faithful; devoted; **— m** (*com*) credit

fiducia (fē·dü′châ) *f* trust, confidence

fiduciario (fē·dü·châ′ryō) *m* trustee

fiduciosamente (fē·dü·chō·zâ·mān′tä) *adv* confidently, trustfully

fiducioso (fē·dü·chō′zō) *a* confident; hopeful

fiele (fyā′lä) *m* gall; (*fig*) grudge

fienile (fyä·nē′lä) *m* hayloft

fieno (fyā′nō) *m* hay; **febbre del —** hay fever

fiera (fyā′râ) *f* fair; **— di beneficenza** charity bazaar

fiera (fyā′râ) *f* wild animal

fieramente (fyä·râ·mān′tä) *adv* fiercely

fierezza (fyä·rā′tsâ) *f* fierceness; pride

fiero (fyā′rō) *a* proud; violent

fievole (fye′vō·lä) *a* feeble, weak

fievolmente (fyä·vōl·mān′tä) *adv* feebly, weakly

fifa (fē′fâ) *f* cowardice; fear

fifone (fē·fō′nä) *m* coward; softie (*coll*)

figgere * (fēj′jä·rä) *vt* to drive in, stick in

figlia (fē′lyâ) *f* daughter

figliastra (fē·lyâ′strä) *f* step-daughter

figliastro (fē·lyâ′strō) *m* step-son

figlio (fē′lyō) *m* son; **–ccia** (fē·lyô′châ) *f* goddaughter; foster daughter; **–ccio** (fē·lyô′chō) *m* godson; godchild; foster son

figliuola (fē·lywō′lâ) *f* daughter

figliuoli (fē·lywō′lē) *mpl* children

figliuolo (fē·lywō′lō) *m* son

figura (fē·gü′râ) *f* figure; picture; appearance; face card; **far la — di** to seem to be; **–bile** (fē·gü·râ′bē·lä) *a* imaginable

figurare (fē·gü·râ′rä) *vt* (*math*) to figure; **— vi** to appear; to look well

figurarsi (fē·gü·râr′sē) *vr* to imagine, suppose

figurina (fē·gü·rē′nâ) *f* figurine

figurinista (fē·gü·rē·nē′stä) *m* fashion designer

figurino (fē·gü·rē′nō) *m* fashion plate; pattern

figuro (fē·gü′rō) *m* rascal

fila (fē′lâ) *f* row; line; suite; **di —** one after the other

filaccia (fē·lâ′châ) *f* raveling

filamento (fē·lâ·mân′tō) *m* filament

filantropia (fē·lân·trō·pē′â) *f* philanthropy

filantropo (fē·lân′trō·pō) *m* philanthropist

filare (fē·lâ′rä) *vt&i* to spin; to run; to woo; **— diritto** to go straight ahead; to behave properly; **far — qualcuno** (*fig*) to make someone toe the mark

filarmonico (fē·lâr·mô′nē·kō) *a* philharmonic

filastrocca (fē·lâ·strōk′kâ) *f* hodgepodge, rigmarole

filatelista (fē·lâ·tä·lē′stä) *m&f* stamp collector, philatelist

filato (fē·lâ′tō) *a* spun; **— m** yarn

filatura (fē·lâ·tü′râ) *f* spinning

filetto (fē·lāt′tō) *m* thread (*screw*); fillet

fili (fē′lē) *mpl* electric wiring; **— ad alta tensione** high-tension wires

filiale (fē·lyâ′lä) *a* filial; **— f** (*com*) branch, regional office

filibustiere (fē·lē·bü·styä′rä) *m* filibuster, freebooter

film (fēlm) *m* movie film

filo (fe′lō) *m* thread; wire; clue; cutting

edge; — **d'erba** blade of grass; — **di voce** thin voice; **per** — **e per segno** exactly; in detail; **–bus** *m* trolley bus; **–ne** *m* vein; long loaf of bread; **–via** *f* trolley line

filodrammatico (fē·lō·dràm·mâ'tē·kō) *m (theat)* amateur performer

filologo (fē·lô'lō·gō) *m* philologist

filosofia (fē·lō·zō·fē'â) *f* philosophy

filosofico (fē·lō·zô'fē·kō) *a* philosophic

filosofo (fē·lô'zō·fō) *m* philosopher

filtrare (fēl·trâ'rā) *vt&i* to filter

filtro (fēl'trō) *m* filter

finale (fē·nâ'lā) *a* final; *m* — finale; finish

finalista (fē·nâ·lē'stâ) *m* finalist

finalità (fē·nâ·lē·tâ') *f* end; purpose

finalmente (fē·nâl·mān'tā) *adv* at last; in the long run

finanche (fē·nân'kā) *adv* even; too

finanza (fē·nân'tsâ) *f* finance; **guardia di** — revenue official

finanziamento (fē·nân·tsyâ·mān'tō) *m* financing, financial backing

finanziare (fē·nân·tsyâ'rā) *vt* to finance

finanziario (fē·nân·tsyâ'ryō) *a* financial

finanziatore (fē·nân·tsyâ·tō'rā) *m* backer; angel *(sl)*

finanziere (fē·nân·tsyâ'rā) *m* financier

finca (fēn'kâ) *f (print)* column

finchè (fēn·kâ') *conj* while; until

fine (fē'nā) *m* end, reason; — *f* close; limit; result; — *a* thin; refined; **–zza** (fē·nā'tsâ) *f* finesse; refinement

finestra (fē·nā'strâ) *f* window

fingere * (fēn'jä·rā) *vt* to pretend, feign; to counterfeit

fingersi * (fēn'jär·sē) *vr* to pretend to be; to act

finimento (fē·nē·mān'tō) *m* accomplishment; completion; ornament; harness *(horse)*

finire (fē·nē'rā) *vt* to finish, end; — **male** to come to grief, come to a bad end

finito (fē·nē'tō) *a* finished; perfect; accomplished; finite

Finlandia (fēn·lân'dyâ) *f* Finland

finlandese (fēn·lân·dā'zā) *a* Finnish

fino (fē'nō) *a* shrewd; thin, fine; **udito** — keen ear; — *prep* until; — **a** up to; — **là** up to that point; — **a che** until

finocchio (fē·nôk'kyō) *m* fennel

finora (fē·nō'râ) *adv* up to now, previously

finta (fēn'tâ) *f* pretense; **far** — **di** to feign, pretend

finto (fēn'tō) *a* false, artificial

finzione (fēn·tsyō'nā) *f* pretense; humbug

fioccare (fyōk·kâ'rā) *vi* to fall in flakes, snow

fiocco (fyōk'kō) *m* tassel; flake

fionda (fyōn'dâ) *f* sling

fiore (fyō'rā) *m* flower; club *(card)* — **di cream of**, best of

fiorentino (fyō·rān·tē'nō) *a&m* Florentine

fioretto (fyō·rāt'tō) *m* foil *(fencing)*

fiorancio (fyō·rân'chō) *m* marigold

fioraio (fyō·râ·yō) *m* florist

fiorire (fyō·rē'rā) *vi* to bloom, flower; *(fig)* to prosper, thrive

fiorista (fyō·rē'stâ) *m* florist, nurseryman

fiorito (fyō·rē'tō) *a* blooming, flowering

fiotto (fyōt'tō) *m* gush; stream; *(naut)* wave

Firenze (fē·rān'tsâ) *f* Florence

firma (fēr'mâ) *f* signature; **–re** (fēr·mâ'rā) *vt* to sign; **–tario** (fēr·mâ·tâ'ryō) *m* signer

firmamento (fēr·mâ·mān'tō) *m* firmament

fisarmonica (fē·zâr·mô'nē·kâ) *f* accordion

fisarmonicista (fē·zâr·mō·nē·chē'stâ) *m* accordion player

fischiare (fē·skyâ'rā) *vt&i* to whistle; to hiss

fischio (fē'skyō) *m* whistle; hiss

fiscale (fē·skâ'lā) *a* fiscal; **avvocato** — public prosecutor

fisco (fē'skō) *m* treasury

fisica (fē'zē·kâ) *f* physics

fisico (fē'zē·kō) *a* physical, bodily; — *m* physique; physicist

fisiologia (fē·zyō·lō·jē'â) *f* physiology

fisionomia (fē·zyō·nō·mē'â) *f* physiognomy

fisima (fē'zē·mâ) *f* whim

fissare (fēs·sâ'rā) *vt* to fasten, fix; to stare at; to decide, determine; — **un posto** to reserve a seat

fissarsi (fēs·sâr'sē) *vr* to establish oneself; to settle down

fissazione (fēs·sâ·tsyō'nā) *f* fixation; obsession

fissile (fēs'sē·lā) *a* fissionable

fissione (fēs·syō'nā) *f* fission

fisso (fēs'sō) *a* fixed; — *adv* steadily

fistola (fē'stō·lâ) *f (med)* fistula

fitta (fēt'tâ) *f* pang, sharp pain

fittabile (fēt·tâ'bē·lā) *m* lessee, tenant farmer

fittamente (fēt·tâ·mān'tā) *adv* thickly, densely; frequently

fittizio (fēt·tē'tsyō) *a* fictitious

fitto (fēt'tō) *m* rent, income; lease

fitto (fēt'tō) *a* dense, thick; **notte fitta** pitch dark; **a capo fitto** headlong

fiumana (fyū·mâ'nâ) *f* stream; **una** — **di**

gente (*fig*) a crowd of people

fiume (fyū′mā) *m* river; **un — di parole** (*fig*) a flood of words

fiutare (fyū·tâ′rā) *vt* to smell; to scent; (*fig*) to foresee

fiuto (fyū′tō) *m* scent; (*fig*) talent, flair; acute perception

flaccido (flâ′chē·dō) *a* spineless; flabby, soft

flacone (flâ·kō′nā) *m* flacon, vial

flagellare (flâ·jāl·lâ′rā) *vt* to whip, scourge

flagellazione (flâ·jāl·lâ·tsyō′nā) *f* whipping

flagello (flâ·jāl′lō) *m* scourge; utter ruin

flagrante (flâ·grân′tā) *a* evident; **in —** in the act

flagranza (flâ·grân′tsâ) *f* flagrancy; **colto in —** surprised red-handed

flanella (flâ·nāl′lâ) *f* flannel

flangia (flân′jâ) *f* flange

flautista (flâū·tē′stâ) *m* flutist

flauto (flâ′ū·tō) *m* flute

flebile (fle′bē·lā) *a* mournful, wailing

flebilmente (flā·bēl·mān′tā) *adv* mournfully, plaintively; weakly

flebite (flā·bē′tā) *f* (*med*) phlebitis

flemma (flām′mâ) *f* calmness; **–ticamente** (flām·mâ·tē·kâ·mān′tā) *adv* calmly, coolly

flemmone (flām·mō′nā) *m* (*med*) phlegm

flessibile (flās·sē′bē·lā) *a* flexible

flessibilità (flās·sē·bē·lē·tâ′) *f* flexibility

flessibilmente (flās·sē·bēl·mān′tā) *adv* flexibility

flessione (flās·syō′nā) *f* bend; (*gram*) inflection

flessuoso (flās·swō′zō) *a* sinuous; bending

flettere * (flet′tā·rā) *vt* to flex; to bend

flirtare (flēr·tâ′rā) *vi* to flirt

florido (flō′rē·dō) *a* florid

florilegio (flō·rē·le′jō) *m* anthology, collection

floscio (flō′shō) *a* limp, flabby

flotta (flōt′tâ) *f* (*naut*) fleet; **–nte** (flōt·tân′tā) *a* floating

flottiglia (flōt·tē′lyâ) *f* flotilla

fluente (flūān′tā) *a* flowing; fluent

fluidamente (flūē·dâ·mān′tā) *adv* fluently; smoothly

fluidezza (flūē·dā′tsâ) *f* fluency

fluido (flū′ē·dō) *m&a* fluid

fluorescente (flūō·rā·shān′tā) *a* flourescent

fluorescenza (flūō·rā·shān′tsâ) *f* fluorescence

fluoridrico (flūō·rē′drē·kō) *a* hydrofluoric

fluoro (flūō′rō) *m* fluorine

fluoruro (flūō·rū′rō) *m* fluorine

flusso (flūs′sō) *m* flux

flutto (flūt′tō) *m* (*naut*) wave

fluttuante (flūt·twân′tā) *a* floating; fluctuating

fluttuare (flūt·twâ′rā) *vi* to fluctuate; to swing

fluttuazione (flūt·twâ·tsyō′nā) *f* fluctuation

fobia (fō·bē′â) *f* phobia; aversion

foca (fō′kâ) *f* seal

focaccia (fō·kâ′châ) *f* cake; **rendere pan per —** (*fig*) to give blow for blow

foce (fō′chā) *f* river mouth

fochista (fō·kē′stâ) *m* fireman

focolare (fō·kō·lâ′rā) *m* fireplace; home

focoso (fō·kō′zō) *a* fiery, impetuous

fodera (fō′dā·râ) *f* lining; **–re** (fō·dā·râ′rā) *vt* to line

foga (fō′gâ) *f* élan, ardor

foggia (fōj′jâ) *f* shape; manner; **a — di** like; **alla — di** after the fashion of; **–re** (fōj·jâ′rā) *vt* to shape

foglia (fō′lyâ) *f* leaf; **mangiare la —** to take a hint; to catch on; **–me** (fō·lyâ′mā) *m* foliage

foglietto (fō·lyāt′tō) *m* small leaf of paper; **— volante** handbill

foglio (fō′lyō) *m* sheet; (*print*) folio, page number; **–lina** (fō·lyō·lē′nâ) *f* leaflet

fogna (fō′nyâ) *f* sewer; **–tura** (fō·nyâ·tū′râ) *f* drainage system, sewers

folata (fō·lâ′tâ) *f* gust, puff (*wind*); sudden flight of birds

folgorante (fōl·gō·rân′tā) *a* shining; flashing; burning

folgorare (fōl·gō·râ′rā) *vt&i* to flash; to strike (*lightning*); to burn

folgorato (fōl·gō·râ′tō) *a* struck by lightning; electrocuted

folgore (fōl′gō·rā) *f* thunderbolt

folla (fōl′lâ) *f* mob, crowd

folle (fōl′lā) *a* insane, mad; (*mech*) unfastened; **in —** (*mech*) in neutral; **–mente** (fōl·lā·mān′tā) *adv* madly, foolishly

follia (fōl·lē′â) *f* folly; insanity

folto (fōl′tō) *a* thick, dense

fomentare (fō·mān·tâ′rā) *vt* to foment; to incite

fomentatore (fō·mān·tâ·tō′rā) *m* agitator, inciter

fomento (fō·mān′tō) *m* agitation, forment

fonda (fōn′dâ) *f* holster; **alla —** at anchor; **–ccio** (fōn·dâ′chō) *m* remnant; sediment; **–co** (fōn′dâ·kō) *m* warehouse; **–le** (fōn·dâ′lā) *m* (*theat*) backdrop; seabed; **–mentale** (fōn·dâ·mān·tâ′lā) *a* fundamental; **–mentalmente** (fōn·dâ·mān·

tâl·män'tä) *adv* fundamentally; **–mento** (fōn·dâ·män'tō) *m* principle, basis; **–re** (fōn·dâ'rā) *vt* to found; to base; **–tezza** (fōn·dâ·tä'tsâ) *f* base, basis; **–tore** (fōn·dâ·tō'rā) *m* founder; **–zione** (fōn·dâ·tsyō'nā) *f* foundation

fondente (fōn·dän'tä) *a* melting; fusing; — *m* fondant

fondere * (fôn'dā·rä) *vt&i* to melt; to fuse

fonderia (fōn·dâ·rē'â) *f* foundry

fondersi (fôn'dār·sē) *vr* to melt; to dissolve

fondina (fōn·dē'nâ) *f* holster; *(coll)* soup plate

fonditore (fōn·dē·tō'rā) *m* smelter

fonditura (fōn·dē·tū'râ) *f* smelting

fondo (fōn'dō) *m* fund; bottom; property, land; — **di magazzino** stock on hand; **—dei pantaloni** seat of the pants; **articolo di** — *(press)* editorial; feature article; **dar** — *(naut)* to anchor; **gara di** — endurance test; **in** — **alla strada** at the end of the street; — *a* deep

fonetica (fō·ne'tē·kâ) *f* phonetics

fonetico (fō·ne'tē·kō) *a* phonetic

fonico (fô'nē·kō) *a* phonic

fonogeno (fō·nô'jā·nō) *m (rad)* pickup

fonografico (fō·nō·grâ'fē·kō) *a* phonographic; **disco** — phonograph record

fonografo (fō·nô'grâ·fō) *m* phonograph

fontana (fōn·tâ'nâ) *f* fountain

fonte (fōn'tä) *f* spring *(water)*; font; origin

foraggio (fō·râj'jō) *m* fodder

forare (fō·râ'rä) *vt* to pierce; to drill *(hole)*; to punch *(ticket)*

foratrice (fō·râ·trē'chä) *f (mech)* drill

foratura (fō·râ·tū'râ) *f* puncture; flat tire

forbici (fôr'bē·chē) *fpl* scissors

forbire (fōr·bē'rä) *vt* to furbish, polish

forbito (fōr·bē'tō) *a* elegant; polished

forca (fōr'kâ) *f* gallows; pitchfork; **far la** — **a** to be untrue to; to treat someone shabbily; to do someone dirt *(sl)*; **–iuolo** (fōr·kâ·ywō'lō) *m (pol)* reactionary

forcella (fōr·chäl'lâ) *f* hairpin; tree fork; bicycle fork

forchetta (fōr·kät'tâ) *f* fork *(table)*

forchettone (fōr·kät·tō'nä) *m* carving fork

forcina (fōr·chē'nâ) *f* hairpin

forcipe (fôr'chē·pä) *m* forceps

forense (fō·rän'sä) *a* forensic

foresta (fō·rä'stâ) *f* forest; **una** — **di capelli** *(fig)* a mop of hair

forestale (fō·rä·stâ'lä) *a* forest; **guardia** — forest ranger

forestiero (fō·rä·styä'rō) *m* foreigner; stranger; — *a* foreign

forfora (fôr'fō·râ) *f* dandruff

forgia (fôr'jâ) *f* forge; **–re** (fōr·jâ'rā) *vt* to forge, shape

forma (fōr'mâ) *f* form; way; **–le** (fōr·mâ'-lä) *a* formal; usual; **–lità** (fōr·mâ·lē·tâ') *f* formality; **–lizzare** (fōr·mâ·lē·dzâ'rä) *vt* to shock, astonish; **–lizzarsi** (fōr·mâ·lē·dzâr'sē) *vr* to be astonished, be shocked; to be offended; **–lmente** (fōr·mâl·män'tä) *adv* with formality; **–re** (fōr·mâ'rä) *vt* to form; **–rsi** (fōr·mâr'-sē) *vr* to mature, develop; **–tivo** (fōr·mâ·tē'vō) *a* formative; **–to** (fōr·mâ'tō) *m* format; size; **–to** *a* formed; shaped; molded; **–tore** (fōr·mâ·tō'rä) *m*, **–trice** (fōr·mâ·trē'châ) *f* modeler; creator; educator; **–zione** (fōr·mâ·tsyō'nä) *f* formation; forming

formaggio (fōr·mâj'jō) *m* cheese

formaldeide (fōr·mâl·de'ē·dä) *f* formaldehyde

formica (fōr·mē'kâ) *f* ant; **–io** (fōr·mē·kâ'yō) *m* ant hill; *(fig)* swarm

formico (fôr'mē·kō) *a (chem)* formic; **acido** — formic acid; **–lante** (fōr·mē·kō·lân'tä) *a* swarming; **–lare** (fōr·mē·kō·lâ'râ) *vi* to swarm; **–lio** (fōr·mē·kō·lē'ō) *n* tingling sensation, prickling

formidabile (fōr·mē·dâ'bē·lä) *a* formidable

formidabilmente (fōr·mē·dâ·bēl·män'tä) *adv* dreadfully; formidably

formoso (fōr·mō'zō) *a* shapely; buxom

formula (fôr'mū·lâ) *f* formula; **–re** (fōr·mū·lâ'rä) *vt* to formulate; to express, couch

fornace (fōr·nâ'chä) *f* furnace; oast

fornaio (fōr·nâ'yō) *m* baker

fornello (fōr·näl'lō) *m* kitchen range, stove

fornire (fōr·nē'rä) *vt* to supply

fornitore (fōr·nē·tō'rä) *m* caterer; supplier

fornitura (fōr·nē·tū'râ) *f* supplies; equipment

forno (fōr'nō) *m* bakery; oven; *(theat)* empty house; **al** — baked; **alto** — blast furnace; — **crematorio** crematory

foro (fō'rō) *m* hole; forum; *(law)* bar

forse (fōr'sä) *adv* perhaps; — *m* doubt

forsennato (fōr·sän·nâ'tō) *a* crazy; — *m* madman

forte (fōr'tä) *a* strong; loud; — *adv* strongly; loudly; — **guadagno** large profit; — **pioggia** heavy rain; **dar man** — to uphold; **–zza** (fōr·tä'tsâ) *f* fortress

fortificare (fōr·tē·fē·kâ'rä) *vt* to fortify

fortificarsi (fŏr·tē·fē·kâr′sē) *vr* to be fortified; to become strengthened

fortuitamente (fŏr·twē·tä·män′tä) *adv* by chance

fortuito (fŏr·tū′ē·tō) *a* casual; accidental; **caso** — coincidence

fortuna (fŏr·tū′nä) *f* luck; fortune; success; **atterraggio di** — (avi) forced landing; **-le** (fŏr·tū·nä′lä) *m* storm; tempest; **-tamente** (fŏr·tū·nä·tä·män′tä) *adv* fortunately; luckily; **-to** (fŏr·tū·nä′tō) *a* lucky; fortunate; successful; happy

fortunosamente (fŏr·tū·nō·zâ·män′tä) *adv* tempestuously

fortunoso (fŏr·tū·nō′zō) *a* stormy; risky, dangerous

foruncolo (fō·rūn′kō·lō) *m (med)* boil

forviare (fŏr·vyâ′rä) *vt* to lead astray

forza (fŏr′tsä) *f* force, power; strength; — **motrice** driving power; **a viva** — with might and main; **a** — **di** by dint of; **farsi** — to gather courage; **-re** (fŏr·tsâ′rä) *vt* to compel, force; **-re una serratura** to pick a lock; **-re un blocco** to run a blockade; **-tamente** (fŏr·tsä·tä·män′tä) *adv* necessarily; **-to** (fŏr·tsä′tō) *a* forced; **-to** *m* convict; **lavoro -to** forced labor

forziere (fŏr·tsyä′rä) *m* strongbox

forzosamente (fŏr·tsō·zâ·män′tä) *adv* forcibly

forzoso (fŏr·tsō′zō) *a* forced

foscamente (fō·skä·män′tä) *adv* darkly; gloomily; obscurely

foschia (fō·skē′â) *f* mist; fog

fosco (fō′skō) *a* dark; gloomy, dull

fosfato (fō·sfä′tō) *m* phosphate

fosforescente (fō·sfō·rä·shän′tä) *a* phosphorescent

fosforo (fō′sfō·rō) *m* phosphorus

fossa (fōs′sä) *f* ditch; grave; moat; **-to** (fōs·sä′tō) *m* ditch

fossetta (fōs·sät′tä) *f* dimple

fossile (fōs′sē·lä) *m&a* fossil

fossilizzare (fōs·sē·lē·dzä′rä) *vt* to fossilize

fotocalcografia (fō·tō·kâl·kō·grä·fē′â) *f* photogravure

fotocellula (fō·tō·chel′lū·lä) *f* photoelectric cell

fotochimica (fō·tō·kē′mē·kâ) *f* photochemistry

fotocollografia (fō·tō·kōl·lō·grä·fē′â) *f* colortype

fotoelettrico (fō·tō·ā·let′trē·kō) *a* photoelectric

fotogenico (fō·tō·je′nē·kō) *a* photogenic

fotografare (fō·tō·grä·fâ′rä) *vt* to photograph

fotografia (fō·tō·grä·fē′â) *f* photograph; — **istantanea** *f* snapshot

fotografico (fō·tō·grä′fē·kō) *a* photographic

fotografo (fō·tô′grä·fō) *m* photographer

fotoincisione (fō·tō·ēn·chē·zyō′nä) *f* photoengraving

fotometro (fō·tô′mä·trō) *m* light meter

fotone (fō·tō′nä) *m* photon

fotoritocco (fō·tō·rē·tōk′kō) *m* (*photo*) retouching

fotosfera (fō·tō·sfä′râ) *f* photosphere

fototerapia (fō·tō·tä·râ·pē′â) *f* phototherapy

fra (frâ) *prep* among; between; within, in *(time)*; — **di noi** between us; — **me e me** to myself; — **poco** soon

frac (fräk) *m* frock coat; *(sl)* tails

fracassare (frâ·kâs·sâ′rä) *vt* to smash, break up

fracassarsi (frâ·kâs·sâr′sē) *vr* to smash, shatter; to crash

fracasso (frâ·kâs′sō) *m* racket, uproar

fradicio (frâ′dē·chō) *a* rotten; soaked; **ubriaco** — dead drunk

fradiciume (frâ·dē·chū′mä) *m* rottenness

fragile (frâ′jē·lä) *a* frail, fragile; brittle

fragilità (frâ·jē·lē·tâ′) *f* brittleness; weakness

fragola (frâ′gō·lä) *f* strawberry

fragore (frâ·gō′rä) *m* loud noise; rumble; clang

fragorosamente (frâ·gō·rō·zâ·män′tä) *adv* noisily, loudly

fragoroso (frâ·gō·rō′zō) *a* noisy, loud

fragrante (frâ·grân′tä) *a* fragrant

fragranza (frâ·grân′tsä) *f* fragrance

fraintendere * (frâēn·ten′dä·rä) *vt* to misunderstand; to understand in part

frainteso (frâēn·tä′zō) *a* misunderstood

frammentario (frâm·män·tâ′ryō) *a* fragmentary; — *m* fragment

frana (frâ′nä) *f* landslide

francamente (frân·kâ·män′tä) *adv* frankly, openly

francatura (frân·kâ·tū′râ) *f* postage

francese (frân·chä′zä) *a* French; — *m* Frenchman

franchezza (frân·kā′tsä) *f* frankness

franchigia (frân·kē′jä) *f* franchise; — **postale** free postage

franco (frân′kō) *a* frank, candid; — **a bordo** *(com)* F.O.B. free on board; — **di porto** *(com)* postpaid; **essere** — **con** to be frank with; **farla franca** to go scot-free; **-bollo** (frân·kō·bōl′lō) *m*

fran   127   fres

postage stamp; **–tiratore** (frân·kō·tē·râ·tō'rā) *m* sniper; guerilla

frangente (frân·jăn'tā) *m* bad situation, tight spot; *(naut)* breaker; reef

frangere * (frân'jā·rā) *vt* to crush; to dash to pieces

frangia (frân'jà) *f* fringe

frantumare (frân·tū·mâ'rā) *vt* to shatter; to sliver

frantumi (frân·tū'mē) *mpl* splinters; small pieces; slivers; **andare in** — to break into small pieces

frapporre * (frâp·pōr'rā) *vt* to interpose

frapporsi * (frâp·pōr'sē) *vr* to interfere; to step between

frapposizione (frâ·pō·zē·tsyō'nā) *f* interference

frasca (frâ'skà) *f (bot)* branch; frivolous person; frivolity; **saltar di palo in** — *(coll)* to ramble, speak disjointedly

frase (frâ'zā) *f* sentence; phrase; **–ggiare** (frâ·zāj·jâ'rā) *vt&i* to phrase; **–ologia** (frâ·zā·ō·lō·jē'â) *f* phraseology

frassino (frâs'sē·nō) *m* ash *(tree)*

frastagliamento (frâ·stâ·lyā·mān'tō) *m* indentation; notching

frastagliare (frâ·stâ·lyâ'rā) *vt* to notch; to indent

frastagliato (frâ·stâ·lyâ'tō) *a* jagged; indented

frastornare (frâ·stōr·nâ'rā) *vt* to disturb, upset

frastuono (frâ·stwō'nō) *m* uproar; din

frate (frâ'tā) *m* friar; **–llanza** (frâ·tāl·lân'tsâ) *f* brotherhood; **–ellastro** (frâ·tāl·lâ'strō) *m* half-brother; **–llo** (frâ·tāl'lō) *m* brother; **–rnamente** (frâ·târ·nâ·mān'tā) *adv* fraternally; **–rnità** (frâ·târ·nē·tâ') *f* fraternity, brotherhood; **–rnizzare** (frâ·târ·nē·dzâ'rā) *vi* to fraternize; **–rno** (frâ·târ'nō) *a* fraternal

fratricida (frâ·trē·chē'dâ) *m* fratricide *(person)*

fratta (frât'tâ) *f* hedge, bush

frattaglie (frât·tâ'lyā) *fpl* giblets

frattanto (frât·tân'tō) *adv* meanwhile

frattempo (frât·tām'pō) *m* meantime; interval

frattura (frât·tū'râ) *f* fracture; **–re** (frât·tū·râ'rā) *vt* to break, fracture

fraudolentemente (frâū·dō·lān·tā·mān'tā) *adv* deceitfully; fraudulently

fraudolento (frâū·dō·lān'tō) *a* deceitful; fraudulent

frazionamento (frâ·tsyō·nâ·mān'tō) *m* division; separation

frazionare (frâ·tsyō·nâ'rā) *vt* to divide, separate; *(chem)* to fractionate

frazionario (frâ·tsyō·nâ'ryō) *a* fragmentary

frazione (frâ·tsyō'nā) *f* fraction; *(fig)* whistle-stop, one-horse town

freccia (fre'châ) *f* arrow; indicating needle; **–ta** (frā·châ'tâ) *(fig)* bitter word; gibe, taunt

freddamente (frād·dâ·mān'tā) *adv* coolly, coldly

freddezza (frād·dā'tsâ) *f* coolness; coldness

freddo (frād'dō) *a&m* cold; **aver** — *(person)* to be cold; **far** — *(weather)* to be cold; **sentir** — to feel cold; **–loso** (frād·dō·lō'zō) *a* cold-blooded, susceptible to the cold

freddura (frād·dū'râ) *f* pun; witticism

fregare (frā·gâ'rā) *vt* to rub; *(coll)* to swindle

fregarsene (frā·gâr'sā·nā) *vr (coll)* not to give a hang

fregatura (frā·gâ·tū'râ) *f* rubbing; *(coll)* swindle, deceit

fregiare (frā·jâ'rā) *vt* to decorate

fregiarsi (frā·jâr'sē) *vr* to deck oneself out

fregio (fre'jō) *m* adornment

frego (frā'gō) *m* cancellation; striking out

fremente (frā·mān'tā) *a* quivering; shuddering

fremere (fre'mā·rā) *vi* to fume, fret; to tremble

fremito (fre'mē·tō) *m* thrill; quiver

frenare (frā·nâ'rā) *vt* to check, restrain; *(mech)* to brake

frenarsi (frā·nâr'sē) *vr* to restrain oneself; to keep one's temper

frenatore (frā·nâ·tō'rā) *m* brakeman

frenesia (frā·nā·zē'â) *f* frenzy, flurry

freneticamente (frā·nā·tē·kâ·mān'tā) *adv* frantically

frenetico (frā·ne'tē·kō) *a* frantic; **applauso** — loud cheers

freno (frā'nō) *m* brake; restraint; **senza** — unrestrained

frenologia (frā·nō·lō·jē'â) *f* phrenology

frequentare (frā·kwăn·tâ'rā) *vt* to frequent; to attend

frequente (frā·kwăn'tā) *a* frequent; **–mente** *adv* frequently

frequenza (frā·kwăn'tsâ) *f* frequency; attendance; **modulazione di** — frequency modulation

fresa (frā'zâ) *f (mech)* cutter; milling machine

frescamente (frā·skâ·mān'tā) *adv* freshly; coolly; recently

freschezza (frā·skā'tsâ) *f* freshness; coolness *(weather)*

k kid, **l** let, **m** met, **n** not, **p** pat, **r** very, **s** sat, **sh** shop, **t** tell, **v** vat, **w** we, **y** yes, **z** zero

fresco (frä'skō) *a* fresh, new; — *m* cool weather; **al** — outdoors
fretta (frāt'tâ) *f* hurry, haste; **in** — **e furia** hurriedly
frettolosamente (frāt·tō·lō·zâ·män'tā) *adv* swiftly
friabile (fryâ'bē·lä) *a* brittle; friable
friabilità (fryâ·bē·lē·tâ') *f* brittleness; friability
friggere * (frēj'jä·rä) *vt* to fry
frigorifero (frē·gō·rē'fä·rō) *m* refrigerator
frittata (frēt·tâ'tâ) *f* omelet; **fare una —** *(fig)* to mess things up, botch a job
frittella (frēt·tāl'lâ) *f* fritter
fritto (frēt'tō) *a* fried; **essere — *(fig)* to be done for; to be worn out; — **e rifritto** *(fig)* trite
frivolamente (frē·vō·lâ·män'tā) *adv* frivolously
frivoleggiare (frē·vō·lāj·jâ'rä) *vi* to trifle; to fritter away one's time
frivolezza (frē·vō·lā'tsâ) *f* frivolity
frivolo (frē'vō·lō) *a* frivolous
frizione (frē·tsyō'nä) *f* massage; *(auto)* clutch; friction
frizzante (frē·tsân'tä) *a* racy; piquant
frizzo (frē'tsō) *m* witticism; witty remark
frodare (frō·dâ'rä) *vt* to defraud; to hoax
frodatore (frō·dâ·tō'rä) *m* defrauder
frodo (frō'dō) *m* smuggling; **cacciatore di —** poacher
frollare (frōl·lâ'rä) *vt&i* to tenderize *(meat)*; to make soft, fluff up
frollo (frōl'lō) *a* fluffy, soft
frondoso (frōn·dō'zō) *a* leafy
frontale (frōn·tâ'lä) *a* frontal
fronte (frōn'tä) *f* forehead; **–ggiare** (frōn·tāj·jâ'rä) *vt* to confront; **–spizio** (frōn·tä·spē'tsyō) *m* title page; — **a —** face to face; **far — al pericolo** to face danger; **far — alle spese** to meet expenses; **mettere di — a** to confront with; **di — a** in front of, facing
frontiera (frōn·tyä'râ) *f* border, frontier
fronzolo (frōn'dzō·lō) *m* ribbon; *(fig)* trifle
frotta (frōt'tâ) *f* crowd, flock
frottola (frôt'tō·lâ) *f* fib; nonsense
frugare (frū·gâ'rä) *vt* to search through carefully, comb through
fruire (frūē'rä) *vt* to enjoy the use of
frullare (frūl·lâ'rä) *vt* to beat up, whisk; — *vi* to flutter; **— per il capo** *(fig)* to get into one's head
frumento (frū·män'tō) *m* wheat; **–ne** (frū·män·tō'nä) *m* maize
frusciare (frū·shâ'rä) *vi* to rustle
fruscio (frū·shē'ō) *m* rustle

frusta (frū'stâ) *f* whip
frustare (frū·stâ'rä) *vt* to scourge
frustata (frū·stâ'tâ) *f* lash; whipping
frustino (frū·stē'nō) *m* horsewhip
frutta (frūt'tâ) *f* fruit
fucina (fū·chē'nâ) *f* forge
fuco (fū'kō) *m* *(zool)* drone
fuga (fū'gâ) *f* fleeing, flight; *(mus)* fugue; **–ce** (fū·gä'chä) *a* transient, fleeting; **–cemente** (fū·gä·chä·män'tä) *adv* fleetingly; **–re** (fū·gâ'rä) *vt* to frighten away, put to flight
fuggiasco (fūj·jâ'skō) *m* fugitive
fuggibile (fūj·jē'bē·lä) *a* avoidable
fuggifuggi (fūj·jē·fūj'jē) *m* *(coll)* panic, stampede
fuggire (fūj·jē'rä) *vi* to flee, escape; — *vt* to avoid; to shrink from
fuggitivo (fūj·jē·tē'vō) *m&a* fugitive
fulcro (fūl'krō) *m* fulcrum
fulgido (fūl'jē·dō) *a* bright, shining
fuliggine (fū·lēj'jē·nä) *f* soot
fulminare (fūl·mē·nâ'rä) *vt* to strike down
fulmine (fūl'mē·nä) *m* lightning; thunderbolt; **–ità** (fūl·mē·nāē·tâ') *f* extreme rapidity; **–o** (fūl·mē'nä·ō) *a* extremely fast
fulvo (fūl'vō) *a* tawny, tan
fumaiolo (fū·mâ·yō'lō) *m* funnel; smokestack
fumare (fū·mâ'rä) *vt&i* to smoke; **vietato —** no smoking
fumata (fū·mâ'tâ) *f* smoke
fumetto (fū·mät'tō) *m* comic strip
fumigare (fū·mē·gâ'rä) *vi* to fumigate
fumigazione (fū·mē·gâ·tsyō'nä) *f* fumigation
fumista (fū·mē'stâ) *m* heating technician
fumo (fū'mō) *m* smoke; *(fig)* humbug; **mandare in —** *(fig)* to reduce to nothing; **vendere —** *(fig)* to humbug; **–so** (fū·mō'zō) *a* smoky
fumogeno (fū·mô'jä·nō) *a* producing smoke; **cortina fumogena** smokescreen
fune (fū'nä) *f* cable; rope
funebre (fū'nä·brä) *a* funerial, mournful
funebri (fū'nä·brē) *fpl* funeral; **impresario di pompe —** funeral director, undertaker
funestare (fū·nä·stâ'rä) *vt* to ruin, wreck; to cast a pall over, sadden
fungo (fūn'gō) *m* fungus; mushroom
funicolare (fū·nē·kō·lâ'rä) *f* cable railway
funzionale (fūn·tsyō·nâ'lä) *a* functional
funzionare (fūn·tsyō·nâ'rä) *vi* to function
funzionario (fūn·tsyō·nâ'ryō) *m* official
funzione (fūn·tsyō'nä) *f* function
fuoco (fwō'kō) *m* fire; **fuochi d'artificio**

fireworks; **a —** *(phot)* in focus
fuorchè (fwŏr·kā') *prep* except, with the exception of; **—** *conj* unless
fuori (fwŏ'rē) *prep* outside of; **—** *adv* outside, out; **— casa** not at home; **— di sè** beside oneself; **— di tempo** badly timed; **— d'uso** obsolete; **— giuoco** *(sport)* offside; **— servizio** off duty; **— strada** astray; mistaken; **lasciar —** to omit; **tutti fuori tu** all except you; **— legge** outlaw; **— serie** *a* custom-built
fuoruscito (fwŏ·rū·shē'tō) *m* exile
fuorviare (fwŏr·vyâ'rā) *vt* to mislead, lose
fuorviarsi (fwŏr·vyâr'sē) *vr* to become lost
furberia (fūr·bā·rē'â) *f* cunning, artfulness; craftiness
furbesco (fūr·bā'skō) *a* artful, crafty
furbo (fūr'bō) *a* crafty, sly; clever
furente (fū·rān'tā) *a* furious; **— d'ira** infuriated
furetto (fū·rāt'tō) *m* (zool) ferret
furfante (fūr·fân'tā) *m* rogue; villain
furgone (fūr·gō'nā) *m* van; wagon
furia (fū'ryâ) *f* rage, fury; **aver —** to be in a great hurry; **a — di** by force of
furiosamente (fū·ryŏ·zâ·mān'tā) *adv* furiously; violently
furioso (fū·ryŏ'zō) *a* furious
furore (fū·rō'râ) *m* fury, wrath; *(fig)* enthusiasm; **–ggiare** (fū·rō·rāj·jâ'rā) *vi* to be highly successful; to be the rage
furtivamente (fūr·tē·vâ·mān'tā) *adv* furtively, on the sly
furtivo (fūr·tē'vō) *a* furtive, sly
furto (fūr'tō) *m* theft; **— con scasso** burglary
fusibile (fū·zē'bē·lā) *m* fuse
fusione (fū·zyo'nā) *f* fusion; *(com)* merger
fuso (fū'zō) *m* spindle; **–liera** (fū·zō·lyā'râ) *f (avi)* fuselage; **— orario** time zone; **diritto come un —** straight as a ramrod; **fare le fusa** to purr
fuso (fū'zō) *a* fused; melted
fustigare (fū·stē·gâ'rā) *vt* to flog
fustigazione (fū·stē·gâ·tsyō'nā) *f* flogging
fusto (fū'stō) *m (bot, anat)* trunk; mannequin; cask
futile (fū'tē·lā) *a* futile, useless; frivolous
futilità (fū·tē·lē·tâ') *f* futility, uselessness
futurista (fū·tū·rē'stâ) *m* futurist
futuro (fū·tū'rō) *a&m* future

G

gabbanella (gâb·bâ·nāl'lâ) *f* smock
gabbare (gâb·bâ'rā) *vt* to mock; to trick
gabbarsi (gâb·bâr'sē) *vr* to make sport of
gabella (gâ·bāl'lâ) *f* duty, excise tax; **–re** (gâ·bāl·lâ'rā) *vt* to charge; to tax; to pretend to be, pass oneself off as
gabbia (gâb'byâ) *f* cage; crate; **mettere in —** *(fig)* to put into prison
gabbiano (gâb·byâ'nō) *m* seagull
gabinetto (gâ·bē·nāt'tō) *m (pol)* cabinet; office; washroom; **— di decenza** toilet; **— di lettura** reading room
gaffa (gâf'fâ) *f (coll)* blunder
gagà (gâ·gâ') *m (sl)* dandy, dude
gaggia (gâj·jē'â) *f* acacia
gagliardetto (gâ·lyâr·dāt'tō) *m* pennant
gagliardo (gâ·lyâr'dō) *a* vigorous; stouthearted
gaglioffo (gâ·lyōf'fō) *m* loafer, lout
gaiamente (gâ·yâ·mān'tā) *adv* gaily, brightly
gaiezza (gâ·yā'tsâ) *f* gaiety; vividness
gaio (gâ'yō) *a* merry, gay; bright
gala (gâ'lâ) *f* festivity; **pranzo di —** formal dinner
galante (gâ·lân'tā) *a* polite; courteous; **— m** gallant; **donna —** call girl;
avventura — love affair; **–ria** (gâ·lân·tā·rē'â) *f* politeness; courtesy
galantuomo (gâ·lân·twō'mō) *m* honest man; gentleman
galateo (gâ·lâ·tâ'ō) *m* etiquette
galeotto (gâ·lā·ōt'tō) *m* convict; rascal; galley slave
galera (gâ·lā'râ) *f* jail; *(naut)* galley; **vita da —** wretched life
galla (gâl'lâ) *f* blister; **a —** afloat
galleggiante (gâl·lāj·jân'tā) *a* floating **— m (naut)** float
galleria (gâl·lā·rē'â) *f* gallery; tunnel
galletto (gâl·lāt'tō) *m* spring chicken
gallina (gâl·lē'nâ) *f* hen, chicken; **–ccio** (gâl·lē·nâ'chō) *m* turkey
gallo (gâl'lō) *m* rooster
gallone (gâl·lō'nā) *m* stripe, chevron; braid; gallon
galoppare (gâ·lōp·pâ'râ) *vi* to gallop
galoppatoio (gâ·lōp·pâ·tō'yō) *m* bridle path
galoppino (gâ·lōp·pē'nō) *m* errand boy; *(pol)* solicitor
galoppo (gâ·lōp'pō) *m* gallop
galvani (gâl·vâ'nē) *mpl (print)* electrotype
galvanizzare (gâl·vâ·nē·dzâ'rā) *vt* to gal-

vanize
galvanoplastica (gâl·vâ·nō·plâ'stē·kâ) ʄ electroplating
gamba (gâm'bâ) ʄ leg; **andare a gambe levate** fall headlong; **darsela a gambe** to take to one's heels; **essere in —** to be smart; **fare il passo secondo la —** (fig) to cut the coat according to the cloth; **–le** (gâm·bâ'lā) m legging
gamberetto (gâm·bā·rāt'tō) m shrimp
gambero (gâm'bā·rō) m spiny lobster
gambo (gâm'bō) m stem
gamella (gâ·mäl'lâ) ʄ mess kit
gamma (gâm'mâ) ʄ range, gamut; (mus) scale
ganascia (gâ·nâ'shâ) ʄ (anat) jaw
gancio (gân'chō) m hook; clasp
ganghero (gân'gā·rō) m hinge; **uscir dai gangheri** to fly off the handle
ganglio (gân'glyō) m ganglion
gara (gâ'râ) ʄ contest, match; competition; **andare a —** to compete
garagista (gâ·râ·jē'stâ) m garageman, automobile mechanic
garante (gâ·rân'tā) m guarantor
garantire (gâ·rân·tē'râ) vt to guarantee, vouch for
garanzia (gâ·rân·tsē'â) ʄ guaranty, security
garbare (gâr·bâ'râ) vi to please
garbatamente (gâr·bâ·tâ·mān'tā) adv politely
garbatezza (gâr·bâ·tā'tsâ) ʄ kindness; courtesy
garbato (gâr·bâ'tō) a polite
garbo (gâr'bō) m politeness; **con —** graciously; **mal —** rudeness; **senza —** clumsy, awkward
garbuglio (gâr·bū'lyō) m confusion; mess
gareggiare (gâ·rāj·jâ'râ) vi to compete
gargarismo (gâr·gâ·rē'zmō) m gargle, gargling
garguglia (gâr·gū'lyâ) ʄ gargoyle
garofano (gâ·rō'fâ·nō) m carnation
garrese (gâr·rā'zā) m withers (horse)
garretto (gâr·rāt'tō) m fetlock (horse); (anat) ankle
garrulo (gâr'rū·lō) a garrulous
garza (gâr'dzâ) ʄ gauze
gas (gâs) m gas; **–odotto** (gâ·zō·dōt'tō) m gasline; **–olio** (gâ·zō'lyō) m fuel oil; **–sare** (gâs·sâ'râ) vt to charge (liquid); **–sato** (gâs·sâ'tō) a charged; **–ista** (gâ·zē'stâ) m gasman; **–osa** (gâ·zō'zâ) ʄ soft drink; **–oso** (gâ·zō'zō) a gaseous, fizzy
gastrico (gâ'strē·kō) a gastric
gastrite (gâ·strē'tā) ʄ (med) gastritis

gatta (gât'tâ) ʄ female cat; **— ci cova** (coll) there is something brewing; **avere una — da pelare** (fig) to be in trouble; **–buia** (gât·tâ·bū'yâ) ʄ jail; **–morta** (gât·tâ·mōr'tâ) ʄ hypocrite
gattino (gât·tē'nō) m kitten
gatto (gât'tō) m tomcat; **essere in quattro gatti** to be few in number
gattò (gât·tō') m French pastry
gaudente (gâū·dân'tâ) a epicurean; cheerful; **— m bon vivant**
gaudio (gâ'ū·dyō) m joy; **mal comune mezzo —** trouble shared is trouble halved
gavazzare (gâ·vâ·tsâ'râ) vi to wassail, revel
gavitello (gâ·vē·tāl'lō) m buoy
gazzarra (gâ·dzâr'râ) ʄ racket, uproar
gazzella (gâ·dzäl'lâ) ʄ gazelle
gazzettino (gâ·dzât·tē'nō) m bulletin; (fig) gossip
gelare (jā·lâ'râ) vt&i to freeze
gelarsi (jā·lâr'sē) vr to be frozen, freeze
gelateria (jā·lâ·tā·rē'â) ʄ ice cream shop
gelatiere (jā·lâ·tyâ'râ) m ice cream seller
gelatina (jā·lâ·tē'nâ) ʄ gelatin
gelatinoso (jā·lâ·tē·nō'zō) a gelatinous
gelato (jā·lâ'tō) m ice cream; **— a** frozen
gelidamente (jā·lē·dâ·mân'tâ) adv icily
gelido (je'lē·dō) a icy; freezing
gelo (jâ'lō) m frost; (fig) chilly manner; **–ne** (jā·lō'nā) m chilblain
gelosamente (jā·lō·zâ·mân'tâ) adv jealously
gelosia (jā·lō·zē'â) ʄ jealousy; jalousie, venetian blind
geloso (jā·lō'zō) a jealous, showing envy
gelsomino (jâl·sō·mē'nō) m jasmine
gemello (jā·mäl'lō) a&m twin; **bottoni gemelli** cuff links
gemere (je'mā·râ) vi to groan, moan
gemito (je'mē·tō) m lament, groan
geminare (jā·mē·nâ'râ) vt to pair, couple
geminazione (jā·mē·nâ·tsyō'nâ) ʄ gemination, pairing
gemma (jâm'mâ) ʄ gem; bud; **–zione** (jâm·mâ·tsyō'nâ) ʄ (bot) budding
gemmato (jâm·mâ'tō) a studded with gems
gendarme (jân·dâr'mâ) m policeman; **–ria** (jân·dâr·mâ·rē'â) ʄ police force
genealogia (jā·nā·â·lō·jē'â) ʄ genealogy
genealogico (jā·nā·â·lō'jē·kō) a genealogical; **albero —** family tree
generale (jā·nā·râ'lā) a&m general; **tenersi sulle generali** to be vague
generalità (jā·nā·râ·lē·tâ') ʄ generality; **— fpl** personal data
generalizzare (jā·nā·râ·lē·dzâ'râ) vt&i to

generalize
generalmente (jā·nā·rȧl·mān'tä) *adv* generally, as a rule
generare (jā·nā·rȧ'rä) *vt* to generate, bring forth
generatore (jā·nā·rȧ·tō'rä) *m* generator
generazione (jā·nā·rȧ·tsyō'nä) *f* generation
genere (je'nā·rä) *m* kind; genus; *(gram)* gender; **generi di prima necessità** primary needs of life; **generi alimentari** groceries; **il — tragico** *(lit)* tragedy, tragic genre
generico (jā·ne'rē·kō) *a* generic; indefinite
genero (je'nā·rō) *m* son-in-law
generosamente (jā·nā·rō·zȧ·mān'tä) *adv* generously
generosità (jā·nā·rō·zē·tâ') *f* generosity
generoso (jā·nā·rō'zō) *a* generous
genesi (je'nā·zē) *f* genesis; origin
genetica (jā·ne'tē·kâ) *f* genetics
gengiva (jän·jē'vâ) *f (dent)* gum
gengivite (jän·jē·vē'tä) *f* gingivitis
geniale (jā·nyâ'lä) *a* genial, pleasant; talented
genialità (jā·nyâ·lē·tâ') *f* geniality; ingeniousness
genialmente (jā·nyâl·mān'tä) *adv* genially; ingeniously
genio (je'nyō) *m* genius, talent; *(mil)* engineer; **— civile** public works administration; **andare a —** to be to one's liking
genitale (jā·nē·tâ'lä) *a&m* genital
genitivo (jā·nē·tē'vō) *m* genitive
genitore (jā·nē·tō'rä) *m*, **genitrice** (jā·nē·trē'chä) *f* parent
genitura (jā·nē·tū'râ) *f* procreation
gennaio (jän·nâ'yō) *m* January
Genova (je'nō·vä) *f* Genoa
genovese (jā·nō·vā'zä) *a&m* Genovese
gentaglia (jän·tâ'lyä) *f* mob, rabble
gente (jän'tä) *f* people; **— di mare** seamen; **diritto delle genti** international law
gentildonna (jän·tēl·dōn'nâ) *f* lady
gentile (jän·tē'lä) *a* polite; kind; **–zza** (jän·tē·lä'tsä) *f* kindness
gentilizio (jän·tē·lē'tsyō) *a* noble; **stemma gentilizia** coat of arms
gentilmente (jän·tēl·mān'tä) *adv* kindly; courteously
gentiluomo (jän·tē·lwō'mō) *m* gentleman
genuflessione (jā·nū·flās·syō'nä) *f* genuflection
genuflesso (jā·nū·flās'sō) *a* knelt in prayer
genuflettersi * (jā·nū·flet'tär·sē) *vr* to

genuflect
genuinità (jā·nwē·nē·tâ') *f* genuineness
genuino (jā·nwē'nō) *a* genuine
geofisica (jā·ō·fē'zē·kâ) *f* geophysics
geografia (jā·ō·grȧ·fē'â) *f* geography
geografico (jā·ō·grȧ'fē·kō) *a* geographical
geografo (jā·ô'grȧ·fō) *m* geographer
geologia (jā·ō·lō·jē'â) *f* geology
geologico (jā·ō·lô'jē·kō) *a* geological
geologo (jā·ô'lō·gō) *m* geologist
geometria (jā·ō·mā·trē'â) *f* geometry
geometrico (jā·ō·me'trē·kō) *a* geometrical
geranio (jā·râ'nyō) *m* geranium
gerarca (jā·râr'kâ) *m* leader, head
gerarchia (jā·râr·kē'â) *f* hierarchy
gerente (jā·rān'tä) *m* director, manager
gerenza (jā·rān'tsâ) *f* board of directors, management
gergo (jär'gō) *m* slang
Germania (jär·mâ'nyâ) *f* Germany
germano (jär·mâ'nō) *a* germane; **— m** full brother; mallard duck; **cugino —** first cousin
germe (jär'mä) *m* germ, sprout, shoot; *(fig)* root, cause
germinare (jär·mē·nâ'rä) *vt&i* to germinate
germinazione (jär·mē·nâ·tsyō'nä) *f* germination
germogliare (jär·mō·lyâ'rä) *vt&i* to sprout, shoot up
germoglio (jär·mô'lyō) *m* shoot, bud
geroglifico (jā·rō·glē'fē·kō) *m&a* hieroglyphic
gerontocomio (jā·rōn·tō·kô'myō) *m* old people's home
gerontoiatria (jā·rōn·tō·yâ·trē'â) *f* geriatrics
gerundio (jā·rūn'dyō) *m* gerund
Gerusalemme (jā·rū·zâ·lâm'mä) *f* Jerusalem
gessaio (jäs·sâ'yō) *m* plasterer; maker of plaster statues
gessare (jäs·sâ'rä) *vt* to plaster
gessatura (jäs·sâ·tū'râ) *f* plastering
gesso (jäs·sō) *m* chalk; plaster of Paris; **–so** (jäs·sō'zō) *a* chalk-like, chalky
gesta (jā'stä) *fpl* achievements; feats of derring-do
gestante (jā·stân'tä) *f* pregnant woman
gestazione (jā·stâ·tsyō'nä) *f* pregnancy; question
gesticolare (jā·stē·kō·lâ'rä) *vi* to gesticulate
gesticolazione (jā·stē·kō·lâ·tsyō'nä) *f* gesticulation, gesturing
gestione (jā·styō'nä) *f* administering, managing

---

k kid, l let, m met, n not, p pat, r very, s sat, sh shop, t tell, v vat, w we, y yes, z zero

gestire (jă·stē′rā) *vt (com)* to operate; to gesture
gesto (jă′stō) *m* gesture; **–re** (jă·stō′rā) *m* manager; operator
Gesù (jă·zū′) *m* Jesus
gesuita (jă·zwē′tă) *m* Jesuit
gettare (jăt·tâ′rā) *vt* to throw, cast; — *vi (bot)* to bud, shoot up; **— a terra** to knock down; **— l'ancora** *(naut)* to cast anchor; **— le fondamenta** to lay the foundation; **— la moneta** to toss a coin; **— via il denaro** to waste one's money, throw away one's money
gettarsi (jăt·târ′sē) *vr* to cast oneself, dash oneself; to spring forward
gettata (jăt·tâ′tă) *f* rough cast
gettatore (jăt·tâ·tō′rā) *m* caster, molder
gettito (jet′tē·tō) *m* yield, output
getto (jăt′tō) *m* throw; jet, spout; **a — continuo** uninterruptedly; **opera di —** inspired work; **–ne** (jăt·tō′nă) *m* token
gheriglio (gă·rē′lyō) *m* center, kernel
gherminella (găr·mē·nāl′lă) *f* trickery; mischief
ghermire (găr·mē′rā) *vt* to snatch, grab; to hold tightly
gherone (gă·rō′nă) *m* gore *(clothing)*
ghetta (găt′tă) *f* spat *(clothing)*
ghiacciaia (gyă·chă′yă) *f* refrigerator; ice box
ghiacciaio (gyă·chă′yō) *m* glacier
ghiacciare (gyă·chă′rā) *vt* to ice over; to freeze
ghiacciarsi (gyâ·châr′sē) *vr* to freeze, become frozen
ghiacciata (gyâ·châ′tă) *f* cool drink
ghiacciato (gyâ·chă′tō) *a* iced, ice-cold; frozen
ghiaccio (gyâ′chō) *m* ice; **rompere il —** to break the ice *(fig)*
ghiacciuolo (gyâ·chwō′lō) *m* icicle
ghiaia (gyă′yă) *f* gravel
ghianda (gyăn′dâ) *f* acorn; **–ia** (gyăn·dâ′-yâ) *f* jay
ghiera (gyă′râ) *f* ferrule
ghigliottina (gē·lyŏt·tē′nă) *f* guillotine **–re** (gē·lyŏt·tē·nâ′rā) *vt* to guillotine
ghignare (gē·nyă′rā) *vi* to sneer, leer
ghigno (gē′nyō) *m* smirk, sneer
ghiotta (gyŏt′tă) *f* drip pan
ghiotto (gyŏt′tō) *a* gluttonous; tasty; **–ne** (gyŏt·tō′nă) *m* glutton; gourmand; **–neria** (gyŏt·tō·nă·rē′â) *f* delicacy; gluttony
ghiribizzo (gē·rē·bē′tsō) *m* whim
ghirigoro (gē·rē·gō′rō) *m* spiral design
ghirlanda (gēr·lân′dâ) *f* wreath, garland
ghiro (gē′rō) *m* dormouse; **dormire come**

un — to sleep like a top
ghisa (gē′zâ) *f* cast iron
già (jâ) *adv* formerly, already; **G–!** *adv* Right! Of course!
giacchè (jâk·kă′) *conj* now that; since, in view of the fact that
giacchetta (jâk·kăt′tâ) *f* jacket, coat
giacente (jâ·chăn′tă) *a* lying down; in abeyance
giacere * (jâ′chă·rā) *vi* to lie, lie at rest
giacimento (jâ·chē·măn′tō) *m (min)* deposit, layer
giacinto (jâ·chēn′tō) *m* hyacinth
giaculatoria (jâ·kū·lâ·tô′ryâ) *f* short prayer
giada (jâ′dâ) *m (min)* jade
giaggiolo (jâj·jō′lō) *m (bot)* iris
giaguaro (jâ·gwâ′rō) *m* jaguar
giallastro (jâl·lâ′strō) *a* yellowish
giallo (jâl′lō) *a* yellow; **— d'uovo** yolk; **— romanzo —** mystery novel; **–gnolo** (jâl·lô′nyō·lō) *a* yellowish
Giamaica (jâ·mâ′ē·kâ) Jamaica
giammai (jâm·mâ′ē) *adv* never
gianduiotto (jân·dū·yŏt′tō) *m* chocolate candy
giannizzero (jan·nē′tsă·rō) *m (fig)* underling, hireling
Giappone (jâp·pō′nă) *m* Japan; **–se** (jâ·pō·nâ′zâ) *m&a* Japanese
giara (jâ′râ) *f* jug
giardinaggio (jâr·dē·nâj′jō) *m* gardening
giardinetta (jâr·dē·nât′tâ) *f* station wagon
giardiniera (jâr·dē·nyă′râ) *f* vegetable soup; jardiniere; woman gardener; **maestra —** kindergarten teacher
giardiniere (jâr·dē·nyă′rā) *m* gardener
giardino (jâr·dē′nō) *m* garden; **— d'infanzia** kindergarten; **— publico** public park; **— zoologico** zoo
giarrettiera (jâr·răt·tyă′râ) *f* garter
giavazzo (jâ·vâ′tsō) *m (min)* jet
gigante (jē·gân′tă) *a&m* giant; **far passi da —** *(fig)* to make great progress; **–ggiare** (jē·gân·tâj·jâ′rā) *vi* to tower; **–sco** (jē·gân·tâ′skō) *a* gigantic
gigione (jē·jō′nă) *m (sl)* ham actor
giglio (jē′lyō) *m* lily
gilè (jē·lâ′) *m* vest
ginecologia (jē·nă·kō·lō·jē′â) *f* gynecology
ginecologo (jē·nă·kô′lō·gō) *m* gynecologist
ginepraio (jē·nă·prâ′yō) *m* confused situation; **cacciarsi in un —** to be in a mess
ginepro (jē·nă′prō) *m* juniper
Ginevra (jē·nă′vrâ) *f* Geneva
gingillare (jēn·jēl·lâ′rā) *vi* to dawdle
gingillarsi (jēn·jēl·lâr′sē) *vr* to toy with,

trifle

gingillo (jĕn·jĕl′lō) *m* knicknack, trinket; — **fantasia** costume jewelry

ginnasiale (jĕn·nâ·zyâ′lä) *a* high-school; **licenza** — high-school diploma

ginnasio (jĕn·nä′zyō) *m* high school

ginnasta (jĕn·nä′stä) *m* gymnast, athlete

ginnastica (jĕn·nä′stĕ·kä) *f* gymnastics

ginnastico (jĕn·nä′stĕ·kō) *a* athletic, gymnastic

ginocchio (jē·nôk′kyō) *m* knee; –**ni** (jē·nōk·kyō′nē) *adv* kneeling, knelt

giocare (jō·kâ′rä) *vt&i* to play; to bet; to make a fool of; to deceive; — **d'azzardo** to gamble

giocatore (jō·kâ·tō′rä) *m* player; — **di borsa** stockbroker

giocattolo (jō·kât′tō·lō) *m* toy

giochetto (jō·kāt′tō) *m* trick

giocoforza (jō·kō·fōr′tsä) *f* necessity, essential

giocoliere (jō·kō·lyä′rä) *m* juggler

giocondità (jō·kōn·dē·tâ′) *f* gaiety

giocondo (jō·kōn′dō) *a* gay

giocosamente (jō·kō·zä·män′tä) *adv* jokingly

giocoso (jō·kō′zō) *a* facetious, humorous

giogaia (jō·gâ′yä) *f* mountain range

giogo (jō′gō) *m* yoke

gioia (jô′yä) *f* joy, delight; jewel; **fuoco di** — bonfire

gioielleria (jō·yäl·lä·rē′â) *f* jewelry store; jewelry

gioielliere (jō·yäl·lyä′rä) *m* jeweler

gioiello (jō·yäl′lō) *m* gem

gioiosamente (jō·yō·zä·män′tä) *adv* joyfully

gioioso (jō·yō′zō) *a* joyful

gioire (jō·ē′rä) *vi* to rejoice

giornalaio (jōr·nä·lâ′yō) *m* newsboy; newspaper dealer

giornale (jōr·nâ′lä) *m* newspaper; — **di bordo** logbook; — **settimanale** weekly; — **radio** newscast

giornaliero (jōr·nä·lyä′rō) *a* daily; — *m* day laborer

giornalismo (jōr·nä·lē′zmō) *m* journalism

giornalista (jōr·nä·lē′stä) *m* newspaperman, journalist

giornalmente (jōr·nâl·män′tä) *adv* daily, every day

giornata (jōr·nä′tä) *f* day; **vivere alla** — to live from hand to mouth; –**ccia** (jōr·nâ·tâ′chä) bad day

giorno (jōr′nō) *m* day;— **feriale** weekday; — **festivo** holiday; **di** — in the daytime; **allo spuntar del** — at daybreak; **al cader del** — at sunset; **ai nostri giorni** in our

time; **al** — **d'oggi** nowadays; **metter a** — to bring up-to-date; **essere a** — to be conversant with

giostra (jō′strâ) *f* merry-go-round; tournament; –**re** (jō·strâ′rä) *vi* to joust

giovamento (jō·vâ·män′tō) *m* aid; advantage

giovane (jō′vâ·nä), **giovine** (jô′vē·nä) *a* young; — *m* youth; –**tto** (jō·vâ·nät′tō) boy; –**tta** (jō·vâ·nät′tä) *f* girl

giovanile (jō·vâ·nē′lä) *a* juvenile; youthful

giovanotto (jō·vâ·nōt′tō) *m* young man

giovare (jō·vâ′rä) *vi* to be of help; to avail

giovarsi (jō·vâr′sē) *vr* to profit by; to avail oneself of; — **a vicenda** to aid each other

giovenca (jō·vän′kä) *f* heifer

gioventù (jō·vän·tü′) *f* youth

giovevole (jō·ve′vō·lä) *a* advantageous; profitable

giovevolmente (jō·vä·vōl·män′tä) *adv* profitably

giovinastro (jō·vē·nâ′strō) *m* scamp

giovinezza (jō·vē·nä′tsä) *f* youth

giraffa (jē·râf′fä) *f* giraffe

girare (jē·râ′rä) *vt* to turn, spin, revolve; *(movies)* to film; *(com)* to endorse; — **un pericolo** to avoid a danger; — **l'occhio intorno** to glance around; — **al largo** to keep aloof

giracapo (jē·râ·kâ′pō) *m* vertigo

giradischi (jē·râ·dē′skē) *m* record player

giramento (jē·râ·män′tō) *m* turning; **aver** — **di testa** to be dizzy

giramondo (jē·râ·mōn′dō) *m* adventurer; world traveler

girandola (jē·rân′dō·lä) *f* pinwheel

girante (jē·rân′tä) *m (com)* endorser; *a* revolving, turning

girarrosto (jē·râr·rō′stō) *m* rotisserie

girarsi (jē·râr′sē) *vr* to turn about; — **sui tacchi** to turn on one's heels

girasole (jē·râ·sō′lä) *m* sunflower

girata (jē·râ′tä) *f* turn; *(com)* endorsement; –**rio** (jē·râ·tâ′ryō) *m* endorsee

giratorio (jē·râ·tō′ryō) *a* revolving, spinning

giravolta (jē·râ·vōl′tä) *f* twirl, pirouette; *(fig)* about-face

giretto (jē·rāt′tō) *m* short walk

girevole (jē·re′vō·lä) *a* whirling, revolving

girino (jē·rē′nō) *m* tadpole

giro (jē′rō) *m* turn; walk; **fare un** — to take a walk; **prendere in** — to make fun of; **a** — **di posta** by return mail;

---

k kid, **l** let, **m** met, **n** not, **p** pat, **r** very, **s** sat, **sh** shop, **t** tell, **v** vat, **w** we, **y** yes, **z** zero

mettere in — notizie to spread rumors; **mettersi in —** to form a circle; **— d'affari** *(com)* turnover; **cambiali in —** *(com)* outstanding bills; **–pilota** (jē·rō·pē·lō′tâ) *m* automatic pilot; **–scopio** (jē·rō·skô′pyō) *m* gyroscope; **–stato** (jē·rō·stā′tō) *m* gyrostat; **–vagare** (jē·rō·vâ·gâ′rā) *vi* to loaf, idle; **–vago** (jē·rô′vâ·gō) *m* peddler; vagrant; **–vago** *a* roaming

gita (jē′tâ) *f* trip, outing; **— in comitiva** conducted tour

gitana (jē·tâ′nâ) *f* gypsy

giù (jū) *adv* downstairs; down, below; **essere — di morale** *(coll)* to have the blues, be discouraged; **su per —** approximately; **non mi va —** *(fig)* I can't believe it

giubba (jūb′bâ) *f* jacket

giubilante (jū·bē·lân′tā) *a* exultant, jubilant

giubilare (jū·bē·lâ′rā) *vi* to exult, be overjoyed

giubileo (jū·bē·lā′ō) *m* jubilee, celebration

giubilo (jū′bē·lō) *m* jubilation

giudaismo (jū·dâ·ē′zmō) *m* Judaism

giudeo (jū·dā′ō) *m* Jew; **—** *a* Jewish

giudicare (jū·dē·kâ′rā) *vt&i* to judge, pass judgment; to believe

giudicato (jū·dē·kâ′tō) *a* judged; **—** *m* sentence *(law)*

giudice (jū′dē·châ) *m* judge; **— istruttore** coroner; **— di pace, — conciliatore** justice of the peace

giudiziale (jū·dē·tsyâ′lā) *a* judicial

giudizialmente (jū·dē·tsyâl·mân′tā) *adv* judicially

giudiziario (jū·dē·tsyâ′ryō) *a* judicial, court

giudizio (jū·dē′tsyō) *m* wisdom, judgment; **formare un —** to form an opinion; **dente del —** wisdom tooth; **a mio —** in my opinion; **aver —** to be wise; **senza —** careless, rash; **metter —** to become wise; to grow up emotionally; **citare in —** to sue; **comparire in —** to appear in court

giudiziosamente (jū·ԁ̣ ιsyō·zâ·mân′tā) *adv* judiciously, wisely

giugno (jū′nyō) *m* June

giugulare (jū·gū·lâ′rā) *a (anat)* jugular; **—** *vt* to strangle

giulebbe (jū·lāb′bā) *m* julep

giulivo (jū·lē′vō) *a* happy, joyful

giullare (jūl·lâ′rā) *m* clown, jester

giumenta (jū·mân′tâ) *f* mare

giunchiglia (jūn·kē′lyâ) *f* jonquil

giunco (jūn′kō) *m (bot)* rush

giungere * (jūn′jā·râ) *vt&i* to arrive, reach; to connect

giungla (jūn′glâ) *f* jungle

giunta (jūn′tâ) *f* board, commission; **per —** besides

giunto (jūn′tō) *a* arrived; joined; **—** *m (mech)* joint; **— cardanico** universal joint

giuntura (jūn·tū′râ) *f* articulation; joint

giuoco (jwō′kō) *m* game; *(mech)* play; **— d'azzardo** gambling; **— di prestigio:** sleight of hand; **— di parole** pun; **farsi — di** to make a fool of

giuramento (jū·râ·man′tō) *m* oath *(law)*

giurare (jū·râ′rā) *vt* to swear *(oath)*

giurato (jū·râ′tō) *a* sworn; **—** *m* juror

giuria (jū·rē′â) *f* jury

giureconsulto (jū·râ·kōn·sūl′tō) *m* law expert, jurist

giuridicamente (jū·rē·dē·kâ·mân′tā) *adv* legally, juridically

giurisdizione (jū·rē·dzē·tsyō′nâ) *f* jurisdiction

giurisprudenza (jū·rē·sprū·dān′tsâ) *f* law, jurisprudence

giurista (jū·rē′stâ) *m* jurist

giusta (jū′stâ) *prep* in accordance with

giustamente (jū·stâ·mân′tā) *adv* correctly; justly; precisely

giustificabile (jū·stē·fē·kâ′bē·lā) *a* justifiable

giustificare (jū·stē·fē·kâ′rā) *vt* to justify

giustificarsi (jū·stē·fē·kâr′sē) *vr* to justify one's actions; to explain oneself

giustificativo (jū·stē·fē·kâ·tē′vō) *m* statement; **documento —** voucher

giustificazione (jū·stē·fē·kâ·tsyō′nâ) *f* explanation; justification

giustizia (jū·stē′tsyâ) *f* justice; **con —** equitably; **farsi — da sè** to take the law into one's own hands; **render — to** be fair, to do justice to; **–re** (jū·stē·tsyâ′rā) *vt* to execute; **–to** (jū·stē·tsyâ′tō) *a* put to death

giustiziere (jū·stē·tsyâ′rā) *m* executioner

giusto (jū′stō) *a* just; correct; **—** *adv* right; exactly; **— mezzo** golden mean

glabro (glâ′brō) *a* hairless

glaciale (glâ·châ′lā) *a* icy, ice; glacial

gladiatore (glâ·dyâ·tō′râ) *m* gladiator

gladiolo (glâ·dyō′lō) *m* gladiola

glandola (glân′dō·lâ) *f* gland

glandolare (glân·dō·lâ′rā) *a* glandular

glaucoma (glâû·kō′mâ) *f* glaucoma

gleba (glā′bâ) *f* earth; **servo della —** serf; proletarian

gli (lyē) *art mpl* the; **— pron** to him, to it

glicerina (glē·châ·rē′nâ) *f* glycerine

glicerofosfato (glē·chā·rŏ·fŏ·sfâ'tō) *m* glycerophosphate

glicogeno (glē·kŏ'jä·nō) *m* glycogen

globale (glō·bâ'lä) *a* global; overall; lump *(payment)*

globalmente (glō·bâl·mān'tä) *adv* in the aggregate

globo (glō'bō) *m* globe

globulo (glô'bū·lō) *m* globule; corpuscle

gloria (glô'ryâ) *f* glory; *(eccl)* aureole

gloriarsi (glō·ryâr'sē) *vr* to pride oneself on

glorificare (glō·rē·fē·kâ'rä) *vt* to glorify; to worship

glorificazione (glō·rē·fē·kâ·tsyō'nä) *f* glorification, worship

gloriosamente (glō·ryō·zâ·mān'tä) *adv* magnificently; gloriously

glossare (glōs·sâ'rä) *vt* to gloss

glossario (glōs·sâ'ryō) *m* glossary

glottide (glôt'tē·dä) *f* glottis

glutine (glū'tē·nä) *m* gluten

glutinoso (glū·tē·nō'zō) *a* glutinous

gnocco (nyōk'kō) *m* dumpling

gnomo (nyō'mō) *m* goblin, gnome

gnorri (nyōr'rē) *m* ignorance; **fare lo —** to turn a deaf ear; to pretend ignorance

gobba (gōb'bâ) *f* hump

gobbo (gōb'bō) *m* hunchback

goccia (gô'châ) *f* drop; **assomigliarsi come due gocce d'acqua** to be like two peas in a pod

gocciolare (gō·chō·lâ'rä) *vi* to drip

gocciolio (gō·chō·lē'ō) *m* trickle; dripping

godere * (gō·dā'rä) *vt&i* to enjoy; to rejoice; **godersi la vita** to enjoy life; **godersela** to enjoy oneself; **— credito** to have a good credit rating

godimento (gō·dē·mān'tō) *m* enjoyment; possession

goffaggine (gōf·fâj'jē·nä) *f* awkwardness; gaucheness

goffo (gōf'fō) *a* clumsy; gauche

gogna (gō'nyâ) *f* pillory; **mettere alla —** to expose to public ridicule

gol (gōl) *m* goal *(sport)*

gola (gō'lâ) *f* throat; gorge; gluttony; groove; **far —** to tempt; to make one's mouth water; **aver l'acqua alla —** to be in dire straits

goletta (gō·lāt'tâ) *f* schooner

golfo (gōl'fō) *m* gulf; pullover, sweater

Golgota (gôl'gō·tä) *m* Golgotha

goliardo (gō·lyâr'dō) *m* university student

golosamente (gō·lō·zâ·mān'tä) *adv* greedily, gluttonously

golosità (gō·lō·zē·tâ') *f* gluttony

goloso (gō·lō'zō) *a* gluttonous; **— n** glutton

gomena (gô'mä·nâ) *f* hawser, cable

gomitata (gō·mē·tâ'tâ) *f* nudge, shove with one's elbow

gomito (gô'mē·tō) *m* elbow; **alzare il —** *(fig)* to drink heavily; **alzare troppo il —** to drink too much

gomma (gōm'mâ) *f* rubber; eraser; innertube; tire; **— lacca** shellac; **— liquida** mucilage; **— piuma** foam rubber; **–to** (gōm·mâ'tō) *a* gummed

gommoso (gōm·mō'zō) *a* gummy, sticky

gommosità (gōm·mō·zē·tâ') *f* stickiness, gumminess

gondola (gôn'dō·lâ) *f* gondola

gondoliere (gōn·dō·lyä'rä) *m* gondolier

gonfiamento (gōn·fyâ·mān'tō) *m* swelling; *(fig)* exaggeration

gonfiare (gōn·fyâ'rä) *vt* to inflate, swell; to exaggerate

gonfiarsi (gōn·fyâr'sē) *vr* to swell up, swell

gonfiatura (gōn·fyâ·tū'râ) *f* puffiness; *(fig)* overstatement

gonfio (gôn'fyō) *a* swollen

gonfiore (gōn·fyō'rä) *m* swelling

gongolante (gōn·gō·lân'tä) *a* elated

gongolare (gōn·gō·lâ'rä) *vi* to rejoice

goniometria (gō·nyō·mā·trē'â) *f* goniometry

goniometro (gō·nyô'mā·trō) *m* protractor

gonna (gōn'nâ) *f* skirt

gonnella (gōn·nāl'lâ) *f* petticoat, slip; skirt

gonorrea (gō·nōr·rā'â) *f* gonorrhea

gonzo (gōn'dzō) *m* fool

gora (gō'râ) *f* pond; canal, ditch

gorgheggiare (gōr·gāj·jâ'rä) *vi* to warble

gorgo (gōr'gō) *m* whirlpool

gorgogliare (gōr·gō·lyâ'rä) *vi* to gurgle

gorgoglio (gōr·gō·lyē'ō) *m* gurgle

gorilla (gō·rēl'lâ) *m* gorilla

gota (gō'tâ) *f* cheek

gotico (gô'tē·kō) *a* Gothic

gotta (gōt'tâ) *f* gout

governante (gō·vär·nân'tä) *m* ruler; **— f** governess; housekeeper

governare (gō·vär·nâ'rä) *vt* to rule, govern

governarsi (gō·vär·nâr'sē) *vr* to control oneself; to govern oneself

governativo (gō·vär·nâ·tē'vō) *a* governmental; **impiegato —** government employee

governatore (gō·vär·nâ·tō'râ) *m* governor

governo (gō·vär'nō) *m* government, administration; control, steering

gozzo (gō'dzō) *m* crop *(bird)*; goiter

gozzoviglia (gō·dzō·vē'lyâ) *f* excessive

drinking, debauchery

gozzovigliare (gŏ·dzŏ·vē·lyâ'rä) *vi* to debauch; to revel; to eat and drink excessively

gracidare (grä·chē·dâ'rä) *vi* to croak; to cluck

gracile (grä'chē·lä) *a* delicate; slender

gracilità (grä·chē·lē·tâ') *f* slimness; feebleness

gracilmente (grä·chēl·män'tä) *adv* gracefully

gradatamente (grä·dâ·tâ·män'tä) *adv* gradually

gradevole (grä·de'vŏ·lä) *a* pleasant, nice

gradevolezza (grä·dä·vŏ·lä'tsä) *f* agreeableness

gradevolmente (grä·dä·vŏl·män'tä) *adv* pleasantly, agreeably

gradimento (grä·dē·män'tŏ) *m* approval, liking

gradinata (grä·dē·nâ'tä) *f* stairway; tier *(seats)*

gradino (grä·dē'nŏ) *m* step *(stair)*

gradire (grä·dē'rä) *vt* to accept; to like; to appreciate

gradito (grä·dē'tŏ) *a* pleasant; welcome

grado (grä'dŏ) *m* liking; grade, degree, rank; **mettere in — di** to enable to; **essere in — di** to be able to; **di buon — willingly; di proprio —** of one's own accord

graduale (grä·dwä'lä) *a* gradual

gradualmente (grä·dwâl·män'tä) *adv* gradually

graduare (grä·dwâ'rä) *vt* to graduate, adjust

graduato (grä·dwä'tŏ) *a* graduated; graduate; *— m* non-commissioned officer

graduatoria (grä·dwä·tŏ'ryä) *f* classification

graduazione (grä·dwä·tsyŏ'nä) *f* graduation

graffiare (gräf·fyä'rä) *vt* to scratch

graffiatura (gräf·fyä·tū'rä) *f* scratch

graffio (gräf'fyŏ) *m* scratch

grafia (grä·fē'â) *f* spelling; handwriting

graficamente (grä·fē·kä·män'tä) *adv* graphically

grafico (grä'fē·kŏ) *a* graphic; *— m* graph; blue print

grafite (grä·fē'tä) *f* graphite

grafologia (grä·fŏ·lŏ·jē'â) *f* graphology

grafologo (grä·fŏ'lŏ·gŏ) *m* graphologist

gramaglie (grä·mâ·lyä) *fpl* mourning

grammatica (gräm·mâ'tē·kä) *f* grammar

grammaticale (gräm·mâ·tē·kä'lä) *a* grammatical

grammaticalmente (gräm·mâ·tē·kâl·

grammatico (gräm·mâ'tē·kŏ) *m* grammarian

grammo (gräm'mŏ) *m* gram

grammofono (gräm·mŏ'fŏ·nŏ) *m* phonograph

gramo (grä'mŏ) *a* miserable, wretched

grana (grä'nâ) *f* grain; *(sl)* trouble, difficulty; **formaggio —** Parmesan cheese

granaglie (grä·nä'lyä) *fpl* cereals

granaio (grä·nä'yŏ) *m* barn; granary

granata (grä·nä'tä) *f* grenade; broom

granatina (grä·nä·tē'nä) *f* grenadine

granato (grä·nä'tŏ) *m* pomegranate; garnet

grancassa (grän·kâs'sä) *f* bass drum; **suonare la —** to broadcast loudly

granchio (grän'kyŏ) *m* crab; **prendere un — to make a gross error**

grandangolare (grän·dân·gŏ·lâ'rä) *a (phot)* wide-angle

grande (grän'dä) *a* great; big, large; tall; *— m* great man; **in —** wholesale; *—* **conoscenza di** vast knowledge of; **fare il —** to put on airs; **fare le cose in —** to do things on a large scale; **farsi — to grow up**

grandeggiare (grän·däj·jâ'rä) *vi* to tower over; to act in a haughty manner

grandemente (grän·dä·män'tä) *adv* greatly; very much

grandezza (grän·dä'tsâ) *f* greatness; grandeur; largeness

grandinare (grän·dē·nâ'rä) *vi* to hail *(weather)*

grandinata (grän·dē·nâ'tä) *f* hailstorm

grandiosamente (grän·dyŏ·zâ·män'tä) *adv* majestically; pompously

grandiosità (grän·dyŏ·zē·tâ') *f* grandeur

grandioso (grän·dyŏ'zŏ) *a* majestic; pompous

granduca (grän·dū'kâ) *m* grand duke

granduchessa (grän·dū·kâs'sä) *f* grand duchess

granello (grä·näl'lŏ) *m* grain; speck

granfia (grän'fyâ) *f* claw

granita (grä·nē'tâ) *f* sherbet

granitico (grä·nē'tē·kŏ) *a* granite; *(fig)* adamant, unyielding

granito (grä·nē'tŏ) *m* granite

grano (grä'nŏ) *m* grain *(cereal)*; wheat **— d'uva** grape; **— di rosario** rosary bead; **— di caffè** coffee bean

granulare (grä·nū·lâ'rä) *a* granular; *— vt* to granulate

granulato (grä·nū·lâ'tŏ) *a* granulated

granulo (grä'nū·lŏ) *m* granule

granuloso (grä·nū·lŏ'zŏ) *a* granular

â ârm, **ā** bāby, **e** bet, **ē** bē, **ō** gō, **ô** gône, **ū** blūe, **b** bad, **ch** child, **d** dad, **f** fat, **g** gay, **j** jet

grappa (grâp'pâ) *f* clamp; brandy
grappolo (grâp'pō·lō) *m* cluster
grascia (grâ'shâ) *f* lard
grassamente (grâs·sâ·mān'tā) *adv* plentifully; *(fig)* lasciviously
grassatore (grâs·sâ·tō'rā) *m* bandit, highwayman
grassazione (grâs·sâ·tsyō'nā) *m* holdup
grassetto (grâs·sāt'tō) *m* bold-faced type
grassezza (grâs·sā'tsâ) *f* fatness; *(fig)* licentiousness
grasso (grâs'sō) *a* fat, stout; productive; gross; greasy; — *m* fat, grease; **martedi** — Shrove Tuesday, Mardi Gras; **grasse risate** peals of laughter
grassoccio (grâs·sō'chō) *a* chubby, plump
grassume (grâs·sū'mā) *m* fatness; grease; smut
grata (grâ'tâ) *f* grate
gratamente (grâ·tâ·mān'tā) *adv* gratefully
gratella (grâ·tāl'lâ) *f* grill
graticcio (grâ·tē'chō) *m* basketry; trellis work
gratificare (grâ·tē·fē·kâ'rā) *vt* to reward; to gratify; to tip
gratificazione (grâ·tē·fē·kâ·tsyō'nā) *f* bonus, tip; reward, satisfaction
gratis (grâ'tēs) *adv* gratis, free
grato (grâ'tō) *a* grateful; pleasing
grattacapo (grât·tâ·kâ'pō) *m* worry, trouble
grattacielo (grât·tâ·chā'lō) *m* skyscraper
grattamento (grât·tâ·mān'tō) *m* rubbing; scraping, scratching
grattare (grât·tâ'rā) *vt&i* to scratch; to grate; *(sl)* to steal
grattato (grât·tâ'tō) *a* grated
grattugia (grât·tū'jâ) *f* grater; –**re** (grât·tū·jâ'rā) *vt* to grate
gratuitamente (grâ·twē·tâ·mān'tā) *adv* gratis, gratuitously
gratuito (grâ·twē'tō) *a* free, gratis; unmotivated; — **patrocinio** free legal aid
gravabile (grâ·vâ'bē·lâ) *a* dutiable; liable
gravame (grâ·vâ'mā) *m* taxation; lien; mortgage; burden
gravato (grâ·vâ'tō) *a* burdened; loaded; — **d'assegno** C.O.D., cash on delivery; — **di lavoro** overworked
grave (grâ'vā) *a* serious, grave; dangerous; — **negligenza** gross negligence; **essere** — to be seriously ill; — **d'anni** aged
gravemente (grâ·vā·mān'tā) *adv* gravely; dangerously; solemnly
gravezza (grâ·vā'tsâ) *f* seriousness; gravity
gravida (grâ'vē·dâ) *a* pregnant
gravidanza (grâ·vē·dân'tsâ) *f* pregnancy

gravido (grâ'vē·dō) *a* full; heavy; **panino** — sandwich
gravina (grâ·vē'nâ) *f* pickax
gravità (grâ·vē·tâ') *f* seriousness; importance; gravity; weight
gravitare (grâ·vē·tâ'rā) *vi* to gravitate
gravitazionale (grâ·vē·tâ·tsyō·nâ'lâ) gravitational
gravitazione (grâ·vē·tâ·tsyō'nā) *f* gravitation
gravosità (grâ·vō·zē·tâ') *f* heftiness, weight; bother
gravoso (grâ·vō'zō) *a* burdensome
grazia (grâ'tsyâ) *f* grace; pardon; attractiveness; **far la** — to pardon; to grant a favor; to answer a prayer; **anno di** — A.D., year of Our Lord; **colpo di** — death blow; **in** — **di** on behalf of; **senza** — awkward; **troppa** — excess of a good thing
graziare (grâ·tsyâ'rā) *vt* to pardon, reprieve
grazie! (grâ'tsyā) *interj* thank you!, thanks!
grazioso (grâ·tsyō'zō) *a* pretty, charming
graziosamente (grâ·tsyō·zâ·mān'tā) *adv* gracefully
grecale (grā·kâ'lā) *m* northeast wind
Grecia (gre'châ) *f* Greece
greco (grā'kō) *a&m* Greek
gregario (grā·gâ'ryō) *m* follower; — *a* sociable
gregge (grāj'jā) *m* herd
grembiale (grām·byâ'lā) *m* apron
grembo (grām'bō) *m* bosom; lap *(anat)*
gremire (grā·mē'rā) *vt* to fill; to crowd
gremito (grā·mē'tō) *a* full, packed; overcrowded
greppia (grep'pyâ) *f* crib, manger; livelihood
greppo (grāp'pō) *m* cliff
gres (grās) *m* sandstone
grettamente (grāt·tâ·mān'tā) *adv* avariciously; meanly
grettezza (grāt·tā'tsâ) *f* pettiness; avarice
gretto (grāt'tō) *a* miserly
greve (grā'vā) *a* oppressive, irksome
grezzo (grā'dzō) *a* raw; coarse
gridare (grē·dâ'rā) *vi* to cry, scream
grido (grē'dō) *m* cry, shout; **di** — famous, well-known
grifagno (grē·fâ'nyō) *a* rapacious
griffa (grēf'fâ) *f* jaw *(mech)*
grifo (grē'fō) *m* snout
grigiastro (grē·jâ'strō) *a* grayish
grigio (grē'jō) *a* gray
griglia (grē'lyâ) *f* grill; grate; grid *(rad)*
grilletto (grēl·lāt'tō) *m* trigger
grillo (grēl'lō) *m* *(zool)* cricket; *(coll)*

whim, caprice

grinfia (grēn'fyâ) *f* claw

grinta (grēn'tâ) *f* stern look; sulky expression

grinza (grēn'dzâ) *f* wrinkle; **non fare una** — to be perfect, be without a flaw

grippaggio (grēp·pâj'jō) *m* jamming *(mech)*

grippare (grēp·pâ'rā) *vi* to jam *(mech)*

grippe (grēp'pā) *m* influenza

grissino (grēs·sē'nō) *m* bread stick

gronda (grōn'dâ) *f* eaves; **–ia** (grōn·dâ'yâ) *f* gutter; **–re** (grōn·dâ'rā) *vi* to drip; to pour out; **–nte** (grōn·dân'tā) *a* streaming; dripping

groppa (grōp'pâ) *f* back, croup *(horse)*; **avere molti anni sulla** — *(fig)* to be very old; **in** — on one's back

groppone (grōp·pō'nā) *m* back; **piegare il** — to yield; to be submissive

grossa (grōs'sâ) *f* gross

grossezza (grōs·sā'tsâ) *f* bigness; thickness; uncouthness

grossista (grōs·sē'stâ) *m* wholesaler

grosso (grōs'sō) *a* big; thick; large; **pezzo** — big shot; **sbagliarsi di** — to be completely wrong; **farle grosse** to act ridiculously; **in modo** — roughly speaking; **fare la voce grossa** to threaten; **mare** — rough sea

grossolanità (grōs·sō·lâ·nē·tâ') *f* vulgarity; lack of refinement; uncouthness

grossolano (grōs·sō·lâ'nō) *a* coarse; common, vulgar

grotta (grōt'tâ) *f* grotto, cavern

grottesco (grōt·tā'skō) *a* grotesque

groviglio (grō·vē'lyō) *m* knot; snare; entanglement; *(fig)* mess

gru (grū) *f* crane

gruccia (grū'châ) *f* crutch; *(coll)* coat hanger

grufolare (grū·fō·lâ'rā) *vi* to root; to rummage

grugnire (grū·nyē'rā) *vi* to grunt

grugnito (grū·nyē'tō) *m* grunt

grugno (grū'nyō) *m* snout, muzzle; **fare il** — *(coll)* to sulk; **un brutto** — *(coll)* a homely face

grullagine (grūl·lâ'jē·nā) *f* foolishness

grullo (grūl'lō) *m* simpleton; — *a* foolish

grumo (grū'mō) *m* clot; **–so** (grū·mō'zō) *a* clotted

grumolo (grū'mō·lō) *m* core

gruppo (grūp'pō) *m* group; flock

gruviera (grū·vyā'râ) *f* Gruyère

gruzzolo (grū'tsō·lō) *m* savings, nest egg

guadagnare (gwâ·dâ·nyâ'rā) *vt* to earn, gain; to win; — **un porto** to reach a

port; **—il tempo perduto** to make up time

guadagnarsi (gwâ·dâ·nyâr'sē) *vr* to earn for oneself; — **un raffreddore** to catch cold

guadagno (gwâ·dâ'nyō) *m* earnings, profit

guadare (gwâ·dâ'rā) *vt* to ford

guado (gwâ'dō) *m* ford

guaina (gwâ'ē·nâ) *f* scabbard, sheath

guaio (gwâ'yō) *m* misfortune; trouble; breakdown *(mech)*

guaire (gwâ·ē'rā) *vi* to yelp, whine

gualcire (gwâl·chē'rā) *vt* to crumple, rumple

gualcito (gwâl·chē'tō) *a* crumpled

guancia (gwân'châ) *f* cheek; **–le** (gwân·châ'lā) *m* pillow

guantaio (gwân·tâ'yō) *m* glovemaker

guanteria (gwân·tā·rē'â) *f* glove shop

guanto (gwân'tō) *m* glove; **trattare coi guanti** to handle with care

guantone (gwân·tō'nā) *m* boxing glove

guardaboschi (gwâr·dâ·bō'skē) *m* forester

guardacaccia (gwâr·dâ·kâ'châ) *m* gamekeeper

guardacosta (gwâr·dâ·kō'stâ) *m* coastguard

guardamano (gwâr·dâ·mâ'nō) *m* handrail

guardaportone (gwâr·dâ·pōr·tō'nā) *m* doorman

guardare (gwâr·dâ'rā) *vt* to look at; to consider; to guard; — **il letto** *(fig)* to stay in bed; — **per il sottile** to be very squeamish

guardaroba (gwâr·dâ·rō'bâ) *f* cloakroom; wardrobe

guardarsi (gwâr·dâr'sē) *vr* to be careful of; to abstain from; to look at one another

guardata (gwâr·dâ'tâ) *f* look; **–ccia** (gwâr·dâ·tâ'châ) *f* scowling look

guardia (gwâr'dyâ) *f* guard; watchman; policeman; — **del corpo** bodyguard; — **forestale** forest ranger; — **doganale** customs agent

guardiamarina (gwâr·dyâ·mâ·rē'nâ) *m* ensign

guardiano (gwâr·dyâ'nō) *m* watchman

guardingo (gwâr·dēn'gō) *a* cautious

guaribile (gwâ·rē'bē·lā) *a* curable

guarigione (gwâ·rē·jō'nā) *f* recovery, cure

guarire (gwâ·rē'rā) *vi* to recover one's health; — *vt* to cure, heal

guaritore (gwâ·rē·tō'rā) *m* healer

guarnigione (gwâr·nē·jō'nā) *f* garrison

guarnire (gwâr·nē'rā) *vt* to garnish, trim; to fortify *(mil)*

guarnizione (gwâr·nē·tsyō'nā) *f* trimming; garnish; gasket, packing *(mech)*

â ârm, **ā** bāby, **e** bet, **ē** bē, **ō** gō, **ô** gône, **ū** blūe, **b** bad, **ch** child, **d** dad, **f** fat, **g** gay, **j** jet

guasconata (gwâ·skō·nâ'tä) *f* bragging
guastafeste (gwä·stâ·fä'stä) *m* killjoy, wet blanket
guastamestieri (gwä·stâ·mä·styä'rē) *m* strikebreaker; bungler
guastare (gwâ·stâ'rä) *vt* to spoil, ruin
guastarsi (gwä·stâr'sē) *vr* to go bad, spoil
guastatore (gwä·stâ·tō'rä) *m* destroyer, despoiler
guasto (gwâ'stō) *a* out of order; spoiled; — *m* damage; — **al motore** breakdown, engine trouble
guatare (gwâ·tâ'rä) *vt* to look askance at; to ogle
guazza (gwâ'tsä) *f* dew
guazzabuglio (gwâ·tsä·bū'lyō) *m* hodge-podge; potpourri
guazzo (gwâ'tsō) *m* slush
guercio (gwer'chō) *a* squint-eyed; one-eyed
guerra (gwär'râ) *f* war; **ministero della —** war department
guerrafondaio (gwär·râ·fōn·dâ'yō) *m* warmonger
guerreggiare (gwär·räj·jâ'rä) *vt&i* to fight; to war against; to wage war
guerresco (gwär·rä'skō) *a* martial
guerriglia (gwär·rē'lyâ) *f* guerrilla war
gufo (gū'fō) *m* screech owl
guglia (gū'lyâ) *f* spire

Guiana (gū·yâ'nä) *f* Guiana
guida (gwē'dä) *f* guide; guidance; leader-ship; drive *(auto)*; — **telefonica** telephone book; **–re** (gwē·dâ'rä) *vt* to guide, conduct, lead; to drive; **–tore** (gwē·dâ·tō'rä) *m* driver, motorist
guiderdone (gwē·där·dō'nä) *m* reward
guidoslitta (gwē·dō·zlēt'tâ) *f* bobsled
guinzaglio (gwēn·tsâ'lyō) *m* leash
guisa (gwē'zä) *f* way; manner; **a — di** as, like; **in tal —** in such a manner; **in ogni —** in every way; **di — che** so that
guizzare (gwē·tsâ'rä) *vi* to dart; to flash *(light)*
guscio (gū'shō) *m* pod; shell; **restar nel proprio —** to be unsociable, be withdrawn
gustare (gū·stâ'rä) *vt* to taste; — *vi* to like, enjoy
gustevole (gū·ste'vō·lä) *a* tasty
gusto (gū'stō) *m* taste, flavor; gusto
gustosamente (gū·stō·zâ·män'tä) *adv* tastefully; identically
gustoso (gū·stō'zō) *a* tasty; savory; amusing
gutturale (gūt·tū·râ'lä) *a* guttural
gutturalmente (gūt·tū·râl·män'tä) *adv* gutturally

I

i (ē) *art mpl* the
iarda (yâr'dä) *f* yard *(measure)*
iato (yâ'tō) *m* hiatus; gap
iattanza (yât·tân'tsä) *f* bragging
iattura (yât·tū'râ) *f* misfortune
iberico (ē·be'rē·kō) *a&m* Iberian
ibernazione (ē·bär·nâ·tsyō'nä) *f* hibernation
ibridazione (ē·brē·dâ·tsyō'nä) *f* hybridization
ibrido (ē'brē·dō) *m&a* hybrid
icona (ē·kō'nâ) *f* icon
iconoclastico (ē·kō·nō·klâ'stē·kō) *a* iconoclastic
Iddio (ēd·dē'ō) *m* God, Lord
idea (ē·dā'â) *f* idea, opinion; **–le** (ē·dä·â'lä) *n&a* ideal; **–lismo** (ē·dä·â·lē'zmō) *m* idealism; **–lista** (ē·dä·â·lē'stä) *m* idealist; **–lizzare** (ē·dä·â·lē·dzâ'rä) *vt* to idealize; **–lizzazione** (ē·dä·â·lē·dzâ·tsyō'nä) *f* idealization; **–lmente** (ē·dä·âl·män'tä) *adv* ideally; **–re** (ē·dä·â'rä) *vt* to conceive, plan; **–tore** (ē·dä·â·tō'rä) *m* inventor, creator; **–zione** (ē·dä·â·tsyō'nä) *f* ideation

idem (ē'däm) *adv* idem
identicamente (ē·dän·tē·kâ·män'tä) *adv* exactly, identically
identico (ē·den'tē·kō) *a* identical
identificare (ē·dän·tē·fē·kâ'rä) *vt* to identify
identificarsi (ē·dän·tē·fē·kâr'sē) *vr* to identify onself; to feel drawn toward
identificazione (ē·dän·tē·fē·kâ·tsyō'nä) *f* identification
identità (ē·dän·tē·tâ') *f* identity; **carta d' —** identification card
ideologia (ē·dä·ō·lō·jē'â) *f* ideology
ideologico (ē·dä·ō·lô'jē·kō) *a* ideological
idillio (ē·dēl'lyō) *m* romance, idyl
idioma (ē·dyō'mä) *m* vernacular; language
idiomatico (ē·dyō·mâ'tē·kō) *a* idiomatic; **espressione idiomatica** idiom
idiosincrasia (ē·dyō·sēn·krâ·zē'â) *f* allergy; repugnance; aversion; peculiarity
idiota (ē·dyō'tâ) *a* idiotic — *m* idiot
idiotismo (ē·dyō·tē'zmō) *m* idiocy; idiom, expression
idolatrare (ē·dō·lâ·trâ'rä) *vt* to idolize
idolo (ē'dō·lō) *m* idol

k kid, **l** let, **m** met, **n** not, **p** pat, **r** very, **s** sat, **sh** shop, **t** tell, **v** vat, **w** we, **y** yes, **z** zero

idoneamente (ē·dō·nä·â·män′tä) *adv* conveniently

idoneità (ē·dō·näē·tâ′) *f* fitness, aptness

idoneo (ē·dô′nä·ō) *a* qualified; fit

idrante (ē·drân′tä) *m* hydrant

idrato (ē·drâ′tō) *m* hydrate; — **di carbone** carbohydrate

idraulica (ē·drâ′ū·lē·kâ) *f* hydraulics

idraulico (ē·drâ′ū·lē·kō) *a* hydraulic; — *m* plumber

idrocarburo (ē·drō·kâr·bū′rō) *m* hydrocarbon

idrodinamica (ē·drō·dē·nâ′mē·kâ) *f* hydrodynamics

idroelettrico (ē·drō·ā·let′trē·kō) *a* hydroelectric

idrofilo (ē·drō′fē·lō) *a* absorbent; **cotone** — absorbent cotton

idrofobia (ē·drō·fō·bē′â) *f* hydrophobia

idrofobo (ē·drō′fō·bō) *a* hydrophobic

idrografia (ē·drō·grâ·fē′â) *f* hydrography

idrografo (ē·drō′grâ·fō) *m* hydrographer

idrogeno (ē·drō′jä·nō) *m* hydrogen

idrolisi (ē·drō·lē′zē) *f* hydrolysis

idrometria (ē·drō·mä·trē′â) *f* hydrometry

idrometro (ē·drô′mä·trō) *m* water gauge

idropico (ē·drô′pē·kō) *a* dropsical

idropisia (ē·drō·pē·zē′â) *f* dropsy

idroplano (ē·drō·plâ′nō) *m* hydroplane

idroponica (ē·drō·pô′nē·kâ) *f* hydroponics

idroscalo (ē·drō·skâ′lō) *m* seaplane station

idroscì (ē·drō·shē′) *m* water ski

idrosilurante (ē·drō·sē·lū·rân′tä) *m* torpedoplane

idrostatica (ē·drō·stâ′tē·kâ) *f* hydrostatics

idrovia (ē·drō·vē′â) *f* waterway

iena (yä′nâ) *f* hyena

ieri (yä′rē) *adv* yesterday; — **l'altro** the day before yesterday; — **sera** yesterday evening

iettatura (yä·tâ·tū′râ) *f* evil eye; **portare** — to bring misfortune; **avere la** — to be unlucky

igiene (ē·jä′nä) *f* hygienics, hygiene

igienico (ē·je′nē·kō) *a* hygenic; **carta igienica** toilet paper, bathroom tissue

ignaro (ē·nyä′rō) *a* unaware, lacking information

ignavia (ē·nyä′vyâ) *f* indolence

ignifugo (ē·nyē′fū·gō) *a* fire-resistant

ignizione (ē·nyē·tsyō′nä) *f* ignition

ignobile (ē·nyō′bē·lä) *a* base, ignoble

ignobilmente (ē·nyō·bēl·män′tä) *adv* ignobly

ignominia (ē·nyō·mē′nyâ) *f* disgrace

ignominiosamente (ē·nyō·mē·nyō·zâ·män′tä) *adv* shamefully, dishonorably

ignominioso (ē·nyō·mē·nyō′zō) *a* shameful; dishonorable

ignorante (ē·nyō·rân′tä) *a* ignorant; — *m* ignoramus

ignoranza (ē·nyō·rân′tsâ) *f* ignorance

ignorare (ē·nyō·râ′rä) *vt* to be ignorant, be unaware; to lack information; to ignore

ignorato (ē·nyō·râ′tō) *a* disregarded; unknown

ignoto (ē·nyō′tō) *a* unknown

ignudo (ē·nyū′dō) *a* stripped, nude

il (ēl) *art m* the

ilare (ē·lâ′râ) *a* cheerful

ilarità (ē·lâ·rē·tâ′) *f* hilarity; merriment; **scoppio d'** — burst of laughter; **destare** — to provoke laughter

illanguidimento (ēl·lân·gwē·dē·män′tō) *m* listlessness; languishing

illanguidire (ēl·lân·gwē·dē′râ) *vt&i* to weaken; to become languid

illazione (ēl·lâ·tsyō′nä) *f* inference, deduction

illecitamente (ēl·lä·chē·tâ·män′tä) *adv* illicitly

illecito (ēl·le′chē·tō) *a* illicit

illegale (ēl·lä·gâ′lä) *a* illegal

illegalità (ēl·lä·gâ·lē·tâ′) *f* illegality

illegalmente (ēl·lä·gâl·män′tä) *adv* illegally

illeggibile (ēl·läj·jē′bē·lä) *a* illegible

illegittimo (ēl·lä·jēt′tē·mō) *a* illegitimate

illeso (ēl·lä′zō) *a* unharmed

illetterato (ēl·lät·tä·râ′tō) *a* illiterate

illibato (ēl·lē·bâ′tō) *a* pure, innocent

illimitatamente (ēl·lē·mē·tâ·tâ·män′tä) *adv* without bounds, unlimitedly

illimitato (ēl·lē·mē·tâ′tō) *a* unlimited

illividire (ēl·lē·vē·dē′râ) *vt* to make livid; — *vi* to become livid

illividito (ēl·lē·vē·dē′tō) *a* livid

illogico (ēl·lô′jē·kō) *a* illogical

illudere * (ēl·lū′dä·râ) *vt* to deceive

illuminante (ēl·lū·mē·nân′tä) *a* lighting up; illuminating

illuminare (ēl·lū·mē·nâ′râ) *vt* to light up; to enlighten

illuminarsi (ēl·lū·mē·nâr′sē) *vr* to grow bright

illuminato (ēl·lū·mē·nâ′tō) *a* lighted; enlightened

illuminazione (ēl·lū·mē·nâ·tsyō′nä) *f* lighting; illumination; enlightenment

illusione (ēl·lū·zyō′nä) *f* illusion; **farsi illusioni** to build dream castles; **vivere di illusioni** to live in a dream world

---

â ârm, ā bāby, e bet, ē bē, ō gō, ô gône, ū blūe, b bad, ch child, d dad, f fat, g gay, j jet

illusionista (ēl·lū·zyō·nē'stâ) *m* magician

illuso (ēl·lū'zō) *a* deluded — *m* daydreamer

illusorio (ēl·lū·zô'ryō) *a* fallacious; unreal

illustrare (ēl·lū·strâ'rā) *vt* to illustrate; to make famous; to explain

illustrativo (ēl·lū·strâ·tē'vō) *a* illustrative

illustratore (ēl·lū·strâ·tō'rā) *m* illustrator

illustrazione (ēl·lū·strâ·tsyō'nā) *f* illustration; explanation; glory

illustre (ēl·lū'·strā) *a* illustrious

imbaldanzire (ēm·bâl·dân·tsē'rā) *vt* to make bold; — *vi* to become bold

imballaggio (ēm·bâl·lâj'jō) *m* packing

imballare (ēm·bâl·lâ'rā) *vt* to pack; *(mech)* to race

imballatore (ēm·bâl·lâ·tō'rā) *m* packer

imballatrice (ēm·bâl·lâ·trē'chā) *f* packing machine; baling machine

imballo (ēm·bâl'lō) *m* packing; *(mech)* racing

imbalsamare (ēm·bâl·sâ·mâ'rā) *vt* to embalm; to stuff

imbambolato (ēm·bâm·bō·lâ'tō) *a* listless; sleepy

imbandierare (ēm·bân·dyā·râ'rā) *vt* to decorate with flags

imbandierato (ēm·bân·dyā·râ'tō) *a* decorated with flags

imbandigione (ēm·bân·dē·jō'nā) *f* banquet preparations

imbandire (ēm·bân·dē'rā) *vt* to set *(table)*; to ready, prepare; to serve; — **un pranzo** to serve a feast

imbarazzante (ēm·bâ·râ·tsân'tā) *a* embarrassing; puzzling; obstructing

imbarazzare (ēm·bâ·râ·tsâ'rā) *vt* to embarrass; to perplex; to obstruct

imbarazzarsi (ēm·bâ·râ·tsâr'sē) *vr* to become confused, grow embarrassed; *(coll)* to interfere with

imbarazzato (ēm·bâ·râ·tsâ'tō) *a* embarrassed; bewildered

imbarazzo (ēm·bâ·râ'tsō) *m* embarrassment; constipation; financial difficulties; **essere d'** — to be in the way; **trovarsi in imbarazzi** to find oneself in a difficult situation; **levarsi d'** — to get out of trouble; — **di stomaco** indigestion

imbarcadero (ēm·bâr·kâ·dā'rō) *m* pier

imbarcare (ēm·bâr·kâ'rā) *vt* to take on board; to ship

imbarcarsi (ēm·bâr·kâr'sē) *vr* to go aboard, board; to sail; — **in un'impresa difficile** to embark on a difficult task

imbarcatoio (ēm·bâr·kâ·tô'yō) *m* wharf

imbarcazione (ēm·bâr·kâ·tsyō'nā) *f* boat, ship

imbarco (ēm·bâr'kō) *m* loading pier; embarkation; shipping

imbardare (ēm·bâr·dâ'rā) *vi* to yaw *(avi)*

imbarilare (ēm·bâ·rē·lâ'rā) *vt* to put into barrels

imbastardire (ēm·bâ·stâr·dē'rā) *vt* to corrupt; to debase

imbastardirsi (ēm·bâ·stâr·dēr'sē) *vr* to degenerate

imbastardito (ēm·bâ·stâr·dē'tō) *a* degenerate; corrupted

imbastire (ēm·bâ·stē'rā) *vt* to baste; — **un discorso** to prepare a speech

imbattersi (ēm·bât'tär·sē) *vr* to run across

imbattibile (ēm·bât·tē'bē·lā) *a* unbeatable

imbattuto (ēm·bât·tū'tō) *a* unsurpassed; unbeaten

imbavagliare (ēm·bâ·vâ·lyâ'rā) *vt* to gag

imbeccare (ēm·bāk·kâ'rā) *vt* *(fig)* to coach, prompt

imbeccata (ēm·bāk·kâ'tâ) *f* cue, prompting

imbecillaggine (ēm·bā·chēl·lâj'jē·nā) *f* imbecility, foolishness

imbecille (ēm·bā·chēl'lā) *m* imbecile, simpleton

imbelle (ēm·bāl'lā) *a* cowardly, fainthearted; unwarlike

imbellettarsi (ēm·bāl·lât·târ'sē) *vr* to put on make-up

imbellire (ēm·bāl·lē'rā) *vt* to beautify; to ornament; — *vi* to become more handsome; to grow more beautiful

imberbe (ēm·bār'bā) *a* beardless; young

imbestialire (ēm·bā·styâ·lē'rā) *vt* to brutalize

imbestialirsi (ēm·bā·styâ·lēr'sē) *vr* to become brutal; to get furious

imbevere (ēm·be'vā·rā) *vt* to drench; to absorb

imbeversi (ēm·be'vār·sē) *vr* to become soaked; — **di** to be imbued with, to absorb, to assimilate

imbevuto (ēm·bā·vū'tō) *a* drenched; imbued

imbiancamento (ēm·byân·kâ·mān'tō) *m* whitewashing; bleaching; turning white *(hair)*

imbiancare (ēm·byân·kâ'rā) *vt* to whitewash; to whiten

imbiancato (ēm·byân·kâ'tō) *a* whitened

imbiancatura (ēm·byân·kâ·tū'rā) *f* whitewash; bleach

imbianchino (ēm·byân·kē'nō) *m* house painter

imbizzarrirsi (ēm·bē·dzâr·rēr'sē) *vr* to

k kid, l let, m met, n not, p pat, r very, s sat, sh shop, t tell, v vat, w we, y yes, z zero

become enraged; to frisk *(animals)*
imboccare (ēm·bŏk·kâ′rā) *vt* to feed; to enter; — *vi* to fit in *(mech)*
imbocco (ēm·bŏk′kō) *m* aperture; entrance; mouth
imboscare (ēm·bŏ·skâ′rā) *vt* to ambush; to conceal
imboscarsi (ēm·bŏ·skâr′sē) *vr* to lie in ambush; *(fig)* to shirk
imboscata (ēm·bŏ·skâ′tâ) *f* ambush
imboscato (ēm·bŏ·skâ′tō) *m* slacker
imbottigliamento (ēm·bŏt·tē·lyâ·mān′tō) *m* bottling; *(fig)* blockade
imbottita (ēm·bŏt·tē′tâ) *f* quilt
imbottito (ēm·bŏt·tē′tō) *a* padded, stuffed
imbottitura (ēm·bŏt·tē·tū′râ) *f* quilting; padding
imbracciatura (ēm·brâ·châ·tū′râ) *f* rifle sling
imbrattare (ēm·brât·tâ′rā) *vt* to soil, stain
imbrattatele (ēm·brât·tâ·tā′lā) *m* dauber; bad painter
imbrigliare (ēm·brē·lyâ′rā) *vt* to bridle; to check
imbroccare (ēm·brōk·kâ′rā) *vt* to hit; to guess right
imbrogliare (ēm·brō·lyâ′rā) *vt* to cheat; to confuse
imbrogliarsi (ēm·brō·lyâr′sē) *vr* to become confused; to meddle with
imbroglio (ēm·brô′lyō) *m* fraud; mess
imbroglione (ēm·brō·lyō′nā) *m* crook; swindler
imbronciarsi (ēm·brōn·châr′sē) *vr* to pout; to grow dark *(sky)*
imbrunire (ēm·brū·nē′rā) *vi* to get dark; to turn brown
imbruttire (ēm·brūt·tē′rā) *vt* to disfigure; to make homely
imbucare (ēm·bū·kâ′rā) *vt* to mail; to put in the mailbox
imburrare (ēm·būr·râ′rā) *vt* to butter
imburrato (ēm·būr·râ′tō) *a* buttered
imbuto (ēm·bū′tō) *m* funnel
imene (ē·mâ′nā) *m* hymen
imitare (ē·mē·tâ′rā) *vt* to imitate
imitato (ē·mē·tâ′tō) *a* imitated
imitatore (ē·mē·tâ·tō′rā) *m* imitator, mimic
imitazione (ē·mē·tâ·tsyō′nā) *f* imitation
immacolato (ēm·mâ·kō·lâ′tō) *a* immaculate; **l'Immacolata** the Virgin Mary
immagazzinaggio (ēm·mâ·gâ·dzē·nâj′jō) *m* storage, storing
immagazzinare (ēm·mâ·gâ·dzē·nâ′rā) *vt* to store; to lay by
immaginabile (ēm·mâ·jē·nâ′bē·lā) *a* imaginable

immaginare (ēm·mâ·jē·nâ′rā) *vt* to imagine
immaginario (ēm·mâ·jē·nâ′ryō) *a* imaginary
immaginativa (ēm·mâ·jē·nâ·tē′vâ) *f* imagination
immaginativo (ēm·mâ·jē·nâ·tē′vō) *a* imaginative
immaginazione (ēm·mâ·jē·nâ·tsyō′nā) *f* imagination
immagine (ēm·mâ′jē·nâ) *f* image
immancabile (ēm·mân·kâ′bē·lā) *a* sure; unfailing
immancabilmente (ēm·mân·kâ·bēl·mān′tā) *adv* without fail; certainly
immane (ēm·mâ′nā) *a* enormous
immanente (ēm·mâ·nān′tâ) *a* inherent
immantinente (ēm·mân·tē·nān′tâ) *adv* immediately, at once
immateriale (ēm·mâ·tâ·ryâ′lā) *a* immaterial
immatricolarsi (ēm·mâ·trē·kō·lâr′sē) *vr* to register, matriculate *(school)*
immaturità (ēm·mâ·tū·rē·tâ′) *f* immaturity
immaturo (ēm·mâ·tū′rō) *a* immature, not ripe
immediatamente (ēm·mâ·dyâ·tâ·mān′tā) *adv* immediately
immediato (ēm·mâ·dyâ′tō) *a* immediate
immemorabile (ēm;mâ·mō·râ′bē·lā) *a* immemorial
immemore (ēm·me′mō·rā) *a* forgetful
immensamente (ēm·mān·sâ·mān′tā) *adv* immensely
immensità (ēm·mān·sē·tâ′) *f* immensity
immenso (ēm·mān′sō) *a* immense
immergere * (ēm·mer′jâ·rā) *vt* to dip, immerse
immergersi * (ēm·mer′jâr·sē) *vr* to plunge, dive into
immeritato (ēm·mâ·rē·tâ′tō) *a* undeserved
immeritevole (ēm·mâ·rē·te′vō·lā) *a* unworthy
immeritevolmente (ēm·mâ·rē·tâ·vōl·mān′tā) *adv* undeservingly
immersione (ēm·mâr·syō′nā) *f* immersion
linea d' — waterline
immerso (ēm·mâr′sō) *a* immersed
immettere * (ēm·met′tâ·rā) *vt* to bring in; *(fig)* to infuse, inspire
immettersi * (ēm·met′târ·sē) *vr* to enter into; to penetrate
immigrante (ēm·mē·grân′tā) *a&m* immigrant
immigrare (ēm·mē·grâ′rā) *vi* to immigrate

immigrato (ēm·mē·grâ′tō) *a* immigrant

immigrazione (ēm·mē·grä·tsyō′nä) *f* immigration

imminente (ēm·mē·nän′tā) *a* impending

imminenza (ēm·mē·nän′tsâ) *f* imminence

immischiare (ēm·mē·skyâ′rä) *vt* to entangle; to implicate

immischiarsi (ēm·mē·skyâr′sē) *vr* to interfere, meddle

immiserire (ēm·mē·zä·rē′rä) *vt* to impoverish

immiserirsi (ēm·mē·zä·rēr′sē) to become destitute

immissario (ēm·mēs·sâ′ryō) *a* tributary *(river)*

immobile (ēm·mô′bē·lä) *a* motionless; immovable; — *m* property

immobili (ēm·mô′bē·lē) *mpl* property, real estate

immobiliare (ēm·mō·bē·lyâ′rä) *a* pertaining to real estate; **credito** — real estate mortgage

immobilità (ēm·mō·bē·lē·tâ′) *f* immobility; stability

immobilizzare (ēm·mō·bē·lē·dzâ′rä) *vt* to immobilize; to freeze *(capital)*

immolare (ēm·mō·lâ′rä) *vt* to sacrifice, offer up

immolarsi (ēm·mō·lâr′sē) *vr* to sacrifice oneself

immolazione (ēm·mō·lâ·tsyō′nä) *f* sacrifice, immolation

immondizia (ēm·mōn·dē′tsyâ) *f* filth; garbage

immondo (ēm·mōn′dō) *a* filthy, impure

immorale (ēm·mō·râ′lä) *a* immoral

immoralità (ēm·mō·râ·lē·tâ′) *f* immorality

immoralmente (ēm·mō·râl·män′tä) *adv* immorally

immortalare (ēm·mōr·tâ·lâ′rä) *vt* to immortalize

immortale (ēm·mōr·tâ′lä) *a* immortal, everlasting

immortalità (ēm·mōr·tâ·lē·tâ′) *f* immortality

immoto (ēm·mō′tō) *a* motionless

immune (ēm·mū′nä) *a* immune; exempt; unhurt

immunità (ēm·mū·nē·tâ′) *f* immunity

immunizzare (ēm·mū·nē·dzâ′rä) *vt* to immunize

immunizzazione (ēm·mū·nē·dzâ·tsyō′nä) *f* immunization

immutabile (ēm·mū·tâ′bē·lä) *a* immutable

immutabilità (ēm·mū·tâ·bē·lē·tâ′) *f* constancy

immutato (ēm·mū·tâ′tō) *a* unchanged, unvaried

imo (ē′mō) *a* lowest; — *m* bottom

impaccare (ēm·pâk·kâ′rä) *vt* to pack, make a package of

impacchettare (ēm·pâk·kāt·tâ′rä) *vt* to put in a package; to pack

impacciare (ēm·pâ·châ′rä) *vt* to trouble; to impede, hinder

impacciato (ēm·pâ·châ′tō) *a* embarrassed, ill at ease

impaccio (ēm·pâ′chō) *m* embarrassment; trouble; hindrance; **levarsi d'**— to get out of a difficult situation

impacco (ēm·pâk′kō) *m (med)* compress

impadronirsi (ēm·pâ·drō·nēr′sē) *vr* to get possession, seize; to become master

impagabile (ēm·pâ·gâ′bē·lä) *a* irreplaceable; priceless

impaginare (ēm·pâ·jē·nâ′rä) *vt* to make into pages, paginate

impaginazione (ēm·pâ·jē·nâ·tsyō′nä) *f* numbering of pages, pagination

impagliare (ēm·pâ·lyâ′rä) *vt* to stuff; to cover with straw

impalare (ēm·pâ·lâ′rä) *vt* to impale

impalato (ēm·pâ·lâ′tō) *a* stiff; impaled

impalcatura (ēm·pâl·kâ·tū′rä) *f* scaffolding

impallidire (ēm·pâl·lē·dē′rä) *vi* to turn pale

impalpabile (ēm·pâl·pâ′bē·lä) *a* intangible; inappreciable

impanare (ēm·pâ·nâ′rä) *vt* to bread; to thread *(mech)*

impantanarsi (ēm·pân·tâ·nâr′sē) *vr* to bog down; to get stuck in the mud; to wallow; *(fig)* to get mixed up in

impaperarsi (ēm·pâ·pâ·râr′sē) *vr* to fluff a line *(theat)*; to mispronounce; to stammer

impappinarsi (ēm·pâp·pē·nâr′sē) *vr* to get flustered

imparagonabile (ēm·pâ·râ·gō·nâ′bē·lä) *a* incomparable, peerless

imparare (ēm·pâ·râ′rä) *vt* to learn; — **a memoria** to memorize

impareggiabile (ēm·pâ·râj·jâ′bē·lä) *a* incomparable

imparentarsi (ēm·pâ·rän·târ′sē) *vr* to marry into

imparentato (ēm·pâ·rän·tâ′tō) *a* related

impari (ēm·pâ′rē) *a* odd, uneven; inadequate

impartire (ēm·pâr·tē′rä) *vt* to give, bestow

imparziale (ēm·pâr·tsyâ′lä) *a* impartial

imparzialità (ēm·pâr·tsyâ·lē·tâ′) *f* impartiality

imparzialmente (ēm·pâr·tsyâl·mãn′tā) *adv* impartially

impassibile (ēm·pâs·sē′bē·lā) *a* impassive; unfeeling, insensible

impassibilità (ēm·pâs·sē·bē·lē·tâ′) *f* aloofness, impassiveness

impassibilmente (ēm·pâs·sē·bēl·mãn′tā) *adv* impassively, aloofly

impastare (ēm·pâ·stâ′rā) *vt* to knead; to paste

impasticciare (ēm·pâ·stē·châ′rā) *vt* to make a mess of; to soil

impasto (ēm·pâ′stō) *m* mixture

impattare (ēm·pât·tâ′rā) *vi* to be quits; to tie the score

impavidamente (ēm·pâ·vē·dâ·mãn′tā) *adv* undauntedly

impavido (ēm·pâ′vē·dō) *a* brave, fearless

impaurire (ēm·pâū·rē′rā) *vt* to frighten

impaurirsi (ēm·pâū·rēr′sē) *vr* to become frightened; to be intimidated

impazientare (ēm·pâ·tsyãn·tâ′rā) *vt* to bore; to annoy; to irritate

impazientarsi (ēm·pâ·tsyãn·târ′sē) *vr* to get impatient

impazientemente (ēm·pâ·tsyãn·tā·mãn′-tā) *adv* impatiently

impazienza (ēm·pâ·tsyãn′tsâ) *f* impatience

impazzata (ēm·pâ·tsâ′tâ) *f* folly, madness; **all'**— rashly; madly

impazzito (ēm·pâ·tsē′tō) *a* demented

impazzire (ēm·pâ·tsē′rā) *vi* to go mad

impeccabile (ēm·pāk·kâ′bē·lā) *a* impeccable

impeccabilità (ēm·pāk·kâ·bē·lē·tâ′) *f* impeccability, flawlessness

impeccabilmente (ēm·pāk·kâ·bēl·mãn′tā) *adv* impeccably, faultlessly

impedenza (ēm·pā·dãn′tsâ) *f (elec)* impedance

impedimento (ēm·pā·dē·mãn′tō) *m* impediment; obstacle, hindrance

impedire (ēm·pā·dē′rā) *vt* to prevent; to impede; — **la circolazione** to block traffic

impegnare (ēm·pā·nyâ′rā) *vt* to pawn; to hire; to pledge

impegnarsi (ēm·pā·nyâr′sē) *vr* to involve oneself; to give one's services

impegnativo (ēm·pā·nyâ·tē′vō) *a* binding, obliging

impegnato (ēm·pā·nyâ′tō) *a* involved; occupied; pawned

impegno (ēm·pā′nyō) *m* pledge; obligation

impegolarsi (ēm·pā·gō·lâr′sē) *vr* to become involved, get mixed up

impellente (ēm·pāl·lãn′tā) *a* urgent

impellicciato (ēm·pāl·lē·châ′tō) *a* dressed in furs; furred; veneered *(furniture)*

impenetrabile (ēm·pā·nā·trâ′bē·lā) *a* impenetrable; — **all'aria** airtight

impenetrabilmente (ēm·pā·nā·trâ·bēl·mãn′tā) *adv* impenetrably

impenitente (ēm·pā·nē·tãn′tā) *a* unrepenting

impennarsi (ēm·pãn·nâr′sē) *vr (fig)* to get angry; to rise up on its hind legs

impennato (ēm·pãn·nâ′tō) *a* rearing, prancing *(horse)*

impensabile (ēm·pãn·sâ′bē·lā) *a* unthinkable

impensato (ēm·pãn·sâ′tō) *a* unexpected

impensierire (ēm·pãn·syā·rē′rā) *vt* to cause alarm; to worry

impensierirsi (ēm·pãn·syā·rēr′sē) *vr* to grow anxious, become uneasy

imperante (ēm·pā·rân′tā) *a* reigning, prevailing

imperativo (ēm·pā·râ·tē′vō) *a* imperative; — *m* imperative *(gram)*

imperatore (ēm·pā·râ·tō′rā) *m* emperor

impercettibile (ēm·pār·chāt·tē′bē·lā) *a* unnoticeable

imperdonabile (ēm·pār·dō·nâ′bē·lā) *a* unpardonable

imperfetto (ēm·pār·fāt′tō) *a* defective; — *m* imperfect *(gram)*

imperfezione (ēm·pār·fā·tsyō′nā) *f* imperfection

imperiale (ēm·pā·ryâ′lā) *a* imperial

imperialismo (ēm·pā·ryâ·lē′zmō) *m* imperialism

imperialista (ēm·pā·ryâ·lē′stâ) *m* imperialist

imperiosamente (ēm·pā·ryō·zâ·mãn′tā) ...*adv* dictatorially

imperioso (ēm·pā·ryō′zō) *a* peremptory; arrogant

imperituro (ēm·pā·rē·tū′rō) *a* undying

imperizia (ēm·pā·rē′tsyâ) *f* awkwardness; lack of skill

impermalirsi (ēm·pār·mâ·lēr′sē) *vr* to resent; to take offense

impermeabile (ēm·pār·mā·â′bē·lā) *a* waterproof; — *m* raincoat

imperniare (ēm·pār·nyâ′rā) *vt* to pivot; to base; to found

impero (ēm·pā′rō) *m* empire

imperseveranza (ēm·pār·sā·vā·rân′tsâ) *f* inconstancy

impersonare (ēm·pār·sō·nâ′rā) *vt* to impersonate

imperterrito (ēm·pār·ter′rē·tō) *a* fearless, intrepid

impertinente (ēm·pär·tē·nän'tā) *a* impertinent, saucy, fresh

impertinenza (ēm·pär·tē·nän'tsä) *f* impudence, impertinence

imperturbabile (ēm·pär·tūr·bâ'bē·lā) *a* imperturbable, calm, serene

imperturbabilità (ēm·pär·tūr·bâ·bē·lē·tâ') *f* calmness, serenity

imperturbabilmente (ēm·pär·tūr·bâ·bēl·män'tā) *adv* imperturbably, calmly

imperversare (ēm·pär·vär·sâ'rä) *vi* to storm, rage *(weather)*; to become furious, rampage

impervio (ēm·per'vyō) *a* impervious

impetigine (ēm·pä·tē'jē·nä) *f (med)* impetigo

impeto (ēm'pā·tō) *m* impetus; **di primo —** impulsively; at first; **fare — su** to attack; **pieno d' —** vigorous

impettito (ēm·pät·tē'tō) *a* stiff; erect; **camminare —** to strut

impetuosamente (ēm·pä·twō·zâ·män'tā) *adv* impulsively; violently

impetuosità (ēm·pä·twō·zē·tâ') *f* impetuousness; fervor

impetuoso (ēm·pä·twō'zō) *a* impetuous

impiantare (ēm·pyân·tâ'rä) *vt* to plant; to set up; to establish

impiantito (ēm·pyân·tē'tō) *m* flooring

impianto (ēm·pyân'tō) *m* installation, establishment; plant *(com)*; **spese d'—** initial expenses

impiastro (ēm·pyâ'strō) *m* poultice; *(fig)* bore

impiccagione (ēm·pēk·kâ·jō'nä) *f* hanging *(person)*

impiccare (ēm·pēk·kâ'rä) *vt* to hang *(person)*

impiccato (ēm·pēk·kâ'tō) *a&m* hanged

impicciarsi (ēm·pē·châr'sē) *vr* to meddle, become involved

impiccio (ēm·pē'chō) *m* trouble; obstacle

impiccolire (ēm·pēk·kō·lē'rä) *vt* to diminish, reduce

impiccolirsi (ēm·pēk·kō·lēr'sē) *vr* to diminish, grow smaller

impiegare (ēm·pyä·gâ'rä) *vt* to employ; to use; *(com)* to invest

impiegarsi (ēm·pyä·gâr'sē) *vr* to be hired; to find a job

impiegato (ēm·pyä·gâ'tō) *m* employee; clerk; **— a** employed

impiego (ēm·pyä'gō) *m* employment, job; use; investment

impigliarsi (ēm·pē·lyâr'sē) *vr* to get entangled; to be caught in

impinguare (ēm·pēn·gwâ'rä) *vt* to fatten

impiombare (ēm·pyōm·bâ'rä) *vt* to cover

with lead; to fill *(tooth)*

impiparsi (ēm·pē·pâr'sē) *vr* not to give a hang; to be totally unconcerned

implacabile (ēm·plâ·kâ'bē·lä) *a* unrelenting; implacable

implacabilità (ēm·plâ·kâ·bē·lē·tâ') *f* implacability

implacabilmente (ēm·plâ·kâ·bēl·män'tā) *adv* unrelentingly, implacably

implicare (ēm·plē·kâ'rä) *vt* to involve; to imply

implicitamente (ēm·plē·chē·tâ·män'tā) *adv* implicity

implicito (ēm·plē'chē·tō) *a* implicit

implorare (ēm·plō·râ'rä) *vt* to implore

implorazione (ēm·plō·râ·tsyō'nä) *f* imploring, entreaty

implume (ēm·plū'mä) *a* without feathers

impolverare (ēm·pōl·vä·râ'rä) *vt* to cover with dust, make dusty

impolverarsi (ēm·pōl·vä·râr'sē) *vr* to get dusty

imponente (ēm·pō·nän'tā) *a* imposing

imponenza (ēm·pō·nän'tsâ) *f* impressiveness, grandeur

imponibile (ēm·pō·nē'bē·lä) *a* taxable

impopolare (ēm·pō·pō·lâ'rä) *a* unpopular

impopolarità (ēm·pō·pō·lâ·rē·tâ') *f* unpopularity

imporre * (ēm·pōr'rä) *vt* to impose; to inflict

imporsi * (ēm·pōr'sē) *vr* to impose upon; to intrude oneself

importante (ēm·pōr·tân'tā) *a* important

importanza (ēm·pōr·tân'tsâ) *f* importance; **darsi —** to give oneself airs; to throw one's weight around

importare (ēm·pōr·tâ'rä) *vt* to import; **— vi** to matter, be of concern

importatore (ēm·pōr·tâ·tō'rä) *m* importer

importazione (ēm·pōr·tâ·tsyō'nä) *f* importation, import

importo (ēm·pōr'tō) *m* cost, amount

importunare (ēm·pōr·tū·nâ'rä) *vt* to importune; to bother

importuno (ēm·pōr·tū·nō) *a* inopportune; annoying; troublesome

imposizione (ēm·pō·zē·tsyō'nä) *f* imposition

impossessarsi (ēm·pōs·sās·sâr'sē) *vr* to get possession of

impossibile (ēm·pōs·sē'bē·lä) *a* impossible

impossibilità (ēm·pōs·sē·bē·lē·tâ') *f* impossibility

imposta (ēm·pō'stä) *f* tax; shutter

impostazione (ēm·pō·stâ·tsyō'nä) *f* basis, foundation; attitude, manner

impostare (ēm·pō·stâ′rā) *vt* to mail; to place

impostore (ēm·pō·stō′rā) *m* impostor

impostura (ēm·pō·stū′râ) *f* imposture; deception; swindle

impotente (ēm·pō·tān′tā) *a* impotent; powerless

impotenza (ēm·pō·tān′tsâ) *f* impotence

impoverire (ēm·pō·vā·rē′rā) *vt* to impoverish

impraticabile (ēm·prâ·tē·kâ′bē·lā) *a* impassable; not feasible; impracticable; impractical

imprecare (ēm·prā·kâ′rā) *vi* to curse

imprecazione (ēm·prā·kâ·tsyō′nā) *f* curse, imprecation

imprecisabile (ēm·prā·chē·zâ′bē·lā) *a* undeterminable

imprecisione (ēm·prā·chē·zyō′nā) *f* inaccuracy; lack of precision

impreciso (ēm·prā·chē′zō) *a* vague

impregnare (ēm·prā·nyâ′rā) *vt* to impregnate

imprendere (ēm·pren′dā·rā) *vt* to undertake; to start

imprendibile (ēm·prān·dē′bē·lā) *a* untakeable; unassailable; impregnable

imprenditore (ēm·prān·dē·tō′rā) *m* contractor

impreparato (ēm·prā·pâ·râ′tō) *a* unprepared

impreparazione (ēm·prā·pâ·râ·tsyō′nā) *f* lack of preparation

impresa (ēm·prā′zâ) *f* undertaking; exploit; *(com)* firm; *(theat)* management

impresario (ēm·prā·zâ′ryō) *m* contractor; *(theat)* impresario; **— di pompe funebri** mortician

imprescindibile (ēm·prā·shēn·dē′bē·lā) *a* unavoidable; indispensable

impressionabile (ēm·prās·syō·nâ′bē·lā) *a* sensitive, impressionable

impressionare (ēm·prās·syō·nâ′rā) *vt* to stir; to impress

impressionarsi (ēm·prās·syō·nâr′sē) *vr* to be deeply stirred

impressione (ēm·prās·syō′nā) *f* impression

impressionismo (ēm·prās·syō·nē′zmō) *m* impressionism

impressionista (ēm·prās·syō·nē′stâ) *m* impressionist

impresso (ēm·prās′sō) *a* pressed; imprinted, engraved

impressore (ēm·prās·sō′rā) *m* pressman *(print)*

imprevedibile (ēm·prā·vā·dē′bē·lā) *a* unforeseeable

imprevidente (ēm·prā·vē·dān′tā) *a* improvident

imprevisto (ēm·prā·vē′stō) *a* unforeseen

imprigionamento (ēm·prē·jō·nâ·män′tō) *m* confinement, imprisonment

imprigionare (ēm·prē·jō·nâ′rā) *vt* to imprison

imprimere * (ēm·prē′mā·rā) *vt* to impress; to print; to engrave

improbabile (ēm·prō·bâ′bē·lā) *a* improbable

improbabilità (ēm·prō·bâ·bē·lē·tâ′) *f* improbability

improbabilmente (ēm·prō·bâ·bēl·män′tā) *adv* improbably

improbo (ēm′prō·bō) *a* dishonest; wicked; *(fig)* hard, difficult

impronta (ēm·prōn′tâ) *f* print; mark; **— digitale** fingerprint

improperio (ēm·prō·pe′ryō) *m* abuse, insult, impropriety

impropriamente (ēm·prō·pryâ·män′tā) *adv* improperly

improprietà (ēm·prō·pryâ·tâ′) *f* impropriety

improprio (ēm·prô′pryō) *a* improper, unbecoming

improrogabile (ēm·prō·rō·gâ′bē·lā) *a* not postponable, not deferrable

improrogabilmente (ēm·prō·rō·gâ·bēl·män′tā) *adv* without delay, without postponement

improvvido (ēm·prôv′vē·dō) *a* improvident

improvvisamente (ēm·prōv·vē·zâ·män′tā) *adv* suddenly; unexpectedly

improvvisare (ēm·prōv·vē·zâ′rā) *vi* to improvise; to extemporize; to ad-lib

improvvisazione (ēm·prōv·vē·zâ·tsyō′nā) *f* extemporization, improvisation

improvviso (ēm·prōv·vē′zō) *a* unforeseen; sudden; **all′ —** suddenly

imprudente (ēm·prū·dān′tā) *a* imprudent

imprudentemente (ēm·prū·dān·tā·män′tā) *adv* rashly

imprudenza (ēm·prū·dān′tsâ) *f* imprudence

impudente (ēm·pū·dān′tā) *a* impudent

impudenza (ēm·pū·dān′tsâ) *f* impudence, brazenness

impudicamente (ēm·pū·dē·kâ·män′tā) *adv* immodestly, shamelessly

impudicizia (ēm·pū·dē·chē′tsyâ) *f* shamelessness, immodesty

impugnabile (ēm·pū·nyâ′bē·lā) *a* questionable; impugnable

impugnare (ēm·pū·nyâ′rā) *vt* to contest; to grip

impugnatura (ēm·pū·nyâ·tū′râ) *f* grip

(hand); hilt

impulsivo (ēm·pūl·sē'vō) *a* impulsive

impulso (ēm·pūl'sō) *m* impulse; **dare — a** to set in motion, put into operation

impunemente (ēm·pū·nā·mān'tā) *adv* with impunity

impunità (ēm·pū·nē·tâ') *f* impunity

impuntarsi (ēm·pūn·târ'sē) *vr* to be stubborn

impuntigliarsi (ēm·pūn·tē·lyâr'sē) *vr* to be obstinate; to get it into one's head

impuramente (ēm·pū·râ·mān'tā) *adv* impurely

impurità (ēm·pū·rē·tâ') *f* impurity

impuro (ēm·pū'rō) *a* impure

imputare (ēm·pū·tâ'rā) *vt* to blame, accuse; *(law)* to indict

imputato (ēm·pū·tâ'tō) *m (law)* defendant; **— a** accused

imputazione (ēm·pū·tâ·tsyō'nā) *f* accusation

imputridire (ēm·pū·trē·dē'rā) *vi* to rot

in (ēn) *prep* in; at; by; to; into

inabile (ē·nâ'bē·lā) *a* unable; unfit

inabilità (ē·nâ·bē·lē·tâ') *f* inability

inabissare (ē·nâ·bēs·sâ'rā) *vt* to engulf; to sink

inabissarsi (ē·nâ·bēs·sâr'sē) *vr* to be submerged, sink

inaccessibile (ē·nâ·chās·sē'bē·lā) *a* inaccessible

inaccettabile (ēn·nâ·chāt·tâ'bē·lā) *a* unacceptable

inacidire (ē·nâ·chē·dē'rā) *vt&i* to sour

inadattabile (ē·nâ·dât·tâ'bē·lā) *a* unadaptable

inadeguato (ē·nâ·dā·gwâ'tō) *a* inadequate

inadempiuto (ē·nâ·dām·pyū'tō) *a* uncompleted; unfulfilled

inadoprabile (ē·nâ·dō·prâ'bē·lā) *a* unusable

inalare (ē·nâ·lâ'rā) *vt* to inhale

inalatore (ē·nâ·lâ·tō'rā) *m* inhaler *(med)*

inalazione (ē·nâ·lâ·tsyō'nā) *f* inhalation

inalberare (ē·nâl·bâ·râ'rā) *vt* to hoist

inalienabile (ē·nâ·lyā·nâ'bē·lā) *a* inalienable

inalienare (ē·nâ·lyā·nâ'rā) *vt* to estrange, alienate

inalterabile (ē·nâl·tā·râ'bē·lā) *a* unalterable

inalterato (ē·nâl·tā·râ'tō) *a* unaltered, unchanged

inamidare (ē·nâ·mē·dâ'rā) *vt* to starch

inammissibile (ē·nâm·mēs·sē'bē·lā) *a* inadmissible

inamovibile (ē·nâ·mō·vē'bē·lā) *a* irremovable

inane (ē·nâ'nā) *a* vapid; inane

inanimato (ē·nâ·nē·mâ'tō) *a* inanimate

inanizione (ē·nâ·nē·tsyō'nā) *f* exhaustion; emptiness, vapidness

inappetenza (ē·nâp·pā·tān'tsâ) *f* lack of appetite

inapplicabile (ē·nâp·plē·kâ'bē·lā) *a* inapplicable

inapprezzabile (ē·nâp·prā·tsâ'bē·lā) *a* imperceptible; invaluable

inaridire (ē·nâ·rē·dē'rā) *vt* to dry up

inaridirsi (ē·nâ·rē·dēr'sē) *vr* to become sere, grow arid

inarrivabile (ē·nâr·rē·vâ'bē·lā) *a* unsurpassable; unattainable

inarticolato (ē·nâr·tē·kō·lâ'tō) *a* inarticulate

inaspettatamente (ē·nâ·spāt·tâ·tâ·mān'tā) *adv* unexpectedly

inaspettato (ē·nâ·spāt·tâ'tō) *a* unexpected

inasprimento (ē·nâ·sprē·mān'tō) *m* aggravation; embitterment; harshness

inasprire (ē·nâ·sprē'rā) *vt* to embitter

inasprirsi (ē·nâ·sprēr'sē) *vr* to become exasperated; to grow embittered

inattivo (ē·nât·tē'vō) *a* inactive

inaudito (ē·nâū·dē'tō) *a* unprecedented; unheard-of

inaugurale (ē·nâū·gū·râ'lā) *a* inaugural

inaugurare (ē·nâū·gū·râ'rā) *vt* to inaugurate

inaugurazione (ē·nâū·gū·râ·tsyō'nā) *f* inauguration

incagliare (ēn·kâ·lyâ'rā) *vi* to be stranded; to be brought to a halt; **— vt** to jam; to obstruct, bring to a halt

incagliarsi (ēn·kâ·lyâr'sē) *vr* to be hindered; to run aground

incaglio (ēn·kâ'lyō) *m* deterrent; *(fig)* deadlock

incalcolabile (ēn·kâl·kō·lâ'bē·lā) *a* incalculable, uncountable

incallire (ēn·kâl·lē'rā) *vi* to become callous; to get hard

incalzante (ēn·kâl·tsân'tā) *a* in pursuit, chasing

incalzare (ēn·kâl·tsâ'rā) *vt* to press, harass; to pursue

incamerare (ēn·kâ·mā·râ'rā) *vt* to appropriate; to annex

incamminare (ēn·kâm·mē·nâ'rā) *vt* to set in motion; to give a start to

incamminarsi (ēn·kâm·mē·nâr'sē) *vr* to start out; to set out for

incanalare (ēn·kâ·nâ·lâ'rā) *vt* to channel

incancellabile (ēn·kân·chāl·lâ'bē·lā) *a* unforgettable; indelible, irradicable

incandescente (ēn·kân·dā·shān'tā) *a* incandescent

incantare (ēn·kân·tâ′rā) *vt* to charm

incantatore (ēn·kân·tâ·tō′rā) *m* enchanter, charmer

incantesimo (ēn·kân·te′zē·mō) *m* charm; enchantment; magic, sorcery

incantevole (ēn·kân·te′vō·lā) *a* enchanting

incanto (ēn·kân′tō) *m* magic; charm; auction sale

incapace (ēn·kâ·pâ′chā) *a* incapable

incapacità (ēn·kâ·pâ·chē·tâ′) *f* incapacity, inability

incappare (ēn·kâp·pâ′rā) *vi* to run into, come upon

incappucciare (ēn·kâp·pū·châ′rā) *vt* to hood; to bundle up

incarcerare (ēn·kâr·chā·râ′rā) *vt* to imprison

incarcerazione (ēn·kâr·chā·râ·tsyō′nä) *f* incarceration, imprisonment

incaricare (ēn·kâ·rē·kâ′rā) *vt* to entrust

incaricarsi (ēn·kâ·rē·kâr′sē) *vr* to take upon oneself

incaricato (ēn·kâ·rē·kâ′tō) *a* entrusted, charged; — *m* agent; — **d'affari** chargé d'affaires

incarico (ēn·kâ′rē·kō) *m* appointment; duty; task

incartare (ēn·kâr·tâ′rā) *vt* to wrap in paper

incassare (ēn·kâs·sâ′rā) *vt* to cash; to collect; to case

incasso (ēn·kâs′sō) *m* collection, take

incastonare (ēn·kâ·stō·nâ′rā) *vt* to set *(gems)*

incastrare (ēn·kâ·strâ′rā) *vt* to insert, fit in

incastrarsi (ēn·kâ·strâr′sē) *vr* to be embedded; to fit in

incastro (ēn·kâ′strō) *m* recess *(arch)*; groove, joint; — **a coda di rondine** dovetailing

incatenare (ēn·kâ·tā·nâ′rā) *vt* to chain; *(fig)* to fascinate

incatramare (ēn·kâ·trâ·mâ′rā) *vt* to tar

incautamente (ēn·kâŭ·tâ·mân′tā) *adv* rashly, carelessly

incauto (ēn·kâ′ū·tō) *a* incautious, rash

incavato (ēn·kâ·vâ′tō) *a* hollow

incavo (ēn·kâ′vō) *m* hole; hollow

incendiare (ēn·chān·dyâ′rā) *vt* to put fire to

incendiario (ēn·chān·dyâ′ryō) *m* arsonist

incendiarsi (ēn·chān·dyâr′sē) *vr* to catch fire

incendio (ēn·chen′dyō) *m* fire; — **doloso** arson

incenerire (ēn·chā·nä·rē′rā) *vt* to incinerate

incensamento (ēn·chān·sâ·mân′tō) *m (fig)* flattery; incensing

incensare (ēn·chān·sâ′rā) *vt* to incense; *(fig)* to flatter

incenso (ēn·chān′sō) *m* incense; *(fig)* flattery

incensurabile (ēn·chān·sū·râ′bē·lā) *a* above criticism

incensurato (ēn·chān·sū·râ′tō) *a* uncensured

incentivo (ēn·chān·tē′vō) *m* incentive

incepparsi (ēn·châp·pâr′sē) *vr* to jam, become obstructed

incerare (ēn·chā·râ′rā) *vt* to wax *(surface)*

incerata (ēn·chā·râ′tâ) *f* oilskin

incertezza (ēn·châr·tā′tsâ) *f* uncertainty; indecision; **tenere nell'**—; to keep in suspense; — **del tempo** unsettled weather

incerto (ēn·châr′tō) *a* dubious, uncertain; irresolute; **luce incerta** dim light; — *m* uncertainty; gratuity, perquisite

incerti (ēn·châr′tē) *mpl* perquisites

incessante (ēn·châs·sân′tä) *a* incessant; **–mente** (ēn·châs·sân·tä·mân′tä) *adv* incessantly

incetta (ēn·chât′tâ) *f* cornering *(goods)*; buying up

incettare (ēn·chât·tâ′rā) *vt* to buy up; to corner *(goods)*

inchiesta (ēn·kyä′stâ) *f* investigation; inquiry; inquest

inchinare (ēn·kē·nâ′rā) *vt* to bend; — *vi* to bow

inchinarsi (ēn·kē·nâr′sē) *vr* to lower oneself; to bow to

inchino (ēn·kē′nō) *m* bow

inchiodare (ēn·kyō·dâ′rā) *vt* to rivet; to nail; — **al letto** *(fig)* to confine to bed

inchiostro (ēn·kyō′strō) *m* ink

inciampare (ēn·châm·pâ′rā) *vi* to stumble, trip

inciampo (ēn·châm′pō) *m* obstacle, hindrance; *(fig)* difficulty

incidentalmente (ēn·chē·dān·tâl·mân′tä) *adv* accidentally; incidentally

incidente (ēn·chē·dân′tä) *m* accident; incident; — **automobilistico** automobile accident

incidere * (ēn·chē′dä·rā) *vt* to engrave; to record; to cut into; — **una canzone** to record a song; — **all'acquaforte** to etch

incinta (ēn·chēn′tâ) *a* pregnant

incipriare (ēn·chē·pryâ′rā) *vt* to powder

incipriarsi (ēn·chē·pryâr′sē) *vr* to powder oneself; to put on powder

---

â ârm, ā bāby, e bet, ē bē, ō gō, ô gône, ū blūe, b bad, ch child, d dad, f fat, g gay, j jet

incisione (ēn·chē·zyō′nä) ƒ engraving; etching; incision

incisivo (ēn·chē·zē′vō) a incisive; — m incisor

incisore (ēn·chē·zō′rā) m engraver

incitamento (ēn·chē·tâ·män′tō) m incitement

incitare (ēn·chē·tâ′rā) vt to incite

incivile (ēn·chē·vē′lä) a uncivilized; ill-mannered, discourteous

incivilirsi (ēn·chē·vē·lēr′sē) vr to become civilized

inclemente (ēn·klä·män′tä) a inclement

inclinare (ēn·klē·nâ′rā) vt&i to bend; to incline; to be inclined

inclinarsi (ēn·klē·nâr′sē) vr to incline toward; to lean

inclinazione (ēn·klē·nâ·tsyō′nä) ƒ inclination

incline (ēn·klē′nä) a apt to; inclined

includere * (ēn·klū′dä·rā) vt to include

inclusione (ēn·klū·zyō′nä) ƒ inclusion

incluso (ēn·klū′zō) a included

incoerente (ēn·kō·ā·rän′tä) a incoherent; inconsistent

incognita (ēn·kô′nyē·tâ) ƒ unknown quantity

incognito (ēn·kô′nyē·tō) a unknown; **in** — incognito

incollare (ēn·kōl·lâ′rā) vt to glue, paste

incollerito (ēn·kōl·lä·rē′tō) a angry

incollerirsi (ēn·kōl·lä·rēr′sē) vr to get angry

incolore (ēn·kō·lō′rā) a colorless

incolpabilità (ēn·kōl·pâ·bē·lē·tâ′) ƒ innocence

incolpare (ēn·kōl·pâ′rā) vt to blame

incolto (ēn·kōl′tō) a uncouth; uncultivated

incolume (ēn·kô′lū·mä) a uninjured, safe and sound

incolumità (ēn·kō·lū·mē·tâ′) ƒ safety

incombenza (ēn·kōm·bän′tsä) ƒ task; errand

incombere (ēn·kôm′bä·rä) vi to be incumbent; to impend

incombustibile (ēn·kōm·bū·stē′bē·lä) a fireproof; incombustible

incominciare (ēn·kō·mēn·châ′rä) vt&i to begin, start

incommestibile (ēn·kōm·mä·stē′bē·lä) a inedible

incomodare (ēn·kō·mō·dâ′rä) vt to disturb

incomodarsi (ēn·kō·mō·dâr′sē) vr to take the trouble, trouble oneself

incomodità (ēn·kō·mō·dē·tâ′) ƒ annoyance; trouble; discomfort

incomodo (ēn·kô′mō·dō) m trouble; — a bothersome; uncomfortable

incomparabile (ēn·kōm·pâ·râ′bē·lä) a incomparable

incompatibile (ēn·kōm·pâ·tē′bē·lä) a inconsistent; incompatible

incompatibilità (ēn·kōm·pâ·tē·bē·lē·tâ′) ƒ inconsistency; incompatibility

incompetente (ēn·kōm·pä·tän′tä) a incompetent

incompleto (ēn·kōm·plä′tō) a incomplete

incomprensibile (ēn·kōm·prän·sē′bē·lä) a incomprehensible

incomprensione (ēn·kōm·prän·syō′nä) ƒ incomprehension, misunderstanding

incompreso (ēn·kōm·prä′zō) a unappreciated; misunderstood

inconcepibile (ēn·kōn·chä·pē′bē·lä) a inconceivable

incondizionatamente (ēn·kōn·dē·tsyō·nâ·tâ·män′tä) ƒ unreservedly, unconditionally

incondizionato (ēn·kōn·dē·tsyō·nâ′tō) a unconditional

inconfessabile (ēn·kōn·fäs·sâ′bē·lä) a unmentionable

inconfondibile (ēn·kōn·fōn·dē′bē·lä) a unmistakable

inconfutabile (ēn·kōn·fū·tâ′bē·lä) a irrefutable

incongruente (ēn·kōn·grūän′tä) a incongruous

incongruenza (ēn·kōn·grūän′tsâ) ƒ incongruity

inconsapevole (ēn·kōn·sâ·pe′vō·lä) a unaware; unconscious; unknowing

inconsapevolmente (ēn·kōn·sâ·pä·vōl·män′tä) unwittingly, unknowingly

inconsiderato (ēn·kōn·sē·dä·râ′tō) a inconsiderate; rash

inconsistente (ēn·kōn·sē·stän′tä) a unfounded; inconsistent

inconsolabile (ēn·kōn·sō·lâ′bē·lä) a inconsolable

inconsueto (ēn·kōn·swä′tō) a unusual

incontaminato (ēn·kōn·tâ·mē·nâ′tō) a stainless; uncontaminated

incontentabile (ēn·kōn·tän·tâ′bē·lä) a exacting; impossible to please; never satisfied

incontrare (ēn·kōn·trâ′rä) vt to meet; — **favore** to be successful

incontrarsi (ēn·kōn·trâr′sē) vr to meet, get together

incontro (ēn·kōn′trō) m meeting; match (sport); — prep towards, to; **andare** — **a qualcuno** to go to meet someone; **andare** — **a spese** to incure expenses;

andare — **al pericolo** to face danger

inconveniente (ēn·kōn·vā·nyān'tā) *m* inconvenience; — *a* inconvenient; unbecoming

incoraggiamento (ēn·kō·râj·jâ·mān'tō) *m* encouragement; **per** — by way of encouragement

incoraggiante (ēn·kō·râj·jân'tā) *a* encouraging

incoraggiare (ēn·kō·râj·jâ'rā) *vt* to encourage

incoraggiarsi (ēn·kō·râj·jâr'sē) *vr* to take heart, muster one's courage

incoronare (ēn·kō·rō·nâ'rā) *vt* to crown

incoronazione (ēn·kō·rō·nâ·tsyō'nā) *f* coronation

incorporare (ēn·kōr·pō·râ'rā) *vt* to annex; to incorporate

incorporarsi (ēn·kōr·pō·râr'sē) *vr* to be incorporated

incorreggibile (ēn·kōr·râj·jē'bē·lā) *a* incorregible

incorrere * (ēn·kôr'rā·rā) *vi* to incur

incorrettamente (ēn·kōr·rāt·tâ·mān'tā) *adv* incorrectly

incorrettezza (ēn·kōr·rāt·tā'tsā) *f* incorrectness

incorruttibile (ēn·kōr·rūt·tē'bē·lā) *a* incorruptible

incosciente (ēn·kō·shān'tā) *a* unconscious; irresponsible

incoscienza (ēn·kō·shān'tsâ) *f* unconsciousness; lack of responsibility

incostante (ēn·kō·stân'tā) *a* changeable; fickle, inconstant

incostituzionale (ēn·kō·stē·tū·tsyō·nâ'lā) *a* unconstitutional

incredibile (ēn·krā·dē'bē·lā) *a* incredible

incrementare (en·krā·mān·tâ'rā) *vt* to increase

incremento (ēn·krā·mān'tō) *m* increase, increment; **dare** — **a** to favour; to foster

increscioso (ēn·krā·shō'zō) *a* unpleasant, regrettable

incriminare (ēn·krē·mē·nâ'rā) *vt* to impeach; to incriminate

incriminazione (ēn·krē·mē·nâ·tsyō'nā) *f* impeachment; accusation

incrinatura (ēn·krē·nâ·tū'râ) *f* flaw; crack

incrociare (ēn·krō·châ'rā) *vt* to cross; — **le braccia** to fold one's arms

incrociato (ēn·krō·châ'tō) *a* crossed; **parole incrociate** crossword puzzle

incrociatore (ēn·krō·châ·tō'rā) *m (naut)* cruiser

incrocio (ēn·krō'chō) *m* crossing; junction

incrostare (ēn·krō·stâ'rā) *vt* to encrust

incrostarsi (ēn·krō·stâr'sē) *vr* to become encrusted

incubatrice (ēn·kū·bâ·trē'châ) *f* incubator

incubazione (ēn·kū·bâ·tsyō'nā) *f* incubation

incubo (ēn'kū·bō) *m* nightmare

incudine (ēn·kū'dē·nā) *f* anvil

inculcare (ēn·kūl·kâ'rā) *vt* to impress; to inculcate

incurabile (ēn·kū·râ'bē·lā) *a* incurable

incurante (ēn·kū·rân'tā) *a* negligent, heedless, careless

incuranza (ēn·kū·rân'tsâ) *f* inaccuracy; carelessness

incuriosire (ēn·kū·ryō·zē'rā) *vt* to make curious

incuriosirsi (ēn·kū·ryō·zēr'sē) *vr* to become curious

incursionare (ēn·kūr·syō·nâ'rā) *vt* to raid; to make inroads upon

incursione (ēn·kūr·syō'nā) *f* inroad; raid

incutere * (ēn·kū'tā·rā) *vt* to command; to inspire

indaffarato (ēn·dâf·fâ·râ'tō) *a* very busy

indagare (ēn·dâ·gâ'rā) *vt* to investigate

indagine (ēn·dâ'jē·nā) *f* investigation; poll; research

indebitamente (ēn·dā·bē·tâ·mān'tā) *adv* unduly; improperly

indebitarsi (ēn·dā·bē·târ'sē) *vr* to get into debt

indebito (ēn·de'bē·tō) *a* undue; unbecoming; **appropriazione indebita** embezzlement

indebolimento (ēn·dā·bō·lē·mān'tō) *m* weakening

indebolire (ēn·dā·bō·lē'rā) *vt&i* to weaken

indebolirsi (ēn·dā·bō·lēr'sē) *vr* to become weak

indecente (ēn·dā·chān'tā) *a* indecent

indecenza (ēn·dā·chān'tsâ) *f* indecency; **e un'**— it's a shame

indecisione (ēn·nā·chē·zyō'nā) *f* indecision; hesitation

indeciso (ēn·dā·chē'zō) *a* not decided; irresolute

indecoroso (ēn·dā·kō·rō'zō) *a* indecorous

indefesso (ēn·dā·fās'sō) *a* tireless

indefinibile (ēn·dā·fē·nē'bē·lā) *a* hard to define; indescribable

indefinito (ēn·dā·fē·nē'tō) *a* indefinite

indegnamente (ēn·dā·nyâ·mān'tā) *adv* unworthily

indegnità (ēn·dā·nyē·tâ') *f* indignity; unworthiness

indegno (ēn·dā'nyō) *a* unworthy

indelebile (ēn·dā·le′bē·lā) *a* indelible

indelicatezza (ēn·dā·lē·kâ·tā′tsâ) *f* indelicacy

indelicato (ēn·dā·lē·kâ′tō) *a* indelicate

indemagliabile (ēn·dā·mâ·lyâ′bē·lā) *a* runproof

indemoniato (ēn·dā·mō·nyâ′tō) *a* possessed, demonic

indennità (ēn·dān·nē·tâ′) *f* indemnity

indennizzare (ēn·dān·nē·dzâ′rā) *vt* to compensate for; to indemnify

indennizzo (ēn·dān·nē′dzō) *m* compensation; indemnity

indescrivibile (ēn·dā·skrē·vē′bē·lā) *a* indescribable

indeterminato (ēn·dā·tār·mē·nâ′tō) *a* indeterminate, indefinite

indetto (ēn·dāt′tō) *a* established; fixed; announced

India (ēn′dyâ) *f* India

indiano (ēn·dyâ′nō) *a* Indian; **in fila indiana** in single file; **far l'—** to feign ignorance

indiavolato (ēn·dyâ·vō·lâ′tō) *a* difficult; furious; devilish

indicante (ēn·dē·kân′tā) *a* indicative of, indicating

indicare (ēn·dē·kâ′rā) *vt* to indicate; to point at; to mean

indicativo (ēn·dē·kâ·tē′vō) *a* indicative

indicato (ēn·dē·kâ′tō) *a* suitable, right

indicatore (ēn·dē·kâ·tō′rā) *m* indicator; sign; directory

indicazione (ēn·dē·kâ·tsyō′nā) *f* indication; information

indice (ēn′dē·chā) *m* index; sign *(fig)*

indicibile (ēn·dē·chē′bē·lā) *a* hard to express; unutterable

indietreggiare (ēn·dyā·trāj·jâ′rā) *vi* to draw back; to fall back; to back up

indietro (ēn·dyā′trō) *adv* behind, back; **voltarsi —** to turn round; **all'—** backwards; **essere —** to run slow *(watch)*

indifferente (ēn·dēf·fâ·rān′tā) *a* indifferent

indifferenza (ēn·dēf·fâ·rān′tsâ) *f* indifference; coldness

indigeno (ēn·dē′jâ·nō) *a&m* native

indigente (ēn·dē·jân′tā) *a* indigent, destitute

indigeribile (ēn·dē·jâ·rē′bē·lā) *a* indigestible

indigestione (ēn·dē·jâ·styō′nā) *f* indigestion; **fare —** to eat too much

indigesto (ēn·dē·jâ′stō) *a* indigestible; unpleasant, tiresome

indignare (ēn·dē·nyâ′rā) *vt* to make indignant; to anger

indignarsi (ēn·dē·nyâr′sē) *vr* to become indignant; to get angry

indignazione (ēn·dē·nyâ·tsyō′nā) *f* indignation

indimenticabile (ēn·dē·mān·tē·kâ′bē·lā) *adv* unforgettable

indipendente (ēn·dē·pān·dān′tā) *a* independent

indipendentemente (ēn·dē·pān·dān·tā·mān′tā) *adv* independently

indipendenza (ēn·dē·pān·dān′tsâ) *f* independence

indire * (ēn·dē′rā) *vt* to order; to notify; **— una riunione** to call a meeting

indirettamente (ēn·dē·rāt·tâ·mān′tā) *adv* indirectly

indiretto (ēn·dē·rāt′tō) *a* indirect

indirizzare (ēn·dē·rē·tsâ′rā) *vt* to direct; to address *(mail)*

indirizzario (ēn·dē·rē·tsâ′ryō) *m* mailing list

indirizzarsi (ēn·dē·rē·tsâr′sē) *vr* to apply oneself to; to go toward

indirizzo (ēn·dē·rē′tsō) *m* address *(mail)*; course, direction

indisciplina (ēn·dē·shē·plē′nâ) *f* unruliness, lack of discipline

indisciplinato (ēn·dē·shē·plē·nâ′tō) *a* unruly, lacking in discipline

indiscretamente (ēn·dē·skrā·tâ·mān′tā) *adv* indiscreetly

indiscreto (ēn·dē·skrā′tō) *a* indiscreet

indiscrezione (ēn·dē·skrā·tsyō′nā) *f* indiscretion

indiscusso (ēn·dē·skūs′sō) *a* undisputed, undiscussed

indispensabile (ēn·dē·spān·sâ′bē·lā) *a* indispensable; necessary; **— m** necessity

indispensabilmente (ēn·dē·spān·sâ·bēl·mān′tā) *adv* indispensably, necessarily

indispettire (ēn·dē·spât·tē′rā) *vt* to irritate; to annoy

indispettirsi (ēn·dē·spât·tēr′sē) *vr* to get irritated, become vexed

indisporre * (ēn·dē·spōr′rā) *vt* to disincline; to upset

indisposizione (ēn·dē·spō·zē·tsyō′nā) *f* indisposition

indisposto (ēn·dē·spō′stō) *a* indisposed

indissolubile (ēn·dēs·sō·lū′bē·lā) *a* indissoluble; permanent

indistintamente (ēn·dē·stēn·tâ·mān′tā) *adv* dimly; indistinctly

indistinto (ēn·dē·stēn′tō) *a* vague, indistinct

indistruttibile (ēn·dē·strūt·tē′bē·lā) *a* indestructible

---

k kid, **l** let, **m** met, **n** not, **p** pat, **r** very, **s** sat, **sh** shop, **t** tell, **v** vat, **w** we, **y** yes, **z** zero

indivia (ēn·dē'vyâ) *f* endive, chicory

individuale (ēn·dē·vē·dwâ'lā) *a* individual

individualista (ēn·dē·vē·dwâ·lē'stâ) *m* individualist

individualità (ēn·dē·vē·dwâ·lē·tâ') *f* individuality

individualizzare (ēn·dē·vē·dwâ·lē·dzâ'-rā) *vt* to specify

individuare (ēn·dē·vē·dwâ'rā) *vt* to identify; to specify; to single out

individuo (ēn·dē·vē'dwō) *m* individual; person, fellow

indivisibile (ēn·dē·vē·zē'bē·lā) *a* indivisible

indiviso (ēn·dē·vē'zō) *a* undivided, whole

indiziare (ēn·dē·tsyâ'rā) *vt* to suspect

indiziario (ēn·dē·tsyâ'ryō) *a* circumstantial

indizio (ēn·dē'tsyō) *m* circumstance; clue; indication

Indocina (ēn·dō·chē'nâ) *f* Indochina

indoeuropeo (ēn·dō·āū·rō·pā'ō) *a* Indo-European

indole (ēn'dō·lā) *f* disposition, character; **uomo di buona —** good-natured man

indolente (ēn·dō·lān'tā) *a* indolent, lazy

indolenza (ēn·dō·lān'tsâ) *f* laziness, indolence

indolenzito (ēn·dō·lān·tsē'tō) *a* numb

indomabile (ēn·dō·mâ'bē·lā) *a* indomitable; untamable; unconquerable

indomani (ēn·dō·mâ'nē) *m* next day

indorare (ēn·dō·râ'rā) *vt* to gild

indorato (ēn·dō·râ'tō) *a* gilded; browned

indossare (ēn·dōs·sâ'rā) *vt* to wear; to put on, don

indossatrice (ēn·dōs·sâ·trē'chā) *f* model, mannequin

indosso (ēn·dōs'sō) *adv* on (*oneself*)

indotto (ēn·dōt'tō) *a* induced; **corrente indotta** induced current; **— m** (*elec*) armature, rotor; induction coil

indovinare (ēn·dō·vē·nâ'rā) *vt&i* to guess; to foresee; to hit the mark

indovinato (ēn·dō·vē·nâ'tō) *a* guessed; well done; fine

indovinello (ēn·dō·vē·nāl'lō) *m* riddle, puzzle

indovino (ēn·dō·vē'nō) *m* fortuneteller

indubbiamente (ēn·dūb·byâ·mān'tā) *adv* certainly, undoubtedly

indubbio (ēn·dūb'byō) *a* undoubted, sure; undisputed

indubitabile (ēn·dū·bē·tâ'bē·lā) *a* indubitable, doubtless

indugiare (ēn·dū·jâ'rā) *vi* to delay; to hesitate

indugio (ēn·dū'jō) *m* delay; **rompere gl'indugi** to come to a decision

indulgente (ēn·dūl·jân'tā) *a* indulgent

indulgenza (ēn·dūl·jân'tsâ) *f* indulgence

indulgere * (ēn·dūl'jā·rā) *vi* to indulge in; to be indulgent; **— vt** to allow; to grant; to gratify

indumento (ēn·dū·mān'tō) *m* garment

indurire (ēn·dū·rē'rā) *vt&i* to harden; to inure

indurirsi (ēn·dū·rēr'sē) *vr* to become inured; to become hardened

indurre * (ēn·dūr'rā) *vt* to induce

indursi * (ēn·dūr'sē) *vt* to make up one's mind; to decide; to bring upon oneself

industria (ēn·dū'stryâ) *f* industry

industriale (ēn·dū·stryâ'lā) *m* industrialist; **— a** industrial; **stabilimento —** factory

industrializzare (ēn·dū·stryâ·lē·dzâ'rā) *vt* to industrialize

industrialmente (ēn·dū·stryâl·mân'tā) *adv* industrially

industriarsi (ēn·dū·stryâr'sē) *vr* to strive; to do one's utmost

industriosamente (ēn·dū·stryō·zâ·mān'tā) *adv* industriously

induttanza (ēn·dūt·tân'tsâ) *f* (*elec*) inductance

induttivo (ēn·dūt·tē'vō) *a* inductive

induttore (ēn·dūt·tō'rā) *m* (*elec*) inductor

induzione (ēn·dū·tsyō'nâ) *f* induction

inebriare (ē·nā·bryâ'rā) *vt* to intoxicate, make drunk

inebriarsi (ē·nā·bryâr'sē) *vr* to go into raptures; to get drunk

inedia (ē·nē'dyâ) *f* starvation

inedito (ē·nē'dē·tō) *a* unpublished

ineducato (ē·nā·dū·kâ'tō) *a* ill-bred, rude

ineffabile (ē·nāf·fâ'bē·lā) *a* ineffable

inefficace (ē·nāf·fē·kâ'chā) *a* ineffectual, inefficacious

ineguaglianza (ē·nā·gwâ·lyân'tsâ) *f* inequality

ineguale (ē·nā·gwâ'lā) *a* uneven, unequal

ineluttabile (ē·nā·lūt·tâ'bē·lā) *a* inevitable

inerente (ē·nā·rān'tā) *a* inherent; concerning, with relation to; incidental

inerme (ē·nār'mā) *a* unarmed

inerpicarsi (ē·nār·pē·kâr'sē) *vr* to clamber

inerte (ē·nār'tā) *a* inert; inactive

inerzia (ē·nēr'tsyâ) *f* inertia; inertness

inesatto (ē·nā·zât'tō) *a* inaccurate; inexact

inesauribile (ē·nā·zâū·rē'bē·lā) *a* inexhaustible

inesistente (ē·nā·zē·stän'tā) *a* nonexistant

inesorabile (ē·nā·zō·râ'bē·lā) *a* inexorable, relentless

inesorabilmente (ē·nā·zō·râ·bēl·mān'tā) *adv* inexorably

inesperto (ē·nā·spär'tō) *a* inexperienced, lacking in experience

inesplicabile (ē·nā·splē·kâ'bē·lā) *a* inexplicable

inesplorato (ē·nā·splō·râ'tō) *a* unexplored

inesploso (ē·nā·splō'zō) *a* unexploded

inestimabile (ē·nā·stē·mâ'bē·lā) *adv* invaluable, inestimable

inettitudine (ē·nāt·tē·tū'dē·nā) *f* ineptitude, incapacity, unfitness

inetto (ē·nāt'tō) *a* inept, unfit

inevaso (ē·nā·vâ'zō) *a* outstanding, pending

inevitabile (ē·nā·vē·tâ'bē·lā) *a* inevitable

inevitabilmente (ē·nā·vē·tâ·bēl·mān'tā) *adv* inevitably, unavoidably

inezia (ē·ne'tsyâ) *f* trifle

infallibile (ēn·fâl·lē'bē·lā) *a* infallible

infame (ēn·fâ'mā) *a* infamous, outrageous

infamia (ēn·fâ'myâ) *f* infamy, ignominy

infangare (ēn·fân·gâ'rā) *vt* to spatter with mud; to defame

infangarsi (ēn·fân·gâr'sē) *vr* to get muddy

infantile (ēn·fân·tē'lā) *a* infantile; **asilo —** kindergarten; **capriccio —** childish whim

infanzia (ēn·fân'tsyâ) *f* childhood; infancy

infarcire (ēn·fâr·chē'rā) *vt* to stuff; *(fig)* to cram

infarinare (ēn·fâ·rē·nâ'rā) *vt* to flour

infarinarsi (ēn·fâ·rē·nâr'sē) *vr (coll)* to powder oneself; *(fig)* to get a smattering of, dabble in

infarinatura (ēn·fâ·rē·nâ·tū'râ) *f (fig)* smattering; dabbling

infastidire (ēn·fâ·stē·dē'rā) *vt* to annoy, bother

infastidirsi (ēn·fâ·stē·dēr'sē) *vr* to be annoyed; to get bored

infaticabile (ēn·fâ·tē·kâ'bē·lā) *a* tireless

infatti (ēn·fât'tē) *adv* indeed, in fact

infatuazione (ēn·fâ·twâ·tsyō'nā) *f* infatuation

infausto (ēn·fâ'ū·stō) *a* unlucky; inauspicious

infedele (ēn·fā·dā'lā) *a* unfaithful; infidel

infedeltà (ēn·fā·dāl·tâ') *f* unfaithfulness; infidelity

infelice (ēn·fā·lē'chā) *a* unhappy

infelicità (ēn·fā·lē·chē·tâ') *f* unhappiness

inferiore (ēn·fā·ryō'rā) *a* inferior; lower

inferiorità (ēn·fā·ryō·rē·tâ') *f* inferiority

inferire (ēn·fâ·rē'rā) *vt&i* to infer, deduce; **—** *vt* to inflict

infermeria (ēn·fār·mâ·rē'â) *f* infirmary

infermiera (ēn·fār·myā'râ) *f* nurse

infermiere (ēn·fār·myā'rā) *m* male nurse

infermità (ēn·fār·mē·tâ') *f* infirmity

infermo (ēn·fār'mō) *a* ill, sick

infernale (ēn·fār·nâ'lā) *a* hellish

inferno (ēn·fār'nō) *m* hell

inferriata (ēn·fār·ryâ'tâ) *f* metal grating

infervorato (ēn·fār·vō·râ'tō) *a* fervent

infestare (ēn·fā·stâ'rā) *vt* to infest

infesto (ēn·fā'stō) *a* harmful

infettare (ēn·fāt·tâ'rā) *vt* to infect

infettarsi (ēn·fāt·târ'sē) *vr* to be infected

infettivo (ēn·fāt·tē'vō) *a* infectious

infetto (ēn·fāt'tō) *a* infected

infezione (ēn·fā·tsyō'nā) *f* infection

infiammabile (ēn·fyâm·mâ'bē·lā) *a* combustible, inflammable

infiammarsi (ēn·fyâm·mâr'sē) *vr (med)* to become inflamed; *(fig)* to become excited

infiammazione (ēn·fyâm·mâ·tsyō'nā) *f* inflammation

infido (ēn'fē·dō) *a* untrustworthy

infierire (ēn·fyā·rē'rā) *vi* to rage; to be merciless

infilare (ēn·fē·lâ'rā) *vt* to thread; to slip into, put on; to string

infiltrarsi (ēn·fēl·trâr'sē) *vr* to penetrate, infiltrate

infiltrazione (ēn·fēl·trâ·tsyō'nā) *f* infiltration, penetration

infimo (ēn'fē·mō) *a* lowest

infine (ēn·fē'nā) *adv* after all; at last

infingardo (ēn·fēn·gâr'dō) *a* lazy

infinità (ēn·fē·nē·tâ') *f* infinity; **un'— di gente** a crowd of people

infinitamente (ēn·fē·nē·tâ·mān'tā) *adv* infinitely

infinito (ēn·fē·nē'tō) *a&m* infinite; *(gram)* infinitive

infinocchiare (ēn·fē·nōk·kyâ'rā) *vt* to hoodwink; to fool

infischiarsi (ēn·fē·skyâr'sē) *vr* not to care a bit; to treat lightly

inflazione (ēn·flâ·tsyō'nā) *f* inflation

inflessibile (ēn·flās·sē'bē·lā) *a* inflexible, rigid

inflessibilmente (ēn·flās·sē·bēl·mān'tā) *adv* inflexibly, rigidly

infliggere * (ēn·flēj'jā·rā) *vt* to inflict

influente (ēn·flūän'tā) *a* prominent, influential

influenza (ēn·flūän'tsâ) *f* influence; *(med)* influenza

influenzare (ēn·flūän·tsâ'rā) *vt* to influ-

ence; to bias
influire (ēn·flūē′rā) *vi* to affect; to exert influence on
influsso (ēn·flūs′sō) *m* influence; influx
infocato (ēn·fō·kâ′tō) *a* inflamed; angry; red-hot
infondatezza (ēn·fōn·dâ·tā′tsâ) *f* lack of support
infondato (ēn·fōn·dâ′tō) *a* groundless
infondere * (ēn·fôn′dā·rā) *vt* to infuse;
— **coraggio a** to give courage to
informare (ēn·fōr·mâ′rā) *vt* to inform; to acquaint
informarsi (ēn·fōr·mâr′sē) *vr* to inquire; to obtain information
informatore (ēn·fōr·mâ·tō′rā) *m* informant; informer
informazione (ēn·fōr·mâ·tsyō′nā) *f* information; inquiry; investigation; **servizio** — intelligence agency
informe (ēn·fōr′mā) *a* shapeless
informicolamento (ēn·fōr·mē·kō·lâ·mān′tō) *m* tingling sensation
infornare (ēn·fōr·nâ′rā) *vt* to place in the oven
infornata (ēn·fōr·nâ′tâ) *f* ovenful; batch
infortunio (ēn·fōr·tū′nyō) *m* accident
infossare (ēn·fōs·sâ′rā) *vt* to bury; to dig
infossato (ēn·fōs·sâ′tō) *a* fallen in, sunken; **occhi infossati** hollow eyes
infradiciare (ēn·frâ·dē·châ′rā) *vt* to soak; to drench
infradiciarsi (ēn·frâ·dē·châr′sē) *vr* to get soaked; to be drenched
inframmettere * (ēn·frâm·met′tā·rā) *vt* to interpose
inframmettersi * (ēn·frâm·met′tār·sē) *vr* to intervene; to interfere; to meddle
infrangere * (ēn·frân′jā·rā) *vt* to shatter, break; to violate
infrangersi * (ēn·frân′jār·sē) *vr* to break up; to be smashed; to shatter
infrangibile (ēn·frân·jē′bē·lā) *a* unbreakable; **vetro** — safety glass
infrazione (ēn·frâ·tsyō′nā) *f* infraction
infreddatura (ēn·frād·dâ·tū′râ) *f* cold (*med*)
infruttifero (ēn·frūt·tē′fā·rō) *a* unprofitable, unfruitful; **capitale** — capital not bearing interest
infuori (ēn·fwō′rē) *adv* out; outwards; **all'** — **di** except
infuriarse (ēn·fū·ryâr′sē) *vr* to lose one's temper
ingaggiare (ēn·gâj·jâ′rā) *vt* to enlist, hire; (*mech*) to start
ingannare (ēn·gân·nâ′rā) *vt* to deceive; — **il tempo** to while away the time

ingannarsi (ēn·gân·nâr′sē) *vr* to deceive oneself; to be mistaken
inganno (ēn·gân′nō) *m* deception, trick; fraud; stratagem
ingegnarsi (ēn·jā·nyâr′sē) *vr* to strive, try; to do everything possible
ingegnere (ēn·jā·nyā′rā) *m* engineer; — **elettrotecnico** electrical engineer
ingegneria (ēn·jā·nyā·rē′â) *f* engineering
ingegnosamente (ēn·jā·nyō·zâ·mān′tâ) *adv* ingeniously
ingegnoso (ēn·jā·nyō′zō) *a* clever, witty
ingelosire (ēn·jā·lō·zē′rā) *vt* to make jealous, make envious
ingelosirsi (ēn·jā·lō·zēr′sē) *vr* to become jealous
ingenio (ēn·je′nyō) *m* brains, talent; wits
ingente (ēn·jān′tā) *a* huge
ingenuamente (ēn·jā·nwâ·mān′tâ) *adv* innocently, ingenuously
ingenuità (ēn·jā·nwē·tâ′) *f* ingenuousness
ingenuo (ēn·je′nwō) *a* naive
ingerenza (ēn·jā·rān′tsâ) *f* interference
ingerire (ēn·jā·rē′rā) *vt* to swallow
ingerirsi (ēn·jā·rēr′sē) *vr* to meddle
inghiottire (ēn·gyōt·tē′rā) *vt* to swallow; to engulf (*fig*)
ingiallire (ēn·jâl·lē′rā) *vt&i* to yellow, turn yellow
inginocchiarsi (ēn·jē·nōk·kyâr′sē) *vr* to kneel down, fall to one's knees
inginocchiatoio (ēn·jē·nōk·kyâ·tô′yō) *m* prie-dieu
ingiungere * (ēn·jūn′jā·rā) *vt* to command; to enjoin
ingiunzione (ēn·jūn·tsyō′nā) *f* injunction
ingiuria (ēn·jū′ryâ) *f* insult; abuse
ingiuriare (ēn·jū·ryâ′rā) *vt* to abuse; to insult
ingiuriosamente (ēn·jū·ryō·zâ·mān′tâ) *adv* offensively; insultingly
ingiurioso (ēn·jū·ryō′zō) *a* outrageous; insulting; offending
ingiustamente (ēn·jū·stâ·mān′tâ) *adv* unfairly, unjustly
ingiustificabile (ēn·jū·stē·fē·kâ′bē·lā) *a* unjustifiable
ingiustizia (ēn·jū·stē′tsyâ) *f* injustice
ingiusto (ēn·jū′stō) *a* unjust, unfair
inglese (ēn·glā′zā) *a&m* English
ingoiare (ēn·gō·yâ′rā) *vt* to swallow; to down
ingombrante (ēn·gōm·brân′tā) *a* bulky, encumbering
ingombrare (ēn·gōm·brâ′rā) *vt* to clutter; to encumber; (*rail*) to block (*tracks*)
ingombrarsi (ēn·gōm·brâr′sē) *vr* to become obstructed; to block up

ingombro (ēn·gōm'brō) *m* obstruction; impediment; — *a* encumbered; **essere d'**— a qualcuno to be in someone's way
ingordigia (ēn·gōr·dē'jä) *f* greed, greediness; avarice
ingordo (ēn·gōr'dō) *a* gluttonous
ingorgare (ēn·gōr·gä'rä) *vt* to bar the way; to obstruct; to choke up
ingorgo (ēn·gōr'gō) *m* obstruction; traffic jam; (*med*) engorgement
ingranaggio (ēn·grä·näj'jō) *m* gearing, gears; works; **ingranaggi d'orologio** cogwheels of a clock
ingranare (ēn·grä·nä'rä) *vt* (*auto*) to throw into gear; to engage; (*mech*) to mesh
ingrandimento (ēn·grän·dē·män'tō) *m* enlargement; amplification; **lente d'**— magnifying glass
ingrandire (ēn·grän·dē'rä) *vt* to enlarge; to increase
ingrandirsi (ēn·grän·dēr'sē) *vr* to increase; to grow larger
ingrassaggio (ēn·gräs·säj'jō) *m* greasing, lubrication
ingrassare (ēn·gräs·sä'rä) *vt* to fatten; to grease; — *vi* to get fat
ingrassarsi (ēn·gräs·sär'sē) *vr* (*fig*) to take pleasure in; to get fat; to become larger; to increase
ingrassatore (ēn·gräs·sä·tō'rä) *m* greaser; grease gun
ingratitudine (ēn·grä·tē·tū'dē·nä) *f* ingratitude
ingrato (ēn·grä'tō) *a* ungrateful; hard, unpleasant; sterile, unproductive (*soil*)
ingresso (ēn·gräs'sō) *m* entrance; — **libero** free admission; **vietato l'**— no admittance
ingrossamento (ēn·grōs·sä·män'tō) *m* swelling; increase; thickening
ingrossare (ēn·grōs·sä'rä) *vt* to increase, swell; to make bigger
ingrossarsi (ēn·grōs·sär'sē) *vr* to increase; to become bigger; to swell; to grow rough (*sea*)
ingrosso (ēn·grōs·sō) **all'**— wholesale; approximately
inguaiare (ēn·gwä·yä'rä) *vt* to get into trouble; to cause trouble
inguaiarsi (ēn·gwä·yär'sē) *vr* to get oneself into trouble
inguantarsi (ēn·gwän·tär'sē) *vr* to put on one's gloves
inguaribile (ēn·gwä·rē'bē·lä) *a* incurable
inguine (ēn'gwē·nä) *m* (*anat*) groin
inibire (ē·nē·bē'rä) *vt* to inhibit
inibizione (ē·nē·bē·tsyō'nä) *f* inhibition

iniettare (ē·nyät·tä'rä) *vt* to inject
iniettore (ē·nyät·tō'rä) *m* injector; jet
iniezione (ē·nyä·tsyō'nä) *f* injection
inimicizia (ē·nē·mē·chē'tsyä) *f* enmity
ininterrottamente (ē·nēn·tär·rōt·tä·män'-tä) *adv* uninterruptedly
ininterrotto (ē·nēn·tär·rōt'tō) *a* uninterrupted
iniquità (ē·nē·kwē·tä') *f* iniquity; injustice
iniziale (ē·nē·tsyä'lä) *a&f* initial
iniziare (ē·nē·tsyä'rä) *vt* to start; to initiate; to commence
iniziarsi (ē·nē·tsyär'sē) *vr* to begin, commence
iniziativa (ē·nē·tsyä·tē'vä) *f* initiative
inizio (ē·nē'tsyō) *m* beginning
innamorare (ēn·nä·mō·rä'rä) *vt* to captivate, charm; to make fall in love
innamorarsi (ēn·nä·mō·rär'sē) *vr* to become enamored; to fall in love
innamorato (ēn·nä·mō·rä'tō) *a* in love; — *m* sweetheart, lover
innanzi (ēn·nän'tsē) *prep* before; — **tutto** above all, first
innato (ēn·nä'tō) *a* innate
innegabile (ēn·nä·gä'bē·lä) *a* undeniable
innestare (ēn·nä·stä'rä) *vt* to graft; (*mech*) to throw into gear; to inoculate
innesto (ēn·nä'stō) *m* inoculation; graft; — **del vaccino** vaccination
inno (ēn'nō) *m* hymn; anthem
innocente (ēn·nō·chän'tä) *a* innocent; guiltless; simple
innocentemente (ēn·nō·chän·tä·män'tä) *adv* innocently
innocenza (ēn·nō·chän'tsä) *f* innocence; simplicity
innocuo (ēn·nō'kwō) *a* harmless
innovazione (ēn·nō·vä·tsyō'nä) *f* innovation, change
inoculare (ē·nō·kū·lä'rä) *vt* to inoculate
inoculazione (ē·nō·kū·lä·tsyō'nä) *f* inoculation
inodoro (ē·nō·dō'rō) *a* odorless
inoffensivo (ē·nōf·fän·sē'vō) *a* harmless, inoffensive
inoltrare (ē·nōl·trä'rä) *vt* to forward
inoltrarsi (ē·nōl·trär'sē) *vr* to penetrate; to advance
inoltrato (ē·nōl·trä'tō) *a* advanced; forwarded; **in inverno** — late in winter
inoltre (ē·nōl'trä) *adv* besides; furthermore
inoltro (ē·nōl'trō) *m* forwarding
inondare (ē·nōn·dä'rä) *vt* to flood
inondazione (ē·nōn·dä·tsyō'nä) *f* flooding; inundation

inoperoso (ē·nō·pā·rō′zō) *a* idle, indolent; inactive

inopportuno (ē·nōp·pōr·tū′nō) *a* awkward, inopportune; badly timed

inorganico (ē·nōr·gä′nē·kō) *a* inorganic

inorgoglirsi (ē·nōr·gō·lyēr′sē) *vr* to swell with pride

inorridire (ē·nōr·rē·dē′rä) *vt* to instill horror in; to frighten; to terrify; — *vi* to be terrified; to become horror-struck; to be filled with fear

inospitabile (ē·nō·spē·tâ′bē·lä) *a* inhospitable, forbidding

inosservato (ē·nōs·sär·vâ′tō) *a* unobserved

inossidabile (ē·nōs·sē·dâ′bē·lä) *a* stainless (*metal*)

inquietante (ēn·kwēä·tän′tä) *a* alarming

inquietare (ēn·kwēä·tä′rä) *vt* to make nervous; to worry; to upset

inquietarsi (ēn·kwēä·târ′sē) *vr* to become alarmed; to grow uneasy

inquieto (ēn·kwēä′tō) *a* restless; upset; apprehensive

inquietudine (ēn·kwēä·tū′dē·nä) *f* apprehension, nervousness

inquilino (ēn·kwē·lē′nō) *m* tenant

inquisizione (ēn·kwē·zē·tsyō′nä) *f* inquisition

insabbiare (ēn·sâb·byâ′rä) *vt* to sand, fill with sand; (*fig*) to pigeonhole

insabbiarsi (ēn·sâb·byâr′sē) *vr* to get stuck in the sand; (*coll*) to be hindered, be delayed; to be handicapped

insaccare (ēn·sâk·kâ′rä) *vt* to put in a sack; to bag

insaccato (ēn·sâk·kâ′tō) *a* in a sack; bagged; **carne insaccata** sausage

insalata (ēn·sâ·lâ′tâ) *f* salad

insalatiera (ēn·sâ·lâ·tyâ′râ) *f* salad bowl

insalubre (ēn·sâ·lū′brä) *a* insalubrious, unhealthful

insanabile (ēn·sâ·nâ′bē·lä) *a* incurable

insanguinare (ēn·sân·gwē·nâ′rä) *vt* to stain with blood

insaponare (ēn·sâ·pō·nâ′rä) *vt* to lather; to soap

insaponarsi (ēn·sâ·pō·nâr′sē) *vr* to lather oneself; to soap oneself

insaponata (ēn·sâ·pō·nâ′tâ) *f* lathering; soaping

insapore (ēn·sâ·pō′rä) *a* tasteless, insipid

insaputa (ēn·sâ·pū′tâ) **all′— di** unknown to, without one's knowledge

insaziabile (ēn·sâ·tsyâ′bē·lä) *a* unappeasable, insatiable, implacable

inscenare (ēn·shā·nâ′rä) *vt* to promote; to stage

insegna (ēn·sā′nyâ) *f* flag; sign, indication

insegnamento (ēn·sā·nyâ·mân′tō) *m* teaching; tuition; education

insegnante (ēn·sā·nyân′tä) *m&f* teacher

insegnare (ēn·sā·nyä′rä) *vt* to teach

inseguimento (ēn·sā·gwē·män′tō) *m* chase, pursuit

inseguire (ēn·sā·gwē′rä) *vt* to pursue, chase

insellare (ēn·sāl·lâ′rä) *vt* to saddle

insenatura (ēn·sā·nâ·tū′râ) *f* harbor, inlet

insensibile (ēn·sän·sē′bē·lä) *a* insensible; hardhearted, insensitive

insensibilità (ēn·sän·sē·bē·lē·tâ′) *f* indifference, insensitivity; insensibility

inseparabile (ēn·sā·pâ·râ′bē·lä) *a* inseparable; inextricable

inseparabilmente (ēn·sā·pâ·râ·bēl·mān′-tä) *adv* inseparably; inextricably

inserire (ēn·sā·rē′rä) *vt* to insert

inserirsi (ēn·sā·rēr′sē) *vr* to be contained in, form part of

inservibile (ēn·sär·vē′bē·lä) *a* useless

inserviente (ēn·sär·vyän′tä) *m* attendant

inserzione (ēn·sär·tsyō′nä) *f* advertisement; insertion

inserzionista (ēn·sär·tsyō·nē′stâ) *m* advertiser

insetticida (ēn·sät·tē·chē′dâ) *m* insecticide

insetto (ēn·sät′tō) *m* insect

insidia (ēn·sē′dyâ) *f* trap, snare; peril; **–re** (ēn·sē·dyâ′râ) *vt* to tempt; to trap

insidiosamente (ēn·sē·dyō·zâ·mān′tä) *adv* insidiously

insidioso (ēn·sē·dyō′zō) *a* insidious

insieme (ēn·syä′mä) *adv* together; — *m* ensemble, whole; **mettere una fortuna — ** to amass a fortune; **mettere — ** (*mech*) to assemble

insigne (ēn·sē′nyä) *a* famous, notable; notorious

insignificante (ēn·sē·nyē·fē·kân′tä) *a* insignificant, inconsequential; lacking in meaning

insindacabile (en·sēn·dâ·kâ′bē·lä) *a* unobjectionable; irreproachable; undisputable

insinuante (ēn·sē·nwân′tä) *a* insinuating; winning

insinuare (ēn·sē·nwâ′rä) *vt* to insinuate, suggest; to introduce, instill

insinuarsi (ēn·sē·nwâr′sē) *vr* to creep into, enter stealthily

insipido (ēn·sē′pē·dō) *a* tasteless; uninteresting

insistente (ēn·sē·stän′tä) *a* insistent

insistere * (ēn·sē′stä·rä) *vi* to insist

insoddisfatto (ēn·sŏd·dē·sfât'tō) *a* dissatisfied; displeased

insofferenza (ēn·sŏf·fä·rän'tsâ) *f* impatience; intolerance

insolazione (ēn·sō·lâ·tsyō'nä) *f* sunstroke

insolente (ēn·sō·län'tä) *a* insolent, impudent

insolenza (ēn·sō·län'tsâ) *f* sauciness; insolence, impudence

insolitamente (ēn·sō·lē·tâ·män'tä) *adv* seldom, infrequently

insolito (ēn·sō'lē·tō) *a* unusual, rare

insolubile (ēn·sō·lū'bē·lā) *a* insolvable; insoluble

insolvente (ēn·sōl·vän'tä) *a* insolvent

insolvibile (ēn·sōl·vē'bē·lā) *a* insolvent; insoluble; uncollectible

insomma (ēn·sōm'mâ) *adv* in conclusion; briefly; after all

insonne (ēn·sōn'nä) *a* sleepless

insonnia (ēn·sōn'nyâ) *f* insomnia

insopportabile (ēn·sŏp·pōr·tâ'bē·lā) *adv* unbearable

insormontabile (ēn·sōr·mōn·tâ'bē·lā) *adv* insurmountable, insuperable

insospettabile (ēn·sō·spät·tâ'bē·lā) *a* above suspicion; not suspect

insostenibile (ēn·sō·stä·nē'bē·lā) *a* indefensible, untenable; insufferable

instabile (ēn·stâ'bē·lā) *a* unsure, unsteady, insecure

installare (ēn·stâl·lâ'rä) *vt* to install; to set up

installarsi (ēn·stâl·lâr'sē) *vr* to get settled

installazione (ēn·stâl·lâ·tsyō'nä) *f* installation

instancabile (ēn·stân·kâ'bē·lā) *a* indefatigable, unwearying

instancabilmente (ēn·stân·kâ·bēl·män'tä) *adv* untiringly

instaurare (ēn·stâū·râ'rä) *vt* to establish; to institute

instaurazione (ēn·stâū·râ·tsyō'nä) *f* establishing, installation

insù (ēn·sū') *adv* upward, up; **naso all'—** pug nose

insubordinazione (ēn·sū·bōr·dē·nâ·tsyō'nä) *f* insubordination

insuccesso (ēn·sū·châs'sō) *m* failure

insudiciare (ēn·sū·dē·châ'rä) *vt* to tarnish; to soil

insudiciarsi (ēn·sū·dē·châr'sē) *vr* to get dirty; to become tarnished

insufficiente (ēn·sūf·fē·chän'tä) *a* insufficient

insufficienza (ēn·sūf·fē·chän'tsâ) *f* insufficiency; **— di prove** lack of sufficient evidence

insulina (ēn·sū·lē'nâ) *f* insulin

insulso (ēn·sūl'sō) *a* vapid, stupid, empty

insultare (ēn·sūl·tâ'rä) *vt* to insult; to vilify

insulto (ēn·sūl'tō) *m* insult; (*med*) attack, stroke

insuperabile (ēn·sū·pä·râ'bē·lā) *a* unsurmountable

insuperbirsi (ēn·sū·pär·bēr'sē) *vr* to fill with pride; to become arrogant

insurrezionale (ēn·sūr·rä·tsyō·nâ'lä) *a* insurgent, insurrectionary

insurrezione (ēn·sūr·rä·tsyō'nä) *f* uprising, insurrection

intaccare (ēn·tâk·kâ'rä) *vt* to notch; to indent; to damage; to eat away

intagliare (ēn·tâ·lyâ'rä) *vt* to carve; to sculpt

intagliato (ēn·tâ·lyâ'tō) *a* carved

intagliatore (ēn·tâ·lyâ·tō'rä) *m* engraver; sculptor

intaglio (ēn·tâ'lyō) *m* carving; intaglio

intangibile (ēn·tân·jē'bē·lā) *a* intangible; impalpable

intanto (ēn·tân'tō) *adv* meanwhile; **— che** until; while

intarsiare (ēn·târ·syâ'rä) *vt* to veneer; to inlay

intarsio (ēn·târ'syō) *m* veneering; inlaid work

intasato (ēn·tâ·zâ'tō) *a* stopped up; clogged

intatto (ēn·tât'tō) *a* intact

integrale (ēn·tä·grâ'lä) *a* whole; integral; **pane —** wholewheat bread

integrare (ēn·tä·grâ'rä) *vt* to integrate

integrazione (ēn·tä·grâ·tsyō'nä) *f* integration

integrità (ēn·tä·grē·tâ') *f* integrity

intelaiare (ēn·tä·lâ·yâ'rä) *vt* to frame

intelaiatura (ēn·tä·lâ·yâ·tū'râ) *f* frame; chassis (*auto*)

intelletto (ēn·tâl·lât'tō) *m* intellect; judgment

intellettuale (ēn·tâl·lât·twâ'lä) *a&m* intellectual

intelligente (ēn·tâl·lē·jän'tä) *a* intelligent; skillful

intelligentemente (ēn·tâl·lē·jän·tâ·män'tä) *adv* skillfully; intelligently

intelligenza (ēn·tâl·lē·jän'tsâ) *f* intelligence

intemerato (ēn·tä·mä·râ'tō) *a* spotless, pure, honorable

intemperante (ēn·tâm·pä·rân'tä) *a* intemperate; immoderate

intemperanza (ēn·tâm·pä·rân'tsâ) *f* intemperance; immoderation

---

k kid, **l** let, **m** met, **n** not, **p** pat, **r** very, **s** sat, **sh** shop, **t** tell, **v** vat, **w** we, **y** yes, **z** zero

intemperie (ēn·tām·pe'ryā) *fpl* bad weather, unpleasant weather

intempestivamente (ēn·tām·pā·stē·vâ·män'tā) *adv* out of turn; at the wrong time

intempestivo (ēn·tām·pā·stē'vō) *a* badly timed, inopportune

intendente (ēn·tān·dān'tā) *m* superintendent, head

intendenza (ēn·tān·dān'tsâ) *f* superintendency; — **di finanza** excise office

intendere * (ēn·ten'dā·rā) *vt* to understand; to plan, intend; **darla ad** — to lead one to believe

intendersi * (ēn·ten'dār·sē) *vr* to be well versed in, know a great deal about; to come to terms; **intendersela** to be in agreement; to get along well with one another

intendimento (ēn·tān·dē·män'tō) *m* understanding; aim, purpose

intenditore (ēn·tān·dē·tō'rā) *m* connoisseur

intenerire (ēn·tā·nā·rē'rā) *vt* to move, stir (*emotions*); to soften

intenerirsi (ēn·tā·nā·rēr'sē) *vr* to be moved to pity, feel compassion; to become tender

intensamente (ēn·tān·sâ·män'tā) *adv* deeply, intensely

intensificare (ēn·tān·sē·fē·kâ'rā) *vt* to intensify; to heighten; to redouble

intensità (ēn·tān·sē·tâ') *f* intensity

intensivo (ēn·tān·sē'vō) *a* intensive

intenso (ēn·tān'sō) *a* intense

intentare (ēn·tān·tâ'rā) *vt* (*law*) to bring (*action*), file (*suit*)

intento (ēn·tān'tō) *m* aim; — *a* intent, concentrated

intenzionale (ēn·tān·tsyō·nâ'lā) *a* deliberate

intenzionalmente (ēn·tān·tsyō·nâl·män'tā) *adv* intentionally

intenzionato (ēn·tān·tsyō·nâ'tō) *a* inclined, predisposed

intenzione (ēn·tān·tsyō'nā) *f* intention; **aver l'** — **di fare** to mean to do; **aver buone intenzioni** to mean well

interamente (ēn·tā·râ·män'tā) *adv* entirely

interasse (ēn·tā·râs'sā) *m* (*auto*) wheelbase

intercalare (ēn·tār·kâ·lâ'rā) *vt* to insert

intercedere (ēn·tār·che'dā·rā) *vi* to intercede; to intervene

intercessione (ēn·tār·chās·syō'nā) *f* intercession

intercettare (ēn·tār·chāt·tâ'rā) *vt* to intercept; to tap (*telephone*)

intercezione (ēn·tār·chā·tsyō'nā) *f* interception; intervention

intercomunicante (ēn·tār·kō·mū·nē·kân'tā) *a* connecting, linking

intercorrere * (ēn·tār·kôr'rā·rā) *vi* to elapse; to come between

intercostale (ēn·tār·kō·stâ'lā) *a* (*anat*) intercostal

intercutaneo (ēn·tār·kū·tâ'nā·ō) *a* subcutaneous

interdetto (ēn·tār·dāt'tō) *a* forbidden, prohibited

interdire * (ēn·tār·dē'rā) *vt* to forbid; to disqualify

interdizione (ēn·tār·dē·tsyō'nā) *f* loss of civil rights; restraint; interdiction

interessamento (ēn·tā·rās·sâ·män'tō) *m* interest, care

interessante (ēn·tā·rās·sân'tā) *a* interesting

interessare (ēn·tā·rās·sâ'rā) *vt&i* to interest; to concern; to be important; — **qualcuno in un affare** to form a business partnership with someone

interessarsi (ēn·tā·rās·sâr'sē) *vr* to take an interest in; to attend to

interessato (ēn·tā·rās·sâ'tō) *a* interested; partial; having an interest

interesse (ēn·tā·rās'sā) *m* interest

interessenza (ēn·tā·rās·sān'tsâ) *f* (*com*) percentage, commission

interferenza (ēn·tār·fā·rān'tsâ) *f* interference; meddling

interferire (ēn·tār·fā·rē'rā) *vi* to interfere

interiezione (ēn·tā·ryā·tsyō'nā) *f* interjection

interim (ēn'tā·rēm) *m* interim; meanwhile

interinale (ēn·tā·rē·nâ'lā) *a* provisional, temporary

interiora (ēn·tā·ryō'râ) *fpl* intestines

interiore (ēn·tā·ryō'rā) *a&m* interior

interlocutore (ēn·tār·lō·kū·tō'rā) *m* questioner; speaker

interloquire (ēn·tār·lō·kwē'rā) *vi* to break in (*conversation*); to intrude, interfere

interludio (ēn·tār·lū'dyō) *m* interlude

intermediario (ēn·tār·mā·dyâ'ryō) *m* intermediary, middleman

intermezzo (ēn·tār·mā'dzō) *m* intermezzo, intermission; interval

interminabile (ēn·tār·mē·nâ'bē·lā) *a* endless

intermittente (ēn·tār·mēt·tān'tā) *a* intermittent, recurrent

internamente (ēn·tār·nâ·män'tā) *adv* internally, within

internare (ēn·tār·nâ'rā) *vt* to confine,

intern

internazionale (ēn·tär·nâ·tsyō·nâ′lä) *a* international

internazionalista (ēn·tär·nâ·tsyō·nâ·lē′stä) *m* internationalist

interno (ēn·tär′nō) *a* internal; **commercio** — domestic trade; — *m* interior; **Ministro dell′**— Secretary of the Interior

intero (ēn·tā′rō) *m* total, whole; — *a* complete, entire

interporre * (ēn·tär·pōr′rā) *vt* to interpose; to interject

interporsi * (ēn·tär·pōr′sē) *vr* to intercede; to mediate

interposizione (ēn·tär·pō·zē·tsyō′nä) *f* intervention

interpretare (ēn·tär·prä·tâ′rā) *vt* to interpret; to construe

interpretazione (ēn·tär·prä·tâ·tsyō′nä) *f* version, account; interpretation; — **erronea** misinterpretation

interprete (ēn·ter′prä·tä) *m&f* interpreter; actor, actress

interrogante (ēn·tär·rō·gân′tä) *a* questioning

interrogare (ēn·tär·rō·gâ′rä) *vt* to question; query; to consult

interrogativo (ēn·tär·rō·gâ·tē′vō) *a* interrogative; **punto** — question mark

interrogatorio (ēn·tär·rō·gâ·tō′ryō) *m* questioning; cross-examination

interrompere * (ēn·tär·rôm′pä·rä) *vt* **to** interrupt; *(elec)* to disconnect, turn off

interrompersi * (ēn·tär·rôm′pär·sē) *vr* to stop; to interrupt oneself

interrotto (ēn·tär·rōt′tō) *a* interrupted; discontinued

interruttore (ēn·tär·rūt·tō′rä) *m* interrupter; switch *(elec)*

interruzione (ēn·tär·rū·tsyō′nä) *f* interruption; **senza** — uninterruptedly, continuously

interurbano (ēn·tä·rūr·bâ′nō) *a* long-distance

intervallo (ēn·tär·vâl′lō) *m* break; interval

intervenire * (ēn·tär·vä·nē′rä) *vi* to intervene; to take part in, participate in

intervento (ēn·tär·vän′tō) *m* intervention; attendance

intervista (ēn·tär·vē′stä) *f* interview; **–re** (ēn·tär·vē·stâ′rä) *vt* to interview

intesa (ēn·tā′zâ) *f* understanding, agreement

inteso (ēn·tā′zō) *a* heard; understood; **non darsi per** — not to give a rap; to turn a deaf ear

intestato (ēn·tā·stâ′tō) *a* headed; *(com)*

registered; *(law)* intestate; **carta intestata** letterhead

intestazione (ēn·tä·stâ·tsyō′nä) *f* headline, heading

intestino (ēn·tä·stē′nō) *m* intestine; — *a* domestic; internal

intimamente (ēn·tē·mâ·mān′tä) *adv* intimately, closely

intimare (ēn·tē·mâ′rä) *vt* to summon; to intimate

intimazione (ēn·tē·mâ·tsyō′nä) *f* injunction, order

intimidazione (ēn·tē·mē·dâ·tsyō′nä) *f* intimidation; threat

intimità (ēn·tē·mē·tâ′) *f* intimacy; confidence

intimo (ēn′tē·mō) *a* intimate; private

intingere * (ēn·tēn′jä·rä) *vt&i* to dip

intingolo (ēn·tēn′gō·lō) *m* gravy, sauce

intirizzire (ēn·tē·rē·tsē′rä) *vt* to freeze, benumb

intitolare (ēn·tē·tō·lâ′rä) *vt* to dedicate; to name

intitolato (ēn·tē·tō·lâ′tō) *a* entitled, named

intollerabile (ēn·tōl·lä·râ′bē·lä) *a* unbearable; insufferable

intollerante (ēn·tōl·lä·rân′tä) *a* intolerant

intolleranza (ēn·tōl·lä·rân′tsä) *f* intolerance

intonaco (ēn·tô′nä·kō) *m* plaster

intonazione (ēn·tō·nä·tsyō′nä) *f* intonation

intontire (ēn·tōn·tē′rä) *vt* to daze, stun

intontirsi (ēn·tōn·tēr′sē) *vr* to be dazed; to be stunned

intontito (ēn·tōn·tē′tō) *a* stunned; dazed

intoppo (ēn·tōp′pō) *m* obstacle; *(fig)* difficulty

intorbidire (ēn·tōr·bē·dē′rä) *vt* to muddy; to confuse

intorbidirsi (ēn·tōr·bē·dēr′sē) *vr* to grow muddy; to become confused

intorno (ēn·tōr′nō) *adv* around

intossicare (ēn·tōs·sē·kâ′rä) *vt* to poison

intossicazione (ēn·tōs·sē·kâ·tsyō′nä) *f* poisoning; — **da cibi** ptomaine poisoning

intraducibile (ēn·trâ·dū·chē′bē·lä) *a* untranslatable

intralciare (ēn·trâl·châ′rä) *vt* to obstruct

intralcio (ēn·trâl′chō) *m* obstacle, obstruction

intrallazzo (ēn·trâl·lâ′tsō) *m* *(sl)* racket, black market

intransigente (ēn·trân·sē·jän′tä) *a* uncompromising, hard

intransigenza (ēn·trân·sē·jän′tsâ) *f* sever-

---

ity, intransigence

intransitivo (ēn·trân·sē·tē'vō) *a* (*gram*) intransitive

intraprendente (ēn·trâ·prän·dän'tā) *a* resourceful; enterprising, industrious

intraprendenza (ēn·trâ·prän·dän'tsâ) *f* initiative, enterprise, industry

intraprendere * (ēn·trâ·pren'dā·rā) *vt* to undertake; to take on

intrattabile (ēn·trât·tâ'bē·lā) *a* hard; intractable, unruly

intrattenere * (ēn·trât·tā·nā'rā) *vt* to entertain

intrattenersi * (ēn·trât·tā·nār'sē) *vr* to dwell on; to linger; to pause

intrattenimento (ēn·trât·tā·nē·mān'tō) *m* entertainment

intrattenitrice (ēn·trât·tā·nē·trē'châ) *f* B-girl

intravenoso (ēn·trâ·vā·nō'zō) *a* intravenous

intreccio (ēn·tre'chō) *m* story, plot

intrepido (ēn·tre'pē·dō) *a* brave, intrepid

intrigante (ēn·trē·gân'tā) *a* scheming, tricky

intrigare (ēn·trē·gâ'rā) *vt* to plot; to scheme

intrigarsi (ēn·trē·gâr'sē) *vr* to meddle

intrigo (ēn·trē'gō) *m* plot, intrigue, scheme

intrinseco (ēn·trēn'sâ·kō) *a* intrinsic

intriso (ēn·trē'zō) *a* sodden, soaked; — *m* mixture

introdotto (ēn·trō·dōt'tō) *a* shown in, admitted (*entry*); introduced

introdurre * (ēn·trō·dūr'rā) *vt* to insert; to show in; to introduce

introduzione (ēn·trō·dū·tsyō'nā) *f* introduction

introitare (ēn·trōē·tâ'rā) *vt* to collect; to cash

introito (ēn·trô'ē·tō) *m* receipts; income; (*eccl*) introit

intromettersi * (ēn·trō·met'tār·sē) *vt* to interfere with, meddle in; to arbitrate

introspezione (ēn·trō·spā·tsyō'nā) *f* introspection, self-examination

intruso (ēn·trū'zō) *m* intruder

intuire (ēn·twē'rā) *vi* to guess; to sense; to intuit

intuito (ēn·tū'ē·tō) *m* intuition; insight

intuizione (ēn·twē·tsyō'nā) *f* intuition; intuitiveness

inumano (ē·nū·mâ'nō) *a* inhuman; brutal

inumidire (ē·nū·mē·dē'rā) *vt* to moisten; dampen

inumidirsi (ē·nū·mē·dēr'sē) *vr* to become moist, dampen

inusitato (ē·nū·zē·tâ'tō) *a* unusual, strange; obsolete

inutile (ē·nū'tē·lā) *a* useless

inutilità (ē·nū·tē·lē·tâ') *f* uselessness; futility

inutilmente (ē·nū·tēl·mān'tā) *adv* uselessly; in vain

invadente (ēn·vâ·dän'tā) *a* aggressive, pushy; invading

invadenza (ēn·vâ·dän'tsâ) *f* aggressiveness, pushiness; interference

invadere * (ēn·vâ'dā·rā) *vt* to invade

invalidità (ēn·vâ·lē·dē·tâ') *f* invalidity

invalido (ēn·vâ'lē·dō) *a&m* invalid; — **di guerra** disabled war veteran

invano (ēn·vâ'nō) *adv* in vain, vainly, to no avail

invariabile (ēn·vâ·ryâ'bē·lā) *a* invariable; unvarying

invasione (ēn·vâ·zyō'nā) *f* invasion; incursion

invasore (ēn·vâ·zō'rā) *m* invader

invecchiare (ēn·vāk·kyâ'rā) *vt* to age, make old; — *vi* to become old, age

invece (ēn·vā'châ) *adv* on the contrary; rather, instead

inventare (ēn·vān·tâ'rā) *vt* to invent, create; to discover

inventario (ēn·vān·tâ'ryō) *f* inventory

inventiva (ēn·vān·tē'vâ) *f* inventiveness

inventivo (ēn·vān·tē'vō) *a* inventive, creative

inventore (ēn·vān·tō'rā) *m* inventor

invenzione (ēn·vān·tsyō'nā) *f* invention; **brevetto d'—** patent

invernale (ēn·vār·nâ'lā) *a* winter

inverno (ēn·vār'nō) *m* winter

invero (ēn·vā'rō) *adv* really, indeed

inverosimile (ēn·vā·rō·sē'mē·lā) *a* unlikely; hard to believe; implausible

inversamente (ēn·vār·sâ·mān'tā) *adv* inversely

inversione (ēn·vār·syō'nā) *f* reverse; reversal; inversion

inverso (ēn·vār'sō) *a* inverted, inverse; **senso —** opposite direction; — *adv* toward; **all'—** backwards; **all'inversa** badly, wrong

invertibile (ēn·vār·tē'bē·lā) *a* reversible

invertire (ēn·vār·tē'rā) *vt* to reverse; to invert

investigare (ēn·vā·stē·gâ'rā) *vt* to investigate; to research

investigatore (ēn·vā·stē·gâ·tō'rā) *m* investigator; — **privato** private investigator, detective

investigazione (ēn·vā·stē·gâ·tsyō'nā) *f* research; investigation; scrutiny

---

â ârm, **ā** bāby, **e** bet, **ē** bē, **ō** gō, **ô** gône, **ū** blūe, **b** bad, **ch** child, **d** dad, **f** fat, **g** gay, **j** jet

investimento (ēn·vä·stē·män'tō) *m (com)* investment; collision, smashup

investire (ēn·vä·stē'rä) *vt* to invest; to run over; to smash into; to assail

investirsi (ēn·vä·stēr'sē) *vr* to collide with, crash into; *(naut)* to run aground; to take a deep interest; to go into thoroughly

invetriata (ēn·vä·tryä'tâ) *f* skylight; glass door

invettiva (ēn·vät·tē'vâ) *f* invective, vituperation

invidia (ēn·vē'dyä) *n* jealousy, envy; **–bile** (ēn·vē·dyâ'bē·lä) *a* enviable

invincibile (ēn·vēn·chē'bē·lä) *a* invincible

invio (ēn·vē'ō) *m* shipment; remittance

invitante (ēn·vē·tân'tä) *a* inviting

invitare (ēn·vē·tâ'rä) *vt* to invite

invitato (ēn·vē·tâ'tō) *a* invited; — *m* guest

invito (ēn·vē'tō) *m* invitation

invocare (ēn·vō·kâ'rä) *vt* to invoke; to call upon

invocazione (ēn·vō·kâ·tsyō'nä) *f* appeal; invocation

involgere * (ēn·vôl'jä·rä) *vt* to involve; to envelop

involontariamente (ēn·vō·lōn·tâ·ryâ·män'tä) *adv* involuntarily; unintentionally

involtini (ēn·vōl·tē'nē) *mpl* meat rolls

involto (ēn·vōl'tō) *m* package; — *a* wrapped

involucro (ēn·vō'lū·krō) *m* wrapper; cover; envelope

inzuccherare (ēn·dzūk·kä·râ'rä) *vt* to sweeten, put sugar in; *(fig)* to wheedle

inzuppare (en·dzūp·pâ'rä) *vt* to soak; to dunk

inzupparsi (ēn·dzūp·pâr'sē) *vr* to get drenched, get soaked to the skin

io (ē'ō) *pron* I; — **stesso** I myself

iodio (yō'dyō) *m* iodine

iosa (yō'sâ) *adv* **a** — in great quantity, in abundance

iperbole (ē·per'bō·lä) *f* hyperbole; *(geom)* hyperbola

iperbolico (ē·pär·bô'lē·kō) *a* hyperbolic, given to hyperbole

ipersonico (ē·pär·sô'nē·kō) *a* hypersonic

ipnosi (ēp·nō'zē) *f* hypnosis; trance

ipnotismo (ēp·nō·tē'zmō) *m* hypnotism

ipnotizzare (ēp·nō·tē·dzä'rä) *vt* to hypnotize

ipocrisia (ē·pō·krē·zē'â) *f* hypocrisy

ipocrita (ē·pô'krē·tâ) *m* hypocrite

ipoteca (ē·pō·tä'kâ) *f* mortgage

ipotenusa (ē·pō·tä·nū'zâ) *f* hypotenuse

ipotesi (ē·pô'tä·zē) *f* hypothesis; assumption

ippica (ēp'pē·kâ) *f* horse racing

ippico (ēp'pē·kō) *a* relating to horses

ippodromo (ēp·pô'drō·mō) *m* racetrack

ippopotamo (ēp·pō·pô'tâ·mō) *m* hippopotamus

ira (ē'râ) *f* anger, wrath

iracheno (ē·râ·kä'nō) *a&m* Iraqi

Irak, Iraq (ē'râk) *m* Iraq

iranico (ē·râ'nē·kō) *a&m* Iranian

irascibile (ē·râ·shē'bē·lä) *a* irascible, short-tempered

irato (ē·râ'tō) *a* angry, wrathful

iride (ē'rē·dä) *f* iris; rainbow

Irlanda (ēr·lân'dâ) *f* Ireland

irlandese (ēr·lân·dä'zä) *a&m* Irish; — *m* Irishman

ironia (ē·rō·nē'â) *f* irony

ironico (ē·rô'nē·kō) *a* ironic; sarcastic

irradiare (ēr·râ·dyâ'rä) *vt* to radiate; to irradiate

irradiarsi (ēr·râ·dyâr'sē) *vr* to shine, radiate

irradiazione (ēr·râ·dyâ·tsyō'nä) *f* irradiation, shining

irragionevole (ēr·râ·jō·ne'vō·lä) *a* unreasonable; unfair

irreale (ēr·rä·â'lä) *a* unreal

irrealtà (ēr·rä·âl·tâ') *f* unreality

irregolare (ēr·rä·gō·lâ'rä) *a* irregular; uneven

irregolarità (ēr·rä·gō·lâ·rē·tâ') *f* irregularity; nonconformity; disorder

irremovibile (ēr·rä·mō·vē'bē·lä) *a* irremovable; steadfast, firm

irreparabile (ēr·rä·pâ·râ'bē·lä) *a* irreparable; beyond repair

irreperibile (ēr·rä·pä·rē'bē·lä) *a* elusive; impossible to find

irreprensibile (ēr·rä·prän·sē'bē·lä) *a* irreproachable; blameless, faultless

irrequieto (ēr·rä·kwēä'tō) *a* restless; uneasy

irresistibile (ēr·rä·zē·stē'bē·lä) *a* irresistible

irresponsabile (ēr·rä·spōn·sâ'bē·lä) *a* heedless; irresponsible

irrevocabile (ēr·rä·vō·kâ'bē·lä) *a* irrevocable; unchangeable

irriconoscibile (ēr·rē·kō·nō·shē'bē·lä) *a* unrecognizable

irrigare (ēr·rē·gâ'rä) *vt* to irrigate

irrigazione (ēr·rē·gâ·tsyō'nä) *f* irrigation, watering

irrigidire (ēr·rē·jē·dē'rä) *vt&i* to stiffen; to tighten

irrigidirsi (ēr·rē·jē·dēr'sē) *vr* to become

rigid; to harden; to become obdurate; to be unyielding in one's attitude

irrisorio (ēr·rē·zō'ryō) *a* trifling, paltry; ridiculous

irritabile (ēr·rē·tâ'bē·lā) *a* irritable

irritabilità (ēr·rē·tâ·bē·lē·tâ') *f* irritability

irritante (ēr·rē·tân'tā) *a* irritating, chafing

irritare (ēr·rē·tâ'rā) *vt* to irritate, aggravate, chafe; to rub the wrong way

irritarsi (ēr·rē·târ'sē) *vr* to get angry, become irritated; to fret

irritazione (ēr·rē·tâ·tsyō'nā) *f* irritation; exasperation

irrompere * (ēr·rôm'pā·rā) *vi* to overflow; to break out

irruente (ēr·rūân'tā) *a* rash, impetuous

irruzione (ēr·rū·tsyō'nā) *f* irruption; incursion; overflowing

iscrivere * (ē·skrē'vā·rā) *vt* to enroll; to register

iscriversi * (ē·skrē'vär·sē) *vr* to enroll; to join; to register

iscrizione (ē·skrē·tsyō'nā) *f* registration; enlistment; membership; **domanda d'**— application; **modulo d'**— entry blank; **tassa d'**— entry fee, registration fee

Islanda (ē·zlân'dä) *f* Iceland

isola (ē'zō·lä) *f* island

isolamento (ē·zō·lâ·mān'tō) *m* isolation; *(elec)* insulation

isolano (ē·zō·lâ'nō) *m* islander; — *a* island

isolante (ē·zō·lân'tā) *m* insulator; — *a* insulating

isolare (ē·zō·lâ'rā) *vt* to seclude; to isolate; to keep apart; *(elec)* to insulate

isolarsi (ē·zō·lâr'sē) *vr* to live in seclusion; to isolate oneself

isolatamente (ē·zō·lâ·tâ·mān'tā) *adv* isolatedly; separately

isolato (ē·zō·lâ'tō) *a* isolated; insulating; — *m* city block

isolatore (ē·zō·lâ·tō'rā) *m* *(elec)* insulator

isolazionismo (ē·zō·lâ·tsyō·nē'zmō) *m* isolationism

isolazionista (ē·zō·lâ·tsyō·nē'stâ) *m* isolationist

isoscele (ē·sô'shā·lā) *a* *(geom)* isosceles

isotopo (ē·zô'tō·pō) *m* isotope

ispanico (ē·spâ'nē·kō) *a* Hispanic

ispettore (ē·spāt·tō'rā) *m* inspector; examiner

ispezionare (ē·spā·tsyō·nâ'rā) *vt* to inspect; to examine

ispezione (ē·spā·tsyō'nā) *f* inspection; examination

ispirare (ē·spē·râ'rā) *vt* to inspire; to enthuse

ispirarsi (ē·spē·râr'sē) *vr* to become inspired; to draw inspiration

ispirazione (ē·spē·râ·tsyō'nā) *f* inspiration; enthusiasm

Israele (ē·zrâ·â'lā) *m* Israel

israelita (ē·zrâ·â·lē'tâ) *a* Jewish; — *m&f* Jew

istantanea (ē·stân·tâ'nā·â) *f* snapshot

istantaneamente (ē·stân·tâ·nā·â·mān'tā) *adv* at once, immediately; momentarily

istantaneo (ē·stân·tâ'nā·ō) *a* instantaneous; momentary

istante (ē·stân'tā) *m* instant; — *a* urgent, pressing; **sull'**— immediately; on the spot

istanza (ē·stân'tsâ) *f* petition; plea

isterismo (ē·stâ·rē'zmō) *m* hysteria

istigazione (ē·stē·gâ·tsyō'nā) *f* instigation; incitement

istintivamente (ē·stēn·tē·vâ·mān'tā) *adv* instinctively

istinto (ē·stēn'tō) *m* instinct

istituire (ē·stē·twē'rā) *vt* to establish; to institute

istituto (ē·stē·tū'tō) *m* institute, institution

istmo (ēst'mō) *m* isthmus

istrice (ē'strē·chā) *m* porcupine

istruire (ē·strūē'rā) *vt* to teach, educate, instruct

istruirsi (ē·strūēr'sē) *vr* to learn; to become proficient

istruito (ē·strūē'tō) *a* educated

istruttivo (ē·strūt·tē'vō) *a* educational; instructive

istruttore (ē·strūt·tō'rā) *m* instructor

istruttoria (ē·strūt·tô'ryâ) *f* inquest

istruzione (ē·strū·tsyō'nā) *f* instruction; education

istupidirsi (ē·stū·pē·dēr'sē) *vr* to grow stupid; to become stupified

Italia (ē·tâ'lyâ) *f* Italy; — **meridionale** Southern Italy; — **settentrionale** Northern Italy

italianista (ē·tâ·lyâ·nē'stâ) *m* Italian scholar, Italianist

italianità (ē·tâ·lyâ·nē·tâ') *f* Italian characteristics, Italian feeling

italianizzare (ē·tâ·lyâ·nē·dzâ'rā) *vt* to italianize

italiano (ē·tâ·lyâ'nō) *m&a* Italian

itinerario (ē·tē·nā·râ'ryō) *m* itinerary

itterizia (ēt·tā·rē'tsyâ) *f* *(med)* jaundice

ittiologia (ēt·tyō·lō·jē'â) *f* ichthyology

Iugoslavia (yū·gō·slâ'vyâ) *f* Yugoslavia

iugoslavo (yū·gō·slâ'vō) *m&a* Yugoslav

iuta (yū'tâ) *f* jute

ivi (ē'vē) *adv* there

â ârm, ā bāby, e bet, ē bē, ō gō, ô gône, ū blūe, b bad, ch child, d dad, f fat, g gay, j jet

L

la (lâ) *art f* the; — *pron* her; it; you
là (lâ) *adv* there; **al di** — beyond; on the other side
labaro (lâ'bâ·rō) *m* flag; standard
labbra (lâb'brâ) *fpl* lips
labbro (lâb'brō) *m* lip; rim
labile (lâ'bē·lā) *a* shaky; feeble; fleeting; ephemeral
labirinto (lâ·bē·rēn'tō) *m* labyrinth
laboratorio (lâ·bō·râ·tô'ryō) *m* laboratory; workshop
laborioso (lâ·bō·ryō'zō) *a* industrious; difficult; painstaking
laburismo (lâ·bū·rē'zmō) *m* labor movement; labor party
laburista (lâ·bū·rē'stâ) *a (pol)* labor; — *m* laborite
lacca (lâk'kâ) *f* lacquer; nail polish
lacchè (lâk·kā') *m* flunky; lackey
laccio (lâ'chō) *m* string; noose; snare; — **da scarpe** shoelace
lacerante (lâ·chā·rân'tā) *a* rending, piercing
lacerare (lâ·chā·râ'rā) *vt* to tear; to rip
lacerazione (lâ·chā·râ·tsyō'nâ) *f* laceration; rip; tear
laconico (lâ·kô'nē·kō) *a* succinct, concise
lacrima (lâ'krē·mâ), **lagrima** (lâ'grē·mâ) *f* tear
lacrimare (lâ·krē·mâ'rā) *vi* to weep; to water *(eyes)*; *(fig)* to trickle
lacrimogeno (lâ·krē·mô'jā·nō) *a* tear-producing; **gas** — teargas
lacuna (lâ·kū'nâ) *f* blank, gap
ladro (lâ'drō) *m* thief
ladrone (lâ·drō'nâ) *m* highwayman
ladruncolo (lâ·drūn'kō·lō) *m* petty thief
laggiù (lâj·jū') *adv* down there
lagnanza (lâ·nyân'tsâ) *f* complaint; criticism
lagnarsi (lâ·nyâr'sē) *vr* to complain
laico (lâ'ē·kō) *m* layman; — *a* laic, lay
lama (lâ'mâ) *f* blade, cutting edge; — *m* lama; *(zool)* llama
lambiccare (lâm·bēk·kâ'rā) *vt* to distill; **lambiccarsi il cervello** to rack one's brains
lambire (lâm·bē'rā) *vt* to touch lightly; to skim over; to lap
lamentare (lâ·mân·tâ'rā) *vt* to regret; to complain about
lamentarsi (lâ·mân·târ'sē) *vr* to complain, grumble
lamentela (lâ·mân·tā'lâ) *f* complaint
lamento (lâ·mân'tō) *m* moan; complaining; **–so** (lâ·mân·tō'zō) *a* sorrowful

lamiera (lâ·myā'râ) *f* sheet *(metal)*; — **di ferro** sheet iron
laminatoio (lâ·mē·nâ·tô'yō) *m* rolling mill
lampada (lâm'pâ·dâ) *f* lamp
lampadario (lâm·pâ·dâ'ryō) *m* chandelier
lampadina (lâm·pâ·dē'nâ) *f* light bulb; — **tascabile** flashlight
lampante (lâm·pân'tā) *a* clear; obvious; flashing
lampeggiare (lâm·pāj·jâ·rā) *vi* to lightning; to flash
lampeggiatore (lâm·pāj·jâ·tō'râ) *m (auto)* directional light
lampeggio (lâm·pej'jō) *m* flashing; lightning
lampione (lâm·pyō'nā) *m* lamppost; street light
lampo (lâm'pō) *m* lightning flash; **chiusura** — zipper; **guerra** — blitzkrieg
lampone (lâm·pō'nâ) *m* raspberry
lana (lâ'nâ) *f* wool; — **di acciaio** steel wool; **buona** — rascal
lancetta (lân·chât'tâ) *f* watch hand; clock hand
lancia (lân'châ) *f* spear; launch
lanciafiamme (lân·châ·fyâm'mā) *m* flamethrower
lanciarazzo (lân·châ·râ'tsō) *m* bazooka
lanciare (lân·châ'rā) *vt* to hurl, throw; to launch
lanciarsi (lân·châr'sē) *vr* to hurl oneself, fling oneself; to leap
lanciatore (lân·châ·tō'râ) *m* baseball pitcher
lancinante (lân·chē·nân'tā) *a* excruciating; **dolore** — piercing pain
lancio (lân'chō) *m* throw; leap; — **del disco** discus throw; — **del peso** shotput; — **del martello** hammer throw; **pista di** — *(avi)* runway
languido (lân'gwē·dō) *a* languorous; logy
languire (lân·gwē'rā) *vi* to languish
languore (lân·gwō'râ) *m* languor; sluggishness
laniero (lâ·nyā'rō) *a* woolen
lanificio (lâ·nē·fē'chō) *m* woolen mill
lanterna (lân·târ'nâ) *f* lantern
lanugine (lâ·nū'jē·nâ) *f* down; soft hair; fuzz
lapide (lâ'pē·dā) *f* stone slab; tombstone
lapis (lâ'pēs) *m* pencil; — **per le labbra** lipstick; — **per le ciglia** eyebrow pencil
lardo (lâr'dō) *m* lard; bacon
larghezza (lâr·gā'tsâ) *f* breadth, width
largo (lâr'gō) *a* broad, wide; — *m* width;

---

k kid, **l** let, **m** met, **n** not, **p** pat, **r** very, **s** sat, **sh** shop, **t** tell, **v** vat, **w** we, **y** yes, **z** zero

farsi — to push one's way through; **prendere il** — *(fig)* to sneak away; **di manica larga** placid, easygoing
laringite (lâ·rēn·jē'tä) *f* laryngitis
larvato (lâr·vâ'tō) *a* disguised, concealed
lasagna (lâ·zä'nyâ) *f* large noodle
lasagnone (lâ·zä·nyō'nä) *m (fig)* foolish fellow, dolt
lasciapassare (lâ·shâ·pâs·sâ'rä) *m* permit, authorization
lasciare (lâ·shâ'rä) *vt* to leave; to let; to stop; — **cadere** to drop
lasciarsi (lâ·shâr'sē) *vr* to allow oneself; to part
lascito (lâ'shē·tō) *m* legacy
lascivo (lâ·shē'vō) *a* lascivious
lassativo (lâs·sä·tē'vō) *a&m* laxative
lassù (lâs·sū') *adv* up there
lastra (lâ'strâ) *f* plate, slab
lastrico (lâ'strē·kō) *m* flagstone; pavement
lastrone (lâ·strō'nä) *m* large slab
latente (lâ·tän'tä) *a* latent; quiescent
laterale (lâ·tä·râ'lä) *a* lateral
laterizi (lâ·tä·rē'tsē) *mpl* tiles, bricks
latifondista (lâ·tē·fōn·dē'stä) *m* owner of a landed estate; big landowner
latifondo (lâ·tē·fōn'dō) *m* large landed estate
latino (lâ·tē'nō) *m&a* Latin
latitante (lâ·tē·tân'tä) *a&m* fugitive
latitudine (lâ·tē·tū'dē·nä) *f* latitude
lato (lâ'tō) *m* side; — *a* broad
latore (lâ·tō'rä) *m* bearer
latrare (lâ·trâ'rä) *vi* to howl; to bark
latrina (lâ·trē'nâ) *f* latrine, toilet
latta (lât'tä) *f* tin; tinplate; tin can
lattaio (lât·tâ'yō) *m* milkman
lattante (lât·tân'tä) *a* unweaned; — *m* suckling
latte (lât'tä) *m* milk; — **condensato** condensed milk; — **scremato** skimmed milk; **fratello di** — foster brother
latteria (lât·tä·rē'â) *f* dairy; dairy farm
latticini (lât·tē·chē'nē) *mpl* dairy products
lattico (lât'tē·kō) *a* lactic; **acido** — lactic acid
lattoniere (lât·tō·nyä'rä) *m* tinman, tin-smith
lattuga (lât·tū'gâ) *f* lettuce
laurea (lâ'ū·rä·â) *f* academic degree
laurearsi (lâu·rä·âr'sē) *vr* to take one's degree; to be graduated
lauro (lâ'ū·rō) *m* laurel; **foglie di** — bay leaves
lauto (lâ'ū·tō) *a* sumptuous; magnificent
lava (lâ'vâ) *f* lava
lavabiancheria (lâ·vâ·byân·kä·rē'â) *f* washing machine

lavabile (lâ·vâ'bē·lä) *a* washable
lavabo (lâ·vâ'bō) *m* washbowl, washbasin
lavaggio (lâ·vâj'jō) *m* washing; — **del cervello** brainwashing
lavagna (lâ·vâ'nyâ) *f* blackboard
lavamano (lâ·vâ·mâ'nō) *m* washstand
lavanda (lâ·vân'dâ) *f (bot)* lavender
lavandaia (lâ·vân·dâ'yâ) *f* washwoman, laundress
lavandaio (lâ·vân·dâ'yō) *m* laundryman
lavanderia (lâ·vân·dä·rē'â) *f* laundry
lavandino (lâ·vân·dē'nō) *m* sink; washstand
lavapiatti (lâ·vâ·pyât'tē) *m* dishwasher
lavare (lâ·vâ'rä) *vt* to wash; — **a secco** to dry-clean
lavarsi (lâ·vâr'sē) *vr* to wash oneself; to wash up; — **le mani** *(fig)* to wash one's hands
lavata (lâ·vâ'tä) *f* wash; — **di capo** scolding; severe reproof
lavativo (lâ·vâ·tē'vō) *m* enema; *(fig)* bore
lavina (lâ·vē'nâ) *f* landslide
lavorante (lâ·vō·rân'tä) *m* worker
lavorare (lâ·vō·râ'rä) *vt&i* to work; — **la terra** to work the soil
lavorativo (lâ·vō·râ·tē'vō) *a* working; **giorno** — workday
lavorato (lâ·vō·râ'tō) *a* worked; processed; wrought
lavoratore (lâ·vō·râ·tō'rä) *m* workman; — *a* working
lavoratrice (lâ·vō·râ·trē'chä) *f* work-woman
lavorazione (lâ·vō·râ·tsyō'nä) *f* workmanship; processing; working
lavoro (lâ·vō'rō) *m* work; **lavori stradali** road under construction; **camera del** — trade union
lazzaretto (lâ·dzâ·rät'tō) *m* isolation hospital, lazaretto
lazzarone (lâ·dzâ·rō'nä) *m* beggar; bum; *(sl)* rascal
le (lä) *art fpl* the; — *pron* them; to her; to it
leale (lä·â'lä) *a* sincere, true; loyal
lealtà (lä·âl·tâ') *f* loyalty; fairness
lebbra (läb'brâ) *f* leprosy
lebbroso (läb·brō'zō) *a* leprous; — *m* leper
leccapiedi (läk·kâ·pyä'dē) *m* toady, flatterer
leccare (läk·kâ'rä) *vt* to lick; *(fig)* to flatter
leccornia (läk·kôr'nyâ) *f (food)* delicacy
lecito (le'chē·tō) *a* permissible; legal
ledere * (le'dä·rä) *vt* to injure, hurt

lega

leva

lega (lā′gâ) *f* league; union; alloy

legaccio (lā·gâ′chō) *m* string; shoelace; garter

legale (lā·gâ′lā) *a* statutory; legal; **per via —** through legal means; **—** *m* lawyer

legalizzare (lā·gâ·lē·dzâ′rā) *vt* to legalize; to notarize

legame (lā·gâ′mā) *m* tie; bond

legare (lā·gâ′rā) *vt* to tie; to bind; to bequeath

legarsi (lā·gâr′sē) *vr* to bind oneself; **legarsela al dito** *(fig)* to hold a grudge

legato (lā·gâ′tō) *a* tied; bound; **—** *m* envoy; ambassador; *(law)* legacy

legatore (lā·gâ·tō′rā) *m* bookbinder

legatura (lā·gâ·tū′râ) *f* binding; *(mus)* slur

legazione (lā·gâ·tsyō′nā) *f* legation

legge (lāj′jā) *f* law; **di —** of necessity; **proposta di —** *(pol)* bill

leggenda (lāj·jān′dâ) *f* legend; caption

leggere * (lej′jā·rā) *vt* to read

leggerezza (lāj·jā·rā′tsâ) *f* levity; lightness; thoughtlessness

leggermente (lāj·jār·mān′tā) *adv* lightly; easily

leggero (lāj·jā′rō) *a* light *(weight)*; nimble; inconsiderate; easy

leggiadro (lāj·jâ′drō) *a* lovely; graceful

leggibile (lāj·jē′bē·lā) *a* legible

leggio (lāj·jē′ō) *m* *(eccl)* lectern; reading desk

leghista (lā·gē′stâ) *m* club member; union member

legislativo (lā·jē·zlâ·tē′vō) *a* legislative, lawmaking

legislatore (lā·jē·zlâ·tō′rā) *m* legislator, lawmaker

legislatura (lā·jē·zlâ·tū′râ) *f* legislature

legislazione (lā·jē·zlâ·tsyō′nā) *f* legislation, lawmaking

legittima (lā·jēt′tē·mâ) *f* *(law)* legitim

legittimo (lā·jēt′tē·mō) *a* lawful, legal; legitimate

legna (lā′nyâ) *f* firewood; brushwood

legnaiolo (lā·nyâ·yō′lō) *m* woodcutter

legname (lā·nyâ′mā) *m* lumber; **deposito —** lumberyard

legnata (lā·nyâ′tā) *f* beating, thrashing

legno (lā′nyō) *m* wood; timber; **testa di —** *(fig)* blockhead, dunce; **— compensato** plywood

legume (lā·gū′mā) *m* legume; vegetable

lei (lā′ē) *pron* you *(for)*; she; her

lembo (lām′bō) *m* flap; edge; **all'estremo — della terra** to the ends of the earth

lemme lemme (lām′mā lām′mā) *adv* slowly

lendine (len′dē·nā) *m* nit

lenire (lā·nē′rā) *vt* to soothe, calm; to allay

lenone (lā·nō′nā) *m* procurer, pimp; white slaver

lentamente (lān·tâ·mān′tā) *adv* slowly; gradually

lente (lān′tā) *f* lens; **— d'ingrandimento** magnifying glass

lentezza (lān·tā′tsâ) *f* slothfulness; slowness

lenti (lān′tē) *fpl* eyeglasses

lenticchia (lān·tēk′kyâ) *f* lentil

lentiggine (lān·tēj′jē·nā) *f* freckle

lento (lān′tō) *a* slow; loose, slack; **—** *adv* slowly

lenza (lān′tsâ) *f* fishing line, line for angling

lenzuola (lān·tswō′lâ) *fpl* bedsheets

lenzuolo (lān·tswō′lō) *m* bedsheet

leone (lā·ō′nā) *m* lion

leonessa (lā·ō·nās′sâ) *f* lioness

leopardo (lā·ō·pâr′dō) *m* leopard

lepre (lā′prā) *f* hare

lesina (le′zē·nâ) *f* awl; parsimony

lesinare (lā·zē·nâ′rā) *vi* to be stingy; to be very sparing

lesione (lā·zyō′nā) *f* lesion; wound

leso (lā′zō) *a* hurt; damaged

lessare (lās·sâ′rā) *vt* to boil

lesso (lās′sō) *m* boiled beef

lestofante (lā·stō·fân′tā) *m* swindler; shyster

letamaio (lā·tâ·mâ′yō) *m* manure pile

letame (lā·tâ′mā) *m* manure

letizia (lā·tē′tsyâ) *f* joy, gaiety

lettera (let′tā·rā) *f* letter; **alla —** literally

letteralmente (lāt·tā·râl·mān′tā) *adv* literally

letterario (lāt·tā·râ′ryō) *a* literary; **proprietà letteraria** copyright

letterato (lāt·tā·râ′tō) *m* man of letters, man of learning; **—** *a* learned

letteratura (lāt·tā·râ·tū′râ) *f* literature

lettiga (lāt·tē′gâ) *f* *(med)* stretcher

lettino (lāt·tē′nō) *m* small bed; cot

letto (lāt′tō) *m* bed; **— da campeggio** camp bed; **— a sacco** sleeping bag; **figli del primo —** children of the first marriage

lettura (lāt·tū′râ) *f* reading

leva (lā′vâ) *f* lever; *(mil)* draft

levante (lā·vân′tā) *m* Levant; East

levare (lā·vâ′rā) *vt* to remove, take out; to lift; **— il campo** to break camp; **— il bollore** to bring to a boil; **— il tacco** to decamp; **— l'ancora** to weigh anchor; **— la seduta** to adjourn the meeting

levarsi (lā·vâr′sē) *vr* to get off; to get up; to rise; **— il pane dalla bocca** *(fig)* to

---

k kid, **l** let, **m** met, **n** not, **p** pat, **r** very, **s** sat, **sh** shop, **t** tell, **v** vat, **w** we, **y** yes, **z** zero

make great sacrifices; — **del sole** sunrise

levata (lä·vâ'tä) *f* rising; removal; — **delle lettere** mail collection

levatrice (lä·vâ·trē'chä) *f* midwife

levigato (lä·vē·gâ'tō) *a* smooth, smoothed

levriere (lä·vryā'rä) *m* greyhound

lezione (lä·tsyō'nä) *f* lesson; class

li (lē) *pron* them

lì (lē) *adv* there

Libano (lē'bâ·nō) *m* Lebanon

libbra (lēb'brâ) *f* pound *(weight)*

libellula (lē·bel'lü·lâ) *f* dragonfly

liberale (lē·bä·râ'lä) *a* generous, free; liberal

liberamente (lē·bä·râ·mān'tä) *adv* freely; openly

liberare (lē·bä·râ'rä) *vt* to free, set free

liberarsi (lē·bä·râr'sē) *vr* to rid oneself; to free oneself

liberato (lē·bä·râ'tō) *a* liberated, freed, set free

liberatore (lē·bä·râ·tō'rä) *m* liberator

liberazione (lē·bä·râ·tsyō'nä) *f* liberation, setting free, freeing

liberismo (lē·bä·rē'zmō) *m* free trade

liberista (lē·bä·rē'stâ) *m* free trader

libero (lē'bä·rō) *a* free; vacant; unhampered; **a piede** — out on bail; **all'aria libera** outdoors; — **arbitrio** free will; **verso** — free verse

libertà (lē·bär·tâ') *f* freedom, liberty; lack of restraint

libertario (lē·bär·tâ'ryō) *m&a* libertarian

libertinaggio (lē·bär·tē·nâj'jō) *m* libertinism, licentiousness

libertino (lē·bär·tē'nō) *m* libertine, rake

libidine (lē·bē'dē·nä) *f* lust

libraio (lē·brâ'yō) *m* bookdealer

libreria (lē·brä·rē'â) *f* bookstore; bookcase

librettista (lē·brät·tē'stâ) *m* librettist

libretto (lē·brät'tō) *m* booklet; libretto

libro (lē'brō) *m* book; — **di bordo** *(naut)* log; — **mastro** *(com)* ledger

licenza (lē·chän'tsâ) *f* license; leave; authorization

licenziare (lē·chän·tsyâ'rä) *vt* to dismiss, fire; to authorize

licenziarsi (lē·chän·tsyâr'sē) *vr* to resign; to take one's degree

licenzioso (lē·chän·tsyō'zō) *a* licentious, debauched

liceo (lē·chä'ō) *m* high school; — **scientifico** technical school

licitazione (lē·chē·tâ·tsyō'nä) *f* bid; auction sale

lido (lē'dō) *m* beach, shore

lietamente (lyä·tâ·mân'tä) *adv* happily, gleefully

lieto (lyä'tō) *a* glad, happy

lieve (lyä'vä) *a* light *(weight)*; simple, easy

lievemente (lyä·vä·mān'tä) *adv* lightly; softly

lievito (lye'vē·tō) *m* yeast

ligure (lē·gü'rä) *m&a* Ligurian

lilla (lēl'lä) *f* lilac; — *m* lilac color

lima (lē'mâ) *f* file

limare (lē·mâ'rä) *vt* to file

limatura (lē·mâ·tü'râ) *f* filings

limetta (lē·māt'tâ) *f* lime *(fruit)*

limitare (lē·mē·tâ'rä) *vt* to limit, check

limitarsi (lē·mē·târ'sē) *vr* to confine oneself, limit oneself

limitatamente (lē·mē·tâ·tâ·mān'tä) *adv* in a limited way, limitedly

limitazione (lē·mē·tâ·tsyō'nä) *f* limitation, check

limite (lē'mē·tä) *m* limit; — **massimo di velocità** speed limit

limonata (lē·mō·nâ'tâ) *f* lemonade

limone (lē·mō'nä) *m* lemon

limoso (lē·mō'zō) *a* slimy, muddy, miry

limpido (lēm'pē·dō) *a* clear, limpid

lince (lēn'chä) *f* lynx

linciaggio (lēn·châj'jō) *m* lynching

linciare (lēn·châ'rä) *vt* to lynch

lindo (lēn'dō) *a* neat; orderly

linea (lē'nä·â) *f* line; figure; — **tranviaria** streetcar line; — **automobilistica** bus line

lineetta (lē·nä·āt'tâ) *f* dash; hyphen

lingotto (lēn·gōt'tō) *m* ingot

lingua (lēn'gwâ) *f* language; tongue; **conoscere una** — **correntemente** to speak a language fluently; **in** — **povera** in plain words

linguista (lēn·gwē'stâ) *m* linguist

linguistica (lēn·gwē'stē·kâ) *f* linguistics

lino (lē'nō) *m* linen; flax

linoleum (lē·nō'läūm) *m* linoleum

linosa (lē·nō'zâ) *f* linseed

linotipia (lē·nō·tē·pē'â) *f* linotype composition

linotipista (lē·nō·tē·pē'stâ) *m&f* linotype operator

liocorno (lyō·kōr'nō) *m* unicorn

Lipsia (lē'psyâ) *f* Leipzig

liquefare (lē·kwä·fâ'rä) *vt&i* to melt

liquefazione (lē·kwä·fâ·tsyō'nä) *f* melting

liquidare (lē·kwē·dâ'rä) *vt* to liquidate

liquidazione (lē·kwē·dâ·tsyō'nä) *f* liquidation; clearance sale

liquido (lē'kwē·dō) *a&m* liquid; **denaro** — cash

liquirizia (lē·kwē·rē'tsyâ) *f* licorice

â ârm, ā bāby, e bet, ē bē, ō gō, ô gône, ū blūe, b bad, ch child, d dad, f fat, g gay, j jet

liquore (lē·kwō′rā) *m* liquor; liqueur

liquoroso (lē·kwō·rō′zō) *a* highly alcoholic

lira (lē′râ) *f* lira; lyre

lirico (lē′rē·kō) *a* lyrical

Lisbona (lē·zbō′nä) *f* Lisbon

lisca (lē′skâ) *f* fishbone

lisciare (lē·shâ′rā) *vt* to smooth; to flatter

lisciarsi (lē·shâr′sē) *vr* to dress carefully; to groom oneself; to preen

liscio (lē′shō) *a* smooth; straight *(drink)*

liscivia (lē·shē′vyâ) *f* lye

lista (lē′stâ) *f* list; bill of fare; — **dei vini** wine list

listino (lē·stē′nō) *m* bulletin; price list

litania (lē·tâ·nē′â) *f* litany; *(fig)* long list

lite (lē′tā) *f* argument, row; lawsuit

litigare (lē·tē·gâ′rā) *vt* to argue, dispute, contend; — *vi* to quarrel

litigio (lē·tē′jō) *m* lawsuit; quarrel, dispute

litografia (lē·tō·grâ·fē′â) *f* lithography

litorale (lē·tō·râ′lā) *a* coastal; — *m* coastline

litro (lē′trō) *m* liter; **un quarto di** — a half-pint

Lituania (lē·twâ′nyâ) *f* Lithuania

lituano (lē·twâ′nō) *a&m* Lithuanian

liturgia (lē·tūr·jē′â) *f* liturgy

liutaio (lyū·tâ′yō) *m* stringed-instrument maker

liuto (lyū′tō) *m* lute

livellare (lē·vāl·lâ′rā) *vt* to level; to make uniform

livellazione (lē·vāl·lâ·tsyō′nä) *f* levelling; standardization

livello (lē·vāl′lō) *m* level; **passaggio a** — railroad crossing; **sul** — **del mare** above sea level; — **delle acque** water level; waterline

livido (lē′vē·dō) *a* livid; pale; *(fig)* jealous; — *m* contusion, bruise

lo (lō) *art m* the; — *pron* it, him

lobbia (lôb′byâ) *f* fedora

lobo (lō′bō) *m (anat)* lobe

locale (lō·kâ′lā) *a* local; — *m* room; place; — **di lusso** high-class establishment

località (lō·kâ·lē·tâ′) *f* position; town

localizzare (lō·kâ·lē·dzâ′rā) *vt* to localize; to find, locate

locanda (lō·kân′dâ) *f* inn

locandiere (lō·kân·dyâ′rā), *m* **locandiera** (lō·kân·dyâ′râ) *f* innkeeper

locandina (lō·kân·dē′nâ) *f (theat)* handbill

locare (lō·kâ′rā) *vt* to rent; **locasi** for rent

locatario (lō·kâ·tâ′ryō) *m* tenant

locativo (lō·kâ·tē′vō) *a (gram)* locative

locatore (lō·kâ·tō′rā) *m* lessor

locazione (lō·kâ·tsyō′nä) *f* rent; lease

locomotiva (lō·kō·mō·tē′vâ) *f* engine, locomotive

locomozione (lō·kō·mō·tsyō′nä) *m* locomotion

locusta (lō·kū′stâ) *f* locust

lodare (lō·dâ′rā) *vt* to praise; to extol

lodarsi (lō·dâr′sē) *vr* to praise oneself; to swell with pride

lode (lō′dā) *f* praise

lodevole (lō·de′vō·lä) *a* laudable

logaritmo (lō·gâ·rēt′mō) *m* logarithm

loggia (lôj′jâ) *f (theat)* box, loge; balcony

loggione (lōj·jō′nä) *m (theat)* gallery

logorare (lō·gō·râ′rā) *vt* to wear out

logorarsi (lō·gō·râr′sē) *vr* to wear oneself out; to become worn out

logorio (lō·gō·rē′ō) *m* waste; wear

logoro (lō′gō·rō) *a* worn-out

lombaggine (lōm·bâj′jē·nä) *f* lumbago

Lombardia (lōm·bâr·dē′â) *f* Lombardy

lombata (lōm·bâ′tâ) *f* loin *(meat)*

lombo (lōm′bō) *m* sirloin; loin

Londra (lōn′drâ) *f* London

lontananza (lōn·tâ·nân′tsâ) *f* time away, absence; distance

lontano (lōn·tâ′nō) *a* distant; absent; — *adv* far, a long way

lontra (lōn′trâ) *f* otter

loquace (lō·kwâ′chä) *a* talkative

lordare (lōr·dâ′rā) *vt* to dirty; to foul

lordo (lōr′dō) *a* dirty, filthy; *(com)* gross

loro (lō′rō) *pron* they, them, to them; you, to you; yours; theirs; — *a* your; their

losco (lō′skō) *a* one-eyed; shady, sinister

lotta (lōt′tâ) *f* struggle; wrestling; — **libera** catch-as-catch-can wrestling; **partita di** — wrestling match

lottare (lōt·tâ′rā) *vi* to struggle; to wrestle

lottatore (lōt·tâ·tō′rā) *m* fighter; wrestler; struggler

lotteria (lōt·tā·rē′â) *f* lottery

lottizzare (lōt·tē·dzâ′rā) *vt* to parcel out; to allot

lotto (lōt′tō) *m* lottery; parcel, plot *(land)*

lozione (lō·tsyō′nä) *f* lotion; — **per la barba** shaving lotion; — **per gli occhi** eyewash

lubrificante (lū·brē·fē·kân′tä) *a* lubricating; — *m* lubricant

lubrificare (lū·brē·fē·kâ′rā) *vt* to lubricate

lubrificazione (lū·brē·fē·kâ·tsyō′nä) *f* lubrication

lucchetto (lūk·kāt′tō) *m* padlock

luccicare (lū·chē·kâ′rā) *vi* to gleam; to

shimmer
luccichio (lū·chē·kē'ō) *m* glimmer
luccio (lū'chō) *m* pike *(fish)*
lucciola (lū'chō·lâ) *f* firefly
luce (lū'chā) *f* light; — **di arresto** stoplight; — **di posizione** parking light; **filtro** — light filter
lucente (lū·chān'tā) *a* luminous, shining; sparkling; gleaming
lucernario (lū·chār·nâ'ryō) *m* skylight
lucertola (lū·cher'tō·lâ) *f* lizard
lucidare (lū·chē·dâ'rā) *vt* to polish, shine; to trace *(drawing)*
lucidatrice (lū·chē·dâ·trē'chā) *f* floor polisher
lucidità (lū·chē·dē·tâ') *f* lucidity; — **di mente** clearness of mind
lucido (lū'chē·dō) *a* shining; lucid; — *m* polish; — **per le scarpe** shoe polish
lucignolo (lū·chē'nyō·lō) *m* wick
lucro (lū'krō) *m* profit
luglio (lū'lyō) *m* July
lui (lū'ē) *pron* he; him
lumaca (lū·mâ'kâ) *f* snail; **a passo di** — at a snail's pace
lume (lū'mā) *m* light; lamp *(fig)* understanding; **a** — **di naso** at first glance; roughly speaking
luminoso (lū·mē·nō'zō) *a* shining, bright
luna (lū'nâ) *f* moon; — **di miele** honeymoon; **al chiaro di** — by moonlight; **avere la** — to be in an ugly mood
lunario (lū·nâ'ryō) *m* almanac; **sbarcare il** — *(fig)* to make both ends meet
lunatico (lū·nâ'tē·kō) *a* moody, capricious; lunatical
lunedì (lū·nâ·dē') *m* Monday
lungamente (lūn·gâ·mān'tā) *adv* lengthily, at length

lunghezza (lūn·gā'tsâ) *f* length
lungimirante (lūn·jē·mē·rân'tā) *a* far-sighted
lungo (lūn'gō) *a* long; thin; — *prep* beside, along; **a** — **andare** in the long run; — **disteso** headlong; **tirare in** — to put off, delay
lungomare (lūn·gō·mâ'rā) *m* boardwalk; street by the sea
luogo (lwō'gō) *m* place; spot; **aver** — to take place; to happen; **in** — **di** instead of
lupo (lū'pō) *m* wolf; **In bocca al** —! Good luck to you! — **di mare** veteran seaman
lurido (lū'rē·dō) *a* filthy, lewd, lurid
lusinga (lū·zēn'gâ) *f* flattery
lusingare (lū·zēn·gâ'rā) *vt* to cajole; to flatter
lusingarsi (lū·zēn·gâr'sē) *vr* to trust, hope; to feel confident; to flatter
lusinghiero (lū·zēn·gyā'rō) *a* flattering; promising
lussazione (lūs·sâ·tsyō'nā) *f (med)* dislocation
lusso (lūs'sō) *m* luxury
lussuoso (lūs·swō'zō) *a* deluxe, magnificent
lussureggiante (lūs·sū·rāj·jân'tā) *a* luxuriant; overabundant
lustrare (lū·strâ'rā) *vt* to shine; to clean; to polish
lustrascarpe (lū·strâ·scâr'pā) *m* bootblack, shoeblack; shoeshine boy
lustro (lū'strō) *m* luster; — *a* bright, shining; polished
lutto (lūt'tō) *m* mourning; — **pesante** deep sorrow
luttuoso (lūt·twō'zō) *a* sorrowful, mournful; saddening

M

ma (mâ) *conj* but
macabro (mâ·kâ'brō) *a* macabre; eerie
maccheroni (mâk·kā·rō'nē) *mpl* macaroni
macchia (mâk'kyâ) *f* stain; blemish; thicket
macchiare (mâk·kyâ'rā) *vt* to dirty; to stain
macchiarsi (mâk·kyâr'sē) *vr* to ruin one's reputation; to get dirty
macchietta (mâk·kyāt'tâ) *f* eccentric; odd character
macchiettista (mâk·kyāt·tē'stâ) *m* mimic
macchina (mâk'kē·nâ) *f* machine; automobile; engine; — **fotografica** camera; — **da cucire** sewing machine; — **da scrivere** typewriter

macchinalmente (mâk·kē·nâl·mān'tā) *adv* mechanically; automatically
macchinario (mâk·kē·nâ'ryō) *m* machinery; works, working parts
macchinazione (mâk·kē·nâ·tsyō'nā) *f* intrigue; conspiracy
macchinetta (mâk·kē·nāt'tâ) *f* little machine; — **per i capelli** hair clippers; — **del caffè** coffeepot
macchinista (mâk·kē·nē'stâ) *m* machinist; engineer; stoker; stagehand
macchinosamente (mâk·kē·nō·zâ·mān'tā) *adv* heavily; complicatedly
macedonia (mâ·chā·dō'nyâ) *m* fruit salad
macellaio (mâ·chāl·lâ'yō) *m* butcher

â ârm, **ā** bāby, **e** bet, **ē** bē, **ō** gō, **ô** gône, **ū** blūe, **b** bad, **ch** child, **d** dad, **f** fat, **g** gay, **j** jet

macellare (mâ·chāl·lâ'rā) *vt* to butcher
macellazione (mâ·chāl·lâ·tsyō'nā) *f* slaughtering, butchering
macelleria (mâ·chāl·lā·rē'â) *f* butcher shop
macello (mâ·chāl'lō) *m* slaughterhouse; *(fig)* slaughter, massacre
macerare (mâ·chā·râ'rā) *vt* to steep, macerate
maceria (mâ·che'ryâ) *f* ruins, debris
macero (mâ'chā·rō) *a* macerated
macigno (mâ·chē'nyō) *m* boulder, large rock
macilento (mâ·chē·lān'tō) *a* cadaverous, emaciated
macina (mâ'chē·nâ) *f* millstone
macinacaffè (mâ·chē·nâ·kâf·fā') *m* coffee mill
macinapepe (mâ·chē·nâ·pā'pā) *m* pepper mill
macinare (mâ·chē·nâ'rā) *vt* to grind; to pulverize
macinato (mâ·chē·nâ'tō) *a* ground; milled; — *m* flour; ground grain
macinino (mâ·chē·nē'nō) *m* small mill; *(coll)* old car; *(sl)* jalopy
macrocosmo (mâ·krō·kō'zmō) *m* macrocosm
madornale (mâ·dōr·nâ'lā) *a* huge, behemoth
madre (mâ'drā) *f* mother
madreperla (mâ·drā·pār'lâ) *f* mother-of-pearl, nacre
madrigna (mâ·drē'nyâ) *f* stepmother
madrina (mâ·drē'nâ) *f* godmother; foster mother
maestà (mâ·ā·stâ') *f* majesty, stateliness
maestosamente (mâ·ā·stō·zâ·mān'tā) *adv* majestically; regally
maestra (mâ·ā'strâ) *f* teacher
maestranza (mâ·ā·strân'tsâ) *f* workmen
maestria (mâ·ā·strē'â) *f* proficiency; dexterity
maestro (mâ·ā'strō) *m* teacher; master; — *a* main; masterful; **strada maestra** highway; main road; **vento** — northwest wind
magari (mâ·gâ'rē) *adv* perhaps, maybe; – ! *interj* God grant!, if only!
magazzinaggio (mâ·gâ·dzē·nâj'jō) *m* storage
magazziniere (mâ·gâ·dzē·nyā'rā) *m* warehouseman
magazzino (mâ·gâ·dzē'nō) *m* warehouse; depot; store
maggio (mâj'jō) *m* May
maggiorana (mâj·jō·râ'nâ) *f* marjoram
maggioranza (mâj·jō·rân'tsâ) *f* majority

maggiorare (mâj·jō·râ'rā) *vt* to raise; to increase
maggiorato (mâj·jō·râ'tō) *a* raised; increased
maggiorazione (mâj·jō·râ·tsyō'nā) *f* increase
maggiordomo (mâj·jōr·dō'mō) *m* majordomo
maggiore (mâj·jō'rā) *a* greater; elder; larger; — *m* (*mil*) major
maggiorenne (mâj·jō·rān'nâ) *a* of age
maggiormente (mâj·jōr·mān'tā) *adv* greatly; all the more
magia (mâ·jē'â) *f* magic; witchcraft
magistrale (mâ·jē·strâ'lā) *a* dextrous; skillful; masterful; **istituto** — teachers college; **scuola** — normal school; **con tono** — in a commanding voice
magistralmente (mâ·jē·strâl·mān'tā) *adv* adroitly; masterfully
magistrato (mâ·jē·strâ'tō) *m* judge
magistratura (mâ·jē·strâ·tū'râ) *f* judiciary, bench
maglia (mâ'lyâ) *f* mesh; undershirt; **lavorare a** — to knit
maglieria (mâ·lyā·rē'â) *f* knitted goods; hosiery
maglietta (mâ·lyāt'tâ) *f* undershirt
maglione (mâ·lyō'nā) *m* sweater
magnanimità (mâ·nyâ·nē·mē·tâ') *f* magnanimity; largess
magnanimo (mâ·nyâ'nē·mō) *a* generous, liberal
magnano (mâ·nyâ'nō) *m* locksmith
magnate (mâ·nyâ'tā) *m* patron; magnate
magnesia (mâ·nye'zyâ) *f* magnesia
magnesio (mâ·nye'zyō) *m* magnesium
magnete (mâ·nyā'tā) *m* magneto; magnet
magnetico (mâ·nye'tē·kō) *a* magnetic
magnetofono (mâ·nyā·tō·fō'nō) *m* tape recorder
magnificamente (mâ·nyē·fē·kâ·mān'tā) *adv* magnificently, splendidly
magnificenza (mâ·nyē·fē·chān'tsâ) *f* pomp; magnificence
magnifico (mâ·nyē'fē·kō) *a* magnificent
mago (mâ'gō) *m* magician
magrezza (mâ·grā'tsâ) *f* skinniness; scantiness
magro (mâ'grō) *a* lean, thin; — *m* Lenten abstinence
mai (mâ'ē) *adv* ever, never; **non si sa** — one never can tell; **caso** — if, just in case; **come** —? how in the world?, how ever?; — **più** never again
maiale (mâ·yâ'lā) *m* swine; **carne di** — pork; **grasso di** — lard
maialetto (mâ·yâ·lât'tō) *m* suckling pig

maiolica (mâ·yô′lē·kâ) *f* majolica
maionesa (mâ·yō·nä′zâ) *f* mayonnaise
maiuscola (mâ·yū′skō·lâ) *f* capital letter
maiuscolo (mâ·yū′skō·lō) *a* capital; large, gross
mal (mâl) *m* pain; sickness; — **di mare** seasickness; — **d'aereo** airsickness; — **di denti** toothache; — **di pancia** stomachache; — **di testa** headache
malafede (mâ·lâ·fä′dā) *f* bad faith
malaffare (mâ·lâf·fâ′rā) *m* dissolute living; **donna di** — woman of easy virtue
malagiato (mâ·lâ·jâ′tō) *a* ill at ease; badly off
malagrazia (mâ·lâ·grâ′tsyâ) *f* rudeness; disfavor
malalingua (mâ·lâ·lēn′gwâ) *f* gossip; slanderer
malamente (mâ·lâ·män′tä) *adv* badly
malandato (mâ·lân·dâ′tō) *a* in poor condition; worn-out
malandrino (mâ·lân·drē′nō) *m* ruffian, tough; gangster
malanimo (mâ·lâ′nē·mō) *m* spitefulness; ill will, malice
malanno (mâ·lân′nō) *m* calamity; sickness
malapena (mâ·lâ·pā′nâ) *adv* hardly; scarcely; just
malaria (mâ·lâ′ryâ) *f (med)* malaria
malato (mâ·lâ′tō) *a* sick; — *m* patient
malattia (mâ·lât·tē′â) *f* disease, illness
malaugurio (mâ·lâü·gü′ryō) *m* bad omen, bad sign
malavita (mâ·lâ·vē′tä) *f* underworld
malcaduco (mâl·kâ·dü′kō) *m (med)* epilepsy
malcapitato (mâl·kâ·pē·tâ′tō) *a* unlucky, unfortunate
malcauto (mâl·kâ′ū·tō) *a* unwary, rash; heedless
malcerto (mâl·chär′tō) *a* uncertain, dubious
malconcio (mâl·kôn′chō) *a* bruised, beaten; ill-used, mistreated
malcontento (mâl·kōn·tän′tō) *a* discontented; dissatisfied; — *m* dissatisfaction; malcontent
malcostume (mâl·kō·stü′mä) *m* dissipation; bad habit; immorality
maldestro (mâl·dä′strō) *a* gauche; unskillful; coarse
maldicente (mâl·dē·chän′tä) *a* slanderous; gossipy; — *n* slanderer; gossip (*person*)
maldicenza (mâl·dē·chän′tsâ) *f* slander; gossip (*act*)
male (mâ′lä) *m* evil; disease; pain; misfortune; — *adv* badly; **far** — to hurt;

to harm; **farsi** — to hurt oneself; to injure oneself; **niente di** — everything's all right
maledetto (mâ·lä·dät′tō) *a* damned, cursed
maledire (mâ·lä·dē′rā) *vt* to curse
maledizione (mâ·lä·dē·tsyō′nä) *f* curse, malediction; (*fig*) bad luck
maleducato (mâ·lä·dü·kâ′tō) *a* ill-bred; unmannerly
maleficio (mâ·lä·fē′chō) *m* sorcery; spell, enchantment
malefico (mâ·le′fē·kō) *a* evil; harmful; ruinous
maleodorante (mâ·lä·ō·dō·rân′tä) *a* smelly, malodorous
maleolente (mâ·lä·ō·län′tä) *a* evil-smelling; foul-smelling
malerba (mâ·lär′bâ) *f* weed
malessere (mâ·les′sä·rä) *m* uneasiness; indisposition; discomfort
malfatto (mâl·fât′tō) *m* misdeed; evil act; — *a* misshapen; poorly made
malfattore (mâl·fât·tō′rä) *m* criminal
malgarbo (mâl·gâr′bō) *m* lack of grace; rudeness; awkwardness
malgrado (mâl·grâ′dō) *prep* despite, notwithstanding; **a mio** — against my will; — **ciò** however, nevertheless
malgusto (mâl·gü′stō) *m* poor taste
malia (mâ·lē′â) *f* fascination, charm
maliarda (mâ·lyâr′dâ) *f* enchantress
maligno (mâ·lē′nyō) *a* malignant; wicked; evil-minded
malinconia (mâ·lēn·kō·nē′â) *f* melancholy; unhappiness; depression
malinconico (mâ·lēn·kô′nē·kō) *a* melancholy
malincuore (mâ·lēn·kwō′rā) *adv* unwillingly
malintendere * (mâ·lēn·ten′dā′rā) *vt* to misunderstand
malinteso (mâ·lēn·tä′zō) *m* misunderstanding
malizia (mâ·lē′tsyâ) *f* malice; cunning
maliziosamente (mâ·lē·tsyō·zâ·mân′tä) *adv* maliciously, evilly
malizioso (mâ·lē·tsyō′zō) *a* malicious; roguish; tricky
malleabile (mâl·lä·â′bē·lä) *a* pliable, yielding
malleolo (mâl·le′ō·lō) *m* anklebone
malmenare (mâl·mä·nâ′rā) *vt* to manhandle; to mishandle; to mistreat
malo (mâ′lō) *a* bad; evil; **mala voglia** ill will; **mala riuscita** failure
malocchio (mâ·lôk′kyō) *m* evil eye
malore (mâ·lō′rä) *m* indisposition, sick-

ness; sudden collapse

malsano (mâl·sä'nō) *a* unhealthy

maltempo (mâl·tām'pō) *m* bad weather

maltrattare (mâl·trât·tä'rä) *vt* to mistreat, treat badly

malumore (mâ·lū·mō'rä) *m* bad humor; bad mood

malvagio (mâl·vä'jō) *a* wicked

malvagità (mâl·vä·jē·tä') *f* evil, wickedness

malversazione (mâl·vär·sä·tsyō'nä) *f* embezzlement, defalcation

malvisto (mâl·vē'stō) *a* unpopular; disliked; not well-thought-of

malvivente (mâl·vē·vän'tä) *m* gangster; scoundrel

malvolentieri (mâl·vō·län·tyä'rē) *adv* unwillingly; against one's will

malvolere (mâl·vō·lä'rä) *m* malevolence

mamma (mâm'mä) *f* mother

mammalucco (mâm·mâ·lūk'kō) *m* (*sl*) nitwit, dope

mammella (mâm·mäl'lä) *f* breast; udder; teat

mammifero (mâm·mē'fä·rō) *m* mammal

mammola (mâm'mō·lä) *f* (*bot*) violet

manata (mâ·nä'tä) *f* handful; slap

mancante (mân·kân'tä) *a* missing; short

mancanza (mân·kân'tsä) *f* want; lack; fault; **in — di** in the absence of; **in — di meglio** for want of something better; **sentire la — di** to miss

mancare (mân·kä'rä) *vi* to be lacking; to be at fault; to be missing; **— vt** to miss; to fall short of; **— alla parola** to break one's word; **Non ci mancherebbe altro!** That's the last straw!

mancia (mân'chä) *f* tip

manciata (mân·chä'tä) *f* handful

mancino (mân·chē'nō) *a* left-handed; **colpo —** shady deal; dishonest action

Manciuria (mân·chū'ryä) *f* Manchuria

manco (mân'kō) *adv* not even; **— a** left

mandamento (mân·dä·män'tō) *m* local jurisdiction

mandare (mân·dä'rä) *vt* to send; **— via** to dismiss; **— a gambe all'aria** to knock head over heels; (*fig*) to upset; to put an end to; **— a picco** (*naut*) to sink; **— ad effetto** to carry out; accomplish; **— per le lunghe** to delay, put off; **— giù** to swallow; (*fig*) to stomach, brook

mandarino (mân·dä·rē'nō) *m* (*bot*) tangerine

mandatario (mân·dä·tä'ryō) (*pol*) mandatary; (*law*) abettor, accomplice; (*com*) agent

mandato (mân·dä'tō) *m* mandate; warrant

mandibola (mân·dē'bō·lä) *m* (*anat*) jaw

mandolinista (mân·dō·lē·nē'stä) *m* mandolin player

mandolino (mân·dō·lē'nō) *m* mandolin

mandorla (mân'dōr·lä) *f* almond

mandorlato (mân·dōr·lä'tō) *m* almond cake

mandorlo (mân'dōr·lō) *m* almond tree

mandria (mân'dryä) *f* large group, drove; herd; flock

maneggiare (mâ·näj·jä'rä) *vt* to handle; to manipulate

maneggiarsi (mâ·näj·jär'sē) *vr* to manage; to get along

manesco (mâ·nä'skō) *a* quarrelsome

manette (mâ·nät'tä) *fpl* handcuffs

manganello (mân·gä·näl'lō) *m* billy, club

mangiare (mân·jä'rä) *vt* to eat; to corrode; (*fig*) to squander; to take (*chess*)

mangiatoia (mân·jä·tō'yä) *f* manger; crib

mangiatore (mân·jä·tō'rä) *m* big eater

mangime (mân·jē'mä) *m* chicken feed; fodder

mania (mâ·nē'ä) *f* mania; pet project, special interest

maniaco (mâ·nē·â·kō) *a* fanatic; **— m** maniac

manica (mâ'nē·kä) *f* sleeve; gang; **un altro paio di maniche** a horse of a different color; **di — larga** lenient, indulgent; **la M–** the English channel

manicaretto (mâ·nē·kâ·rät'tō) *m* tidbit, delicacy

manichino (mâ·nē·kē'nō) *m* mannequin, dummy

manico (mâ'nē·kō) *m* handle

manicomio (mâ·nē·kô'myō) *m* mental hospital, mental institution

manicotto (mâ·nē·kōt'tō) *m* muff; large stuffed macaroni

maniera (mâ·nyä'rä) *f* manner, way; **in nessuna —** by no means; **in ogni —** anyhow; **bella —** fine manner; **in una — o nell'altra** one way or another; **di — che** so that; **in che — ?** by what means?, how?

manifattura (mâ·nē·fât·tū'rä) *f* manufacture; production

manifatturare (mâ·nē·fât·tū·rä'rä) *vt* to manufacture; to produce

manifatturiero (mâ·nē·fât·tū·ryä'rō) *a* manufacturing

manifestare (mâ·nē·fä·stä'rä) *vt* to manifest; to evince, evidence

manifestarsi (mâ·nē·fä·stär'sē) *vr* to declare oneself; to show oneself

manifestazione (mâ·nē·fä·stä·tsyō'nä) *f*

display; manifestation; show
manifestino (mâ·nē·fä·stē′nō) *m* handbill
manifesto (mâ·nē·fä′stō) *m* poster; waybill; manifest; — *a* obvious; evident
maniglia (mâ·nē′lyâ) *f* handle, knob
manipolare (mâ·nē·pō·lâ′rā) *vt* to manipulate
maniscalco (mâ·nē·skâl′kō) *m* blacksmith
mannaia (mân·nâ′yâ) *f* axe
mano (mâ′nō) *f* hand; coat of paint; **venire alle mani** to come to blows; **chiedere la** — to ask in marriage; **a** — **a** — little by little; **alla** — easy to get along with, tractable; **far man bassa** to rob; **–dopera** (mâ·nō·dô′pā·râ) *f* labor, work with the hands; **–pola** (mâ·nô′pō·lâ) *f* handgrip, handle; handlebar
manovella (mâ·nō·vāl′lâ) *f* handle; crank
manovrare (mâ·nō·vrâ′rā) *vt* to operate; to maneuver; to switch
manovratore (mâ·nō·vrâ·tō′rā) *m* motorman; driver
manrovescio (mân·rō·ve′shō) *m* backhanded blow; backhand
mansione (mân·syō′nā) *f* task; duty
mansueto (mân·swä′tō) *a* tame; meek
mantello (mân·tāl′lō) *m* cloak; wrap; coat *(animal)*
mantenere * (mân·tā·nā′rā) *vt* to keep; — **la destra** to keep to the right
mantenersi * (mân·tā·nār′sē) *vr* to maintain oneself; to keep
mantenimento (mân·tā·nē·mān′tō) *m* support; maintenance
mantice (mân′tē·chā) *m* bellows
manuale (mâ·nwâ′lâ) *m* handbook; — *a* manual, done by hand
manubrio (mâ·nū′bryō) *m* handlebar; dumbbell
manutenzione (mâ·nū·tān·tsyō′nā) *f* upkeep; servicing
manzo (mân′dzō) *m* beef
mappamondo (mâp·pâ·mōn′dō) *m* globe; map of the world
marachella (mâ·râ·kāl′lâ) *f* trick; fraud
maramaldo (mâ·râ·mâl′dō) *m* coward
marasma (mâ·râ′zmâ) *m (fig)* chaos
marca (mâr′kâ) *f* brand; make; trademark; mark
marcare (mâr·kâ′rā) *vt* to mark
marchesa (mâr·kā′zâ) *f* marquise
marchese (mâr·kā′zâ) *m* marquis
marchiano (mâr·kyâ′nō) *a* gross, enormous
marchio (mâr′kyō) *m* brand; stamp
marcia (mâr′châ) *f* gear, speed; march; pus

marciapiede (mâr·châ·pyä′dā) *m* sidewalk; platform *(railroad station)*
marciare (mâr·châ′rā) *vi* to march; to function, work
marciatram (mâr·châ·trâm′) *f* streetcar platform
marcio (mâr′chō) *a* rotten; — *m* rot
marcire (mâr·chē′rā) *vt* to rot
marciume (mâr·chū′mā) *m* rottenness
marconigramma (mâr·kō·nē·grâm′mâ) *m* radiogram
marconista (mâr·kō·nē′stâ) *m* wireless operator
mare (mâ′rā) *m* sea; *(fig)* huge amount
marea (mâ·râ′â) *f* tide
maremoto (mâ·rā·mō′tō) *m* tidal wave
maresciallo (mâ·rā·shâl′lō) *m* marshal; warrant officer
margarina (mâr·gâ·rē′nâ) *f* margarine
margherita (mâr·gä·rē′tâ) *f (bot)* daisy
margine (mâr′jē·nâ) *m* edge; margin
marina (mâ·rē′nâ) *f* shore; navy; seascape; — **mercantile** merchant marine
marinaio (mâ·rē·nâ′yō) *m* sailor; marine
marinare (mâ·rē·nâ′rā) *vt* to marinate; to pickle; — **la scuola** to play hooky
marionetta (mâ·ryō·nāt′tâ) *f* marionette
maritare (mâ·rē·tâ′rā) *vt* to marry, join in marriage
maritarsi (mâ·rē·târ′sē) *vr* to get married
marito (mâ·rē′tō) *m* husband
marittimo (mâ·rēt′tē·mō) *m* seaman; — *a* maritime
mariuolo (mâ·rywō′lō) *m* swindler, thief
marmaglia (mâr·mâ′lyâ) *f* rabble; mob
marmellata (mâr·māl·lâ′tâ) *f* jam, preserve
marmitta (mâr·mēt′tâ) *f* large pot, kettle
marmo (mâr′mō) *m* marble
marmocchio (mâr·môk′kyō) *m* brat, spoiled child
marmotta (mâr·mōt′tâ) *f (zool)* marmot
maroso (mâ·rō′zō) *m* billow, wave, breaker
marrone (mâr·rō′nā) *m* chestnut; — *a* chestnut *(color)*
marsina (mâr·sē′nâ) *f* dress coat; tails *(coll)*
marsupiale (mâr·sū·pyâ′lâ) *m&a* marsupial
martedì (mâr·tā·dē′) *m* Tuesday
martellare (mâr·tāl·lâ′rā) *vt* to hammer; — *vi* to pulse, throb
martellista (mâr·tāl·lē′stâ) *m (sport)* hammer thrower
martello (mâr·tāl′lō) *m* hammer
martire (mâr′tē·rā) *m* martyr
martirio (mâr·tē′ryō) *m* martyrdom

â ârm, **ā** bāby, **e** bet, **ē** bē, **ō** gō, **ô** gône, **ū** blūe, **b** bad, **ch** child, **d** dad, **f** fat, **g** gay, **j** jet

martirizzare (mâr·tē·rē·dzâ'rā) *vt* to martyr

martirizzarsi (mâr·tē·rē·dzâr'sē) *vr* to martyr oneself

martora (mâr'tō·râ) *f* (*zool*) marten

marzapane (mâr·dzâ·pâ'nā) *f* marzipan

marziale (mâr·tsyâ'lā) *a* martial; war

marziano (mâr·tsyâ'nō) *a&m* Martian

marzo (mâr'tsō) *m* March

mascalzone (mâ·skâl·tsō'nā) *m* cad, scoundrel

mascella (mâ·shâl'lâ) *f* jaw

maschera (mâ'skâ·râ) *f* mask; (*theat*) usher; (*fencing*) face guard

mascherare (mâ·skâ·râ'rā) *vt* to mask; to hide, conceal

mascherarsi (mâ·skâ·râr'sē) *vr* to masquerade; to wear a mask

maschietta (mâ·skyât'tâ) *f* tomboy; **capelli alla —** bobbed hair

maschile (mâ·skē'lâ) *m* masculine; male

maschio (mâ'skyō) *a&m* male; **— a** manly

masnada (mâ·znâ'dâ) *f* gang of toughs

massa (mâs'sâ) *f* mass

massacrare (mâs·sâ·krâ'rā) *vt* to massacre

massacro (mâs·sâ'krō) *m* massacre

massaggiare (mâs·sâj·jâ'rā) *vt* to massage

massaggiatore (mâs·sâj·jâ·tō'rā) *m* masseur

massaggiatrice (mâs·sâj·jâ·trē'chā) *f* masseuse

massaggio (mâs·sâj'jō) *m* massage

massaia (mâs·sâ'yâ) *f* housewife

masseria (mâs·sâ·rē'â) *f* farm; herd

masserizie (mâs·sâ·rē'tsyā) *fpl* utensils; household goods

massicciata (mâs·sē·châ'tâ) *f* roadbed

massiccio (mâs·sē'chō) *a* huge, bulky

massima (mâs'sē·mâ) *f* rule; maxim

massimamente (mâs·sē·mâ·mân'tā) *adv* most of all; especially

massimo (mâs'sē·mō) *a* greatest; best; utmost; **— m** maximum

masso (mâs'sō) *m* large rock; boulder

massone (mâs·sō'nā) *m* Freemason

massoneria (mâs·sō·nâ·rē'â) *f* Freemasonry

mastello (mâ·stâl'lō) *m* tub

masticare (mâ·stē·kâ'rā) *vt* to chew; (*fig*) to meditate; to grumble about

masticazione (mâ·stē·kâ·tsyō'nā) *f* chewing, mastication

mastice (mâ'stē·chā) *m* rubber cement

mastino (mâ·stē'nō) *m* mastiff

mastodonte (mâ·stō·dōn'tā) *m* mastodon

mastro (mâ'strō) *m* master; (*com*) ledger

matassa (mâ·tâs'sâ) *f* skein

matematica (mâ·tâ·mâ'tē·kâ) *f* mathematics

matematico (mâ·tâ·mâ'tē·kō) *a* mathematical; **— m** mathematician

materasso (mâ·tâ·râs'sō) *m* mattress

materia (mâ·te'ryâ) *f* matter, substance; (*med*) pus

materiale (mâ·tâ·ryâ'lā) *a&m* material

materialista (mâ·tâ·ryâ·lē'stâ) *m* materialist

materializzare (mâ·tâ·ryâ·lē·dzâ'rā) *vt* to materialize

materialmente (mâ·tâ·ryâl·mân'tā) *adv* materially

maternità (mâ·târ·nē·tâ') *f* maternity

materno (mâ·târ'nō) *a* maternal

matita (mâ·tē'tâ) *f* pencil

matricola (mâ·trē'kō·lâ) *f* freshman; register; registration

matricolazione (mâ·trē·kō·lâ·tsyō'nā) *f* matriculation

matrigna (mâ·trē'nyâ) *f* stepmother

matrimoniale (mâ·trē·mō·nyâ'lā) *a* wedding, matrimonial; **anello —** wedding ring; **letto —** double bed

matrimonio (mâ·trē·mô'nyō) *m* marriage

mattacchione (mât·tâk·kyō'nā) *m* wit, joker

mattarello (mât·tâ·râl'lō) *m* rolling pin

mattatoio (mât·tâ·tô'yō) *m* slaughterhouse, abattoir

mattina (mât·tē'nâ) *f* morning

mattinata (mât·tē·nâ'tâ) *f* morning hours; matinee; whole morning long

mattino (mât·tē'nō) *m* early morning

matto (mât'tō) *a* crazy; insane; **— m** maniac; **scacco —** (*chess*) checkmate

mattonato (mât·tō·nâ'tō) *m* tile floor

mattone (mât·tō'nâ) *m* brick; dull book; boring article; tiresome person

mattonella (mât·tō·nâl'lâ) *f* floor tile

mattutino (mât·tū·tē'nō) *a* early; morning; **— m** (*eccl*) Matins

maturare (mâ·tū·râ'rā) *vt&i* to ripen; to fall due, come due

maturazione (mât·tū·râ·tsyō'nā) *f* ripening; (*com*) maturity

maturità (mâ·tū·rē·tâ') *f* maturity; **esame di —** final exam before graduation

maturo (mâ·tū'rō) *a* mature, ripe

mausoleo (mâû·zō·lâ'ō) *m* mausoleum

mazza (mâ'tsâ) *f* club; cane; (*sport*) bat

mazzo (mâ'tsō) *m* bunch; deck (*cards*); classification

me (mā) *pron* me

meccanica (māk·kâ'nē·kâ) *f* mechanics

meccanico (māk·kâ'nē·kō) *a* mechanical; **— m** mechanic

---

k kid, **l** let, **m** met, **n** not, **p** pat, **r** very, **s** sat, **sh** shop, **t** tell, **v** vat, **w** we, **y** yes, **z** zero

meccanismo (māk·kâ·nē'zmō) *m* mechanism; working parts, works

meccanizzare (māk·kâ·nē·dzâ'rā) *vt* to mechanize; to automate

meccanizzazione (māk·kâ·nē·dzâ·tsyō'nā) *f* mechanization; automation

mecenate (mā·chā·nâ'tā) *m* patron

meco (mā'kō) *pron* with me

medaglia (mā·dâ'lyâ) *f* medal

medaglione (mā·dâ·lyō'nā) *m* medallion

medesimo (mā·de'zē·mō) *a* same

media (me'dyâ) *f* average; **in —** on the average

mediano (mā·dyâ'nō) *m* football halfback; **—** *a* mean

mediante (mā·dyân'tā) *prep* by means of, with, by

mediatore (mā·dyâ·tō'rā) *m* (*com*) stockbroker; mediator

medicamento (mā·dē·kâ·mān'tō) *m* medicine; medication

medicare (mā·dē·kâ'rā) *vt* to medicate; to dress; to treat

medicarsi (mā·dē·kâr'sē) *vr* to treat oneself, doctor oneself; to take medication

medicastro (mā·dē·kâ'strō) *m* quack, charlatan

medicazione (mā·dē·kâ·tsyō'nā) *f* (*med*) dressing; medication; treatment

medicina (mā·dē·chē'nâ) *f* medication, medicine; remedy

medicinali (mā·dē·chē·nâ'lē) *mpl* drugs

medico (me'dē·kō) *m* doctor; physician; **— chirurgo** physician and surgeon; **— condotto** town doctor

medio (me'dyō) *a* average; middle; **—** *m* average, mean

mediocre (mā·dyō'krā) *a* mediocre, ordinary

mediocrità (mā·dyō·krē·tâ') *f* mediocrity; lack of distinction

medioevale (mā·dyō·ā·vâ'lā) *a* Medieval

medioevo (mā·dyō·ā'vō) *m* Middle Ages

meditare (mā·dē·tâ'rā) *vt&i* to meditate; to mull over; to deliberate

meditazione (mā·dē·tâ·tsyō'nā) *f* meditation; deliberation

Mediterraneo (mā·dē·tār·râ'nā·ō) *m&a* Mediterranean

megafono (mā·gâ'fō·nō) *m* megaphone

megalomane (mā·gâ·lô'mâ·nā) *m&a* megalomaniac

megaton (me'gâ·tōn) *m* megaton

meglio (me'lyō) *a&adv* better; **il —** the best

mela (mā'lâ) *f* apple

melacotogna (mā·lâ·kō·tō'nyâ) *f* quince

melagrana (mā·lâ·grâ'nâ) *f* pomegranate

melanzana (mā·lân·dzâ'nâ) *f* eggplant

melassa (mā·lâs'sâ) *f* molasses

melenso (mā·lān'sō) *a* retarded; silly

mellifluo (māl·lē'flūō) *a* (*speech*) honeyed, flattering

melma (māl'mâ) *f* mire

melo (mā'lō) *m* apple tree

melodia (mā·lō·dē'â) *f* melody

melodioso (mā·lō·dyō'zō) *a* melodious

melodramma (mā·lō·drâm'mâ) *m* melodrama

melograno (mā·lō·grâ'nō) *m* pomegranate tree

melone (mā·lō'nā) *m* melon, cantaloupe; **— d'inverno** honeydew melon

membra (mām'brâ) *fpl* (*anat*) limbs

membrana (mām·brâ'nâ) *f* membrane

membro (mām'brō) *m* member; (*anat*) limb

memorabile (mā·mō·râ'bē·lā) *a* notable; memorable

memoria (mā·mô'ryâ) *f* memory; memento; remembrance; **imparare a —** to memorize

memoriale (mā·mō·ryâ'lā) *m* memorial

memorie (mā·mô'ryâ) *fpl* memoirs

mena (mā'nâ) *f* intrigue; plot

menare (mā·nâ'rā) *vt* to lead, guide; to wag (*tail*); **— le mani** to come to blows; **— per le lunghe** to postpone, put off; **— il can per l'aia** (*coll*) to beat around the bush; **— vanto** to brag, boast

mendicante (mān·dē·kân'tā) *m* beggar; **—** *a* begging; beggarly

mendicare (mān·dē·kâ'rā) *vt&i* to beg; to entreat

mendicità (mān·dē·chē·tâ') *f* begging; mendicancy; **ricovero di —** poorhouse; poor farm

meneghino (mā·nā·gē'nō) *a&m* Milanese

menestrello (mā·nā·strāl'lō) *m* minstrel

meningite (mā·nēn·jē'tā) *f* meningitis

meno (mā'nō) *m prep* less; **—** *adv* save, excepting; less; **il —** the least; **a — che** except that; only; **a — che non** unless; **fare a —** to do without; **— male** so much the better; it's a good thing

menomamente (mā·nō·mâ·mān'tā) *adv* not in the least, by no means, not at all

menomare (mā·nō·mâ'rā) *vt* to belittle; to prejudice, have an adverse affect on; to decrease

menomazione (mā·nō·mâ·tsyō'nā) *f* impairment; decrease

mensa (mān'sâ) *f* table; (*mil*) mess

mensile (mān·sē'lā) *a* monthly; **—** *m* salary

mensilità (mān·sē·lē·tâ') *f* monthly in-

stallment
mensilmente (măn·sēl·măn'tä) *adv*
monthly, every month
mensola (men'sō·lä) *f* console table;
bracket
menta (măn'tâ) *f* mint
mentale (măn·tâ'lä) *a* mental, cerebral
mentalità (măn·tâ·lē·tâ') *f* mentality,
mind
mentalmente (măn·tâl·măn'tä) *adv* mentally
mente (měn'tä) *m* mind
mentire (măn·tē'rä) *vi* to lie; — *vt* to
misrepresent, falsify
mentitore (măn·tē·tō·rä) *m* liar; falsifier
mento (măn'tō) *m* chin
mentolo (măn·tō'lō) *m* menthol
mentre (măn'trä) *conj* while
menzionare (măn·tsyō·nâ'rä) *vt* to mention; to cite
menzione (măn·tsyō'nä) *f* mention; citing
menzogna (măn·dzō'nyâ) *f* lie; misrepre-
sentation
menzognero (măn·dzō·nyā'rō) *m* liar; —
a lying, false
meramente (mä·râ·măn'tä) *adv* simply,
merely
meraviglia (mä·râ·vē'lyâ) *f* wonder;
astonishment
meravigliare (mä·râ·vē·lyâ'rä) *vt* to astonish
meravigliarsi (mä·râ·vē·lyâr'sē) *vr* to
wonder; to be surprised
meravigliosamente (mä·râ·vē·lyō·zâ·
măn'tä) *adv* wonderfully, splendidly
meraviglioso (mä·râ·vē·lyō'zō) *a* a wonderful, splendid
mercante (măr·kân'tä) *m* merchant;
dealer; **fare orecchie da** — (*fig*) to turn
a deaf ear; to ignore someone completely
mercanteggiare (măr·kân·tāj·jâ'rä) *vt* to
haggle over, bargain over
mercantile (măr·kân·tē'lä) *a* mercantile;
commercial
mercanzia (măr·kân·tsē'â) *f* merchandise
mercatino (măr·kâ·tē'nō) *m* market vendor; marketeer
mercato (măr·kâ'tō) *m* market; — **nero**
black market; **a buon** — cheap
merce (măr'chä) *f* merchandise
mercede (măr·chä'dä) *f* pay; wages; reward
mercenario (măr·chä·nâ'ryō) *m&a* mercenary
merceria (măr·chä·rē'â) *f* notions store
mercoledì (măr·kō·lä·dē') *m* Wednesday
mercurio (măr·kū'ryō) *m* mercury, quick-

silver
merda (măr'dâ) *f* filth; feces; dung
merenda (mä·rān'dâ) *f* afternoon snack;
— **all'aperto** picnic
meridiana (mä·rē·dyâ'nä) *f* sundial; meridian line
meridiano (mä·rē·dyâ'nō) *m&a* meridian
meridionale (mä·rē·dyō·nâ'lä) *a* southern; — *m* Southerner
meridione (mä·rē·dyō'nä) *m* south; **il M–**
Southern Italy
meringa (mä·rēn'gâ) *f* meringue
meritare (mä·rē·tâ'rä) *vt* to deserve, be
worthy of
meritarsi (mä·rē·târ'sē) *vr* to merit, deserve; to have a right to
meritatamente (mä·rē·tâ·tâ·măn'tä) *adv*
deservedly; with just cause
meritevole (mä·rē·te'vō·lä) *a* worthy
merito (me'rē·tō) *m* merit; reward; value;
in — **a** with reference to; **entrare in** — **a**
to go fully into the matter of
merletto (măr·lāt'tō) *m* lace
merlo (măr'lō) *m* blackbird
merluzzo (măr·lū'tsō) *m* codfish; **olio di
fegato di** — cod-liver oil
mero (mā'rō) *a* mere; absolute
meschino (mä·skē'nō) *a* unfortunate, destitute; stingy
mescita (me'shē·tâ) *f* bar; wine shop
mescolanza (mä·skō·lân'tsâ) *f* hodgepodge; mixture
mescolare (mä·skō·lâ'rä) *vt* to mix
mescolarsi (mä·skō·lâr'sē) *vr* to meddle;
to get involved; to participate
mese (mā'zä) *m* month
messa (mäs'sâ) *f* Mass; placement; posi-
tioning; — **cantata** High Mass; — **in
piega** finger wave; — **in scena** staging,
mise-en-scène; — **a fuoco** (*photo*) focus; — **in vigore** putting into effect,
enforcement
messaggero (mäs·sâj·jä'rō) *m* messenger
messaggio (mäs·sâj'jō) *m* message
messicano (mäs·sē·kâ'nō) *a&m* Mexican
Messico (mes'sē·kō) *m* Mexico
messo (mäs'sō) *m* messenger; — *a* placed,
laid
mesticheria (mä·stē·kä·rē'â) *f* paint store
mestiere (mä·styä'rä) *m* trade; profession;
business
mestizia (mä·stē'tsyâ) *f* sadness, sorrow
mesto (mä'stō) *a* unhappy, sad; melancholy
mestola (me'stō·lä) *f* ladle
mestruo (me'strūō) *m* menses
meta (mä'tâ) *f* goal, ambition; target (*fig*)
metà (mä·tâ') *f* half

---

k kid, **l** let, **m** met, **n** not, **p** pat, **r** very, **s** sat, **sh** shop, **t** tell, **v** vat, **w** we, **y** yes, **z** zero

metafora (mā·tâ'fō·râ) *f* metaphor
metaforicamente (mā·tâ·fō·rē·kâ·mān'-tā) *adv* metaphorically
metallico (mā·tâl'lē·kō) *a* metallic
metallurgico (mā·tâl·lūr'jē·kō) *m* metallurgical worker; — *a* metallurgical
metano (mā·tâ'nō) *m* natural gas; methane
metanodotto (mā·tâ·nō·dōt'tō) *m* gas pipeline
meteorologia (mā·tā·ō·rō·lō·jē'a) *f* meteorology
meteorologico (mā·tā·ō·rō·lô'jē·kō) *a* meteorological; **bollettino** — weather report
meticcio (mā·tē'chō) *m&a* half-breed; mongrel
meticoloso (mā·tē·kō·lō'zō) *a* overly exact; finicky; meticulous
metodico (mā·tô'dē·kō) *a* methodical
metodo (me'tō·dō) *m* method
metraggio (mā·trâj'jō) *m* measurement in meters; yardage
metrico (me'trē·kō) *a* metric; **sistema** — **decimale** metric system
metro (mā'trō) *m* meter; yardstick
metropoli (mā·trô'pō·lē) *f* metropolis
metropolitana (mā·trō·pō·lē·tâ'nâ) *f* subway (*train*)
metropolitano (mā·trō·pō·lē·tâ'nō) *a* metropolitan; — *m* policeman
mettere * (met'tā·rā) *vt* to put, set, place; — **al corrente** to inform, acquaint; to bring up to date; — **in atto** to accomplish, bring about; — **in dubbio** to put in doubt; — **in marcia** to start; to put into operation; — **in opera** to bring into play, make use of; — **in salvo** to rescue; — **i punti sugli i** (*fig*) to dot one's i's
mettersi * (met'tār·sē) *vr* to put on; to dress in; to place oneself; — **in cammino** to start off, set out; — **in mezzo** to interfere; — **d'accordo** to come to an agreement
mezzadro (mā·dzâ'drō) *m* sharecropper
mezzaluna (mā·dzâ·lū'nâ) *f* halfmoon
mezzanino (mā·dzâ·nē'nō) *m* mezzanine
mezzano (mā·dzâ'nō) *m* pander, pimp; — *a* middle
mezzanotte (mā·dzâ·nōt'tâ) *f* midnight
mezzo (mā'dzō) *adj&adv* half; — *m* half; means; **per** — **di** by means of; **togliersi di** — to get out of the way
mezzogiorno (mā·dzō·jōr'nō) *m* south; noon
mezzotermine (mā·dzō·ter'mē·nā) *m* compromise; modus vivendi
mi (mē) *pron* me; to me

miagolare (myâ·gō·lâ'rā) *vi* to mew
mica (mē'kâ) *adv* not in the least; not at all; — *f* crumb; mica
miccia (mē'châ) *f* fuse (*explosive*)
micidiale (mē·chē·dyâ'lā) *a* fatal; deadly
micio (mē'chō) *m* tomcat
microbo (mē'krō·bō) *m* microbe
microcamera (mē·krō·kâ'mā·râ) *f* pocket camera
microcosmo (mē·krō·kō'zmō) *m* microcosm
microfilm (mē·krō·fēlm') *m* microfilm
microfono (mē·krô'fō·nō) *m* microphone
microfotografia (mē·krō·fō·tō·grâ·fē'â) *f* microphotograph, microprint
microlettore (mē·krō·lāt·tō'rā) *m* microfilm viewer
micromotore (mē·krō·mō·tō'rā) *m* bicycle motor
microscopio (mē·krō·skô'pyō) *m* microscope
microsolco (mē·krō·sōl'kō) *a* microgroove; **disco** — long-playing record
midolla (mē·dōl'lâ) *f* crumb
midollo (mē·dōl'lō) *m* (*anat*) marrow; — **spinale** spinal cord
miei (myā'ē) *pron* mine; — *a* my
miele (myā'lā) *m* honey
mietere (mye'tā·râ) *vt* to harvest; to mow
mietitore (myā·tē·tō'rā) *m* reaper, harvester
mietitrice (myā·tē·trē'châ) *f* harvester; (*mech*) reaper, reaping machine
migliaio (mē·lyâ'yō) *m* thousand
miglio (mē'lyō) *m* mile; millet
miglioramento (mē·lyō·râ·mān'tō) *m* improvement; bettering
migliorare (mē·lyō·râ'rā) *vt&i* to improve; to better
migliorarsi (mē·lyō·râr'sē) *vr* to improve oneself; to grow better
migliore (mē·lyō'rā) *a* better; superior; **il** — the best
miglioria (mē·lyō·rē'â) *f* improvement
mignolo (mē'nyō·lō) *m* little finger; little toe
Milano (mē·lâ'nō) *f* Milan
miliardo (mē·lyâr'dō) *m* billion
milionario (mē·lyō·nâ'ryō) *m* millionaire
milione (mē·lyō'nā) *m* million
militante (mē·lē·tân'tā) *a* aggressive, militant
militare (mē·lē·tâ'rā) *a* military; — *m* serviceman; — *vi* to militate
militarismo (mē·lē·tâ·rē'zmō) *m* militarism
militarmente (mē·lē·târ·mān'tā) *adv* by armed force; militarily

---

â ârm, ā bāby, e bet, ē bē, ō gō, ô gône, ū blūe, b bad, ch child, d dad, f fat, g gay, j jet

milite (mē'lē·tā) *m* soldier; — **ignoto** unknown soldier; — **della polizia stradale** highway patrolman
millantatore (mēl·lân·tâ·tō'rā) *m* braggart
mille (mēl'lā) *a* thousand
millenario (mēl·lā·nâ'ryō) *a* millenial
millennio (mēl·len'nyō) *m* millennium
millesimo (mēl·le'zē·mō) *a* thousandth
millimetro (mēl·lē'mä·trō) *m* millimeter
milza (mēl'tsä) *f* spleen
mimica (mē'mē·kâ) *f* mimicry
mimetizzare (mē·mä·tē·dzä'rā) *vt* to camouflage
mimo (mē'mō) *m* mimic; pantomime dancer
mina (mē'nâ) *f* mine
minaccia (mē·nâ'châ) *f* threat
minacciare (mē·nâ·châ'rā) *vt* to threaten
minaccioso (mē·nâ·chō'zō) *a* menacing
minare (mē·nâ'rā) *vt* to mine; to weaken, undermine
minareto (mē·nâ·rā'tō) *m* minaret
minatore (mē·nâ·tō'rā) *m* miner
minerale (mē·nä·râ'lā) *m&a* mineral
mineralogia (mē·nä·râ·lō·jē'â) *f* mineralogy
minerario (mē·nä·râ'ryō) *a* mining
minestra (mē·nä'strâ) *f* soup
minestrone (mē·nä·strō'nä) *m* vegetable soup; (*fig*) potpourri, hodgepodge
mingherlino (mēn·gär·lē'nō) *a* thin; lithe, svelte
miniatura (mē·nyâ·tū'râ) *f* miniature
miniera (mē·nyä'râ) *f* mine; — **di ferro** iron mine
minimamente (mē·nē·mâ·mân'tā) *adv* by no means; not in the least
minimizzare (mē·nē·mē·dzä'rā) *vt* to minimize; to belittle
minimo (mē'nē·mō) *m* minimum; — *a* least, lowest, smallest; cheapest; slightest
minio (mē'nyō) *m* red lead
ministero (mē·nē·stä'rō) *m* ministry, department; **M– degli Esteri** State Department; **pubblico** — public prosecutor, prosecuting attorney, district attorney
ministro (mē·nē'strō) *m* minister; secretary, cabinet member
minoranza (mē·nō·rân'tsä) *f* minority
minorativo (mē·nō·râ·tē'vō) *a* lessening, diminishing
minorato (mē·nō·râ'tō) *a* disabled, handicapped
minorazione (mē·nō·râ·tsyō'nä) *f* diminishing, reduction; handicap
minore (mē·nō'râ) *a* less; minor; younger

minorenne (mē·nō·rän'nä) *m&a* minor
minuscola (mē·nū'skō·lâ) *f* small letter, lowercase letter
minuscolo (mē·nū'skō·lō) *a* tiny, minute
minuta (mē·nū'tâ) *f* rough copy; draft
minutante (mē·nū·tân'tä) *m* retailer
minuteria (mē·nū·tä·rē'â) *f* nicknack
minuto (mē·nū'tō) *m* minute; — *a* small; **al** — at retail
minuziosamente (mē·nū·tsyō·zâ·män'tä) *adv* minutely, in detail
minuzioso (mē·nū·tsyō'zō) *a* detailed; accurate; complete
mio (mē'ō) *pron* mine; — *a* my
miope (mē'ō·pä) *a* shortsighted; nearsighted
mira (mē'râ) *f* aim; sight; target
mirabilmente (mē·râ·bēl·män'tä) *adv* wonderfully; admirably
miracolo (mē·râ'kō·lō) *m* miracle
miracolosamente (mē·râ·kō·lō·zâ·män'tä) *adv* miraculously; astoundingly
miracoloso (mē·râ·kō·lō'zō) *a* miraculous; astounding
miraggio (mē·râj'jō) *m* mirage, vision
mirare (mē·râ'rā) *vt* to look at; — *vi* to aim
mirarsi (mē·râr'sē) *vr* to gaze at oneself; — **intorno** to look around; to be on the qui vive
miriade (mē·rē'â·dä) *f* great number
mirino (mē·rē'nō) *m* gunsight; (*photo*) viewfinder
mirra (mēr'râ) *f* myrrh
mirto (mēr'tō) *m* myrtle
misantropo (mē·zân'trō·pō) *m* misanthrope; — *a* misanthropic
miscela (mē·shä'lâ) *f* blending; mixture
mischia (mē'skyâ) *f* fight, fray
mischiare (mē·skyâ'rā) *vt* to jumble; to mix up
mischiarsi (mē·skyâr'sē) *vr* to interfere; to meddle
miscredente (mē·skrä·dän'tä) *a* unbelieving; — *m* unbeliever
miscuglio (mē·skū'lyō) *m* blending, mix
miserabile (mē·zä·râ'bē·lä) *a* contemptible; miserable; vile
miserabilmente (mē·zä·râ·bēl·män'tä) *adv* badly; wretchedly
miseria (mē·ze'ryâ) *f* want; poverty; (*fig*) bagatelle, trifle
misericordia (mē·zä·rē·kôr'dyâ) *f* pity; mercy
misfatto (mē·sfât'tō) *m* wrongdoing, offense
missile (mēs·sē'lä) *m* missile; — **balistico** ballistic missile; — **guidato** guided mis-

sile
missionario (mē·syō·nâ′ryō) *m* missionary
missione (mēs·syō′nä) *f* mission
misterioso (mē·stä·ryō′zō) *a* mysterious, arcane
mistero (mē·stā′rō) *m* mystery
misticismo (mē·stē·chē′zmō) *m* mysticism
mistificare (mē·stē·fē·kâ′rä) *vt* to adulterate; to deceive, hoodwink
mistificazione (mē·stē·fē·kâ·tsyō′nä) *f* hoax, deceit, trick
misto (mē′stō) *a* mixed; **scuola mista** co-educational school
misura (mē·zū′râ) *f* measure; criterion, yardstick
misurare (mē·zū·râ′rä) *vt* to measure; to evaluate
misurarsi (mē·zū·râr′sē) *vr* to evaluate oneself; to vie, compete; to try on (*clothing*)
misurato (mē·zū·râ′tō) *a* measured; cautious
mite (mē′tä) *a* temperate; mellow, gentle
mitigare (mē·tē·gâ′rä) *vt* to mitigate; to ease
mitigarsi (mē·tē·gâr′sē) *vr* to abate, subside
mito (mē′tō) *m* myth
mitra (mē′trâ) *f* miter; submachine gun
mitragliatrice (mē·trâ·lyâ·trē′chä) *f* machine gun
mittente (mēt·tän′tä) *m* sender; — *a* sending
mobile (mô′bē·lä) *m* piece of furniture; — *f* riot squad; — *a* mobile; shifting; undependable, flighty; **sabbie mobili** quicksand
mobilia (mō·bē′lyâ) *f* furniture
mobiliare (mō·bē·lyâ′rä) *a* personal; movable; **proprietà** — personal property
mobiliere (mō·bē·lyä′rä) *m* furniture manufacturer; furniture dealer
mobilità (mō·bē·lē·tâ′) *f* mobility; flightiness; fickleness
mobilitare (mō·bē·lē·tâ′rä) *vt* to marshal; to mobilize
mobilitazione (mō·bē·lē·tâ·tsyō′nä) *f* mobilization; marshaling
mocassino (mō·kâs·sē′nō) *m* mocassin
moccioso (mō·chō′zō) *m* brat; nasty individual
moda (mō′dä) *f* fashion; **di** — fashionable, **fuori di** — out of style; **ultima** — latest style
modalità (mō·dâ·lē·tâ′) *f* form, characteristic
modello (mō·dāl′lō) *m* sample; pattern;

model
moderare (mō·dä·râ′rä) *vt* to moderate; to relax, cool
moderarsi (mō·dä·râr′sē) *vr* to hold oneself back; to control oneself, keep oneself under control
moderato (mō·dä·râ′tō) *a* moderate; temperate
moderazione (mō·dä·râ·tsyō′nä) *f* moderation
modernamente (mō·dâr·nâ·mān′tä) *adv* modernly; in the latest style; fashionably
modernizzare (mō·dâr·nē·dzâ′rä) *vt* to modernize; to update
moderno (mō·dâr′nō) *a* modern; current
modestamente (mō·dä·stâ·mān′tä) *adv* modestly; unassumingly
modestia (mō·de′styâ) *f* modesty; reserve; unassumingness
modesto (mō·dä′stō) *a* modest; reserved
modifica (mō·dē′fē·kâ) *f* alteration; **–re** (mō·dē·fē·kâ′rä) *vt* to change, alter, modify
modificazione (mō·dē·fē·kâ·tsyō′nä) *f* revision; change; modification
modista (mō·dē′stä) *f* milliner
modisteria (mō·dē·stä·rē′â) *f* millinery shop; millinery
modo (mō′dō) *m* way; manner; habit; **in ogni** — anyhow; in any event; **oltre** — extremely; excessively; **fare a** — **suo** to get one's own way; to do as one pleases; **in** — **da** so as to; **in nessun** — by no means; **per** — **di dire** as it were, so to speak
modulazione (mō·dū·lâ·tsyō′nä) *f* modulation; intonation
modulo (mō′dū·lō) *m* blank, form
moffetta (mōf·fät′tâ) *f* skunk
mogano (mô′gâ·nō) *m* mahogany
moglie (mô′lyä) *f* wife
mola (mō′lâ) *f* grindstone
molare (mō·lâ′rä) *vt* to grind; — *a&m* molar
mole (mō′lä) *f* bulk, mass; greater part
molecola (mō·le′kō·lâ) *f* molecule
molestare (mō·lä·stâ′rä) *vt* to bother; to annoy; to trouble
molestia (mō·le′styâ) *f* nuisance; trouble; bother; annoyance
molla (mōl′lâ) *f* spring
mollare (mōl·lâ′rä) *vt* to loosen; — *vi* to yield
molle (mōl′lä) *a* soft; tender; effeminate, weak
molle (mōl′lä) *fpl* tongs
mollette (mōl·lät′tä) *fpl* small tongs;

paper clips; — **per la biancheria** clothes-pins

mollettiere (mōl·lät·tyā'rā) *fpl* leggings

mollezza (mōl·lā'tsâ) *f* effeminacy; softness; weakness

mollica (mōl·lē'kâ) *f* bread crumb

mollusco (mōl·lū'skō) *m* shellfish, mollusk

molo (mō'lō) *m* pier

molteplice (mōl·te'plē·chä) *a* multiple, manifold

moltiplicare (mōl·tē·plē·kâ'rā) *vt* to multiply

moltiplicatore (mōl·tē·plē·kâ·tō'rā) *m* multiplier

moltiplicazione (mōl·tē·plē·kâ·tsyō'nä) *f* multiplication

moltissimo (mōl·tēs'sē·mō) *a&adv* very much, a great deal

moltitudine (mōl·tē·tū'dē·nä) *f* throng, multitude

molto (mōl'tō) *a* much; — *adv* very

momentaneamente (mō·mān·tâ·nā·â·mān'tā) *adv* temporarily; for the moment; at any moment

momentaneo (mō·mān·tâ'nä·ō) *a* ephemeral; transitory

momento (mō·mān'tō) *m* moment

monaca (mô'nâ·kâ) *f* nun

monaco (mô'nâ·kō) *m* friar; monk

Monaco (mô'nâ·kō) *m* Monaco; — **di Baviera** Munich

monarca (mō·nâr'kâ) *m* monarch

monarchia (mō·nâr·kē'â) *f* monarchy

monarchico (mō·nâr'kē·kō) *a* monarchical; — *m (pol)* monarchist

monastero (mō·nâ'stā'rō) *m* monastery; cloister; convent

moncherino (mōn·kā·rē'nō) *m* stump

mondanità (mōn·dâ·nē·tâ') *f* mundanity, worldliness

mondano (mōn·dâ'nō) *a* worldly; **vita mondana** society life; high society

mondezzaio (mōn·dā·tsâ'yō) *m* garbage dump

mondiale (mōn·dyâ'lä) *a* world-wide; world

mondo (mōn'dō) *m* world; **un — di gente** a very large crowd; **da che — è —** since the dawn of time; **andare all'altro —** to die, pass on; **caschi il —!** come what may!; **venire al —** to be born; — *a* pure, spotless

monello (mō·nâl'lō) *m* urchin; street arab

moneta (mō·nā'tâ) *f* money; coin

mongolo (môn'gō·lō) *m&a* Mongolian, Mongol

monile (mō·nē'lä) *m* necklace

monocolo (mō·nô'kō·lō) *m* monocle

monofase (mō·nō·fâ'zā) *a (elec)* single-phase

monolito (mō·nō·lē'tō) *m* monolith

monologo (mō·nô'lō·gō) *m* monologue

monopattino (mō·nō·pát·tē'nō) *m* scooter

monopolizzare (mō·nō·pō·lē·dzâ'rā) *vt* to monopolize; to corner

monopolio (mō·nō·pô'lyō) *m* monopoly

monotonia (mō·nō·tō·nē'â) *f* tedium, monotony

monotono (mō·nô'tō·nō) *a* tiresome; monotonous

montacarico (mōn·tâ·kâ'rē·kō) *m* freight elevator

montaggio (mōn·tâj'jō) *m* montage; *(mech)* assemblage; editing *(movies)*

montagna (mōn·tâ'nyâ) *f* mountain

montagnoso (mōn·tâ·nyō'zō) *a* mountainous

montanaro (mōn·tâ·nâ'rō) *m* mountaineer; — *a* mountain

montante (mōn·tân'tā) *m* uppercut *(boxing)*; — *f* amount; *(avi)* strut

montare (mōn·tâ'rā) *vt* to climb up; *(mech)* to assemble; to praise, boost; — *vi* to ascend, go up

montarsi (mōn·târ'sē) *vr* to make a scene; to get upset

montatura (mōn·tâ·tū'râ) *f* ballyhoo; publicity buildup; publicity stunt

montavivande (mōn·tâ·vē·vân'dā) *m* dumbwaiter

monte (mōn'tā) *m* mountain; lots, large quantity; — **di pietà** pawnshop; **andare a —** to amount to nothing; to fall through; **mandare a —** to ruin, upset, foil

montone (mōn·tō'nā) *m* mutton; ram

montuoso (mōn·twō'zō) *a* mountainous

monumento (mō·nū·mān'tō) *m* monument

mora (mō'râ) *f* blackberry; delay

morale (mō·râ'lä) *a* moral; — *f* morals; — *m* morale, spirits

moralità (mō·râ·lē·tâ') *f* moral character; morality

moratoria (mō·râ·tô'ryâ) *f* moratorium; suspension

morbidezza (mōr·bē·dā'tsâ) *f* softness; weakness

morbido (mōr'bē·dō) *a* soft; weak; effete

morbillo (mōr·bēl'lō) *m* measles

mordace (mōr·dâ'chä) *a* biting, sarcastic, trenchant

mordere * (mōr'dā·rā) *vt* to bite; to eat away

---

k kid, **l** let, **m** met, **n** not, **p** pat, **r** very, **s** sat, **sh** shop, **t** tell, **v** vat, **w** we, **y** yes, **z** zero

morente (mō·rän'tä) *a* fading away; dying

moretta (mō·rät'tå) *f* brunette

morfina (mōr·fē'nä) *f* morphine

moribondo (mō·rē·bōn'dō) *a* dying

morigerato (mō·rē·jä·rå'tō) *a* wellbred; mannerly

morire * (mō·rē'rä) *vi* to die; to fade away; to pass away

mormorare (mōr·mō·rå'rä) *vi&t* to murmur; to grumble; to rustle

mormorio (mōr·mō·rē'ō) *m* murmur; rustling

moro (mō'rō) *m* Negro; Moor; blackberry bush

moroso (mō·rō'zō) *a* in arrears, late

morsa (mōr'så) *f* vise

morsetto (mōr·sät'tō) *m* clamp

morso (mōr'sō) *m* bite; sting; morsel

mortaio (mōr·tå'yō) *m* mortar

mortale (mōr·tå'lä) *a&m* mortal

morte (mōr'tä) *f* death

mortella (mōr·täl'lå) *f* myrtle; **— di palude** cranberry

mortificare (mōr·tē·fē·kå'rä) *vt* to mortify; to humble, shame

mortificarsi (mōr·tē·fē·kår'sē) *vr* to humiliate oneself; to be ashamed

mortificazione (mōr·tē·fē·kå·tsyō'nä) *f* mortification; shame

morto ((mōr'tō) *a* dead; **capitale — (com)** dormant capital; **binario — (rail)** siding; **giorno dei morti** All Souls' Day

mosaico (mō·zâ'ē·kō) *m* mosaic

mosca (mō'skå) *f* fly; **— bianca (fig)** oddity, rarity; exception

Mosca (mō'skå) *f* Moscow

moscerino (mō·shä·rē'nō) *m* gnat

moschea (mō·skä'å) *f* mosque

moschetto (mō·skät'tō) *m* rifle, musket

moscone (mō·skō'nä) *m* bluebottle fly; **(fig)** hanger-on

moscovita (mō·skō·vē'tä) *m&a* Muscovite

mossa (mōs'så) *f* move, movement; gesture; impetus; **— di corpo** bowel movement

mossiere (mōs·syä'rä) *m* starter **(race)**

mosso (mōs'sō) *a* moved; removed; **mare — rough** sea

mostarda (mō·stär'då) *f* mustard

mosto (mō'stō) *m* fermenting grape juice; new wine

mostra (mō'strä) *f* show, exhibit; **far — di** to pretend; to feign; to make a great show of; **far — di sè** to make oneself conspicuous

mostrare (mō·strå'rä) *vt* to show; to evidence

mostrarsi (mō·strår'sē) *vr* to appear,

seem; to turn out, prove

mostro (mō'strō) *m* monster

mostruoso (mō·strŭō'zō) *a* monstrous

mota (mō'tå) *f* slime, mire; mud

motivare (mō·tē·vå'rä) *vt* to motivate; to account for; to justify

motivazione (mō·tē·vå·tsyō'nä) *f* motivation; motive

motivo (mō·tē'vō) *m* motive; motif; reason, cause; **(mus)** theme

moto (mō'tō) *m* motion: uprising; **—aratura** (mō·tō·â·rå·tū'rå) *f* mechanized farming; **—cicletta** (mō·tō·chē·klät'tå) *f* motorcycle; **—ciclista** (mō·tō·chē·klē'stå) *m* motorcyclist; **—dromo** (mō·tō·drō'mō) *m* motordrome; **—furgoncino** (mō·tō·fūr·gōn·chē'nō) *m* motorcycle truck; **—leggiera** (mō·tō·läj·jä'rå) *f* motorbike; motor scooter; **—nave** (mō·tō·nå'vä) *f* motor ship; **—peschereccio** (mō·tō·pä·skä·rä'chō) *m* motorized fishing boat; **—re** (mō·tō'rä) *m* motor; **—re** *a* driving, propelling; forcing; **forza motrice** driving force; **—retta** (mō·tō·rät'tå) *f* motor scooter; **—rino** (mō·tō·rē'nō) *m* small motor; **(auto)** self-starter; **—rista** (mō·tō·rē'stå) *m* motorman; driver; mechanic; machinist; **—rizzare** (mō·tō·rē·dzä'rä) *vt* to motorize; **—scafo** (mō·tō·skå'fō) *m* motorboat; **—vedetta** (mō·tō·vä·dät'tå) *f* police motorboat; **—veicolo** (mō·tō·vä·ē'kō·lō) *m* motor vehicle; **—zattera** (mō·tō·tsåt'tä·rå) *f* **(mil)** landing craft

motto (mōt'tō) *m* motto; **— di spirito** witticism

movente (mō·vän'tä) *m* motive, reason; **—** *a* moving

movimento (mō·vē·män'tō) *m* movement; hustle; gesture; **— ferroviario** railway traffic; **— d'affari (com)** turnover

mozione (mō·tsyō'nä) *f* **(pol)** motion, resolution

mozzafiato (mō·tsä·fyä'tō) *a* breathtaking; thrilling

mozzare (mō·tsä'rä) *vt* to cut, sever

mozzicone (mō·tsē·kō'nä) *m* cigar stub; stump

mozzo (mō'tsō) *m* **(naut)** cabin boy; hub **(wheel)**; **—** *a* severed

mucca (mūk'kå) *f* cow

mucchio (mūk'kyō) *m* pile; **(coll)** lot, great deal

mucosa (mū·kō'zå) *f* mucous membrane

muffa (mūf'få) *f* mould

muffola (mūf'fō·lå) *f* kiln

mugghiare (mūg·gyâ'rä), **muggire** (mūj·jē'rä) *vi* to bellow; to low; to roar; to howl

mughetto (mū·gāt'tō) *m* lily of the valley
mugnaio (mū·nyâ'yō) *m* miller
mugolare (mū·gō·lâ'rā) *vi* to whine
mulatto (mū·lât'tō) *m* mulatto
mulinello (mū·lē·nāl'lō) *m* whirlwind; whirlpool); windlass; whirl
mulino (mū·lē'nō) *m* mill
mulo (mū'lō) *m* mule
multa (mūl'tâ) *f* fine; **–re** (mūl·tâ'rā) *vt* to fine; to penalize
mummia (mūm'myâ) *f* mummy
mungere * (mūn'jâ·rā) *vt* to milk; (*fig*) to sweat, fleece
municipale (mū·nē·chē·pâ'lā) *a* municipal
municipalità (mū·nē·chē·pâ·lē·tâ') *f* municipal authority
municipio (mū·nē·chē'pyō) *m* city hall; town hall
munificenza (mū·nē·fē·chān'tsâ) *f* liberality, largess
munifico (mū·nē'fē·kō) *a* generous; munificent
munire (mū·nē'rā) *vt* to fortify; to provide
munirsi (mū·nēr'sē) *vr* to prepare oneself; to get ready
munizione (mū·nē·tsyō'nā) *f* ammunition
muovere * (mwô'vā·rā) *vt* to cause; to move; to stir up; **— una domanda** to ask a question
muoversi * (mwô'vār·sē) *vr* to move; to stir; to shake
mura (mū'râ) *fpl* city walls
muraglione (mū·râ·lyō'nā) *m* bulwark; high wall
murare (mū·râ'rā) *vt* to wall; to close up
muratore (mū·râ·tō'rā) *m* bricklayer; mason
muratura (mū·râ·tū'râ) *f* masonry

muro (mū'rō) *m* wall; impediment
muschio (mū'skyō) *m* moss
muscolo (mū'skō·lō) *m* muscle
muscoloso (mū·skō·lō'zō) *a* muscular; sinewy
museo (mū·zā'ō) *m* museum
museruola (mū·zā·rūō'lâ) *f* muzzle; nose (*animal*)
musica (mū'zē·kâ) *f* music
musicale (mū·zē·kâ'lā) *a* musical
musicante (mū·zē·kân'tâ) *m* professional musician
musicista (mū·zē·chē'stâ) *m* musician
muso (mū'zō) *m* muzzle; nose (*animal*)
mussolina (mūs·sō·lē'nâ) *f* muslin
musulmano (mū·zūl·mâ'nō) *m&a* Muslim, Moslem
mutabile (mū·tâ'bē·lā) *a* capricious, changeable; mutable
mutamento (mū·tâ·mān'tō) *m* variation; change; mutation
mutande (mū·tân'dā) *fpl* underpants, drawers
mutandine (mū·tân·dē'nā) *fpl* panties; shorts; briefs; **— da bagno** swimming trunks
mutare (mū·tâ'rā) *vt* to change; to mutate
mutevole (mū·te'vō·lā) *a* changeable
mutilato (mū·tē·lâ'tō) *a* maimed; **— m** cripple; **— della guerra** disabled war veteran
mutismo (mū·tē'zmō) *m* muteness; uncommunicativeness
muto (mū'tō) *a* mute; **cinema —** silent film
mutria (mū'tryâ) *f* haughtiness; nerve, cheek, gall
mutuamente (mū·twâ·mān'tā) *adv* mutually
mutuo (mū'twō) *a* mutual; **— m** loan

N

nacchere (nâk'kā·rā) *fpl* castanets
nafta (nâf'tâ) *f* naphtha; fuel oil
naftalina (nâf·tâ·lē'nâ) *f* napthaline
naia (nâ'yâ) *f* cobra
nailon (nâ'ē·lōn) *m* nylon
nano (nâ'nō) *a&m* dwarf
napoletano (nâ·pō·lā·tâ'nō) *a&m* Neapolitan
Napoli (nâ'pō·lē) *f* Naples
narcotico (nâr·kô'tē·kō) *a&m* narcotic
narcotizzare (nâr·kō·tē·dzâ'rā) *vt* to anesthetize; to drug
narice (nâ·rē'châ) *f* nostril
narrare (nâr·râ'rā) *vt* to relate, tell

narratore (nâr·râ·tō'rā) *m* storyteller; narrator
narrazione (nâr·râ·tsyō'nā) *f* telling, narration; narrative, account
nasale (nâ·zâ'lā) *a* nasal
nascere * (nâ'shā·rā) *vt* to be born; to spring up; to originate
nascita (nâ'shē·tâ) *f* birth; provenance
nascondere * (nâ·skōn'dā·rā) *vt* to hide; to cover, disguise
nascondersi * (nâ·skōn'dār·sē) *vr* to keep out of sight, conceal oneself
nascondiglio (nâ·skōn·dē'lyō) *m* cache; hiding place

---

k kid, l let, m met, n not, p pat, r very, s sat, sh shop, t tell, v vat, w we, y yes, z zero

nascostamente (nâ·skō·stâ·mān′tā) *adv* stealthily; secretly; underhandedly

nascosto (nâ·skō′stō) *a* hidden; underhanded, sly

nasello (nâ·zāl′lō) *m* door latch

naso (nâ′zō) *m* nose; — **a** — face to face; **restare con un palmo di** — (*fig*) to be disappointed; to be taken aback

nastro (nâ′strō) *m* tape; ribbon; — **isolante** friction tape; — **trasportatore** conveyor belt; **sega a** — band saw

Natale (nâ·tâ′lā) *m* Christmas, Yule; **vigilia di** — Christmas Eve; **Buon** — ! Merry Christmas!

natale (nâ·tâ′lā) *a* native; — *m* birth; ancestry

natalità (nâ·tâ·lē·tâ′) *f* birthrate

natalizio (nâ·tâ·lē′tsyô) *m* birthday; — *a* natal

natante (nâ·tân′tā) *a* afloat, floating; — *m* watercraft

natica (nâ′tē·kâ) *f* buttock

nativo (nâ·tē′vō) *a&m* native

nato (nâ′tō) *a* born; sprung up, originated

natura (nâ·tū′râ) *f* nature; type; — **morta** (*art*) still life

naturale (nâ·tū·râ′lā) *a* natural; **di grandezza** — life-size

naturalezza (nâ·tū·râ·lā′tsâ) *f* artlessness; naturalness; **con** — naively; simply

naturalismo (nâ·tū·râ·lē′zmō) *m* naturalism

naturalista (nâ·tū·râ·lē′stâ) *m* naturalist

naturalizzare (nâ·tū·râ·lē·dzâ′rā) *vt* to naturalize; to grant citizenship to

naturalizzarsi (nâ·tū·râ·lē·dzâr′sē) *vr* to become naturalized; to become a citizen

naturalizzazione (nâ·tū·râ·lē·dzâ·tsyō′nâ) *f* naturalization

naturalmente (nâ·tū·râl·mān′tā) *adv* of course

naturismo (nâ·tū·rē′zmō) *m* nudism

naufragare (nâû·frâ·gâ′rā) *vi* to be shipwrecked; to fail, be spoiled; **far** — to shipwreck, cast away; to ruin, spoil, upset

naufragio (nâû·frâ′jō) *m* shipwreck; (*fig*) failure; ruining, upsetting

naufrago (nâ′ū·frâ·gō) *m* cast away, shipwrecked; ruined, upset; — *m* shipwreck victim, castaway; — **della vita** (*fig*) pariah, outcast

nausea (nâ′ū·zā·â) *f* nausea; **far** — **a** to repulse, disgust

nauseante (nâû·zā·ân′tā) *a* disgusting, loathsome

nautica (nâ′ū·tē·kâ) *f* science of navigation, navigation

nautico (nâ′ū·tē·kō) *a* nautical

navale (nâ·vâ′lā) *a* naval

navata (nâ·vâ′tâ) *f* (*arch*) nave, aisle

nave (nâ′vā) *f* boat; ship

navetta (nâ·vât′tâ) *f* shuttle; **fare la** — to ply back and forth

navicella (nâ·vē·chāl′lâ) *f* (*avi*) nacelle; small vessel

navigabile (nâ·vē·gâ′bē·lā) *a* navigable

navigante (nâ·vē·gân′tā) *m* sailor; — *a* sailing

navigare (nâ·vē·gâ′rā) *vt* to sail; to navigate

navigato (nâ·vē·gâ′tō) *a* (*fig*) sly, experienced, knowing

navigazione (nâ·vē·gâ·tsyō′nâ) *f* navigation

nazionale (nâ·tsyō·nâ′lā) *a&m* national

nazionalismo (nâ·tsyō·nâ·lē′zmō) *m* nationalism

nazionalista (nâ·tsyō·nâ·lē′stâ) *m* nationalist

nazionalità (nâ·tsyō·nâ·lē·tâ′) *f* nationality

nazionalizzare (nâ·tsyō·nâ·lē·dzâ′rā) *vt* to nationalize

nazione (nâ·tsyō′nâ) *f* nation

ne (nā) *pron* some, any; of him, of it, of her; from there

nè (nā) *conj* neither, nor; — **. . .** — neither . . . nor

neanche (nā·ân′kâ) *adv* not even, even; — *conj* neither; — **per sogno** by no means; I shouldn't dream of it

nebbia (neb′byâ) *f* fog

nebbioso (nâb·byō′zō) *a* hazy, foggy

nebulizzare (nâ·bū·lē·dzâ′rā) *vt* to nebulize, atomize

nebulizzatore (nâ·bū·lē·dzâ·tō′rā) *m* aerosol bomb; atomizer

nebulosa (nâ·bū·lō′zâ) *f* (*astr*) nebula

nebuloso (nâ·bū·lō′zō) *a* cloudy; nebulous, indistinct

necessariamente (nā·châs·sâ·ryâ·mān′tā) *adv* by necessity, necessarily

necessario (nā·châs·sâ′ryō) *a* necessary

necessità (nā·châs·sē·tâ′) *f* poverty; necessity

necessitare (nā·châs·sē·tâ′rā) *vt* to compel; to need, be in need of; to necessitate; — *vi* to be needed, be necessary

necrologia (nā·krō·lō·jē′â) *f* obit, death notice; eulogy

necrologio (nā·krō·lô′jō) *m* obituary

necrosi (nā·krō′zē) *f* gangrene, necrosis

nefando (nā·fân′dō) *a* wicked, infamous

nefasto (nā·fâ′stō) *a* ill-fated, ill-starred; unfavorable

---

nefrite (nā·frē'tā) *f* nephritis
negare (nā·gā'rā) *vt* to deny; to gainsay; to negate
negativa (nā·gā·tē'vâ) *f* negative; denial
negativamente (nā·gā·tē·vâ·mān'tā) *adv* negatively
negazione (nā·gā·tsyō'nā) *f* denial; negation; contradiction
negli (nā'lyē) *prep* in the
negligente (nā·glē·jān'tā) *a* lax, heedless, negligent
negligentemente (nā·glē·jān·tā·mān'tā) *adv* negligently, heedlessly
negligenza (nā·glē·jān'tsâ) *f* laxity, negligence
negoziante (nā·gō·tsyân'tā) *m* storekeeper; merchant; dealer
negoziare (nā·gō·tsyâ'rā) *vt&i* (*com*) to do business; to negotiate
negoziato (nā·gō·tsyâ'tō) *m* negotiation; deal
negozio (nā·gô'tsyō) *m* store, shop
negra (nā'grâ) *f* Negro woman
negriero (nā·gryā'rō) *m* slave dealer; — *a* slave
negro (nā'grō) *m* Negro
negromante (nā·grō·mân'tā) *m* sorcerer
nei (nā'ē), **nel** (nāl), **nella** (nāl'lâ), **nelle** (nāl'lā), **negli** (nā'lyē) *prep* in the
nemico (nā·mē'kō) *m* enemy; — *a* enemy; hostile
nemmeno (nām·mā'nō) *adv* not even, even; — *conj* neither
neo (nā'ō) *m* mole (*growth*); (*fig*) imperfection, flaw
neon (nā'ōn) *m* neon; **luci al —** neon lights
neonato (nā·ō·nâ'tō) *a* newborn
nepotismo (nā·pō·tē'zmō) *m* partiality; nepotism
neppure (nāp·pū'rā) *adv* not even, even; — *conj* neither
nerastro (nā·râ'strō) *a* somewhat black, blackish
nerbata (nār·bâ'tâ) *f* flogging, whipping
nerbo (nār'bō) *m* thong; sinew; whip; **il — del partito** the backbone of the party
nerboruto (nār·bō·rū'tō) *a* sinewy, muscular
neretto (nā·rāt'tō) *m* (*print*) boldface type
nero (nā'rō) *a* black
nervo (nār'vō) *m* nerve; (*arch*) rib
nervosismo (nār·vō·zē'zmō) *m* nervousness; nervous condition
nervoso (nār·vō'zō) *a* nervous
nespola (ne'spō·lâ) *f* medlar; (*coll*) blow; beating
nessuno (nās·sū'nō) *a* any, no; — *pron* nobody, none, no one, anyone

nettare (nāt·tâ'rā) *vt* to clean
nettare (net'tâ·rā) *m* nectar
nettezza (nāt·tā'tsâ) *f* tidiness; cleanness
netto (nāt'tō) *a* clean; distinct; (*com*) net; **— di spese** free of charge
neurologia (nāū·rō·lō·jē'â) *f* neurology
neurologo (nāū·rô'lō·gō) *m* neurologist
neutrale (nāū·trâ'lā) *a* neutral; imparital; undecided
neutralità (nāū·trâ·lē·tâ') *f* neutrality
neutralizzare (nāū·trâ·lē·dzâ'rā) *vt* to neutralize
neutralizzazione (nāū·trâ·lē·dzâ·tsyō'nā) *f* neutralization
neutralmente (nāū·trâl·mān'tā) *adv* neutrally
neutro (ne'ū·trō) *a* neutral; — *m* neuter
neutrone (nāū·trō'nā) *m* neutron
neve (nā'vā) *f* snow
nevicare (nā·vē·kâ'rā) *vi* to snow
nevicata (nā·vē·kâ'tâ) *f* snowfall
nevischio (nā·vē'skyō) *m* fine snow; sleet
nevoso (nā·vō'zō) *a* snow-capped; snowy
nevralgia (nā·vrâl·jē'â) *f* neuralgia
nevrastenico (nā·vrâ·ste'nē·kō) *a&m* neurasthenic
nevrotico (nā·vrô'tē·kō) *a&m* neurotic
nevvero (nāv·vā'rō) *interj* isn't that right?; don't you think?; aren't they?; isn't it?
nicchia (nēk'kyâ) *f* niche; cranny, nook
nichel (nē'kāl) *m* nickel
nichelare (nē·kā·lâ·lâ'rā) *vt* to nickel; to nickel-plate
nichelato (nē·kā·lâ'tō) *a* nickel-plated
nicotina (nē·kō·tē'nâ) *f* nicotine
nidiata (nē·dyâ'tâ) *f* brood, nest
nidificare (nē·dē·fē·kâ'rā) *vi* to build one's nest
nido (nē'dō) *m* nest
niente (nyān'tā) *m* nothing, nothingness; — *adv* not at all; — *a* no; **far finta di —** to close one's eyes to a situation; to feign indifference; — **affatto** not at all; — **altro?** anything else?; — **di nuovo?** is there any news?; **non fa —** it doesn't matter; don't worry about it; — **meno della verità** nothing less than the truth
nientemeno (nyān·tā·mā'nō) *adv* nevertheless; —**!** *interj* well really!; you don't say!
nimbo (nēm'bō) *m* halo; rain cloud
ninfa (nēn'fâ) *f* nymph; (*zool*) chrysalis
ninnananna (nēn·nâ·nân'nâ) *f* cradlesong, lullaby
ninnolo (nēn'nō·lō) *m* trinket
nipote (nē·pō'tā) *m&f* nephew; niece; grandson; granddaughter
nipponico (nēp·pô'nē·kō) *a* Japanese

k kid, **l** let, **m** met, **n** not, **p** pat, **r** very, **s** sat, **sh** shop, **t** tell, **v** vat, **w** we, **y** yes, **z** zero

nitidamente (nē·tē·dâ·mãn'tä) *adv* limpidly; obviously

nitidezza (nē·tē·dā'tsâ) *f* brightness; clearness; brilliance

nitido (nē'tē·dō) *a* clear, distinct; brilliant, bright

nitrico (nē'trē·kō) *a* nitric

nitrito (nē·trē'tō) *m* winny, neigh

nitrocellulosa (nē·trō·chäl·lū·lō'zä) *f* guncotton

nitrogeno (nē·trô'jä·nō) *m* nitrogen

Nizza (nē'tsä) *f* Nice

no (nō) *adv* no

nobile (nō'bē·lä) *a* noble; — *m* noble, nobleman

nobiltà (nō·bēl·tâ') *f* nobility

nocca (nōk'kâ) *f* knuckle

nocciola (nō·chō'lâ) *f* hazelnut

nocciolo (nō'chō·lō) *m* stone, pit (*fruit*); kernel

noce (nō'chä) *f* walnut; nut; — moscata nutmeg; — del piede anklebone

nocivo (nō·chē'vō) *a* harmful; injurious

nocumento (nō·kū·mãn'tō) *m* detriment; damage

nodo (nō'dō) *m* knot; (*anat*) joint; (*rail*) junction

nodoso (nō·dō'zō) *a* knotty

noi (nō'ē) *pron* we, us

noia (nō'yâ) *f* boredom

noioso (nō·yō'zō) *a* boring, dull

noleggiare (nō·läj·jâ'rä) *vt* to hire; to rent

noleggiatore (nō·läj·jâ·tō'rä) *m* (*com*) freighter

nolo (nō'lō) *m* hire; rental; — di biciclette bicycles for rent; bicycle rental

nomade (nō'mâ·dä) *m&a* nomad

nome (nō'mä) *m* name; — di battesimo first name; — di famiglia family name, surname

nomenclatura (nō·mãn·klâ·tū'râ) *f* nomenclature

nomignolo (nō·mē'nyō·lō) *m* nickname

nomina (nō'mē·nâ) *f* nomination; reputation, name

nominare (nō·mē·nâ'rä) *vt* to name; to appoint; to mention; to cite

nominarsi (nō·mē·nâr'sē) *vr* to be nominated; to be called

nominativo (nō·mē·nâ·tē'vō) *a* nominative; — *m* name; (*gram*) nominative

nominato (nō·mē·nâ'tō) *a* cited, mentioned; appointed

non (nōn) *adv* not; — fumatore nonsmoker

nonagesimo (nō·nâ·je'zē·mō) *a* ninetieth

noncurante (nōn·kū·rân'tä) *a* heedless; slipshod, careless

noncuranza (nōn·kū·rân'tsä) *f* indifference; carelessness

nondimeno (nōn·dē·mä'nō) *adv* nevertheless; however; despite that

nonna (nōn'nä) *f* grandmother

nonno (nōn'nō) *m* grandfather

nonnulla (nōn·nūl'lâ) *f* trifle, nothing, bagatelle

nono (nō'nō) *a* ninth

nonostante (nō·nō·stân'tä) *prep* in spite of, despite, notwithstanding

nord (nōrd) *m* north

nordico (nōr'dē·kō) *a* northern, north; Nordic

norma (nōr'mâ) *f* rule; guidance; —le (nōr·mâ'lä) *a* normal; —lista (nōr·mâ·lē'stâ) *m&f* normal-school student; —lità (nōr·mâ·lē'tâ') *f* normality; —lizzare (nōr·mâ·lē·dzâ'rä) *vt* to normalize; to stabilize

normalmente (nōr·mâl·mãn'tä) *adv* normally; customarily

norvegese (nōr·vä·jä'zä) *a&m* Norwegian

Norvegia (nōr·ve'jâ) *f* Norway

nosocomio (nō·zō·kô'myō) *m* hospital

nostalgia (nō·stâl·jē'â) *f* nostalgia

nostrano (nō·strâ'nō) *a* domestic, local

nostro (nō'strō) *a* our; — *pron* ours

nostromo (nō·strō'mō) *m* (*naut*) boatswain

nota (nō'tâ) *f* note; bill

notaio (nō·tâ'yō) *m* notary

notare (nō·tâ'rä) *vt* to note; to notice; far — to comment on; to point out; farsi — to attract attention to oneself

notarile (nō·tâ·rē'lä) *a* notarial

notevole (nō·te'vō·lä) *a* notable, remarkable; conspicuous

notevolmente (nō·tä·vōl·mãn'tä) *adv* noticeably; remarkably; conspicuously

notifica (nō·tē'fē·kâ) *f* notification; —re (nō·tē·fē·kâ'rä) *vt* to notify, advise; to let know

notizia (nō·tē'tsyâ) *f* news; notice; —rio (nō·tē·tsyâ'ryō) *m* news bulletin

noto (nō'tō) *a* known; famous

notoriamente (nō·tō·ryâ·mãn'tä) *adv* notoriously; in public

notorietà (nō·tō·ryä·tâ') *f* fame; notoriety

notorio (nō·tô'ryō) *a* notorious; legal; famous, well-known

nottambulo (nōt·tâm'bū·lō) *a* active at night; — *m* nightwalker, night owl

nottata (nōt·tâ'tâ) *f* nighttime; entire night

notte (nōt'tä) *f* night; buona —! good night!; questa — tonight; si fa — it's getting dark out; di — tempo at night,

---

â ärm, ā bāby, e bet, ē bē, ō gō, ô gône, ū blūe, b bad, ch child, d dad, f fat, g gay, j jet

nights

notturno (nŏt·tūr'nō) *a* nightly; nocturnal; — *m* (*mus*) nocturne

novanta (nō·vân'tâ) *a* ninety

novantesimo (nō·vân·te'zē·mō) *a* ninetieth

nove (nō'vā) *a* nine

novecento (nō·vā·chān'tō) *a* nine hundred; **il N–** the twentieth century

novella (nō·vāl'lâ) *f* short story; novelette

novellino (nō·vāl·lē'nō) *m* greenhorn; novice; — *a* inexperienced; beginning

novellista (nō·vāl·lē'stâ) *m* short-story writer; writer of fiction

novello (nō·vāl'lō) *a* a novel, new

novembre (nō·vām'brā) *m* November

novità (nō·vē·tâ') *f* novelty; latest news

novizio (nō·vē'tsyō) *a* new, beginning; — *m* novice

nozione (nō·tsyō'nā) *f* knowledge; idea, conception

nozze (nō'tsā) *fpl* wedding

nube (nū'bā) *f* cloud

nubifragio (nū·bē·frâ'jō) *m* cloudburst, sudden rainstorm

nubile (nū'bē·lā) *f* single woman; — *a* unmarried

nuca (nū'kâ) *f* (*anat*) nape

nucleare (nū·klā·â'rā) *a* nuclear; **fisica** — nuclear physics

nucleo (nū'klā·ō) *m* nucleus; gist

nucleone (nū·klā·ō'nā) *m* nucleon

nudamente (nū·dâ·mān'tā) *adv* plainly; bluntly; barefacedly

nudista (nū·dē'stâ) *m&f* nudist

nudità (nū·dē·tâ') *f* nudity

nudo (nū'dō) *a* nude; bare

nulla (nūl'lâ) *m* nothing, nothingness; — *adv* not at all; **non fa** — it doesn't matter, that's quite alright

nullaosta (nūl·lâ·ō'stâ) *m* visa, permit

nullatenente (nūl·lâ·tā·nān'tā) *a&m* proletarian, have-not

nullità (nūl·lē·tâ') *f* nonentity, cipher; nothingness

nullo (nūl'lō) *a* null, void, nil

nume (nū'mā) *m* deity

numerare (nū·mā·râ'rā) *vt* to number

numerato (nū·mā·râ'tō) *a* numbered

numerazione (nū·mā·râ·tsyō'nā) *f* numbering

numero (nū'mā·rō) *m* number; issue, (*periodical*); (*theat*) act

numerosamente (nū·mā·rō·zâ·mān'tā) *adv* numerously

numeroso (nū·mā·rō'zō) *a* numerous; many

numismatica (nū·mē·zmâ'tē·kâ) *f* numismatics

nunzio (nūn'tsyō) *m* nuncio

nuocere * (nwŏ'chā·râ) *vt* to harm; to damage

nuora (nwō'râ) *f* daughter-in-law

nuotare (nwō·tâ'rā) *vi* to swim; (*fig*) to roll, wallow

nuotatore (nwō·tâ·tō'rā) *m* swimmer

nuoto (nwō'tō) *m* swimming; — **a rana** breaststroke; — **sul dorso** backstroke; — **a stile libero** freestyle swimming

nuova (nwō'vā) *f* news

nuovo (nwō'vō) *a* new; different; another

nutriente (nū·tryān'tā) *a* nourishing, substantial

nutrice (nū·trē'chā) *f* foster mother; wet nurse

nutrimento (nū·trē·mān'tō) *m* nourishment

nutrire (nū·trē'rā) *vt* to nourish; — **speranze** to entertain hopes; — **affetto per** to love; to be fond of

nutrirsi (nū·trēr'sē) *vr* to thrive on; to feed on

nutrito (nū·trē'tō) *a* well-fed

nutrizione (nū·trē·tsyō'nā) *f* nourishment

nuvola (nū'vō·lâ) *f* cloud; **cader dalle nuvole** (*fig*) to be amazed; to be astonished

nuvoloso (nū·vō·lō'zō) *a* cloudy, overcast

nuziale (nū·tsyâ'lā) *a* bridal, nuptial; **veste** — bridal gown

O

o (ō) *conj* either, or; — ... — either ... or

oasi (ô'â·zē) *f* oasis

obbediente (ōb·bā·dyān'tā) *a* tractable, obedient

obbedienza (ōb·bā·dyān'tsâ) *f* acquiescence; obedience; submission

obbedire (ōb·bā·dē'rā) *vt&i* to comply with; to obey

obbligare (ōb·blē·gâ'rā) *vt* to oblige; to compel; to make, force

obbligarsi (ōb·blē·gâr'sē) *vr* to undertake; to obligate oneself

obbligatoriamente (ōb·blē·gâ·tō·ryâ·mān'tā) *adv* under obligation

obbligatorio (ōb·blē·gâ·tô'ryō) *a* required; mandatory

obbligazione (ōb·blē·gâ·tsyō'nā) *f* bond; duty, obligation

obbligazionista (ŏb·blē·gâ·tsyō·nē′stâ) *m* bondholder

obbligo (ŏb′blē·gō) *m* obligation

obbrobrio (ŏb·brô′bryō) *m* opprobrium, disgrace, shame

obbrobrioso (ŏb·brō·bryō′zō) *a* disgraceful, opprobrious

obelisco (ō·bä·lē′skō) *m* obelisk

oberato (ō·bä·râ′tō) *a* laden, weighed down

obeso (ō·bä′zō) *a* obese, excessively fat, corpulent

obice (ô′bē·chä) *m* howitzer

obiettare (ō·byät·tâ′rä) *vt* to object to; to argue against

obiettivamente (ō·byät·tē·vâ·män′tä) *adv* objectively; impartially

obiettività (ō·byät·tē·vē·tâ′) *f* fairness; objectivity

obiettivo (ō·byät·tē′vō) *a&m* objective; (*phot*) lens; — *a* objective, impersonal

obiettore (ō·byät·tō′rä) *m* objector; — **di coscienza** conscientious objector

obiezione (ō·byä·tsyō′nä) *f* objection

obitorio (ō·bē·tô′ryō) *m* morgue

oblatore (ō·blâ·tō′rä) *m* donor

oblazione (ō·blâ·tsyō′nä) *f* gift, donation

oblio (ō·blē′ō) *m* oblivion

obliquo (ō·blē′kwō) *a* indirect; oblique; (*fig*) sly

oblò (ō·blō′) *m* porthole

obolo (ô′bō·lō) *m* tiny coin; insignificant sum

oca (ō′kâ) *f* goose; stupid girl; **collo d'** — (*mech*) crankshaft

ocarina (ō·kâ·rē′nâ) *f* (*mus*) ocarina

occasionale (ŏk·kâ·zyō·nâ′lä) *a* casual

occasionalmente (ŏk·kâ·zyō·nâl·män′tä) *adv* occasionally, now and then; by chance

occasionare (ŏk·kâ·zyō·nâ′rä) *vt* to cause, engender; to bring on

occasione (ŏk·kâ·zyō′nä) *f* chance; opportunity; bargain

occhiaia (ŏk·kyâ′yâ) *f* eye socket

occhialaio (ŏk·kyâ·lâ′yō) *m* optician

occhiali (ŏk·kyâ′lē) *mpl* eyeglasses; — **da automobile** goggles; — **da sole** sunglasses

occhialoni (ŏk·kyâ·lō′nē) *mpl* goggles

occhiata (ŏk·kyâ′tâ) *f* look, glance

occhiello (ŏk·kyäl′lō) *m* buttonhole; flyleaf; half title

occhio (ŏk′kyō) *m* eye; **a quattr'occhi** tête-à-tête, privately; **dare nell'** — to attract attention; **a** — **e croce** roughly speaking; **costare un** — to be extremely costly

occhiolino (ŏk·kyō·lē′nō) *m* wink; **fare l'** — to wink

occidentale (ō·chē·dän·tâ′lä) *a* western; Occidental

occidente (ō·chē·dän′tä) *m* west; Occident, West

occorrente (ŏk·kōr·rän′tä) *a* necessary; — *m* necessity, requisite

occorrenza (ŏk·kōr·rän′tsâ) *f* circumstance; necessity; **all'** — in case of emergency; if necessary

occorrere * (ŏk·kôr′rä·rä) *vi* to happen; to be necessary; to be fitting

occultare (ŏk·kūl·tâ′rä) *vt* to keep secret; to secrete, hide

occulto (ŏk·kūl′tō) *a* mysterious; esoteric; hidden; occult

occupare (ŏk·kū·pâ′rä) *vt* to take possession of; to occupy

occuparsi (ŏk·kū·pâr′sē) *vr* to engage in; to interest oneself in

occupato (ŏk·kū·pâ′tō) *a* taken; busy; occupied

occupazione (ŏk·kū·pâ·tsyō′nä) *f* work, job; occupation

oceano (ō·che′â·nō) *m* ocean

oculare (ō·kū·lâ′rä) *a* ocular; **testimonio** — eyewitness

oculato (ō·kū·lâ′tō) *a* cautious, wary

oculista (ō·kū·lē′stâ) *m* oculist

od (ōd) *conj* or

odiare (ō·dyâ′rä) *vt* to hate

odiernamente (ō·dyär·nâ·män′tä) *adv* nowadays, currently, presently

odierno (ō·dyär′nō) *a* of today, current, present

odio (ō′dyō) *m* hatred

odiosamente (ō·dyō·zâ·män′tä) *adv* hatefully; disgustingly

odioso (ō·dyō′zō) *a* odious; hateful

Odissea (ō·dēs·sä′â) *f* Odyssey; (*fig*) ups and downs of life

odontoiatria (ō·dōn·tō·yâ·trē′â) *f* dentistry, odontology

odorare (ō·dō·râ′rä) *vt&i* to smell

odorato (ō·dō·râ′tō) *m* sense of smell

odore (ō·dō′rä) *m* scent, smell

odoroso (ō·dō·rō′zō) *a* sweet-scented, fragrant

offendere * (ōf·fen′dä·rä) *vt* to offend

offendersi * (ōf·fen′där·sē) *vr* to feel hurt, take offense; to be irritated; to be piqued

offensiva (ōf·fän·sē′vâ) *f* offensive; onslaught

offensivo (ōf·fän·sē′vō) *a* insulting

offensore (ōf·fän·sō′rä) *m* offender

offerente (ōf·fä·rän′tä) *m* bidder

â ârm, **ā** bāby, **e** bet, **ē** bē, **ō** gō, **ô** gône, **ū** blūe, **b** bad, **ch** child, **d** dad, **f** fat, **g** gay, **j** jet

offerta (ŏf·fār′tâ) *f* offer; bid
offesa (ŏf·fā′zâ) *f* insult; offense
officina (ŏf·fē·chē′nâ) *f* shop; plant; **capo
— foreman**
officioso (ŏf·fē·chō′zō) *a* polite; obliging;
unofficial; semiofficial
offrire * (ŏf·frē′rä) *vt* to afford, present; to
offer
offrirsi * (ŏf·frēr′sē) *vr* to present oneself;
volunteer
offuscare (ŏf·fū·skâ′rä) *vt* to darken; to
obscure, eclipse
offuscarsi (ŏf·fū·skâr′sē) *vr* to darken; to
get dim; to decline
oggetto (ŏj·jāt′tō) *m* object; purpose
oggi (ŏj′jē) *m&adv* today
oggidì (ŏj·jē·dē′) *adv* nowadays, at present
ogni (ŏ′nyē) *a* each, every; **— tanto** now
and then, from time to time; **in — luogo**
everywhere; **in — modo** in any case;
anyhow
Ognissanti (ō·nyēs·sân′tē) *m* All Saints'
Day
ognuno (ō·nyū′nō) *pron* each one; every-
one
Olanda (ō·lân′dâ) *f* Holland
olandese (ō·lân·dā′zā) *a* Dutch
oleandro (ō·lā·ân′drō) *m* oleander
oleificio (ō·lāē·fē′chō) *m* oil mill
oleodotto (ō·lā·ō·dōt′tō) *m* oil pipeline
oleografia (ō·lā·ō·grâ·fē′â) *f* oleograph
oleoso (ō·lā·ō′zō) *a* oily
olezzante (ō·lā·tsân′tā) *a* fragrant, sweet-
scented
olezzare (ō·lā·tsâ′rä) *vi* to smell sweet
olfatto (ōl·fât′tō) *m* sense of smell
oliare (ō·lyâ′rä) *vt* to lubricate, oil
oliatore (ō·lyâ·tō′rä) *m* oilcan; oiler
oliera (ō·lyâ′râ) *f* set of cruets for oil and
vinegar
oligarchia (ō·lē·gâr·kē′â) *f* oligarchy
olimpiadi (ō·lēm·pē′â·dē) *fpl* Olympic
games
olimpico (ō·lēm′pē·kō) *a* Olympic; Olym-
pian; **giuochi olimpici** Olympic games
olimpionico (ō·lēm·pyô′nē·kō) *m* Olympic champion
olio (ŏ′lyō) *m* oil; **— d'oliva** olive oil; **— di
fegato di merluzzo** codliver oil; **— di
ricino** castor oil; **— lubrificante** lubricating oil
oliva (ō·lē′vâ) *f* olive
olivastro (ō·lē·vâ′strō) *a* olive (*color*)
oliveto (ō·lē·vâ′tō) *m* olive grove
olivo (ō·lē′vō) *m* olive tree
olmo (ōl′mō) *m* elm
oltraggiare (ōl·trâj·jâ′rä) *vt* to ravage; to

insult; to outrage
oltraggio (ōl·trâj′jō) *m* insult; outrage; **—
al pudore** obscenity; **— alla giustizia**
contempt of court
oltraggioso (ōl·trâj·jō′zō) *a* insulting; outrageous
oltranza (ōl·trân′tsâ) *f* extreme, uttermost,
utmost; excess; **ad — out** and out; to
the bitter end; **guerra ad —** war to the
death
oltranzista (ōl·trân·tsē′stâ) *m* diehard;
extremist; radical
oltre (ōl′trä) *prep* past, beyond; **—** *adv*
further, farther; ahead; on; **— un mese**
over a month; **— a ciò** besides, moreover; in addition to that; **–chè** (ōl·trä·
kä′) *conj* aside from the fact that; **–mare**
(ōl·trä·mâ′rä) *m* ultramarine, deep
blue; **–mare** *adv* overseas; **–modo** (ōl·
trä·mō′dō) *adv* exceedingly; **–passare**
(ōl·trä·pâs·sâ′râ) *vt* to exceed; to overtake; **–passare i limiti** to go too far; to
go overboard (*fig*); **–tomba** (ōl·trä·
tōm′bâ) *f* afterlife, next world
omaccione (ō·mâ·chō′nâ) *m* big fellow
omaggi (ō·mâj′jē) *mpl* respects
omaggiare (ō·mâj·jâ′rä) *vt* to present; to
pay one's respects to
omaggio (ō·mâj′jō) *m* compliment; gift;
homage; **— di** compliments of
ombelico (ōm·bâ·lē′kō) *m* navel
ombra (ōm′brâ) *f* shadow; resentment,
umbrage; shade
ombreggiare (ōm·brâj·jâ′rä) *vt* to shade;
to cast a shadow on
ombreggiatura (ōm·brâj·jâ·tū′râ) *f* shading, shade
ombrellino (ōm·brâl·lē′nō) *m* parasol
ombrello (ōm·brâl′lō) *m* umbrella
ombrellone (ōm·brâl·lō′nâ) *f* beach umbrella
ombroso (ōm·brō′zō) *a* shady; easily offended; skittish
omeopatia (ō·mâ·ō·pâ·tē′â) *f* homeo-
pathy
omero (ô′mâ·rō) *m* shoulder; humerus
omertà (ō·mâr·tâ′) *f* code of silence
among criminals
omesso (ō·mâs′sō) *a* omitted
omettere * (ō·met′tä·rä) *vt* to omit; to disregard
ometto (ō·mât′tō) *m* little man; (*coll*) coat
hanger
omicida (ō·mē·chē′dâ) *m* murderer
omicidio (ō·mē·chē′dyō) *m* homicide;
— premeditato premeditated murder;
— colposo manslaughter; **tentato —**
attempted murder

---

k kid, **l** let, **m** met, **n** not, **p** pat, **r** very, **s** sat, **sh** shop, **t** tell, **v** vat, **w** we, **y** yes, **z** zero

omino (ō·mē'nō) *m* little fellow

omissione (ō·mēs·syō'nā) *f* omission; mistake; disregard

omnibus (ôm'nē·būs) *m* local train; bus

omogeneità (ō·mō·jā·nāē·tâ') *f* uniformity; homogeneity

omogeneo (ō·mō·je'nā·ō) *a* homogeneous; correspondent

omogenizzato (ō·mō·jā·nē·dzâ'tō) *a* homogenized

omologare (ō·mō·lō·gâ'rā) *vt* to probate; to ratify

omologia (ō·mō·lō·jē'â) *f* homology; approval, ratification

omonimo (ō·mô'nē·mō) *m* homonym

omosessuale (ō·mō·sās·swâ'lā) *m&a* homosexual

oncia (ôn'châ) *f* ounce

onda (ōn'dâ) *f* wave; **andare in — ** (*rad*) to go on the air

ondata (ōn·dâ'tâ) *f* breaker, surf; wave; outbreak; **— di freddo** cold wave

onde (ōn'dā) *adv* from where; through where; consequently; **— pron** whose; of which; with which; by which; of whom; with whom; **— conj** so that, in order that

ondeggiare (ōn·dāj·jâ'rā) *vt* to wave; to waver

ondina (ōn·dē'nâ) *f* siren, water nymph, undine

ondulare (ōn·dū·lâ'rā) *vt&i* to undulate, wave; **— i capelli** to wave one's hair

ondulato (ōn·dū·lâ'tō) *a* wavy; **cartone — ** corrugated board

ondulazione (ōn·dū·lâ·tsyō'nâ) *f* waving; **— permanente** permanent wave

onere (ô'nā·rā) *m* burden

oneroso (ō·nā·rō'zō) *a* burdensome

onestà (ō·nā·stâ') *f* integrity; honesty

onesto (ō·nā'stō) *a* fair; true; honest; straightforward, upstanding

onnipotente (ōn·nē·pō·tān'tā) *a* almighty, omnipotent

onnivoro (ōn·nē'vō·rō) *a* omnivorous

onomastico (ō·nō·mâ'stē·kō) *m* name day

onorabilità (ō·nō·râ·bē·lē·tâ') *f* honor; good name

onoranza (ō·nō·rân'tsâ) *f* tribute, honor; esteem, regard

onorare (ō·nō·râ'rā) *vt* to honor; to regard, esteem

onorario (ō·nō·râ'ryō) *a* honorary; **— m** fee

onorarsi (ō·nō·râr'sē) *vr* to take pride; to have the honor

onore (ō·nō'rā) *m* honor; acclaim; **serata d' —** benefit performance; **fare — ai**

propri impegni to keep one's commitments

onorevole (ō·nō·re'vō·lā) *a* honorable; esteemed

onorevolmente (ō·nō·rā·vōl·mān'tā) *adv* honorably; with distinction

onorificenza (ō·nō·rē·fē·chān'tsâ) *f* decoration

onta (ōn'tâ) *f* disgrace; dishonor

ontano (ōn·tâ'nō) *m* alder

ontologia (ōn·tō·lō·jē'â) *f* ontology

ONU (ō'nū) *f* United Nations

opaco (ō·pâ'kō) *a* opaque; lackluster

opera (ô'pā·râ) *f* work; opera

operaio (ō·pā·râ'yō) *m* workman

operare (ō·pā·râ'rā) *vt* to work, operate; to cause; **— vi** to function, perform

operatore (ō·pā·râ·tō'rā) *m* operator; cameraman

operatorio (ō·pā·râ·tô'ryō) *a* (*med*) operable

operazione (ō·pā·râ·tsyō'nā) *f* transaction; operation

operetta (ō·pā·rāt'tâ) *f* musical comedy

operosità (ō·pā·rō·zē·tâ') *f* industry, diligence

operoso (ō·pā·rō'zō) *a* industrious, diligent

opificio (ō·pē·fē'chō) *m* plant, factory

opinare (ō·pē·nâ'rā) *vi* to suppose; to opine; to consider

opinione (ō·pē·nyō'nā) *f* opinion, idea

oppio (ôp'pyō) *m* opium

opponente (ōp·pō·nān'tā) *m* opponent; **— a** adverse; opposing

opporre * (ōp·pōr'rā) *vt* to oppose

opporsi * (ōp·pōr'sē) *vr* to withstand; to be opposed

opportunamente (ōp·pōr·tū·nâ·mān'tā) *adv* opportunely; at the right time

opportunista (ōp·pōr·tū·nē'stâ) *m* opportunist

opportunità (ōp·pōr·tū·nē·tâ') *f* opportunity; timeliness

opportuno (ōp·pōr·tū'nō) *a* opportune; **considerare —** to think advisable; **a tempo —** at the right time

oppositore (ōp·pō·zē·tō'rā) *m* antagonist; opponent

opposizione (ōp·pō·zē·tsyō'nā) *f* opposition

opposto (ōp·pō'stō) *a&m* opposed; opposite; contrary

oppressione (ōp·prās·syō'nā) *f* oppression

oppressore (ōp·prās·sō'rā) *m* oppressor

opprimente (ōp·prē·mān'tā) *a* oppressing, oppressive

opprimere * (ōp·prē'mā·rā) *vt* to oppress;

to lord it over; to bully
oppugnare (ōp·pū·nyâ'rā) *vt* to confute; to refute
oppure (ōp·pū'rā) *conj* or else, or
optare (ōp·tâ'rā) *vi* to choose, make a choice, opt
optometria (ōp·tō·mā·trē'â) *f* optometry
opulento (ō·pū·lān'tō) *a* well-to-do, affluent
opulenza (ō·pū·lān'tsâ) *f* affluence
opuscolo (ō·pū'skō·lō) *m* pamphlet, leaflet
ora (ō'râ) *f* time; hour; — **di punta** rush hour; — *adv* now; **che** — **è?** What time is it?; **di buon'**— early in the morning; — **legale** daylight saving time
orafo (ō'râ·fō) *m* goldsmith
orale (ō·râ'lā) *a* oral
oralmente (ō·râl·mān'tā) *adv* verbally, orally
orare (ō·râ'rā) *vi* to pray
orario (ō·râ'ryō) *m* timetable; — *a* hourly; — **di visita** visiting hours; **segnale** — (*rad*) time signal
oratore (ō·râ·tō'rā) *m* public speaker, orator
oratoria (ō·rā·tō'ryâ) *f* public speaking, oratory
oratorio (ō·râ·tō'ryō) *m* private chapel; (*mus*) oratorio; — *a* oratorical
orazione (ō·râ·tsyō'nā) *f* prayer; public discourse, oration
orbene (ōr·bā'nā) *adv* well; so; well now
orbita (ôr'bē·tâ) *f* orbit
orbo (ōr'bō) *a* blind; (*fig*) lacking
orchestra (ōr·kā'strā) *f* orchestra
orchestrale (ōr·kā·strā'lā) *m* orchestra member; — *a* orchestral
orchestrare (ōr·kā·strâ'rā) *vt* to score, orchestrate
orchestrazione (ōr·kā·strā·tsyō'nā) *f* orchestration
orchidea (ōr·kē·dā'â) *f* orchid
orco (ōr'kō) *m* ogre
orda (ōr'dâ) *f* horde, swarm, throng
ordigno (ōr·dē'nyō) *m* device; implement; tool, instrument
ordinale (ōr·dē·nâ'lā) *a* ordinal (*number*)
ordinamento (ōr·dē·nâ·mān'tō) *m* arrangement, placement; ordinance
ordinanza (ōr·dē·nân'tsâ) *f* order; writ; (*mil*) ordinance
ordinare (ōr·dē·nâ'rā) *vt* to order; (*eccl*) to ordain; to set up, place
ordinariamente (ōr·dē·nâ·ryâ·mān'tā) *adv* usually, commonly; routinely
ordinario (ōr·dē·nâ'ryō) *a* ordinary; common; coarse; regular; — *m* professor

ordinarsi (ōr·dē·nâr'sē) *vr* to get organized; to put one's house in order (*fig*)
ordinatamente (ōr·dē·nâ·tâ·mān'tā) *adv* orderly; methodically; neatly
ordinato (ōr·dē·nâ'tō) *a* put in order, tidied; orderly; ordered; methodical
ordinazione (ōr·dē·nâ·tsyō'nā) *f* order; ordination; (*med*) prescription
ordine (ōr'dē·nā) *m* order, decree
ordire (ōr·dē'rā) *vt* to scheme, plot
ordito (ōr·dē'tō) *m* warp (*weaving*); scheming; network
orecchino (ō·rāk·kē'nō) *m* earring
orecchio (ō·rek'kyō) *m* ear
orecchioni (ō·rāk·kyō'nē) *mpl* mumps
orefice (ō·re'fē·chā) *m* goldsmith; jeweler
oreficeria (ō·rā·fē·chā·rē'â) *f* jewelry store; jewelry
orfanello (ōr·fâ·nāl'lō) *f* orphan boy
orfano (ôr'fâ·nō) *m&a* orphan
orfanotrofio (ōr·fâ·nō·trō'fyō) *m* orphanage
organetto (ōr·gâ·nāt'tō) *m* accordion; — **di Barberia** hurdy-gurdy
organico (ōr·gâ'nē·kō) *a* organic; — *m* staff, personnel
organismo (ōr·gâ·nē'zmō) *m* organism
organista (ōr·gâ·nē'stâ) *m&f* organist
organizzare (ōr·gâ·nē·dzâ'rā) *vt* to set up, organize; to constitute
organizzatore (ōr·gâ·nē·dzâ·tō'rā) *m* organizer
organizzazione (ōr·gâ·nē·dzâ·tsyō'nā) *f* organization, setup; makeup
organo (ōr'gâ·nō) *m* organ
orgia (ōr'jâ) *f* orgy
orgoglio (ōr·gō'lyō) *m* pride; boastfulness
orgogliosamente (ōr·gō·lyō·zâ·mān'tā) *adv* haughtily; with pride
orgoglioso (ōr·gō·lyō'zō) *a* proud; swelled with pride
orientale (ō·ryān·tâ'lā) *a* eastern; Oriental; — *m* Oriental
orientamento (ō·ryān·tâ·mān'tō) *m* bearings; orientation
orientare (ō·ryān·tâ'rā) *vt* to orient
orientarsi (ō·ryān·târ'sē) *vr* to get one's bearings; to adapt oneself, get used to
orientazione (ō·ryān·tâ·tsyō'nā) *f* orientation; bearings, position
oriente (ō·ryān'tā) *m* East, Orient; east
origano (ō·rē'gâ·nō) *m* oregano, marjoram
originale (ō·rē·jē·nâ'lā) *a* original; strange, unusual; — *m&f* eccentric person; — *m* original
originalità (ō·rē·jē·nâ·lē·tâ') *f* originality; strangeness

---

k kid, **l** let, **m** met, **n** not, **p** pat, **r** very, **s** sat, **sh** shop, **t** tell, **v** vat, **w** we, **y** yes, **z** zero

originalmente (ō·rē·jē·nál·mān′tā) *adv* originally; strangely
originare (ō·rē·jē·nâ′rā) *vt&i* to originate; to spring from
originariamente (ō·rē·jē·nâ·ryâ·mān′tā) *adv* originally; at first
originario (ō·rē·jē·nâ′ryō) *a* of a specified origin; — **iltaiano** of Italian extraction
origine (ō·rē′jē·nā) *f* source; font; origin
orina (ō·rē′nâ) *f* urine
orinare (ō·rē·nâ′rā) *vi* to urinate
orinatoio (ō·rē·nâ·tō′yō) *m* urinal
oriundo (ō·ryūn′dō) *a* of a specified descent; from a specified country; — **svedese** of Swedish descent
orizzontale (ō·rē·dzōn·tâ′lā) *a* horizontal
orizzontalmente (ō·rē·dzōn·tâl·mān′tā) *adv* horizontally
orizzontarsi (ō·rē·dzōn·târ′sē) *vr* to get one's bearings; to grow used to
orizzonte (ō·rē·dzōn′tā) *m* horizon
orlare (ōr·lâ′rā) *vt* to hem
orlatura (ōr·lâ·tū′râ) *f* hem; hemming
orlo (ōr′lō) *m* edge; brim; hem; verge
orma (ōr′mâ) *f* footstep; track
ormai (ōr·mâ′ē) *adv* by now; from now on
orme (ōr′mā) *fpl* trail; spoor
ormeggiare (ōr·māj·jâ′rā) *vt* to tie up, dock, moor
ormeggiarsi (ōr·māj·jâr′sē) *vr* to lie at anchor
ormeggio (ōr·mej′jō) *m* mooring, docking
ormone (ōr·mō′nā) *m* hormone
ornamentale (ōr·nâ·mān′tâ′lā) *a* decorative
ornamento (ōr·nâ·mān′tō) *m* ornament; adornment
ornare (ōr·nâ′rā) *vt* to ornament; to adorn
ornato (ōr·nâ′tō) *m* design; ornamental motif; — *a* adorned; ornamented
ornitologo (ōr·nē·tō′lō·gō) *m* ornithologist
ornitorinco (ōr·nē·tō·rēn′kō) *m* duckbill, platypus
oro (ō′rō) *m* gold; riches
orologeria (ō·rō·lō·jā·rē′â) *f* watchmaker's shop
orologiaio (ō·rō·lō·jâ′yō) *m* watchmaker
orologio (ō·rō·lô′jō) *m* clock; watch; — **da polso** wristwatch
oroscopo (ō·rô′skō·pō) *m* horoscope
orpello (ōr·pāl′lō) *m* tinsel; gold foil
orrendamente (ōr·rān·dâ·mān′tā) *adv* dreadfully, frightfully
orrendo (ōr·rān′dō) *a* horrible, horrifying
orribile (ōr·rē′bē·lā) *a* horrible, terrible
orribilmente (ōr·rē·bēl·mān′tā) *adv* horribly, frightfully
orrido (ōr′rē·dō) *a* horrid, horrible; — *m* cliff, precipice
orripilante (ōr·rē·pē·lân′tā) *a* thrilling; hair-raising
orrore (ōr·rō′rā) *m* fright, horror
orsa (ōr′sâ) *f* female bear
orsacchiotto (ōr·sâ·kyōt′tō) *m* bear cub
orso (ōr′sō) *m* bear
orsù (ōr·sū′) *interj* come on now, well then
ortaggi (ōr·tâj′jē) *mpl* vegetables
ortica (ōr·tē′kâ) *f* nettle; (*fig*) prod, goad
orticaria (ōr·tē·kâ′ryâ) *f (med)* nettle rash
orticolo (ōr·tē′kō·lō) *a* horticultural
orticultore (ōr·tē·kūl·tō′rā) *m* truck farmer
orticultura (ōr·tē·kūl·tū′râ) *f* truck farming
orto (ōr′tō) *m* orchard; truck farm; — **botanico** botanical garden
ortofrutticoli (ōr·tō·frūt·tē′kō·lē) *mpl* farm produce
ortografia (ōr·tō·grâ·fē′â) *f* spelling
ortolano (ōr·tō·lâ′nō) *m* truck farmer; vegetable dealer
ortopedico (ōr·tō·pe′dē·kō) *a* orthopedic; — *m* orthopedist
orzaiolo (ōr·dzâ·yō′lō) *m (med)* sty
orzare (ōr·dzâ′rā) *vi (naut)* to luff
orzo (ōr′dzō) *m* barley
osare (ō·zâ′rā) *vt&i* to dare
oscenità (ō·shā·nē·tâ′) *f* obscenity, lewdness
osceno (ō·shā′nō) *a* obscene, lewd
oscillare (ō·shēl·lâ′rā) *vi* to sway, swing; to delay, hesitate
oscillazione (ō·shēl·lâ·tsyō′nā) *f* oscillation, swaying; hesitation
oscuramente (ō·skū·râ·mān′tā) *adv* dimly, obscurely
oscuramento (ō·skū·râ·mān′tō) *m* blackout; darkening
oscurare (ō·skū·râ′rā) *vt* to darken
oscurarsi (ō·skū·râr′sē) *vr* to become dim; to get dark
oscurità (ō·skū·rē·tâ′) *f* obscurity; dark; darkness
oscuro (ō·skū′rō) *a* obscure; unknown; dim, dark; uncertain
ospedale (ō·spā·dâ′lā) *m* hospital
ospitale (ō·spē·tâ′lā) *m* hospitable
ospitalità (ō·spē·tâ·lē·tâ′) *f* hospitality
ospitalmente (ō·spē·tâl·mān′tā) *adv* hospitably
ospitare (ō·spē·tâ′rā) *vt* to entertain; to accommodate; to fete
ospite (ô′spē·tā) *m* host; guest; boarder; — *f* hostess

ospizio (ō·spē'tsyō) *m* poorhouse; orphanage; old people's home

ossa (ōs'sâ) *fpl* bones

ossario (ōs·sâ'ryō) *m* charnel

ossatura (ōs·sâ·tū'râ) *f* skeleton; framework, structure; build, physique

osseo (ôs'sā·ō) *a* bony

ossequi (ōs·se'kwē) *mpl* respects, greetings, best regards

ossequio (ōs·se'kwēō) *m* respect, homage

ossequiosamente (ōs·sā·kwēō·zâ·mân'tâ) *adv* respectfully

ossequioso (ōs·sā·kwēō'zō) *a* deferential, respectful

osservanza (ōs·sār·vân'tsâ) *f* observance; **con —** respectfully yours

osservare (ōs·sār·vâ'râ) *vt* to observe; to follow, comply with

osservatorio (ōs·sār·vâ·tô'ryō) *m* observatory

osservazione (ōs·sār·vâ·tsyō'nâ) *f* observation; remark

ossessionare (ōs·sās·syō·nâ'râ) *vt* to obsess, preoccupy

ossessionato (ōs·sās·syō·nâ'tō) *a* possessed, obsessed

ossessione (ōs·sās·syō'nâ) *f* obsession; fear

ossia (ōs·sē'â) *conj* or, in other words, that is to say

ossidare (ōs·sē·dâ'râ) *vt* to oxidize

ossido (ôs'sē·dō) *m* oxide

ossigenare (ōs·sē·jâ·nâ'râ) *vt* to oxygenate; to bleach *(hair)*

ossigeno (ōs·sē'jâ·nō) *m* oxygen

osso (ōs'sō) *m* bone; **— buco** bone marrow

ostacolare (ō·stâ·kō·lâ'râ) *vt* to impede; to hinder

ostacolista (ō·stâ·kō·lē'stâ) *m (sport)* hurdler

ostacolo (ō·stâ'kō·lō) *m* obstacle; handicap; bar; *(sport)* hurdle

ostaggio (ō·stâj'jō) *m* hostage

ostante (ō·stân'tâ) *a* hindering; impeding; **ciò non —** nevertheless, however

oste (ō'stâ) *m* host; innkeeper

ostello (ō·stâl'lō) *m* hostel; **— della gioventù** youth hostel

ostensibilmente (ō·stân·sē·bēl·mân'tâ) *adv* ostensibly, visibly

ostensivamente (ō·stân·sē·vâ·mân'tâ) *adv* visibly, apparently

ostensorio (ō·stân·sô'ryō) *m (eccl)* monstrance

ostentare (ō·stân·tâ'râ) *vt* to show off; to brag about

ostentazione (ō·stân·tâ·tsyō'nâ) *f* display; affectation; brag, bragging

osteria (ō·stâ·rē'â) *f* tavern

ostessa (ō·stäs'sâ) *f* hostess; airline stewardess; landlady

ostetrica (ō·ste'trē·kâ) *f* midwife

ostetricia (ō·stâ·trē'châ) *f* obstetrics

ostetrico (ō·ste'trē·kō) *m* obstetrician

ostia (ô'styâ) *f* wafer; *(eccl)* Host

ostico (ô'stē·kō) *a* unpleasant; hard

ostile (ō·stē'lâ) *a* hostile

ostilità (ō·stē·lē·tâ') *f* hostility, enmity

ostilmente (ō·stēl·mân'tâ) *adv* inimically

ostinarsi (ō·stē·nâr'sē) *vr* to stick to; to persist in; to be obstinate

ostinato (ō·stē·nâ'tō) *a* obstinate

ostinazione (ō·stē·nâ·tsyō'nâ) *f* obstinacy

ostracismo (ō·strâ·chē'zmō) *m* ostracism; avoidance

ostracizzare (ō·strâ·chē·dzâ'râ) *vt* to ostracize; to avoid

ostrica (ô'strē·kâ) *f* oyster

ostruire (ō·strūē'râ) *vt* to obstruct; to impede

ostruzionismo (ō·strū·tsyō·nē'zmō) *m* obstructionism

otite (ō·tē'tâ) *f* otitis

otre (ō'trâ) *m* wineskin

ottaedro (ōt·tâ·â'drō) *m* octahedron

ottagono (ōt·tâ'gō·nō) *m* octagon

ottano (ōt·tâ'nō) *m* octane

ottanta (ōt·tân'tâ) *a* eighty

ottantesimo (ōt·tân·te'zē·mō) *a* eightieth

ottantina (ōt·tân·tē'nâ) *f* about eighty

ottava (ōt·tâ'vâ) *f* octave

ottavino (ōt·tâ·vē'nō) *m* piccolo

ottavo (ōt·tâ'vō) *a* eighth; **—** *n (mus)* octave; *(print)* octavo

ottemperare (ōt·tâm·pâ·râ'râ) *vi* to comply

ottemperanza (ōt·tâm·pâ·rân'tsâ) *f* compliance, obedience

ottenere * (ōt·tâ·nâ'râ) *vt* to obtain; to get

ottica (ôt'tē·kâ) *f* optics

ottico (ôt'tē·kō) *m* optician; **—** *a* optical

ottimamente (ōt·tē·mâ·mân'tâ) *adv* very well; fine; excellently

ottimismo (ōt·tē·mē'zmō) *m* optimism

ottimista (ōt·tē·mē'stâ) *m&f* optimist

ottimo (ôt'tē·mō) *a* excellent; fine

otto (ōt'tō) *m* eight; **oggi a —** a week from today

ottobre (ōt·tō'brâ) *m* October

ottocento (ōt·tō·chân'tō) *a* eight hundred; **l'O-** the nineteenth century

ottomana (ōt·tō·mâ'nâ) *f* sofa, ottoman

ottone (ōt·tō'nâ) *m* brass

ottuagenario (ōt·twâ·jâ·nâ'ryō) *a&m* octogenarian

otturare (ōt·tū·râ'râ) *vt* to fill in; to plug up

---

k kid, **l** let, **m** met, **n** not, **p** pat, **r** very, **s** sat, **sh** shop, **t** tell, **v** vat, **w** we, **y** yes, **z** zero

otturatore (ŏt·tū·râ·tō'rā) *m (photo)* shutter

otturazione (ŏt·tū·râ·tsyō'nā) *f* filling; obstruction

ottuso (ŏt·tū'zō) *a* obtuse, dull

ovaia (ō·vâ'yâ) *f* ovary

ovale (ō·vä'lā) *a* oval

ovatrice (ō·vâ·trē'chā) *f* incubator

ovatta (ō·vât'tâ) *f* wadding

ovazione (ō·vä·tsyō'nā) *f* ovation

ove (ō'vä) *conj* whereas; — *adv* where, wherein

ovest (ō'väst) *m* west

ovile (ō·vē'lā) *m* sheepfold

ovini (ō·vē'nē) *mpl* sheep

ovino (ō·vē'nō) *a* sheep, ovine

ovunque (ō·vūn'kwä) *adv* everywhere

ovvero (ŏv·vä'rō) *conj* or; or otherwise

ovviare (ō·vyâ'rā) *vt* to avoid; to obviate

ovvio (ŏv'vyō) *a* clear, obvious

oziare (ō·tsyâ'rā) *vi* to laze; to idle

ozio (ō'tsyō) *m* idleness

oziosamente (ō·tsyō·zâ·män'tā) *adv* idly; lazily

ozioso (ō·tsyō'zō) *a* lazy; idle

ozono (ō·dzō'nō) *m* ozone

P

pacatamente (pâ·kâ·tâ·män'tā) *adv* calmly, peacefully

pacatezza (pâ·kâ·tä'tsâ) *f* calmness; quiet

pacato (pâ·kâ'tō) *a* calm, quiet

pacchetto (pâk·kät'tō) *m* package, parcel

pacchia (pâk'kyâ) *f* good things of life; cakes and ale *(fig)*

pacchianata (pâk·kyâ·nâ'tâ) *f* vulgarity

pacchiano pâk·kyâ'nō) *a* common, cheap

pacco (pâk'kō) *m* package, parcel; — postale parcel post

paccotiglia (pâk·kō·tē'lyâ) *f* inferior merchandise, rubbish

pace (pâ'chā) *f* peace; lasciare in — to leave alone

pachiderma (pâ·kē·dâr'mâ) *m* pachyderm

paciere (pâ·chā'rā) *m* peacemaker

pacificamente (pâ·chē·fē·kâ·män'tā) *adv* peacefully

pacificare (pâ·chē·fē·kâ'rā) *vt* to pacify; to assuage, quiet

pacificarsi (pâ·chē·fē·kâr'sē) *vr* to be reconciled; to settle one's differences

pacifico (pâ·chē'fē·kō) *a* peaceful; pacific; quiet; Oceano P– Pacific Ocean

pacifismo (pâ·chē·fē'zmō) *m* pacifism

pacioccone (pâ·chŏk·kō'nā) *m*, pacioccona (pâ·chŏk·kō'nâ) *f* fat, easygoing person

padella (pâ·dāl'lâ) *f* frying pan; bedpan

padiglione (pâ·dē·lyō'nā) *m* pavilion; exhibition hall

Padova (pâ'dō·vâ) *f* Padua

padovano (pâ·dō·vâ'nō) *m&f* Paduan

padre (pâ'drā) *m* father

padrigno (pâ·drē'nyō) *m* stepfather

padrino (pâ·drē'nō) *m* godfather, foster father

padrona (pâ·drō'nâ) *f* lady, mistress *(household)*; landlady; proprietress

padronanza (pâ·drō·nân'tsâ) *f* mastery; composure; — di una lingua command of a language

padrone (pâ·drō'nā) *m* master; employer; landlord; proprietor; owner

padroneggiare (pâ·drō·nāj·jâ'rā) *vt* to control; to domineer

padroneggiarsi (pâ·drō·nāj·jâr'sē) *vr* to exhibit self-control

paesaggio (pâ·ä·zâj'jō) *m* scenery; landscape

paesano (pâ·ä·zâ'nō) *m* fellow townsman; peasant

paese (pâ·ä'zā) *m* country; town; village

paesista (pâ·ä·zē'stâ) *m* landscape painter

paffuto (pâf·fū'tō) *a* chubby, plump

paga (pâ'gâ) *f* wage, pay

pagaia (pâ·gâ'yâ) *f* paddle *(canoe)*

pagamento (pâ·gâ·män'tō) *m* payment; — alla consegna COD, collect on delivery

paganesimo (pâ·gâ·ne'zē·mō) *m* paganism

pagano (pâ·gâ'nō) *a&m* heathen

pagare (pâ·gâ'rā) *vt* to pay, pay for

pagella (pâ·jāl'lâ) *f* report card

paggio (pâj'jō) *m* valet, page

pagina (pâ'jē·nâ) *f* page *(book)*

paglia (pâ'lyâ) *f* straw

pagliaccio (pâ·lyâ'chō) *m* clown; jester

pagliaio (pâ·lyâ'yō) *m* haystack

paglierino (pâ·lyä·rē'nō) *a* yellowish

paglietta (pâ·lyät'tâ) *f* straw hat

pagnotta (pâ·nyŏt'tâ) *f* loaf of bread; *(fig)* daily bread, daily wages

pago (pâ'gō) *a* satisfied

paio (pâ'yō) *m* couple; pair; two; un altro — di maniche *(fig)* a horse of a different color; a different matter

pala (pâ'lâ) *f* shovel; blade *(propeller)*

palanca (pâ·lân'kâ) *f* stake; *(coll)* money

palata (pâ·lâ'tâ) *f* shovelful

palato (pâ·lâ'tō) *m* palate
palazzo (pâ·lâ'tsō) *m* palace; large apartment building; — **di giustizia** court house
palco (pâl'kō) *m* (*theat*) box
palcoscenico (pâl·kō·she'nē·kō) *m* stage
paleolitico (pâ·lâ·ō·lē'tē·kō) *a* paleolithic
paleontologia (pâ·lâ·ōn·tō·lō·jē'â) *f* paleontology
palesare (pâ·lâ·zâ'rā) *vt* to disclose, reveal
palesarsi (pâ·lâ·zâr'sē) *vr* to prove oneself to be; to turn out to be
palese (pâ·lâ'zā) *a* obvious, apparent
palesemente (pâ·lâ·zā·mān'tā) *adv* obviously, apparently
Palestina (pâ·lâ·stē'nâ) *f* Palestine
palestra (pâ·lâ'strâ) *f* gymnasium
paletta (pâ·lât'tâ) *f* palette; blade (*fan*); small shovel
paletto (pâ·lât'tō) *m* bolt, bar; small post
palio (pâ'lyō) *m* prize, race; **mettere in —** to raffle off
palizzata (pâ·lē·tsâ'tâ) *f* palisade
palla (pâl'lâ) *f* ball; — **salutare** medicine ball; — **soffice a basi** softball; **cogliere la — al balzo** (*fig*) to take advantage of an opportunity; **–base** (pâl·lâ·bâ'zâ) *f* baseball; **–canestro** (pâl·lâ·kâ·nâ'strō) *m* basketball; **–corda** (pâl·lâ·kōr'dâ) *f* tennis; **–maglio** (pâl·lâ·mâ'lyō) *f* croquet; **–nuoto** (pâl·lâ·nwō'tō) *f* water polo; **–tavola** (pâl·lâ·tâ'vō·lâ) *f* table tennis; **–volo** (pâl·lâ·vō'lō) *f* volley ball
palliare (pâl·lyâ'rā) *vt* to veil; to disguise
palliativo (pâl·lyâ·tē'vō) *a* palliative
pallidamente (pâl·lē·dâ·mān'tâ) *adv* faintly; wanly
pallidezza (pâl·lē·dâ'tsâ) *f* wanness; paleness
pallido (pâl'lē·dō) *a* pale
pallina (pâl·lē'nâ) *f* marble (*toy*); small ball
pallini (pâl·lē'nē) *mpl* buckshot
pallonaio (pâl·lō·nâ'yō) *m* balloon man
palloncino (pâl·lōn·chē'nō) *m* toy balloon; Chinese lantern
pallone (pâl·lō'nâ) *m* balloon; football; — **americano** bubble gum; — **gonfiato** (*fig*) pretentious nobody, windbag (*coll*)
pallore (pâl·lō'râ) *m* paleness
pallottola (pâl·lōt'tō·lâ) *f* bullet
pallottolaia (pâl·lōt·tō·lâ'yâ) *f* bowling alley; bowling green
pallottoliere (pâl·lōt·tō·lyâ'rā) *m* abacus
pallovale (pâl·lō·vâ'lâ) *f* rugby
palma (pâl'mâ) *f* palm
palmare (pâl·mâ'râ) *a* evident, obvious
palmeto (pâl·mâ'tō) *m* palm grove

palmipede (pâl·mē'pâ·dâ) *m* webfooted
palmo (pâl'mō) *m* span; palm (*hand*)
palo (pâ'lō) *m* pole; stick; post
palombaro (pâ·lōm·bâ'rō) *m* deep-sea diver
palombo (pâ·lōm'bō) *m* dove
palpare (pâl·pâ'râ) *vt* to feel, touch; to palpate
palpebra (pâl'pâ·brâ) *f* eyelid
palpitante (pâl·pē·tân'tâ) *a* throbbing; exciting
palpitare (pâl·pē·tâ'râ) *vi* to palpitate, throb
palpitazione (pâl·pē·tâ·tsyō'nâ) *f* palpitation
palpito (pâl'pē·tō) *m* throb
paltò (pâl·tō') *m* overcoat
palude (pâ·lū'dâ) *f* swamp
panama (pâ'nâ·mâ) *m* Panama hat
panare (pâ·nâ'râ) *vt* to bread; to crumb
panca (pân'kâ) *f* bench
pancetta (pân·chât'tâ) *f* bacon; protruding stomach, potbelly
panchina (pân·kē'nâ) *f* (*rail*) platform; garden seat
pancia (pân'châ) *f* belly
panciera (pân·châ'râ) *f* abdominal belt; girdle
panciotto (pân·chōt'tō) *m* vest
pandemonio (pân·dâ·mô'nyō) *m* pandemonium; din
pandorato (pân·dō·râ'tō) *m* French toast
pane (pâ'nâ) *m* bread
panetteria (pâ·nât·tâ·rē'â) *f* bakery
panettiere (pâ·nât·tyâ'râ) *m* baker
panettone (pâ·nât·tō'nâ) *m* raisin bread
panfilo (pân'fē·lō) *m* yacht
pania (pâ'nyâ) *f* birdlime
panico (pâ'nē·kō) *m* panic
paniere (pâ·nyâ'râ) *m* basket
panificare (pâ·nē·fē·kâ'râ) *vt* to make into bread
panificazione (pâ·nē·fē·kâ·tsyō'nâ) *f* baking of bread
panificio (pâ·nē·fē'chō) *m* wholesale bakery
panino (pâ·nē'nō) *m* roll; — **imbottito** sandwich
panna (pân'nâ) *f* cream; (*auto*) engine trouble; flat tire; — **montata** whipped cream
pannello (pân·nâl'lō) *m* panel
panno (pân'nō) *m* cloth
pannocchia (pân·nôk'kyâ) *f* (*bot*) spike; corncob
pannolino (pân·nō·lē'nō) *m* diaper; sanitary napkin
panorama (pâ·nō·râ'mâ) *m* view, pano-

rama
pantaloni (pân·tâ·lō'nē) *mpl* pants,
trousers
pantano (pân·tâ'nō) *m* quagmire, swamp
pantera (pân·tä'râ) *f* panther
pantofola (pân·tō'fō·lâ) *f* slipper
pantostato (pân·tō·stâ'tō) *m* toast
panzana (pân·dzâ'nâ) *f* tall tale, yarn
Papa (pâ'pâ) *m* (*eccl*) Pope
papà (pâ·pâ') *m* father, papa
papale (pâ·pâ'lä) *a* papal
papalina (pâ·pâ·lē'nâ) *f* skullcap
papato (pâ·pâ'tō) *m* papacy
papavero (pâ·pâ'vä·rō) *m* poppy; (*fig*)
important person
papera (pâ'pä·râ) *f* goose; (*theat*) muffing
a line
papero (pâ'pä·rō) *m* gander
pappa (pâp'pâ) *f* pap
pappagallo (pâp·pâ·gâl'lō) *m* parrot
pappagorgia (pâp·pâ·gôr'jâ) *f* double
chin
para (pâ'râ) *f* latex; crepe rubber
parabola (pâ·râ'bō·lâ) *f* parable; (*math*)
parabola
parabrezza (pâ⁚râ·brä'tsâ) *m* windshield
paracadute (pâ·râ·kâ·dü'tä) *m* parachute
paracadutista (pâ·râ·kâ·dü·tē'stâ) *m*
paratrooper
paracalli (pâ·râ·kâl'lē) *m* corn pad
paracarro (pâ·râ·kâr'rō) *m* highway
guard post; guard rail
paracolpi (pâ·râ·kōl'pē) *m* (*auto*) fender
paracqua (pâ·râk'kwâ) *m* umbrella
paradisiaco (pâ·râ·dē·zē'â·kō) *a* heav-
enly
paradiso (pâ·râ·dē'zō) *m* heaven, empy-
rean, paradise
paradosso (pâ·râ·dōs'sō) *m* paradox
parafango (pâ·râ·fân'gō) *m* (*auto*) fender
parafare (pâ·râ·fâ'râ) *vt* to initial
paraffina (pâ·râf·fē'nâ) *f* paraffin
parafrasare (pâ·râ·frâ·zâ'râ) *vt* to paraphrase; to restate
parafulmine (pâ·râ·fül'mē·nâ) *m* lightning rod
parafuoco (pâ·râ·fwō'kō) *m* fire screen
paraggi (pâ·râj'jē) *mpl* surroundings; environs
paragonabile (pâ·râ·gō·nâ'bē·lâ) *a* comparable
paragonare (pâ·râ·gō·nâ'râ) *vt* to compare
paragone (pâ·râ·gō'nâ) *m* comparison;
pietra di — standard, guage
paragrafo (pâ·râ'grâ·fō) *m* paragraph
paralisi (pâ·râ'lē·zē) *f* paralytic stroke;
paralysis

paralizzare (pâ·râ·lē·dzâ'râ) *vt* to paralyze
paralizzarsi (pâ·râ·lē·dzâr'sē) *vr* to become paralyzed
parallela (pâ·râl·lä'lâ) *f* parallel
parallelo (pâ·râl·lä'lō) *a* parallel
paralume (pâ·râ·lü'mä) *m* lamp shade
paranco (pâ·rân'kō) *m* (*mech*) tackle
paraocchi (pâ·râ·ōk'kē) *mpl* goggles
parapetto (pâ·râ·pät'tō) *m* rampart;
parapet
parapiglia (pâ·râ·pē'lyâ) *m* hurry-scurry,
turmoil
parapioggia (pâ·râ·pyôj'jâ) *m* umbrella
parare (pâ·râ'râ) *vt* to parry; to adorn
pararsi (pâ·râr'sē) *vr* to take shelter; to
dress up
parasole (pâ·râ·sō'lä) *m* parasol
parassita (pâ·râs·sē'tâ) *m* parasite
parastatale (pâ·râ·stâ·tâ'lä) *a* govern-
ment-recognized
parata (pâ·râ'tâ) *f* parry; parade
parato (pâ·râ'tō) *m* tapestry; **carta da
parati** wallpaper
paraurti (pâ·râ·ür'tē) *m* (*auto*) bumper
parcamente (pâr·kâ·mân'tâ) *adv* frugally;
parsimoniously
parcella (pâr·châl'lâ) *f* bill; lawyer's fee
parcheggiare (pâr·kâj·jâ'râ) *vt* to park
parcheggio (pâr·kej'jō) *m* parking lot;
parking; **— avanti** parking ahead
parchimetro (pâr·kē'mâ·trō) *m* parking
meter
parco (pâr'kō) *m* park
parco (pâr'kō) *a* frugal
parecchio (pâ·rek'kyō) *a* enough; some;
— adv much
pareggiare (pâ·râj·jâ'râ) *vt* (*com*) to balance; to equalize
pareggiarsi (pâ·râj·jâr'sē) *vi* to be an
equal match; to match oneself
pareggio (pâ·rej'jō) *m* balance; tie, even
score
parente (pâ·rân'tâ) *m&f* relative
parentela (pâ·rân·tâ'lâ) *f* relationship,
relation
parentesi (pâ·ren'tâ·zē) *f* parenthesis;
fra — in brackets; (*fig*) by the way
parere (pâ·râ'râ) *m* opinion; **— * vi** to
appear, seem
parete (pâ·râ'tâ) *f* wall (*interior*)
pari (pâ'rē) *a* even, equal
Parigi (pâ·rē'jē) *f* Paris
parigino (pâ·rē·jē'nō) *m&a* Parisian
pariglia (pâ·rē'lyâ) *f* pair; **rendere la —**
(*coll*) to retaliate in kind; to give blow
for blow
parità (pâ·rē·tâ') *f* parity

parlamentare (pâr·lâ·män·tâ′rā) *a* parliamentary; — *m* member of a parliament; — *vi* to confer

parlamento (pâr·lâ·män′tō) *a* parley; parliament

parlantina (pâr·lân·tē′nâ) *f* glibness; talkativeness

parlare (pâr·lâ′rā) *vt* to talk, speak

parlata (pâr·lâ′tâ) *f* accent; way of speaking, speech

parlato (pâr·lâ′tō) *a* spoken; **cinema** — sound movie

parmigiano (pâr·mē·jâ′nō) *a&m* Parmesan

parodia (pâ·rō·dē′â) *f* parody

parola (pâ·rō′lâ) *f* word; parole

parolaccia (pâ·rō·lâ′châ) *f* indecent expression; abusive word

paroliere (pâ·rō·lyâ′rā) *m* lyricist

parolina (pâ·rō·lē′nâ) *f* term of endearment; affectionate word

parossismo (pâ·rōs·sē′zmō) *m* paroxysm

parrocchia (pâr·rôk′kyâ) *f* parish

parrocchiale (pâr·rōk·kyâ′lā) *a* parochial

parrocchiano (pâr·rōk·kyâ′nō) *m* parishioner

parroco (pâr′rō·kō) *m* pastor; priest

parrucca (pâr·rūk′kâ) *f* wig

parrucchiere (pâr·rūk·kyâ′rā) *m* barber; hairdresser

parsimonia (pâr·sē·mô′nyâ) *f* parsimony; thriftiness

parte (pâr′tā) *f* part; share; role

partecipare (pâr·tâ·chē·pâ′rā) *vt* to announce; — *vi* to participate

partecipazione (pâr·tâ·chē·pâ·tysō′nā) *f* participation; announcement

partecipe (pâr·te′chē·pā) *a* sharing; participating

parteggiare (pâr·tâj·jâ′rā) *vi* to take sides, side; to be partial

partenza (pâr·tän′tsâ) *f* leave-taking, departure

participio (pâr·tē·chē′pyō) *m* participle

particola (pâr·tē′kō·lâ) *f* (*eccl*) Host; particle

particolare (pâr·tē·kō·lâ′rā) *a* particular; — *m* detail

particolarità (pâr·tē·kō·lâ·rē·tâ′) *f* peculiarity; characteristic

particolarmente (pâr·tē·kō·lâr·män′tā) *adv* particularly, specially

partigiano (pâr·tē·jâ′nō) *m&a* partisan

partita (pâr·tē′tâ) *f* game, match; (*com*) lot; — **doppia** (*com*) double entry

partito (pâr·tē′tō) *m* political party; match (*in marriage*)

partitura (pâr·tē·tū′râ) *f* (*mus*) score

partizione (pâr·tē·tsyō′nā) *f* division

parto (pâr′tō) *m* childbirth; (*fig*) fruit, result

partoriente (pâr·tō·ryān′tā) *a* in childbirth

partorire (pâr·tō·rē′rā) *vt* to give birth to, be delivered of; — *vi* to give birth

parvenza (pâr·vän′tsâ) *f* appearance, sham

parziale (pâr·tsyâ′lā) *a* partial

parzialità (pâr·tsyâ·lē·tâ′) *f* bias

parzialmente (pâr·tsyâl·män′tā) *adv* in part; in a biased manner

pascolare (pâ·skō·lâ′rā) *vt&i* to browse; to graze; to pasture

pascolo (pâ′skō·lō) *m* pasture

Pasqua (pâ′skwâ) *f* Easter

passabile (pâs·sâ′bē·lā) *a* bearable; passable

passaggio (pâs·sâj′jō) *m* passage; (*auto*) lift; ride; — **a livello** railroad crossing; — **a livello con barriera** guarded crossing; — **a strisce** marked crosswalk

passamaneria (pâs·sâ·mâ·nâ·rē′â) *f* dry goods store; ribbon manufacture

passamano (pâs·sâ·mâ′nō) *m* ribbon; braid; passing from hand to hand

passamontagna (pâs·sâ·mōn·tâ′nyâ) *m* winter cap

passante (pâs·sân′tā) *m* pedestrian; passerby

passaporto (pâs·sâ·pōr′tō) *m* passport

passare (pâs·sâ′rā) *vt&i* to pass; to surpass; to spend (*time*); **passarla liscia** to go scot-free; to escape uninjured; — **la vita** to spend one's life; — **oltre** to progress, go ahead; to go beyond

passatempo (pâs·sâ·tâm′pō) *m* pastime

passato (pâs·sâ′tō) *a&m* past

passeggero (pâs·sâj·jâ′rō) *m* passenger; — *a* temporary, transitory

passeggiare (pâs·sâj·jâ′rā) *vi* to take a walk; to go for a drive

passeggiata (pâs·sâj·jâ′tâ) *f* walk; drive

passeggio (pâs·sej′jō) *m* walkway; promenade, walk

passerella (pâs·sâ·rāl′lâ) *f* gangway

passero (pâs′sâ·rō) *m* sparrow

passibile (pâs·sē′bē·lā) *a* liable

passionale (pâs·syō·nâ′lā) *a* vehement; ardent

passione (pâs·syō′nā) *f* passion; love

passivamente (pâs·sē·vâ·män′tā) *adv* passively

passività (pâs·sē·vē·tâ′) *fpl* (*com*) liabilities; — *f* passiveness

passivo (pâs·sē′vō) *a* passive; — *m* liability

passo (pâs′sō) *m* pace, step; passage (*book*); (*geog*) straits; **al** — slow;

slowly; — **carrabile** driveway
pasta (pâ'stâ) *f* spaghetti; paste, dough; pastry; — **dentifricia** toothpaste; — **frolla** puff pastry; **-io** (pâ·stâ'yō) *m* spaghetti maker; spaghetti dealer
pastello (pâ·stäl'lō) *m* pastel; pastel drawing
pastetta (pâ·stät'tâ) *f* batter (*food*)
pasticca (pâ·stĕk'kâ) *f* (*med*) tablet; — **per la tosse** cough drop
pasticcere (pâ·stĕ·chä'rā) *m* pastry cook
pasticceria (pâ·stĕ·chä·rē'â) *f* pastry shop
pasticcino (pâ·stĕ·chē'nō) *m* cake; cookie
pasticcio (pâ·stĕ'chō) *m* pie; (*fig*) jumble; trouble; bungling
pasticcione (pâ·stĕ·chō'nä) *m* bungler
pastificio (pâ·stĕ·fē'chō) *m* spaghetti factory
pastiglia (pâ·stē'lyâ) *f* (*med*) tablet
pastinaca (pâ·stĕ·nâ'kâ) *f* parsnip
pasto (pâ'stō) *m* meal; **vino da** — table wine
pastoia (pâ·stō'yä) *f* hobble, fetter
pastore (pâ·stō'rä) *m* shepherd; pastor
pastorizia (pâ·stō·rē'tsyâ) *f* stock raising
pastorizzato (pâ·stō·rē·dzä'tō) *a* pasteurized
pastoso (pâ·stō'zō) *a* pasty; mellow
pastrano (pâ·strâ'nō) *m* heavy overcoat, greatcoat
patata (pâ·tâ'tä) *f* potato
patatine (pâ·tâ·tē'nä) *fpl* little potatoes; — **fritte** potato chips
patema (pâ·tä'mâ) *m* anxiety; anguish
patentare (pâ·tän·tâ'rä) *vt* to grant a license to; to award a degree to
patente (pâ·tän'tä) *a* patent, clear; — *f* license; patent; — **di guida** driver's license
paternale (pâ·tär·nâ'lä) *f* rebuke, reprimand; — *a* paternal
paternità (pâ·tär·nē·tâ') *f* paternity
paterno (pâ·tär'nō) *a* paternal, fatherly
paternostro (pâ·tär·nō'strō) *m* the Lord's Prayer
patetico (pâ·te'tē·kō) *a* pathetic; sentimental
patibolare (pâ·tē·bō·lâ'rä) *a* criminal, guilty; **faccia** — hangdog appearance
patibolo (pâ·tē'bō·lō) *m* gallows
patimento (pâ·tē·mân'tō) *m* sorrow, anguish; pain
patina (pâ'tē·nâ) *f* patina; (*med*) furring; **-re** (pâ·tē·nâ'rä) *vt* to varnish; to daub
patire (pâ·tē'rä) *vt&i* to suffer; to tolerate; to undergo; — **la fame** to be starving
patito (pâ·tē'tō) *a* emaciated; lean
patologia (pâ·tō·lō·jē'â) *f* pathology

patologo (pâ·tô'lō·gō) *m* pathologist
patria (pâ'tryâ) *f* one's own country; one's native land
patricidio (pâ·trē·chē'dyō) *m* patricide
patrigno (pâ·trē'nyō) *m* stepfather
patrimonio (pâ·trē·mô'nyō) *m* estate; fortune; inheritance
patriotta (pâ·tryōt'tâ) *m&f* patriot
patriottico (pâ·tryôt'tē·kō) *a* patriotic
patrizio (pâ·trē'tsyō) *a* aristocratic; patrician
patrocinare (pâ·trō·chē·nâ'rä) *vt* to sponsor; to defend; to protect
patrocinatore (pâ·trō·chē·nâ·tō'rä) *m* protector; (*law*) counsel for the defense; (*com*) sponsor
patrocinio (pâ·trō·chē'nyō) *m* legal assistance; patronage; sponsorship; protection
patronato (pâ·trō·nâ'tō) *m* charitable organization; patronage; — **scolastico** agency to assist school children
patrono (pâ·trō'nō) *m* patron; protector; **santo** — patron saint
patteggiare (pât·täj·jâ'rä) *vt&i* to bargain; to reach an agreement
pattinaggio (pât·tē·näj'jō) *m* skating; — **artistico** figure skating
pattinare (pât·tē·nâ'rä) *vi* to skate
pattinatore (pât·tē·nâ·tō'rä) *m,* **pattinatrice** (pât·tē·nâ·trē'chä) *f* skater
pattino (pât'tē·nō) *m* skate; (*avi*) skid; sled runner; — **a rotelle** roller skate; — **da ghiaccio** ice skate
patto (pât'tō) *m* agreement, pact; **a** — **che** providing, on condition that; **a nessun** — by no means; under no circumstances
pattuglia (pât·tū'lyâ) *f* patrol
pattuire (pât·twē'rä) *vt&i* to bargain; to agree on
pattuito (pât·twē'tō) *a* agreed upon
pattume (pât·tū'mä) *m* garbage, rubbish
pattumiera (pât·tū·myä'râ) *f* garbage can
pauperismo (pâū·pä·rē'zmō) *m* pauperism; extreme poverty
paura (pâ·ū'râ) *f* fear; **aver** — to be afraid; **far** — to fill with dread, frighten
paurosamente (pâū·rō·zâ·män'tä) *adv* fearfully, filled with dread
pauroso (pâū·rō'zō) *a* frightened; timid
pausa (pâ'ū·zâ) *f* pause; interval
pavese (pâ·vä'zä) *m* banner, standard
pavimentazione (pâ·vē·män·tâ·tsyō'nä) *f* pavement; flooring
pavimento (pâ·vē·män'tō) *m* floor; pavement
pavone (pâ·vō'nä) *m* peacock
pavoneggiarsi (pâ·vō·näj·jâr'sē) *vr* to

strut; to prance

pazientare (på·tsyän·tâ′rä) *vi* to be patient; to be long-suffering

paziente (på·tsyän′tä) *am&f* patient; **–mente** (på·tsyän·tä·män′tä) *adv* patiently

pazienza (på·tsyän′tsä) *f* patience; longsuffering

pazzamente (på·tså·män′tä) *adv* rashly; madly

pazzesco (på·tsä′skō) *a* crazy, reckless, foolish

pazzia (på·tsē′â) *f* madness; rashness

pazzo (på′tsō) *a* insane, demented

pecca (pãk′kâ) *f* flaw; **–minoso** (pâk·kâ·mē·nō′zō) *a* sinful; **–re** (pãk·kâ′rä) *vi* to sin; to fall short, be inadequate; **–tore** (pãk·kâ·tō′rä) *m* sinner, transgressor

peccato (pãk·kâ′tō) *m* sin; shame, pity, bad luck; **che —!** what a shame!

pece (pā′chä) *f* pitch; **— liquida** tar

pecora (pe′kō·râ) *f* sheep; *(fig)* servile individual; **–io** (pä·kō·râ′yō) *m* shepherd

peculato (på·kū·lâ′tō) *m* embezzlement

peculio (pä·kū′lyō) *m* nest egg, savings

pedaggio (på·dâj′jō) *m* toll, fee

pedalare (på·dâ·lâ′rä) *vt&i* to pedal

pedale (på·dâ′lä) *m* pedal

pedana (på·dâ′nâ) *f* platform; mat *(sport)*

pedante (på·dân′tä) *a* pedantic; **— *m*** pedant

pedata (på·dâ′tâ) *f* kick; footprint

pedestre (på·dä′strä) *a* pedestrian, unimaginative, commonplace

pediatra (på·dyâ′trä) *m* pediatrician

pediatria (på·dyâ·trē′â) *f* pediatrics

pedicure (på·dē·kū′rä) *m&f* chiropodist

pediluvio (på·dē·lū′vyō) *m* footbath

pedina (på·dē′nâ) *f* (*chess*) man, pawn

pedinare (på·dē·nâ′rä) *vt* to shadow, tail

pedone (på·dō′nä) *m* pedestrian; (*chess*) pawn, man

peggio (pej′jō) *adv* worse; **il —** the worst

peggioramento (pâj·jō·râ·män′tō) *m* aggravation; worsening

peggiorare (pâj·jō·râ′rä) *vi* to get worse; to worsen

peggiore (pâj·jō′rä) *a* worse; **il —** the worst

pegno (på′nyō) *m* forfeit; pledge; **in — d'amore** as a token of love

pelame (på·lâ′mä) *m* plumage; coat of hair (*animal*)

pelare (på·lâ′rä) *vt* to peel, skin; to fleece, swindle

pelarsi (på·lâr′sē) *vr* to lose its leaves (*tree*); to grow bald

pellaio (pãl·lâ′yō) *m* leather dealer; tan-

ner

pellame (pãl·lâ′mä) *m* pelts

pelle (pãl′lä) *f* skin; rind; hide; **lasciarci la — (*fig*)** to die

pellegrinaggio (pãl·lä·grē·nâj′jō) *m* pilgrimage

pellegrino (pãl·lä·grē′nō) *m* pilgrim; **— *a*** wandering

pelletterie (pãl·lät·tä·rē′ä) *fpl* leather goods

pellicceria (pãl·lē·chä·rē′â) *f* fur store

pelliccia (pãl·lē′châ) *f* fur; fur coat

pellicciaio (pãl·lē·châ′yō) *m* furrier

pellicola (pãl·lē′kō·lâ) *f* film

pellirossa (pãl·lē·rōs′sâ) *m* North American Indian, redskin

pelo (på′lō) *m* fur (*animal*); hair; **contro — ** against the grain; **aver il — sul cuore** to be unscrupulous; **montare a —** to ride bareback; **non aver peli sulla lingua** to be frank; **–so** (på·lō′zō) *a* hairy; **carità pelosa** selfish kindness

peltro (pãl′trō) *m* pewter

peluria (på·lū′ryâ) *f* fuzz, down

pena (på′nâ) *f* punishment; trouble; **— capitale** capital punishment; **a mala —** hardly; **non vale la —** it isn't worthwhile; **fare —** to move to pity; to be a shame; **–le** (på·nâ′lä) *a* penal; **–lista** (på·nâ·lē′stâ) *m* criminal lawyer

pendente (pãn·dän′tä) *a* leaning; in abeyance; **— *m*** pendant

pendere * (pen′dä·rä) *vi* to hang; to be unsettled

pendio (pãn·dē′ō) *m* grade, slope

pendola (pen′dō·lâ) *f* pendulum clock

pendolo (pen′dō·lō) *m* pendulum

pene (på′nä) *m* penis

penetrante (på·nä·trân′tä) *a* penetrating; pervading

penetrare (på·nä·trâ′rä) *vi* to penetrate, enter

penetrazione (på·nä·trâ·tsyō′nä) *f* keenness; penetration

penna (pãn′nâ) *f* pen; feather; **— a sfera** ballpoint pen; **— stilografica** fountain pen

pennacchio (pãn·nâk′kyō) *m* plume, panache

pennellare (pãn·nãl·lâ′rä) *vt&i* to paint

pennello (pãn·nãl′lō) *m* brush; **— da barba** shaving brush

pennino (pãn·nē′nō) *m* nib; pen point

pennone (pãn·nō′nä) *m* pennant

pennuto (pãn·nū′tō) *a* feathered

penombra på·nōm′brâ) *f* dim light

penosamente (på·nō·zâ·män′tä) *adv* distressingly; painfully

---

k kid, **l** let, **m** met, **n** not, **p** pat, **r** very, **s** sat, **sh** shop, **t** tell, **v** vat, **w** we, **y** yes, **z** zero

penoso (pā·nō′zō) *a* painful

pensare (pān·sâ′rā) *vt&i* to think; to intend

pensata (pān·sâ′tâ) *f* thought

pensatore (pān·sâ·tō′rā) *m* thinker; **libero —** free thinker

pensiero (pān·syä′rō) *m* thought; **–so** (pān·syä·rō′zō) a thoughtful; serious

pensile (pān·sē′lā) *a* hanging; **giardino —** roof garden

pensilina (pān·sē·lē′nâ) *f* marquee; shelter

pensionante (pān·syō·nân′tā) *m* boarder

pensione (pān·syō′nā) *f* pension; boarding house; **mezza —** room with breakfast and one other meal; **in —** retired

pensosamente (pān·sō·zâ·mān′tā) *adv* pensively

pentagono (pān·tâ′gō·nō) *m* pentagon

Pentecoste (pān·tā·kō′stā) *f* Pentecost; Whitsunday

pentimento (pān·tē·mān′tō) *m* repentance

pentirsi (pān·tēr′sē) *vr* to change one's mind; to have a change of heart; to repent, regret

pentola (pen′tō·lâ) *f* pot; **— a pressione** pressure cooker

penultimo (pā·nūl′tē·mō) *m&a* next to last

penuria (pā·nū′ryâ) *f* need, penury

penzolare (pān·tsō·lâ′rā) *vi* to hang down; to swing

penzoloni (pān·tsō·lō′nē) *adv* swinging, dangling

pepaiola (pā·pâ·yō′lâ) *f* pepper shaker, pepper mill

pepato (pā·pâ′tō) *a* peppery: *(fig)* expensive; **pan —** gingerbread

pepe (pā′pā) *m* pepper

peperita (pā·pā·rē′tâ) *f* peppermint

peperone (pā·pā·rō′nā) *m (bot)* pepper; chili

pepita (pā·pē′tâ) *f* nugget

per (pār) *prep* for; through; in order to; on account of; by means of; **— favore** if you please; **— lo meno** at least; **— piacere** please; **— quanto** however; **— così dire** in a manner of speaking, so to speak; **— l'appunto** exactly; **— ora** for now

pera (pā′râ) *f* pear

perbene (pār·bā′nā) *a* nice; refined; respectable; **persona —** decent person, well-bred person; **— adv** nicely, carefully

percalle (pār·kâl′lā) *m* percale

percentuale (pār·chān·twâ′lā) *f* percentage

percepibile (pār·chā·pē′bē·lā) *a* perceptible

percepire (pār·chā·pē′rā) *vt* to conceive; to gain, secure; to collect; to descry, make out

percettività (pār·chāt·tē·vē·tâ′) *f* perceptiveness

percettore (pār·chāt·tō′rā) *m* collector

percezione (pār·chā·tsyō′nā) *f* perception; collecting

perchè (pār·kā′) *conj* why; because

perciò (pār·chō′) *conj* therefore

percorrere * (pār·kôr′rā·rā) *vt* to run over, travel across

percorso (pār·kōr′sō) *m* route; trip, run; **— filoviario** trolleybus route; **durante il —** on the way

percossa (pār·kōs′sâ) *f* blow, shock

percuotere * (pār·kwō′tā·rā) *vt* to strike; to shock; to hit

percussore (pār·kūs·sō′rā) *m* firing pin

perdere * (per′dā·rā) *vt* to lose; to waste; to miss; **— il treno** to miss the train

perdersi * (per′dār·sē) *vr* to be spoiled; to vanish; to get lost, be lost; to miscarry

perdita (per′dē·tâ) *f* loss

perdizione (pār·dē·tsyō′nā) *f* perdition; ruin

perdonare (pār·dō·nâ′rā) *vt* to forgive

perdono (pār·dō′nō) *m* forgiveness; pardon

perdutamente (pār·dū·tâ·mān′tā) *adv* desperately; head over heels, deeply

perduto (pār·dū′tō) *a* lost

perenne (pā·rān′nā) *a* perennial; eternal

perennemente (pā·rān·nā·mān′tā) *adv* eternally

perennità (pā·rān·nē·tâ′) *f* eternity

perentoriamente (pā·rān·tō·ryâ·mān′tā) *adv* peremptorily, imperiously

perentorio (pā·rān·tô′ryō) *a* without delay; decisive

perequazione (pā·rā·kwâ·tsyō′nā) *f* equalization; standardization

perfettamente (pār·fāt·tâ·mān′tā) *a* perfectly, flawlessly

perfetto (pār·fāt′tō) *a* perfect, flawless

perfezionamento (pār·fā·tsyō·nâ·mān′tō) *m* improvement; perfection; **corso di —** postgraduate course

perfezionare (pār·fā·tsyō·nâ′rā) *vt* to perfect; to complete

perfezionarsi (pār·fā·tsyō·nâr′sē) *vr* to improve oneself; to achieve perfection; to learn perfectly

perfezione (par·fā·tsyō′nā) *f* perfection

perfidia (pār·fē′dyâ) *f* perfidy

perfido (per'fē·dō) *a* perfidious
perfino (pär·fē'nō) *adv* even, the very
perforare (pär·fō·râ'rä) *vt* to perforate, pierce
perforatrice (pär·fō'râ·trē'chä) *f* (*mech*) drill
perforazione (pär·fō·râ·tsyō'nä) *f* perforation
pergamena (pär·gâ·mä'nä) *f* parchment
pergolato (pär·gō·lâ'tō) *m* arbor; pergola
pericolante (pä·rē·kō·lân'tä) *a* shaky, unsound, rickety
pericolo (pä·rē'kō·lō) *m* danger
pericolosamente (pä·rē·kō·lō·zâ·män'tä) *adv* dangerously
pericoloso (pä·rē·kō·lō'zō) *a* dangerous
periferia (pä·rē·fâ·rē'â) *f* periphery; suburbs
perimetro (pä·rē'mä·trō) *m* perimeter
periodicamente (pä·ryō·dē·kâ·män'tä) *adv* periodically
periodico (pä·ryō'dē·kō) *a&m* periodical
periodo (pä·rē'ō·dō) *m* period
peripezia (pä·rē·pä·tsē'â) *f* ups and downs, vicissitudes
perire (pä·rē'rä) *vi* to perish
periscopio (pä·rē·skō'pyō) *m* periscope
perito (pä·rē'tō) *a* perished; expert; — *m* expert
perizia (pä·rē'tsyâ) *f* survey, examination; skill; **–re** (pä·rē·tsyâ'rä) *vt* to estimate
perla (pär'lâ) *f* pearl
perlustrare (pär·lū·strâ'rä) *vt* (*mil*) to scout
permaloso (pär·mâ·lō'zō) *a* hypersensitive; ill-tempered
permanente (pär·mâ·nän'tä) *a* permanent; — *f* permanent wave; — *m* railroad pass
permanentemente (pär·mâ·nän·tä·män'tä) *adv* permanently
permanenza (pär·mâ·nän'tsâ) *f* stay
permanere * (pär·mâ·nä'rä) *vi* to remain; to stay
permeabile (pär·mä·â'bē·lä) *a* penetrable; permeable
permesso (pär·mäs'sō) *m* permit; excuse me, pardon me; — *a* permitted, allowed; **È —** ? May I?
permettere * (pär·met'tä·rä) *vt* to tolerate; to authorize, permit
permettersi (pär·met'tär·sē) *vr* to allow oneself to; to take the liberty of
permuta (pär·mū'tâ) *f* trade-in; exchange; **–re** (pär·mū·tâ'rä) *vt* to turn in; to trade in; to trade, swap
pernice (pär·nē'chä) *f* partridge
perniciosamente (pär·nē·chō·zâ·män'tä)

adv perniciously
pernicioso (pär·nē·chō'zō) *a* extremely harmful; fatal
perno (pär'nō) *m* turning point; pivot
pernottare (pär·nōt·tâ'rä) *vi* to spend the night
pero (pä'rō) *m* pear tree
però (pä·rō') *conj* but, however; consequently
perorare (pä·rō·râ'rä) *vt&i* to defend; to plead (*a case*)
perpendicolare (pär·pän·dē·kō·lâ'rä) *a&f* perpendicular
perpetuamente (pär·pä·twâ·män'tä) *adv* perpetually
perpetuare (pär·pä·twâ'rä) *vt* to perpetuate
perpetuarsi (pär·pä·twâr'sē) *vr* to be perpetuated
perpetuo (pär·pe'twō) *a* perpetual
perplessità (pär·pläs·sē·tâ') *f* perplexity
perplesso (pär·pläs'sō) *a* perplexed
perquisire (pär·kwē·zē'rä) *vt* to search, make an official search of
perquisizione (pär·kwē·zē·tsyō'nä) *f* investigation; police search
persecuzione (pär·sä·kū·tsyō'nä) *f* persecution
perseguitare (pär·sä·gwē·tâ'rä) *vt* to persecute
perseverante (pär·sä·vä·rân'tä) *a* unrelenting
perseveranza (pär·sä·vä·rân'tsâ) *f* perseverance
perseverare (pär·sä·vä·râ'rä) *vi* to persist, persevere
persiana (pär·syâ'nä) *f* shutter — **avvolgibile** venetian blind
persico (per'sē·kō) *a&m* Persian; **pesce —** perch (*fish*)
persistenza (pär·sē·stän'tsâ) *f* perseverance; pertinacity; stick-to-itiveness
persistere * (pär·sē'stä·rä) *vi* to persist
perso (pär'sō) *a* lost
persona (pär·sō'nä) *f* person; **–ggio** (pär·sō·nâj'jō) *m* person of note; (*theat*) character; **–le** (pär·sō·nâ'lä) *m* personnel; staff; **–le** *f* one-man show; **–le** *a* personal
personalità (pär·sō·nâ·lē·tâ') *f* personality
personalmente (pär·sō·nâl·män'tä) *adv* in person
personificare (pär·sō·nē·fē·kâ'rä) *vt* to embody; to symbolize; to impersonate
personificazione (pär·sō·nē·fē·kâ·tsyō'nä) *f* embodiment, personification; symbol

perspicace (pär·spē·kâ'chä) *a* penetrating, shrewd

perspicacia (pär·spē·kâ'chä) *f* shrewdness, penetration

persuadere * (pär·swâ·dä'rä) *vt* to persuade; to win over

persuadersi * (pär·swâ·där'sē) *vr* to be convinced; to be persuaded; to be won over

persuasione (pär·swâ·zyō'nä) *f* persuasion

persuasivo (pär·swâ·zē'vō) *a* persuasive

pertanto (pär·tân'tō) *adv* therefore, as a result, for that reason

pertica (per'tē·kâ) *f* pole

pertinacia (pär·tē·nä'chä) *f* pertinacity

pertinenza (pär·tē·nän'tsä) *f* competence

pertosse (pär·tōs'sä) *f* whooping cough

perturbare (pär·tūr·bâ'rä) *vt* to disturb, upset

perturbazione (pär·tūr·bâ·tsyō'nä) *f* upsetting, disturbance

Perù (pä·rū') *m* Peru; valere un — *(coll)* to be extremely valuable

peruviano (pä·rū·vyâ'nō) *a* Peruvian

pervenire * (pär·vä·nē'rä) *vi* to reach, arrive; to achieve

perversione (pär·vär·syō'nä) *f* perversion

perversità (pär·vär·sē·tâ') *f* depravity; perversity

perverso (pär·vär'sō) *a* perverse; wicked

pervertire (pär·vär·tē'rä) *vt* to pervert

pervertirsi (pär·vär·tēr'sē) *vr* to degenerate: to become perverted

pesa (pä'zä) *f* scale; –ggio (pä·zâj'jō) *m* weighing; –nte (pä·zän'tä) *a* heavy; boring; hard *(work)*; –ntemente (pä·zän·tä·män'tä) *adv* heavily; –ntezza (pä·zän·tä'tsä) *f* heaviness; –ntezza allo stomaco indigestion; –re (pä·zâ'rä) *(fig)* to consider; to influence; to weigh; –rsi (pä·zâr'sē) *vr* to weigh oneself

pesca (pä'skä) *f* peach; fishing; bazaar; raffle; –ggio (pä·skâj'jō) *m (naut)* draft; –re (pä·skâ'rä) *vt&i* to fish; –re nel torbido *(fig)* to fish in troubled waters; –tore (pä·skâ·tō'rä) *m* fisherman

pesce (pä'shä) *m* fish; — d'aprile April Fool joke; –cane (pä·shä·kâ'nä) *m* shark; *(coll)* profiteer; –spada (pä·shä·spâ'dâ) *m* swordfish

peschereccio (pä·skä·re'chō) *a* concerning fishing, fishing; — *m* fishing boat

pescheria (pä·skä·rē'â) *f* fish market

pescivendolo (pä·shē·ven'dō·lō) *m* fish dealer

pesco (pä'skō) *m* peach tree

pesista (pä·zē'stä) *m (sport)* weightlifter

peso (pä'zō) *m* weight; — gallo bantam-

weight; — leggero lightweight; — lordo gross weight; — massimo heavyweight; — medio middleweight; — mosca flyweight; — piuma featherweight

pessimamente (päs·sē·mâ·män'tä) *adv* very badly

pessimismo (päs·sē·mē'zmō) *m* pessimism

pessimista (päs·sē·mē'stä) *m* pessimist

pessimo (pes'sē·mō) *a* worst; very bad

pestaggio (pä·stâj'jō) *m* beating, drubbing

pestare (pä·stâ'rä) *vt* to pound; to trample

peste (pä'stä) *f* plague

pestello (pä·stäl'lō) *m* pestle

pestifero (pä·stē'fä·rō) *a* bothersome; *(coll)* harmful

pestilenza (pä·stē·län'tsä) *f* plague, pestilence; *(fig)* stench

pesto (pä'stō) *a* pounded; occhio — black eye; buio — black, extremely dark; carta pesta papier mâché

petalo (pe'tâ·lō) *m* petal

petardo (pä·tär'dō) *m* firecracker

petente (pä·tän'tä) *n* petitioner

petizione (pä·tē·tsyō'nä) *f* petition

petonciano (pä·tōn·châ'nō) *m* eggplant

petroliera (pä·trō·lyä'râ) *f* tanker

petrolio (pä·trō'lyō) *m* oil; kerosene; petroleum

pettegolezzo (pät·tä·gō·lä'tsō) *m* gossip, idle chatter

pettegolo (pät·te'gō·lō) *a* gossipy; — *m* gossip

pettinare (pät·tē·nâ'rä) *vt* to comb

pettinarsi (pät·tē·nâr'sē) *vr* to comb one's hair

pettinatore (pät·tē·nâ·tō'rä) *m*, pettinatrice (pät·tē·nâ·trē'chä) *f* hairdresser

pettinatura (pät·tē·nâ·tū'râ) *f* hairdo

pettine (pet'tē·nä) *m* comb; tutti i nodi vengono al — *(coll)* murder will out; it will all come out in the wash

pettiniera (pät·tē·nyä'râ) *f* dressing table; comb case

pettirosso (pät·tē·rōs'sō) *m* robin

petto (pät'tō) *m* breast; chest; a due petti double-breasted; — a — vis-à-vis; prendere di — to face squarely; prendersela a — to throw oneself into something heart and soul; to be deeply hurt

petulante (pä·tū·lân'tä) *a* saucy; nervy *(sl)*; peevish

pezza (pä'tsä) *f* patch; bolt of cloth

pezzente (pä·tsän'tä) *m* miser; beggar

pezzettino (pä·tsät·tē'nō) *m* little bit

pezzo (pä'tsō) *m* piece; story; — di ricambio spare part; — grosso important person; big shot *(sl)*; un — d'uomo a well-built man

---

â ärm, ä bäby, e bet, ē bē, ō gō, ô gône, ū blūe, b bad, ch child, d dad, f fat, g gay, j jet

piacente (pyâ·chăn'tā) *a* attractive, pleasing

piacere (pyâ·chā'rā) *m* favor; pleasure; — * *vi* to please; to like; **Molto** — ! **P-di conoscerla!** I am glad to know you!, Very happy to meet you!; **per** — please

piacevole (pyâ·che'vō·lā) *a* pleasant, pleasing, gracious

piacevolmente (pyâ·chā·vōl·măn'tā) *adv* graciously, pleasantly

piacimento (pyâ·chē·măn'tō) *m* liking, pleasure

piaga (pyâ'gâ) *f* sore; *(fig)* catastrophe; **mettere il dito sulla** — *(fig)* to hit the nail on the head; to find the rub; **-re** (pyâ·gâ'rā) *vt* to cause a sore, form a sore; to wound; **-rsi** (pyâ·gâr'sē) *vr* to ulcerate

piagnucolare (pyâ·nyū·kō·lâ'rā) *vi* to whine

pialla (pyâl'lâ) *f* plane *(tool)*; **-re** (pyâl·lâ'rā) *vt* to plane

piallatrice (pyâl·lâ·trē'chā) *f* planer *(machine)*

pianamente (pyâ·nâ·măn'tā) *adv* in a smooth way; clearly; softly; simply

pianale (pyâ·nâ'lā) *m (rail)* flatcar

pianella (pyâ·nāl'lâ) *f* slipper, mule; tile

pianerottolo (pyâ·nā·rôt'tō·lō) *m* landing *(stairway)*

pianeta (pyâ·nā'tâ) *m* planet; — *f (eccl)* chasuble

piangere * (pyân'jā·rā) *vi&t* to cry; to mourn; to weep

pianificare (pyâ·nē·fē·kâ'rā) *vt* to plan; to outline

pianificato (pyâ·nē·fē·kâ'tō) *a* planned; outlined

pianificazione (pyâ·nē·fē·kâ·tsyō'nā) *f* planning; outline

pianino (pyâ·nē'nō) *m* barrel organ, hurdy-gurdy; — *adv* slowly; gently

pianista (pyâ·nē'stâ) *m* pianist

piano (pyâ'nō) *m* plan, project; story, floor; *(mus)* piano; — **regolatore** city planning; — *a* flat; level; plain, clear; — *adv* slowly; softly; quietly; **primo** — *(photo)* close-up

pianoforte (pyâ·nō·fôr'tā) *m* piano; — **a coda** grand piano; — **verticale** upright piano

pianta (pyân'tâ) *f* plant; map; sole of foot; **-gione** (pyân·tâ·jō'nā) *f* planting; plantation; **-re** (pyân·tâ'rā) *vt* to plant; to jilt; to cast aside; **-re in asso** to leave in the lurch; **-re chiodi** *(fig)* to incur debts; **-rsi** (pyân·târ'sē) *vr* to take a stance; to settle, establish oneself;

Piantala! *(coll)* Stop it!; **-tore** (pyân·tâ·tō'rā) *m* planter

pianto (pyân'tō) *m* crying, weeping; — *a* rued; mourned

piantonare (pyân·tō·nâ'rā) *vt* to watch over; to guard

piantone (pyân·tō'nā) *m (mil)* sentinel, orderly; *(bot)* shoot

pianura (pyâ·nū'râ) *f* plain

piastra (pyâ'strâ) *f* sheet, plate

piastrella (pyâ·strāl'lâ) *f* tile

piattaforma (pyât·tâ·fôr'mâ) *f* platform

piattino (pyât·tē'nō) *m* saucer

piatto (pyât'tō) *m* dish; plate; *(mus)* cymbal; — *a* flat; dull

piattola (pyât'tō·lâ) *f* roach; beetle; thumbtack; *(fig)* bore, tiresome person

piazza (pyâ'tsâ) *f* square; market place; **letto a due piazze** double bed; **prezzo di** — market price; **far** — **pulita** to make a clean sweep; — **d'armi** *(mil)* drill field; **-le** (pyâ·tsâ'lā) *m* large open square; **-re** (pyâ·tsâ'rā) *vt* to sell; *(sport)* to place; **-rsi** (pyâ·tsâr'sē) *vr* *(sport)* to place

piazzista (pyâ·tsē'stâ) *m* traveling salesman; agent; dealer

picca (pēk'kâ) *f* ruffled pride; lance; pick; *(cards)* spade; **per** — *(fig)* out of spite; **-rsi** (pēk·kâr'sē) *vr* to be offended; **-nte** (pēk·kân'tā) *a* sharp; racy

picchè (pēk·kā') *m* piqué

picchetto (pēk·kāt'tō) *m* picket

picchiare (pēk·kyâ'rā) *vt* to hit, beat

picchiarsi (pēk·kyâr'sē) *vr* to beat one another; to scuffle, fight

picchiata (pēk·kyâ'tâ) *f* beating; *(avi)* dive

picchio (pēk'kyō) *m* knock; woodpecker

piccineria (pē·chē·nā·rē'â) *f* pettiness, narrowness

piccino (pē·chē'nō) *m* child; — *a* small; petty, narrow; cheap; narrow-minded; unimportant

piccionaia (pē·chō·nâ'yâ) *f* dovecote; *(theat)* upper gallery

piccione (pē·chō'nā) *m* dove; pigeon

picciuolo (pē·chwō'lō) *m* stem

picco (pēk'kō) *m* peak; **andare a** — to go to the bottom, sink

piccolezza (pēk·kō·lā'tsâ) *f* trifle; smallness; unimportance

piccolo (pēk'kō·lō) *a* small, little; — *m* little fellow

piccone (pēk·kō'nā) *m* pick

piccoso (pēk·kō'zō) *a* touchy, hypersensitive

piccozza (pēk·kō'tsâ) *f* pickax

pidocchio (pē·dôk'kyō) *m* louse; *(coll)*

k kid, **l** let, **m** met, **n** not, **p** pat, **r** very, **s** sat, **sh** shop, **t** tell, **v** vat, **w** we, **y** yes, **z** zero

stingy person, miser; **–so** (pē·dōk·kyō'-zō) *a* lousy; *(coll)* stingy, miserly
piede (pyä'dā) *m* foot; **stare in piedi** to stand; **a piedi** on foot
piedistallo (pyä·dē·stäl'lō) *m* pedestal
piega (pyä'gä) *f* fold; crease; pleat; **–mento** (pyä·gä·mãn'tō) *m* bending; pleating, creasing; *(mil)* retreat; **–re** (pyä·gã'rä) *vt* to fold; to bend; to yield; **–rsi** (pyä·gãr'sē) *vr* to submit; to bend
pieghevole (pyä·ge'vō·lä) *a* folding, pliable; **—** *m* folder
pieghevolmente (pyä·gä·vōl·mãn'tä) *adv* flexibly
Piemonte (pyä·mōn'tä) *m* Piedmont
piemontese (pyä·mōn·tä'zä) *a&m* Piedmontese
piena (pyä'nä) *f* flood; mob
pienamente (pyä·nä·mãn'tä) *adv* absolutely; entirely; quite
pienezza (pyä·nä'tsä) *f* fullness; plenty
pieno (pyä'nō) *a* full; **—** *m* fullness; climax; **fare il —** to fill the gas tank; **in piena notte** in the dead of night; **in — giorno** in broad daylight; **–ne** (pyä·nō'nä) *m* huge crowd; *(theat)* full house
pietà (pyä·tà') *f* piety; pity; mercy; *(art)* Pietà; **Monte di P–** pawnshop
pietanza (pyä·tàn'tsä) *f* dish, course
pietosamente (pyä·tō·zä·mãn'tä) *adv* mercifully; charitably; pitifully
pietoso (pyä·tō'zō) *a* pitiful; pitiable; merciful
pietra (pyä'trâ) *f* stone; **metterci una — sopra** *(fig)* to let bygones be bygones
pietrificare (pyä·trē·fē·kä'rä) *vt* to petrify, turn to stone
pietrisco (pyä·trē'skō) *m* gravel
pievano (pyä·vä'nō) *m* rural parish priest
pieve (pyä'vä) *f* rural parish
piffero (pēf'fä·rō) *m (mus)* fife
pigiama (pē·jä'mä) *m* pajamas
pigiare (pē·jä'rä) *vt* to crush; to press
pigiarsi (pē·jâr'sē) *vr* to crowd together; to mill around
pigione (pē·jō'nä) *f* rent
pigliare (pē·lyä'rä) *vt* to take; **— a sinistra** to turn to the left; **— fuoco** to catch fire
pigliarsi (pē·lyâr'sē) *vr* to catch, take; **— a pugni** to come to blows; **— la sbornia** to get drunk; **— un raffreddore** to catch cold
pigmeo (pēg·mä'ō) *m* pygmy
pigna (pē'nyä) *f* pine cone
pignatta (pē·nyät'tä) *f* pot *(cooking)*
pignolo (pē·nyō'lō) *a* faultfinding; fussy; pedantic

pignolo (pē·nyō'lō) *m* pine nut
pignoramento (pē·nyō·râ·mãn'tō) *m* distraint; attachment, legal seizure
pignorare (pē·nyō·râ'rä) *vt* to distrain; to attach; to seize legally
pigolare (pē·gō·lä'rä) *vi* to chirp
pigolio (pē·gō·lē'ō) *m* chirping; chirp
pigramente (pē·grä·mãn'tä) *adv* lazily
pigrizia (pē·grē'tsyä) *f* laziness
pigro (pē'grō) *a* lazy
pila (pē'lâ) *f* pile; battery; baptismal font
pilastro (pē·lä'strō) *m* pillar
pillacchera (pēl·läk'kä·râ) *f* mud splash
pillola (pēl'lō·lâ) *f* pill
pillotare (pēl·lōt·tä'rä) *vt* to baste *(meat)*; *(fig)* to lambaste
pilota (pē·lō'tâ) *m* pilot; **–ggio** (pē·lō·täj'jō) *m* piloting; **corso di –ggio** aviation course; **–re** (pē·lō·tä'rä) *vt* to drive; to fly
pinacoteca (pē·nâ·kō·tä'kâ) *f* art gallery; art museum
pineta (pē·nä'tâ) *f* pine wood
pingue (pēn'gwä) *a* lucrative; fat; rich
pinguino (pēn·gwē'nō) *m* penguin
pinna (pēn'nâ) *f* fin
pino (pē'nō) *m* pine tree
pinze (pēn'tsä) *fpl* pliers; pincers; **–tte** (pēn·tsät'tä) *fpl* tweezers
pio (pē'ō) *a* pious, charitable
pioggia (pyōj'jä) *f* rain
piombare (pyōm·bâ'rä) *vt* to seal; to fall upon; *(dent)* to fill
piombino (pyōm·bē'nō) *m* plumb, plumb line
piombo (pyōm'bō) *m* plummet; lead; **procedere con i piedi di —** *(fig)* to proceed with great caution
pioniere (pyō·nyä'rä) *m* pioneer
pioppo (pyōp'pō) *m* poplar
piorrea (pyōr·râ'ä) *f* pyorrhea
piovere * (pyō'vä·râ) *vi* to rain
piovigginare (pyō·vēj·jē·nâ'rä) *vi* to drizzle
piovigginoso (pyō·vēj·jē·nō'zō) *a* drizzling
piovoso (pyō·vō'zō) *a* rainy
pipa (pē'pâ) *f* pipe
pipistrello (pē·pē·sträl'lō) *m (zool)* bat
pira (pē'râ) *f* pyre
piramide (pē·râ'mē·dä) *f* pyramid
pirata (pē·râ'tâ) *m* pirate
piroga (pē·rō'gä) *f* canoe
pirometro (pē·rō'mä·trō) *m* pyrometer
piroscafo (pē·rō·skä·fō) *m* steamship
pirotecnica (pē·rō·tek'nē·kâ) *f* fireworks
pisciare (pē·shä'rä) *vi* to urinate
piscina (pē·shē'nâ) *f* swimming pool

â ârm, ā bāby, e bet, ē bē, ō gō, ô gône, ū blūe, b bad, ch child, d dad, f fat, g gay, j jet

piscio (pē'shō) *m* urine
pisello (pē·zäl'lō) *m* pea
pisolino (pē·zō·lē'nō) *m* doze, nap; catnap; **fare un —** to catnap
pista (pē'stä) *f* track; racetrack; **— di decollaggio** runway; **— d'atterraggio** landing strip; **— d'involo** runway; **— da ballo** dance floor; **seguire la — di** to track; to shadow
pistacchio (pē·stäk'kyō) *m* pistachio
pistola (pē·stō'lä) *f* pistol; gun
pistone (pē·stō'nä) *m* piston
pitone (pē·tō'nä) *m* python
pitonessa (pē·tō·näs'sä) *f* prophetess
pittima (pēt'tē·mä) *f* hairsplitter, pedant
pittore (pēt·tō'rä) *m*, **pittrice** (pēt·trē'chä) *f* painter
pittoresco (pēt·tō·rä'skō) *a* picturesque
pittura (pēt·tū'rä) *f* painting; paint; **–re** (pēt·tū·râ'rä) *vt* to paint
più (pyū) *adv* more; **— presto** sooner; more quickly; **— volte** several times; **sempre —** more and more; **mai —** never again; **in —** in addition; **tutt'al —** at most; **per lo —** generally, for the most part; **per di —** besides, moreover; **a — non posso** as much as I could
piuma (pyū'mä) *f* feather
piumino (pyū·mē'nō) *m* powder puff; feather duster
piuolo (pywō'lō) *m* peg
piuttosto (pyūt·tō'stō) *adv* rather, instead
pizza (pē'tsä) *f* pizza, Neapolitan open meat and cheese pie
pizzardone (pē·tsär·dō'nä) *m (coll)* policeman; cop *(sl)*
pizzicagnolo (pē·tsē·kâ'nyō·lō) *m* grocer
pizzicare (pē·tsē·kâ'rä) *vt* to nip; to pinch; *(mus)* to pluck
pizzicheria (pē·tsē·kä·rē'â) *f* delicatessen; grocery
pizzico (pē'tsē·kō) *m* smarting, tingling; tiny bit, pinch; **–tto** (pē·tsē·kōt'tō) *m* pinch
pizzo (pē'tsō) *m* lace
placare (plâ·kâ'rä) *vt* to appease, placate
placarsi (plâ·kâr'sē) *vr* to subside; to be placated
placca (plâk'kâ) *f* metal badge; **–re** (plâk·kâ'rä) *vt* to plate; **–to** (plâk·kâ'tō) *a* plated; **–tura** (plâk·kâ·tū'râ) *f* plating
placidamente (plâ·chē·dâ·mân'tä) *adv* tranquilly, placidly
placido (plâ'chē·dō) *a* placid
plafone (plâ·fō'nä) *m* ceiling
plaga (plâ'gâ) *f* country, locality
plagiario (plâ·jâ'ryō) *m* plagiarist

plagio (plâ'jō) *m* plagiarism
planare (plâ·nâ'rä) *vi* to glide, volplane
plancia (plân'châ) *f (naut)* bridge
plantigrado (plân·tē'grâ·dō) *a&m* plantigrade
plasma (plâ'zmâ) *f* plasma; **–re** (plâ·zmâ'-rä) *vt* to mould, shape
plastico (plâ'stē·kō) *a* plastic
platano (plâ'tâ·nō) *m (bot)* sycamore
platea (plâ·tâ'â) *f (theat)* orchestra pit
platino (plâ'tē·nō) *m* platinum
plausibile (plâü·zē'bē·lä) *a* reasonable; likely; plausible
plebe (plâ'bä) *f* populace; mob; **–o** (plâ·bâ'ō) *a* plebeian
plebiscitario (plâ·bē·shē·tâ'ryō) *a* unanimous
plebiscito (plâ·bē·shē'tō) *m* plebiscite
plenario (plâ·nâ'ryō) *a* plenary
plenilunio (plâ·nē·lū'nyō) *m* moonlight; full moon
plenipotenziario (plâ·nē·pō·tän·tsyâ'ryō) *a* plenipotentiary
pletora (plē'tō·râ) *f* excess, plethora
plettro (plât'trō) *m* plectrum
pleurite (plâü·rē'tä) *f* pleurisy
plico (plē'kō) *m* envelope
plotone (plō·tō'nä) *m* platoon; **— d'esecuzione** firing squad
plumbeo (plūm'bä·ō) *a* leaden; dull
plurale (plū·râ'lä) *m&a* plural
plutocrate (plū·tō·krâ'tä) *m* plutocrat
plutocrazia (plū·tō·krâ·tsē'â) *f* plutocracy
plutonio (plū·tō'nyō) *m (min)* plutonium
pluviale (plū·vyâ'lä) *a* rain
pluviometro (plū·vyō'mâ·trō) *m* rain guage
pneumatico (pnäū·mâ'tē·kō) *a* pneumatic, air; **— m** inner tube; tire
po' (pō) *a&adv* little
poco (pō'kō) *a&adv* little; **fra —** soon, in a short while; **a — a —** gradually, little by little
podagra (pō·dâ'grâ) *f* gout
podere (pō·dâ'rä) *m* farm
poderosamente (pō·dâ·rō·zâ·mân'tä) *adv* powerfully
poderoso (pō·dâ·rō'zō) *a* ponderous; powerful
podestà (pō·dâ·stâ') *m* mayor; **— f** authority, power
podio (pô'dyō) *m* podium; dais
podista (pō·dē'stâ) *m* foot racer
poema (pō·â'mâ) *m* long poem; epopee
poesia (pō·â·zē'â) *f* poetry; short poem
poeta (pō·â'tâ) *m*, **poetessa** (pō·â·tâs'sâ) *f* poet

poggiacapo (pōj·jâ·kâ′pō) *m* headrest
poggiapiedi (pōj·jâ·pyä′dē) *m* footstool
poggiare (pōj·jâ′rä) *vt&i* to rest; to place;
to lean on; — **a sinistra** to keep to the
left
poggiarsi (pōj·jâr′sē) *vr* to lean on
poggiolo (pōj·jō′lō) *m* balcony
poi (pō′ē) *adv* then; later; afterwards
poichè (pōē·kä′) *conj* after; when; since;
as; for
polacco (pō·lâk′kō) *a&m* Polish; — *m*
Pole
polemica (pō·le′mē·kâ) *f* controversy;
polemic
polemico (pō·le′mē·kō) *a* controversial;
polemical
polemizzare (pō·lä·mē·dzâ′rä) *vi* to argue
polenta (pō·län′tâ) *f* cornmeal mush
policlinico (pō·lē·klē′nē·kō) *m* general
hospital; medical center
poligamia (pō·lē·gá·mē′â) *f* poligamy
poliglotta ((pō·lē·glōt′tâ) *a&m* polyglot
poligono (pō·lē′gō·nō) *m* target range
poliomielite (pō·lyō·myä·lē′tä) *f* infantile
paralysis, poliomyelitis
polipo (pō′lē·pō) *m* polyp
politeama (pō·lē·tä·â′mä) *m* theater
politecnico (pō·lē·tek′nē·kō) *m* engineering school; polytechnical institute
politica (pō·lē′tē·kâ) *f* policy, regulation;
politics; **–nte** (pō·lē·tē·kân′tä) *m* political dabbler, small-time politician
politico (pō·lē′tē·kō) *a* political; — *m*
statesman; politician; **–ne** (pō·lē·tē·kō′-
nä) *m* schemer; cunning person
polizia (pō·lē·tsē′â) *f* police; **agente di** —
police officer; — **stradale** highway patrol; traffic police; — **dei costumi** vice
squad
poliziesco (pō·lē·tsyä′skō) *a* police; **romanzo** — detective story
poliziotto (pō·lē·tsyōt′tō) *m* policeman;
— **in borghese** plainclothesman
polizza (pō′lē·dzâ) *f* insurance policy;
pawn ticket; certificate; — **di carico**
bill of lading
pollaio (pōl·lä′yō) *m* hencoop
pollame (pōl·lâ′mä) *m* poultry
pollastra (pōl·lâ′strâ) *f*, **pollastro** (pōl·
lâ′strō) *m* spring chicken
polleria (pōl·lä·rē′â) *f* poultry store
pollice (pōl′lē·châ) *m* thumb; big toe; inch
polline (pōl′lē·nä) *m* pollen
pollivendolo (pōl·lē·ven′dō·lō) *m* poultry
dealer
pollo (pōl′lō) *m* chicken
polmone (pōl·mō′nä) *m* lung; — **d'acciaio**
iron lung

polmonite (pōl·mō·nē′tä) *f* pneumonia
polo (pō′lō) *m* (*geog, phys*) pole; polo
Polonia (pō·lō′nyâ) *f* Poland
polonio (pō·lô′nyō) *m* (*min*) polonium
polpa (pōl′pâ) *f* pulp; flesh (*animal*); **–ccio**
(pōl·pâ′chō) *m* (*anat*) calf; **–strello** (pōl·
pâ·sträl′lō) *m* tip of the finger
polpetta (pōl·pät′tâ) *f* meat ball; croquette
polpettone (pōl·pät·tō′nä) *m* hash; hodgepodge; meat loaf
polpo (pōl′pō) *m* octopus
polsino (pōl·sē′nō) *m* cuff
polso (pōl′sō) *m* wrist; pulse; (*fig*) energy,
strength
poltiglia (pōl·tē′lyâ) *f* mash; slush, mud
poltrona (pōl·trō′nâ) *f* easy chair; (*theat*)
orchestra seat
poltronaggine (pōl·trō·nâj′jē·nä) *f* laziness; lassitude
poltrone (pōl·trō′nä) *a* lazy; — *m* loafer;
–ria (pōl·trō·nä·rē′â) *f* laziness
polvere (pōl′vä·rä) *f* powder; dust
polveriera (pōl·vä·ryä′rä) *f* powder magazine
polverizzare (pōl·vä·rē·dzâ′rä) *vt* to pulverize
polverizzatore (pōl·vä·rē·dzâ·tō′rä) *m*
atomizer
polverone (pōl·vä·rō′nä) *m* dust cloud
polveroso (pōl·vä·rō′zō) *a* dusty
pomata (pō·mâ′tâ) *f* pomade
pomello (pō·mäl′lō) *m* cheekbone
pomeridiano (pō·mä·rē·dyâ′nō) *a* P.M.;
afternoon
pomeriggio (pō·mä·rēj′jō) *m* afternoon
pomice (pō′mē·châ) *f* pumice
pomiciare (pō·mē·châ′rä) *vt* to polish
with pumice; to flatter; to softsoap
(*coll*)
pomodoro (pō·mō·dō′rō) *m* tomato
pompa (pōm′pâ) *f* pomp; parade; pump;
— **da incendio** fire engine; **–re** (pōm·
pâ′rä) *vt* to pump; (*fig*) to praise; **pompe
funebri** funeral; **impresario di pompe
funebri** funeral director, undertaker
pompelmo (pōm·pâl′mō) *m* grapefruit
pompiere (pōm·pyä′rä) *m* fireman
pomposamente (pōm·pō·zâ·mân′tä) *adv*
pompously, ostentatiously
pomposo (pōm·pō′zō) *a* pompous, swelled
ponderare (pōn·dä·râ′rä) *vt&i* to ponder;
to ruminate (*fig*)
ponderato (pōn·dä·râ′tō) *a* considered;
pondered
ponderoso (pōn·dä·rō′zō) *a* ponderous;
weighty
ponente (pō·nän′tä) *m* West; west; west
wind

â ârm, **ā** bāby, **e** bet, **ē** bē, **ō** gō, **ô** gône, **ū** blūe, **b** bad, **ch** child, **d** dad, **f** fat, **g** gay, **j** jet

ponte (pōn'tā) *m* bridge; *(naut)* deck; —
levatoio drawbridge; — **stretto** narrow
bridge; — **passeggiata** promenade deck;
— **aereo** airlift
pontefice (pōn·te'fē·chā) *m* pontiff; Pope
pontificio (pōn·tē·fē'chō) *a* papal, pontifical
pontile (pōn·tē'lā) *m* pier, dock
pontone (pōn·tō'nā) *m* pontoon
popolano (pō·pō·lá'nō) *m* commoner; —
a of the masses, popular
popolare (pō·pō·lá'rā) *a* popular; low-
priced; — *vt* to people
popolarità (pō·pō·lá·rē·tá') *f* popularity,
celebrity
popolarizzare (pō·pō·lá·rē·dzá'rā) *vt* to
popularize
popolarsi (pō·pō·lár'sē) *vr* to crowd, get
crowded; to become populated
popolazione (pō·pō·lá·tsyō'nā) *f* population
popolo (pō'pō·lō) *m* people
popone (pō·pō'nā) *m* cantaloupe; melon
poppa (pōp'pá) *f* (*anat*) breast; (*naut*)
stern; **–re** (pōp·pá'rā) *vt&i* to nurse;
–toio (pōp·pá·tō'yō) *m* rubber nipple;
nursing bottle
porcellana (pōr·chāl·lá'nâ) *f* porcelain;
china
porcellino (pōr·chāl·lē'nō) *m* suckling pig
porcheria (pōr·kā·rē'â) *f* dirt, trash; monkey business (*sl*)
porchetta (pōr·kāt'tá) *f* roast duckling,
pig
porcile (pōr·chē'lā) *m* pigsty, pigpen
porcino (pōr·chē'nō) *a* porcine
porco (pōr'kō) *m* pig, hog; pork
porgere * (pōr'jā·rā) *vt* to hand over; to
offer; to give
porgersi * (pōr'jār·sē) *vr* to come forward, volunteer one's services
poro (pō'rō) *m* pore; **–oso** (pō·rō'zō) *a*
porous
porre * (pōr'rā) *vt* to place, put
porro (pōr'rō) *m* leek; (*med*) wart
porta (pōr'tá) *f* door; gate
portaaerei (pōr·tá·â·e'rāē) *f* aircraft carrier
portabagagli (pōr·tá·bá·gá'lyē) *m* redcap,
porter; (*auto*) trunk; (*rail*) rack
portabastoni (pōr·tá·bá·stō'nē) *m* golf
caddie
portacarte (pōr·tá·kár'tā) *m* file folder
portacenere (pōr·tá·che'nâ·rā) *m* ashtray
portacipria (pōr·tá·chē'pryâ) *m* compact
portafiori (pōr·tá·fyō'rē) *m* flower stand
portafogli (pōr·tá·fō'lyē) *m* wallet
portafoglio (pōr·tá·fô'lyō) *m* portfolio

portafortuna (pōr·tá·fōr·tū'nâ) *m* charm;
amulet
portagioielli (pōr·tá·jō·yāl'lē) *m* jewelry
case
portalampada (pōr·tá·lâm'pâ·dâ) *f* lamp
socket
portale (pōr·tá'lā) *m* door; portal
portalettere (pōr·tá·let'tâ·rā) *m* mailman
portamento (pōr·tá·mân'tō) *m* behavior,
bearing
portamonete (pōr·tá·mō·nâ'tā) *m* purse
portantina (pōr·tân·tē'nâ) *f* sedan chair
portaordine (pōr·tá·ôr'dē·nā) *m* messenger
portapenne (pōr·tá·pán'nā) *m* penholder
portare (pōr·tá'rā) *vt* to take, bring, carry;
to wear
portaritratti (pōr·tá·rē·trât'tē) *m* picture
frame
portarsi (pōr·tár'sē) *vr* to behave, demean
oneself
portasapone (pōr·tá·sâ·pō'nā) *m* soap
dish
portasigarette (pōr·tá·sē·gâ·rāt'tā) *m*
cigarette case
portasigari (pōr·tá·sē'gâ·rē) *m* cigar case
portata (pōr·tá'tâ) *f* course (*meal*); reach;
range; **a — di mano** within reach
portatile (pōr·tá'tē·lā) *a* portable
portatore (pōr·tá·tō'rā) *m* bearer
portauovo (pōr·tá·wō'vō) *m* eggcup
portavoce (pōr·tá·vō'chā) *m* speaking
tube; megaphone; spokesman
portellino (pōr·tāl·lē'nō) *m* porthole
portento (pōr·tân'tō) *m* miracle; marvel;
–samente (pōr·tân·tō·zâ·mân'tā) *adv*
marvelously, prodigiously; **–so** (pōr·
tân·tō'zō) *a* wonderful, portentous
portico (pôr'tē·kō) *m* porch; portico
portiera (pōr·tyā'râ) *f* door curtain, portiere; door (*auto*)
portiere (pōr·tyā'rā) *m* doorman; (*sport*)
goalkeeper
portinaia (pōr·tē·nâ'yâ) *f* woman door-
keeper
portinaio (pōr·tē·nâ'yō) *m* janitor; doorman
portineria (pōr·tē·nā·rē'â) *f* doorman's
quarters
porto (pōr'tō) *m* port; postage; shipping
charge; **— assegnato** COD; **franco di —**
postpaid; **— d'armi** gun license
Portogallo (pōr·tō·gâl'lō) *m* Portugal
portoghese (pōr·tō·gâ'zā) *a&m* Portuguese
portone (pōr·tō'nā) *m* gate; main door
portuale (pōr·twâ'lā) *m* dockhand; — *a*
port

porzione (pōr·tsyō'nā) *f* share; portion; serving

posa (pō'zâ) *f* pose; pause; (*photo*) exposure; **senza** — continuously; **–mine** (pō·zâ·mē'nā) *m* minelayer; **–piano** (pō·zâ·pyâ'nō) *m* slowpoke; "handle with care" (*label*); **–re** (pō·zâ'rā) *vt* to lay; to rest; to pose; **–rsi** (pō·zâr'sē) *vr* to come to rest; to place oneself; to alight; **–ta** (pō·zâ'tâ) *f* cover (*knife, fork, spoon*); **–mente** (pō·zâ·tâ·mān'tā) *adv* calmly, sedately; **–tezza** (pō·zâ·tā'tsâ) *f* gravity, composure, sedateness; **–to** (pō·zâ'tō) *a* laid; staid, quiet

posbellico (pō·zbel'lē·kō) *a* postwar

poscia (pô'shâ) *adv* afterwards, subsequently

poscritto (pō·skrēt'tō) *m* postscript, PS

posdatato (pō·zdâ·tâ'tō) *a* postdated

positiva (pō·zē·tē'vâ) *f* (*photo*) positive

positivamente (pō·zē·tē·vâ·mān'tā) *adv* positively

positivo (pō·zē·tē'vō) *a* positive; matter-of-fact, factual

posizione (pō·zē·tsyō'nā) *f* position; status

posporre * (pō·spōr'rā) *vt* to postpone, delay

possedere * (pōs·sā·dā'rā) *vt* to have; to own

possedimento (pōs·sā·dē·mān'tō) *m* property, holdings; possession; colony

possesso (pōs·sās'sō) *m* possession; **–re** (pōs·sās·sō'rā) *m* owner

possibile (pōs·sē'bē·lā) *a* possible; workable

possibilità (pōs·sē·bē·lē·tâ') *f* possibility, occasion

possibilmente (pōs·sē·bēl·mān'tā) *adv* possibly, perhaps

possidente (pōs·sē·dān'tā) *m* property owner; possessor

posta (pō'stâ) *f* mail; post office; stake; — **aerea** air mail; **fermo in** — general delivery; **a** — purposely; **stare alla** — to watch; **–le** (pō·stâ'lā) *a* postal; **casella –le** post-office box; **cassetta –le** mailbox; **cassa –le** postal savings; **vaglia –le** money order

posteggiare (pō·stāj·jâ'rā) *vt* to park

posteggio (pō·stej'jō) *m* parking; parking lot; place to park; — **per auto pubbliche** taxi stand

postelegrafico (pō·stā·lā·grâ'fē·kō) *m* postal telegraph office employee

postergare (pō·stār·gâ'rā) *vt* to procrastinate; to postpone, delay

posteri (pô'stâ·rē) *mpl* posterity

posteriore (pō·stā·ryō'rā) *a* rear; posterior; later

posteriormente (pō·stā·ryōr·mān'tā) *adv* later, subsequently; posteriorly

posticcio (pō·stē'chō) *a* fake, false; artificial

posticipare (pō·stē·chē·pâ'rā) *vt* to postpone

posticipatamente (pō·stē·chē·pâ·tâ·mān'tā) *adv* afterward, after the event; too late

posticipazione (pō·stē·chē·pâ·tsyō'nā) *f* postponement

postilla (pō·stēl'lâ) *f* footnote

postino (pō·stē'nō) *m* mailman

posto (pō'stō) *m* place; seat; site; job; — *a* placed; — **che** supposing that

postribolo (pō·strē'bō·lō) *m* brothel

postulante (pō·stū·lân'tā) *m* applicant; candidate

postulare (pō·stū·lâ'rā) *vt* to make application for; to request

postumo (pô'stū·mō) *a* posthumous; — *m* aftermath

potabile (pō·tâ'bē·lā) *a* drinkable

potare (pō·tâ'rā) *vt* to prune; to lop off

potassa (pō·tâs'sâ) *f* potash

potassio (pō·tâs'syō) *m* potassium

potentato (pō·tān·tâ'tō) *m* potentate

potente (pō·tān'tā) *a* powerful; **–mente** (pō·tān·tā·mān'tā) *adv* vigorously

potenza (pō·tān'tsâ) *f* power, dominion

potenzialmente (pō·tān·tsyâl·mān'tā) *adv* potentially

potere (pō·tā'rā) *m* power; — * *vi* to be able; **può essere** it may be, perhaps; **non può essere** it can't be true; **non ne posso più** I can't take it any longer

potestà (pō·tā·stâ') *f* power; authority; **la P– divina** the Almighty

poveraccio (pō·vâ·râ'chō) *m* poor wretch, poor fellow

poveramente (pō·vâ·râ·mān'tā) *adv* miserably; poorly

povero (pô'vâ·rō) *a* poor; unlucky

povertà (pō·vâr·tâ') *f* poverty, lack

pozione (pō·tsyō'nā) *f* potion

pozzanghera (pō·tsân'gâ·râ) *f* puddle

pozzo (pō'tsō) *m* well; **un — di sapienza** (*fig*) a fountain of knowledge

Praga (prâ'gâ) *f* Prague

prammatica (prâm·mâ'tē·kâ) *f* custom, way; **di** — required

pranzare (prân·dzâ'rā) *vi* to dine

pranzo (prân'dzō) *m* dinner

prassi (prâs'sē) *f* procedure; practice, praxis

prateria (prâ·tā·rē'â) *f* prairie

pratica (prâ'tē·kâ) *f* practice; experience; file, papers; **–mente** (prâ·tē·kâ·mān'tä) *adv* practically; **–re** (prâ·tē·kâ'rä) *vt&i* to practice; to associate with

praticità (prâ·tē·chē·tâ') *f* usefulness; practicability

pratico (prâ'tē·kō) *a* experienced; practical; — *m* expert

prato (prâ'tō) *m* meadow

preaccennato (prā·â·chän·nâ'tō) *a* aforementioned

preambolo (prā·âm'bō·lō) *m* preamble

preavvisare (prā·âv·vē·zâ'rä) *vt* to preinform, advise in advance

preavviso (prā·âv·vē'zō) *m* notice; warning

prebellico (prā·bel'lē·kō) *a* prewar

precario (prā·kâ'ryō) *a* a precarious, risky

precauzione (prā·kâū·tsyō'nä) *f* precaution

precedente (prā·chā·dān'tä) *a* previous; — *m* precedent; **–mente** (prā·chā·dān·tā·mān'tä) *adv* previously

precedenti (prā·chā·dān'tē) *mpl* background

precedenza (prā·chā·dān'tsä) *f* precedence; **diritto di —** right of way

precedere (prā·che'dâ·rä) *vi* to precede; to outstrip

precetto (prā·chāt'tō) *m* maxim; rule; — **pasquale** (*eccl*) Easter duty; **–re** (prā·chāt·tō'rä) *m* tutor

precipitare (prā·chē·pē·tâ'rä) *vt&i* to fall, crash; to precipitate; to collapse

precipitarsi (prā·chē·pē·târ'sē) *vr* to dash; to hurl oneself

precipitatamente (prā·chē·pē·tâ·tâ·mān'tä) *adv* rashly, headlong

precipitazione (prā·chē·pē·tâ·tsyō'nä) *f* rashness; precipitation

precipitosamente (prā·chē·pē·tō·zâ·mān'tä) *adv* precipitously; hastily

precipizio (prā·chē·pē'tsyō) *m* cliff, precipice

precipuo (prā·chē'pwō) *a* chief, main, head

precisamente (prā·chē·zâ·mān'tä) *adv* exactly, just

precisare (prā·chē·zâ'rä) *vt* to specify; to make clear; to point up, underline

precisione (prā·chē·zyō'nä) *f* accuracy, precision

preciso (prā·chē'zō) *a* exact; precise; accurate

preclaro (prā·klâ'rō) *a* prominent, famous

precoce (prā·kō'chä) *a* precocious; **–mente** (prā·kō·chā·mān'tä) *adv* precociously; prematurely

precursore (prā·kūr·sō'rä) *m* forerunner

preda (prā'dâ) *f* prey; **–re** (prā·dâ'rä) *vt* to prey upon; to rob

predecessore (prā·dā·chās·sō'rä) *m* forerunner

predellino (prā·dāl·lē'nō) *m* step; (*auto*) running board; baby's high chair

predestinare (prā·dā·stē·nâ'rä) *m* forerunner, predecessor

predestinazione (prā·dā·stē·nâ·tsyō'nä) *f* predestination

predetto (prā·dāt'tō) *a* aforementioned

predica (pre'dē·kâ) *f* sermon; **–re** (prā·dē·kâ'rä) *vt* to preach; to lecture; to reprove; **–tore** (prā·dē·kâ·tō'rä) *m* preacher

prediletto (prā·dē·lāt'tō) *a&m* favorite, pet

predire * (prā·dē'rä) *vt* to foretell

predisporre * (prā·dē·spōr'rä) *vt* to predispose; to arrange in advance

predisposizione (prā·dē·spō·zē·tsyō'nä) *f* prearrangement; tendency

predisposto (prā·dē·spō'stō) *a* favorable; predisposed

predominare (prā·dō·mē·nâ'rä) *vt&i* to dominate; to hold sway

predominio (prā·dō·mē'nyō) *m* supremacy, predominance

predone (prā·dō'nä) *m* robber

prefazione (prā·fâ·tsyō'nä) *f* preface

prefabbricato (prā·fâb·brē·kâ'tō) *a* prefabricated

preferenza (prā·fā·rān'tsä) *f* partiality, preference

preferenziale (prā·fā·rān·tsyâ'lä) *a* preferential; **azioni preferenziali** (*com*) preferred stock

preferibile (prā·fā·rē'bē·lä) *a* preferable

preferibilmente (prā·fā·rē·bēl·mān'tä) *adv* preferably, rather

preferire (prā·fā·rē'rä) *vt* to prefer

preferito (prā·fā·rē'tō) *a* preferred; favorite

prefetto (prā·fāt'tō) *m* prefect, provincial governor

prefettura (prā·fât·tū'rä) *f* prefecture, office of provincial governor

prefiggere * (prā·fēj'jä·rä) *vi* to predetermine; to arrange in advance; (*gram*) to prefix

prefiggersi * (prā·fēj'jär·sē) *vr* to aim, intend; to make up one's mind to

prefisso (prā·fēs'sō) *m* prefix; — *a* intended, arranged beforehand

pregare (prā·gâ'rä) *vt* to beg; to pray; to supplicate

pregevole (prā·je'vō·lä) *a* valuable

---

k kid, **l** let, **m** met, **n** not, **p** pat, **r** very, **s** sat, **sh** shop, **t** tell, **v** vat, **w** we, **y** yes, **z** zero

preghiera (prā·gyā'râ) *f* request; supplication; prayer

pregiare (prā·jâ'rā) *vt* to esteem; to prize; to appreciate

pregiarsi (prā·jâr'sē) *vr* to have the honor to; to be pleased to

pregiato (prā·jâ'tō) *a* valued, esteemed

pregio (pre'jō) *m* merit; value

pregiudicare (prā·jū·dē·kâ'rā) *vt* to prejudge; to prejudice

pregiudicarsi (prā·jū·dē·kâr'sē) *vr* to ruin one's chances; to damage one's reputation

pregiudicato (prā·jū·dē·kâ'tō) *m* ex-convict

pregiudizio (prā·jū·dē'tsyō) *m* prejudice

prego! (prā'gō) *interj* Please! You're welcome! Don't mention it! Not at all!

pregustare (prā·gū·stâ'rā) *vt* to look forward to, anticipate; to foretaste

preistorico (prāē·stô'rē·kō) *a* prehistoric

prelevamento (prā·lā·vâ·mān'tō) *m* (*com*) draft; withdrawal

prelevare (prā·lā·vâ'rā) *vt* to pick up; to withdraw

prelibato (prā·lē·bâ'tō) *a* delicious; superb

preliminare (prā·lē·mē·nâ'rā) *a&m* preliminary

prematuro (prā·mâ·tū'rō) *a* premature

premeditare (prā·mā·dē·tâ'rā) *vt* to premeditate; to plan in advance

premeditato (prā·mā·dē·tâ'tō) *a* intentional; premeditated

premeditazione (prā·mā·dē·tâ·tsyō'nā) *f* premeditation; advance planning

premere (pre'mā·rā) *vt* to press, squeeze; (*fig*) to urge; — *vi* to be urgent; to be of great importance

premessa (prā·mās'sâ) *f* premise

premettere * (prā·met'tā·rā) *vt* to lay down in advance; to give preference to; to premise; to prefix

premiare (prā·myâ'rā) *vt* to reward

premiato (prā·myâ'tō) *m* prize winner; — *a* rewarded

premiazione (prā·myâ·tsyō'nā) *f* prize distribution, awarding of prizes

preminenza (prā·mē·nān'tsâ) *f* preeminence

premio (pre'myō) *m* reward; prize; (*com*) premium

premunire (prā·mū·nē'rā) *vt* to forewarn; to arm in advance; to caution

premunirsi (prā·mū·nēr'sē) *vr* to guard against; to protect oneself against

premura (prā·mū'râ) *f* care; haste; concern

premuroso (prā·mū·rō'zō) *a* eager to help; obliging

prendere * (pren'dā·rā) *vt* to take; to catch, seize; to turn; — **a sinistra** to make a left turn; — **una malattia** to catch a disease; — **quota** (*avi*) to gain altitude; (*fig*) to catch on, gain in favor; — **terra** (*naut&avi*) to land; — **il mare** to put out to sea; — **a noleggio** to hire; — **di mira** to stare at

prendersi * (pren'dār·sē) *vr* to become entangled; to be taken; — **a pugni** to come to blows; — **la libertà di** to take the liberty of; **prendersela** to take it wrong; to have one's feelings hurt

prendisole (prān·dē·sō'lā) *m* sunsuit

prenotare (prā·nō·tâ'rā) *vt* to reserve; to engage; to subscribe to; to book

prenotarsi (prā·nō·târ'sē) *vr* to take out a subscription; to make a reservation

prenotazione (prā·nō·tâ·tsyō'nā) *f* reservation; subscription

preoccupare (prā·ōk·kū·pâ'rā) *vt* to worry, bother; to annoy

preoccuparsi (prā·ōk·kū·pâr'sē) *vr* to worry; to be preoccupied

preoccupato (prā·ōk·kū·pâ'tō) *a* upset, worried, bothered

preoccupazione (prā·ōk·kū·pâ·tsyō'nā) *f* worry, bother; annoyance

preparare (prā·pâ·râ'rā) *vt* to prepare, ready

prepararsi (prā·pâ·râr'sē) *vr* to ready oneself; to prepare oneself

preparato (prā·pâ·râ'tō) *a* prepared; — *m* (*med*) preparation

preponderante (prā·pōn·dā·rân'tā) *a* predominant

preposizione (prā·pō·zē·tsyō'nā) *f* preposition

prepotente (prā·pō·tān'tā) *a* tyrannical; arrogant; overbearing; — *m* bully; tyrant

prepotenza (prā·pō·tān'tsâ) *f* domineering manner; abuse of power; arrogance

prerogativa (prā·rō·gâ·tē'vâ) *f* privilege; prerogative

presa (prā'zâ) *f* seizure; grasp; influence; (*elec*) outlet; plug; (*photo*) shot; **macchina da** — movie camera

presagio (prā·zâ'jō) *m* foreboding, omen

presagire (prā·zâ·jē'rā) *vt&i* to forebode; to be a forewarning

presbite (pre'zbē·tā) *a* farsighted

prescindere * (prā·shēn'dā·rā) *vt* to disregard; to depart from

prescrivere * (prā·skrē'vā·rā) *vt* to prescribe

prescrizione (prā·skrē·tsyō′nā) *f* prescription

presentare (prā·zān·tâ′rā) *vt* to present; to introduce

presentarsi (prā·zān·târ′sē) *vr* to appear, come into view; to introduce oneself, present oneself

presentatore (prā·zān·tâ·tō′rā) *m* master of ceremonies

presentazione (prā·zān·tâ·tsyō′nā) *f* presentation

presente (prā·zān′tā) *a&m* present

presentimento (prā·zān·tē·mān′tō) *m* foreboding, feeling

presenza (prā·zān′tsä) *f* presence

presenziare (prā·zān·tsyâ′rā) *vt&i* to attend; to witness; to take part; to intervene

presepio (prā·ze′pyō) *m* crib, manger, crèche

preservare (prā·zār·vâ′rā) *vt* to maintain, keep; to save

preservativo (prā·zār·vâ·tē′vō) *a* preservative; — *m* prophylactic

preservazione (prā·zār·vâ·tsyō′nā) *f* preservation

preside (pre′zē·dä) *m* presiding officer; principal of a secondary school; dean; **–nte** (prā·zē·dān′tā) *m*, **–ntessa** (prā·zē·dān·tās′sâ) *f* president; **–nza** (prā·zē·dān′tsâ) *f* president's office; presidency; **–nziale** (prā·zē·dān·tsyâ′lä) *a* presidential

presidiare (prā·zē·dyâ′rā) *vt* to garrison; *(mil)* to defend

presidio (prā·zē′dyō) *m* garrison

presiedere * (prā·sye′dä·rä) *vi* to preside

preso (prā′zō) *a* captured; taken

pressa (prās′sâ) *f* press; crowd

pressante (prās·sän′tā) *a* momentous, of great concern

pressappoco (prās·sâp·pō′kō) *adv* approximately; almost

pressi (prās′sē) *mpl* neighborhood, environment

pressione (prās·syō′nā) *f* pressure

presso (prās′sō) *adv* near; — *prep* in care of; — **a poco** just about; **–chè** (prās·sō·kä′) *adv* nearly, almost

prestabilire (prā·stä·bē·lē′rā) *vt* to preestablish; to fix in advance

prestanome (prā·stä·nō′mä) *m (coll)* figurehead; dupe, cat's-paw

prestare (prā·stâ′rā) *vt* to impute; to lend; — **fede** to trust; — **ascolto** to listen, pay attention; — **giuramento** to take an oath; — **obbedienza** to obey; — **attenzione** to pay attention, be attentive

prestarsi (prā·stâr′sē) *vr* to volunteer one's services; to adapt oneself; to lend itself

prestazione (prā·stä·tsyō′nā) *f* service, favor

prestigiatore (prā·stē·jâ·tō′rā) *m* juggler

prestigio (prā·stē′jō) *m* prestige; **giuoco di** — sleight of hand, legerdemain

prestissimo (prā·stēs′sē·mō) *a* very early; very quickly

prestito (pre′stē·tō) *m* loan; **dare in** — to lend

presto (prā′stō) *adv* soon; quickly; early; **si fa** — **a dire** it's very easy to say

presumere * (prā·zū′mä·rä) *vi* to presume; to boast

presunto (prā·zūn′tō) *a* alleged; presumed

presuntuoso (prā·zūn·twō′zō) *a* conceited

presunzione (prā·zūn·tsyō′nä) *f* conceit

presupporre * (prā·sūp·pōr′rä) *vt* to imply; to presuppose

prete (prā′tä) *m* priest

pretendente (prā·tān·dän′tä) *m* suitor; pretender

pretendere * (prā·ten′dä·rä) *vt&i* to claim, pretend; to charge; to demand

preterintenzionale (prā·tä·rēn·tän·tsyō·nâ′lä) *a* involuntary, unintentional

pretesa (prā·tä′zä) *f* pretense; claim; pretension; demand

pretesto (prā·tä′stō) *m* pretext

pretore (prā·tō′rā) *m* municipal judge

prettamente (prāt·tâ·mān′tä) *adv* merely; clearly

pretto (prāt′tō) *a* pure; mere

pretura (prā·tū′râ) *f* district court

prevalente (prā·vâ·lān′tä) *a* prevalent; prevailing

prevalenza (prā·vâ·lān′tsä) *f* prevalence

prevalere * (prā·vâ·lä′rä) *vi* to prevail

prevalersi * (prā·vâ·lär′sē) *vr* to avail oneself of; to make use of

prevaricazione (prā·vâ·rē·kâ·tsyō′nä) *f* graft; collusion; malfeasance

prevedere * (prā·vâ·dä′rä) *vt* to forecast; to anticipate; to foresee

prevedibile (prā·vä·dē′bē·lä) *a* foreseeable

preveggenza (prā·vāj·jän′tsâ) *f* foresight

prevenire * (prā·vä·nē′rä) *vt* to warn; to precede; to prevent

preventivare (prā·vän·tē·vâ′rä) *vt* to estimate

preventivato (prā·vän·tē·vâ′tō) *a* estimated

preventivo (prā·vän·tē′vō) *m* estimated budget; — *a* preventive

prevenuto (prā·vä·nū′tō) *a* forewarned; disposed; — *m* defendant

k kid, **l** let, **m** met, **n** not, **p** pat, **r** very, **s** sat, **sh** shop, **t** tell, **v** vat, **w** we, **y** yes, **z** zero

prevenzione (prā·văn·tsyō'nā) *f* prevention; bias; precaution
previamente (prā·vyâ·mān'tā) *adv* formerly
previdente (prā·vē·dān'tā) *a* provident
previdenza (prā·vē·dān'tsâ) *f* providence; prudence; — **sociale** social security
previsione (prā·vē·zyō'nā) *f* forecast
prezioso (prā·tsyō'zō) *a* precious
prezzemolo (prā·tse'mō·lō) *m* parsley
prezzo (prā'tsō) *m* price; — **fisso** set price; **pranzo a** — **fisso** table d'hôte
prezzolato (prā·tsō·lâ'tō) *a* bribed; hired
prigione (prē·jō'nā) *f* prison
prigionia (prē·jō·nē'â) *f* imprisonment
prigioniero (prē·jō·nyā'rō) *m* prisoner
prima (prē'mâ) *adv* before; at first; — *f* première; **quanto** —, — **possibile** as soon as possible; **–rio** (prē·mâ'ryō) *a* primary; **–rio** *m* hospital head of staff; **–tista** (prē·mâ·tē'stâ) *m* record holder; **–to** (prē·mâ'tō) *m* supremacy; (*sport*) record
primavera (prē·mâ·vā'râ) *f* spring
primeggiare (prē·māj·jâ'râ) *vi* to excel; to stand out
primitivo (prē·mē·tē'vō) *a&m* primitive
primizia (prē·mē'tsyâ) *f* early fruit
primo (prē'mō) *a&m* first; **–genito** (prē·mō·ge'nē·tō) *a* firstborn
primula (prē'mū·lâ) *f* primrose
principale (prēn·chē·pâ'lā) *a* principal; primary; — *m* boss; employer
principalmente (prēn·chē·pâl·mān'tā) *adv* primarily; essentially; mainly
principe (prēn'chē·pā) *m* prince; **–sco** (prēn·chē·pā'skō) *a* princely; **–ssa** (prēn·chē·pās'sâ) *f* princess
principiante (prēn·chē·pyân'tā) *m&f* beginner; — *a* beginning, elementary
principiare (prēn·chē·pyâ'râ) *vt&i* to begin, start out
principio (prēn·chē'pyō) *m* beginning, start; precept
priore (pryō'râ) *m* prior
priorità (pryō·rē·tâ') *f* priority
prisma (prē'zmâ) *m* prism
privare (prē·vâ'râ) *vt* to deprive
privarsi (prē·vâr'sē) *vr* to do without, get along without; to abstain from
privatamente (prē·vâ·tâ·mān'tā) *adv* privately, in private
privatista (prē·vâ·tē'stâ) *m* student in a private school
privativa (prē·vâ·tē'vâ) *f* exclusive right; monopoly; patent; — **dei tabacchi** tobacco shop
privato (prē·vâ'tō) *a&m* private

privazione (prē·vâ·tsyō'nā) *f* suffering; privation
privilegio (prē·vē·le'jō) *m* privilege
privo (prē'vō) *a* deprived, wanting
pro (prō) *m* advantage, profit
probabile (prō·bâ'bē·lâ) *a* probable; believable
probabilità (prō·bâ·bē·lē·tâ') *f* probability
probabilmente (prō·bâ·bēl·mān'tā) *adv* probably
problema (prō·blā'mâ) *m* problem; difficulty; **–tico** (prō·blā·mâ'tē·kō) *a* questionable; difficult
probo (prō'bō) *a* honest, upright
proboscide (prō·bô'shē·dâ) *f* proboscis; trunk (*elephant*)
procaccia (prō·kâ'châ) *m* rural mailman; **–re** (prō·kâ'châ·râ) *vt* to obtain; to procure; **–rsi** (prō·kâ·châr'sē) *vr* to secure; to earn for oneself
procace (prō·kâ'châ) *a* forward; coquettish; shapely, provocative
procedente (prō·chā·dān'tā) *a* proceeding
procedere (prō·che'dā·râ) *vi* to proceed; (*law*) to prosecute; — *m* conduct
procedimenti (prō·chā·dē·mān'tē) *mpl* transactions, proceedings
procedimento (pro·chā·dē·mān'tō) *m* method; procedure
procedura (prō·chā·dū'râ) *f* procedure
processare (prō·chās·sâ'râ) *vt* to try, prosecute
processione (prō·chās·syō'nā) *f* procession
processo (prō·chās'sō) *m* trial; lawsuit; process; — **verbale** official record, minutes of a meeting
processuale (prō·chās·swâ'lā) *a* (*law*) trial
procinto (prō·chēn'tō) *m* preparations; **essere in — di** to be about to
proclama (prō·klâ'mâ) *m* proclamation; **–re** (prō·klâ·mâ'râ) *vt* to proclaim
proclamazione (prō·klâ·mâ·tsyō'nā) *f* proclamation
proclive (prō·klē'vâ) *a* disposed, inclined, amenable
procrastinare (prō·krâ·stē·nâ'râ) *vi* to procrastinate; to temporize
procreare (prō·krā·â'râ) *vt* to procreate; to give birth to
procura (prō·kū'râ) *f* power of attorney; proxy
procurare (prō·kū·râ'râ) *vt* to secure; to try; to supply
procurarsi (prō·kū·râr'sē) *vr* to secure; to obtain for oneself

---

â ârm, ā bāby, e bet, ē bē, ō gō, ô gône, ū blūe, b bad, ch child, d dad, f fat, g gay, j jet

procuratore (prō·kū·râ·tō'rā) *m* prosecutor; administrator; attorney

proda (prō'dâ) *f* bank, shore; (*naut*) prow

prode (prō'dā) *a* brave; — *m* hero; **–zza** (prō·dā'tsâ) *f* valor, bravery

prodigare (prō·dē·gâ'rā) *vt* to lavish, give in profusion

prodigarsi (prō·dē·gâr'sē) *vr* to devote oneself; to spare no pains, do one's best

prodigio (prō·dē'jō) *m* marvel; prodigy **–samente** (prō·dē·jō·zâ·mān'tā) *adv* prodigiously

prodigo (prō'dē·gō) *m* spendthrift; — *a* prodigal; lavish

proditorio (prō·dē·tō'ryō) *a* sneaky, treacherous

prodotto (prō·dōt'tō) *m* product; child (*fig*) — *a* produced

prodromo (prō'drō·mō) *m* symptom, sign

produrre * (prō·dūr'rā) *vt* to produce

prodursi * (prō·dūr'sē) *vr* to happen, take place

produttivo (prō·dūt·tē'vō) *a* fruitful, productive

produttore (prō·dūt·tō'rā) *m* producer

produzione (prō·dū·tsyō'nā) *f* production

profanare (prō·fâ·nâ'rā) *vt* to desecrate, profane

profanazione (prō·fâ·nâ·tsyō'nā) *f* desecration, profaning

profano (prō·fâ'nō) *m* layman; outsider; — *a* worldly, secular, profane; unskilled

proferire (prō·fâ·rē'rā) *vt* to utter

proferirsi (prō·fâ·rēr'sē) *vr* to offer one's assistance, volunteer one's aid

professare (prō·fās·sâ'rā) *vt&i* to profess

professarsi (prō·fās·sâr'sē) *vr* to profess oneself to be; to declare oneself

professione (prō·fās·syō'nā) *f* profession

professionista (prō·fās·syō·nē'stâ) *m&f* professional

professore (prō·fās·sō'rā) *m*, **professoressa** (prō·fās·sō·rās'sâ) *f* professor

profeta (prō·fā'tâ) *m* prophet

profetico (prō·fe'tē·kō) *a* prophetic

profetizzare (prō·fā·tē·dzâ'rā) *vt* to foretell; to prophesy

profezia (prō·fā·tsē'â) *f* prophecy

proficuo (prō·fē'kwō) *a* profitable, fruitful

profilare (prō·fē·lâ'rā) *vt* to outline

profilarsi (prō·fē·lâr'sē) *vr* to be evident, stand out

profilassi (prō·fē·lâs'sē) *f* prevention; (*med*) prophylaxis

profilo (prō·fē'lō) *m* profile; side view

profittare (prō·fēt·tâ'rā) *vi* to profit; to derive benefit

profitto (prō·fēt'tō) *m* advantage, profit

profondamente (prō·fōn·dâ·mān'tā) *adv* deeply

profondere * (prō·fōn'dā·rā) *vt* to squander, throw away

profondersi * (prō·fōn'dār·sē) *vr* to be lavish; to show munificence

profondità (prō·fōn·dē·tâ') *f* depth

profondo (prō·fōn'dō) *a* profound, deep

profugo (prō'fū·gō) *m* refugee

profumare (prō·fū·mâ'rā) *vt* to scent, perfume

profumarsi (prō·fū·mâr'sē) *vr* to wear perfume; to put on perfume

profumatamente (prō·fū·mâ·tâ·mān'tā) *adv* dearly; munificently

profumeria (prō·fū·mā·rē'â) *f* perfume shop, perfumery

profumo (prō·fū'mō) *m* scent, perfume

profusione (prō·fū·zyō'nā) *f* profusion; great number

progenitore (prō·jā·nē·tō'rā) *m*, **progenitrice** (prō·jā·nē·trē'chā) *f* ancestor

progettare (prō·jāt·tâ'rā) *vt* to plan; to design

progettista (prō·jāt·tē'stâ) *m* designer; planner

progetto (prō·jāt'tō) *m* plan; design

programma (prō·grâm'mâ) *m* program; — **di viaggio** itinerary; **–re** (prō·grâm·mâ'rā) *vt* to schedule; **–zione** (prō·grâm·mâ·tsyō'nā) *f* theater bill; programming

progredire (prō·grā·dē'rā) *vi* to make progress; to advance

progresso (prō·grās'sō) *m* progress

proibire (prōē·bē'rā) *vt* to forbid

proibito (prōē·bē'tō) *a* forbidden; **è — fumare** no smoking

proibizione (prōē·bē·tsyō'nā) *f* prohibition

proiettare (prō·yāt·tâ'rā) *vt* to project; to show (*movie*)

proiettile (prō·yet'tē·lā) *m* bullet; missile

proiettore (prō·yāt·tō'rā) *m* projector; searchlight

proiezione (prō·yā·tsyō'nā) *f* projection; showing (*movie*)

prole (prō'lā) *f* offspring; issue

proletario (prō·lā·tâ'ryō) *a&m* proletarian

prolificare (prō·lē·fē·kâ'rā) *vi* to spread, multiply

prolifico (prō·lē'fē·kō) *a* fruitful; inventive, creative

prolisso (prō·lēs'sō) *a* verbose; long-winded; pedantic

prologo (prō'lō·gō) *m* introduction; pro-

logue
prolungamento (prō·lün·gâ·män'tō) *m*
lengthening, prolongation
prolungare (prō·lün·gâ'rä) *vt* to extend;
to stretch out .
prolungarsi (prō·lün·gâr'sē) *vr* to continue, extend
promemoria (prō·mä·mô'ryâ) *m* memorandum, note
promessa (prō·mäs'sâ) *f* promise
promesso (prō·mäs'sō) *a* promised; be-
trothed, engaged
promettente (prō·mät·tän'tä) *a* hopeful,
promising
promettere * (prō·met'tä·rä) *vt* to promise
promiscuo (prō·mē'skwō) *a* mixed; promiscuous; **scuola promiscua** coeducational school; **matrimonio** — mixed
marriage
promontorio (prō·mōn·tô'ryō) *m* promontory
promosso (prō·mōs'sō) *a* passed (*student*);
promoted
promozione (prō·mō·tsyō'nä) *f* promotion; advancement
promulgare (pro·mül·gâ'rä) *vt* to issue;
to proclaim, promulgate
promuovere * (prō·mwô'vä·rä) *vt* to promote; to pass (*students*)
pronipote (prō·nē·pō'tä) *m&f* grand-
nephew, grandniece
pronipoti (prō·nē·pō'tē) *mpl* descendants
pronome (prō·nō'mä) *m* pronoun
pronostico (prō·nô'stē·kō) *m* omen, forecast; prediction
prontamente (prōn·tâ·män'tä) *adv* readily; quickly
prontezza (prōn·tä'tsä) *f* promptness
pronto (prōn'tō) *a* ready; hello (*telephone*); — **soccorso** first aid
pronunzia (prō·nün'tsyâ) *f* pronunciation;
–**re** (prō·nün·tsyâ'rä) *vt* to pronounce;
to utter; –**rsi** (prō·nün·tsyâr'sē) *vr* to
declare oneself, avow oneself
propaganda (prō·pâ·gän'dâ) *f* propaganda; advertisement; advertising; **a titolo
di** — for advertising purposes
propagandista (prō·pâ·gän·dē'stâ) *m*
propagandist; canvasser
propagare (prō·pâ·gâ'rä) *vt* to spread;
to distribute
propagarsi (prō·pâ·gâr'sē) *vr* to extend;
to propagate; to spread
propalare (prō·pâ·lâ'rä) *vt* to divulge
propendere * (prō·pen'dä·rä) *vi* to lean;
to incline
propensione (prō·pän·syō'nä) *f* propensity, inclination; native ability

propenso (prō·pän'sō) *a* inclined, amenable
propinquo (prō·pēn'kwō) *a* related; similar; near
propiziamente (prō·pē·tsyâ·män'tä) *adv*
propitiously
propizio (prō·pē'tsyô) *a* favorable
proponimento (prō·pō·nē·män'tō) *m* intent, resolution
proporre * (prō·pōr'rä) *vt* to propose; to
suggest
proporsi * (prō·pōr'sē) *vr* to volunteer
oneself; to resolve, mean
proporzionato (prō·pōr·tsyō·nâ'tō) *a* pro-
portionate
proporzione (prō·pōr·tsyō'nä) *f* proportion
proposito (prō·pô'zē·tō) *m* determination; purpose; reason; **a** — by the way
proposizione (prō·pō·zē·tsyō'nä) *f* proposition, proposal
proposta ((prō·pō'stâ) *f* proposal
propriamente (prō·pyrâ·män'tä) *adv* ap-
propriately, properly
proprietà (prō·pryä·tâ') *f* property; decorum
proprietario (prō·pryä·tâ'ryō) *m* proprietor
proprio (prô'pryō) *a* one's own; proper;
exact; — *adv* just; really; **lavorare in** —
to be in business for oneself
propugnare (prō·pü·nyâ'rä) *vt* to advocate, be in favor of; to rally around
propulsione (prō·pül·syō'nä) *f* propulsion; — **a reazione** jet propulsion
propulsore (prō·pül·sō'rä) *m* propeller
prora (prō'râ) *f* (*naut*) bow
proroga (prô'rō·gâ) *f* deferment; postponement; –**re** (prō·rō·gâ'rä) *vt* to put
off; to defer; (*com*) to extend
prorompere * (prō·rôm'pä·rä) *vi* to break
out; — **in pianto** to burst into tears
prosa (prō'zâ) *f* prose; **teatro di** — legitimate theater; –**ico** (prō·zâ'ē·kō) *a*
prosaic; hackneyed, trite
prosciogliere * (prō·shô'lyä·rä) *vt* to free,
liberate; to absolve
prosciugamento (prō·shū·gâ·män'tō) *m*
draining
prosciugare (prō·shū·gâ'rä) *vt* to drain;
to dry
prosciutto (prō·shüt'tō) *m* ham
proscrivere * (prō·skrē'vä·rä) *vt* to banish, outlaw
proscrizione (prō·skrē·tsyō'nä) *f* banishment, proscription
proseguimento (prō·sä·gwē·män'tō) *m*
resuming; continuation

proseguire (prō·sā·gwē′rā) *vt&i* to continue; to resume, make a fresh start; — **diritto** to keep going straight ahead
prosopopea (prō·zō·pō·pā′ä) *f* pose, self-importance, affectation
prosperare (prō·spā·râ′rā) *vi* to thrive; to do well
prosperità (prō·spā·rē·tâ′) *f* prosperity
prosperosamente (prō·spā·rō·zâ·mān′tā) *adv* prosperously
prosperoso (prō·spā·rō′zō) *a* prosperous; thriving; plump
prospettare (prō·spät·tâ′rā) *vt* to describe; to outline, lay out
prospettiva (prō·spät·tē′vâ) *f* project; prospective; prospect
prospetto (prō·spät′tō) *m* prospect; plan; prospectus
prospiciente (prō·spē·chän′tā) *a* facing; looking over, opening on
prossimamente (prōs·sē·mâ·mān′tā) *adv* in the near future, soon, shortly
prossimità (prōs·sē·mē·tâ′) *f* proximity
prossimo (prôs′sē·mō) *a* next; — *m* fellowman; neighbor
prostituta (prō·stē·tū′tâ) *f* prostitute
prostrazione (prō·strâ·tsyō′nä) *f* prostration; depression (*mental*)
protagonista (prō·tâ·gō·nē′stä) *m&f* protagonist
proteggere * (prō·tej′jä·rā) *vt* to protect
protervo (prō·tār′vō) *a* stubborn
protesta (prō·tā′stä) *f* protest; protestation; –**nte** (prō·tā·stän′tä) *m&a* Protestant; –**re** (prō·tā·stâ′rā) *vt&i* to protest
protetto (prō·tāt′tō) *m* favorite; protégé; –**rato** (prō·tāt·tō·râ′tō) *m* protectorate; –**re** (prō·tât·tō′rā) *m* protector
protezione (prō·tā·tsyō′nä) *f* protection; aegis
protocollare (prō·tō·kōl·lâ′rā) *vt* to file; to enter on the record
protocollo (prō·tō·kōl′lō) *m* protocol; file, record
prototipo (prō·tō·tē′pō) *m* prototype
protozoo (prō·tō·dzō′ō) *m* protozoan
protrarre * (prō·trâr′rā) *vt* to drag out, prolong
protuberanza (prō·tū·bâ·rân′tsâ) *f* protuberance
prova (prō′vâ) *f* test; proof; (*theat*) rehearsal; (*law*) evidence, testimony; –**re** (prō·vâ′rā) *vt&i* to prove; to try; to experience; –**rsi** (prō·vâr′sē) *vr* to make an attempt
proveniente (prō·vā·nyän′tā) *a* arising, originating
provenienza (prō·vā·nyän′tsâ) *f* origin,

font
provenire * (prō·vä·nē′rā) *vi* to originate, come from
provento (prō·vän′tō) *m* profit, income
proverbiale (prō·vär·byâ′lā) *a* notorious; proverbial; **essere** — to be a byword
proverbio (prō·ver′byō) *m* proverb
provetta (prō·vät′tâ) *f* test tube
provetto (prō·vät′tō) *a* skillful, able
provincia (prō·vēn′châ) *f* province; –**le** (prō·vēn·châ′lā) *a* provincial; insular (*fig*)
provino (prō·vē′nō) *m* test tube; screen test
provocante (prō·vō·kân′tā) *a* provoking; seductive
provocare (prō·vō·kâ′rā) *vt* to provoke, create
provocativo (prō·vō·kâ·tē′vō) *a* provocative
provocatore (prō·vo·kâ·tō′rā) *m* instigator; — *a* provocative
provocazione (prō·vō·kâ·tsyō′nä) *f* provocation
provolone (prō·vō·lō′nä) *m* hard cheese made from goat's milk
provvedere * (prōv·vä·dā′rā) *vt&i* to provide; to supply
provvedersi * (prōv·vä·dār′sē) *vr* to furnish oneself with; to lay in
provvedimento (prōv·vä·dē·mān′tō) *m* measure, precaution; (*pol*) ordinance
provveditore (prōv·vä·dē·tō′rā) *m* (*com*) supplier; superintendent; — **agli studi** superintendent of schools
provvidenza (prōv·vē·dän′tsâ) *f* providence
provvidenziale (prōv·vē·dän·tsyâ′lā) *a* providential
provvido (prôv′vē·dō) *a* provident
provvigione (prōv·vē·jō′nä) *f* provision; (*com*) commission
provvisoriamente (prōv·vē·zō·ryâ·mān′tā) *adv* temporarily
provvisorio (prōv·vē·zô′ryō) *a* provisional, temporary
provvista (prōv·vē′stä) *f* stock, supplies, provisions
prozia (prō·dzē′â) *f* great-aunt
prozio (prō·dzē′ō) *m* great-uncle
prua (prū′â) *f* (*naut*) bow, prow
prudente (prū·dän′tä) *a* prudent; –**mente** (prū·dän·tä·mān′tä) *adv* prudently
prudenza (prū·dän′tsâ) *f* prudence; husbandry
prudenziale (prū·dän·tsyâ′lä) *a* precautionary; prudent
prudere (prū′dä·rä) *vi* to itch

k kid, **l** let, **m** met, **n** not, **p** pat, **r** very, **s** sat, **sh** shop, **t** tell, **v** vat, **w** we, **y** yes, **z** zero

prugna (prū′nyâ) *f* plum; — **secca** prune
pruno (prū′nō) *m* bramble
prurito (prū·rē′tō) *m* itching, itch
Prussia (prūs′syâ) *f* Prussia
pseudonimo (psäū·dô′nē·mō) *m* pseudonym; pen name
psicanalisi (psē·kâ·nâ′lē·zē) *f* psychoanalysis
psichiatra (psē·kyâ′trâ) *m* psychiatrist
psichiatria (psē·kyâ·trē′â) *f* psychiatry
psichico (psē′kē·kō) *a* psychic
psicologo (psē·kô′lō·gō) *m* psychologist
psicopatico (psē·kō·pâ′tē·kō) *m* psychopath; — *a* psychopathic
psicosi (psē·kō′zē) *f* psychosis
pubblicamente (pūb·blē·kâ·mān′tā) *adv* publicly, in public
pubblicare (pūb·blē·kâ′rā) *vt* to publish; to publicize, make public
pubblicazione (pūb·blē·kâ·tsyō′nā) *f* publication
pubblicista (pūb·blē·chē′stâ) *m* press agent
pubblicità (pūb·blē·chē·tâ′) *f* advertising; publicity
pubblicitario (pūb·blē·chē·tâ′ryō) *a* advertising
pubblico (pūb′blē·kō) *m&a* public; audience
pubertà (pū·bâr·tâ′) *f* puberty
pudicizia (pū·dē·chē′tsyâ) *f* chastity; bashfulness; modesty
pudico (pū′dē·kō) *a* modest; decent
pudore (pū·dō′rā) *m* modesty; decency
puerile (pwā·rē′lâ) *a* childish
puerilità (pwā·rē·lē·tâ′) *f* childishness
puerizia (pwā·rē′·tsyâ) *f* childhood
pugilato (pū·jē·lâ′tō) *m* boxing, prizefighting
pugilista (pū·jē·lē′stâ) *m* prizefighter, boxer
pugilistica (pū·jē·lē′stē·kâ) *f* boxing
pugilistico (pū·jē·lē′stē·kō) *a* boxing
pugnalare (pū·nyâ·lâ′rā) *vt* to stab
pugnalata (pū·nyâ·lâ′tâ) *f* stab
pugnale (pū·nyâ′lâ) *m* dagger
pugno (pū′nyō) *m* fist; handful
pulce (pūl′châ) *f* flea; **mettere una — nell'orecchio** to put a bee in one's bonnet
pulcino (pūl·chē′nō) *m* chick
puledra (pū·lā′drâ) *f* filly
puledro (pū·lā′drō) *m* colt
puleggia (pū·lej′jâ) *f* pulley
pulire (pū·lē′rā) *vt* to clean; to polish
pulirsi (pū·lēr′sē) *vr* to clean up; to tidy up; — **il naso** to blow one's nose; — **la bocca** to wipe one's lips

pulito (pū·lē′tō) *a* clean; polished
pulitura (pū·lē·tū′râ) *f* cleaning; — **a secco** dry cleaning
pulizia (pū·lē·tsē′â) *f* cleanliness; cleaning
pullulare (pūl·lū·lâ′rā) *vi* to swarm, teem
pulpito (pūl′pē·tō) *m* pulpit; **Senti da che — viene la predica!** *(coll)* Just look who's talking! You're a fine one!
pulsante (pūl·sân′tā) *m* push button
pulsare (pūl·sâ′rā) *vi* to throb, pulsate
pulsazione (pūl·sâ·tsyō′nā) *f* pulsation; vibration
pungente (pūn·jān′tā) *a* piercing, sharp, caustic
pungere * (pūn′jâ·rā) *vt* to sting; to irritate; to hurt the feelings of; to arouse, provoke, spur on
pungersi * (pūn′jâr·sē) *vr* to prick oneself; to take offense
pungiglione (pūn·jē·lyō′nā) *m* insect sting; stimulus, goad
pungolo (pūn′gō·lō) *m* goad
punire (pū·nē′·rā) *vt* to punish
punitivo (pū·nē·tē′vō) *a* punitive
punizione (pū·nē·tsyō′nā) *f* punishment
punta (pūn′tâ) *f* tip; point; **ora di —** rush hour; **fare la — alla matita** to sharpen one's pencil; **–re** (pūn·tâ′rā) *vt* to aim, point; to stake, wager; — *vi* to bet; **–ta** (pūn·tâ′tâ) *f* installment; issue *(magazine)*
punteggiare (pūn·tāj·jâ′rā) *vt&i* to punctuate; to dot
punteggiatura (pūn·tāj·jâ·tū′râ) *f* dotting; punctuation
punteggio (pūn·tej′jō) *m (sport)* score
puntellare (pūn·tāl·lâ′rā) *vt* to prop, support; to shore up
puntello (pūn·tāl′lō) *m* stay, prop
punteruolo (pūn·tā·rūō′lō) *m* awl, punch
puntiglio (pūn·tē′lyō) *m* false pride; point of honor; spite; **–so** (pūn·tē·lyō′zō) *a* stubborn; punctilious
puntina (pūn·tē′nâ) *f* thumbtack
puntino (pūn·tē′nō) *m* dot; **a —** *(coll)* just right, perfectly; **cuocere a —** to cook just right
punto (pūn′tō) *m* point; period; dot; mark *(school)*; — *a* pricked; — *adv* by no means; — **e virgola** semicolon; **due punti** colon; — **esclamativo** exclamation point; — **interrogativo** question mark; **giungere a buon —** to arrive at the right moment
puntuale (pūn·twâ′lā) *a* punctual; careful
puntualità (pūn·twâ·lē·tâ′) *f* punctuality
puntualmente (pūn·twâl·mân′tā) *adv*

â ârm, ā bāby, e bet, ē bē, ō gō, ô gône, ū blūe, b bad, ch child, d dad, f fat, g gay, j jet

punctually; precisely, carefully

puntuazione (pūn·twâ·tsyō'nä) *f* punctuation

puntura (pūn·tū'râ) *f* sting; *(med)* injection; — **di zanzara** moṣquito bite

punzecchiare (pūn·dzäk·kyâ'rä) *vt* to tease; to prick; to spur

punzone (pūn·tsō'nä) *m* punch

pupa (pū'pâ) *f (coll)* baby, little girl; doll; **–zzo** (pū·pâ'tsō) *m* puppet, marionette

pupilla (pū·pēl'lâ) *f* pupil of the eye

pupillo (pū·pēl'lō) *m* ward, charge

pupo (pū'pō) *m (coll)* baby, little boy

puramente (pū·râ·mān'tä) *adv* merely, simply

purchè (pūr·kä') *conj* provided

pure (pū'rä) *adv* also, too; yet, still, even; by all means

purè (pū·rä') *m* thick soup; — **di patate** mashed potatoes

purezza (pū·rä'tsâ) *f* purity

purga (pūr'gâ) *f* purging, purge; **–nte** (pūr·gân'tä) *m* laxative, purge, physic; **–re** (pūr·gâ'rä) *vt* to purify; to purge; to expurgate

purgatorio (pūr·gâ·tô'ryō) *m* Purgatory

purificare (pū·rē·fē·kâ'rä) *vt* to purify

puritano (pū·rē·tâ'nō) *m&a* puritan

puro (pū'rō) *a* pure; genuine; mere, plain; **–sangue** (pū·rō·sân'gwä) *m* thoroughbred

purtroppo (pūr·trōp'pō) *adv* unfortunately

purulento (pū·rū·lān'tō) *a* purulent

pus (pūs) *m* pus

pusillanime (pū·zēl·lâ'nē·mä) *a* pusillanimous, cowardly

pustola (pū'stō·lâ) *f (med)* boil, pustule

putativo (pū·tâ·tē'vō) *a* reputed; supposed, putative

putiferio (pū·tē·fe'ryō) *m* racket, uproar, row

putredine (pū·tre'dē·nä) *f* rottenness

putrefare * (pū·trä·fâ'rä) *vi* to rot

putrefarsi * (pū·trä·fâr'sē) *vr* to putrify; to decompose

putrefazione (pū·trä·fâ·tsyō'nä) *f* putrefaction

putrido (pū'trē·dō) *a* rotten, putrid

puttana (pūt·tâ'nâ) *f* whore, prostitute

puzza (pū'tsâ) *f* stench, foul odor; **–re** (pū·tsâ'rä) *vi* to stink, have an unpleasant smell

puzzo (pū'tsō) *m* stench, stink

puzzola (pū'tsō·lâ) *f* polecat, skunk

puzzolente (pū·tsō·lān'tä) *a* stinking, foul-smelling

Q

qua (kwâ') *adv* here; — **e là** here and there

quaderno (kwâ·dār'nō) *m* notebook

quadrangolo (kwâ·drân'gō·lō) *m* quadrangle

quadrante (kwâ·drân'tä) *m* quadrant; face *(clock)*; dial *(watch)*

quadrare (kwâ·drâ'rä) *vt&i* to fit; to make square; to please, be to one's liking; to adjust; *(com)* to balance

quadrato (kwâ·drâ'tō) *a* squared; — *m* square; ring *(sport)*

quadrettato (kwâ·drāt·tâ'tō) *a* checkered

quadretto (kwâ·drāt'tō) *m* small square; check

quadri (kwâ'drē) *mpl (cards)* diamonds

quadrifoglio (kwâ·drē·fô'lyō) *m* four-leaf clover

quadriglia (kwâ·drē'lyâ) *f* quadrille

quadrilatero (kwâ·drē·lâ'tä·rō) *a&m* quadrilateral

quadrimotore (kwâ·drē·mō·tō'rä) *m* four-engine plane

quadro (kwâ'drō) *m* painting; picture; — *a* square; — **commutatore** *(elec)* switchboard

quadrupede (kwâ·drū'pä·dä) *m&a* quad-ruped

quadruplicare (kwâ·drū·plē·kâ'rä) *vt* to quadruple

quadruplo (kwâ'drū·plō) *m* quadruple

quaggiù (kwâj·jū') *adv* down here; on earth

quaglia (kwâ'lyâ) *f (zool)* quail

quagliare (kwâ·lyâ'rä) *vt&i* to curdle; to coagulate

qualche (kwâl'kä) *a* some, any

qualcosa (kwâl·kō'zâ) *pron* something, anything

qualcuno (kwâl·kū'nō) *pron* someone, anyone

quale (kwâ'lä) *a&pron* what, which

qualifica (kwâ·lē'fē·kâ) *f* qualification; requisite; **–re** (kwâ·lē·fē·kâ'rä) *vt* to qualify

qualità (kwâ·lē·tâ') *f* quality; type

qualora (kwâ·lō'râ) *adv* just in case; whenever; if and when

qualsiasi (kwâl·sē'â·sē) *a&pron* whatever, any

qualunque (kwâ·lūn'kwä) *a* any, whatever

qualvolta (kwâl·vōl'tâ) *adv* whenever; in the event that; **ogni** — whenever

quando (kwân'dō) *adv* when; whenever

quanti (kwân'tē) *a&pron* how many

quantico (kwân'tē·kō), **quantistico** (kwân·tē'stē·kō) *a (math)* quantic

quantità (kwân·tē·tâ') *f* quantity

quantitativo (kwân·tē·tâ·tē'vō) *m* quantity, sum, amount

quanto (kwân'tō) *a&pron* as much, how much; **— a** as to, as concerns

quantunque (kwân·tūn'kwä) *conj* although, even though

quaranta (kwâ·rân'tâ) *a* forty; **–mila** (kwä·rân·tâ·mē'lâ) *a* forty thousand

quarantenne (kwâ·rân·tân'nä) *a* forty years old

quarantesimo (kwâ·rân·te'zē·mō) *a* fortieth

quaresima (kwâ·re'zē·mâ) *f* Lent; **–le** (kwâ·râ·zē·mâ'lä) *a* Lenten

quartetto (kwâr·tât'tō) *m* quartet

quartiere (kwâr·tyä'rä) *m* area, district; quarter; apartment

quarto (kwâr·tō) *a* fourth; **—** *m* quarter

quarzo (kwâr'tsō) *m* quartz

quasi (kwâ'sē) *adv* almost

quassù (kwâs·sū') *adv* up here; here above

quatto (kwât'tō) *a* squat; crouched, huddled; cowed

quattordicenne (kwât·tōr·dē·chän'nä) *a* fourteen years old

quattordicesimo (kwât·tōr·dē·che'zē·mō) *a* fourteenth

quattordici (kwât·tôr'dē·chē) *a* fourteen

quattrino (kwât·trē'nō) *m* cent; money

quattro (kwât'trō) *a* four; **fare — passi** to go for a walk; **dirgliene —** to give someone a piece of one's mind; to tell someone off; **in – e quattr'otto** in a hurry, quickly; **farsi in —** to do one's best; **a quattr'occhi** privately, secretly

quattrocento (kwât·trō·chän'tō) *a* four hundred; **il Q–** the fifteenth century

quegli (kwā'lyē) *a* those; **— pron** he

quei (kwā'ē) *a* those

quel (kwäl) *a&pron* that

quelli (kwäl'lē) *pron* those

quello (kwäl'lō) *a&pron* that

quercia (kwer'châ) *f* oak

querela (kwä·rā'lâ) *f* legal action; complaint; **–re** (kwâ·râ·lâ'rä) *vt* to sue

quesito (kwä·zē'tō) *m* question, query

questi (kwā'stē) *a&pron* these

questionamento (kwä·styō·nâ·mân'tō) *m* quarrel, altercation

questionare (kwä·styō·nâ'rä) *vi* to argue; to altercate

questionario (kwä·styō·nâ'ryō) *m* questionaire

questione (kwä·styō'nä) *f* argument; problem, matter

questo (kwä'stō) *a&pron* this, the latter

questore (kwä·stō'rä) *m* provincial chief of police

questua (kwe'stwâ) *f* collection for charity

questura (kwä·stū'râ) *f* police headquarters

questurino (kwä·stū·rē'nō) *m* policeman

qui (kwē) *adv* here

quiescenza (kwēâ·shân'tsâ) *f* retirement; quiescence

quietanza (kwēâ·tân'tsâ) *f* receipt; **–re** (kwēâ·tân·tsâ'rä) *vt* to receipt

quietare (kwēâ·tâ'rä) *vt* to calm, quiet down; to silence

quietarsi (kwēâ·târ'sē) *vr* to become quiet; to grow silent

quiete (kwēâ'tä) *f* peace and quiet; silence

quieto (kwēâ'tō) *a* quiet; peaceful; shy, retiring

quindi (kwēn'dē) *adv* therefore; afterwards; as a result

quindicenne (kwēn·dē·chân'nä) *a* fifteen years old

quindicesimo (kwēn·dē·che'zē·mō) *a* fifteenth

quindici (kwēn'dē·chē) *a* fifteen; **–mila** (kwēn·dē·chē·mē'lâ) *a* fifteen thousand; **–na** (kwēn·dē·chē'nâ) *f* about fifteen; two weeks

quinquagenario (kwēn·kwâ·jä·nâ'ryō) *a* fifty years old

quintale (kwēn·tâ'lä) *m* quintal

quintessenza (kwēn·tâs·sân'tsâ) *f* quintessence

quintetto (kwēn·tât'tō) *m* quintet

quinto (kwēn'tō) *a* fifth

quintuplicare (kwēn·tū·plē·kâ'rä) *vt* to quintuple

quisquilia (kwē·skwē'lyâ) *f* trifle; bagatelle

quota (kwō'tâ) *f* share; quota; installment; *(avi)* height; **–re** (kwō·tâ'rä) *vt* to quote; to assess; **–zione** (kwō·tâ·tsyō'nä) *f* quotation; **prendere —** *(avi)* to gain altitude, climb; **volare a bassa —** to fly at a low altitude

quotidianamente (kwō·tē·dyâ·nâ·mân'tä) *adv* every day, daily

quotidiano (kwō·tē·dyâ'nō) *a* daily; **—** *m* daily newspaper

quotizzare (kwō·tē·dzâ'rä) *vt* to assess, evaluate

quotizzazione (kwō·tē·dzâ·tsyō'nä) *f* assessment, evaluation

quoto (kwō'tō), **quoziente** (kwō·tsyân'tä) *m* quotient

R

rabarbaro (râ·bâr′bâ·rō) *m* rhubarb
rabberciare (râb·bār·chä′rä) *vt* to patch
rabbia (râb′byâ) *f* anger, rage; hydrophobia
rabbino (râb·bē′nō) *m* rabbi
rabbiosamente (râb·byō·zä·män′tä) *adv* furiously; rabidly
rabbioso (râb·byō′zō) *a* furious, angry; rabid
rabbrividire (râb·brē·vē·dē′rä) *vi* to shiver, shake
rabbuffare (râb·būf·fâ′rä) *vt* to scold; to ruffle, upset
rabbuffarsi (râb·būf·fâr′sē) *vr* to become disturbed; to get upset
rabbuffo (râb·būf′fō) *m* reprimand, scolding
rabdomante (râb·dō·mân′tä) *m* water witch, dowser
raccappezzarsi (râk·kâp·pä·tsâr′sē) *vr* to figure out, understand
raccapricciante (râk·kâ·prē·chân′tä) *a* frightful, horrifying
raccapriccio (râk·kâ·prē′chō) *m* horror
raccattare (râk·kât·tâ′rä) *vt* to pick up, gather
racchetta (râk·kät′tâ) *f* tennis racket; snowshoe
racchiudere * (râk·kyū′dä·rä) *vt* to contain; to lock in
raccogliere * (râk·kô′lyä·rä) *vt* to gather, collect; to marshal; to accept
raccogliersi * (râk·kô′lyär·sē) *fr* to reflect, ponder; to assemble, gather together; to concentrate one's mind
raccoglimento (râk·kō·lyē·män′tō) *m* self-absorption; gathering; mental concentration
raccolta (râk·kōl′tâ) *f* collection; harvest
raccoltamente (râk·kōl·tâ·män′tä) *adv* pensively, musingly
raccolto (râk·kōl′tō) *m* harvest, crop; — *a* gathered; quiet
raccomandare (râk·kō·mân·dâ′rä) *vt* to recommend; to register
raccomandarsi (râk·kō·mân·dâr′sē) *vr* to urge, entreat; to remind
raccomandata (râk·kō·mân·dâ′tâ) *f* registered letter
raccomandazione (râk·kō·mân·dä·tsyō′nä) *f* recommendation; registry *(letter)*
raccomodare (râk·kō·mō·dâ′rä) *vt* to repair; to set right
raccontare (râk·kōn·tâ′rä) *vt* to relate, tell

racconto (râk·kōn′tō) *m* story; account
raccordo (râk·kōr′dō) *m* junction; connection
rachitico (râ·kē′tē·kō) *a* rickety
racimolare (râ·chē·mō·lâ′rä) *vt* to scrape together; to gather at random
rada (râ′dâ) *f (naut)* roadstead
radar (râ′dâr) *m* radar; –**ista** (râ·dâ·rē′stâ) *m* radarman
raddolcire (râd·dōl·chē′rä) *vt* to sweeten; to make mild
raddolcirsi (râd·dōl·chēr′sē) *vr* to become mild; to get sweet; *(fig)* to be soothed
raddoppiare (râd·dōp·pyâ′rä) *vt* to double
raddoppio (râd·dōp′pyō) *m* doubling
raddrizzare (râd·drē·tsâ′rä) *vt* to make straight
raddrizzarsi (râd·drē·tsâr′sē) *vr* to right; to straighten up
raddrizzatore (râd·drē·dzâ·tō′rä) *m (elec)* rectifier, converter
radere * (râ′dä·rä) *vt* to shave; to raze
radersi * (râ′dâr·sē) *vr* to shave, shave oneself
radiare (râ·dyâ′rä) *vt* to expel; to cross out, delete; — *vi* to beam; to radiate
radiatore (râ·dyâ·tō′rä) *m* radiator
radicalmente (râ·dē·kâl·män′tä) *adv* radically; completely
radicarsi (râ·dē·kâr′sē) *vr* to take root; to take hold
radicchio (râ·dēk′kyō) *m* wild chicory
radice (râ·dē′chä) *f* root
radio (râ′dyō) *f* radio; — *m (min)* radium; — **stazione** radio station; –**amatore** (râ·dyō·â·mâ·tō′rä) *m* ham *(sl)*; –**attività** (râ·dyō·ât·tē·vē·tâ′) *f* radioactivity; –**auditore** (râ·dyō·äū·dē·tō′rä) *m* radio listener; –**comandato** (râ·dyō·kō·mân·dâ′tō) *a* radiocontrolled; –**comando** (râ·dyō·kō·mân′dō) *m* remote control; radio control; –**commentatore** (râ·dyō·kōm·mân·tâ·tō′rä) *m* radio commentator; –**cronista** (râ·dyō·krō·nē′stâ) *m* newscaster; –**diffusione** (râ·dyō·dēf·fū·zyō′nä) *f* broadcasting; –**faro** (râ·dyō·fâ′rō) *m* radio beacon; –**fonico** (râ·dyō·fō′nē·kō) *a* radio; **trasmissione radiofonica** broadcast; –**frequenza** (râ·dyō·frä·kwän′tsâ) *f* radio frequency; –**goniometro** (râ·dyō·gō·nyō′mä·trō) *m* direction finder; –**grafia** (râ·dyō·grâ·fē′â) *f* X ray; –**gramma** (râ·dyō·grâm′mâ) *m* radiogram; –**localizzatore** (râ·dyō·lō·kâ·lē·dzâ·tō′rä) *m* radar; –**logia**

(râ·dyō·lō·jē′â) *f* radiology; **–logo** (râ·dyō′lō·gō) *m* radiologist; **–scopia** (râ·dyō·skō·pē′â) *f* radioscopy; **–so** (râ·dyō′zō) *a* bright, radiant; **–telefono** (râ·dyō·tā·le′fō·nō) *m* radiotelephone; **–telegrafia** (râ·dyō·tā·lā·grâ·fē′â) *f* radiotelegraphy; **– telegrafista** (râ·dyō·tā·lā·grâ·fē′stâ) *m* wireless operator; **–telegramma** (râ·dyō·tā·lā·grâm′mâ) *m* radiotelegram; **–terapia** (râ·dyō·tā·râ·pē′â) *f* radiotherapy; **–trasmissione** (râ·dyō·trâ·zmēs·syō′nâ) *f* broadcast; **-trasmittente** (râ·dyō·trâ·zmēt·tān′tâ) *a* broadcasting

rado (râ′dō) *a* thin; rare; **di —** seldom

radunare (râ·dū·nâ′rā) *vt* to collect, gather

radunarsi (râ·dū·nâr′sē) *vr* to assemble, meet

raduno (râ·dū′nō) *m* rally; meeting, assembly

radura (râ·dū′râ) *f* clearing, glade

rafano (râ′fâ·nō) *m* horseradish

raffermo (râf·fār′mō) *a* stale

raffica (râf′fē·kâ) *f* gust; shower

raffigurare (râf·fē·gū·râ′rā) *vt* to symbolize; to recognize; to represent

raffigurarsi (râf·fē·gū·râr′sē) *vr* to imagine

raffigurazione (râf·fē·gū·râ·tsyō′nâ) *f* recognition; representation

raffinamento (râf·fē·nâ·mān′tō) *m* thinning, refining

raffinare (râf·fē·nâ′rā) *vt* to refine

raffinarsi (râf·fē·nâr′sē) *vr* to become refined

raffinatezza (râf·fē·nâ·tā′tsâ) *f* refinement

raffinato (râf·fē·nâ′tō) *a* refined; cultured; *(fig)* sly, clever

raffineria (râf·fē·nâ·rē′â) *f* refinery

rafforzare (râf·fōr·tsâ′rā) *vt* to reinforce

rafforzarsi (râf·fōr·tsâr′sē) *vr* to be strengthened, become stronger

raffreddamento (râf·frād·dâ·mān′tō) *m* cooling; **— ad acqua** *(mech)* water cooling

raffreddare (râf·frād·dâ′rā) *vt* to cool

raffreddarsi (râf·frād·dâr′sē) *vr* to get cold; to catch a cold

raffreddato (râf·frād·dâ′tō) *a* cooled; **essere —** to have a cold

raffreddore (râf·frād·dō′rā) *m* cold

raffronto (râf·frōn′tō) *m* comparison

raganella (râ·gâ·nāl′lâ) *f* rattle

ragazza (râ·gâ′tsâ) *f* girl; **nome di —** maiden name

ragazzata (râ·gâ·tsâ′tâ) *f* boyish prank

ragazzo (râ·gâ′tsō) *m* boy

raggiante (râj·jân′tā) *a* beaming, radiant

raggio (râj′jō) *m* ray; spoke; *(geom)* radius

raggirare (râj·jē·râ′rā) *vt* to swindle

raggirarsi (râj·jē·râr′sē) *vr* to turn about; to ramble

raggiro (rāj·jē′rō) *m* trick; subterfuge

raggiungere * (râj·jūn′jâ·râ) *vt* to reach

raggiungersi * (râj·jūn′jâr·sē) *vr* to meet again; to rejoin

raggomitolare (râg·gō·mē·tō·lâ′rā) *vt* to coil; to roll up

raggomitolarsi (râg·gō·mē·tō·lâr′sē) *vr* to coil up; to roll oneself up

raggranellare (râg·grâ·nāl·lâ′rā) *vt* to scrape together

raggrinzire (râg·grēn·dzē′rā) *vt&i* to become wrinkled; to wrinkle

raggrinzirsi (râg·grēn·dzēr′sē) *vr* to become wrinkled

raggrinzito (râg·grēn·dzē′tō) *a* wrinkled

raggruppare (râg·grūp·pâ′rā) *vt* to collect; to group; to regroup

raggrupparsi (râg·grūp·pâr′sē) *vr* to cluster; to form a group

raggruzzolare (râg·grū·tsō·lâ′rā) *vt* to put together, save up

ragguaglio (râg·gwâ′lyō) *m* report; comparison

ragguardevole (râg·gwâr·de′vō·lā) *a* prominent

ragionamento (râ·jō·nâ·mân′tō) *m* argument

ragionare (râ·jō·nâ′rā) *vt* to reason; to talk

ragione (râ·jō′nâ) *f* reason; motive; **— sociale** trade name; **aver —** to be right; **rendersi —** to understand; to account for; **dar — di** to explain about; **in — di 10 km all'ora**ʼ at the rate of 10 kilometers an hour; **–ria** (râ·jō·nâ·rē′â) *f* accounting, bookkeeping; **–vole** (râ·jō·ne′vō·lā) *a* reasonable; **–volmente** (râ·jō·nâ·vōl·mân′tâ) *adv* reasonably

ragioniere (râ·jō·nyâ′rā) *m* accountant

ragliare (râ·lyâ′râ) *vi* to bray

ragnatela (râ·nyâ·tā′lâ) *f* spider web

ragno (râ′nyō) *m* spider

rallegramenti (râl·lā·grâ·mân′tē) *mpl* congratulations

rallegramento (râl·lā·grâ·mân′tō) *m* rejoicing

rallegrare (râl·lā·grâ′rā) *vt* to cheer, make glad

rallegrarsi (râl·lā·grâr′sē) *vr* to be glad; **— con** to congratulate; to be glad for

rallentamento (râl·lān·tâ·mān′tō) *m* relaxing; slowing

rallentare (râl·lān·tâ′rā) *vt* to slow down

rallentarsi (râl·län·târ'sē) *vr* to slow
down; to become slack; *(mech)* to get
loose
ramaiolo (râ·mâ·yō'lō) *m* ladle
ramanzina (râ·mân·dzē'nä) *f* scolding
rame (râ'mā) *m* copper
ramificare (râ·mē·fē·kâ'rā) *vi* to branch;
to ramify
ramificazione (râ·mē·fē·kâ·tsyō'nä) *f*
branching; ramification
rammaricare (râm·mâ·rē·kâ'rā) *vt* to vex;
to sadden; to mortify
rammaricarsi (râm·mâ·rē·kâr'sē) *vr* to
complain; to regret; to grieve
rammarico (râm·mâ'rē·kō) *m* regret
rammendare (râm·mân·dâ'rā) *vt* to mend;
to repair; to darn
rammendo (râm·mân'dō) *m* darning,
mending
rammentare (râm·mân·tâ'rā) *vt* to remind; to recall
rammentarsi (râm·mân·târ'sē) *vr* to remember, recollect
rammollire (râm·mōl·lē'rā) *vt* to soften;
to pacify
rammollirsi (râm·mōl·lēr'sē) *vr* to become effeminate; to grow senile; to
become soft
rammollito (râm·mōl·lē'tō) *a* soft; senile; effeminate
ramo (râ'mō) *m* branch; line
ramolaccio (râ·mō·lâ'chō) *m* radish
ramoscello (râ·mō·shāl'lō) *m* twig
rampa (râm'pâ) *f* rail; ramp
rampicante (râm·pē·kân'tä) *a* climbing;
— *m (bot)* creeper
rampino (râm·pē'nō) *m* hook
rampogna (râm·pō'nyâ) *f* rebuke
rampollo (râm·pōl'lō) *m* scion, offspring;
(coll) child
rampone (râm·pō'nä) *m* harpoon
rana (râ'nä) *f* frog
rancidezza (rän·chē·dä'tsä) *f* rancidity
rancido (rân'chē·dō) *a* rancid; rank
rancore (rân·kō'rä) *m* grudge; malice
randagio (rân·dâ'jō) *a* stray
randello (rân·dâl'lō) *m* club, cudgel
rango (rân'gō) *m* rank, station
rannicchiarsi (rân·nēk·kyâr'sē) *vr* to
crouch
rannuvolarsi (rân·nū·vō·lâr'sē) *vr* to
cloud over; to darken
rantolare (rân·tō·lâ'rā) *vi* to have a rattle
in one's throat
rantolo (rân'tō·lō) *m* death rattle; rattle
rapa (râ'pâ) *f* turnip; **testa di** — ignoramus
rapace (râ·pâ'châ) *a* greedy; plundering;

— *m* bird of prey
rapare (râ·pâ'rä) *vt* to shave; to crop
rapida (râ'pē·dâ) *f* rapids
rapidamente (râ·pē·dâ·mân'tä) *adv* rapidly
rapidità (râ·pē·dē·tâ') *f* rapidity
rapido (râ'pē·dō) *a* quick; — *m* express
train
rapimento (râ·pē·mân'tō) *m* abduction
rapina (râ·pē'nä) *f* robbery; holdup; –tore
(râ·pē·nâ·tō'rä) *m* holdup man
rapire (râ·pē'rä) *vt* to kidnap; to ravish
rapitore (râ·pē·tō'rä) *m* kidnapper; rapist
rappacificare (râp·pâ·chē·fē·kâ'rä) *vt* to
reconcile; to pacify
rappacificarsi (râp·pâ·chē·fē·kâr'sē) *vr*
to become reconciled
rappacificazione (râp·pâ·chē·fē·kâ·tsyō'-
nä) *f* reconciliation
rappezzare (râp·pā·tsâ'rä) *vt* to patch up
rappezzo (râp·pâ'tsō) *m* patch
rapportare (râp·pōr·tâ'rä) *vt* to relate, report
rapporto (râp·pōr'tō) *m* reference; relationship; intercourse; statement; ratio;
report; **rapporti sessuali** sexual rela-
tions; **in** — **a** in relation to; **in** — **di due**
a quattro in the ratio of two to four;
sotto tutti i rapporti in every respect
rappresaglia (râp·prä·zâ'lyä) *f* retaliation
rappresentante (râp·prä·zän·tân'tä) *m*
representative; agent
rappresentanza (râp·prä·zän·tân'tsâ) *f*
agency; representation
rappresentare (râp·prä·zän·tâ'rä) *vt* to
represent; to act as agent for; *(theat)* to
perform
rappresentazione (râp·prä·zän·tâ·tsyō'nä)
f representation; *(theat)* performance
raramente (râ·râ·mân'tä) *adv* infrequently; rarely
rarefare * (râ·râ·fâ'rä) *vt* to rarefy
rarefazione (râ·râ·fâ·tsyō'nä) *f* rarefaction
raro (râ'rō) *a* unusual, strange; rare; hard
to come by
rasare (râ·zâ'rä) *vt* to shave
raschiare (râ·skyâ'rä) *vt* to scrape
rasentare (râ·zän·tâ'rä) *vt* to brush; to
touch lightly, shave
rasente (râ·zän'tä) *prep* very near, close
to
raso (râ'zō) *m* satin
raso (râ'zō) *a* shaved; cut close; —**io**
(râ·zô'yō) *m* razor
raspa (râ'spâ) *f* rasp; –**re** (râ·spâ'rä) *vt* to
scrape, rasp; to paw
rassegna (râs·sā'nyâ) *f* review; –**re** (râs-

sā·nyâ′rā) *vt* to resign; **–rsi** (rás·sā·
nyâr′sē) *vr* to resign oneself; **–zione**
(rás·sā·nyâ·tsyō′nä) *f* resignation
rasserenare (rás·sā·rā·nâ′rā) *vt* to calm,
clear up
rasserenarsi (rás·sā·rā·nâr′sē) *vr* to calm
down; *(weather)* to clear up; *(sky)* to
brighten
rassettare (rás·sāt·tâ′rā) *vt* to tidy up; to
repair
rassicurare (rás·sē·kū·râ′rā) *vt* to reassure
rassicurarsi (rás·sē·kū·râr′sē) *vr* to make
sure; to reassure oneself
rassomiglianza (rás·sō·mē·lyân′tsä) *f*
resemblance
rassomigliare (rás·sō·mē·lyâ′rā) *vi* to resemble, look like
rastrellamento (râ·strāl·lâ·mān′tō) *m* rak-
ing; *(mil)* mop up
rastrellare (râ·strāl·lâ′rā) *vt* to rake; *(mil)*
to mop up
rastrello (râ·strāl′lō) *m* rake *(tool)*
rata (râ′tä) *f* installment
rateale (râ·tā·â′lä) *a* by installments;
pagamento — partial payment
ratealmente (râ·tā·âl·mān′tā) *adv* in installments
ratifica (râ·tē′fē·kâ) *f* ratification; **–re**
(râ·tē·fē·kâ′rā) *vt* to ratify
ratto (rât′tō) *m* abduction; rape; rat
rattoppare (rât·tōp·pâ′rā) *vt* to patch
rattoppo (rât·tōp′pō) *m* patch
rattrappirsi (rât·trâp·pēr′sē) *vr* to become
contracted
rattristare (rât·trē·stâ′rā) *vt* to grieve,
sadden
rattristarsi (rât·trē·stâr′sē) *vr* to be sorry;
to become sad
raucedine (râū·che′dē·nä) *f* hoarseness
rauco (râ′ū·kō) *a* hoarse
ravanello (râ·vâ·nāl′lō) *m* radish
ravvedersi * (râv·vā·dâr′sē) *vr* to repent
ravvedimento (râv·vā·dē·mān′tō) *m* reformation; repentance
ravviare (râv·vyâ′rā) *vt* to fix up
ravviarsi (râv·vyâr′sē) *vr* to primp; to tidy
up; **— i capelli** to comb one's hair
ravvisare (râv·vē·zâ′rā) *vt* to recognize
ravvivare (râv·vē·vâ′rā) *vt* to revive
ravvolgimento (râv·vōl·jē·mān′tō) *m*
winding; rolling up
raziocinio (râ·tsyō·chē′nyō) *m* reason;
sense; reasoning
razionale (râ·tsyō·nâ′lä) *a* rational
razionare (râ·tsyō·nâ′rā) *vt* to ration
razione (râ·tsyō′nä) *f* ration
razza (rât′sä) *f* race; kind; **di — pura**

thoroughbred
razzia (râ·tsē′â) *f* raid
razzismo (râ·tsē′zmō) *m* racialism; racism
razzo (râ′tsō) *m* rocket; **motore a —** jet
engine; **— interplanetario** spaceship
re (rā) *m* king; *(mus)* re
reagire (rā·â·jē′rā) *vi* to react
reale (rā·â′lä) *a* royal; real
realizzare (rā·â·lē·dzâ′rā) *vt* to realize;
(com) to make a profit of; to achieve,
attain; to collect
realizzarsi (rā·â·lē·dzâr′sē) *vr* to come
true; to happen
realizzazione (rā·â·lē·dzä·tsyō′nä) *f*
achievement; execution; collection
realmente (rā·âl·mān′tä) *adv* really
reato (rā·â′tō) *m* crime; **corpo del —**
evidence
reattore (rā·ât·tō′rā) *m* reactor; inductor; *(avi)* jet plane
reazionario (rā·â·tsyō·nâ′ryō) *a* reactionary
reazione (rā·â·tsyō′nä) *f* reaction; **— a
catena** chain reaction; **propulsione a
—** jet propulsion
recapitare (rā·kâ·pē·tâ′rā) *vt* to deliver
recapito (rā·kâ′pē·tō) *m* delivery address
recare (rā·kâ′rā) *vt* to bring; to take
recarsi (rā·kâr′sē) *vr* to go to; to have recourse to
recensione (rā·chān·syō′nä) *f* book review
recensionista (rā·chān·syō·nē′stâ) *f* book
reviewer
recensire (rā·chān·sē′rā) *vt* to review
recente (rā·chān′tä) *a* recent; **–mente**
(rā·chān·tä·mān′tä) *adv* recently
recessione (rā·chās·syō′nä) *f* recession
recidere * (râ·chē′dä·rä) *vt* to cut off
recidivo (rā·chē·dē′vō) *m* repeater; habitual offender
recinto (rā·chēn′tō) *m* enclosure
recipiente (rā·chē·pyän′tä) *m* container
reciprocamente (rā·chē·prō·kâ·mān′tä)
adv reciprocally
reciproco (rā·chē′prō·kō) *a* mutual
reciso (rā·chē′zō) *a* cut off; curt
recita (re′chē·tâ) *f* performance, recital
recitare (rā·chē·tâ′rā) *vt* to recite; *(theat)*
to perform, act; **— a soggetto** *(theat)* to
improvise
reclamare (rā·klâ·mâ′rā) *vt* to claim, demand; **—** *vi* to complain; to file a complaint
reclame (rā·klâ′mä) *f* advertisement
reclamo (rā·klâ′mō) *m* claim, complaint
recluso (rā·klū′zō) *m* convict, recluse;
–rio (rā·klū·zō′ryō) *m* penitentiary

recluta (re'klū·tâ) *f* recruit; selectee;
–mento (rā·klū·tâ·mǟn'tō) *m* recruiting
recondito (rā·kōn'dē·tō) *a* hidden
redarguire (rā·dâr·gwē'rā) *vt* to scold; to
censure
redattore (rā·dât·tō'rā) *m* editor
redazione (rā·dâ·tsyō'nā) *f* editorial staff;
editing
redditizio (rād·dē·tē'tsyō) *a* profitable
reddito (red'dē·tō) *m* income
redentore (rā·dān·tō'rā) *m* redeemer; **il
R–** the Saviour
redenzione (rā·dān·tsyō'nā) *f* redemption
redigere * (rā·dē'jā·rā) *vt* to draw up,
draft; to edit
redimere * (rā·dē'mā·rā) *vt* to redeem
redimersi * (rā·dē'mār·sē) *vr* to redeem
oneself
redine (re'dē·nā) *f* rein; bridle
redivivo (rā·dē·vē'vō) *a* come back to
life; another of the same type, second
reduce (re'dū·chā) *m* veteran; **— a** return-
ing
refe (rā'fā) *m* thread
referenza (rā·fā·rān'tsâ) *f* reference
refettorio (rā·fāt·tō'ryō) *m* refectory;
(mil) mess hall
refezione (rā·fā·tsyō'nā) *f* light meal,
snack
refrattario (rā·frât·tâ'ryō) *a* intractable;
unruly
refrigerare (rā·frē·jā·rā'rā) *vt* to refrigerate; to refresh, restore
refrigerio (rā·frē·je'ryō) *m* relief; refreshment
refurtiva (rā·fūr·tē'vâ) *f* stolen property,
stolen goods
regalare (rā·gâ·lâ'rā) *vt* to present; to
make a gift of
regalo (rā·gâ'lō) *m* gift, present
reggente (rāj·jān'tâ) *m&f* regent
reggere * (rej'jā·rā) *vt&i* to uphold; to
support; to rule
reggersi * (rej'jār·sē) *vr* to stand, endure;
to control oneself
reggia (rej'jâ) *f* palace, royal residence
reggicalze (rāj·jē·kâl'tsā) *m* garter belt
reggimento (rāj·jē·mǟn'tō) *m* regiment
reggipetto (rāj·jē·pāt'tō), **reggiseno** (rāj·
jē·sā'nō) *m* brassiere
regia (rā·jē'â) *f* directing *(movie, play)*;
(theat) producing; **— dei tabacchi** tobacco monopoly
regime (rā·jē'mā) *m* regime; diet
regina (rā·jē'nâ) queen
regio (re'jō) *a* royal, regal
regione (rā·jō'nā) *f* district; region

regista (rā·jē'stâ) *m* director *(movie, play)*;
(theat) producer
registrare (rā·jē·strâ'rā) *vt* to register; to
record
registratore (rā·jē·strâ·tō'rā) *m* recorder;
register; **— di cassa** cash register; **— a
nastro** tape recorder
registrazione (rā·jē·strâ·tsyō'nā) *f* registration; recording
registro (rā·jē'strō) *m* register; record
regnare (rā·nyâ'rā) *vi* to reign, rule
regno (rā'nyō) *m* kingdom; rule
regola (re'gō·lâ) *f* rule; **–mento** (rā·gō·
lâ·mǟn'tō) *m* regulation; **–re** (rā·gō·
lâ'rā) *a* regular; **–re** *vt* to adjust; **–rizzare**
(rā·gō·lâ·rē·dzâ'rā) *vt* to remedy; to
straighten; to make regular; **–rmente**
(rā·gō·lâr·mǟn'tâ) *adv* regularly; **–rsi**
(rā·gō·lâr'sē) *vr* to act, behave; **–tezza**
(rā·go·lâ·tā'tsâ) *f* order; moderation;
–tore (rā·gō·lâ·tō'rā) *m* regulator;
–tore *a* regulating
regolo (re'gō·lō) *m* ruler; **— calcolatore**
slide rule
regresso (rā·grās'sō) *m* regression
reincarnazione (rāēn·kâr·nâ·tsyō'nā) *f*
reincarnation
reintegrare (rāēn·tā·grâ'rā) *vt* to reinstate
reintegrazione (rāēn·tā·grâ·tsyō'nā) *f* re-
instatement
relativamente (rā·lâ·tē·vâ·mǟn'tâ) *adv*
relatively
relativo (rā·lâ·tē'vō) *a* relative; related
relatore (rā·lâ·tō'rā) *m* reporter
relazione (rā·lâ·tsyō'nā) *f* relation, connection; account, report
relegare (rā·lā·gâ'rā) *vt* to relegate; to
confine, enclose
religione (rā·lē·jō'nā) *f* religion
religiosamente (rā·lē·jō·zâ·mǟn'tâ) *adv*
religiously
religioso (rā·lē·jō'zō) *a* religious
reliquia (rā·lē'kwēâ) *f* relic
relitto (rā·lēt'tō) *m* wreck, remains
remare (rā·mâ'rā) *vi* to row
rematore (rā·mâ·tō'rā) *m* oarsman
reminiscenza (rā·mē·nē·shān'tsâ) *f* reminiscence, memory
remissivo (rā·mēs·sē'vō) *a* obedient; humble; docile
remo (rā'mō) *m* oar
remoto (rā·mō'tō) *a* secluded; remote;
passato — *(gram)* past definite
rendere * (ren'dā·rā) *vt* to render; to
yield; to make; to return
rendersi * (ren'dār·sē) *vr* to become; **—
necessario** to become necessary; **—
conto di** to realize; to take note of,

notice

rendiconto (rän·dē·kōn'tō) *m* report; statement

rendita (ren'dē·tâ) *f* income, return

rene (rā'nä) *m* kidney

renitente (rā·nē·tān'tā) *a* unwilling; opposed; **—alla leva** (*mil*) draft dodger

renna (rän'nâ) *f* reindeer

reo (rā'ō) *m&a* accused; convict; **—** *a* guilty

reostato (rā·ō'stâ·tō) *m* (*elec*) rheostat

reparto (rā·pâr'tō) *m* department; (*mil*) detachment

repentaglio (rā·pän·tâ'lyō) *m* danger, risk

repente (rā·pän'tā) *a* sudden

repentino (rā·pän·tē'nō) *a* unexpected, sudden

reperibile (rā·pä·rē'bē·lā) *a* to be found; available

reperto (rā·pär'tō) *m* (*law*) findings, evidence; (*med*) report

repertorio (rā·pär·tô'ryō) *m* repertory

replica (re'plē·kâ) *f* reply; retort; repetition

repressione (rā·präs·syō'nä) *f* repression

reprimere * (rā·prē'mä·rā) *vt* to repress, stifle; to hold back

reprimersi * (rā·prē'mär·sē) to restrain oneself, control oneself

reprobo (re'prō·bō) *a* depraved

repubblica (rā·pūb'blē·kâ) *f* republic

repulsione (rā·pūl·syō'nä) *f* repulsion

repulsivo (rā·pūl·sē'vō) *a* repellent; repulsive

reputare (rā·pū·tâ'rä) *vt* to deem, think

reputarsi (rā·pū·târ'sē) *vr* to regard oneself, think oneself

reputazione (rā·pū·tâ·tsyō'nä) *f* reputation

requie (re'kwēä) *f* rest; peace; requiem; **senza —** unceasingly

requisire (rā·kwē·zē'rä) *vt* to requisition, request

requisito (rā·kwē·zē'tō) *m* requirement

requisizione (rā·kwē·zē·tsyō'nä) *f* requisition

resa (rā'zâ) *f* surrender; return; yield

residente (rā·zē·dän'tä) *a&m* resident

residenza (rā·zē·dän'tsâ) *f* residence

residuo (rā·zē'dwō) *m* remainder; residue

resina (re'zē·nâ) *f* rosin; resin

resipola (rā·zē'pō·lâ) *f* erysipelas

resistente (rā·sē·stän'tä) *a* strong; fast (*color*); resistant

resistenza (rā·zē·stän'tsâ) *f* resistance

resistere * (rā·zē'stä·rä) *vi* to resist, oppose; to endure, withstand

resoconto (rā·zō·kōn'tō) *m* account, report

respingere * (rā·spēn'jä·rä) *vt* to reject; to repel; **— al mittente** to return to the sender

respinto (rā·spēn'tō) *a* rejected; refused; returned to the sender

respirare (rā·spē·râ'rä) *vi* to breathe

respirazione (rā·spē·râ·tsyō'nä) *f* respiration

respiro (rā·spē'rō) *m* breath; respite; delay; **esalare l'ultimo —** to breath one's last; to die

responsabile (rā·spōn·sâ'bē·lä) *a* answerable; liable; responsible

responsabilità (rā·spōn·sâ·bē·lē·tâ') *f* responsibility; **— civile** personal liability

ressa (rās'sâ) *f* crowd, mob

restare (rā·stâ'rä) *vi* to stay, remain

restaurare (rā·stâü·râ'rä) *vt* to restore

restaurazione (rā·stâü·râ·tsyō'nä) *f* restoration

restauro (rā·stâ'ü·rō) *m* repair; restoration

restio (rā·stē'ō) *a* reluctant; obstinate

restituire (rā·stē·twē'rä) *vt* to return, bring back

restituzione (rā·stē·tū·tsyō'nä) *f* restitution

resto (rā'stō) *m* remainder; change

restringere * (rā·strēn'jä·rä) *vt* to tighten; to restrict; to cut down

restringersi * (rā·strēn'jär·sē) *vr* to shrink; contract; to restrain oneself, limit oneself

restrizione (rā·strē·tsyō'nä) *f* restriction; **— mentale** mental reservation; **senza —** unreservedly

resurrezione (rā·zūr·rā·tsyō'nä) *f* resurrection

resuscitare (rā·zū·shē·tâ'rä) *vt&i* to resuscitate; to revive

retata (rā·tâ'tâ) *f* haul; netful; police raid

rete (rā'tä) *f* net; network; (*soccer*) goal; **— metallica** wire mesh; **— ferroviaria** railway system

reticella (rā·tē·chäl'lâ) *f* hairnet; baggage rack

reticente (rā·tē·chän'tä) *a* reticent; reluctant

reticolato (rā·tē·kō·lâ'tō) *m* barbed wire

retina (re'tē·nâ) *f* (*anat*) retina

retribuire (rā·trē·bwē'rä) *vt* to reward

retribuzione (rā·trē·bū·tsyō'nä) *f* compensation

retrobottega (rā·trō·bōt·tä'gâ) *f* back room of a store

retrocarica (rā·trō·kâ'rē·kâ) *f* (*mil*) breechloading; **a —** breechloading;

fucile a — breechloader
retrocedere (rā·trō·che′dā·rā) *vi* to go back, recede; — *vt* to demote
retrocessione (rā·trō·chãs·syō′nä) *f* demotion; recession
retrogrado (rā·trō′grâ·dō) *m* reactionary; — *a* backward, retrograde
retroguardia (rā·trō·gwâr′dyâ) *f* (*mil*) rearguard
retromarcia (rā·trō·mâr′châ) *f* (*auto*) reverse gear; backing up
retroscena (rā·trō·shä′nä) *f* (*theat*) backstage
retta (rät′tâ) *f* charges; fee; **dar** — to pay attention
rettangolo (rät·tân′gō·lō) *m* rectangle
rettificare (rät·tē·fē·kâ′rä) *vt* to rectify, set right
rettificazione (rät·tē·fē·kâ·tsyô′nä) *f* rectification
rettile (ret′tē·lä) *m* reptile
rettilineo (rät·tē·lē′nä·ō) *a* rectilinear; — *m* straight line
rettitudine (rät·tē·tū′dē·nä) *f* honesty
retto (rät′tō) *a* straight; honest
rettore (rät·tō′rä) *m* director; rector; — **magnifico** university president
reuma (re′ū·mâ) *m* rheumatism
reverendo (rā·vā·rän′dō) *a* reverend; — *m* ecclesiastic
revisionare (rā·vē·zyō·nâ′rä) *vt* to revise; (*mech*) to overhaul; (*com*) to audit
revisione (rā·vē·zyō′nä) *f* audit; (*mech*) overhauling
revisore (rā·vē·zō′rä) *m* reviser; auditor; — **di bozze** proofreader
revoca (re′vō·kâ) *f* revocation; **–re** (rā·vō·kâ′rä) *vt* to revoke
revolver (rā·vōl′vär) *m* revolver, pistol; **–ata** (rā·vōl·vä·râ′tä) *f* pistol shot
riabilitare (ryâ·bē·lē·tâ′rä) *vt* to rehabilitate; to reform
riabilitazione (ryâ·bē·lē·tâ·tsyō′nä) *f* rehabilitation; reformation
rialzare (ryâl·tsâ′rä) *vt* to raise
rialzarsi (ryâl·tsâr′sē) *vr* to get up again; to rise
rianimare (ryâ·nē·mâ′rä) *vt* to cheer up; to reanimate
rianimarsi (ryâ·nē·mâr′sē) *vr* to take heart; to cheer up
riassunto (ryâs·sūn′tō) *m* recapitulation; summary
riattaccare (ryât·tâk·kâ′rä) *vt* to start again; to reattach; — **il ricevitore** to hang up the receiver
riattivare (ryât·tē·vâ′rä) *vt* to reactivate
ribalta (rē·bâl′tâ) *f* (*theat*) stage apron;

luci della — footlights
ribassare (rē·bâs·sâ′rä) *vt* to reduce; to lower; to cut (*prices*); to curtail
ribasso (rē·bâs′sō) *m* reduction, cut; curtailment
ribattere (rē·bât′tä·rä) *vt* to repel; to hit again; — *vi* to retort
ribellarsi (rē·bāl·lâr′sē) *vr* to rebel; to rise in revolt
ribelle (rē·bāl′lä) *m&a* rebel
ribellione (rē·bāl·lyō′nä) *f* rebellion
ribrezzo (rē·brä′tsō) *m* nausea; disgust
ricaduta (rē·kâ·dū′tâ) *f* relapse
ricalcare (rē·kâl·kâ′rä) *vt* to trample; to retrace; to trace (*drawing*)
ricamare (rē·kâ·mâ′rä) *vt* to embroider
ricambiare (rē·kâm·byâ′rä) *vt* to reciprocate
ricambio (rē·kâm′byō) *m* exchange, interchange; metabolism; **pezzo di** — spare part
ricamo (rē·kâ′mō) *m* embroidery
ricapitolazione (rē·kâ·pē·tō·lâ·tsyō′nä) *f* recapitulation
ricattatore (rē·kât·tâ·tō′rä) *m* blackmailer
ricatto (rē·kât′tō) *m* blackmail
ricavare (rē·kâ·vâ′rä) *vt* to derive; to get out, obtain
ricavato (rē·kâ·vâ′tō) *m* proceeds
riccamente (rēk·kâ·mān′tä) *adv* richly
ricchezza (rēk·kä′tsä) *f* wealth
riccio (rē′chō) *m* curl of hair; — *a* curly
ricco (rēk′kō) *a* rich
ricerca (rē·chär′kâ) *f* search; **–re** (rē·chär·kâ′rä) *vt* to search; to research; **–tezza** (rē·chär·kâ·tä′tsâ) *f* affectation; **–to** (rē·chär·kâ′tō) *a* wanted; popular; affected
ricetta (rē·chāt′tâ) *f* prescription, recipe
ricettatore (rē·chāt·tâ·tō′rä) *m* fence, receiver of stolen goods
ricevente (rē·chā·vän′tä) *m* receiver, recipient
ricevere (rē·che′vä·rä) *vt&i* to receive
ricevimento (rē·chā·vē·mān′tō) *m* reception, receipt
ricevitore (rē·chā·vē·tō′rä) *m* receiver
ricevuta (rē·chā·vū′tâ) *f* receipt
richiamare (rē·kyâ·mâ′rä) *vt* to call back; to rebuke; to recall
richiamarsi (rē·kyâ·mâr′sē) *vr* to have recourse to, resort to
richiamo (rē·kyâ′mō) *m* reproof; recall
richiedente (rē·kyä·dän′tä) *m* applicant
richiedere * (rē·kye′dä·rä) *vt* to request; to require; to apply for; to send for
richiesta (rē·kyä′stâ) *f* demand

---

k kid, **l** let, **m** met, **n** not, **p** pat, **r** very, **s** sat, **sh** shop, **t** tell, **v** vat, **w** we, **y** yet, **z** zero

ricino (rē'chē·nō) *m* castor-oil plant; **olio di —** castor oil

ricognizione (rē·kō·nyē·tsyō'nä) *f* military reconnaissance

ricolmo (rē·kōl'mō) *a* brimful, chock-full

ricompensa (rē·kōm·pän'sâ) *f* reward

riconoscenza (rē·kō·nō·shän'tsä) *f* gratitude

riconoscere * (rē·kō·nô'shä·rä) *vt* to recognize

riconoscimento (rē·kō·nō·shē·män'tō) *m* identification; recognition

ricordare (rē·kōr·dä'rä) *vt&i* to remember, recall

ricordarsi (rē·kōr·dâr'sē) *vr* to remember, recall

ricordo (rē·kōr'dō) *m* souvenir; memory; recollection

ricorrere * (rē·kôr'rä·rä) *vi* to appeal; to recur; to take recourse

ricorso (rē·kōr'sō) *m* appeal

ricostituente (rē·kō·stē·twän'tä) *m* tonic; restorative

ricoverare (rē·kō·vä·râ'rä) *vt* to shelter, give refuge to

ricoverarsi (rē·kō·vä·râr'sē) *vr* to take refuge, seek shelter

ricovero (rē·kô'vä·rō) *m* refuge; shelter

ricreazione (rē·krä·â·tsyō'nä) *f* rest; recreation

ricuperare (rē·kū·pä·râ'rä) *vt* to regain; to salvage

ricupero (rē·kū'pä·rō) *m* salvage; recovery

ricusare (rē·kū·zâ'rä) *vt* to reject, refuse; to spurn

ridda (rēd'dâ) *f* confusion

ridere * (rē'dä·rä) *vi* to laugh

ridersi * (rē'där·sē) *vr* to make fun of

ridicolo (rē·dē'kō·lō) *a* ridiculous; funny

ridotto (rē·dōt'tō) *m* (*theat*) lobby, foyer; **— a** reduced

ridurre * (rē·dūr'rä) *vt* to reduce

ridursi * (rē·dūr'sē) *vr* to be reduced; to sink, be degraded

riduzione (rē·dū·tsyō'nä) *f* reduction; adaptation; (*mus*) arrangement

riecheggiare (ryä·kāj·jâ'rä) *vi* to resound

riempire * (ryäm·pē'rä) *vt* to fill

rievocare (ryä·vō·kâ'rä) *vt* to recall; to bring to mind

rifare * (rē·fâ'rä) *vt* to do again; redo

rifarsi * (rē·fâr'sē) *vr* to get even; to begin; to recoup; to become once more

riferire (rē·fä·rē'rä) *vt* to refer; to report

riferirsi (rē·fä·rēr'sē) *vr* to refer to; to concern, deal with

riffa (rēf'fâ) *f* raffle; lottery

rifiutare (rē·fyū·tâ'rä) *vt&i* to refuse; to deny

rifiutarsi (rē·fyū·târ'sē) *vr* to decline; to refuse

rifiuto (rē·fyū'tō) *m* refusal; rubbish; garbage; (*cards*) revoking

riflessione (rē·flâs·syō'nä) *f* reflection

riflessivo (rē·flâs·sē'vō) *a* thoughtful; meditative; (*gram*) reflexive

riflettere * (rē·flet'tä·rä) *vt* to reflect

riflettore (rē·flät·tō'rä) *m* searchlight; reflector

riflusso (rē·flūs'sō) *m* reflux, ebb

riforma (rē·fōr'mä) *f* reform; reformation

riformatorio (rē·fōr·mâ·tô'ryō) *m* reformatory

rifornimento (rē·fōr·nē·män'tō) *m* supply

rifornire (rē·fōr·nē'rä) *vt* to supply

rifornirsi (rē·fōr·nēr'sē) *vr* to supply oneself with, lay in a supply

rifrazione (rē·frâ·tsyō'nä) *f* refraction

rifugiarsi (rē·fū·jâr'sē) *vr* to take shelter

rifugio (rē·fū'jō) *m* shelter

riga (rē'gâ) *f* line; ruler (*measure*); (*mus*) staff

rigattiere (rē·gât·tyä'rä) *m* junkman

rigenerazione (rē·jä·nä·râ·tsyō'nä) *f* regeneration

rigidamente (rē·jē·dâ·män'tä) *adv* severely; rigidly

rigido (rē'jē·dō) *a* stiff; severe

rigore (rē·gō'rä) *m* severity; rigor

rigoroso (rē·gō·rō'zō) *a* strict; severe

riguardo (rē·gwâr'dō) *m* respect; consideration; viewpoint

rigurgitare (rē·gūr·jē·tâ'rä) *vi* to overflow; to regurgitate

rilasciare (rē·lâ·shâ'rä) *vt* to release

rilascio (rē·lâ'shō) *m* release

rilassamento (rē·lâs·sâ·män'tō) *m* slackening, relaxation

rilassarsi (rē·lâs·sâr'sē) *vr* to slacken

rilassato (rē·lâs·sâ'tō) *a* slack; loose

rilegare (rē·lä·gâ'rä) *vt* to retie; to bind (*book*); to refasten

rilevare (rē·lä·vâ'rä) *vt* to point out; to relieve

rilievo (rē·lyä'vō) *m* relief

riluttanza (rē·lūt·tân'tsâ) *f* reluctance

rima (rē'mâ) *f* rhyme

rimandare (rē·män·dâ'rä) *vt* to send back; to put off; to postpone

rimanenza (rē·mâ·nän'tsâ) *f* remainder

rimanere * (rē·mâ·nä'rä) *vi* to remain

rimarchevole (rē·mâr·ke'vō·lä) *a* remarkable, extraordinary

rimarginare (rē·mâr·jē·nâ'rä) *vt* to heal

rimarginarsi (rē·mâr·jē·nâr'sē) *vr* to heal

up
rimasuglio (rē·mâ·zū'lyō) *m* leavings; residue
rimbalzare (rēm·bâl·tsâ'rä) *vi* to bounce
rimbambito (rēm·bâm·bē'tō) *a* senile; silly
rimboccare (rēm·bōk·kâ'rä) *vt* to tuck up
rimbombo (rēm·bōm'bō) *m* roar, boom
rimborsare (rēm·bōr·sâ'rä) *vt* to refund
rimborso (rēm·bōr'sō) *m* refund
rimediare (rē·mä·dyâ'rä) *vt* to remedy
rimedio (rē·me'dyō) *m* remedy
rimenata (rē·mä·nâ'tâ) *f* upbraiding, talking-to
rimessa (rē·mās'sâ) *f* remittance; hangar; garage
rimettere * (rē·met'tä·rä) *vt* to put back, replace; to postpone; to remit
rimettersi * (rē·met'tär·sē) *vr* to get better; to resume; to put on again; (*weather*) to improve
rimodernare (rē·mō·där·nâ'rä) *vt* to modernize
rimorchiare (rē·mōr·kyâ'rä) *vt* to tow; to tug
rimorchiatore (rē·mōr·kyâ·tō'rä) *m* tugboat
rimorchio (rē·môr'kyō) *m* (*auto*) trailer
rimorso (rē·mōr'sō) *m* remorse
rimostranza (rē·mō·strân'tsâ) *f* remonstrance
rimpatriare (rēm·pâ·tryâ'rä) *vt* to repatriate
rimpiangere * (rēm·pyän'jä·rä) *vt* to regret; to feel sorry about
rimpianto (rēm·pyân'tō) *m* regret; — *a* regretted
rimproverare (rēm·prō·vä·râ'rä) *vt* to reproach
rimproverarsi (rēm·prō·vä·râr'sē) *vr* to regret; to blame oneself
rimprovero (rēm·prō'vä·rō) *m* scolding
rimunerare (rē·mū·nä·râ'rä) *vt* to reward
rimunerazione (rē·mū·nä·râ·tsyō'nä) *f* repayment; reward
rinascimento (rē·nâ·shē·mān'tō) *m* Renaissance; rebirth
rincalzo (rēn·kâl'tsō) *m* support; reinforcement
rincaro (rēn·kâ'rō) *m* rising costs; increasing prices
rinchiudere * (rēn·kyū'dä·rä) *vt* to shut in; to enclose
rinchiudersi * (rēn·kyū'där·sē) *vr* to shut oneself up
rincrescere * (rēn·kre'shä·rä) *vi* to cause regret; to cause sorrow; **mi rincresce** I am sorry

rinforzare (rēn·fōr·tsâ'rä) *vt* to reinforce; to support, prop
rinforzarsi (rēn·fōr·tsâr'sē) *vr* to grow stronger
rinforzo (rēn·fōr'tsō) *m* reinforcement
rinfrescarsi (rēn·frä·skâr'sē) *vr* to cool off; to refresh oneself
rinfresco (rēn·frä'skō) *m* refreshment
rinfusa (rēn·fū'zâ) *f* **alla** — pell-mell, confusedly; (*com*) in bulk
ringhiare (rēn·gyä'rä) *vi* to growl, snarl
ringhiera (rēn·gyä'râ) *f* banister, balcony
ringraziamento (rēn·grâ·tsyä·mân'tō) *m* thanks
ringraziare (rēn·grâ·tsyâ'rä) *vt* to thank
rinnegare (rēn·nä·gâ'rä) *vt* to disown; to repudiate
rinnegato (rēn·nä·gâ'tō) *m* renegade
rinnovare (rēn·nō·vâ'rä) *vt* to renew
rinnovo (rēn·nō'vō) *m* renewal
rinoceronte (rē·nō·chä·rōn'tä) *m* rhinoceros
rinomato (rē·nō·mâ'tō) *a* renowned, known
rintocco (rēn·tōk'kō) *m* toll, knell
rintracciare (rēn·trâ·châ'rä) *vt* to trace
rinunzia (rē·nūn'tsyâ) *f* renunciation; **–re** (rē·nūn·tsyâ'rä) *vt&i* to renounce
rinvenire * (rēn·vä·nē'rä) *vt* to find; to rediscover; — *vi* to recover one's senses
rinvio (rēn·vē'ō) *m* adjournment; postponement
rionale (ryō·nâ'lä) *a* neighborhood
rione (ryō'nä) *m* district, section, neighborhood
riparare (rē·pâ·râ'rä) *vt* to repair
ripararsi (rē·pâ·râr'sē) *vr* to take shelter
riparazione (rē·pâ·râ·tsyō'nä) *f* repair; amends
ripartizione (rē·pâr·tē·tsyō'nä) *f* allotment; distribution
ripasso (rē·pâs'sō) *m* review; repetition
ripercussione (rē·pär·kūs·syō'nä) *f* repercussion
ripetere (rē·pe'tä·rä) *vt* to repeat; to rehearse
ripetitore (rē·pä·tē·tō'rä) *m* coach; — **televisivo** television relay
ripetizione (rē·pä·tē·tsyō'nä) *f* repetition; **fucile a** — repeater rifle
ripetutamente (rē·pä·tū·tâ·mân'tä) *adv* repeatedly
ripiano (rē·pyâ'nō) *m* shelf; ledge
ripido (rē'pē·dō) *a* steep
ripiego (rē·pyä'gō) *m* expedient
ripieno (rē·pyä'nō) *a* stuffed, crammed
riporre * (rē·pōr'rä) *vt* to put back, replace

riportare (rē·pōr·tä′rä) *vt* to bring back; to receive; to carry over

riposarsi (rē·pō·zär′sē) *vr* to rest

riposo (rē·pō′zō) *m* rest

ripostiglio (rē·pō·stē′lyō) *m* closet; locker

ripresa (rē·prä′zâ) *f* capture; resumption; retrieving; (*sport*) round

riprodurre * (rē·prō·dūr′rä) *vt* to reproduce

riprodursi * (rē·prō·dūr′sē) *vr* to recur; to reproduce, be reproduced

riproduzione (rē·prō·dū·tsyō′nä) *f* reproduction

ripugnante (rē·pū·nyân′tä) *a* repulsive, loathsome

ripugnare (rē·pū·nyâ′rä) *vi* to disgust; to be repugnant to

risacca (rē·zäk′kâ) *f* surf

risalto (rē·zäl′tō) *m* prominence; evidence

risaputo (rē·sâ·pū′tō) *a* well-known, widely known

risarcimento (rē·zâr·chē·män′tō) *m* reparation; indemnification

risarcire (rē·zâr·chē′rä) *vt* to indemnify

risata (rē·zä′tâ) *f* laugh, peal of laughter

riscaldamento (rē·skâl·dâ·män′tō) *m* heating, warming

riscaldare (rē·skâl·dä′rä) *vt* to heat; to excite

riscaldarsi (rē·skâl·dâr′sē) *vr* to warm up; to become excited

riscaldo (rē·skâl′dō) *m* inflammation

riscattare (rē·skât·tä′rä) *vt* to redeem

riscattarsi (rē·skât·târ′sē) *vr* to get revenge, get even

rischiarare (rē·skyâ·râ′rä) *vt* to light up; to make clear

rischiare (rē·skyâ′rä) *vt* to risk

rischio (rē′skyō) *m* risk

risciacquare (rē·shâk′kwâ·rä) *vt* to rinse, wash out

riscontro (rē·skōn′trō) *m* reply; verification

riscossa (rē·skōs′sâ) *f* revenge; rebellion; rescue

riscossione (rē·skōs′syō′nä) *f* collection

riscuotere * (rē·skwō′tä·rä) *vt* to cash; to collect

risentimento (rē·zän·tē·män′tō) *m* resentment

risentito (rē·zän·tē′tō) *a* resentful

riserva (rē·zär′vâ) *f* reserve; **–re** (rē·zär·vâ′rä) *vt* to reserve; to set aside; **–to** (rē·zär·vâ′tō) *a* reserved; confidential

risiedere * (rē·zye′dä·rä) *vi* to reside

risipola (rē·zē′pō·lâ) *f* erysipelas

risma (rē′zmâ) *f* ream (*paper*); kind

riso (rē′zō) *m* laugh; rice

risolto (rē·zōl′tō) *a* settled, resolved

risoluto (rē·zō·lū′tō) *a* resolute

risoluzione (rē·zō·lū·tsyō′nä) *f* resolution; solution

risolvere * (rē·zōl′vä·rä) *vt&i* to resolve; to solve

risolversi * (rē·zōl′vär·sē) *vr* to end in, come to; to decide

risonanza (rē·sō·nân′tsä) *f* resonance

risorgimento (rē·sōr·jē·män′tō) *m* revival, renaissance

risorsa (rē·zōr′sâ) *f* resource

risparmiare (rē·spâr·myâ′rä) *vt* to save

risparmio (rē·spâr′myō) *m* saving

rispecchiare (rē·spāk·kyâ′rä) *vt* to reflect, mirror

rispettabile (rē·spät·tâ′bē·lä) *a* decent; considerable

rispettare (rē·spät·tâ′rä) *vt* to respect

rispettivamente (rē·spät·tē·vâ·män′tä) *adv* respectively

rispettivo (rē·spät·tē′vō) *a* one's own; particular, respective

rispetto (rē·spät′tō) *m* respect; **–so** (rē·spät·tō′zō) *a* respectful

rispondere * (rē·spōn′dä·rä) *vt&i* to answer, reply

risposta (rē·spō′stâ) *f* answer

rissa (rēs′sâ) *f* brawl

ristampa (rē·stâm′pâ) *f* reprint

ristorante (rē·stō·rân′tä) *m* restaurant; **vettura —** dining car

ristrettezza (rē·strät·tä′tsä) *f* restriction; narrowness; **— economica** financial difficulties

risultare (rē·zūl·tä′rä) *vi* to result, end

risultato (rē·zūl·tâ′tō) *m* result

risveglio (rē·zve′lyō) *m* revival; awakening

risvolta (rē·zvōl′tâ) *f* lapel, cuff

ritaglio (rē·tâ′lyō) *m* clipping; **— di tempo** free moment

ritardare (rē·târ·dâ′rä) *vt&i* to delay

ritardo (rē·târ′dō) *m* delay; postponement

ritegno (rē·tä′nyō) *m* restraint

ritenere * (rē·tä·nä′rä) *vt* to hold

ritenersi * (rē·tä·när′sē) *vr* to think oneself; to refrain from

ritirare (rē·tē·râ′rä) *vt* to withdraw, take back

ritirarsi (rē·tē·râr′sē) *vr* to shrink (*materials*); to retreat; to retire

ritirata (rē·tē·râ′tâ) *f* water closet; bathroom, lavatory; retreat

ritiro (rē·tē′rō) *m* retirement; withdrawal

ritmo (rēt′mō) *m* cadence, rhythm

rito (rē′tō) *m* rite

ritoccare (rē·tōk·kâ′rä) *vt* to retouch

â ärm, ā bäby, e bet, ē bē, ō gō, ô gône, ū blūe, b bad, ch child, d dad, f fat, g gay, j jet

ritocco (rē·tōk'kō) *m* retouching; finishing touch

ritorcere * (rē·tôr'chä·rä) *vt* to twist; to retort

ritorcersi * (rē·tôr'chär·sē) *vr* to get twisted

ritornare (rē·tōr·nâ'rä) *vt&i* to return, go back

ritornello (rē·tōr·näl'lō) *m* refrain; (*coll*) boring repetition, same old thing

ritorno (rē·tōr'nō) *m* return; **di andata e —** round-trip

ritrattare (rē·trât·tâ'rä) *vt* to retract; to paint a portrait of

ritrattazione (rē·trât·tâ·tsyō'nä) *f* withdrawal, retraction

ritratto (rē·trât'tō) *m* portrait

ritrovare (rē·trō·vâ'rä) *vt* to meet again, meet; to find again

ritrovarsi (rē·trō·vâr'sē) *vr* to meet, meet again; to rendezvous

ritrovato (rē·trō·vâ'tō) *m* finding; expedient

ritrovo (rē·trō'vō) *m* meeting place; **— notturno** night club

ritto (rēt'tō) *a* upright; straight; erect; — *adv* straight ahead; directly

rituale (rē·twâ'lä) *a* customary; ritual

riunione (ryū·nyō'nä) *f* reunion; meeting

riunire (ryū·nē'rä) *vt* to assemble; to draw together

riunirsi (ryū·nēr'sē) *vr* to get together; to reunite

riuscire * (ryū·shē'rä) *vt* to succeed in; to go out again; **— negli esami** to pass one's exams; **non —** to fail

riuscita (ryū·shē'tä) *f* outcome; success; **cattiva —** failure

riva (rē'vâ) *f* shore, bank

rivale (rē·vâ'lä) *a&m* rival

rivedere * (rē·vä·dä'rä) *vt* to see again; to revise, go over; **arrivederla** good-bye, I'll be seeing you

rivelare (rē·vä·lâ'rä) *vt* to reveal, uncover

rivelarsi (rē·vä·lâr'sē) *vr* to show oneself to be, prove oneself

rivelatore (rē·vä·lâ·tō'rä) *m* revealer; (*rad*) detector

rivelazione (rē·vä·lâ·tsyō'nä) *f* revelation, uncovering

rivendicazione (rē·vän·dē·kâ·tsyō'nä) *f* vindication, vengeance

rivendita (rē·ven'dē·tâ) *f* shop; retail selling; **— di sale e tabacchi** tobacco shop, tobacconist

rivenditore (rē·vän·dē·tō'rä) *m* retailer; retail merchant

riverenza (rē·vä·rän'tsâ) *f* reverence; bow

rivestimento (rē·vä·stē·män'tō) *m* lining, covering, coating

riviera (rē·vyä'râ) *f* shore, seashore

rivincita (rē·vēn'chē·tâ) *f* revenge; (*sport*) return match

rivista (rē·vē'stâ) *f* review, parade; magazine; musical comedy

rivolgersi * (rē·vōl'jär·sē) *vr* to apply to; to have recourse to, turn to

rivolta (rē·vōl'tâ) *f* revolt

rivoltella (re·vōl·tâl'lä) *f* revolver

rivoluzione (rē·vō·lū·tsyō'nä) *f* revolution

roba (rō'bâ) *f* things; stuff; belongings, possessions

robivecchio (rō·bē·vek'kyō) *m* junkman

robusto (rō·bū'stō) *m* robust; sturdy, sinewy

rocca (rōk'kâ) *f* rock; fortress

rocchetto (rōk·kät'tō) *m* spool; reel

roccia (rô'chä) *f* cliff; rock; precipice

rodere * (rô'dä·rä) *vt* to gnaw; to corrode away

rodersi * (rô'där·sē) *vr* to be worried; to be upset; **— le unghie** to bite one's nails

roditore (rō·dē·tō'rä) *m* rodent

rogna (rō'nyâ) *f* (*med*) mange; scab

rognone (rō·nyō'nä) *m* kidney

Roma (rō'mä) *f* Rome

romano (rō·mâ'nō) *a&m* Roman

romantico (rō·mân'tē·kō) *a* romantic

romanziere (rō·mân·dzyä'rä) *m* novelist

romanzo (rō·mân'dzō) *m* novel; **— a** Romance

rombo (rōm'bō) *m* roar, thunder; (*math*) rhombus; turbot (*fish*)

rompere * (rôm'pä·rä) *vt* to break; to shatter

rompersi * (rôm'pär·sē) *vr* to get shattered; to break

rompighiaccio (rōm·pē·gyâ'chō) *m* (*naut*) icebreaker

rompiscatole (rōm·pē·skâ'tō·lä) *m* pest, bore, nuisance

ronda (rōn'dâ) *f* rounds, patrol, watch

rondella (rōn·dâl'lä) *f* (*mech*) washer

rondine (rôn'dē·nä) *f* swallow (*bird*)

rondone (rōn·dō'nä) *m* swift (*bird*)

ronzare (rōn·dzâ'rä) *vi* to whir; to buzz; to flirt

ronzino (rōn·dzē'nō) *m* nag, jade (*horse*)

ronzio (rōn·dzē'ō) *m* buzzing, whirring

rosa (rō'zä) *f* rose; **— dei venti** rose compass; **all'acqua di —** (*fig*) quasi; socalled

rosario (rō·zâ'ryō) *m* rosary

rosicante (rō·zē·kân'tä) *a&m* rodent

rosicchiare (rō·zēk·kyâ'rä) *vt* to nibble at,

nibble; to eat away gradually

rosmarino (rō·zmâ·rē′nō) *m* rosemary

rosolare (rō·zō·lâ′rā) *vt* to brown

rosolia (rō·zō·lē′â) *f* German measles

rosolio (rō·zō′lyō) *m* cordial, liqueur

rospo (rō′spō) *m* (*zool*) toad; **ingoiare un — (*fig*)** to swallow a bitter pill

rossetto (rōs·sāt′tō) *m* rouge; **— per le labbra** lipstick

rosso (rōs′sō) *a* red; **–re** (rōs·sō′rā) *m* blush; (*fig*) shame

rosticceria (rō·stē·chā·rē′â) *f* rotisserie

rotaia (rō·tâ′yâ) *f* rail

rotante (rō·tân′tā) *a* rotating

rotativa (rō·tâ·tē′vâ) *f* rotary press

rotella (rō·tāl′lâ) *f* caster; (*anat*) knee cap; **pattini a rotelle** roller skates

rotocalco (rō·tō·kâl′kō) *m* rotogravure

rotolare (rō·tō·lâ′rā) *vt&i* to roll up, roll

rotolarsi (rō·tō·lâr′sē) *vr* to wallow; to roll around

rotondamente (rō·tōn·dâ·mān′tā) *adv* roundly; (*coll*) frankly

rotondo (rō·tōn′dō) *a* round

rotta (rōt′tâ) *f* route; **a — di collo** (*fig*) headlong; from bad to worse

rottame (rōt·tâ′mā) *m* wreckage

rottami (rōt·tâ′mē) *mpl* ruins; rubbish

rotto (rōt′tō) *a* broken

rottura (rōt·tū′râ) *f* break; breach

rovente (rō·vān′tā) *a* red-hot

rovesciare (rō·vā·shâ′rā) *vt* to ruin, overturn, upset

rovesciarsi (rō·vā·shâr′sē) *vr* to capsize; to be upset

rovescio (rō·ve′shō) *m* reverse; **a — inside** out; upside down

rovina (rō·vē′nâ) *f* ruin; **–re** (rō·vē·nâ′rā) *vt* to ruin; **–rsi** (rō·vē·nâr′sē) to ruin oneself, become ruined; **–to** (rō·vē·nâ′-tō) *a* ruined

rovistare (rō·vē·stâ′rā) *vt&i* to rummage through, sift through

rozzamente (rō·dzâ·mān′tā) *adv* awkwardly; roughly

rozzo (rō′dzō) *a* course, rough, awkward

rubare (rū·bâ′rā) *vt* to steal

rubinetto (rū·bē·nāt′tō) *m* faucet, tap

rubino (rū·bē′nō) *m* ruby

rubrica (rū′brē·kâ) *f* newspaper column; address book; directory

rudemente (rū·dā·mān′tā) *adv* coarsely, rudely

rudere (rū′dā·rā) *m* ruin

rudimentale (rū·dē·mān·tâ′lā) *a* rudimentary

rudimento (rū·dē·mān′tō) *m* rudiment

ruffiano (rūf·fyâ′nō) *m* pander; go-between

ruga (rū′gâ) *f* wrinkle

ruggine (rūj′jē·nā) *f* rust; grudge, bad blood

ruggire (rūj·jē′rā) *vi* to roar

ruggito (rūj·jē′tō) *m* roar

rullio (rūl·lē′ō) *m* rolling, roll

rullo (rūl′lō) *m* roller; cylinder

Rumania (rū·mâ·nē′â) *f* Romania

rumeno (rū·mā′nō) *a&m* Romanian

ruminante (rū·mē·nân′tā) *a&m* ruminant

rumore (rū·mō′rā) *m* noise; loudness

rumorosamente (rū·mō·rō·zâ·mān′tā) *adv* noisily, loudly

rumoroso (rū·mō·rō′zō) *a* noisy, loud

ruolo (rūō′lō) *m* list; (*theat*) role

ruota (rūō′tâ) *f* wheel

rupe (rū′pā) *f* cliff, precipice

rurale (rū·râ′lā) *a* rural

ruscello (rū·shāl′lō) *m* brook, rivulet

russare (rūs·sâ′rā) *vi* to snore

Russia (rūs′syâ) *f* Russia

russo (rūs′sō) *a&m* Russian

rustico (rūs′tē·kō) *a* rustic, country

ruttare (rūt·tâ′rā) *vi* to belch

rutto (rūt′tō) *m* belch

ruvidamente (rū·vē·dâ·mān′tā) *adv* coarsely

ruvidezza (rū·vē·dā′tsâ) *f* roughness

ruvido (rū′vē·dō) *a* coarse; rough

ruzzolare (rū·tsō·lâ′rā) *vt* to knock down, topple; **— vi** to tumble down, topple over

ruzzolone (rū·tsō·lō′nā) *m* fall, tumble

S

sabato (sâ′bâ·tō) *m* Saturday

sabbia (sâb′byâ) *f* sand

sabbioso (sâb·byō′zō) *a* sandy

sabotaggio (sâ·bō·tâj′jō) *m* sabotage

sabotare (sâ·bō·tâ′rā) *vt* to sabotage

saccarina (sâk·kâ·rē′nâ) *f* saccharine

saccente (sâ·chān′tā) *m* smart aleck; dilettante; **— a** knowing, apparently wise

saccheggiare (sâk·kāj·jâ′rā) *vt* to plunder, sack

saccheggio (sâk·kej′jō) *m* pillage, sacking

sacco (sâk′kō) *m* bag; **— a pelo** sleeping bag; **— da montagna** knapsack

saccoccia (sâk·kō′châ) *f* pocket

sacerdote (sâ·chār·dō′tā) *m* priest; **–ssa** (sâ·chār·dō·tâs′sâ) *f* priestess

---

â ârm, ā bāby, e bet, ē bē, ō gō, ô gône, ū blūe, b bad, ch child, d dad, f fat, g gay, j jet

sacerdozio (sâ·chär·dô′tzyō) *m* priesthood

sacramento (sâ·krä·män′tō) *m* sacrament

sacrario (sâ·krä′ryō) *m* sanctuary

sacrificare (sâ·krē·fē·kâ′rä) *vt* to sacrifice

sacrificarsi (sâ·krē·fē·kâr′sē) *vr* to sacrifice oneself; to make great sacrifices

sacrificio (sâ·krē·fē′chō) *m* sacrifice

sacrilegio (sâ·krē·le′jō) *m* sacrilege

sacro (sâ′krō) *a* holy; sacred

sadismo (sâ·dē′zmō) *m* sadism

saetta (sâ·ät′tâ) *f* arrow; lightning flash

sagace (sâ·gâ′chä) *a* sagacious, wise

saggezza (sâj·jä′tsä) *f* prudence, wisdom

saggiare (sâj·jä′rä) *vt* to taste

saggio (sâj′jō) *m* wise man, savant; essay; sample; — *a* wise

sagoma (sâ′gō·mâ) *f* outline; shape; mold; –re (sâ·gō·mâ′rä) *vt* to form, mold

sagra (sâ′grä) *f* festival; –to (sâ·grâ′tō) *m* church square

sagrestano (sâ·grä·stâ′nō) *m* sexton

sagrestia (sâ·grä·stē′â) *f* sacristy

saio (sâ′yō) *m* (*eccl*) frock, habit

sala (sâ′lâ) *f* room; — **d'aspetto** waiting room; — **da ballo** dance hall; — **da pranzo** dining room

salace (sâ·lâ′chä) *a* salacious, racy

salame (sâ·lâ′mä) *m* salami

salamoia (sâ·lâ·mô′yâ) *f* pickle, brine

salare (sâ·lâ′rä) *vt* to salt, put salt on

salario (sâ·lâ′ryō) *m* salary, wages

salatino (sâ·lâ·tē′nō) *m* salted cracker

salato (sâ·lâ′tō) *a* salted; (*fig*) very expensive, dear

saldamente (sâl·dâ·män′tä) *adv* solidly, firmly

saldare (sâl·dâ′rä) *vt* to weld; to solder; (*com*) to balance, settle; — **un conto** to pay a bill

saldatura (sâl·dâ·tū′râ) *f* welding, soldering; — **ossidrica** oxyhydrogen welding

saldo (sâl′dō) *m* (*com*) balance; — *a* steadfast, dependable

sale (sâ′lä) *m* salt; (*fig*) wit

salgemma (sâl·jäm′mâ) *m* rock salt

salice (sâ′lē·chä) *m* willow

salina (sâ·lē′nâ) *f* saltworks; salt marsh

salire * (sâ·lē′rä) *vt&i* to go up, climb, rise

saliscendi (sâ·lē·shän′dē) *m* latch; going up and down, up-and-down movement

salita (sâ·lē′tâ) *f* rise, climb

saliva (sâ·lē′vâ) *f* saliva

salma (sâl′mâ) *f* body, corpse

salmo (sâl′mō) *m* psalm

salmone (sâl·mō′nä) *m* salmon

salnitro (sâl·nē′trō) *m* niter, saltpeter

salone (sâ·lō′nä) *m* salon, hall

salotto (sâ·lōt′tō) *m* living room

salsa (sâl′sä) *f* sauce; **–manteria** (sâl·sâ·mân·tä·rē′â) *f* delicatessen

salsedine (sâl·se′dē·nä) *f* saltiness

salsiccia (sâl·sē′châ) *f* sausage

salso (sâl′sō) *a* salty, briny

saltare (sâl·tâ′rä) *vt&i* to jump; to skip

saltellare (sâl·tâl·lâ′rä) *vi* to skip, hop, jump about

saltimbanco (sâl·tēm·bân′kō) *m* mountebank; acrobat

salto (sâl′tō) *m* jump, bound; precipice

saltuariamente (sâl·twâ·ryâ·mân′tä) *adv* fitfully; desultorily

salubre (sâ′lū·brä) *a* wholesome, healthful

salumeria (sâ·lū·mä·rē′â) *f* delicatessen

salumi (sâ·lū′mē) *mpl* salted products

salutare (sâ·lū·tâ′rä) *vt* to greet; to salute; — *a* healthy

salute (sâ·lū′tä) *f* health; salvation; wellbeing; **S–!** *interj* To your health!; **casa di** — nursing home

saluto (sâ·lū′tō) *m* greeting; **saluti cordiali** cordially yours

salvacondotto (sâl·vâ·kōn·dōt′tō) *m* safeconduct

salvadanaio (sâl·vâ·dâ·nâ′yō) *m* piggy bank

salvagente (sâl·vâ·jän′tä) *m* life belt

salvaguardia (sâl·vâ·gwâr′dyâ) *f* safeguard

salvare (sâl·vâ′rä) *vt* to save, rescue

salvarsi (sâl·vâr′sē) *vr* to take shelter; to save oneself

salvataggio (sâl·vâ·tâj′jō) *m* rescue; **barca da** — lifeboat

salvezza (sâl·vä′tsä) *f* safety; salvation

salvia (sâl′vyâ) *f* (*bot*) sage

salvietta (sâl·vyät′tâ) *f* napkin

salvo (sâl′vō) *a* safe; — *adv&prep* except; — *m* safekeeping

sanatoria (sâ·nâ·tô′ryâ) *f* indemnity; sanction

sanatorio (sâ·nâ·tô′ryō) *m* sanatorium

sancire (sân·chē′râ) *vt* to decree; to authorize, sanction

sandalino (sân·dâ·lē′nō) *m* light kayak

sandalo (sân′dâ·lō) *m* sandal

sanforizzare (sân·fō·rē·dzâ′râ) *vt* to sanforize

sangue (sân′gwä) *m* blood; **al** — rare

sanguinare (sân·gwē·nâ′rä) *vi* to bleed

sanguinario (sân·gwē·nâ′ryō) *a* sanguinary

sanguinoso (sân·gwē·nō′zō) *a* bloody

sanguisuga (sân·gwē·sū′gâ) *f* (*fig*) bloodsucker; (*zool*) leech

sanitario (sâ·nē·tâ′ryō) *a* sanitary; **ufficio**
— health officer
sano (sâ′nō) *a* sane; wholesome; — e salvo
safe and sound
santamente (sân·tâ·män′tā) *adv* piously
santificare (sân·tē·fē·kâ′rā) *vt* to sanctify;
to canonize
santità (sân·tē·tâ′) *f* holiness
santo (sân′tō) *a* holy; — m saint; –la (sân′-
tō·lâ) *f* godmother; –lo (sân′tō·lō) *m*
godfather
santuario (sân·twâ′ryō) *m* shrine
sanzione (sân·tsyō′nā) *f* sanction
sapere * (sâ·pā′rā) *vt&i* to know; to taste
of; to smell of; — m erudition, learning
sapido (sâ′pē·dō) *a* tasty, delectable, delicious
sapiente (sâ·pyän′tā) *a* learned; — m&f
scholar; –mente (sâ·pyän·tā·män′tā)
adv wisely, learnedly
sapientone (sâ·pyän·tō′nā) *m* wiseacre,
smart aleck; dabbler, dilettante
sapienza (sâ·pyän′tsâ) *f* wisdom
saponata (sâ·pō·nâ′tâ) *f* lather; soapy
water
sapone (sâ·pō′nā) *m* soap; — da bucato
laundry soap; — da barba shaving stick;
shaving cream; –tta (sâ·pō·nät′tâ) *f*
cake of soap
saponiera (sâ·pō·nyâ′râ) *f* soap dish
sapore (sâ·pō′rā) *m* taste, savor
saporito (sâ·pō·rē′tō) *a* tasty, delectable
sarcasmo (sâr·kâ′zmō) *m* sarcasm
sarcastico (sâr·kâ′stē·kō) *a* sarcastic
sarda (sâr·dâ), sardella (sâr·dāl′lâ),
sardina (sâr·dē′nâ) *f* sardine
Sardegna (sâr·dā′nyâ) *f* Sardinia
sardo (sâr′dō) *a&m* Sardinian
sardonico (sâr·dō′nē·kō) *a* scornful, sardonic
sarta (sâr′tâ) *f* dressmaker, seamstress
sarto (sâr′tō) *m* tailor; –ria (sâr·tō·rē′â) *f*
tailor shop
sasso (sâs′sō) *m* stone
sassofonista (sâs·sō·fō·nē′stâ) *m* saxophone player
sassofono (sâs·sô′fō·nō) *m* saxophone
satellite (sâ·tel′lē·tā) *m* satellite
satira (sâ′tē·râ) *f* satire
satiro (sâ′tē·rō) *m* satyr
saturazione (sâ·tū·râ·tsyō′nā) *f* saturation
saturnismo (sâ·tūr·nē′zmō) *m* lead poisoning
saturo (sâ′tū·rō) *a* saturated
savio (sâ′vyō) *a* wise; well-behaved
saziare (sâ·tsyâ′râ) *vt* to sate; to satisfy
completely
saziarsi (sâ·tsyâr′sē) *vr* to tire of; to become sated
sazietà (sâ·tsyā·tâ′) *f* surfeit, satiety
sazio (sâ′tsyō) *a* full, satiated
sbadataggine (zbâ·dâ·tâj′jē·nā) *f* carelessness
sbadatamente (zbâ·dâ·tâ·män′tā) *adv*
carelessly
sbadato (zbâ·dâ′tō) *a* careless
sbadigliare (zbâ·dē·lyâ′rā) *vi* to yawn
sbadiglio (zbâ·dē′lyō) *m* yawn
sbagliare (zbâ·lyâ′rā) *vi* to make a mistake, commit an error; — *vt* to miss; to
misjudge
sbagliato (zbâ·lyâ′tō) *a* wrong, mistaken
sbaglio (zbâ′lyō) *m* mistake; error
sballare (zbâl·lâ′râ) *vt* to unpack; sbal-
larle grosse *(fig)* to talk big; to tell tall
tales
sballato (zbâl·lâ′tō) *a* false; *(fig)* unbalanced; foolish
sbalordimento (zbâ·lōr·dē·män′tō) *m*
amazement, astonishment
sbalordire (zbâ·lōr·dē′râ) *vt* to astound
sbalordirsi (zbâ·lōr·dēr′sē) *vr* to be
astounded, be amazed
sbalorditivo (zbâ·lōr·dē·tē′vō) *a* amazing, astounding
sbalzare (zbâl·tsâ′rā) *vt* to overthrow; to
discharge, to dismiss
sbalzo (zbâl′tsō) *m* leap; jump; a — in
bas-relief
sbandamento (zbân·dâ·män′tō) *m* dis-
persing; disbanding; *(auto)* skidding;
(naut) listing
sbandare (zbân·dâ′rā) *vi* to swerve; to go
out of control; — *vt* to break up, scatter
sbandarsi (zbân·dâr′sē) *vr* to disband;
(auto) to skid; *(naut)* to heel, tip
sbaragliare (zbâ·râ·lyâ′rā) *vt* to rout, scatter, set to flight
sbaraglio (zbâ·râ′lyō) *m* hubbub; rout;
dispersion; *(fig)* jeopardy; gettarsi allo
— to jeopardize oneself, put oneself in
a dangerous position
sbarazzare (zbâ·râ·tsâ′rā) *vt* to rid; to
clear; to disencumber, extricate
sbarazzarsi (zbâ·râ·tsâr′sē) *vr* to dispose
of; to get rid of
sbarazzino (zbâ·râ·tsē′nō) *m* urchin,
scamp, mischief
sbarbare (zbâr·bâ′rā) *vt* to shave
sbarbarsi (zbâr·bâr′sē) *vr* to shave
sbarbatello (zbâr·bâ·tāl′lō) *m* stripling,
young lad
sbarcare (zbâr·kâ′rā) *vt&i* to land; — il
lunario to make both ends meet
sbarco (zbâr′kō) *m* landing; disembarka-
tion

â ârm, ā bāby, e bet, ē bē, ō gō, ô gône, ū blūe, b bad, ch child, d dad, f fat, g gay, j jet

sbarra (zbâr'râ) *f* lever; crowbar; *(print)* dash; *(naut)* tiller; **–mento** (zbâr·râ·män'tō) *m* barrier; barrage; **–re** (zbâr·râ'rā) *vt* to bar

sbattere (zbât'tä·rā) *vt* to slam, bang; to stamp; to beat *(eggs)*; **— gli occhi** to blink one's eyes

sbellicarsi (zbäl·lē·kâr'sē) *vr* **— dalle risa** to split one's sides with laughter

sberleffo (zbär·läf'fō) *m* grimace; scar

sbiadire (zbyâ·dē'rā) *vi* to fade, fade out

sbieco (sbyä'kō) *a* oblique; awry; **di —** askance; askew

sbigottito (zbē·gōt·tē'tō) *a* dismayed

sbilanciare (zbē·lân·châ'rā) *vt&i* to unbalance; *(fig)* to derange

sbilanciarsi (zbē·lân·châr'sē) *vr* to lose one's balance; *(fig)* to live beyond one's income

sbirciare (zbēr·châ'rā) *vt&i* to eye, ogle, glance at, peer at

sbirro (zbēr'rō) *m* stool pigeon *(coll)*

sbizzarrirsi (zbē·dzâr·rēr'sē) *vr* to follow one's whims

sboccare (zbōk·kâ'rā) *vi* to flow into

sboccato (zbōk·kâ'tō) *a* foulmouthed

sbocciare (zbō·châ'rā) *vi* to bloom

sbocco (zbōk'kō) *m* outlet

sbollire (zbōl·lē'rā) *vi* to stop boiling; *(fig)* to calm down

sbornia (zbôr'nyâ) *f* intoxication

sborsare (zbōr·sâ'rā) *vt* to pay out, lay out

sbottonare (zbōt·tō·nâ'rā) *vt* to unbutton

sbottonarsi (zbōt·tō·nâr'sē) *vi* to open up; *(fig)* to speak freely

sbraitare (zbrâē·tâ'rā) *vi* to shout; to shriek

sbranare (zbrâ·nâ'rā) *vt* to rip to shreds

sbrigare (zbrē·gâ'rā) *vt* to finish off; to hurry up

sbrigarsi (zbrē·gâr'sē) *vr* to rush, hurry up

sbrigativamente (zbrē·gâ·tē·vâ·män'tā) *adv* promptly, rapidly

sbrigliato (zbrē·lyâ'tō) *a* unbridled, untrammeled

sbrinatore (zbrē·nâ·tō'rā) *m* defroster

sbrogliare (zbrō·lyâ'rā) *vt* to unravel; to untangle; to clear away

sbrogliarsi (zbrō·lyâr'sē) *vr* to rid oneself of; to untangle oneself

sbronzo (zbrōn'dzō) *a (sl)* drunk

sbucare (zbū·kâ'rā) *vi* to come out

sbucciare (zbū·châ'rā) *vt* to peel

sbuffare (zbūf·fâ'rā) *vi* to pant; to puff

scabbia (skâb'byâ) *f* scabies; mange

scabroso (skâ·brō'zō) *a* rugged; hard; complicated

scacchi (skâk'kē) *mpl* chess; **a —** check-

ered

scacchiera (skâk·kyä'rā) *f* chessboard

scacciare (skâ·châ'rā) *vt* to drive out, eject; to disperse, scatter

scacco (skâk'kō) *m* square; chessboard; **subire uno —** to suffer a defeat; **— matto** checkmate

scadente (skâ·dän'tā) *a* of poor quality, inferior

scadenza (skâ·dän'tsâ) *f* expiration

scadere * (skâ·dā'rā) *vi* to fall due

scaduto (skâ·dü'tō) *a* expired, run out

scafandro (skâ·fân'drō) *m* deep-sea diving

scaffale (skâf·fâ'lā) *m* shelf

scafo (skâ'fō) *m* hull of a ship

scaglia (skâ'lyâ) *f* scale *(fish)*; flake; shell *(tortoise)*; spangle; chip

scagliare (skâ·lyâ'rā) *vt* to hurl

scagliarsi (skâ·lyâr'sē) *vr* to hurl oneself at, rush at

scagliola (skâ·lyō'lâ) *f* plaster of Paris

scala (skâ'lâ) *f* stairs, ladder; **–re** (skâ·lâ'rā) *vt* to scale down, reduce; to climb, ascend; **–re** *a* graduated

scalcinato (skâl·chē·nâ'tō) *a (fig)* seedy, shabby; run-down

scaldabagno (skâl·dâ·bâ'nyō) *m* water heater

scaldare (skâl·dâ'rā) *vt* to warm up, heat

scaldarsi (skâl·dâr'sē) *vr* to warm up; to get roiled up

scalea (skâ·lā'â) *f* stairway

scalfittura (skâl·fēt·tü'râ) *f* scratch, scrape

scalinata (skâ·lē·nâ'tâ) *f* stairway

scalino (skâ·lē'nō) *m* step

scalmanato (skâl·mâ·nâ'tō) *a* excited, upset

scalo (skâ'lō) *m* port of call; **— merci** freight yard; **senza —** nonstop

scalogna (skâ·lō'nyâ) *f* jinx, whammy

scalpello (skâl·pâl'lō) *m* chisel; *(med)* scalpel

scaltrezza (skâl·trâ'tsâ) *f* sharpness, artfulness

scaltro (skâl'trō) *a* shrewd

scalzo (skâl'tsō) *a* barefooted

scambiare (skâm·byâ'rā) *vt* to take for, exchange

scambio (skâm'byō) *m* exchange; *(com)* trade

scampagnata (skâm·pâ·nyâ'tâ) *f* picnic

scampare (skâm·pâ'rā) *vt&i* to avoid; to escape; to get out of

scampo (skâm'pō) *m* escape; prawn

scampolo (skâm'pō·lō) *m* remnant; mill end

scanalatura (skâ·nâ·lâ·tü'râ) *f* rabbet *(carpentry)*; channeling

scandaglio (skân·dâ′lyō) *m (naut)* sounding; sounding line

scandalistico (skân·dâ·lē′stē·kō) *a* sensational

scandalizzare (skân·dâ·lē·dzâ′rā) *vt* to scandalize

scandalizzarsi (skân·dâ·lē·dzâr′sē) *vr* to be scandalized

scandalo (skân′dâ·lō) *m* scandal; **pietra dello** — stumbling block; **–so** (skân·dâ·lō′zō) *a* shocking; libelous

Scandinavia (skân·dē·nâ′vyâ) *f* Scandinavia

scandinavo (skân·dē′nâ·vō) *a* Scandinavian

scannare (skân·nâ′rā) *vt* to butcher

scansafatiche (skân·sâ·fâ·tē′kä) *m* loafer, ne'er-do-well

scansare (skân·sâ′rā) *vt* to dodge; to shun; to avoid

scansarsi (skân·sâr′sē) *vr* to dodge; to step aside, get out of the way

scansia (skân·sē′â) *f* shelf; bookcase

scanso (skân′sō) *m* avoidance; **a — di malintesi** in order to avoid misunderstandings

scantinato (skân·tē·nâ′tō) *m* basement

scanzonato (skân·tsō·nâ′tō) *a* free and easy, devil-may-care; frisky

scapaccione (skâ·pâ·chō′nä) *m* cuff, slap

scapestrato (skâ·pā·strâ′tō) *m* rake; — *a* dissolute

scapigliato (skâ·pē·lyâ′tō) *a* disheveled

scapito (skâ′pē·tō) *m* detriment

scapola (skâ′pō·lâ) *f* shoulder blade; scapula

scapolo (skâ′pō·lō) *m* bachelor

scappamento (skâp·pâ·mân′tō) *m* gas escape; *(mech)* exhaust

scappare (skâp·pâ′rā) *vi* to flee; to escape; **lasciarsi — l'occasione** to miss one's chance; **lasciarsi — la parola** to let a word slip, forget oneself

scappata (skâp·pâ′tâ) *f* escapade; excursion

scappatoia (skâp·pâ·tō′yâ) *f* means of escaping; loophole

scarabocchiare (skâ·râ·bōk·kyâ′rā) *vt&i* to scrawl

scarabocchio (skâ·râ·bôk′kyō) *m* blot; scribble, scrawl

scarafaggio (skâ·râ·fâj′jō) *m* bug; cockroach

scaramuccia (skâ·râ·mū′châ) *f* skirmish

scaraventare (skâ·râ·vän·tâ′rā) *vt* to hurl, throw

scaraventarsi (skâ·râ·vän·târ′sē) *vr* to throw oneself

scarcerare (skâr·chä·râ′rā) *vt* to release from prison

scaricare (skâ·rē·kâ′rā) *vt* to unload; to discharge

scaricarsi (skâ·rē·kâr′sē) *vr* to run down *(timepiece);* to relieve oneself; to empty into

scaricatore (skâ·rē·kâ·tō′rā) *m* stevedore

scarico (skâ′rē·kō) *m* discharge; — *a* discharged; not loaded; **turbo di** — exhaust pipe; **a — di coscienza** in order to relieve one's mind, to ease one's conscience

scarlattina (skâr·lât·tē′nâ) *f* scarlet fever

scarno (skâr′nō) *a* emaciated

scarola (skâ·rō′lâ) *f* escarole

scarpa (skâr′pâ) *f* shoe

scarseggiare (skâr·sâj·jâ′rā) *vi* to be scarce; to be short in supply

scarsità (skâr·sē·tâ′) *f* scarcity, dearth

scarso (skâr′sō) *a* scarce, short

scarto (skâr′tō) *m* rejected goods; dodge, side movement

scassinare (skâs·sē·nâ′rā) *vt* to break into

scassinatore (skâs·sē·nâ·tō′rā) *m* burglar

scasso (skâs′sō) *m* housebreaking; burglary

scatenare (skâ·tā·nâ′rā) *vt* to unchain; *(fig)* to cause

scatenarsi (skâ·tā·nâr′sē) *vr* to break loose; *(fig)* to fly into a rage

scatola (skâ′tō·lâ) *f* box; **in** — canned; **–me** (skâ·tō·lâ′mä) *m* canned goods

scattare (skât·tâ′rā) *vi* to spring up; *(photo)* to click *(shutter)*

scatto (skât′tō) *m* outburst; click; spring lock

scaturire (skâ·tū·rē′rā) *vi* to spring, gush up

scavare (skâ·vâ′rā) *vt* to dig up, uncover

scavatrice (skâ·vâ·trē′chä) *f* excavating machine

scavo (skâ′vō) *m* excavation

scegliere * (she′lyä·rā) *vt* to choose

scelleratezza (shäl·lä·râ·tâ′tsâ) *f* wickedness, evil

scellerato (shäl·lä·râ′tō) *a* wicked; — *m* miscreant

scelta (shäl′tâ) *f* choice, selection

scelto (shäl′tō) *a* chosen; choice, select

scemenza (shä·män′tsâ) *f* foolishness

scemo (shä′mō) *a* foolish; stupid; — *m* fool

scempiaggine (shäm·pyâj′jē·nä) *f* foolishness

scempio (shem′pyō) *m* devastation; confusion; massacre, slaughter

scena (shä′nâ) *f* scene; stage; **–rio** (shä·

nâ′ryō) *m* scenario; *(theat)* set; **–rista** (shā·nâ·rē′stâ) *m* scriptwriter; **–ta** (shā·nâ′tâ) *f* row, scene

scendere * (shen′dā·rā) *vi* to get down, go down, come down

sceneggiatore (shā·nāj·jâ·tō′rā) *m* scenarist, movie writer; TV writer

scenografia (shā·nō·grâ·fē′â) *f* scene painting; scenography

scenografo (shā·nō′grâ·fō) *m* scene painter

scervellarsi (shār·vāl·lâr′sē) *vr* to cudgel one's brains, ponder deeply

scettro (shāt′trō) *m* scepter

scheda (skā′dâ) *f* index card; ballot; **–re** (skā·dâ′rā) *vt* to classify; **–rio** (skā·dâ′ryō) *m* card file

schedina (skā·dē′nâ) *f* index card; **— del totocalcio** football pool ticket

scheggia (skej′jâ) *f* chip; splinter

scheletro (ske′lā·trō) *m* skeleton

schema (skā′mâ) *m* outline, sketch; plan, blueprint

schematicamente (skā·mâ·tē·kâ·mān′tā) *adv* schematically

scherma (skār′mâ) *f* fencing

schermitore (skār·mē·tō′rā) *m* fencer

schermo (skār′mō) *m* screen *(TV, movies)*; defense, protection

schernire (skār·nē′rā) *vt* to mock, make fun of

scherno (skār′nō) *m* ridicule; contempt; sneering

scherzare (skār·tsâ′rā) *vi* to joke; to trifle

scherzo (skār′tsō) *m* joke; trick *(mischief)*; **–so** (skār·tsō′zō) *a* playful; **–samente** (skār·tsō·zâ·mān′tā) *adv* jokingly, playfully

schiaccianoci (skyâ·châ·nō′chē) *m* nutcracker

schiacciante (skyâ·chân′tā) *a* overwhelming, decisive

schiacciare (skyâ·châ′rā) *vt* to crush; to put down, quell

schiacciarsi (skyâ·châr′sē) *vr* to be crushed; to be squashed; to be suppressed

schiaffo (skyâf′fō) *m* slap

schiamazzare (skyâ·mâ·tsâ′rā) *vi* to howl, clamor; to squawk

schiamazzo (skyâ·mâ′tsō) *m* howling; shouting; clamor

schianto (skyân′tō) *m* clap, crash; noise; *(fig)* pang; **di —** suddenly

schiarire (skyâ·rē′rā) *vt* to clear up; **— vi** to fade

schiarirsi (skyâ·rēr′sē) *vr* to grow light; to become clear, lighten

schiavista (skyâ·vē′stâ) *m* slave trader;

stato — slave state

schiavitù (skyâ·vē·tū′) *f* slavery

schiavo (skyâ′vō) *m&a* slave

schiena (skyā′nâ) *f* *(anat)* back; **–le** (skyā·nā′lā) *m* back *(chair)*

schiera (skyā′râ) *f* band, group; *(mil)* rank; **–rsi** (skyā·râr′sē) *vr* *(mil)* to draw up

schiettamente (skyāt·tâ·mān′tâ) *adv* straightforwardly, frankly

schiettezza (skyāt·tā′tsâ) *f* openness; frankness

schietto (skyāt′tō) *a* sincere, frank

schifare (skē·fâ′rā) *vt* to loathe

schifiltoso (skē·fēl·tō′zō) *a* fastidious

schifo (skē′fō) *m* disgust; **fare — a** to make sick, be repugnant to; **–so** (skē·fō′zō) *a* disgusting

schioppo (skyōp′pō) *m* shotgun

schiuma (skyū′mâ) *f* froth, foam

schizzare (skē·tsâ′rā) *vt&i* to splash; to sketch

schizzinoso (skē·tsē·nō′zō) *a* snooty *(coll)*; fastidious; hypercritical

schizzo (skē′tsō) *m* sketch; splash; squirt

sci (shē) *m* ski; **— nautico** water ski; **fare il — nautico** to water-ski

scia (shē′â) *f* wake; track

sciabola (shâ′bō·lâ) *f* saber

sciacquare (shâk·kwâ′râ) *vt* to rinse

sciacquarsi (shâk·kwâr′sē) *vr* to rinse out one's mouth

sciagura (shâ·gū′râ) *f* misfortune; accident; adversity; **–to** (shâ·gū·râ′tō) *m* wretch; **–to** *a* unhappy; unfortunate

scialacquare (shâ·lâk·kwâ′rā) *vt* to squander

scialbo (shâl′bō) *a* pallid, drab; vague

scialle (shâl′lā) *m* shawl

scialuppa (shâ·lūp′pâ) *f* launch

sciamare (shâ·mâ′râ) *vi* to swarm; to crowd together

sciame (shâ′mā) *m* swarm

sciampagna (shâm·pâ′nyâ) *f* champagne

sciampagnino (shâm·pâ·nyē′nō) *m* soft drink

sciampagnone (shâm·pâ·nyō′nâ) *m* playboy

sciancato (shân·kâ′tō) *m* cripple; **— a** lame, crippled

sciare (shâ′rā) *vi* to ski

sciarada (shâ·râ′dâ) *f* charade

sciarpa (shâr′pâ) *f* scarf, muffler; sash

sciatore (shâ·tō′rā) *m* skier

sciatto (shât′tō) *a* slovenly, untidy, unkempt

scibile (shē′bē·lā) *m* knowledge, information

scientificamente (shān·tē·fē·kâ·mān′tā)

adv scientifically

scientifico (shän·tē'fē·kō) *a* scientific

scienza (shän'tsä) *f* science

scienziato (shän·tsyâ'tō) *m* scientist

scilinguagnolo (shē·lēn·gwâ'nyō·lō) *m* (*anat*) tongue ligament; (*coll*) **aver lo — sciolto** to have a gift for gab; to be a great talker

scimmia (shēm'myä) *f* monkey, ape

scimmiottare (shēm·myōt·tâ'rä) *vt&i* to imitate; to mimic; to parody

scimunito (shē·mū·nē'tō) *a* foolish, moronic; — *m* moron, fool

scindere * (shēn'dā·rä) *vt* to split

scintilla (shēn·tēl'lä) *f* sparkle; **–nte** (shēn·tēl·lân'tä) *a* sparkling; **–re** (shēn·tēl·lâ'rä) *vi* to sparkle

scioccamente (shōk·kâ·män'tä) *adv* foolishly, nonsensically

sciocchezza (shōk·kā'tsä) *f* nonsense; trifle

sciocco (shōk'kō) *a* foolish, silly; nonsensical

sciogliere * (shô'lyä·rä) *vt* to unite; to solve; to free; **— la lingua** to become talkative; **— un voto** to fulfill a vow; **— un dubbio** to settle a doubt; **— un contratto** to annul a contract

sciogliersi * (shô'lyär·sē) *vr* to dissolve, melt; to get loose

scioglilingua (shō·lyē·lēn'gwâ) *m* tongue-twister

sciolto (shōl'tō) *a* loose; unrestrained; free

scioperante (shō·pä·rân'tä) *m* striker (*labor*); **—** *a* striking

scioperare (shō·pä·râ'rä) *vi* to go on strike

scioperato (shō·pä·râ'tō) *a&m* ne'er-do-well

sciopero (shô'pä·rō) *m* strike

sciovia (shō·vē'â) *f* ski lift

sciovinismo (shō·vē·nē'zmō) *m* chauvinism

scipito (shē·pē'tō) *a* dull; tasteless

scirocco (shē·rōk'kō) *m* hot, dry wind; sirocco

sciroppo (shē·rōp'pō) *m* syrup

scissione (shēs·syō'nä) *f* fission; split

sciupare (shū·pâ'rä) *vt* to spoil; to waste

sciuparsi (shū·pâr'sē) *vr* to spoil, get spoiled

sciupone (shū·pō'nä) *m* squanderer, spendthrift, wastrel

scivolare (shē·vō·lâ'rä) *vi* to slide; to slip

scivolone (shē·vō·lō'nä) *m* slip (*footing*)

scocciante (skō·chân'tä) *a* tiresome, annoying

scocciare (skō·châ'rä) *vt* (*coll*) to bother, annoy; to shell (*nut*); to break (*egg*)

scocciarsi (skō·châr'sē) *vr* to become

bored; to be annoyed

scodella (skō·dāl'lâ) *f* soup plate; bowl; **–re** (skō·dâl·lâ'rä) *vt* to dish up, serve

scodinzolare (skō·dēn·tsō·lâ'rä) *vi* to wag its tail

scogliera (skō·lyä'râ) *f* cliff

scoglio (skō'lyō) *m* rock; (*fig*) problem

scoiattolo (skō·yât'tō·lō) *m* squirrel

scolare (skō·lâ'rä) *vt&i* to drain '

scolaresca (skō·lâ·rā'skâ) *f* school children

scolastico (skō·lâ'stē·kō) *a* scholastic; **anno —** school year

scolaro (skō·lâ'rō) *m* pupil

scollacciato (skōl·lâ·châ'tō) *a* low-necked, décolleté; suggestive, risqué

scollatura (skōl·lâ·tū'râ) *f* ungluing; decolletage

scolo (skō'lō) *m* drainpipe; drain; drainage; (*sl*) gonorrhea

scolorina (skō·lō·rē'nâ) *f* ink eradicator

scolorire (skō·lō·rē'rä) *vi* to fade

scolorirsi (skō·lō·rēr'sē) *vr* to get pale; to lose one's color

scolorito (skō·lō·rē'tō) *a* discolored

scolpire (skōl·pē'rä) *vt* to sculpture, sculpt

scombro (skōm'brō) *m* mackerel

scombussolare (skōm·būs·sō·lâ'rä) *vt* to upset; to confuse, disorganize

scommessa (skōm·mäs'sä) *f* wager, bet

scommettere * (skōm·met'tä·rä) *vt* to bet

scomodare (skō·mō·dâ'rä) *vt* to disturb; to put out

scomodarsi (skō·mō·dâr'sē) *vr* to disturb oneself; to put oneself out

scomodo (skō'mō·dō) *a* uncomfortable, inconvenient; — *m* discomfort

scomparire * (skōm·pâ·rē'râ) *vi* to disappear

scomparsa (skōm·pâr'sâ) *f* disappearance

scompartimento (skōm·pâr·tē·män'tō) *m* compartment; section

scompigliare (skōm·pē·lyâ'rä) *vt* to disarrange, upset; to disorganize

scompiglio (skōm·pē'lyō) *m* to-do (*coll*); bustle; disorder

scomporre * (skōm·pōr'rä) *vt* to take apart; (*fig*) to ruffle, upset; (*math*) to resolve

scomporsi * (skōm·pōr'sē) *vr* to get mad, lose one's temper; to become decomposed, decompose

scomunica (skō·mū'nē·kâ) *f* excommunication

sconcertare (skōn·chär·tâ'rä) *vt* to baffle, disconcert, upset

sconcertante (skōn·chär·tân'tä) *a* baffling, upsetting

â ârm, ā bāby, e bet, ē bē, ō gō, ô gône, ū blūe, b bad, ch child, d dad, f fat, g gay, j jet

sconcezza (skŏn·chã'tsâ) *f* immodesty; obscenity

sconcio (skôn'chō) *a* indecent; — *m* shame; indecency

sconclusionato (skŏn·klū·zyō·nã'tō) *a* disjointed; rambling; meaningless

sconfiggere * (skŏn·fēj'jã·rã) *vt* to defeat

sconfinato (skŏn·fē·nã'tō) *a* limitless, boundless

sconfitta (skŏn·fēt'tâ) *f* defeat

sconforto (skŏn·fōr'tō) *m* discomfort, distress; depression

scongiurare (skŏn·jū·rã'rã) *vt* to implore; to plead

scongiuro (skŏn·jū'rō) *m* plea; exorcism

sconnesso (skŏn·nãs'sō) *a* disconnected

sconosciuto (skŏ·nō·shū'tō) *a* unknown; — *m* stranger

sconquassare (skŏn·kwâs·sâ'rã) *vt* to wreck; to smash

sconquasso (skŏn·kwâs'sō) *m* ruin; smash

sconsigliare (skŏn·sē·lyã'rã) *vt* to discourage; to convince against

sconsolato (skŏn·sō·lã'tō) *a* disconsolate, grieving

scontare (skŏn·tã'rã) *vt* to pay for, do penance for; *(com)* to discount

scontento (skŏn·tãn'tō) *a* dissatisfied; — *m* discontent

sconto (skŏn'tō) *m* discount; allowance

scontrino (skŏn·trē'nō) *m* check, ticket

scontro (skŏn'trō) *m* crash, collision; *(sport)* bout, match

scontroso (skŏn·trō'zō) *a* touchy, hypersensitive

sconvolgere (skŏn·vōl'jã·rã) *vt* to throw into disorder; to upset, turn over

sconvolto (skŏn·vōl'tō) *a* troubled, upset

scopa (skō'pâ) *f* broom; –re (skō·pâ'rã) *vt&i* to sweep

scoperta (skō·pãr'tâ) *f* discovery

scoperto (skō·pãr'tō) *a* uncovered; bare

scopo (skō'pō) *m* purpose, aim, objective

scoppiare (skōp·pyã'rã) *vi* to burst; to break out; — dall'invidia to turn green with envy; — in pianto to burst into tears

scoppio (skōp'pyō) *m* explosion; motore a — internal combustion engine

scoprire * (skō·prē'rã) *vt* to discover; to uncover

scoprirsi * (skō·prēr'sē) *vr* to make one's purpose known; *(coll)* to tip one's hat

scoraggiamento (skō·râj·jâ·mãn'tō) *m* discouragement, dejection

scoraggiare (skō·râj·jã'rã) *vt* to discourage, deject

scoraggiarsi (skō·râj·jâr'sē) *vr* to lose

heart, become downhearted

scorciatoia (skōr·chã·tō'yâ) *f* shortcut

scordare (skōr·dâ'rã) *vt* to put out of tune; to forget

scordarsi (skōr·dâr'sē) *vr* to forget; to get out of tune

scorgere * (skôr'jã·rã) *vt* to perceive, observe, see

scoria (skō'ryâ) *f* scum; dross

scorno (skōr'nō) *m* disgrace, shame

scorpacciata (skōr·pâ·chã'tâ) *f* bellyful

scorrere * (skôr'rã·rã) *vt* to scan; — *vi* to pass, go by *(time)*; to flow by, run by

scorrettamente (skōr·rãt·tâ·mãn'tã) *adv* unsuitably, incorrectly

scorrettezza (skōr·rãt·tã'tsâ) *f* misbehavior; faultiness

scorretto (skōr·rãt'tō) *a* incorrect, faulty

scorrevole (skōr·re'vō·lã) *a* sliding; fluent

scorrimento (skōr·rē·mãn'tō) *f* sliding; porta a — sliding door

scorso (skōr'sō) *a* last; past

scorsoio (skōr·sô'yō) *a* slipping, running; nodo — slipknot

scorta (skōr'tâ) *f* escort; stock, reserve supply

scortese (skōr·tã'zâ) *a* rude, ill-mannered

scorticare (skōr·tē·kâ'rã) *vt* to skin; *(fig)* to fleece

scorza (skōr'tsâ) *f* bark; *(fig)* outer surface

scosceso (skō·shã'zō) *a* sheer, steep

scossa (skōs'sâ) *f* shake; shock; a scosse in an irregular way, by fits and starts

scostare (skō·stâ'rã) *vt* to remove, take away

scostarsi (skō·stâr'sē) *vr* to step aside; to move away

scostumato (skō·stū·mâ'tō) *a* dissolute; ill-mannered

scotennare (skō·tãn·nâ'rã) *vt* to scalp; to skin

scottare (skōt·tâ'rã) *vt&i* to burn; to sting; to scald; to be very hot

scottarsi (skōt·târ'sē) *vr* to get burned; to scald oneself

scottatura (skōt·tâ·tū'râ) *f* burn

Scozia (skō'tsyâ) *f* Scotland

scozzese (skō·tsã'zã) *a* Scotch; — *m* Scot

screditato (skrã·dē·tâ'tō) *a* discredited, disreputed

scremato (skrã·mâ'tō) *a* skimmed

screpolato (skrã·pō·lã'tō) *a* chapped; cracked, split

screzio (skre'tsyō) *m* spat, difference

scribacchiare (skrē·bâk·kyã'rã) *vt* to scribble

scricchiolare (skrēk·kyō·lã'rã) *vi* to creak; to rasp

scricchiolio (skrēk·kyō·lē′ō) *m* rasping; creaking

scrigno (skrē′nyō) *m* jewel case; cashbox

scriteriato (skrē·tā·ryâ′tō) *a* foolish, rash, unwise

scritta (skrēt′tâ) *f* sign; caption; inscription

scritto (skrēt′tō) *a* written; — *m* writing; **–io** (skrēt·tô′yō) *m* desk; **–re** (skrēt·tō′rā) *m*, **scrittrice** (skrēt·trē′chā) *f* writer

scrittura (skrēt·tū′râ) *f* handwriting; *(law)* deed; *(theat)* booking; *(com)* entry; **la Sacra —** the Holy Scriptures; **avere bella —** to have a good handwriting; **–re** (skrēt·tū·râ′rā) *vt (theat)* to book, engage

scrivania (skrē·vâ·nē′â) *f* writing desk

scrivano (skrē·vâ′nō) *m* clerk; transcriber

scrivere * (skrē′vā·rā) *vt&i* to write, write up

scroccare (skrōk·kâ′rā) *vt* to live at another's expense; to sponge *(coll)*

scroccone (skrōk·kō′nā) *m* parasite; sponger *(coll)*

scrofa (skrō′fâ) *f* sow

scroscio (skrô′shō) *m* burst; shower *(rain)*; **piovere a —** to rain cats and dogs *(coll)*

scrupolo (skrū′pō·lō) *m* scruple; **–samente** (skrū·pō·lō·zâ·mān′tā) *adv* scrupulously

scrutatore (skrū·tâ·tō′rā) *m* investigator

scrutinio (skrū·tē′nyō) *m* grade average *(school)*; scrutiny, careful examination

scucire (skū·chē′rā) *vt* to rip, unstitch

scucito (skū·chē′tō) *a* ripped, unsewed

scucitura (skū·chē·tū′râ) *f* ripped seam

scuderia (skū·dā·rē′â) *f* stable

scudiscio (skū·dē′shō) *m* whip, lash

scudo (skū′dō) *m* shield; escutcheon; *(fig)* protection, aegis

sculacciare (skū·lâ·châ′rā) *vt* to spank

sculacciatura (skū·lâ·châ·tū′râ) *f* spanking

sculaccione (skū·lâ·chō′nā) *m* spanking

scultore (skūl·tō′rā) *m* sculptor

scultura (skūl·tū′râ) *f* sculpture

scuola (skwō′lâ) *f* school; **— professionale** vocational school

scuotere * (skwô′tā·rā) *vt* to shake

scuotersi * (skwô′tär·sē) *vr* to bestir oneself; to rouse oneself

scure (skū′rā) *f* hatchet, ax

scuro (skū′rō) *a* dark; swarthy; **—** *m* obscurity; shading *(art)*

scusa (skū′zâ) *f* excuse; apology; justification; **— magra** poor excuse; **–re** (skū·zâ′rā) *vt* to excuse; to justify

scusarsi (skū·zâr′sē) *vr* to justify oneself; to excuse oneself

sdebitarsi (zdā·bē·târ′sē) *vr* to meet one's obligations; to return a favor

sdegno (zdā′nyō) *m* indignation; **–samente** (zdā·nyō·zâ·mān′tā) *adv* scornfully; haughtily; **–so** (zdā·nyō′zō) *a* haughty, disdainful

sdentato (zdān·tâ′tō) *a* toothless

sdoganare (zdō·gâ·nâ′rā) *vt* to clear through customs

sdolcinato (zdōl·chē·nâ′tō) *a* affected, cloying

sdraiarsi (zdrâ·yâr′sē) *vi* to stretch out; to lie extended

sdraio (zdrâ′yō) *a* reclining, stretched out; **sedia a —** deck chair

sdrucciolare (zdrū·chō·lâ′rā) *vi* to slip

sdrucciolevole (zdrū·chō·le′vō·lā) *a* slippery, slick

sdrucito (zdrū·chē′tō) *a* ripped, torn

se (sā) *conj* if; **— mai** if at all

sè (sā) *pron* herself, himself; itself; oneself; themselves

sebbene (sāb·bā′nā) *conj* although, despite the fact that

seccante (sāk·kân′tā) *a* boresome, tiring

seccare (sāk·kâ′rā) *vt&i* to bother, annoy; to dry; to sere

seccarsi (sāk·kâr′sē) *vr* to wither; *(coll)* to be bored

seccatore (sāk·kâ·tō′rā) *m* pest, bore

seccatura (sāk·kâ·tū′râ) *f* nuisance

secchia (sek′kyâ) *f*, **secchio** (sek′kyō) *m* pail

secco (sāk′kō) *a* dry; sharp, cold

secessione (sā·chās·syō′nā) *f* secession

secolare (sā·kō·lâ′rā) *m* layman; **—** *a* worldly, secular

secolo (se′kō·lō) *m* century

secondo (sā·kōn′dō) *m&a* second; **—** *prep* according to

secrezione (sā·krā·tsyō′nā) *f* secretion

sedano (se′dâ·nō) *m* celery

sedare (sā·dâ′rā) *vt* to quell; to appease

sedativo (sā·dâ·tē′vō) *m&a* sedative

sede (sā′dā) *f* see *(eecl)*; main office, home office

sedentario (sā·dān·tâ′ryō) *a* sedentary

sedere * (sā·dā′rā) *vi* to sit; **—** *m* rump

sedersi * (sā·dār′sē) *vr* to seat oneself

sedia (se′dyâ) *f* chair; **— a rotelle** wheel chair; **— a sdraio** deck chair, chaise longue

sedicenne (sā·dē·chān′nā) *a* sixteen years old

sedicente (sā·dē·chān′tā) *a* self-styled

sedicesimo (sā·dē·che′zē·mō) *a* sixteenth

sedici (se′dē·chē) *a* sixteen

sedile (sā·dē'lā) *m* seat

sedizione (sā·dē·tsyō'nā) *f* mutiny; sedition

seducente (sā·dū·chān'tā) *a* seductive; glamorous, attractive

sedurre * (sā·dūr'rā) *vt* to seduce; to entrance

seduta (sā·dū'tâ) *f* meeting

seduzione (sā·dū·tsyō'nā) *f* seduction; attraction, glamour

sega (sā'gâ) *f* saw; **–re** (sā·gâ'rā) to saw; **–tura** (sā·gâ·tū'râ) *f* sawdust

segale (sā·gā'lā) *f* rye

segaligno (sā·gâ·lē'nyō) *a* slim, wiry

segnalare (sā·nyâ·lâ'rā) *vt* to indicate, point out

segnalarsi (sā·nyâ·lâr'sē) *vr* to distinguish oneself; to become well known

segnalazione (sā·nyâ·lâ·tsyō'nā) *f* signal; indication

segnale (sā·nyâ'lā) *m* signal; **—** **acustico** auto horn

segnalibro (sā·nyâ·lē'brō) *m* bookmark

segnare (sā·nyâ'rā) *vt* to mark; to note, point to

segno (sā'nyō) *m* sign; token; **cogliere il** **—** to hit the mark; **in — d'affetto** as a token of affection; **per filo e per —** with all the details, completely

segregare (sā·grā·gâ'rā) *vt* to segregate; to keep isolated

segregarsi (sā·grā·gâr'sē) *vr* to isolate oneself; to live in seclusion

segregazione (sā·grā·gâ·tsyō'nā) *f* segregation; solitary confinement *(prison)*

segretaria (sā·grā·tâ'ryâ) *f*, **segretario** (sā·grā·tâ'ryō) *m* secretary

segreteria (sā·grā·tā·rē'â) *f* secretariat; central office

segretezza (sā·grā·tā'tsâ) *f* secrecy, privacy

segreto (sā·grā'tō) *m* privacy, secret; **—** *a* private, secret

seguace (sā·gwâ'chā) *m* follower

seguente (sā·gwān'tā) *a* following, coming

segugio (sā·gū'jō) *m* bloodhound

seguire (sā·gwē'rā) *vt* to follow; to continue; **far —** to forward *(mail)*

seguito (se'gwē·tō) *m* continuation; following; party; retinue

sei (sā'ē) *a* six

seicento (sāē·chān'tō) *a* six hundred; **il** **S–** the seventeenth century

seimila (sāē·mē'lâ) *a* six thousand

selettore (sā·lāt·tō'rā) *m* selector

selezionare (sā·lā·tsyō·nâ'rā) *vt* to select; to make a selection of

selezione (sā·lā·tsyō'nā) *f* selection; digest

sella (sāl'lâ) *f* saddle

selvaggina (sāl·vâj·jē'nâ) *f* game

selvaggio (sāl·vâj'jō) *a&m* savage

selvatico (sāl·vâ'tē·kō) *a* wild

selz (sālts) *f* soda water; seltzer

semaforo (sā·mâ'fō·rō) *m* traffic light

sembrare (sām·brâ'râ) *vt&i* to seem; to appear to be

seme (sā'mā) *m* seed; cause, origin

semestre (sā·mā'strā) *m* six months; semester

semina (se'mē·nâ) *f* seed; sowing; **–re** (sā·mē·nâ'rā) *vt* to sow; **–tore** (sā·mē·nâ·tō'rā) *m* sower; **–trice** (sā·mē·nâ·trē'châ) *f* mechanical seeder

semita (sā·mē'tâ) *m* Semite

semola (se'mō·lâ) *f* fine flour; bran; freckle; **pan di —** white bread

semolino (sā·mō·lē'nō) *m* semolina

semovente (sā·mō·vān'tâ) *a* self-propelled

semplice (sem'plē·chā) *a* simple; plain; easy; **–mente** (sām·plē·chā·mān'tā) *adv* plainly, obviously; easily

semplicione (sām·plē·chō'nā), **sempliciotto** (sām·plē·chōt'tō) *m* simpleton

semplicità (sām·plē·chē·tâ') *f* simplicity; ease

sempre (sām'prā) *adv* ever; always; **–chè** (sām·prâ·kā') *conj* with the condition that; **–verde** (sām·prâ·vār'dā) *m&a* evergreen

senape (se'nâ·pā) *f* mustard

senato (sā·nâ'tō) *m* senate; **–re** (sā·nâ·tō'râ) *m* senator

senilità (sā·nē·lē·tâ') *f* senility

senno (sān'nō) *m* wisdom; common sense

seno (sā'nō) *m* breast; bay; *(math)* sine

senonchè (sā·nōn·kā') *adv* otherwise, if not; **—** *conj* except for the fact that; unless

sensale (sān·sâ'lā) *m* middleman; broker; agent

sensato (sān·sâ'tō) *a* sensible, reasonable; wise; rational

sensazionale (sān·sâ·tsyō·nâ'lā) *a* sensational; moving, stirring

sensazione (sān·sâ·tsyō'nā) *f* sensation

sensibile (sān·sē'bē·lā) *a* sensitive

sensibilità (sān·sē·bē·lē·tâ') *f* sensitivity; susceptibility

senso (sān'sō) *m* sense; meaning; direction; way; **— unico** one way; **— vietato** do not enter *(street);* **buon —** common sense; **in — contrario** in the opposite way; to the contrary

sensuale (sān·swâ'lā) *a* sensual

sentenza (sān·tân'tsâ) *f* sentence; verdict

sentiero (sän·tyä′rō) *m* path, trail
sentimentale (sän·tē·män·tä′lä) *a* sentimental; romantic
sentimento (sän·tē·män′tō) *m* feeling; viewpoint
sentinella (sän·tē·näl′lä) *f* sentinel
sentire (sän·tē′rä) *vt* to hear; to feel
sentirsi (sän·tēr′sē) *vr* to feel
sentitamente (sän·tē·tä·män′tä) *adv* sincerely, cordially, deeply
sentore (sän·tō′rä) *m* feeling, premonition, forewarning
senza (sän′tsä) *prep* without
senzatetto (sän·tsä·tät′tō) *m* homeless person
separare (sä·pä·rä′rä) *vt* to separate
separarsi (sä·pä·rär′sē) *vr* to part, diverge
separazione (sä·pä·rä·tsyō′nä) *f* separation
sepolcro (sä·pōl′krō) *m* tomb; burial vault
sepolto (sä·pōl′tō) *a* buried
sepoltura (sä·pōl·tü′rä) *f* burial
seppellire (säp·pāl·lē′rä) *vt* to bury
sequenza (sä·kwän′tsä) *f* sequence
sequestrare (sä·kwä·strä′rä) *vt* to attach, seize; to seclude, keep hidden
sequestro (sä·kwä′strō) *m* attachment, confiscating; **— guidiziale** distraint; **— di stipendio** attachment of salary
sera (sā′rä) *f* evening; **verso —** at dusk; **di —** at night; **–le** (sä·rä′lä) *a* evening; **–ta** (sä·rä′tä) *f* evening; *(theat)* evening performance
serbare (sär·bä′rä) *vt* to keep, reserve
serbarsi (sär·bär′sē) *vr* to keep for oneself; to take care of
serbatoio (sär·bä·tô′yō) *m* tank; cistern, storage tank
serenata (sä·rä·nä′tä) *f* serenade
serenità (sä·rä·nē·tä′) *f* calm; serenity
sereno (sä·rä′nō) *a* serene; clear, cloudless; **—** *m* cloudless sky
sergente (sär·jän′tä) *m* sargeant
seriamente (sä·ryä·män′tä) *adv* solemnly; seriously
serie (se′ryä) *f* series; **fuori —** custombuilt; **produzione in — massa** mass production
serietà (sä·ryä·tä′) *f* seriousness
serio (se′ryō) *a* serious; responsible; **sul —** seriously, earnestly
sermone (sär·mō′nä) *m* sermon
sermoneggiare (sär·mō·näj·jä′rä) *vi* to harangue, lecture
serpe (sär′pä) *m* snake; **–ggiare** (sär·päj·jä′rä) *vi* to wander, meander; **–ntino** (sär·pän·tē′nō) *a* snaky; **–ntino** *m* coil
serpente (sär·pän′tä) *m* snake, serpent

serra (sär′rä) *f* hothouse; **–glio** (sär·rä′lyō) *m* menagerie; **–nda** (sär·rän′dä) *f* rolling shutter; **–re** (sär·rä′rä) *vt* to lock; to close; to squeeze; to close up *(ranks)*; **–ta** (sär·rä′tä) *f* lockout; **–tura** (sär·rä·tü′rä) *f* lock; **–tura di sicurezza** safety lock
serva (sär′vä) *f* maid
servilismo (sär·vē·lē′zmō) *m* fawning; servility
servire (sär·vē′rä) *vt&i* to serve
servirsi (sär·vēr′sē) *vr* to make use of; to help oneself *(food)*
servitore (sär·vē·tō′rä) *m* servant
servitù (sär·vē·tü′) *f* servitude; bondage; servants of a home as a group
servizievole (sär·vē·tsye′vō·lä) *a* convenient; serviceable; helpful
servizio (sär·vē′tsyō) *m* service; **mezzo —** part-time service; **donna di —** maid
servo (sär′vō) *m* servant; **—** *a* servile; **–freno** (sär·vō·frä′nō) *m* hydraulic brake booster; **–sterzo** (sär·vō·stär′tsō) *m* hydraulic steering
sessagenario (säs·sä·jä·nä′ryō) *a&m* sexagenarian
sessagesima (säs·sä·je′zē·mä) *f (eccl)* Sexagesima
sessanta (säs·sän′tä) *a* sixty
sessantesimo (säs·sän·te′zē·mō) *a* sixtieth
sessione (säs·syō′nä) *f* meeting; session
sesso (säs′sō) *m* sex
sessuale (säs·swä′lä) *a* sexual
sestetto (sä·stät′tō) *m* sextet
sesto (sä′stō) *a* sixth
seta (sä′tä) *f* silk
setaccio (sä·tä′chō) *m* sieve; crib
sete (sä′tä) *f* thirst; **aver —** to be thirsty
setificio (sä·tē·fē′chō) *m* silk mill
setola (se′tō·lä) *f* bristle
setta (sät′tä) *f* sect
settanta (sät·tän′tä) *a* seventy
settantesimo (sät·tän·te′zē·mō) *a* seventieth
sette (sät′tä) *a* seven
settecento (sät·tä·chän′tō) *a* seven hundred; **il S—** the eighteenth century
settemila (sät·tä·mē′lä) *a* seven thousand
settembre (sät·täm′brä) *m* September
settennale (sät·tän·nä′lä) *a* septennial
settentrionale (sät·tän·tryō·nä′lä) *a* northern
settentrione (sät·tän·tryō′nä) *m* north
settenne (sät·tän′nä) *a* seven years old
settimana (sät·tē·mä′nä) *f* week; **–le** (sät·tē·mä·nä′lä) *a&m* weekly
settimo (set′tē·mō) *a* seventh
settore (sät·tō′rä) *m* department, field,

area

settuagenario (sāt·twâ·jā·nâ′ryō) *a&m* septuagenarian

severamente (sā·vā·râ·mān′tā) *adv* severely; with austerity

severità (sā·vā·rē·tâ′) *f* strictness, severity

severo (sā·vā′rō) *a* strict; severe

seviziare (sā·vē·tsyâ′rā) *vt* to torture; to mistreat, treat badly

sezione (sā·tsyō′nā) *f* section

sfaccendato (sfâ·chān·dâ′tō) *m* loafer, ne′er-do-well; — *a* lazy, idle

sfacciataggine (sfâ·châ·tâj′jē·nā) *f* impudence

sfacciatamente (sfâ·châ·tâ·mān′tā) *adv* impudently

sfacciato (sfâ·châ′tō) *a* brazen; impudent

sfacelo (sfâ·châ′lō) *m* collapse, ruin

sfamare (sfâ·mâ′rā) *vt* to feed; to satisfy one′s hunger

sfarzo (sfâr′tsō) *m* pomp

sfasciarsi (sfâ·shâr′sē) *vr* to be smashed up; to collapse; to come apart

sfavillante (sfâ·vēl·lân′tā) *a* scintillating, sparkling

sfavorevole (sfâ·vō·re′vō·lā) *a* unfavorable

sfavorevolmente (sfâ·vō·rā·vōl·mān′tā) *adv* unfavorably

sfegatato (sfā·gâ·tâ′tō) *a* passionate; — *m* hothead

sfera (sfā′râ) *f* sphere; **penna a** — ballpoint pen

sferrare (sfār·râ′rā) *vt* to release; — **uno schiaffo** to slap violently; — **un attacco** *(mil)* to launch an attack

sfiatato (sfyâ·tâ′tō) *a* breathless

sfibrante (sfē·brân′tā) *a* weakening, enervating

sfida (sfē′dâ) *f* defiance; challenge; **–re** (sfē·dâ′rā) *vt* to challenge

sfiducia (sfē·dū′châ) *f* distrust

sfigurato (sfē·gū·râ′tō) *a* disfigured

sfilata (sfē·lâ′tâ) *f* parade; fashion show; procession

sfinge (sfēn′jā) *f* sphinx

sfinimento (sfē·nē·mān′tō) *m* breakdown; faint; exhaustion

sfinirsi (sfē·nēr′sē) *vr* to become run-down

sfinito (sfē·nē′tō) *a* exhausted, run-down

sfiorare (sfyō·râ′rā) *vt* to brush, graze; to go over quickly, scan hurriedly

sfiorire (sfyō·rē′rā) *vt* to wither

sfociare (sfō·châ′rā) *vi* to flow into

sfoderare (sfō·dā·râ′rā) *vt* to unsheath; *(fig)* to vaunt, make a great display of

sfogare (sfō·gâ′rā) *vt* to vent, unleash

sfogarsi (sfō·gâr′sē) *vr* to give vent to

one′s emotions, vent one′s wrath

sfoggio (sfōj′jō) *m* ostentation, parade

sfogliatella (sfō·lyâ·tāl′lâ) *f* puff pastry

sfogo (sfō′gō) *m* vent; relief; *(med)* rash; **dar** — **a** to give free rein to

sfollagente (sfōl·lâ·jān′tā) *m* billy, night stick

sfollare (sfōl·lâ′rā) *vt* to evacuate; — *vi* to disperse

sfollato (sfōl·lâ′tō) *m* evacuee

sfondare (sfōn·dâ′rā) *vt* to succeed in; to achieve; to break through, break open; to make it *(coll)*

sfondo (sfōn′dō) *m* background

sformato (sfōr·mâ′tō) *a* deformed

sfornare (sfōr·nâ′rā) *vt* to take out of the oven

sfornito (sfōr·nē′tō) *a* devoid; lacking; destitute

sfortuna (sfōr·tū′nâ) *f* bad luck; **–tamente** (sfōr·tū·nâ·tâ·mān′tā) *adv* unluckily; **–to** (sfōr·tū·nâ′tō) *a* unlucky

sforzare (sfōr·tsâ′rā) *vt* to force, make

sforzarsi (sfōr·tsâr′sē) *vr* to strive; to do one′s best

sforzo (sfōr′tsō) *m* effort, attempt

sfracellare (sfrâ·châl·lâ′rā) *vt* to smash, crash

sfracellarsi (sfrâ·châl·lâr′sē) *vr* to be smashed, dash to pieces

sfrattare (sfrât·tâ′rā) *vt* to evict; to expel, oust

sfratto (sfrât′tō) *m* eviction

sfregio (sfre′jō) *m* scar; gash; *(fig)* insult

sfrenato (sfrā·nâ′tō) *a* dissolute; unrestrained, untrammeled

sfrontato (sfrōn·tâ′tō) *a* brazen

sfruttamento (sfrūt·tâ·mān′tō) *m* exploitation; depletion

sfruttare (sfrūt·tâ′rā) *vt* to deplete; to exploit

sfruttatore (sfrūt·tâ·tō′rā) *m* exploiter; — **di donne** pimp, pander

sfuggire (sfūj·jē′rā) *vi* to escape; — *vt* to avoid, evade

sfuggita (sfūj·jē′tâ) *f* **di** — in passing; incidentally, by the way

sfumare (sfū·mâ′rā) *vi* to vanish, disappear; — *vt (art)* to shade; *(mus)* to diminish

sfumatura (sfū·mâ·tū′râ) *f* nuance, shade

sfuriata (sfū·ryâ′tâ) *f* tirade, fit of rage

sfuso (sfū′zō) *a (com)* in bulk

sgabello (zgâ·bāl′lō) *m* stool

sgambettare (zgâm·bāt·tâ′rā) *vi* to trip along; to toddle

sgambetto (zgâm·bāt′tō) *m* caper, gambol; **fare lo** — **a** *(fig)* to oust

sganciare (zgân·châ′rä) *vt* to unfasten; to unhook; (*avi*) to drop (*bombs*)

sgangheratamente (zgân·gä·râ·tâ·män′tä) *adv* grossly, immoderately; **ridere —** to guffaw

sgangherato (zgân·gä·râ′tō) *a* rickety; rude, gross

sgarbato (zgâr·bâ′tō) *a* rude

sgarbo (zgâr′bō) *m* discourtesy, impoliteness

sgelare (zjä·lâ′rä) *vi* to melt, thaw

sgelo (zjä′lō) *m* thaw

sgobbare (zgōb·bâ′rä) *vt* to work doggedly

sgobbone (zgōb·bō′nä) *m* (*coll*) hard worker; grind (*coll*)

sgocciolare (zgō·chō·lâ′rä) *vi* to drip

sgomberare (zgōm·bä·râ′rä), **sgombrare** (zgōm·brâ′rä) *vt* to clear out; to leave, depart from

sgombero (zgôm′bä·rō), **sgombro** (zgōm′brō) *m* clearance, removal; **—** *a* clear, free; empty

sgomentare (zgō·män·tâ′rä) *vt* to upset; to dismay; to frighten

sgomentarsi (zgō·män·târ′sē) *vr* to lose heart; to become frightened

sgomento (zgō·män′tō) *m* panic; fear

sgonfiare (zgōn·fyâ′rä) *vt* to deflate

sgonfiarsi (zgōn·fyâr′sē) *vr* to deflate, be deflated; (*med*) to go down (*swelling*)

sgorbio (zgôr′byō) *m* blot; daub; scrawl; stain

sgozzare (zgō·dzâ′rä) *vt* to slaughter; to slit the throat of

sgradevole (zgrâ·de′vō·lä) *a* disagreeable, displeasing

sgradevolmente (zgrâ·dä·vōl·män′tä) *adv* unpleasantly

sgradito (zgrâ·dē′tō) *a* unwelcome, badly received, unpleasant

sgrammaticato (zgrâm·mâ·tē·kâ′tō) *a* ungrammatical

sgranare (zgrâ·nâ′rä) *vt* to shell, husk; **— gli occhi** (*fig*) to open one's eyes wide

sgranchire (zgrân·kē′rä) *vt* to stretch out, extend

sgranchirsi (zgrân·kēr′sē) *vr* to stretch oneself; **— le gambe** to stretch one's legs; (*fig*) to go for a short walk

sgravare (zgrâ·vâ′rä) *vt* to ease; to unload

sgravarsi (zgrâ·vâr′sē) *vr* to relieve oneself; (*med*) to be delivered; to litter (*animals*); **— la coscienza** (*fig*) to assuage one's conscience

sgraziato (zgrâ·tsyâ′tō) *a* awkward

sgridare (zgrē·dâ′rä) *vt* to reprimand, scold

sgridata (zgrē·dâ′tâ) *f* scolding

sguaiatamente (zgwâ·yâ·tâ·män′tä) *adv* uncouthly, coarsely

sguaiato (zgwâ·yâ′tō) *a* vulgar, low

sguainare (zgwâē·nâ′rä) *vt* to uncover, unsheathe

squalcito (zgwâl·chē′tō) *a* crumpled, rumpled

sgualdrina (zgwâl·drē′nâ) *f* prostitute

sguardo (zgwâr′dō) *m* glance, look

sguattero (zgwât′tâ·rō) *m* dishwasher

sgusciare (zgū·shâ′rä) *vt* to shell; to remove the husk from; **—** *vi* to slip away unnoticed, make off unobserved

sì (sē) *adv* yes

si (sē) *pron* one, oneself; himself, herself; we, ourselves; each other, themselves

sia (sē′â) *conj* either; or; whether

sicario (sē·kâ′ryō) *m* hired assassin, mercenary

sicchè (sēk·kä′) *conj* so that, in order that

siccità (sē·chē·tâ′) *f* drought

siccome (sēk·kō′mä) *conj* since, in view of the fact that

Sicilia (sē·chē′lyä) *f* Sicily

siciliano (sē·chē·lyâ′nō) *a&m* Sicilian

sicuramente (sē·kū·râ·män′tä) *adv* safely, surely

sicurezza (sē·kū·rä′tsâ) *f* assurance; safety; security; **consiglio di —** security council; **pubblica —** police; **uscita di —** emergency door

sicuro (sē·kū′rō) *a* safe; reliable, sure; **—** *m* safety; **andare sul —** to play safe; **—** *adv* surely; **di —** certainly, surely

siderurgico (sē·dä·rūr′jē·kō) *a* iron and steel; **stabilimento —** steel mill

siepe (syä′pä) *f* hedge

siero (syä′rō) *m* serum

sifilide (sē·fē′lē·dä) *f* (*med*) syphilis

sifilitico (sē·fē·lē′tē·kō) *a* (*med*) syphilitic

sigaraio (sē·gâ·râ′yō) *m* cigar maker; cigar dealer

sigaretta (sē·gâ·rät′tâ) *f* cigarette; **sigarette sfuse** cigarettes sold individually

sigaretto (sē·gâ·rät′tō) *m* cigarillo, small cigar

sigaro (sē′gâ·rō) *m* cigar

sigillare (sē·jēl·lâ′rä) *vt* to seal

sigillo (sē·jēl′lō) *m* seal

sigla (sē′glâ) *f* monogram; initials; **–re** (sē·glâ′rä) *vt* to initial

significare (sē·nyē·fē·kâ′rä) *vt* to mean

significativamente (sē·nyē·fē·kâ·tē·vâ·män′tä) *adv* meaningfully; significantly

significativo (sē·nyē·fē·kâ·tē′vō) *a* significant, meaningful

significato (sē·nyē·fē·kâ′tō) *m* meaning, importance

signora (sē·nyō′râ) *f* lady; mistress, Mrs.; madam

signore (sē·nyō′rā) *m* gentleman; lord; Mister, Mr.

signorile (sē·nyō·rē′lā) *a* refined, dignified

signorina (sē·nyō·rē′nâ) *f* young lady; Miss

silenziatore (sē·lān·tsyâ·tō′rā) *m* muffler

silenzio (sē·len′tsyō) *m* silence; **–samente** (sē·lān·tsyō·zâ·män′tā) *adv* noiselessly; silently; **–so** (sē·lān·tsyō′zō) *a* silent

silice (sē′lē·chā) *f* flint, silica

silicio (sē′lē·chō) *m* silicon

sillaba (sēl′lâ·bâ) *f* syllable; **–re** (sēl·lâ·bâ′rā) *vt* to spell out; to syllable; to syllabify; **–rio** (sēl·lâ·bâ′ryō) *m* primer; speller

silo (sē′lō) *m* silo

silografia (sē·lō·grâ·fē′â) *f* wood engraving

siluetta (sē·lūāt′tâ) *f* silhouette

silurante (sē·lū·rân′tā) *f* torpedo boat, destroyer; **aereo —** (*avi*) torpedo-carrying airplane

silurare (sē·lū·râ′rā) *vt* to torpedo; (*fig*) to dismiss, fire

siluro (sē·lū′rō) *m* torpedo

silvestre (sēl·vä′strā) *a* wild; sylvan; rustic

simbolizzare (sēm·bō·lē·dzâ′rā) *vt&i* to represent; to symbolize

simbolo (sēm′bō·lō) *m* symbol

simile (sē′mē·lā) *a* alike, similar; like

simpatia (sēm·pâ·tē′â) *f* sympathy; liking

simpatico (sēm·pâ′tē·kō) *a* nice; likable

simpatizzante (sēm·pâ·tē·dzân′tā) *a* friendly; pleasant; **—** *m* advocate

simpatizzare (sēm·pâ·tē·dzâ′rā) *vt&i* to be favorable to; to hit it off with, get along well with

simulare (sē·mū·lâ′rā) *vt&i* to simulate, pretend

simulatore (sē·mū·lâ·tō′rā) *m*, **simulatrice** (sē·mū·lâ·trē′chā) *f* pretender; liar

simulazione (sē·mū·lâ·tsyō′nā) *f* pretense; lying

simultaneamente (sē·mūl·tâ·nä·â·mān′tā) *adv* simultaneously

simultaneo (sē·mūl·tâ′nä·ō) *a* simultaneous

sinagoga (sē·nâ·gō′gâ) *f* synagogue

sinceramente (sēn·chä·râ·mān′tā) *adv* really; sincerely; with conviction; truthfully speaking

sincerarsi (sēn·chä·râr′sē) *vr* to be convinced; to make sure; to be certain

sincerità (sēn·chä·rē·tâ′) *f* honesty; sincerity; conviction

sincero (sēn·chä′rō) *a* sincere, frank, honest

sincronizzare (sēn·krō·nē·dzâ′rā) *vt&i* to synchronize

sindacabile (sēn·dâ·kâ′bē·lā) *a* blameworthy, faulty; controllable; subject to verification

sindacale (sēn·dâ·kâ′lā) *a* pertaining to a trade union, trade-union; syndical

sindacalista (sēn·dâ·kâ·lē′stâ) *m* trade unionist

sindacare (sēn·dâ·kâ′rā) *vt* to verify; to control; to find fault with, blame

sindacato (sēn·dâ·kâ′tō) *m* trade union; syndicate

sindaco (sēn′dâ·kō) *m* mayor; auditor

sinfonia (sēn·fō·nē′â) *f* symphony

singhiozzare (sēn·gyō·tsâ′rā) *vi* to sob

singhiozzo (sēn·gyō′tsō) *m* sob; hiccup

singolare (sēn·gō·lâ′rā) *a* peculiar; odd; strange; (*gram*) singular

sinistra (sē·nē′strâ) *f* left; left hand; **–to** (sē·nē·strâ′tō) *m* accident victim

sinistro (sē·nē′strō) *a* left; sinister, eerie; **—** *m* accident

sino (sē′nō) *prep* as far as; till; up to; until; **–ra** (sē·nō′râ) *adv* hitherto, as yet, till now

sintetico (sēn·te′tē·kō) *a* synthetic

sintomo (sēn′tō·mō) *m* symptom

sintonizzare (sēn·tō·nē·dzâ′rā) *vt* (*rad*) to tune in

sipario (sē·pâ′ryō) *m* (*theat*) curtain

sirena (sē·rā′nâ) *f* siren

siringa (sē·rēn′gâ) *f* syringe

sistema (sē·stā′mâ) *m* method; system; procedure; **–re** (sē·stā·mâ′rā) *vt* to arrange, organize, set up; **–rsi** (sē·stā·mâr′sē) *vr* to settle, get settled; **–zione** (sē·stā·mâ·tsyō′nā) *f* settlement; arranging; organization

situazione (sē·twâ·tsyō′nā) *f* situation

slacciare (zlâ·châ′rā) *vt* to untie; to undo

slacciarsi (zlâ·châr′sē) *vr* to undo one's buttons; to come undone, become unfastened

slanciare (zlân·châ′rā) *vt* to throw, hurl; to give rise to; to spur on, incite

slanciarsi (zlân·châr′sē) *vr* to throw oneself, rush; to become slender

slanciato (zlân·châ′tō) *a* slim, slender; thrown; incited, spurred on

slancio (zlân′chō) *m* dash; impulse; goad, motivation; **prendere lo —** to start off, rush off; to begin hurriedly; **— di generosità** impulse of generosity; **pieno di —** full of energy, full of vigor

---

k kid, **l** let, **m** met, **n** not, **p** pat, **r** very, **s** sat, **sh** shop, **t** tell, **v** vat, **w** we, **y** yet, **z** zero

slavo (zlâ'vō) *a* Slavonic, Slavic; — *m* Slav

sleale (zlā·â'lā) *a* disloyal

slegare (zlā·gâ'rā) *vt* to untie

slegarsi (zlā·gâr'sē) *vr* to get loose; to become undone

slegato (zlā·gâ'tō) *a* untied; loose

slitta (zlēt'tâ) *f* sled; toboggan; **–re** (zlēt·tâ'rā) *vi* to skid; to slide

slogare (zlō·gâ'rā) *vt* to sprain; to dislocate

slogarsi (zlō·gâr'sē) *vr* to be dislocated; to be sprained; — **una caviglia** to dislocate one's ankle

slogatura (zlō·gâ·tū'râ) *f* dislocation; sprain

sloggiare (zlōj·jâ'rā) *vt* to evict; to oust; to dislodge

smacchiare (zmâk·kyâ'rā) *vt* to clean; to take out the stains on

smacco (zmâk'kō) *m* disgrace; affront

smagliatura (zmâ·lyâ·tū'râ) *f* ravel; run in one's stocking

smaltare (zmâl·tâ'rā) *vt* to glaze; to enamel

smaltire (zmâl·tē'rā) *vt* to free oneself of, get rid of; to digest; (*com*) to sell out; — **la sbornia** to sleep off a drunk

smalto (zmâl'tō) *m* enamel; — **per le unghie** nail polish

smania (zmâ'nyâ) *f* frenzy, mania; urge; delirium

smarrimento (zmâr·rē·mân'tō) *m* miscarriage of justice; loss, losing; perturbation

smarrire (zmâr·rē'rā) *vt* to lose; to bewilder

smarrirsi (zmâr·rēr'sē) *vr* to become lost

smarrito (zmâr·rē'tō) *a* lost

smemorato (zmā·mō·râ'tō) *a* forgetful; absent-minded

smentire (zmān·tē'rā) *vt* to deny; to give the lie to; to discredit

smentita (zmān·tē'tâ) *f* disapproval; denial; refutation

smeraldo (zmā·râl'dō) *m* emerald

smerigliato (zmā·rē·lyâ'tō) *a* emery; **vetro** — ground glass

smeriglio (zmā·rē'lyō) *m* emery

smettere * (zmet'tā·rā) *vt&i* to stop, put a stop to

smidollato (zmē·dōl·lâ'tō) *a* pithless, feeble, spineless

smilzo (zmēl'tsō) *a* slender, thin

smistamento (zmē·stâ·mân'tō) *m* assortment, distribution; (*rail*) switching

smisurato (zmē·zū·râ'tō) *a* limitless, immeasurable

smobiliato (zmō·bē·lyâ'tō) *a* unfurnished

smobilitazione ˙ (zmō·bē·lē·tâ·tsyō'nā) *f* demobilization

smodatamente (zmō·dâ·tâ·mān'tā) *adv* excessively, immoderately

smoderato (zmō·dâ·râ'tō) *a* intemperate, immoderate; overdone

smoking (zmō'kēn) *m* tuxedo

smontare (zmōn·tâ'rā) *vt* to dismantle, take apart; — *vi* to get off

smorfia (zmôr'fyâ) *f* grimace

smorzare (zmōr·tsâ'rā) *vt* to quench; to put out (*light*); to deaden (*sound*); to tone down

smorzarsi (zmōr·tsâr'sē) *vr* to die away, fade away; to go off, go out (*light*)

smunto (zmūn'tō) *a* wan, gaunt, pale

snaturato (znâ·tū·râ'tō) *a* pitiless, unfeeling; unnatural, twisted

snello (znāl'lō) *a* slender; quick, spry

snervante (znār·vân'tā) *a* very tiring, enervating

snobismo (znō·bē'zmō) *m* snobbery

snodato (znō·dâ'tō) *a* articulate, expressive; plastic, adaptable

snudare (znū·dâ'rā) *vt* to bare; to uncover, expose

soave (sō·â'vā) *a* soft; sweet; **–mente** (sō·â·vâ·mân'tā) *adv* gently, softly

sobborgo (sōb·bôr'gō) *m* suburb

sobillare (sō·bēl·lâ'rā) *vt* to stir up; to foment

sobillatore (sō·bēl·lâ·tō'rā) *m* instigator

sobrietà (sō·bryā·tâ') *f* moderation, soberness

socchiuso (sōk·kyū'zō) *a* ajar

soccorrere * (sōk·kôr'rā·rā) *vt* to help; — *vi* to take place

soccorso (sōk·kōr'sō) *m* help; **pronto** — first aid

sociale (sō·châ'lā) *a* social

socialismo (sō·châ·lē'zmō) *m* socialism

socialista (sō·châ·lē'stâ) *m&a* socialist

soddisfacente (sōd·dē·sfâ·chân'tā) *a* sufficient, satisfactory

soddisfare * (sōd·dē·sfâ'rā) *vt* to satisfy, content

soddisfarsi * (sōd·dē·sfâr'sē) *vr* to be satisfied, be contented

soddisfatto (sōd·dē·sfât'tō) *a* satisfied, contented

soddisfazione (sōd·dē·sfâ·tsyō'nā) *f* satisfaction, contentment

sodo (sō'dō) *a* solid, hard; stable; **uovo** — hard-boiled egg

sofferenza (sōf·fā·rân'tsâ) *f* pain, suffering

soffiare (sōf·fyâ'rā) *vt&i* to puff; to blow

soffice (sôf'fē·chä) *a* soft

soffietto (sôf·fyät'tō) *m* bellows; (*fig*) publicity, advertisement

soffio (sôf'fyō) *m* puff; breath of air

soffitta (sôf·fēt'tâ) *f* attic

soffitto (sôf·fēt'tō) *m* ceiling

soffocare (sôf·fō·kâ'rä) *vt&i* to choke

soffriggere * (sôf·frēj'jä·rä) *vt* to fry lightly, brown

soffrire * (sôf·frē'rä) *vi&t* to suffer; to undergo; to endure, bear

sofisticato (sō·fē·stē·kâ'tō) *a* adulterated; sophisticated

sofisticheria (sō·fē·stē·kä·rē'â) *f* cavil, quibbling

soggetto (sōj·jät'tō) *m* theme, subject; — *a* under the control of, subject to

soggezione (sōj·jä·tsyō'nä) *f* awe; discomfort

soggiorno (sōj·jōr'nō) *m* residence, stay; **sala di —** living room

soggiungere * (sōj·jūn'jä·rä) *vt&i* to reply; to add, attach

soglia (sō'lyâ) *f* threshold

sogliola (sō'lyō·lâ) *f* sole (*fish*)

sognare (sō·nyâ'rä) *vt&i* to dream

sognatore (sō·nyä·tō'rä) *m* daydreamer; dreamer

sogno (sō'nyō) *m* dream

solaio (sō·lâ'yō) *m* loft

solamente (sō·lâ·män'tä) *adv* only

solcare (sōl·kâ'rä) *vt* to furrow, plow

solco (sōl'kō) *m* furrow

soldato (sōl·dâ'tō) *m* soldier

soldo (sōl'dō) *m* penny; wages; **non aver un —** to be penniless

sole (sō'lä) *m* sun

soleggiato (sō·lāj·jâ'tō) *a* bright, sunny

solenne (sō·län'nä) *a* downright; serious, solemn

solere * (sō·lä'rä) *vi* to be in the habit of, have the custom of, be used to

solerte (sō·lär'tä) *a* industrious

solerzia (sō·ler'tsyâ) *f* diligence, zeal

soletta (sō·lät'tâ) *f* insole

solfatara (sōl·fâ·tâ'râ) *f* sulphur mine

solforico (sōl·fō'rē·kō) *a* sulphuric; **acido —** sulphuric acid

solforoso (sōl·fō·rō'zō) *a* sulphurous

solfuro (sōl·fū'rō) *m* sulphide

solidarietà (sō·lē·dâ·ryä·tâ') *f* solidarity

solidezza (sō·lē·dā'tsâ) *f* soundness, firmness

solidità (sō·lē·dē·tâ') *f* solidity, firmness

solido (sō'lē·dō) *a&m* solid; reliable, firm

solitario (sō·lē·tâ'ryō) *a* lonely; — *m* hermit; solitaire (*gem, cards*)

solito (sō'lē·tō) *a* usual; customary; **al —**

as usual; **il — ritornello** the same old thing; **essere — di** to be accustomed to; **di —** usually, customarily

solitudine (sō·lē·tū'dē·nä) *f* loneliness

sollecitare (sōl·lā·chē·tâ'rä) *vt* to urge, request; to plead with

sollecitazione (sōl·lā·chē·tâ·tsyō'nä) *f* plea; urging, request

sollecito (sōl·le'chē·tō) *a* prompt

sollecitudine (sōl·lā·chē·tū'dē·nä) *f* promptness; concern

solleone (sōl·lā·ō'nä) *m* sultry weather

solleticare (sōl·lā·tē·kâ'rä) *vt* to tickle; to excite; — **la fantasia** to stir one's imagination; — **l'appetito** to whet one's appetite

solletico (sōl·le'tē·kō) *m* tickling; **fare il —** to tickle

sollevare (sōl·lā·vâ'rä) *vt* to lift; to relieve

sollevarsi (sōl·lā·vâr'sē) *vr* to revolt; to rise; (*avi*) to take off

sollevazione (sōl·lā·vâ·tsyō'nä) *f* uprising, revolt

solo (sō'lō) *m* (*mus*) solo; — *a* alone; lonely; **a —** solo; **una sola persona** one person only; **da —** by oneself; **da — a —** privately, in private; — *adv* only; **non —** not only

solstizio (sōl·stē'tsyō) *m* solstice

solubile (sō·lū'bē·lä) *a* soluble

soluzione (sō·lū·tsyō'nä) *f* solution (*liquid*)

solvente (sōl·vän'tä) *a&m* solvent

solvere * (sōl'vä·rä) *vt* to solve; to dissolve

solvibile (sōl·vē'bē·lä) *a* sound, able to pay, solvent

soma (sō'mâ) *f* load, weight; **–ro** (sō·mâ'-rō) *m* donkey, jackass

somatico (sō·mâ'tē·kō) *a* physical, somatic

somigliante (sō·mē·lyân'tä) *a* resembling; alike

somiglianza (sō·mē·lyân'tsâ) *f* resemblance

somigliare (sō·mē·lyâ'rä) *vi* to resemble; — **come due gocce d'acqua** to be like two peas in a pod

somma (sōm'mâ) *f* sum, amount; (*math*) adding; **–re** (sōm·mâ'rä) *vt&i* to add; to amount to, come to; **–rio** (sōm·mâ'ryō) *m* summary

sommergere * (sōm·mer'jä·rä) *vt* to sink; to flood; to submerge; to inundate; (*fig*) to overcome, upset

sommergersi * (sōm·mer'jär·sē) *vr* to be swamped, be inundated; to dive; to sink

sommergibile (sōm·mär·jē'bē·lä) *m* sub-

---

k kid, **l** let, **m** met, **n** not, **p** pat, **r** very, **s** sat, **sh** shop, **t** tell, **v** vat, **w** we, **y** yet, **z** zero

marine

sommerso (sōm·mär'sō) *a* submerged, inundated, sunken

sommessamente (sōm·mäs·sâ·män'tä) *adv* submissively; in a low voice; in a subdued tone

somministrare (sōm·mē·nē·strâ'rä) *vt* to supply; to administer; **— una medicina** to give a medicine

sommissione (sōm·mēs·syō'nä) *f* submission

sommo (sōm'mō) *a* highest; **—** *m* top

sommossa (sōm·mōs'sâ) *f* uprising

sommozzatore (sōm·mō·tsâ·tō'rä) *m* frogman

sonaglio (sō·nâ'lyō) *m* rattle; harness bell; **serpente a sonagli** rattlesnake

sonda (sōn'dâ) *f* (*med*) probe; sounding line; **–ggio** (sōn·dâj'jō) *m* sounding; poll, concensus

sonico (sô'nē·kō) *a* sonic; **barriera sonica** sound barrier

sonnambulo (sōn·nâm'bū·lō) *m* sleepwalker

sonnellino (sōn·näl·lē'nō) *m* nap

sonnifero (sōn·nē'fâ·rō) *m* narcotic; sleeping pill; **—** *a* sleep-inducing

sonno (sōn'nō) *m* sleep; **aver —** to be sleepy; **–lenza** (sōn·nō·län'tsâ) *f* drowsiness

sonoro (sō·nō'rō) *a* resonant, resounding; **onde sonore** sound waves

sontuosamente (sōn·twō·zâ·män'tä) *adv* sumptuously, splendidly

sontuoso (sōn·twō'zō) *a* splendid, sumptuous

sopore (sō·pō'rä) *m* sleepiness, torpor

soppiatto (sōp·pyât'tō) *m* **di —** stealthily, on the sly

sopportabile ((sōp·pōr·tâ'bē·lä) *a* tolerable, bearable

sopportare (sōp·pōr·tâ'rä) *vt&i* to bear, stand, abide

sopportazione (sōp·pōr·tâ·tsyō'nä) *f* fortitude, restraint, tolerance

soppressione (sōp·prās·syō'nä) *f* abolition; suppression

sopprimere * (sōp·prē'mä·rä) to suppress; to abolish

sopra (sō'prâ) *prep* over, above; **—** *adv* upstairs; up above; **–bito** (sō·prâ'bē·tō) *m* overcoat; **–ccennato** (sō·prâ·chân·nâ'tō) *a* aforesaid, previously mentioned; **–cciglio** (sō·prâ·chē'lyō) *m* eyebrow; **–ccoperta** (sō·prâk·kō·pär'tâ) *f* bedspread; book jacket; **–ddetto** (sō·prâd·dât'tō) *a* above mentioned; **–ffare** * (sō·prâf·fâ'rä) *vt* to overpower; **–ffa-**

zione (sō·prâf·fâ·tsyō'nä) *f* overwhelming, oppression; **–ggiungere** * (sō·prâj·jūn'jä·rä) *vt&i* to occur; to overtake; **–luogo** (sō·prâ·lwō'gō) *m* on-the-spot investigation; **–mmobile** (sō·prâm·mō'bē·lä) *m* knick-knack; **–nnome** (sō·prân·nō'mä) *m* nickname; surname; **–nnumero** (sō·prân·nū'mä·rō) *m* surplus; **in –nnumero** in excess; **–no** (sō·prâ'nō) *m&a* soprano; **–scarpe** (sō·prâ·skâr'pä) *fpl* overshoes; **–ssalto** (sō·prâs·sâl'tō) *m* jolt, start; **di — ssalto** with a start; suddenly; **–ssedere** (sō·prâs·sâ·dâ'rä) *vi* to preside; to defer, wait; **–ttassa** (sō·prât·tâs'sâ) *f* surtax; **–ttutto** (sō·prât·tūt'tō) *adv* above all; **–vvalutare** (sō·prâv·vâ·lū·tâ'rä) *vt* to overestimate; **–vvento** (sō·prâv·vän'tō) *m* advantage, whip hand; **–vvivere** * (sō·prâv·vē'vâ·rä) *vi* to survive; **–vvivere a** to outlive

sopruso (sō·prū'zō) *m* abuse, imposition; assault

soqquadro (sōk·kwâ'drō) *m* ado, confusion

sorbetto (sōr·bât'tō) *m* sherbet; ice cream

sorbire (sōr·bē'rä) *vt* to sip; to drink slowly

sorbirsi (sōr·bēr'sē) *vr* to swallow; to submit to; **— una predica** (*fig*) to have to endure a scolding

sorcio (sôr'chō) *m* mouse

sordità (sōr·dē·tâ') *f* deafness

sordo (sōr'dō) *a&m* deaf; **–muto** (sōr·dō·mū'tō) *a&m* deaf-mute

sorella (sō·räl'lâ) *f* sister; **–stra** (sō·räl·lâ'strâ) *f* stepsister; halfsister

sorgente (sōr·jän'tä) *f* spring; source; **—** *a* rising, ascendant

sorgere * (sôr'jä·rä) *vi* to rise; to ascend; to be due to, be the result of

sormontare (sōr·mōn·tâ'rä) *vt* to overcome, surmount

sornione (sōr·nyō'nä) *a* wily, sly

sorpassare (sōr·pâs·sâ'rä) *vt* to pass; to exceed

sorpassarsi (sōr·pâs·sâr'sē) *vr* to outdo oneself

sorpassato (sōr·pâs·sâ'tō) *a* obsolete, passé

sorpasso (sōr·pâs'sō) *m* passing (*auto*); **divieto di —** no passing

sorprendente (sōr·prân·dän'tä) *a* astounding, amazing

sorprendere * (sōr·pren'dä·rä) *vt* to surprise; to take by surprise; **— la buona fede di** to deceive

sorpresa (sōr·prä'zâ) *f* surprise

â ârm, ā bȧby, e bet, ē bē, ō gō, ô gône, ū blūe, b bad, ch child, d dad, f fat, g gay, j jet

sorreggere * (sōr·rej'jä·rā) *vt* to bolster, hold up, support
sorridere * (sōr·rē'dä·rā) *vi* to smile
sorriso (sōr·rē'zō) *m* smile
sorso (sōr'sō) *m* sip
sorta (sōr'tâ) *f* type, sort
sorte (sōr'tä) *f* luck; lot; fate; doom; **–ggiare** (sōr·tāj·jâ'rā) *vt* to draw by lot
sortilegio (sōr·tē·le'jō) *m* necromancy, witchcraft
sorvegliante (sōr·vä·lyân'tä) *m* watchman
sorveglianza (sōr·vä·lyân'tsâ) *f* surveillance, watch
sorvegliare (sōr·vä·lyâ'rā) *vt* to watch over, keep watch over
sosia (sō'zyâ) *m* double, counterpart
sospendere * (sō·spen'dä·rā) *vt* to suspend; to hold in abeyance
sospensione (sō·spän·syō'nä) *f* discontinuing, suspension
sospettare (sō·spät·tâ'rā) *vt* to suspect; to suppose
sospetto (sō·spät'tō) *m* suspicion; supposition; **–samente** (sō·spät·tō·zâ·mān'tä) *adv* suspiciously; **–so** (sō·spät·tō'zō) *a* suspicious; cautious; fearful
sospirare (sō·spē·râ'rā) *vt&i* to sigh; to yearn for
sospiro (sō·spē'rō) *m* sigh
sossopra (sōs·sō'prâ) *adv* upside down; topsy-turvy
sosta (sō'stâ) *f* stop; — **vietata** no parking; — **regolamentata** limited parking; **senza** — persistently, unremittingly
sostanza (sō·stân'tsâ) *f* substance
sostanzioso (sō·stân·tsyō'zō) *a* nutritive; substantial
sostare (sō·stâ'rā) *vi* to stop; to pause; to park
sostegno (sō·stā'nyō) *m* support
sostenere * (sō·stä·nā'rā) *vt* to support; to uphold; to hold; to back up
sostenitore (sō·stä·nē·tō'rā) *m* supporter
sostentamento (sō·stän·tâ·mān'tō) *m* maintenance, support
sostituire (sō·stē·twē'rā) *vt* to substitute; to act in the stead of
sostituto (sō·stē·tū'tō) *a* substitute
sostituzione (sō·stē·tū·tsyō'nä) *f* substitution
sottaceti (sōt·tâ·chä'tē) *mpl* pickles
sottana (sōt·tâ'nâ) *f* petticoat; skirt; cassock
sotterfugio (sōt·tär·fū'jō) *m* subterfuge
sotterraneo (sōt·tär·râ'nä·ō) *a* underground; — *m* basement
sotterrare (sōt·tär·râ'rā) *vt* to bury
sottigliezza (sōt·tē·lyä'tsâ) *f* subtlety; *(fig)*

insight; tenuousness
sottile (sōt·tē'lä) *a* thin; subtle, crafty
sottinteso (sōt·tēn·tä'zō) *a* understood, implied; — *m* implication
sotto (sōt'tō) *prep* under, below, — *adv* down, down below; **–bicchiere** (sōt·tō·bēk·kyä'rā) *m* coaster; **–coperta** (sōt·tō·kō·pär'tâ) *adv* below deck; **–coperta** *f (naut)* lower decks; **–fascia** (sōt·tō·fâ'shâ) *m* printed matter; **–gola** (sōt·tō·gō'lâ) *f* chin strap; **–lineare** (sōt·tō·lē·nä·â'rä) *vt* to underline; to stress, point up; **–mano** (sōt·tō·mâ'nō) *adv* at hand; on hand; **di –mano** stealthily, underhandedly; **–marino** (sōt·tō·mâ·rē'nō) *m* submarine; **–messo** (sōt·tō·mäs'sō) *a* docile, submissive; **–mettere** * (sōt·tō·met'tä·rā) *vt* to conquer, subjugate; to submit; **–mettersi** * (sōt·tō·met'tär·sē) *vr* to cede, surrender; **–missione** (sōt·tō·mēs·syō'nä) *f* self-abasement; subdual; submission; **–passaggio** (sōt·tō·pâs·sâj'jō) *m* underpass; **–porre** * (sōt·tō·pōr'rä) *vt* to submit; **–porsi** * (sōt·tō·pōr'sē) *vr* to submit to; to undergo; **–scrivere** * (sōt·tō·skrē'vä·rä) *vt&i* to sign; to subscribe to; **–scriversi** * (sōt·tō·skrē'vär·sē) *vr* to subscribe to; to approve; **–segretario** (sōt·tō·sā·grä·tâ'ryō) *m* undersecretary; **–sopra** (sōt·tō·sō'prâ) *adv* in confusion; upside down; **–suolo** (sōt·tō·swō'lō) *m* subsoil; **–valutare** (sōt·tō·vâ·lū·tâ'rā) *vt* to underestimate; **–veste** (sōt·tō·vä'stä) *f* underwear; man's vest; **–voce** (sōt·tō·vō'chä) *adv* softly; in a low voice
sottrarre * (sōt·trâr'rā) *vt* to deduct, subtract
sottrarsi * (sōt·trâr'sē) *vr* to escape, elude, avoid
sottrazione (sōt·trâ·tsyō'nä) *f* subtraction, deduction
sottufficiale (sōt·tūf·fē·châ'lä) *m* non-commissioned officer
sovente (sō·vän'tä) *adv* often, with frequency
sovrano (sō·vrâ'nō) *a&m* sovereign
sovrumano (sō·vrū·mâ'nō) *a* superhuman
sovvenzionare (sōv·vän·tsyō·nâ'rā) *vt* to subsidize, provide financial backing for
sovvenzione (sōv·vän·tsyō'nä) *f* subsidy; scholarship
sovversivo (sōv·vär·sē'vō) *a* subversive
sozzo (sō'tsō) *a* filthy
spaccalegna (spâk·kâ·lā'nyâ) *m* wood cutter
spaccare (spâk·kâ'rā) *vt* to split

spaccarsi (spâk·kâr'sē) *vr* to cleave, split, crack open

spaccato (spâk·kâ'tō) *m* cross section

spacciare (spâ·châ'rā) *vt* to spread, circulate; to sell; to palm off

spacciarsi (spâ·châr'sē) *vr* to masquerade as; to pass for

spacciatore (spâ·châ·tō'rā) *m* peddler

spaccone (spâk·kō'nā) *m* braggart

spada (spâ'dâ) *f* sword

spaesato (spâ·ā·zâ'tō) *a* out of one's natural environment; ill at ease

Spagna (spâ'nyâ) *f* Spain

spagnolo (spâ·nyō'lō) *a* Spanish; — *m* Spaniard

spago (spâ'gō) *m* twine, string

spaiato (spâ·yâ'tō) *a* unmatched, mateless, odd

spalancare (spâ·lân·kâ'rā) *vt* to open wide, throw open

spalare (spâ·lâ'rā) *vt* to shovel

spalla (spâl'lâ) *f* shoulder

spalleggiare (spâl·lāj·jâ'rā) *vt* to back; to endorse

spalliera (spâl·lyā'râ) *f* chair back

spallina (spâl·lē'nâ) *f* epaulet

spalmare (spâl·mâ'rā) *vt* to spread with; to cover with

sparadrappo (spâ·râ·drâp'pō) *m* adhesive plaster; adhesive tape

sparare (spâ·râ'rā) *vt&i* to shoot

sparatoia (spâ·râ·tō'yâ) *f* shooting

sparecchiare (spâ·râk·kyâ'rā) *vt* to remove, clear away; to clear *(table)*

spargere * (spâr'jâ·rā) *vt* to scatter; to shed, drop

spargimento (spâr·jē·mān'tō) *m* spilling; scattering; — **di sangue** bloodshed

sparire (spâ·rē'rā) *vi* to disappear

sparlare (spâr·lâ'rā) *vi* to slander

sparo (spâ'rō) *m* shot

spartito (spâr·tē'tō) *m (mus)* score

spartitraffico (spâr·tē·trâf'fē·kō) *m* safety island

spartizione (spâr·tē·tsyō'nâ) *f* distribution, apportionment

spasimante (spâ·zē·mân'tā) *a* lovelorn; — *m* lover, swain

spasimo (spâ'zē·mō) *m* pang; *(med)* spasm

spasmodico (spâ·zmō'dē·kō) *a* spasmodic; *(med)* spastic

spassionatamente (spâs·syō·nâ·tâ·mân'tā) *adv* fairly; without emotion

spasso (spâs'sō) *m* relaxation; **andare a** — to take a walk; **–so** (spâs·sō'zō) *a* funny, amusing

spauracchio (spâü·râk'kyō) *m* bugbear; scarecrow

spavalderia (spâ·vâl·dā·rē'â) *f* haughtiness

spaventapasseri (spâ·vān·tâ·pâs'sā·rē) *m* scarecrow

spaventare (spâ·vān·tâ'rā) *vt* to frighten

spaventarsi (spâ·vān·târ'sē) *vr* to be frightened, be aghast, be terrified

spaventevole (spâ·vān·te'vō·lā) *a* dreadful, horrifying

spaventosamente (spâ·vān·tō·zâ·mân'tā) *adv* awfully; frightfully

spavento (spâ·vān'tō) *m* scare; fright; **–so** (spâ·vān·tō'zō) *a* awful

spaziale (spâ·tsyâ'lā) *a* spatial

spazientirsi (spâ·tsyân·tēr'sē) *vr* to lose one's patience

spazio (spâ'tsyō) *m* room, space; **–so** (spâ·tsyō'zō) *a* roomy

spazzacamino (spâ·tsâ·kâ·mē'nō) *m* chimney sweep

spazzamine (spâ·tsâ·mē'nâ) *m (naut)* mine sweeper

spazzaneve (spâ·tsâ·nā'vā) *m* snowplow

spazzare (spâ·tsâ'rā) *vt* to sweep

spazzatura (spâ·tsâ·tū'râ) *f* sweepings

spazzino (spâ·tsē'nō) *m* street cleaner

spazzola (spâ'tsō·lâ) *f* brush; **–re** (spâ·tsō·lâ'rā) *vt* to brush

spazzolino (spâ·tsō·lē'nō) *m* small brush; — **da denti** toothbrush

specchiarsi (spâk·kyâr'sē) *vr* to look at one's reflection; to be mirrored, be reflected

specchiera (spâk·kyā'râ) *f* dressing table; mirror

specchio (spek'kyō) *m* mirror; — **retrovisivo** *(auto)* rearview mirror

speciale (spâ·châ'lā) *a* special; unusual

specialista (spâ·châ·lē'stâ) *m* specialist

specialità (spâ·châ·lē·tâ') *f* specialty

specie (spe'châ) *f* kind, species; — *adv* especially, above all

specificare (spâ·châ·fē·kâ'rā) *vt* to specify, detail

specifico (spâ·chē'fē·kō) *a* specific, detailed; — *m* specific, particular

speculazione (spâ·kū·lâ·tsyō'nâ) *f* speculation

spedire (spâ·dē'rā) *vt* to ship; to mail; to send

spedizione (spâ·dē·tsyō'nâ) *f* shipment; expedition; — **di bagaglio** forwarding of luggage

spedizioniere (spâ·dē·tsyō·nyâ'rā) *m* forwarding agent

spegnere * (spe'nyâ·rā) *vt* to put out; to quench; to extinguish; — **la radio** to turn off the radio

spegnersi * (spe′nyār·sē) *vr* to disappear; to die out

spelonca (spä·lōn′kâ) *f* den, cavern

spendere * (spen′dä·rä) *vt&i* to spend; to make use of

spensierato (spän·syä·rä′tō) *a* carefree, troublefree

speranza (spä·rän′tsâ) *f* hope

sperare (spä·rä′rä) *vt&i* to hope; to intend, plan

sperduto (spär·dü′tō) *a* lost, led astray

spergiuro (spär·jü′rō) *m* perjurer; perjury

sperimentare (spä·rē·män·tä′rä) *vt* to experiment with, try out, put to the test

sperma (spär′mâ) *m* sperm

sperone (spä·rō′nä) *m (naut)* ram; *(arch)* abutment

spesa (spä′zâ) *f* expense; **fare le spese** to shop

spesso (späs′sō) *adv* often; — *a* frequent; thick, heavy; **-re** (späs·sō′rä) *m* thickness

spettacolare (spät·tâ·kō·lâ′rä) *a* spectacular

spettacolo (spät·tâ′kō·lō) *m* show; — **continuo** continuous performance; **-so** (spät·tâ·kō·lō′zō) *a* striking, unusual

spettanza (spät·tân′tsâ) *f* concern; due, right

spettare (spät·tâ′rä) *vi* to be one's turn; to belong to; to be one's business; to be one's duty

spettatore (spät·tâ·tō′rä) *m* spectator

spettinare (spät·tē·nâ′rä) *vt* to tousle one's hair; to ruin one's hairdo

spezie (spe′tsyä) *fpl* spices

spezzare (spä·tsä′rä) *vt* to break

spezzarsi (spä·tsâr′sē) *vr* to be broken; to break, shatter

spezzatino (spä·tsâ·tē′nō) *m* stew

spia (spē′â) *f* spy

spiacevole (spyä·che′vō·lä) *a* unpleasant

spiaggia (spyäj′jâ) *f* beach, strand

spiare (spyä′rä) *vt* to spy on

spiccare (spēk·kâ′rä) *vt* to detach; — *vi* to stand out

spiccarsi (spēk·kâr′sē) *vr* to be outstanding; to become detached; to isolate oneself

spicchio (spēk′kyō) *m* garlic clove; segment of fruit, slice of fruit

spicciarsi (spē·châr′sē) *vr* to hurry up, rush

spicciativo (spē·châ·tē′vō) *a* efficient; prompt, quick

spiccioli (spē′chō·lē) *mpl* small change

spiedo (spyä′dō) *m* spit *(cooking)*

spiegamento (spyä·gä·män′tō) *m* spread-ing out; *(mil)* deployment

spiegare (spyä·gâ′rä) *vt* to explain

spiegarsi (spyä·gâr′sē) *vr* to explain oneself, make oneself understood; **Mi spiego?** Do I make myself clear?

spiegazione (spyä·gä·tsyō′nä) *f* explanation

spietato (spyä·tä′tō) *a* relentless; without pity

spiga (spē′gâ) *f (bot)* ear

spilla (spēl′lâ) *f* brooch; tie-pin

spillo (spēl′lō) *m* pin; — **di sicurezza** safety pin

spilorcio (spē·lôr′chō) *a* stingy; — *m* miser

spilungone (spē·lün·gō′nä) *m* lanky fellow; *(fig)* lamppost; — *a* tall and thin

spina (spē′nä) *f* thorn; spine; fish bone; *(elec)* plug

spinacio (spē·nä′chō) *m* spinach

spingere * (spēn′jä·rä) *vt* to push; — **all'eccesso** to go too far, carry things to extremes

spinoso (spē·nō′zō) *a* thorny; ticklish; delicate

spinta (spēn′tâ) *f* shove; push; *(fig)* impetus

spinterogeno (spēn·tä·rô′jä·nō) *m (auto)* distributor

spinto (spēn′tō) *a* daring, suggestive; immoderate; **-ne** (spēn·tō′nä) *m* violent shove

spionaggio (spyō·näj′jō) *m* espionage

spioncino (spyōn·chē′nō) *m* peephole

spiraglio (spē·rä′lyō) *m* fissure; vent; hole; *(fig)* gleam, glimmering, ray of hope

spirale (spē·rä′lä) *f&a* spiral; **a** — in spiral fashion

spirare (spē·rä′rä) *vt&i* to expire, die; to fall due; to infuse, inspire

spiritismo (spē·rē·tē′zmō) *m* spirit rapping; spiritualism

spirito (spē′rē·tō) *m* wit; spirit; ghost; alcohol; — **denaturato** denatured alcohol; **prontezza di** — ready wit; **povero di** — narrow-minded; **S– Santo** Holy Ghost; **-so** (spē·rē·tō′zō) *a* witty, humorous

spirituale (spē·rē·twä′lä) *a* spiritual

splendere (splen′dä·rä) *vi* to shine; to gleam, glisten

splendidamente (splän·dē·dâ·män′tä) *adv* magnificently, stupendously

splendido (splen′dē·dō) *a* glorious; sumptuous, magnificent

splendore (splän·dō′rä) *m* magnificence; radiance; splendor

spoglia (spō′lyâ) *f* skin, hide; loot; — **mortale** mortal remains; **-re** (spō·lyâ′-

rā) *vt* to strip; *(fig)* to examine minutely; **–rello** (spō·lyâ·rāl'lō) *m* strip tease; **–rsi** (spō·lyâr'sē) *vr* to undress; **–toio** (spō·lyâ·tō'yō) *m* dressing room; locker room

spola (spō'lâ) *f* shuttle; **fare la —** *(fig)* to ply, go back and forth

spolverare (spōl·vâ·râ'rā) *vt* to dust off

sponda (spōn'dâ) *f* shore

spontaneo (spōn·tä'nä·ō) *a* spontaneous

sporadicamente (spō·râ·dē·kâ·män'tä) *adv* sporadically

sporcaccione (spōr·kâ·chō'nä) *m* filthy person, swine

sporcare (spōr·kâ'rā) *vt* to dirty, soil

sporco (spōr'kō) *a* unclean, filthy, dirty

sport (spōrt) *m* sport

sporta (spōr'tâ) *f* shopping bag

sportello (spōr·tāl'lō) *m* ticket window

sportivo (spōr·tē'vō) *a* sporting; **—** *m* sportsman

sposa (spō'zâ) *f* wife, bride; **–lizio** (spō·zâ·lē'tsyō) *m* wedding; **–re** (spō·zâ'rā) *vt* to marry; **–rsi** (spō·zâr'sē) *vr* to get married; **–to** (spō·zâ'tō) *a* married

sposo (spō'zō) *m* husband, bridegroom

sposi (spō'zē) *mpl* bride and groom, wedding couple

spostare (spō·stâ'rā) *vt* to move; to change

spostarsi (spō·stâr'sē) *vr* to change one's place; to move to another seat

spostato (spō·stâ'tō) *m* misfit; **—** *a* maladjusted

sprazzo (sprâ'tsō) *m* flash, gleam; **— d'intelligenza** glimmer of understanding

sprecare (sprâ·kâ'rā) *vt* to waste

spreco (sprâ'kō) *m* waste; **–ne** (sprâ·kō'nä) *m* waster, spendthrift

spregio (spre'jō) *m* despising; disrespect; scorn

spregiudicato (sprä·jū·dē·kâ'tō) *a* impartial; broadminded; unprejudiced

spremere (spre'mä·rā) *vt* to squeeze; to wring out

spremilimoni (sprä·mē·lē·mō'nē) *m* lemon squeezer

spremuta (sprä·mū'tâ) *f* fruit juice; **— di arancia** orange juice

sprezzante (sprä·tsân'tä) *a* contemptuous, despising

sproloquio (sprō·lô'kwyō) *m* long-winded talk, very wordy speech

spronare (sprō·nâ'rā) *vt* to stimulate, rouse; to spur on; *(naut)* to ram

sproporzionato (sprō·pōr·tsyō·nâ'tō) *a* out of proportion

sproposito (sprō·pô'zē·tō) *m* nonsense; error; faux pas; **fare uno —** to make a

blunder; **parlare a —** to get off the subject; **costare uno —** to cost a fortune

spropriazione (sprō·pryâ·tsyō'nä) *f* expropriation

sprovvisto (sprōv·vē'stō) *a* deficient in; unprovided for; **alla sprovvista** unexpectedly, by surprise

spruzzare (sprū·tsâ'rā) *vt* to spatter; to sprinkle

spruzzatore (sprū·tsâ·tō'rā) *m* sprayer

spudoratezza (spū·dō·râ·tä'tsâ) *f* brazenness; lack of decorum

spudorato (spū·dō·râ'tō) *a* shameless; insolent

spugna (spū'nyâ) *f* sponge

spulciare (spūl·châ'rā) *vt* to deflea; *(fig)* to scrutinize, inspect minutely

spuma (spū'mâ) *f* froth, foam; **–nte** (spū·mân'tä) *a* sparkling, foaming; **–nte** *m* champagne, sparkling wine

spuntare (spūn·tâ'rā) *vt* to blunt; to break the point of; *(com)* to check off; to unfasten; **—** *vi* to show up; to rise; to peep out; to cut *(teeth)*; **spuntarcela** to win out, overcome all difficulties; **lo — del giorno** daybreak, dawn

spuntarsi (spūn·târ'sē) *vr* to become blunt; to lose its point *(pencil)*

spuntino (spūn·tē'nō) *m* snack

sputacchiera (spū·tâk·kyä'râ) *f* cuspidor

sputare (spū·tâ'rā) *vt&i* to spit, expectorate

sputo (spū'tō) *m* saliva, spit

squadra (skwâ'drâ) *f* team; square; *(avi)* squadron; **— mobile** riot squad

squagliare (skwâ·lyâ'râ) *vt* to melt

squagliarsi (skwâ·lyâr'sē) *vr* to take French leave; to vanish, disappear

squalificare (skwâ·lē·fē·kâ'rā) *vt* to disqualify

squallido (skwâl'lē·dō) *a* bleak, miserable

squallore (skwâl·lō'rā) *m* dismalness, gloominess; squalor, misery

squalo (skwâ'lō) *m* shark

squama (skwâ'mâ) *f* scale *(fish, reptile)*; flake of paint

squarciare (skwâr·châ'rā) *vt* to tear apart, rip apart

squarciarsi (skwâr·châr'sē) *vr* to rip in two, tear apart, be torn up

squarcio (skwâr'chō) *m;* tear, rip; gash, cut

squattrinato (skwât·trē·nâ'tō) *a* penniless, broke

squilibrato (skwē·lē·brâ'tō) *a* deranged; mentally unbalanced; **—** *m* madcap; hare-brained individual

squillo (skwēl'lō) *m* ring; blare, blast; peal

â ârm, ā bāby, e bet, ē bē, ō gō, ô gône, ū blūe, b bad, ch child, d dad, f fat, g gay, j jet

of bells
squisitezza (skwē·zē·tā′tsâ) *f* exquisiteness; deliciousness
squisito (skwē·zē′tō) *a* delicious; exquisite
squoiare (skwō·yâ′rā) *vt* to skin
sradicare (zrâ·dē·kâ′rā) *vt* to abolish; to pull out by the roots; to eradicate
sregolatezza (zrā·gō·lâ·tā′tsâ) *f* debauchery, dissipation; confusion
stabile (stâ′bē·lā) *m* building; piece of real estate; — *a* stable, constant
stabilimento (stā·bē·lē·mân′tō) *m* establishment
stabilire (stā·bē·lē′rā) *vt* to establish, found; to lay down
stabilirsi (stā·bē·lēr′sē) *vr* to settle, take up residence
stabilità (stā·bē·lē·tâ′) *f* steadiness
staccare (stâk·kâ′rā) *vt* to detach, separate
staccarsi (stâk·kâr′sē) *vr (avi)* to take off; to come loose; to stand out, be outstanding
staccio (stâ′chō) *m* sieve
stadio (stâ′dyō) *m* stadium; phase, level
staffa (stâf′fâ) *f* stirrup; **perdere le staffe** *(fig)* to lose one's temper
staffetta (stâf·fāt′tâ) *f* courier; messenger; **corsa a —** relay race
staffilata (stâf·fē·lâ′tâ) *f* whipping; lash; *(fig)* taunt
staffile (stâf·fē′lā) *m* whip
stagione (stâ·jō′nā) *f* season
stagno (stâ′nyō) *m* tin; — *a* watertight; airtight; **–la** (stâ·nyō′lâ) *f* tinfoil
stagno (stâ′nyō) *m* pond
stalla (stâl′lâ) *f* stable, stall
stallone (stâl·lō′nā) *m* stallion
stamani (stâ·mâ′nē) *adv* this morning
stamattina (stâ·mât·tē′nâ) *adv* this morning
stampa (stâm′pâ) *f* press; printing; **–re** (stâm·pâ′rā) *vt* to print
stampe (stâm′pā) *fpl* printed matter
stampella (stâm·pâl′lâ) *f* crutch; coat hanger
stamperia (stâm·pâ·rē′â) *f* printing office
stampiglia (stâm·pē′lyâ) *f (mech)* stamp
stampino (stâm·pē′nō) *m* stencil
stampo (stâm′pō) *m* sort; stamp, mould
stancare (stân·kâ′rā) *vt* to tire
stancarsi (stân·kâr′sē) *vr* to grow tired
stanchezza (stân·kā′tsâ) *f* fatigue; exhaustion
stanco (stân′kō) *a* tired, worn-out
stanga (stân′gâ) *f* bar; shaft
stanotte (stâ·nōt′tā) *adv* last night; tonight
stantio (stân·tē′ō) *a* insipid, stale, inane

stantuffo (stân·tūf′fō) *m* plunger; piston
stanza (stân′tsâ) *f* room
stanziamento (stân·tsyâ·mân′tō) *m* appropriation, grant
stanziare (stân·tsyâ′rā) *vt* to appropriate, allocate
stare * (stâ′rā) *vi* to be; to stand; to remain; — **in piedi** to stand; — **fermo** to stand still; — **per** to be about to
starnutire (stâr·nū·tē′rā) *vi* to sneeze
starnuto (stâr·nū′tō) *m* sneeze
stasera (stâ·sā′râ) *f* tonight
statale (stâ·tâ′lā) *a* governmental
statistica (stâ·tē′stē·kâ) *f* statistics
stato (stâ′tō) *m* condition, state
statua (stâ′twâ) *f* statue
statunitense (stâ·tū·nē·tân′sā) *a* American, of the United States.
statura (stâ·tū′râ) *f* stature
statuto (stâ·tū′tō) *m* constitution; by-law; *(law)* statute
stavolta (stâ·vōl′tâ) *adv* this time, on this occasion
stazionare (stâ·tsyō·nâ′rā) *vi* to park; to stay, remain
stazione (stâ·tsyō′nā) *f* station; — **climatica** health resort; — **di vileggiatura** summer resort
stazza (stâ′tsâ) *f (naut)* displacement
stecca (stâk′kâ) *f* stick; spoke; billiard cue; plectrum; carton of cigarettes; *(mus)* false note; umbrella rib
stecchino (stâk·kē′nō) *m* toothpick
stecconata (stâk·kō·nâ′tâ) *f* fence
stella (stâl·lâ) *f* star; *(fig)* destiny; asterisk; — **filante** shooting star; streamer
stelo (stâ′lō) *m (bot)* stem
stemma (stâm′mâ) *m* coat of arms
stemperare (stâm·pâ·râ′rā) *vt* to dilute; to melt
stendere * (sten′dā·rā) *vt* to stretch; to spread; to compose, draft *(document)*
stendersi * (sten′dār·sē) *vr* to relax; to reach; to stretch out
stenodattilografo (stâ·nō·dât·tē·lō′grâ·fō) *m* stenographer
stento (stân′tō) *m* struggle; suffering; lack; **a —** with difficulty; hardly
steppa (stâp′pâ) *f* steppe, prairie
sterco (stâr′kō) *m* dung
sterile (ste′rē·lā) *a* sterile; of no avail, useless
sterilità (stâ·rē·lē·tâ′) *f* sterility
sterilizzare (stâ·rē·lē·dzâ′rā) *vt* to sterilize
sterminare (stâr·mē·nâ′rā) *vt* to exterminate
sterminato (stâr·mē·nâ′tō) *a* immense; limitless

---

sterminio (stăr·mē'nyō) *m* enormity; extermination

sterpo (stăr'pō) *m* underbrush; brambles

sterratore (stăr·râ·tō'rā) *m* ditchdigger

sterzare (stăr·tsâ'rā) *vt&i* to swerve; to steer

sterzo (stăr'tsō) *m (auto)* steering mechanism

stesso (stās'sō) *a* same, very same; **fa lo** — it's immaterial, it makes no difference

stia (stē'â) *f* hencoop

stilare (stē·lâ'rā) *vt* to draw up *(document)*

stile (stē'lā) *m* style; stylus

stilografica (stē·lō·grâ'fē·kâ) *f* fountain pen

stima (stē'mâ) *f* esteem; opinion; *(com)* estimate; **–re** (stē·mâ'rā) *vt* to esteem; to consider, deem; *(com)* to estimate; **–rsi** (stē·mâr'sē) to consider oneself, deem oneself

stimolare (stē·mō·lâ'rā) *vt* to stimulate; to urge

stimolo (stē'mō·lō) *m* stimulus; urging

stinco (stēn'kō) *m* shin

stipendio (stē·pen'dyō) *m* salary

stipite (stē'pē·tā) *m* jamb; stalk, stem; lineage

stipo (stē'pō) *m* cabinet

stipulare (stē·pū·lâ'rā) *vt* to stipulate

stipulazione (stē·pū·lâ·tsyō'nā) *f* stipulation

stirare (stē·râ'rā) *vt* to iron; to stretch

stirarsi (stē·râr'sē) *vr* to stretch out; to stretch one's limbs

stiratrice (stē·râ·trē'chā) *f* laundress

stireria (stē·rā·rē'â) *f* laundry

stiro (stē'rō) *m* ironing; **ferro da** — flatiron

stirpe (stēr'pā) *f* lineage, origin

stitichezza (stē·tē·kā'tsâ) *f* constipation

stitico (stē'tē·kō) *a* constipated; *(fig)* stingy

stiva (stē'vâ) *f (naut)* hold

stivale (stē·vâ'lā) *m* boot

stizza (stē'tsâ) *f* anger, ire

stizzire (stē·tsē'rā) *vt* to vex, irritate

stizzirsi (stē·tsēr'sē) *vr* to become angry

stoffa (stōf'fâ) *f* cloth; material

stoino (stō·ē'nō) *m* door mat

stolto (stōl'tō) *a* foolish

stomachevole (stō·mâ·ke'vō·lā) *a* disgusting

stomaco (stō'mâ·kô) *m* stomach; **dolor di** — stomach ache

stomatico (stō·mâ'tē·kō) *m* tonic

stonare (stō·nâ'rā) *vi* to sing off key; to be out of tune; to be out of place; to jar;

(fig) to be at loggerheads

stonatura (stō·nâ·tū'râ) *f* blunder; dissonant note; dissonance; *(fig)* disagreement

stoppa (stōp'pâ) *f* oakum

stoppino (stōp·pē'nō) *m* wick

storcere * (stôr'chā·rā) *vt* to twist; to sprain

stordimento (stōr·dē·mān'tō) *m* daze, bewilderment; dulling of one's senses

stordire (stōr·dē'rā) *vt* to deafen; to bewilder, confuse; to dull *(senses)*

stordirsi (stōr·dēr'sē) *vr* to have one's senses dulled; to become dazed

stordito (stōr·dē'tō) *a* dizzy; dulled; confused, bewildered

storia (stô'ryâ) *f* story; history

storicamente (stō·rē·kâ·mān'tā) *adv* historically

storico (stô'rē·kō) *a* historical; — *m* historian

storione (stō·ryō'nā) *m* sturgeon

stormo (stōr'mō) *m* swarm, flock; *(avi)* flight, wing; **suonare a** — to sound the alarm, sound the alert

storpio (stôr'pyō) *m* cripple; — *a* maimed

storta (stôr'tâ) *f (med)* sprain; *(chem)* retort

storto (stōr'tō) *a* twisted; distorted; **avere gli occhi storti** to be squint-eyed

stoviglie (stō·vē'lyā) *fpl* pottery; china, dishes

strabene (strâ·bā'nā) *adv* extremely well

strabico (strâ'bē·kō) *a* a squint-eyed, squinting

strabiliante (strâ·bē·lyân'tā) *a* surprising, astonishing

stracciare (strâ·châ'rā) *vt* to tear, rip; to lacerate

stracciato (strâ·châ'tō) *a* in rags; torn to shreds

straccio (strâ'chō) *m* rag; –ne (strâ·chō'nā) *m* ragamuffin

stracco (strâk'kō) *a* very tired, worn-out

strada (strâ'dâ) *f* street; road; — **interrotta** road closed; — **in costruzione** road repairs; — **secondaria** by-pass; — **maestra** highway

stradale (strâ·dâ'lā) *m* avenue; — *a* street, road; **polizia** — traffic patrol; **carta** — road map

strafalcione (strâ·fâl·chō'nā) *m* blunder

strafare * (strâ·fâ'rā) *vi* to work too hard; to overdo

strage (strâ'jā) *f* massacre, butchering; *(fig)* plenty

stramazzare (strâ·mâ·tsâ'rā) *vi* to fall in, collapse; — *vt* to knock over, knock

---

â ârm, ā bāby, e bet, ē bē, ō gō, ô gône, ū blūe, b bad, ch child, d dad, f fat, g gay, j jet

down

strame (strâ'mā) *m* fodder, litter

strampalato (strâm·pâ·lâ'tō) *a* absurd; odd; bizarre

stranezza (strâ·nä'tsä) *f* whimsy; singularity; oddity

strangolare (strân·gō·lâ'rä) *vt* to choke

straniero (strâ·nyä'rō) *a* foreign; — *m* foreigner; stranger

strano (strâ'nō) *a* stranger, peculiar

straordinario (strâ·ōr·dē·nâ'ryō) *a* extraordinary; — *m* overtime

strapazzare (strâ·pâ·tsâ'rä) *vt* to scold; to mistreat; to scramble *(eggs)*

strapazzarsi (strâ·pâ·tsâr'sē) *vr* to overdo oneself; to act carelessly about one's health

strapazzo (strâ·pâ'tsō) *m* excess; strain; **vestito da** — working cloths; **pittore da** — inferior painter

strapiombo (strâ·pyōm'bō) *m* **a** — jutting out; sheer

strappare (strâp·pâ'rä) *vt* to tear apart; to pull; to snatch; — **il cuore a qualcuno** *(fig)* to break someone's heart

strapparsi (strâp·pâr'sē) *vr* to tear oneself away; — **i capelli** to tear one's hair

strappo (strâp'pō) *m* tear, rent; jerk, start; — **muscolare** muscle strain

strapuntino (strâ·pūn'tē·nō) *m (auto)* bucket seat

straripare (strâ·rē·pâ'rä) *vi* to overflow; to flood its banks *(river)*

strascico (strâ'shē·kō) *m* train *(dress)*; results, aftermath

stratagemma (strâ·tâ·jäm'mâ) *m* stratagem, policy, device

stratega (strâ·tä'gâ) *m* strategist

strato (strâ'tō) *m* layer, coat; **–sfera** (strâ·tō·sfä'rä) *f* stratosphere

stravagante (strâ·vâ·gân'tä) *a* eccentric, odd

stravolto (strâ·vōl'tō) *a* agitated, upset

strazio (strâ'tsyō) *m* anguish, torture

strega (strâ'gâ) *f* witch

stregone (strâ·gō'nä) *m* wizard, warlock

strenna (strän'nâ) *f* gift; tip, gratuity

strenuamente (strâ·nwâ·män'tä) *adv* strenuously, vigorously

strenuo (stre'nwō) active, vigorous

strepito (stre'pē·tō) *m* noise; **–so** (strâ·pē·tō'zō) *a* resounding; sensational; noisy

stretta (strāt'tâ) *f* grip, grasp, squeeze; — **al cuore** tug at the heart; — **di mano** handshake; — **di spalle** shrug of one's shoulders

strettezza (strāt·tā'tsâ) *f* difficulty; strict-

ness; narrowness; — **economica** economic difficulties, money worries

stretto (strāt'tō) *a* narrow; — *m (geog)* straits

strillare (strēl·lâ'rä) *vi* to scream

strillo (strēl'lō) *m* scream, shriek; **–ne** (strēl·lō'nä) *m* newsboy

stringa (strēn'gâ) *f* shoelace

stringere * (strēn'jä·rä) *vt&i* to squeeze; to press; to make tighter; — **la mano** to shake hands

stringersi * (strēn'jär·sē) *vr* to narrow; to come close; to draw near; — **nelle spalle** to shrug one's shoulders

striscia (strē'shä) *f* strip; **–re** (strē·shâ'rä) *vt* to creep; to graze, touch lightly

stritolare (strē·tō·lâ'rä) *vt* to smash; to crush

strizzalimoni (strē·tsâ·lē·mō'nē) *m* lemon squeezer

strizzare (strē·tsâ'rä) *vt* to wring; to squeeze

strofinaccio (strō·fē·nâ'chō) *m* rag; duster

strozzare (strō·tsâ'rä) *vt* to strangle

strozzino (strō·tsē'nō) *m* loan shark *(coll)*

strumento (strū·män'tō) *m* instrument

strutto (strūt'tō) *m* lard

struzzo (strū'tsō) *m* ostrich

studente (stū·dän'tä) *m*, **studentessa** (stū·dän·tās'sâ) *f* student

studiare (stū·dyâ'rä) *vt* to study

studio (stū'dyō) *m* study; studio

stufa (stū'fâ) *f* stove

stufato (stū·fâ'tō) *m* stew

stufo (stū'fō) *a* fed up, tired, bored

stuoia (stwō'yâ) *f* doormat; matting

stuolo (stwō'lō) *m* crowd, group

stupefacente (stū·pâ·fâ·chän'tä) *a* astounding; awe-inspiring; bewildering; — *m* narcotic

stupendo (stū·pän'dō) *a* stupendous, magnificent, wonderful

stupidaggine (stū·pē·dâj'jē·nä) *f* absurdness; foolishness

stupido (stū'pē·dō) *a* dull, stupid, foolish, mentally slow

stupire (stū·pē'rä) *vt* to amaze, astound

stupirsi (stū·pēr'sē) *vr* to be astonished; to wonder at

stupore (stū·pō'rä) *m* stupefaction; wonderment; *(med)* stupor

stupro (stū'prō) *m* rape

sturare (stū·râ'rä) *vt* to uncork

stuzzicadenti (stū·tsē·kâ·dän'tē) *m* toothpick

stuzzicante (stū·tsē·kân'tä) *a* provocative, stimulating; vexing

stuzzicare (stū·tsē·kâ'rä) *vt* to whet; to

stimulate; to tease, needle

stuzzicarsi (stū·tsē·kâr′sē) *vr* to pick one's teeth

su (sū) *adv&prep* on; over; above; about

subacqueo (sū·bâk′kwā·ō) *a* underwater; **pescatore** — skin diver

subaffittare (sū·bâf·fēt·tâ′rā) *vt* to sublet

subbuglio (sūb·bū′lyō) *m* uproar, bustle, hubbub

subcoscienza (sūb·kō·shān′tsâ) *f* subconscious

subdolo (sūb′dō·lō) *a* shifty, insidious, crafty

subire (sū′·bē′rā) *vt* to suffer, undergo

subito (sū′bē·tō) *adv* at once; — *a* sudden; rapid

sublimato (sū·blē·mâ′tō) *m* sublimate; — **corrosivo** mercuric chloride

sublimazione (sū·blē·mâ·tsyō′nä) *f* sublimation

subodorare (sū·bō·dō·râ′rā) *vt* to suspect; to get an inkling of; to know intuitively

succedere * (sū·che′dä·rā) *vi* to happen; to follow

successivamente (sū·chās·sē·vâ·mān′tä) *adv* consecutively; in succession; thereafter, afterward

successivo (sū·chās·sē′vō) *a* following, next

successo (sū·chās′sō) *m* success; — *a* succeeded; followed

succhiare (sūk·kyâ′rā) *vt* to suck

succhiello (sūk·kyäl′lō) *m* gimlet

succo (sūk′kō) *m* juice; **–so** (sūk·kō′zō) *a* juicy; *(fig)* meaty, substantial

succursale (sūk·kūr·sâ′lä) *f* branch office; agency

sud (sūd) *m* south; **–africano** (sū·dâ·frē·kâ′nō) *a&m* South African; **–americano** (sū·dâ·mā·rē·kâ′nō) *m&a* South American

sudare (sū·dâ′rā) *vi* to perspire; — *vt* to ooze

sudario (sū·dâ′ryō) *m* shroud

suddetto (sūd·dāt′tō) *a* aforementioned

suddito (sūd′dē·tō) *m* citizen, subject

sudicio (sū′dē·chō) *a* filthy, dirty; lewd, smutty

sudiciume (sū·dē·chū′mä) *m* smut; dirt

sudore (sū·dō′rā) *m* perspiration, sweat

sufficiente (sūf·fē·chān′tä) *a* sufficient; **–mente** (sūf·fē·chān·tä·män′tä) *adv* sufficiently, adequately

sufficienza (sūf·fē·chān′tsâ) *f* sufficiency; abundance

suffragare (sūf·frâ·gâ′rā) *vt* to support, aid, back

suggellare (sūj·jāl·lâ′rā) *vt* to seal

suggerimento (sūj·jā·rē·mān′tō) *m* proposal, advice; suggestion

suggerire (sūj·jā·rē′rā) *vt* to prompt; to suggest

suggeritore (sūj·jā·rē·tō′rā) *m* prompter

suggestione (sūj·jā·styō′nä) *f* suggestion

suggestivo (sūj·jā·stē′vō) *a* interesting; enchanting

sughero (sū′gä·rō) *m* cork

sugna (sū′nyä) *f* grease; lard

sugo (sū′gō) *m* juice; gravy; *(fig)* main point; pièce de résistance

suicida (swē·chē′dâ) *m&f* suicide *(person)*; **–rsi** (swē·chē·dâr′sē) *vr* to commit suicide

suicidio (swē·chē′dyō) *m* suicide *(act)*

suino (swē′nō) *m* swine; — *a* swinish

sunto (sūn′tō) *m* summary, résumé

suo (sū′ō) *a&pron* his, hers, its, your

suocera (swō′chä·râ) *f* mother-in-law

suocero (swō′chä·rō) *m* father-in-law

suola (swō′lâ) *f* sole *(shoe)*

suolo (swō′lō) *m* soil, earth; ground

suonare (swō·nâ′rā) *vt (mus)* to play; to ring

suonatore (swō·nâ·tō′rä) *m* player, musician

suono (swō′nō) *m* sound; chime, ringing *(bell)*

suora (swō′râ) *f* nun

superare (sū·pä·râ′rā) *vt* to exceed; to do better than

superbia (sū·per′byä) *f* pride, conceit

superbo (sū·pär′bō) *a* conceited; splendid; haughty

superficiale (sū·pär·fē·châ′lä) *a* superficial

superficie (sū·pär·fē′chä) *f* surface; area

superiore (sū·pä·ryō′rä) *a* superior; higher, upper

superfluo (sū·per′flūō) *a* superflous; — *m* surplus

supermercato (sū·pär·mär·kâ′tō) *m* supermarket

superstite (sū·per′stē·tä) *m* survivor; — *a* surviving

superstizione (sū·pär·stē·tsyō′nä) *f* superstition

superstizioso (sū·pär·stē·tsyō′zō) *a* superstitious

superuomo (sū·pä·rūō′mō) *m* superman

supino (sū·pē′nō) *a* on one's back; supine

supplementare (sūp·plä·män·tâ′rä) *a* auxiliary, supplementary

supplemento (sūp·plä·män′tō) *m* supplement; extra fare; additional fee

supplente (sūp·plän′tä) *m* substitute, alternate

supplenza (sūp·plän'tsâ) *f* temporary position; position of an alternate
supplica (sūp'plē·kâ) *f* request; entreaty; **–re** (sūp·plē·kâ'rä) *vt* to implore
supplizio (sūp·plē'tsyō) *m* torment; torture; intense suffering
supporre * (sūp·pōr'rä) *vt&i* to suppose; to conjecture
supposizione (sūp·pō·zē·tsyō'nä) *f* supposition
supposta (sūp·pō'stâ) *f* suppository
suppurare (sūp·pū·râ'rä) *vi* to discharge pus, suppurate
suppurazione (sūp·pū·râ·tsyō'nä) *f* discharge of pus, suppuration
supremo (sū·prä'mō) *a* ultimate, last; supreme, absolute
surrealista (sūr·rä·â·lē'stâ) *a&m* surrealist
surrogato (sūr·rō·gâ'tō) *m* substitute, replacement
susina (sū·zē'nâ) *f* plum
sussidiare (sūs·sē·dyâ'rä) *vt* to subsidize, bolster
sussidiario (sūs·sē·dyâ'ryō) *a* additional, subsidiary
sussidio (sūs·sē'dyō) *m* subsidy; contribution
sussiego (sūs·syä'gō) *m* primness, stiffness
sussultare (sūs·sūl·tâ'rä) *vi* to quake; to start, be startled; to throb
sussulto (sūs·sūl'tō) *m* tremble, jump, jerk
sussurrare (sūs·sūr·râ'rä) *vt&i* to sigh, sough *(wind)*; to whisper
sussurro (sūs·sūr'rō) *m* whisper; soughing
svagarsi (zvä·gâr'sē) *vr* to distract one's mind; to amuse oneself
svago (zvâ'gō) *m* entertainment, recreation
svaligiare (zvâ·lē·jâ'rä) *vt* to burglarize, rob; to strip bare, plunder
svaligiatore (zvâ·lē·jâ·tō'rä) *m* burglar, robber
svalutare (zvâ·lū·tâ'rä) *vt* to depreciate; to devaluate
svalutazione (zvâ·lū·tâ·tsyō'nä) *f* depreciation; devaluating
svanire (zvä·nē'rä) *vi* to vanish; to evaporate; to fade out; to weaken, lose its force
svantaggiosamente (zvân·tâj·jō·zâ·män'tä) *adv* unfavorably; prejudicially
svantaggio (zvân·tâj'jō) *m* disadvantage
svariato (zvâ·ryâ'tō) *a* assorted, sundry, divers; not a few
svedese (zvä·dä'zä) *a* Swedish; **—** *m* Swede
svegliare (zvä·lyâ'rä) *vt* to awake, wake

up, awaken; *(fig)* to stimulate
svegliarsi (zvä·lyâr'sē) *vr* to wake up; to be awakened; to be aroused
svelare (zvä·lâ'rä) *vt* to reveal
svelarsi (zvä·lâr'sē) *vr* to show one's true colors; to disclose one's real motives
sveltezza (zväl·tä'tsâ) *f* slenderness; promptness, rapidity; alertness
svelto (zväl'tō) *a* alert; slender; quick
svendere (zven'dä·rä) *vt* to sell below cost
svenimento (zvä·nē·män'tō) *m* faint
svenire * (zvä·nē'rä) *vi* to faint
sventato (zvän·tâ'tō) *a* heedless, careless; **—** *m* scatterbrain
sventura (zvän·tū'râ) *f* misfortune, mischance
svenuto (zvä·nū'tō) *a* fainted; unconscious
svergognare (zvär·gō·nyâ'rä) *vt* to put to shame; to discountenance
svergognato (zvär·gō·nyâ'tō) *a* shameless, brazen
svestirsi (zvä·stēr'sē) *vr* to undress
Svezia (zve'tsyâ) *f* Sweden
svezzare (zvä·tsâ'rä) *vt* to wean
sviare (zvyâ'rä) *vt* to mislead; to deviate; *(rail)* to switch
sviarsi (zvyâr'sē) *vr* to become lost; to go astray
svignarsela (zvē·nyâr'sä·lâ) *vr* to decamp, abscond; to slip away
sviluppare (zvē·lūp·pâ'rä) *vt* to develop
svilupparsi (zvē·lūp·pâr'sē) *vr* to enlarge; to develop; to grow
sviluppo (zvē·lūp'pō) *m* development; **età dello —** puberty
svincolare (zvēn·kō·lâ'rä) *vt* to redeem; to clear through customs
svincolarsi (zvēn·kō·lâr'sē) *vr* to disengage oneself; to free oneself; to escape
svista (zvē'stâ) *f* oversight
svitare (zvē·tâ'rä) *vt* to unscrew
Svizzera (zvē'tsä·râ) *f* Switzerland
svizzero (zvē'tsä·rō) *a&m* Swiss
svogliatamente (zvō·lyâ·tâ·män'tä) *adv* unwillingly; grudgingly
svogliato (zvō·lyâ'tō) *a* inattentive; averse, grudging; lackadaisical
svolgere * (zvōl'jä·rä) *vt* to unroll; to display; to carry out; to elaborate on, develop
svolgersi * (zvōl'jär·sē) *vr* to take place; to unfold; to develop
svolgimento (zvōl·jē·män'tō) *m* handling; solution *(problem)*; development, event
svolta (zvōl'tâ) *f* turn; bend; curve; **–re** (zvōl·tâ'rä) *vt&i* to turn
svotare (zvō·tâ'rä) *vt* to discharge, empty

k kid, **l** let, **m** met, **n** not, **p** pat, **r** very, **s** sat, **sh** shop, **t** tell, **v** vat, **w** we, **y** yet, **z** zero

T

tabaccaio (tâ·bâk·kâ'yō) *m* tobacco dealer, tobacconist
tabaccheria (tâ·bâk·kā·rē'â) *f* cigar store, tobacco shop
tabacco (tâ·bâk'kō) *m* tobacco
tabella (tâ·bāl'lâ) *f* table, chart; bulletin board
tabellone (tâ·bāl·lō'nä) *m* poster
tabernacolo (tâ·bār·nâ'kō·lō) *m* tabernacle
taccagno (tâk·kâ'nyō) *a* stingy, tight-fisted
taccheggiatore (tâk·kāj·jâ·tō'rā) *m* shoplifter
tacchino (tâk·kē'nō) *m* turkey
tacciare (tâ·châ'rā) *vt* to accuse; to blame for
tacco (tâk'kō) *m* heel
taccuino (tâk·kwē'nō) *m* notebook
tacere * (tâ·chā'rā) *vi* to keep quiet; — *vt* to omit; not to mention
taciturno (tâ·chē·tūr'nō) *a* taciturn, uncommunicative; sullen
tachimetro (tâ·kē'mä·trō) *m* speedometer
tafferuglio (tâf·fā·tâ') *m* scuffle
taffetà (tâf·fā·tâ') *m* adhesive tape; taffeta
taglia (tâ'lyä) *f* reward; size; **–carte** (tâ·lyä·kâr'tä) *m* paper knife; **–legna** (tâ·lyä·lā'nyâ) *m* lumberjack; **–ndo** (tâ·lyän'dō) *m* coupon; **–re** (tâ·lyä'rā) *vt* to cut; **–rsi** (tâ·lyär'sē) *vr* to cut oneself; **–telle** (tâ·lyä·tāl'lā) *fpl* noodles; **–tore** (tâ·lyä·tō'rä) *m* cutter; tailor
tagliente (tâ·lyän'tä) *a* sharp; *(fig)* sarcastic, trenchant
tagliere (tâ·lyä'rä) *m* platter
taglierina (tâ·lyä·rē'nä) *f* paper cutter
taglio (tâ'lyō) *m* cut; edge, cut side; blade, cutting edge; denomination *(money)*
tagliuola (tâ·lywō'lâ) *f* trap
talco (tâl'kō) *m* talcum powder
tale (tâ'lä) *a* such, so; like, similar; certain, particular
talento (tâ·lān'tō) *m* talent, skill, great ability
talloncino (tâl·lōn·chē'nō) *m* coupon; check stub; voucher
tallone (tâl·lō'nä) *m* heel; *(com)* stub
talmente (tâl·mān'tä) *adv* so very; so much; in that way; so, in such a way
talpa (tâl'pâ) *f* mole
taluno (tâ·lū'nō) *pron* someone, somebody
talvolta (tâl·vōl'tâ) *adv* on occasion, sometimes
tamburello (tâm·bū·rāl'lō) *m* tambourine

tamburino (tâm·bū·rē'nō) *m* drummer
tamburo (tâm·bū'rō) *m* drum
tamponare (tâm·pō·nâ'rā) *vt* to stop up, plug up
tampone (tâm·pō'nä) *m* stamp pad; stopper
tana (tâ'nä) *f* lair, cave
tanaglie (tâ·nâ'lyä) *fpl* pincers; tongs
tanè (tâ·nä') *a* chestnut color
tanfo (tân'fō) *m* stench; bad odor
tangente (tân·jän'tä) *f&a* tangent
tanghero (tân'gä·rō) *m* boor, yokel
tanti (tân'tē) *a* so many, a great many
tantino (tân·tē'nō) *m* little bit
tanto (tân'tō) *a&adv* so much; so; — **quanto** as much as
tappa (tâp'pâ) *f* stop; lap *(race)*; **–re** (tâp·pâ'rä) *vt* to plug up, plug
tappeto (tâp·pā'tō) *m* rug, carpet
tappezzare (tâp·pä·tsâ'rä) *vt* to upholster; to wallpaper
tappezzeria (tâp·pä·tsä·rē'â) *f* upholstery; wallpaper; **fare** — to be a wallflower *(coll)*
tappezziere (tâp·pä·tsyä'rä) *m* upholsterer; decorator
tappo (tâp'pō) *m* plug, cork; cap, cover
tarantola (tâ·rân'tō·lâ) *f* tarantula
tarchiato (târ·kyâ'tō) *a* stocky
tardare (târ·dâ'rä) *vi* to be late; to be long
tardi (târ'dē) *adv* late
targa (târ'gâ) *f* license plate; — **stradale** street sign
tariffa (tâ·rēf'fâ) *f* scale, rate; price list; tariff, duty
tarlato (târ·lâ'tō) *a* moth-eaten; wormeaten
tarlo (târ'lō) '*m* woodworm, clothes moth
tarma (târ'mâ) *f* moth
tartagliare (târ·tâ·lyâ'rä) *vi* to stammer
tartaruga (târ·tâ·rū'gâ) *f* tortoise, turtle
tartassare (târ·tâs·sâ'rä) *vt* to manhandle; mistreat
tartina (târ·tē'nâ) *f* sandwich
tartufo (târ·tū'fō) *m* truffle
tasca (tâ'skâ) *f* pocket; **–bile** (tâ·skâ'bē·lä) *a* pocket; portable; **–pane** (tâ·skâ·pâ'nä) *m* haversack, shoulder sack
taschino (tâ·skē'nō) *m* vest pocket
tassa (tâs'sâ) *f* tax; duty; **–metro** (tâs·sâ'mä·trō) *m* taximeter; **–re** (tâs·sâ'rä) *vt* to tax; **–tivamente** (tâs·sâ·tē·vâ·mân'tä) *adv* exactly; explicitly; positively; **–tivo** (tâs·sâ·tē'vō) *a* exact; compulsory
tassello (tâs·sāl'lō) *m* dowel

tassì (tâs·sē′) *m* taxi, cab
tassista (tâs·sē′stä) *m* taxi driver, cab driver
tasso (tâs′sō) *m* rate of interest
tasso (tâs′sō) *m* badger
tastare (tâ·stâ′rä) *vt* to feel, finger; *(med)* to palpate
tastiera (tâ·styä′râ) *f* keyboard
tasto (tâ′stō) *m (mus, mech)* key; subject
tastoni (tâ·stō′nē) *adv* by groping, gropingly
tattica (tât′tē·kâ) *f* tactics
tatto (tât′tō) *m* sense of touch; tact
tatuaggio (tâ·twâj′jō) *m* tattoo
tatuare (tâ·twâ′rä) *vt* to tattoo
taumaturgo (tâû·mâ·tūr′gō) *m* miracle worker
taurino (tâû·rē′nō) *a* bullish; bull, bull-like
tauromachia (tâû·rō·mâ·kē′â) *f* bull-fighting
taverna (tâ·vär′nâ) *f* tavern
taverniere (tâ·vär·nyä′rä) *m* tavern owner
tavola (tâ′vō·lâ) *f* board; table; plank
tavoletta (tâ·vō·lät′tä) *f* tablet
tavolino (tâ·vō·lē′nō) *m* worktable; small table
tavolozza (tâ·vō·lō′tsä) *f* palette
tazza (tâ′tsâ) *f* cup
te (tä) *pron* you; to you
tè (tä) *m* tea
teatro (tä·â′trō) *m* theater; — **lirico** opera; — **di prosa** legitimate theater; drama
teca (tä′kâ) *f* reliquary; jewel case
tecnica (tek′nē·kâ) *f* technique
tecnicamente (tăk·nē·kâ·măn′tä) *adv* technically
tecnico (tek′nē·kō) *a* technical; — *m* technician; expert
tedesco (tä·dä′skō) *a&m* German
tedio (te′dyō) *m* boredom, ennui; –so (tä·dyō′zō) *a* boring
tegame (tä·gâ′mä) *m* pan
teglia (te′lyâ) *f* casserole, baking dish
tegola (te′gō·lâ) *f* roofing tile
teiera (tä·yä′râ) *f* teapot
tela (tä′lâ) *f* cloth; linen; canvas; painting; *(theat)* curtain; — **incerata** oil cloth; — **di ragno** cobweb; –io (tâ·lâ′yō) *m (auto)* chassis; framework; loom
telearma (tä·lä·âr′mâ) *f* guided missile
telecamera (tä·lä·kâ′mä·râ) *f* television camera
telecomandato (tä·lä·kō·mân·dâ′tō) *a* remote-controlled
telecomando (tä·lä·kō·mân′dō) *m* remote control
teleferica (tä·lä·fe′rē·kâ) *f* overhead cable

railway, funicular
telefonare (tä·lä·fō·nâ′rä) *vt* to telephone
telefonico (tä·lä·fō′nē·kō) *a* telephone; **elenco** — telephone directory
telefonista (tä·lä·fō·nē′stä) *m&f* telephone operator
telefono (tä·le′fō·nō) *m* telephone
telefoto (tä·lä·fō′tō) *f* telephotograph
telegenico (tä·lä·je′nē·kō) *a* telegenic
telegiornale (tä·lä·jōr·nâ′lä) *m* television news
telegrafare (tä·lä·grâ·fâ′rä) *vt* to wire, cable
telegrafista (tä·lä·grâ·fē′stä) *m&f* telegraph operator
telegrafo (tä·le′grâ·fō) *m* telegraph
telegramma (tä·lä·grâm′mâ) *m* telegram
telemetro (tä·le′mä·trō) *m* range finder
teleobiettivo (tä·lä·ō·byät·tē′vō) *m* telephoto lens
telepatia (tä·lä·pâ·tē′â) *f* telepathy
teleromanzo (tä·lä·rō·mân′dzō) *m* play for television
teleschermo (tä·lä·skär′mō) *m* television screen
telescopio (tä·lä·skō′pyō) *m* telescope
telescrivente (tä·lä·skrē·vän′tä) *m* teleprinter
telespettatore (tä·lä·spät·tâ·tō′rä) *m* televiewer
telespresso (tä·lä·spräs′sō) *m* telephone message; telegraph message
teletrasmettere (tä·lä·trâ·zmet′tä·rä) *vt* to telecast
teletrasmissione (tä·lä·trâ·zmēs·syō′nä) *f* telecast
televisionare (tä·lä·vē·zyō·nâ′rä) *vt* to telecast, televise
televisione (tä·lä·vē·zyō′nä) *f* television
televisivo (tä·lä·vē·zē′vō) *a* television
televisore (tä·lä·vē·zō′rä) *m* television set
telone (tä·lō′nä) *m (theat)* curtain
tema (tä′mâ) *m* subject, theme; problem
temerario (tä·mä·râ′ryō) *a* foolhardy
temere (tä·mä′rä) *vi* to be afraid; — *vt* to fear, be afraid of
temibile (tä·mē′bē·lä) *a* formidable, frightful
temperalapis (tăm·pä·râ·lâ′pēs) *m* pencil sharpener
temperamento (tăm·pä·râ·măn′tō) *m* temperament
temperanza (tăm·pä·rân′tsâ) *f* temperance
temperare (tăm·pä·râ′rä) *vt* to temper, lessen; to sharpen; to moderate
temperato (tăm·pä·râ′tō) *a* temperate; restrained, reserved
temperatura (tăm·pä·râ·tū′râ) *f* tempera-

k kid, **l** let, **m** met, **n** not, **p** pat, **r** very, **s** sat, **sh** shop, **t** tell, **v** vat, **w** we, **y** yet, **z** zero

ture
temperino (täm·pä·rē′nō) *m* penknife
tempesta (täm·pä′stâ) *f* storm
tempestivamente (täm·pä·stē·vâ·män′tä)
   adv promptly; at the right time
tempestoso (täm·pä·stō′zō) *a* stormy
tempia (tem′pyä) *f* (*anat*) temple
tempio (tem′pyō) *m* temple (*building*)
tempo (täm′pō) *m* time; weather; (*gram*)
   tense; **–rale** (täm·pō·râ′lä) *m* storm;
   –rale *a* temporal; **–raneo** (täm·pō·râ′-
   nä·ō) *a* temporary, transitory; **–reggia-**
   mento (täm·pō·räj·jä·män′tō) *m* procrastination; **–reggiare** (täm·pō·räj·jâ′-
   rä) *vi* to procrastinate; **–reggiatore** (täm-
   pō·räj·jä·tō′rä) *m* procrastinator
tempra (täm′prâ) *f* vigor; moral tone,
   character; attitude; **–re** (täm·prä′rä) *vt*
   to harden; to temper
tenace (tä·nä′chä) *a* tenacious, constant
tenacità (tä·nä·chē·tâ′) *f* stick-to-itiveness
   (*coll*); tenacity
tenaglia (tä·nä′lyä) *f* pincers
tenda (tän′dâ) *f* curtain; tent; awning
tendenza (tän·dän′tsä) *f* bent, propensity
tendenzioso (tän·dän·tsyō′zō) *a* biased,
   prejudiced
tendere * (ten′dä·rä) *vt* to stretch out; to
   hand over; **—** *vi* to tend, lean
tendina (tän·dē′nâ) *f* window curtain;
   blind
tenebre (te′nä·brä) *fpl* darkness; gloominess
tenebroso (tä·nä·brō′zō) *a* dark; somber
tenente (tä·nän′tä) *m* lieutenant
tenere * (tä·nä′rä) *vt&i* to hold, hold onto;
   to maintain, keep; to care for, have an
   interest in; **— la destra** to keep to the
   right; **— a mente** to bear in mind; **—**
   conto di to consider, take into consideration; **non c'è motivo che tenga** there is
   no reason for it; **non ci tiene affatto** hi
   doesn't care at all; **— al proprio nome**
   to care about one's reputation
tenerezza (tä·nä·rä′tsä) *f* tenderness;
   fondness
tenersi * (tä·när′sē) *vr* to keep from; to
   hold oneself; **— per intelligente** to deem
   oneself clever; **— al corrent dei fatti** to
   keep abreast of the news; **— in piedi** to
   remain standing
tenero (te′nä·rō) *a* tender; affectionate;
   — *m* soft part; weakness, foible
tenia (te′nyä) *f* tapeworm
tennista (tän·nē′stä) *m* tennis player
tenore (tä·nō′rä) *m* tenor; text; (*mus*)
   tenor; tendency; meaning; **— di vita**
   standard of living

tensione (tän·syō′nä) *f* tension
tentacolo (tän·tâ′kō·lō) *m* tentacle
tentare (tän·tâ′rä) *vt* to try, attempt; to
   tempt; to touch
tentativo (tän·tâ·tē′vō) *m* attempt
tentatore (tän·tâ·tō′rä) *m* tempter
tentatrice (tän·tâ·trē′chä) *f* temptress
tentazione (tän·tâ·tsyō′nä) *f* temptation
tentennare (tän·tän·nâ′rä) *vi* to waver; to
   be indecisive; **—** *vt* to shake
tenue (te′nwä) *a* thin, slight
tenuta (tä·nū′tä) *f* uniform; estate; landed
   holdings
teologo (tä·ô′lō·gō) *m* theologian
teoria (tä·ō·rē′â) *f* theory
teorico (tä·ô′rē·kō) *a* theoretical
teorizzare (tä·ō·rē·dzä′rä) *vi* to theorize
tepido (te′pē·dō) *a* lukewarm, tepid
tepore (tä·pō′rä) *m* warmth
teppa (täp′pâ) *f* underworld, gangland
teppista (täp·pē′stä) *m* gangster
terapia (tä·râ·pē′â) *f* therapy; therapeutics
tergere * (ter′jä·rä) *vt* to wipe, polish
tergicristallo (tär·jē·krē·stäl′lō) *m* windshield wiper
tergiversare (tär·jē·vär·sâ′rä) *vi* to be
   evasive; to quibble
tergo (tär′gō) *m* back
termale (tär·mâ′lä) *a* thermal; **stazione —**
   spa, health resort
terme (tär′mä) *fpl* hot springs
terminatamente (tär·mē·nä·tâ·män′tä)
   adv exactly; definitively; once and for
   all
terminare (tär·mē·nâ′rä) *vt&i* to finish,
   conclude
termine (ter′mē·nä) *m* end; termination;
   term; stipulation; **a rigor di —** strictly
   speaking; **in altri termini** in other words
terminologia (tär·mē·nō·lō·jē′â) *f* terminology
termodinamica (tär·mō·dē·nâ′mē·kâ) *f*
   thermodynamics
termoelettrico (tär·mō·ä·let′trē·kō) *a*
   thermoelectric
termogeno (tär·mô′jä·nō) *a* thermogenic,
   heat-producing
termomagnetico (tär·mō·mâ·nye′tē·kō) *a*
   thermomagnetic
termometro (tär·mô′mä·trō) *m* thermometer
termosifone (tär·mō·sē·fō′nä) *m* radiator
termostato (tär·mō·stâ′tō) *m* thermostat
terra (tär′râ) *f* soil, ground; earth; (*naut*)
   land; (*elec*) ground; **scendere a —** to
   land, go ashore; **via —** by land
terraglia (tär·râ′lyä) *f* earthenware
terrazza (tär·râ′tsä) *f*, **terrazzo** (tär·râ′-

tsō) *m* terrace; balcony
terremoto (tär·rä·mō'tō) *m* earthquake
terreno (tär·rä'nō) *m* soil; plot of land; — *a* worldly, temporal
terrestre (tär·rä'strä) *a* terrestrial
terribile (tär·rē'bē·lä) *a* awful, terrible
terrificante (tär·rē·fē·kân'tä) *a* appalling; frightening, horrifying
terrificare (tär·rē·fē·kâ'rä) *vt* to appall; to terrify, horrify
terrifico (tär·rē'fē·kō) *a* dreadful, horrible
territoriale (tär·rē·tō·ryä'lä) *a* territorial
territorio (tär·rē·tô'ryō) *m* territory, region
terrore (tär·rō'rä) *m* terror, fear
terrorizzare (tär·rō·rē·dzä'rä) *vt* to terrorize
terzetto (tär·tsät'tō) *m* trio; group of three
terzino (tär·tsē'nō) *m* fullback (*football*)
terzo (tär'tsō) *a* third
tesa (tä'zä) *f* hat brim
teschio (te'skyō) *m* skull
tesi (tä'zē) *f* thesis
teso (tä'zō) *a* taut, tightly stretched; strained
tesoreria (tä·zō·rä·rē'â) *f* treasury
tesoriere (tä·zō·ryä'rä) *m* treasurer
tesoro (tä·zō'rō) *m* treasure; sweetheart
tessera (tes·sä·râ) *f* card; identification card
tessere (tes·sä·rä) *vt* to weave
tessile (tes·sē·lä) *a* textile
tessilsacco (täs·sēl·sâk'kō) *m* garment bag
tessuto (täs·sū'tō) *m* fabric, material; (*anat*) tissue
testa (tä'stâ) *f* head; top; **dolor di** — headache; **in testa alla pagina** at the top of the page
testamento (tä·stâ·mân'tō) *m* will
testardaggine (tä·stâr·dâj'jē·nä) *f* stubbornness
testardo (tä·stâr'dō) *a* stubborn
testata (tä·stâ'tä) *f* headline; heading; (*mil*) warhead
testicolo (tä·stē'kō·lō) *m* testicle
testimone (tä·stē·mō'nä) *m* witness
testimonianza (tä·stē·mō·nyân'tsä) *f* testimony, evidence
testimoniare (tä·stē·mō·nyâ'rä) *vt* to testify to, give evidence to, attest to
testo (tä'stō) *m* text; copy
testuale (tä·stwä'lä) *a* verbatim; word-for-word
testualmente (tä·stwâl·mân'tä) *adv* verbatim
tetano (te'tâ·nō) *m* tetanus, lockjaw
tetraedro (tä·trâ·ä'drō) *m* tetrahedron
tetragono (tä·trâ'gō·nō) *m* tetragon; —

a (*fig*) steadfast, constant, stable
tetro (tä'trō) *a* gloomy, dark
tetto (tät'tō) *m* roof; —**ia** (tät·tô'yä) *f* shed; marquee
ti (tē) *pron* you; to you
tiara (tyâ'rä) *f* tiara
tibia (tē'byä) *f* shinbone, tibia
ticchio (tēk'kyō) *m* caprice, whim; (*med*) tic
tiepido (tye'pē·dō) *a* lukewarm
tifo (tē'fō) *m* typhus; —**ide** (tē·fô'ē·dä) *f* typhoid fever; —**so** (tē·fō'zō) *m* typhus patient; (*fig*) sports enthusiast, fan
tifone (tē·fō'nä) *m* hurricane; typhoon
tiglio (tē'lyō) *m* linden tree
tigna (tē'nyä) *f* ringworm
tignola (tē·nyō'lä) *f* moth
tigre (tē'grä) *f* tiger
tigrotto (tē·grōt'tō) *m* tiger cub
timballo (tēm·bâl'lō) *m* (*cooking*) timbale; kettle drum
timbrare (tēm·brâ'rä) *vt* to postmark; to affix a stamp to, stamp
timbro (tēm'brō) *m* stamp; timbre
timidamente (tē·mē·dâ·mân'tä) *adv* with shyness, timidly
timidezza (tē·mē·dä'tsä) *f* shyness; timidity
timido (tē'mē·dō) *a* shy; diffident
timone (tē·mō'nä) *m* helm; rudder
timoniere (tē·mō·nyä'rä) *m* helmsman
timore (tē·mō'rä) *m* fear
timoroso (tē·mō·rō'zō) *a* timid, afraid
timpano (tēm'pâ·nō) *m* eardrum; kettledrum
tina (tē'nâ) *f* tub
tinello (tē·näl'lō) *m* dinette, small dining room
tingere * (tēn'jä·rä) *vt* to dye
tingersi * (tēn'jär·sē) *vr* to dye; — **le labbra** to put on lipstick
tino (tē'nō) *m* tub, vat; —**zza** (tē·nō'tsâ) *f* tub; bathtub
tinta (tēn'tâ) *f* shade; color; —**rella** (tēn·tâ·räl'lä) *f* (*coll*) suntan
tintinnare (tēn·tēn·nâ'rä) *vi* to clink; to jingle; to tinkle
tintinnio (tēn·tēn·nē'ō) *m* clinking; jingling; tinkling
tintore (tēn·tō'rä) *m* dry cleaner; dyer
tintoria (tēn·tō·rē'â) *f* dry cleaning shop
tintura (tēn·tū'râ) *f* tincture
tipicamente (tē·pē·kâ·mân'tä) *adv* typically
tipico (tē'pē·kō) *a* typical
tipo (tē'pō) *m* type; pattern, standard; **bel** — **originale** oddball (*coll*); —**grafia** (tē·pō·grâ·fē'â) *f* printing office; —**grafo**

(tē·pô′grä·fō) *m* printer
tiraggio (tē·räj′jō) *m* draft (*drawing*)
tiralinee (tē·rä·lē′nä·ä) *m* ruling pen
tiranneggiare (tē·rän·näj·jä′rä) *vt* to tyrannize, oppress; to lord it over
tirannia (tē·rän·nē′â) *f* tyranny
tiranno (tē·rän′nō) *m* tyrant
tirapiedi (tē·rä·pyä′dē) *m* henchman, collaborator
tirapranzi (tē·rä·prän′dzē) *m* dumbwaiter
tirare (tē·rä′rä) *vt* to pull; to throw; to shoot at; to print, run off an impression of; — *vi* to tend; to blow (*wind*); — **la somma** to find the sum; — **sul prezzo** to bargain; — **le conclusioni** to draw the conclusion; — **avanti** to get ahead; — **diritto** to go straight ahead
tirarsi (tē·rär′sē) *vr* to draw to oneself, pull in; — **indietro** to draw back; (*fig*) to retract one's statement; — **su** to stand up; (*fig*) to pull oneself together; — **dai pasticci** to get out of trouble
tirato (tē·rä′tō) *a* taut, pulled tight; stingy
tiratore (tē·rä·tō′rä) *m* marksman; — **scelto** sharpshooter; **franco** — sniper; — **d'arco** archer; — **di scherma** fencer
tiratura (tē·rä·tū′râ) *f* run, number run (*printing*); circulation; attraction
tirchio (tēr′kyō) *a* stingy
tiretto (tē·rät′tō) *m* drawer
tiritera (tē·rē·tä′râ) *f* rigmarole; nonsense tale; wordy speech
tiro (tē′rō) *m* pull; extent; throw; shot; stroke (*billiards*); — **a segno** shooting gallery; **venire a** — (*coll*) to get one's hands on; **–cinio** (tē·rō·chē′nyō) *m* apprenticeship, training period
tiroide (tē·rô′ē·dä) *f* (*anat*) thyroid
tisana (tē·zä′nä) *f* herb tea
tisi (tē′zē) *f* tuberculosis; **–co** (tē′zē·kō) *a* tuberculous, tubercular
titolare (tē·tō·lä′rä) *m* owner of a firm; company president; — *a* titular
titolo (tē′tō·lō) *m* title; right; headline, heading; qualification, requisite; — **di studio** degree; **a** — **di** by way of; in one's capacity as
titubante (tē·tū·bän′tä) *a* hesitant, reluctant
tizio (tē′tsyō) *m* a certain individual, some person, so-and-so
tizzone (tē·tsō′nä) *m* firebrand
toccare (tōk·kä′rä) *vt&i* to touch; to affect; to be one's turn; — **sul vivo** to hurt deeply, cut to the quick; — **con mano** to make sure of
toccarsi (tōk·kär′sē) *vr* to meet, reach
toccasana (tōk·kä·sä′nä) *m* panacea, cure-all

tocco (tōk′kō) *m* touch; (*med*) stroke; hint, indication; — *a* touched; crack-brained; **al** — at one o'clock
toga (tō′gâ) *f* official garb; toga
togliere * (tō′lyä·rä) *vt* to take away; to lift off
togliersi * (tō′lyär·sē) *vr* to get away; to extricate oneself; to deprive oneself; — **la vita** to commit suicide; — **di mezzo** to get out of the way; — **le scarpe** to take off one's shoes
tolda (tōl′dâ) *f* (*naut*) deck
toletta (tō·lät′tâ) *f* dressing table, vanity; toilette, grooming
tollerante (tōl·lä·rän′tä) *a* tolerant, liberal; understanding
tolleranza (tōl·lä·rän′tsä) *f* leeway, tolerance; understanding; **casa di** — brothel
tollerare (tōl·lä·rä′rä) *vt* to tolerate, bear; to allow, sanction
tomaia (tō·mâ′yä) *f* vamp; upper (*shoe*)
tomba (tōm′bâ) *f* tomb; grave
tombino (tōm·bē′nō) *m* manhole
tombola (tōm′bō·lâ) *f* lotto; bingo
tomo (tō′mō) *m* volume, tome
tondo (tōn′dō) *a* round; obvious, patent
tonfo (tōn′fō) *m* splash; thud; flop
tonnellaggio (tōn·näl·lâj′jō) *m* tonnage
tonnellata (tōn·näl·lâ′tâ) *f* ton
tonno (tōn′nō) *m* tuna, tuna fish
tono (tō′nō) *m* tone; tune; pitch; style, fashion
tonsilla (tōn·sēl′lâ) *f* tonsil
topazio (tō·pâ′tsyō) *m* topaz
topica (tō′pē·kâ) *f* blunder; **fare una** — to put one's foot in it
topo (tō′pō) *m* mouse; — **d'auto** automobile thief; — **di biblioteca** bookworm (*fig*)
topografia (tō·pō·grâ·fē′â) *f* topography
toppa (tōp′pâ) *f* patch; lock
torace (tō·rä′chä) *m* thorax
torbido (tôr′bē·dō) *a* muddy, roiled
torcere * (tôr′chä·rä) *vt* to twist; to wrench
torcersi * (tôr′chär·sē) *vr* to squirm, wriggle
torchio (tôr′kyō) *m* press
torcia (tôr′châ) *f* candle, torch
torcicollo (tôr·chē·kōl′lō) *m* stiff neck; torticollis
torinese (tō·rē·nä′zä) *a&m* Turinese
Torino (tō·rē′nō) *f* Turin
torlo (tōr′lō) *m* yolk
tormenta (tōr·män′tâ) *f* blizzard; **–re** (tôr·män·tâ′rä) *vt* to torment, plague; **–rsi**

(tōr·mān·târ′sē) *vr* to worry oneself, be uneasy; to hound oneself

tormento (tōr·mān′tō) *m* torture; anguish, suffering

tornaconto (tōr·nâ·kōn′tō) *m* advantage, account

tornare (tōr·nâ′rā) *vi* to return; to recur

torneo (tōr·nā′ō) *m* competition; jousting

tornio (tôr′nyō) *m* lathe

tornitore (tōr·nē·tō′rā) *m* turner

toro (tō′rō) *m* bull

torpedine (tōr·pe′dē·nā) *f* torpedo

torpediniera (tōr·pā·dē·nyā′rā) *f* torpedo boat

torpedone (tōr·pā·dō′nā) *m* sightseeing bus; motor coach

torpore (tōr·pō′rā) *m* lethargy, drowsiness

torre (tōr′rā) *f* tower

torrente (tōr·rān′tā) *m* torrent, rapids

torrone (tōr·rō′nā) *m* nougat

torsione (tōr·syō′nā) *f* twist, torsion

torso (tōr′sō) *m* (*anat*) trunk, torso

torsolo (tôr′sō·lō) *m* core, pit, stone (*fruit*)

torta (tōr′tā) *f* cake; pie

torto (tōr′tō) *m* wrong; condemnation; injustice; — *a* twisted, out of shape; **aver** — to be wrong, be in error

tortora (tôr′tō·rā) *f* turtledove

tortuosamente (tōr·twō·zâ·mān′tā) *adv* tortuously; laboriously

tortuoso (tōr·twō′zō) *a* winding; crooked; laborious

tortura (tōr·tū′rā) *f* torture; –**re** (tōr·tū·râ′rā) *vt* to torture; –**rsi** (tōr·tū·râr′sē) *vr* to plague oneself, torture oneself; to hound oneself; — **il cervello** to cudgel one's brains

torvo (tōr′vō) *a* surly, grim

tosare (tō·zâ′rā) *vt* to clip, cut; to shear

Toscana (tō·skâ′nâ) *f* Tuscany

toscano (tō·skâ′nō) *m&a* Tuscan

tosse (tōs′sā) *f* cough

tossico (tôs′sē·kō) *m* poison; — *a* toxic; –**mane** (tōs·sē·kô′mâ·nā) *m* drug addict

tostapane (tō·stâ·pâ′nā) *m* toaster

tostare (tō·stâ′rā) *vt* to roast; to toast

tosto (tō′stō) *adv* immediately; soon; — **che** just as soon as, when

tosto (tō′stō) *a* brazen, impudent; toasted

totale (tō·tâ′lā) *m&a* total

totalizzatore (tō·tâ·lē·dzâ·tō′rā) *m* totalizator; pari-mutuel

totocalcio (tō·tō·kâl′chō) *m* football pool

tovaglia (tō·vâ′lyâ) *f* tablecloth

tovagliolo (tō·vâ·lyō′lō) *m* napkin

tozzo (tō′tsō) *a* stocky; chunky; — *m* piece, chunk

tra (trâ) *prep* among; between

traballare (trâ·bâl·lâ′rā) *vi* to totter; to reel

trabeazione (trâ·bā·â·tsyō′nā) *f* entablature

traboccare (trâ·bōk·kâ′rā) *vi* to overflow

trabocchetto (trâ·bōk·kāt′tō) *m* trap, pitfall

traccia (trâ′châ) *f* trace; –**re** (trâ·châ′rā) *vt* to sketch; to trail; to lay out; –**to** (trâ·châ′tō) *m* tracing; layout

tracolla (trâ·kōl′lâ) *f* shoulder belt; **a** — across the shoulders

tracollo (trâ·kōl′lō) *m* downfall, collapse; (*mech*) breakdown, failure; (*com*) decline, recession

tradimento (trâ·dē·mān′tō) *m* betrayal; deception

tradire (trâ·dē′rā) *vt* to betray; to cheat

tradirsi (trâ·dēr′sē) *vr* to give away one's motives; to defeat one's own purpose

traditore (trâ·dē·tō′rā) *m* traitor; deceiver

tradizione (trâ·dē·tsyō′nā) *f* tradition, custom

tradotta (trâ·dōt′tâ) *f* troop train

tradurre * (trâ·dūr′rā) *vt* to translate

traduttore (trâ·dūt·tō′rā) *m* translator

traduzione (trâ·dū·tsyō′nā) *f* translation

trafelato (trâ·fā·lâ′tō) *a* breathless, out of breath, breathing hard

traffichino (trâf·fē·kē′nō) *m* schemer, meddler

traffico (trâf′fē·kō) *m* traffic; business, trade

trafiletto (trâ·fē·lāt′tō) *m* brief article

traforare (trâ·fō·râ′rā) *vt* to drill through; to pierce

traforo (trâ·fō′rō) *m* tunnel; openwork embroidery

tragedia (trâ·je′dyâ) *f* tragedy

traghetto (trâ·gāt′tō) *m* ferryboat

tragico (trâ′jē·kō) *a* tragic

tragitto (trâ·jēt′tō) *m* run, trip; route

traguardo (trâ·gwâr′dō) *m* (*sport*) finish line; aim, purpose

tralasciare (trâ·lâ·shâ′rā) *vt* to interrupt; to omit; to give up

tram (trâm) *m* streetcar

trama (trâ′mâ) *f* plot; intrigue

trambusto (trâm·bū′stō) *m* confusion; hustle and bustle

tramezza (trâ·mā′dzâ) *f* partition; division

tramezzino (trâ·mā·dzē′nō) *m* sandwich man

tramite (trâ′mē·tā) *m* procedure, course, channel; **per** — **di** by means of, by way of

tramontana (trâ·mōn·tâ′nâ) *f* north wind

k kid, **l** let, **m** met, **n** not, **p** pat, **r** very, **s** sat, **sh** shop, **t** tell, **v** vat, **w** we, **y** yet, **z** zero

tramontare (trâ·mōn·tâ′rā) *vi* to go down, set (*sun*)

tramonto (trâ·mōn′tō) *m* sunset; setting

trampolino (trâm·pō·lē′nō) *m* springboard; trampoline

tranello (trâ·nāl′lō) *m* trap

tranne (trân′nā) *prep* except, with the exception of

tranquillità (trân·kwēl·lē·tâ′) *f* tranquillity, peace

tranquillizzare (trân·kwēl·lē·dzâ′rā) *vt* to calm; to pacify

tranquillizzarsi (trân·kwēl·lē·dzâr′sē) *vr* to become quiet, calm down

tranquillo (trân·kwēl′lō) *a* calm, peaceful; restful

transatlantico (trân·zât·lân′tē·kō) *m* ocean liner; — *a* transatlantic

transazione (trân·zâ·tsyō′nā) *f* compromise, agreement to terms; dealing, transaction

transigere * (trân·zē′jā·rā) *vi* to compromise; to agree on terms; to transact business

transito (trân′sē·tō) *m* transit; **vietato il** — no entrance, no admittance; **–rio** (trân·sē·tô′ryō) *a* fleeting, transitory

tranvia (trân·vē′â) *f* streetcar

tranviere (trân·vyä′rā) *m* streetcar conductor

trapano (trâ′pâ·nō) *m* drill

trapelare (trâ·pā·lâ′rā) *vi* to ooze out; to leak through

trapezio (trâ·pe′tsyō) *m* trapeze; (*math*) trapezoid

trapianto (trâ·pyân′tō) *m* transplant, graft; transfer

trappola (trâp′pō·lâ) *f* trap

trapunta (trâ·pūn′tâ) *f* quilt; **–re** (trâ·pūn·tâ′rā) *vt* to quilt

trarre * (trâr′rā) *vt* to draw in, take in, haul in; — **in inganno** to deceive; — **un sospiro** to heave a sigh

trarsi * (trâr′sē) *vr* to extricate oneself, free oneself; — **d'impaccio** to get out of a difficult situation

trasalire (trâ·sâ·lē′rā) *vi* to jump, start; to be startled, taken unaware

trasandato (trâ·zân·dâ′tō) *a* careless, slovenly; abandoned, neglected

trascendere * (trâ·shen′dā·rā) *vt* to transcend; to overstep; to exaggerate; to lose one's composure

trascinare (trâ·shē·nâ′rā) *vt* to drag along; to shuffle (*feet*); to pull along

trascinarsi (trâ·shē·nâr′sē) *vr* to pull oneself along with effort

trascorrere * (trâ·scôr′rā·rā) *vt* to spend

(*time*); — *vi* to elapse, go by

trascorso (trâ·skōr′sō) *m* lapse (*time*); slight error; — *a* travelled, traversed

trascurare (trâ·skū·râ′rā) *vt* to neglect; to be careless about

trascurato (trâ·skū·râ′tō) *a* careless, neglectful

trasferire (trâ·sfā·rē′rā) *vt* to transfer; to make over

trasferirsi (trâ·sfā·rēr′sē) *vr* to move to a new address

trasferta (trâ·sfâr′tâ) *f* travel allowance

trasfigurazione (trâ·sfē·gū·râ·tsyō′nā) *f* transfiguration

trasformare (trâ·sfōr·mâ′rā) *vt* to transform

trasformatore (trâ·sfōr·mâ·tō′rā) *m* transformer, converter; changer

trasformazione (trâ·sfōr·mâ·tsyō′nā) *f* transformation; changeover

trasfusione (trâ·sfū·zyō′nā) *f* transfusion

trasgredire (trâ·zgrā·dē′rā) *vt&i* to infringe upon; to violate; to sin against

trasgressione (trâ·zgrās·syō′nā) *f* violation; encroachment

traslocare (trâ·zlō·kâ′rā) *vt&i* to move; to change one's address; to relocate

trasloco (trâ·zlō′kō) *m* moving, change of residence; relocation

trasmettere * (trâ·zmet′tā·rā) *vt* (*rad*) to broadcast; to forward, transmit

trasmigrazione (trâ·zmē·grâ·tsyō′nā) *f* transmigration

trasmissione (trâ·zmēs·syō′nā) *f* broadcast; transmission

trasmissore (trâ·zmēs·sō′rā) *m* transmitter, forwarder

transmittente (trân·zmēt·tän′tâ) *m* sending set, transmitter; — *a* transmitting

trasognato (trâ·sō·nyâ′tō) *a* visionary, impractical; dreamy, woolgathering

trasparente (trâ·spâ·rän′tâ) *a* transparent; obvious; (*fig*) sincere, straightforward

trasparenza (trâ·spâ·rän′tsâ) *f* transparency; obviousness; (*fig*) sincerity

trasportare (trâ·spōr·tâ′rā) *vt* to transport; to transpose; to draw; to inspire

trasporto (trâ·spōr′tō) *m* transportation; ecstasy, inspiration

trasvolare (trâ·zvō·lâ′rā) *vt* to fly over, fly above

tratta (trât′tâ) *f* bank draft; run, stretch, section; — **delle bianche** white slavery; **–mento** (trât·tâ·mān′tō) *m* treatment, use; **–re** (trât·tâ′rā) *vt* to treat; to make use of; **–rsi** (trât·târ′sē) *vr* to be a matter of; to concern; to fare, live, do; **–rsi di vita o di morte** to be a question of life or death; **si tratta di ciò** that's the question, that's just the point; **–tiva** (trât·tâ·tē′vâ) *f* negotiation; **–to** (trât·tâ′tō) *m* treaty

trattenere * (trât·tā·nā′rā) *vt* to withhold; to check; to hold in, restrain

trattenersi * (trât·tā·nãr′sē) *vr* to stay, prolong one's stay; to control oneself, keep one's emotions under control

trattenimento (trât·tā·nē·mãn′tō) *m* party; entertainment

trattenuta (trât·tā·nū′tâ) *f* (*com*) deduction

tratto (trât′tō) *m* stroke; jerk; distance; way, manner; time period; **— d'unione** hyphen; **tutto ad un —** without warning, suddenly; **di — in —** occasionally, periodically

trattoria (trât·tō·rē′â) *m* restaurant

trattore (trât·tō′rā) *m* restaurateur; (*mech*) tractor

trattrice (trât·trē′chā) *f* tractor

trave (trâ′vā) *f* rafter, beam

traversare (trâ·vär·sâ′rā) *vt* to cross, go across

traversata (trâ·vär·sâ′tâ) *f* crossing, trip across, trip over

travestito (trâ·vā·stē′tō) *a* disguised; misrepresented

traviare (trâ·vyâ′rā) *vt* to lead astray; to corrupt

travolgente (trâ·vōl·jän′tā) *a* overwhelming, decisive

travolgere * (trâ·vōl′jā·rā) *vt* to overcome; to sweep away; to upset

trazione (trâ·tsyō′nā) *f* drayage, cartage; traction

tre (trā) *a* three

trebbiare (trāb·byâ′rā) *vt&i* to thresh

trebbiatrice (trāb·byâ·trē′chā) *f* threshing machine

treccia (tre′châ) *f* braid

trecento (trā·chãn′tō) *a* three hundred; **il T–** the fourteenth century

tredicenne (trā·dē·chän′nā) *a* thirteen years old

tredicesimo (trā·dē·che′zē·mō) *a* thirteenth

tredici (tre′dē·chē) *a* thirteen; **–mila** (trā·dē·chē·mē′lâ) *a* thirteen thousand

tregua (tre′gwâ) *f* truce; rest, peace (*fig*)

tremare (trā·mâ′rā) *vi* to shake, tremble

tremendo (trā·mãn′dō) *a* dire; tremendous; dreadful

trementina (trā·mãn·tē′nâ) *f* turpentine

tremila (trā·mē′lâ) *a* three thousand

treno (trā′nō) *m* train; **— letto** sleeping car

trenta (trãn′tâ) *a* thirty; **–mila** (trãn·tâ·mē′lâ) *a* thirty thousand

trentesimo (trãn·te′zē·mō) *a&m* thirtieth

tresca (trā′skâ) *f* love affair

triangolare (tryân·gō·lâ′rā) *a* triangular

triangolo (tryân′gō·lō) *m* triangle

tribolazione (trē·bō·lâ·tsyō′nā) *f* tribulation, ordeal

tribù (trē·bū′) *f* tribe

tribuna (trē·bū′nâ) *f* stand; gallery; **–le** (trē·bū·nâ′lā) *m* court, tribunal

triciclo (trē·chē′klō) *m* tricycle

triennale (tryân·nâ′lā) *a* triennial

trienne (tryân′nā) *a* three years old

Trieste (tryâ′stā) *f* Trieste

triestino (tryâ·stē′nō) *a* Triestine

trifase (trē·fâ′zā) *a* (*elec*) three-phase

trifoglio (trē·fô′lyō) *m* clover

trimestre (trē·mā′strā) *m* quarter (*year*); period of three months

trimotore (trē·mō·tō′rā) *m* (*avi*) trimotor

trincea (trēn·chā′â) *f* trench

trinciare (trēn·châ′rā) *vt* to carve; to slice, cut

trionfo (tryōn′fō) *m* triumph

triplo (trē′plō) *a&m* triple

trippa (trēp′pâ) *f* tripe

triste (trē′stā) *a* unhappy; sad; **–zza** (trē·stâ′tsâ) *f* sorrow, sadness

tristo (trē′stō) *a* evil, wicked

tritacarne (trē·tâ·kâr′nā) *vt* meat grinder

tritare (trē·tâ′rā) *vt* to grind; to chop fine, mince

tritolo (trē·tō′lō) *m* trinitrotoluene, TNT

trivellare (trē·vãl·lâ′rā) *vt* to drill, perforate

triviale (trē·vyâ′lā) *a* uncultured, vulgar, common

trofeo (trō·fâ′ō) *m* trophy

troia (trô′yâ) *f* sow

Troia (trô′yâ) *f* Troy

troiano (trō·yâ′nō) *m&a* Trojan

tromba (trōm′bâ) *f* horn

trombaio (trōm·bâ′yō) *m* plumber

trombato (trōm·bâ′tō) *a* rejected; defeated at the polls

trombettiere (trōm·bāt·tyâ′rā) *m* bugler; trumpeter

trombone (trōm·bō′nā) *m* trombone

troncare (trōn·kâ′rā) *vt* to cut off; to reduce sharply

tronco (trōn′kō) *m* trunk, log; (*rail*) siding; **— a** cut off; curtailed; truncated

trono (trō′nō) *m* throne

tropico (trô′pē·kō) *m* tropic

troppi (trōp′pē) *a* too many

troppo (trōp′pō) *adv* too; too much; **— a&pron** too much

k kid, **l** let, **m** met, **n** not, **p** pat, **r** very, **s** sat, **sh** shop, **t** tell, **v** vat, **w** we, **y** yet, **z** zero

trota (trō'tâ) *f* trout
trotto (trōt'tō) *m* trot
trottola (trôt'tō·lâ) *f* top (*toy*)
trovare (trō·vâ'rā) *vt* to find; to believe, be of the opinion
trovarsi (trō·vâr'sē) *vr* to meet; to feel, be; to be by chance
trovata (trō·vâ'tâ) *f* makeshift; invention
truccare (trūk·kâ'rā) *vt* to trick, deceive
truccarsi (trūk·kâr'sē) *vr* to make up, put on one's makeup
truccatore (trūk·kâ·tō'rā) *m* (*theat*) make-up man
trucco (trūk'kō) *m* trick; cosmetics
truce (trū'chā) *a* savage; merciless, grim; horrifying
truciolo (trū'chō·lō) *m* wood shaving; chip of wood
truffa (trūf'fâ) *f* fraud; — **all'americana** confidence game; **–re** (trūf·fâ'rā) *vt* to swindle; to dupe; **–tore** (trūf·fâ·tō'rā) *m* swindler; confidence man; crook
truppa (trūp'pâ) *f* troop
tu (tū) *pron* you (*fam*)
tubatura (tū·bâ·tū'râ) *f* plumbing system, plumbing
tubercolosario (tū·bār·kō·lō·zâ'ryō) *m* tuberculosis sanatorium
tubercolosi (tū·bār·kō·lō'zē) *f* tuberculosis, consumption
tubercoloso (tū·bār·kō·lō'zō) *a* tubercular; — *m&a* consumptive
tubo (tū'bō) *m* pipe, tube
tuffare (tūf·fâ'rā) *vt* to plunge
tuffarsi (tūf·fâr'sē) *vr* to plunge, dive
tuffo (tūf'fō) *m* dive
tumulto (tū·mūl'tō) *m* din, uproar
tumultuoso (tū·mūl·twō'zō) *a* tumultuous
tuo (tū'ō) *a* your, yours; — *pron* yours
tuono (twō'nō) *m* thundering, thunder
tuorlo (twōr'lō) *m* yolk
turacciolo (tū·râ'chō·lō) *m* stopper, cork

turare (tū·râ'rā) *vt* to cork, plug up; to obstruct, block
turarsi (tū·râr'sē) *vr* to be stopped up
turba (tūr'bâ) *f* disorderly crowd; mob; **–mento** (tūr·bâ·mān'tō) *m* excitement; disturbance; anxiety
turbante (tūr·bân'tā) *m* turban
turbare (tūr·bâ'rā) *vt* to disturb, bother
turbarsi (tūr·bâr'sē) *vr* to become upset; to become perturbed; to grow overcast (*sky*)
turbina (tūr·bē'nâ) *f* turbine
turbine (tūr'bē·nâ) *m* whirlwind
turbinosamente (tūr·bē·nō·zâ·mân'tā) *adv* stormily
turbogeneratore (tūr·bō·jâ·nâ·râ·tō'rā) *m* turbogenerator
turbogetto (tūr·bō·jāt'tō) *m* turbojet
turboreattore (tūr·bō·rā·ât·tō'rā) *m* turbojet
turchese (tūr·kâ'zā) *f* turquoise
turchino (tūr·kē'nō) *a* deep blue
turco (tūr'kō) *m* Turk; — *a* Turkish
turista (tū·rē'stâ) *m&f* tourist
turlupinare (tūr·lū·pē·nâ'rā) *vt* to swindle; to hoodwink; to defraud
turlupinatura (tūr·lū·pē·nâ·tū'râ) *f* fraud; trickery; deceit
turno (tūr'nō) *m* shift; turn
turpiloquio (tūr·pē·lō'kwēō) *m* obscene speech, foul language
tuta (tū'tâ) *f* overalls
tutela (tū·tā'lâ) *f* protection; sponsorship, safeguard
tutore (tū·tō'rā) *m* guardian; protector; sponsor
tuttavia (tūt·tâ·vē'â) *adv* notwithstanding, nonetheless; — *conj* in spite of, notwithstanding
tutto (tūt'tō) *a* all; — *m* everything; overall effect; **–ra** (tūt·tō'râ) *adv* still; as yet

U

ubbidiente (ūb·bē·dyān'tā) *a* obedient; meek
ubbidienza (ūb·bē·dyān'tsâ) *f* obedience; meekness
ubbidire (ūb·bē·dē'rā) *vt* to obey; to comply with, fulfill
ubicazione (ū·bē·kâ·tsyō'nâ) *f* whereabouts; site, situation
ubriacarsi (ū·bryâ·kâr'sē) *vr* to become drunk; to drink to excess
ubriachezza (ū·bryâ·kā'tsâ) *f* inebriation, drunkenness

ubriaco (ū·bryâ'kō) *a&m* drunk; **–ne** (ū·bryâ'kō·nā) *m* drunk, drunkard
uccello (ū·chāl'lō) *m* bird
uccidere * (ū·chē'dā·râ) *vt* to kill, do away with
uccidersi * (ū·chē'dār·sē) *vr* to kill oneself, do away with oneself
uccisione (ū·chē·zyō'nâ) *f* killing
udienza (ū·dyān'tsâ) *f* (*law*) hearing; audience; consideration
udire * (ū·dē'rā) *vt* to hear
udito (ū·dē'tō) *m* sense of hearing; **–rio**

â ârm, ā bāby, e bet, ē bē, ō gō, ô gône, ū blūe, b bad, ch child, d dad, f fat, g gay, j jet

(ū·dē·tô'ryō) *m* audience, spectators

ufficiale (ūf·fē·châ'lā) *m* officer; — *a* official; — **pagatore** paymaster

ufficialmente (ūf·fē·châl·män'tā) *adv* officially; through official channels

ufficio (ūf·fē'chō) *m* office; –**so** (ūf·fē·chō'zō) *a* informal; semiofficial

uggioso (ūj·jō'zō) *a* boring; uninteresting; distasteful

uguaglianza (ū·gwâ·lyân'tsâ) *f* likeness; equality

uguale (ū·gwâ'lā) *a* equal; — *m* peer, equal

ugualmente (ū·gwâl·män'tā) *adv* just the same; equally

ultimare (ūl·tē·mâ'rā) *vt* to complete, terminate

ultimo (ūl'tē·mō) *a* last, final; recent.

umanità (ū·mâ·nē·tâ') *f* humanity

umanitario (ū·mâ·nē·tâ'ryō) *a&m* humanitarian

umano (ū·mâ'nō) *a* human

umbro (ūm'brō) *m&a* Umbrian

umidità (ū·mē·dē·tâ') *f* humidity

umido (ū'mē·dō) *a* humid, damp; — *m* dampness; stew

umile (ū'mē·lā) *a* humble; lacking in pretention

umiliante (ū·mē·lyân'tā) *a* degrading, humiliating

umiliare (ū·mē·lyâ'rā) *vt* to mortify, humiliate; to degrade

umiliarsi (ū·mē·lyâr'sē) *vr* to humble oneself, degrade oneself

umiliazione (ū·mē·lyâ·tsyô'nā) *f* degradation, humiliation

umiltà (ū·mēl·tâ') *f* humility; unpretentiousness, modesty

umore (ū·mō'rā) *m* mood, humor; **di cattivo** — in a bad mood, out of sorts

umorista (ū·mō·rē'stâ) *m* humorist; wit

umoristico (ū·mō·rē'stē·kō) *a* witty; funny

un (ūn) *art m* the

una (ū'nâ) *art f* the

uncinetto (ūn·chē·nāt'tō) *m* crocheting needle

uncino (ūn·chē'nō) *m* hook

undicesimo (ūn·dē·che'zē·mō) *a&m* eleventh

undici (ūn'dē·chē) *a* eleven

ungere * (ūn'jā·rā) *vt* to grease; to smear grease on

ungherese (ūn·gā·rā'zā) *a&m* Hungarian

Ungheria (ūn·gā·rē'â) *f* Hungary

unghia (ūn'gyâ) *f* fingernail; toenail; claw

unguento (ūn·gwān'tō) *m* salve, ointment

unicamente (ū·nē·kâ·män'tā) *adv* only, specifically

unificare (ū·nē·fē·kâ'rā) *vt* to unify, join, bring together

unificarsi (ū·nē·fē·kâr'sē) *vr* to be unified, be joined, unite

unificazione (ū·nē·fē·kâ·tsyō'nā) *f* unification, joining

unico (ū'nē·kō) *a* unique; only; specific

uniforme (ū·nē·fōr'mā) *f* uniform; — *a* even, standard, uniform

unione (ū·nyō'nā) *f* union; fusion; blending

unire (ū·nē'rā) *vt* to unite; to attach

unirsi (ū·nēr'sē) *vr* to fuse together; to join, become united

universale (ū·nē·vär·sâ'lā) *a* general; universal; blanket, all-inclusive; **Giudizio** — Last Judgment; **Diluvio** — Deluge, Flood (*eccl*)

università (ū·nē·vär·sē·tâ') *f* university

universitario (ū·nē·vär·sē·tâ'ryō) *a* university; — *m* university student

universo (ū·nē·vär'sō) *m* universe

uno (ū'nō) *art m* the; — *a* one, a, an, any; — *pron* one, a certain one

unto (ūn'tō) *m* fat; grease; — *a* greasy; (*fig*) unclean, dirty

untuoso (ūn·twō'zō) *a* greasy, oily

unzione (ūn·tsyō'nā) *f* ointment; **estrema** — (*eccl*) extreme unction

uomini (wô'mē·nē) *mpl* men

uomo (wō'mō) *m* man; fellow, individual; **come un sol** — with one accord

uova (wō'vâ) *fpl* eggs; — **sode** hard boiled eggs; — **strapazzate** scrambled eggs; — **sbattute** beaten eggs; **caminare sulle** — (*fig*) to walk with mincing steps

uovo (wō'vō) *m* egg; — **fresco** fresh egg; **tuorlo d'** — egg yolk; **cercare il pelo nell'** — to make trivial distinctions; to be petty

uragano (ū·râ·gâ'nō) *m* hurricane

uranio (ū·râ'nyō) *m* uranium

urbanesimo (ūr·bâ·ne'zē·mō) *m* urbanism

urbanistica (ūr·bâ·nē'stē·kâ) *f* city planning

urbanità (ūr·bâ·nē·tâ') *f* politeness, gentility; savoir faire

urbano (ūr·bâ'nō) *a* urban; genteel; — *m* local telephone call

urgente (ūr·jän'tā) *a* urgent; –**mente** (ūr·jän·tā·män'tā) *adv* urgently

urgenza (ūr·jän'tsâ) *f* urgency, emergency

urina (ū·rē'nâ) *f* urine

urlare (ūr·lâ'rā) *vi* to scream, yell; to holler; to cry out

urlo (ūr'lō) *m* scream, shout; outcry

urna (ūr'nâ) *f* urn; (*pol*) ballot box

---

k kid, **l** let, **m** met, **n** not, **p** pat, **r** very, **s** sat, **sh** shop, **t** tell, **v** vat, **w** we, **y** yet, **z** zero

urtante (ūr·tân′tä) *a* (*fig*) annoying, exasperating

urtare (ūr·tâ′rä) *vt* to bump into; to shove; to run into, collide with

urtarsi (ūr·târ′sē) *vr* to shove one another; to collide; (*fig*) to become annoyed; to dispute

urto (ūr′tō) *m* shove, push; impact; **essere in — con** (*fig*) to be angry with; not to be on speaking terms with; **mettersi in — con** to quarrel with, have a misunderstanding with

usanza (ū·zän′tsâ) *f* custom; usage

usare (ū·zâ′rä) *vt* to use; **— vi** to be accustomed to, have the habit of

usarsi (ū·zâr′sē) *vr* to be the fashion; to be in use

usato (ū·zâ′tō) *a* used; usual; secondhand; **più dell' —** unusual, more than usual

usciere (ū·shä′rä) *m* usher; process server

uscio (ū′shō) *m* door; exit

uscire * (ū·shē′rä) *vi* to go out; to exit

uscita (ū·shē′tâ) *f* exit; (*fig*) witty remark; (*com*) expenditure; **entrata e — (*com*)** assets and liabilities

usignuolo (ū·zē·nywō′lō) *m* nightingale

uso (ū′zō) *m* custom; usage; **—** *a* used, accustomed to; **essere in —** to be customary, be in use, be considered fashionable; **secondo l'—** in keeping with tradition; **fuori d'—** obsolete; out of working order

usuale (ū·zwâ′lä) *a* customary; traditional

usualmente (ū·zwâl·män′tä) *adv* ordinarily, usually; traditionally

usufruire (ū·zū·frūē′rä) *vi* to benefit by, derive advantage from

usura (ū·zū′râ) *f* wear and tear, use; usury; **–io** (ū·zū·râ′yō) *m* usurer, loan shark; (*coll*) money lender

usurpare (ū·zūr·pâ′rä) *vt* to usurp, take over

utensile (ū·tän·sē′lä) *m* utensil; **macchina — machine tool**

utente (ū·tän′tä) *m* user; subscriber

utenza (ū·tän′tsâ) *f* consumers

utero (ū′tā·rō) *m* uterus

utile (ū′tē·lä) *a* useful; **—** *m* profit; (*com*) dividend

utilità (ū·tē·lē·tâ′) *f* utility, service

utilitaria (ū·tē·lē·tâ′ryâ) *f* compact car

utilizzare (ū·tē·lē·dzâ′rä) *vt* to utilize, make use of; to derive profit from

utilizzazione (ū·tē·lē·dzâ·tsyō′nä) *f* utilization, utilizing

utilmente (ū·tēl·män′tä) *adv* usefully

uva (ū′vâ) *f* grape; **— passa** raisin

uzzolo (ū′dzō·lō) *m* caprice, whim; secret desire

V

vacante (vâ·kân′tä) *a* empty; not in use

vacanza (vâ·kân′tsâ) *f* vacation

vacca (vâk′kâ) *f* cow

vacchetta (vâk·kät′tâ) *f* cowhide

vaccinare (vâ·chē·nâ′rä) *vt* to vaccinate

vaccino (vâ·chē′nō) *m* vaccine

vacillare (vâ·chēl·lâ′rä) *vt* to waver, be undecided

vacillazione (vâ·chēl·lâ·tsyō′nä) *f* vacillation, indecision; flickering

vacuo (vâ′kwō) *a* empty, meaningless

vagabondo (vâ·gâ·bōn′dō) *m* idler; vagabond

vagamente (vâ·gâ·män′tä) *adv* vaguely; in a charming way

vaglia (vâ′lyâ) *m* money order; **—** *f* capability; mettle; worth; **–re** (vâ·lyâ′rä) *vt* to test the merit of, evaluate; to pick out

vago (vâ′gō) *a* vague; lovely, desirable

vagone (vâ·gō′nä) *m* railroad car; **— da letto** sleeping car; **— ristorante** dining car

vaiolo (vâ·yō′lō) *m* smallpox

valanga (vâ·lân′gâ) *f* avalanche

valente (vâ·län′tä) *a* able; skillful; apt

valere * (vâ·lä′rä) *vi* to be worth; to be valid; to be worthwhile; to be of use, worth the effort; **quanto vale ciò?** what is the price of this? **non — (*sport*)** not to count; **farsi —** to make oneself a name; **vale a dire** in other words, that is to say

valersi * (vâ·lär′sē) *vr* to utilize, make use of; **— di ogni mezzo per raggiungere la meta** to use any means to gain an end

valevole (vâ·le′vō·lä) *a* valid; of help, of use

valico (vâ′lē·kō) *m* pass, gap; break in a mountain range

validità (vâ·lē·dē·tâ′) *f* effect, validness; effectiveness

valido (vâ′lē·dō) *a* valid, good; worthwhile

valigia (vâ·lē′jâ) *f* suitcase

valle (vâl′lä) *f* valley

valore (vâ·lō′rä) *m* value; valor

valoroso (vâ·lō·rō′zō) *a* brave, stouthearted

valuta (vâ·lū′tâ) *f* currency; worth, value;

–re (vâ·lū·tâ′rā) *vt* to value; to evaluate; **–zione** (vâ·lū·tâ·tsyō′nä) *f* estimate; evaluation
valvola (väl′vō·lä) *f* valve; radio tube
vaneggiare (vâ·näj·jâ′rā) *vi* to rant wildly, rave; to talk deliriously
vanga (vân′gä) *f* spade
vangelo (vân·jä′lō) *m* Gospel; *(fig)* absolute truth
vaniglia (vâ·nē′lyä) *f* vanilla
vanità (vâ·nē·tâ′) *f* conceitedness, vainness; shallowness
vanitoso (vâ·nē·tō′zō) *a* vain, conceited; shallow
vano (vâ′nō) *m* room; open space; — *a* vain, empty; conceited
vantaggio (vân·tâj′jō) *m* advantage; **–so** (vân·tâj·jō′zō) *a* advantageous
vantare (vân·tâ′rā) *vt&i* to boast of; to pride oneself on
vantarsi (vân·târ′sē) *vr* to boast, show off
vanto (vân′tō) *m* boast; pride
vanvera (vân′vä·râ) *f* heedlessness; **a** — thoughtlessly, carelessly
vapore (vâ·pō′rä) *m* steam; steamship; **–tto** (vâ·pō·rät′tō) *m* steamboat
vaporizzatore (vâ·pō·rē·dzâ·tō′rä) *m* atomizer
vaporoso (vâ·pō·rō′zō) *a* diaphanous, filmy; vaporous
varare (vâ·râ′rā) *vt* to launch; — **un affare** *(com)* to set up a business; — **una legge** *(pol)* to pass a bill
varcare (vâr·kâ′rā) *vt* to cross; to overcome; to go beyond
varechina (vâ·rä·kē′nä) *f* bleach
variazione (vâ·ryâ·tsyō′nä) *f* diversity, variety; modifying
varicella (vâ·rē·chäl′lä) *f* chicken pox
varietà (vâ·ryä·tâ′) *f* variety; vaudeville; **spettacolo di** — variety show; **teatro di** — music hall
vario (vâ′ryō) *a* different; changing; various, several
varo (vâ′rō) *m* launching; introduction, debut
vasca (vâ′skä) *f* tub
vasellame (vâ·zäl·lâ′mä) *m* pottery; set of dishes
vaso (vâ′zō) *m* vase; pot
vassoio (vâs·sô′yō) *m* tray
vastità (vâ·stē·tâ′) *f* expanse, width, vastness, extension
vasto (vâ′stō) *a* vast, broad; immense
Vaticano (vâ·tē·kâ′nō) *m* Vatican
vaticinio (vâ·tē·chē′nyō) *m* prophecy
ve (vä) *pron* to you, you; — *adv* there
ve'! (vä) *interj* Look! See!

vecchia (vek′kyä) *f* old woman
vecchiaia (väk·kyâ′yä) *f* old age
vecchio (vek′kyō) *a* old; — *m* old man
vece (vä′chä) *f* place, stead; **fare la** — **di** to substitute for, replace; **in** — **di** instead of
vedere * (vâ·dā′rā) *vt* to see; to understand; to make note of; — **la luce** to be born; **non** — **l'ora di** to long for; to look forward to
vedersi * (vâ·dār′sē) *vr* to get together, meet
vedova (ve′dō·vâ) *f* widow
vedovo (ve′dō·vō) *m* widower
veduta (vâ·dū′tä) *f* scene, view
vegetale (vâ·jä·tâ′lä) *a* vegetable
vegetariano (vâ·jä·tâ·ryâ′nō) *a&m* vegetarian
vegetazione (vâ·jä·tâ·tsyō′nä) *f* vegetation
vegeto (ve′jä·tō) *a* hardy, thriving
veglia (ve′lyä) *f* vigil, wake, watch; **–re** (vâ·lyâ′rä) *vt* to watch over; to guard
veglione (vâ·lyō′nä) *m* costume party, masked ball
veicolo (vâ·ē′kō·lō) *m* vehicle
vela (vä′lâ) *f* sail; **–re** (vâ·lâ′rä) *vt* to cover up, disguise; **–rsi** (vâ·lâr′sē) *vr* to become thick *(voice)*; to wear a veil; **–to** (vâ·lâ′tō) *a* veiled
veleno (vâ·lä′nō) *m* poison; **–so** (vâ·lä·nō′zō) *a* poisonous
veliero (vâ·lyä′rō) *m* sailing ship
velivolo (vâ·lē′vō·lō) *m (avi)* glider
vellicare (väl·lē·kâ′rä) *vt* to tickle; to give a pleasant feeling; to please
vello (väl′lō) *m* fleece; **–so** (väl·lō′zō) *a* shaggy
velluto (väl·lū′tō) *m* velvet, velours
velo (vä′lō) *m* gauze; veil
veloce (vâ·lō′chä) *a* fast, speedy; **–mente** (vä·lō·chä·mân′tä) *adv* rapidly, quickly
velocipede (vä·lō·chē′pä·dä) *m* tricycle
velocista (vä·lō·chē′stä) *m* sprinter
velocità (vä·lō·chē·tâ′) *f* speed; **eccesso di** — speeding, exceeding the speed limit
velodromo (vä·lô′drō·mō) *m* bicycle track
vena (vä′nä) *f* vein; lode *(mining)*; **essere in buona** — to be in the mood
venale (vä·nâ′lä) *a* corruptible; marketable; **prezzo** — sales price
venalità (vä·nâ·lē·tâ′) *f* venality, susceptibility to bribes
vendemmia (vän·dem′myâ) *f* grape harvest; vintage season
vendere (ven′dä·rä) *vt* to sell; — **fumo** *(fig)* to bluff; to dupe; **aver ragione da** — *(coll)* to be completely justified; to

k kid, **l** let, **m** met, **n** not, **p** pat, **r** very, **s** sat, **sh** shop, **t** tell, **v** vat, **w** we, **y** yet, **z** zero

be absolutely right
vendetta (vān·dāt′tâ) *f* revenge
vendicare (vān·dē·kâ′rā) *vt* to avenge
vendicarsi (vān·dē·kâr′sē) *vr* to take revenge; to wreak vengeance
vendicativo (vān·dē·kâ·tē′vō) *a* vengeful, vindictive
vendita (ven′dē·tâ) *f* sale
venditore (vān·dē·tō′rā) *m* salesman; dealer
venduto (vān·dū′tō) *a* sold; *(fig)* corrupted, bribed
venerazione (vā·nā·râ·tsyō′nā) *f* deep respect, veneration; worship
venerdì (vā·nār·dē′) *m* Friday
venereo (vā·ne′rā·ō) *a* venereal
Venezia (vā·ne′tsyâ) *f* Venice
veneziano (vā·nā·tsyâ′nō) *a&m* Venetian
venire * (vā·nē′rā) *vi* to come; to occur, take place; — **in mente** to get into one's head; to come to one; to come back to one; — **a galla** to float; to come to the surface; *(fig)* to be revealed, show up
ventaglio (vān·tâ′lyō) *m* fan
ventennio (vān·ten′nyō) *m* twenty-year period
ventesimo (vān·te′zē·mō) *a* twentieth
venti (vān′tē) *a* twenty
ventilatore (vān·tē·lâ·tō′rā) *m* electric fan; ventilator, vent
ventilazione (vān·tē·lâ·tsyō′nā) *f* ventilation
ventina (vān·tē′nâ) *f* score; roughly twenty
vento (vān′tō) *m* wind
ventre (vān′trā) *m* womb; stomach, belly
ventriera (vān·tryâ′râ) *f* belt; bellyband
ventriloquo (vān·trē′lō·kwō) *m* ventriloquist
ventura (vān·tū′râ) *f* destiny, fortune
venturo (vān·tū′rō) *a* future; next *(in order)*; coming; **l'anno** — next year
venuta (vā·nū′tâ) *f* arrival; advent
venuto (vā·nū′tō) *a* arrived; **ben** — welcome
veramente (vā·râ·mān′tā) *adv* actually, in fact; really
veranda (vā·rân′dâ) *f* veranda
verbale (vār·bâ′lā) *a* verbal; — *m* minutes of a meeting; declaration
verbo (vār′bō) *m* verb
verdastro (vār·dâ′strō) *a* greenish
verde (vār′dā) *a* green; **ridere** — to laugh out of the wrong side of one's mouth; **essere al** — *(fig)* to be penniless; **età** — tender years, young age
verderame (vār·dā·râ′mā) *m* verdigris

verdetto (vār·dāt′tō) *m* verdict
verdura (vār·dū′râ) *f* vegetables
verecondo (vā·rā·kōn′dō) *a* modest, unassuming
verga (vār′gâ) *f* rod, stick
vergine (ver′jē·nā) *f&a* virgin
vergogna (vār·gō′nyâ) *f* shame, disgrace; modestness
vergognarsi (vār·gō·nyâr′sē) *vr* to feel ashamed, be covered with shame
vergognosamente (vār·gō·nyō·zâ·mān′tā) *adv* shamefully; shamelessly
vergognoso (vār·gō·nyō′zō) *a* bashful, shy; shameful; shameless
verifica (vā·rē′fē·kâ) *f* control; verification; —**re** (vā·rē·fē·kâ′rā) *vt* to check, confirm; —**rsi** (vā·rē·fē·kâr′sē) *vr* to come true, actually happen
verità (vā·rē·tâ′) *f* veracity, truth
veritiero (vā·rē·tyâ′rō) *a* truthful, honest
verme (vār′mā) *m* worm
vermiglio (vār·mē′lyō) *m* vermilion
vermut (vār′mūt) *m* vermouth
vernice (vār·nē′châ) *f* paint; varnish; preview; patent leather; — **fresca** fresh paint
verniciare (vār·nē·châ′rā) *vt* to paint; to varnish
vero (vā′rō) *a* true; absolute, complete; — *m* truth; **dal** — from life; from nature *(arts)*; —**simiglianza** (vā·rō·sē·mē·lyân′tsâ) *f* likelihood; —**simile** (vā·rō·sē′mē·lā) *a* likely
versamento (vār·sâ·mān′tō) *m* payment; pouring in; investment
versare (vār·sâ′rā) *vt* to pour; to pay in; to invest *(money)*
versione (vār·syō′nā) *f* translation; version
verso (vār′sō) *m* verse; — *prep* towards; about
vertenza (vār·tān′tsâ) *f* quarrel, dispute
verticale (vār·tē·kâ′lā) *a* vertical
vertice (ver′tē·châ) *m* top, summit; *(math)* vertex
vertigine (vār·tē′jē·nā) *f* dizziness
vertiginoso (vār·tē·jē·nō′zō) *a* dizzy
verza (vār′dzâ) *f* cabbage
vescica (vā·shē′kâ) *f* blister; bladder
vescovo (ve′skō·vō) *m* bishop
vespa (vā′spâ) *f* wasp
vestaglia (vā·stâ′lyâ) *f* lady's robe; negligee
veste (vā′stā) *m* dress; — **da camera** dressing gown
vestiario (vā·styâ′ryō) *m* clothes
vestire (vā·stē′rā) *vt* to dress
vestirsi (vā·stēr′sē) *vr* to get dressed
vestito (vā·stē′tō) *m* suit; dress; — *a*

dressed; clad
veterinario (vā·tā·rē·nâ′ryō) *m&a* veterinary
vetrata (vā·trâ′tâ) *f* glass partition; glass door
vetrina (vā·trē′nâ) *f* showcase; display window; store window
vetrinista (vā·trē·nē′stâ) *m* window trimmer
vetrino (vā·trē′nō) *m* microscopic slide
vetro (vā′trō) *m* glass; sheet of glass
vetta (vāt′tâ) *f* peak; summit; top
vettura (vāt·tū′râ) *f* car, vehicle
vezzeggiare (vā·tsāj·jâ′râ) *vt* to fondle
vezzeggiativo (vā·tsāj·jâ·tē′vō) *m* pet name, term of endearment; *(gram)* diminutive
vi (vē) *pron* you, to you; — *adv* there
via (vē′â) *f* way; street; — *adv* away; —! *interj* Go away!
viaggiare (vyâj·jâ′râ) *vi* to travel
viaggiatore (vyâj·jâ·tō′râ) *m* passenger; traveler; wayfarer
viaggio (vyâj′jō) *m* trip; voyage; **Buon** —! Have a nice trip!
viale (vyâ′lā) *m* boulevard, avenue
vibrazione (vē·brâ·tsyō′nâ) *f* vibration
vicenda (vē·chân′dâ) *f* alteration, change; event, development
vicendevole (vē·chān·de′vō·lā) *a* reciprocal; in common
vicendevolmente (vē·chān·dā·vōl·mān′tâ) *adv* mutually
viceré (vē·chā·rā′) *m* viceroy
viceversa (vē·chā·vār′sâ) *adv* conversely; vice versa
vicinanza (vē·chē·nân′tsâ) *f* neighborhood, area
vicinato (vē·chē·nâ′tō) *m* neighborhood; collective neighbors
vicino (vē·chē′nō) *m* neighbor; — *a&adv* near, close
vicolo (vē′kō·lō) *m* alley
vidimare (vē·dē·mâ′râ) *vt* to visa
vidimazione (vē·dē·mâ·tsyō′nâ) *f* visé; validation
vietare (vyā·tâ′râ) *vt* to forbid
vietato (vyā·tâ′tō) *a* forbidden; — **fumare** no smoking
vigilare (vē·jē·lâ′râ) *vt* to keep watch over; to keep an eye on
vigile (vē′jē·lā) *m* policeman; — **del fuoco** fireman; — *a* watchful, mindful
vigilia (vē·jē′lyâ) *f* eve; vigil
vigliacco (vē·lyâk′kō) *a* cowardly; yellow *(coll)*; — *m* coward
vigna (vē′nyâ) *f* vineyard
vignetta (vē·nyāt′tâ) *f* sketch, vignette

vigogna (vē·gō′nyâ) *f* vicuna
vigore (vē·gō′râ) *m* energy; vigor; effect, influence; **entrare in** — *(law)* to take effect, go into effect.
vigorosamente (vē·gō·rō·zâ·mān′tâ) *adv* energetically, with vigor
vigoroso (vē·gō·rō′zō) *a* strong; vigorous
vile (vē′lā) *a* dastardly; contemptible, mean; — *m* coward; low character
villa (vēl′lâ) *f* villa; country home; **-ggio** (vēl·lâj′jō) *m* village
villano (vēl·lâ′nō) *m* peasant; — *a* rude; coarse; — **rifatto** upstart
villeggiare (vēl·lāj·jâ′râ) *vi* to vacation in the country
villeggiatura (vēl·lāj·jâ·tū′râ) *f* summer vacation in the country
villino (vēl·lē′nō) *m* cottage
viltà (vēl·tâ′) *f* cowardliness, cowardice; vile nature
vincere * (vēn′chā·râ) *vt&i* to win; to vanquish
vincersi * (vēn′chār·sē) *vr* to control one's emotions, hold in one's feelings
vincita (vēn′chē·tâ) *f* victory; winning
vincitore (vēn·chē·tō′râ) *m* winner
vincolare (vēn·kō·lâ′râ) *vt* to tie together, bind
vincolo (vēn′kō·lō) *m* lien, attachment; bond, fetter, restraint
vino (vē′nō) *m* wine
viola (vyō′lâ) *f* violet; viola
violare (vyō·lâ′râ) *vt* to violate; to break *(law)*; to desecrate; to rape, ravish
violazione (vyō·lâ·tsyō′nâ) *f* rape; violation; — **di domicilio** housebreaking
violentare (vyō·lān·tâ′râ) *vt* to do violence to; to rape
violento (vyō·lān′tō) *a* violent; bestial
violenza (vyō·lān′tsâ) *f* violence
violino (vyō·lē′nō) *m* violin
violoncello (vyō·lōn·châl′lō) *m* cello
viottolo (vyôt′tō·lō) *m* path, trail
vipera (vē′pā·râ) *f* viper
virare (vē·râ′râ) *vi (naut)* to tack; *(avi)* to bank
virgola (vēr′gō·lâ) *f* comma
virgolette (vēr·gō·lāt′tā) *fpl* quotation marks; **fra** — in quotation marks
virile (vē·rē′lā) *a* manful, courageous, virile
virilità (vē·rē·lē·tâ′) *f* courage; power; virility; manhood
virtù (vēr·tū′) *f* virtue; ability; strength
virtuoso (vēr·twō′zō) *a* honorable, virtuous
viscere (vē′shā·râ) *fpl* viscera
vischio (vē′skyō) *m* mistletoe

k kid, l let, m met, n not, p pat, r very, s sat, sh shop, t tell, v vat, w we, y yet, z zero

visibilio (vē·zē·bē'lyō) *m* abundance; **andare in —** to go into raptures; to be entranced

visibilità (vē·zē·bē·lē·tâ') *f* visibility

visiera (vē·zyä'râ) *f* peak; visor

visione (vē·zyō'nä) *f* apparition; mental image; vision

visita (vē'zē·tâ) *f* visit; examination; — **doganale** customs inspection; — **medica** medical examination; **–re** (vē·zē·tâ'rä) *vt* to visit, call on

viso (vē'zō) *m* face

visone (vē·zō'nä) *m* mink

vissuto (vēs·sū'tō) *a* lived; worldly-wise, blasé

vista (vē'stâ) *f* view; outlook; sight; **–re** (vē·stâ'rä) *vt* to visa

visto (vē'stō) *a* seen; — *m* visa; **–so** (vē·stō'zō) *a* tawdry, cheap; extensive

vita (vē'tâ) *f* life; waist

vitalità (vē·tâ·lē·tâ') *f* vivacity, animation, vitality

vitalizio (vē·tâ·lē'tsyō) *a* for life; — *m (com)* life annuity

vite (vē'tä) *f* screw; vine; *(avi)* tailspin

vitello (vē·tāl'lō) *m* veal; calf; **–ne** (vē·tāl·lō'nä) *m (coll)* playboy, idler

vittima (vēt'tē·mä) *f* victim

vitto (vēt'tō) *m* food; — **e alloggio** room and board

vittoria (vēt·tô'ryâ) *f* victory

vittorioso (vēt·tō·ryō'zō) *a* victorious

vituperare (vē·tū·pä·râ'rä) *vt* to abuse; to cast aspersions on

vituperio (vē·tū·pe'ryō) *m* vituperation; defamation; outrage; aspersion

vivace (vē·vâ'chä) *a* vivacious, lively

vivacità (vē·vâ·chē·tâ') *f* exhilaration; vivacity; activeness

vivaio (vē·vâ'yō) *m* nursery, greenhouse; hatchery

vivente (vē·vän'tä) *a* living

vivere * (vē'vä·rä) *vt&i* to live

viveri (vē'vä·rē) *mpl* provisions

vivisezione (vē·vē·sä·tsyō'nä) *f* vivisection

vivo (vē'vō) *a* alive; living

viziare (vē·tsyâ'rä) *vt* to ruin, spoil; to corrupt

viziarsi (vē·tsyâr'sē) *vr* to be spoiled; to be corrupted

vizio (vē'tsyō) *m* vice; bad habit; malfunction, defect; **–so** (vē·tsyō'zō) *a* dissolute; corrupt, vicious

vocabolario (vō·kâ·bō·lâ'ryō) *m* vocabulary

vocabolo (vō·kâ'bō·lō) *m* word; term

vocale (vō·kâ'lä) *a* vocal; — *f* vowel

voce (vō'chä) *f* voice; rumor; word; — **pubblica** public opinion

vogare (vō·gâ'rä) *vi* to row

voglia (vô'lyâ) *f* wish; desire; birthmark

voi (vō'ē) *pron* you; **–altri** (vōē·âl'trē) *pron* you, you others

volante (vō·lân'tä) *m* steering wheel; — *a* flying

volantino (vō·lân·tē'nō) *m* handbill

volare (vō·lâ'rä) *vi* to fly

volatile (vō·lâ'tē·lä) *m* bird; — *a* winged; volatile

volenteroso (vō·län·tä·rō'zō) *a* willing, pleased; zealous

volentieri (vō·län·tyä'rē) *adv* willingly

volere * (vō·lä'ra) *vt&i* to wish, want; to feel like; — **bene** to love, be fond of — **dire** to mean; to signify

volgare (vōl·gâ'rä) *a* vulgar; — *m* dialect, vernacular

volgere * (vôl'jä·rä) *vt&i* to turn

volgersi * (vôl'jär·sē) *vr* to turn around, turn about

volgo (vōl'gō) *m* rabble, mob; masses

volitivo (vō·lē·tē'vō) *a* strong-willed; impetuous

volo (vō'lō) *m* flight

volontà (vō·lōn·tâ') *f* will

volontario (vō·lōn·tâ'ryō) *a* voluntary; — *m* volunteer

volpe (vôl'pä) *f* fox; — **argentata** silver fox

volta (vōl'tâ) *f* turn; time; **di — in —** once in a while; **altre volte** in the past, previously

volta (vōl'tâ) *m (elec)* volt

voltaggio (vōl·tâj'jō) *m (elec)* voltage

voltare (vōl·tâ'rä) *vt&i* to turn

voltarsi (vōl·târ'sē) *vr* to turn around

volto (vōl'tō) *m* face

volubile (vō·lū'bē·lä) *a* inconstant; garrulous

volume (vō·lū'mä) *m* mass, volume; book, tome

voluminoso (vō·lū·mē·nō'zō) *a* roomy; voluminous

voluttà (vō·lūt·tâ') *f* lasciviousness, lust

vomitare (vō·mē·tâ'rä) *vt&i* to vomit; to spew forth

vongola (vôn'gō·lâ) *f* clam, mussel

vorace (vō·râ'chä) *a* voracious

voracità (vō·râ·chē·tâ') *f* greed; voracity, hunger

voragine (vō·râ'jē·nä) *f* gulf; abyss

vortice (vôr'tē·chä) *m* whirlwind; whirlpool

vostro (vō'strō) *a* your; — *pron* yours

votare (vō·tâ'rä) *vt&i* to vote

votazione (vō·tâ·tsyō'nä) *f* voting

â ârm, **ā** bāby, **e** bet, **ē** bē, **ō** gō, **ô** gône, **ū** blūe, **b** bad, **ch** child, **d** dad, **f** fat, **g** gay, **j** jet

voto (vō'tō) *m* vote; vow; prayer; desire
vulcanizzare (vūl·kâ·nē·dzâ'rā) *vt* to vulcanize
vulcano (vūl·kâ'nō) *m* volcano
vuotare (vwō·tâ'rā) *vt* to empty; — **il sacco** to speak one's piece; to get something off one's chest
vuotarsi (vwō·târ'sē) *vr* to empty out, become empty
vuoto (vwō'tō) *a* empty; — *m* void; *(phys)* vacuum; emptiness; **a** — to no avail, without result

X

xenofobia (ksā·nō·fō·bē'â) *f* fear of foreigners, xenophobia
Xeres (ksā'rās) *m* Sherry wine
xilofonista (ksē·lō·fō·nē'stâ) *m* xylophone player
xilofono (ksē·lô'fō·nō) *m* xylophone
xilografia (ksē·lō·grâ·fē'â) *m* wood carving; printing with woodcuts
xilografo (ksē·lô'grâ·fō) *m* wood-carver, xylographer

Z

zabaione (dzâ·bâ·yō'nā) *m* eggnog
zafferano (dzâf·fâ·râ'nō) *m* saffron
zaffiro (dzâf'fē·rō) *m* sapphire
zaino (dzâ'ē·nō) *m* knapsack
zampa (dzâm'pâ) *f* claw; paw
zampillare (dzâm·pēl·lâ'rā) *vi* to gush forth, pour out
zampillo (dzâm·pēl'lō) *m* squirt, stream; jet, gush
zampino (dzâm·pē'nō) *m* little paw; **mettere lo — dappertutto** *(fig)* to have a finger in every pie; to have many irons in the fire
zampogna (dzâm·pō'nyâ) *f* bagpipe; **–ro** (dzâm·pō·nyâ'rō) *m* bagpipe player
zanna (dzân'nâ) *f* fang; tusk
zanzara (dzân·dzâ'râ) *f* mosquito
zanzariera (dzân·zâ·ryâ'râ) *f* mosquito netting
zappa (dzâp'pâ) *f* hoe; **–re** (dzâp·pâ'rā) *vt* to dig in, work *(soil)*
zar (dzâr) *m* czar, **–ina** (dzâ·rē'nā) *f* czarina
zattera (dzât'tā·râ) *f* raft
zavorra (dzâ·vōr'râ) *f* weight, ballast
zebra (dzâ'brâ) *f* zebra
zecca (dzâk'kâ) *f* mint; **nuovo di — brand-new**
zelante (dzā·lân'tā) *a* zealous; ambitious
zeppo (dzâp'pō) *a* chock-full, stuffed
zerbino (zâr·bē'nō) *m* doormat
zerbinotto (dzâr·bē·nōt'tō) *m* dandy; ladies' man
zero (dzâ'rō) *m* zero
zia (dzē'â) *f* aunt
zibellino (dzē·bāl·lē'nō) *m* sable
zigomo (dzē'gō·mō) *m* cheekbone
zimbello (dzēm·bâl'lō) *m* laughingstock, butt of humor
zinco (dzēn'kō) *m* zinc
zingaro (dzēn'gâ·rō) *m* gypsy
zio (dzē'ō) *m* uncle
zitella (dzē·tâl'lâ) *f* spinster
zitto (dzēt'tō) *a* silent
zizzania (dzē·dzâ'nyâ) *f* disagreement, discord
zoccolo (dzôk'kō·lō) *m* wooden shoe; wainscotting
zolfanello (dzōl·fâ·nāl'lō) *m* kitchen match
zolfo (dzōl'fō) *m* sulphur
zolla (dzōl'lâ) *f* lump of sod; clod of earth
zolletta (dzōl·lât'tâ) *f* lump of sugar
zona (dzō'nâ) *f* zone
zoologia (dzō·ō·lō·jē'â) *f* zoology
zoologico (dzō·ō·lô'jē·kō) *a* zoological
zoppicare (dzōp·pē·kâ'rā) *vi* to limp; to be lopsided
zoppo (dzōp'pō) *a* lame; lopsided, uneven
zotico (dzô'tē·kō) *a* rustic, boorish
zucca (dzūk'kâ) *f* squash; pumpkin; *(coll)* ignoramus, dunce
zuccheriera (dzūk·kâ·ryâ'râ) *f* sugar bowl
zuccherino (dzūk·kâ·rē'nō) *m* candy
zucchero (dzūk'kâ·rō) *m* sugar
zucchino (dzūk·kē'nō) *m* zucchini
zuffa (dzūf'fâ) *f* scuffle, tussle; quarrel, argument
zuppa (dzūp'pâ) *f* soup
zuppiera (dzūp·pyâ'râ) *f* tureen

ITALIAN-ENGLISH FIRST NAMES

A

Abramo (â·brâ′mō) Abraham
Ada (â′dâ) Ada
Adamo (â·dâ′mō) Adam
Adelina (â·dā·lē′nâ) Adeline
Adriano (â·dryâ′nō) Adrian
Agata (â′gâ·tâ) Agatha
Agnese (â·nyā′zā) Agnes
Agnesina (â·nyā·zē′nâ) Aggie
Agostino (â·gō·stē′nō) Austin
Alberto (âl·bār′tō) Albert
Alessandrino (â·lās·sân·drē′nō) Alex, Alec
Alessandro (â·lās·sân′drō) Alexander
Alessio (â·les′syō) Alexis
Alfonso (âl·fōn′sō) Alphonse
Alfredo (âl·frā′dō) Alfred
Alice (â·lē′chā) Alice
Aloisio (â·lō·ē′zyō) Aloysius
Ambrogio (âm·brô′jō) Ambrose
Andrea (ân·drā′â) Andrew
Andreuccio (ân·drā·ū′chō) Andy
Angela (ân′jā·lâ) Angela
Angelica (ân·je′lē·kâ) Angelica
Angelina (ân·jā·lē′nâ) Angeline
Angelo (ân′jā·lō) Angelus
Anna (ân′nâ) Ann
Annetta (ân·nāt′tâ) Annette, Nancy, Annie
Annina (ân·nē′nâ) Nancy, Annie
Anselmo (ân·sāl′mō) Anselm
Antonia (ân·tô′nyâ) Antonia
Antonietta (ân·tō·nyāt′tâ) Antoinette
Antonio (ân·tô′nyō) Anthony, Antoine
Apollodoro (â·pōl·lō·dō′rō) Apollodorus
Arianna (â·ryân′nâ) Ariadne
Arnaldo (âr·nâl′dō) Arnold
Aroldo (â·rōl′dō) Harold
Aronne (â·rōn′nā) Aaron
Arrigo (âr·rē′gō) Henry
Arturo (âr·tū′rō) Arthur
Augusto (âū·gū′stō) August
Aurelia (âū·re′lyâ) Aurelia

B

Baldassarre (bâl·dâs·sâr′rā) Balthazar
Baldovino (bâl·dō·vē′nō) Baldwin
Barbara (bâr′bâ·râ) Barbara
Barnaba (bâr′nâ·bâ) Barnaby
Bartolomeo (bâr·tō·lō·mā′ō) Bartholomew
Basilio (bâ·zē′lyō) Basil
Beatrice (bā·â·trē′chā) Beatrice
Benedetto (bā·nā·dāt′tō) Benedict
Beniamino (bā·nyâ·mē′nō) Benjamin
Berenice (bā·rā·nē′chā) Bernice

Bernardina (bār·nâr·dē'nâ) Bernadine

Bernardino (bār·nâr·dē'nō) Barney

Bernardo (bār·nâr'dō) Bernard

Berta (bār'tâ) Bertha

Bertrando (bār·trân'dō) Bertram, Bertrand

Bianca (byân'kâ) Blanche

Brigida (brē'jē·dâ) Bridget

C

Calvino (kâl·vē'nō) Calvin

Camilla (kâ·mēl'lâ) Camille

Carlo (kâr'lō) Charles

Carlotta (kâr·lōt'tâ) Charlotte

Carlotto (kâr·lōt'tō) Charlie

Carolina (kâ·rō·lē'nâ) Caroline

Caterina (kâ·tā·rē'nâ) Catherine, Katherine, Kathie

Cecilia (chā·chē'lyâ) Cecilia, Cecily

Cecilio (chā·chē'lyō) Cecil

Cesare (che'zâ·rā) Caesar

Chiara (kyâ'râ) Clare, Clara

Clarice (klâ'rē·chā) Clarissa

Clarissa (klâ·rēs'sâ) Clarissa

Claudia (klâ'ū·dyâ) Claudia

Claudiano (klâū·dyâ'nō) Claudian

Claudio (klâ'ū·dyō) Claude

Clemente (klā·mān'tā) Clement

Clemenza (klā·mān'tsâ) Clemence

Clio (klē'ō) Clio

Cloe (klō'â) Chloe

Cordelia (kōr·de'lyâ) Cordelia

Corinna (kō·rēn'nâ) Corinne

Cornelia (kōr·ne'lyâ) Cornelia

Cornelio (kōr·ne'lyō) Cornelius

Corradino (kōr·râ·dē'nō) Conrad

Corrado (kōr·râ'dō) Conrad

Costanza (kō·stân'tsâ) Constance

Cristiano (krē·styâ'nō) Christian

Cristina (krē·stē'nâ) Christine

Cristoforo (krē·stô'fō·rō) Christopher

D

Dafne (dâf'nā) Daphne

Damiano (dâ·myâ'nō) Damian

Damone (dâ·mō'nā) Damon

Daniele (dâ·nyā'lā) Daniel

Dante (dân'tā) Dante

Dario (dâ'ryō) Darien

Davide (dâ'vē·dā) David

Davidino (dâ·vē·dē'nō) Davy

Delia (de'lyâ) Delia

Demetrio (dā·me'tryō) Demetrius

Diana (dyâ'nâ) Diane, Diana

Dionigi (dyō·nē'jē) Dennis

Domenico (dō·me'nē·kō) Dominic

Donato (dō·nâ'tō) Donatus

Dora (dō'râ) Dora

Doride (dô'rē·dā) Doris

Dorotea (dō·rō·tā'â) Dorothy

Durante (dū·rân'tā) Durand

Italian-English

E

Edgardo (ād·gâr′dō) Edgar
Editta (ā·dēt′tâ) Edith
Edmondo (ād·mōn′dō) Edmund
Edoardo (ā·dō·âr′dō) Edward
Egidio (ā·jē′dyō) Giles
Elena (e′lā·nâ) Helen, Ellen, Helena
Eleonora (ā·lā·ō·nō′râ) Eleanor
Elia (ā·lē′â) Elias
Elisa (ā·lē′zâ) Eliza
Elisabetta (ā·lē·zâ·bāt′tâ) Elizabeth
Eloisa (ā·lō·ē′zâ) Eloise
Elvira (āl·vē′râ) Elvira
Emilia (ā·mē′lyâ) Emily, Emilia
Emilio (ā·mē′lyō) Emile
Emma (ām′mâ) Emma
Enrichetta (ān·rē·kāt′tâ) Harriet, Hatty, Hetty
Enrico (ān·rē′kō) Henry
Erberto (ār·bār′tō) Herbert
Erico (ā·rē′kō) Eric
Ermione (ār·myō′nā) Hermione
Ernestina (ār·nā·stē′nâ) Ernestine
Ernesto (ār·nā′stō) Ernest
Esmondo (ā·zmōn′dō) Esmund
Ester (ā′stār) Esther
Ettore (et′tō·rā) Hector
Eugenia (āū·je′nyâ) Eugenia
Eugenio (āū·je′nyō) Eugene
Eva (ā′vâ) Eve
Evelina (ā·vā·lē′nâ) Evelyn
Ezechiele (ā·dzā·kyā′lā) Ezekiel

F

Fabiano (fâ·byâ′nō) Fabian
Fabrizio (fâ·brē′tsyō) Fabricius
Federica (fā·dā·rē′kâ) Frederica
Federico (fā·dā·rē′kō) Frederick, Fred
Felice (fā·lē′chā) Felix
Felicia (fā·lē′châ) Felicia
Feliciano (fā·lē·châ′nō) Felician
Felicita (fā·lē′chē·tâ) Felicity
Ferdinando (fār·dē·nân′dō) Ferdinand
Fernando (fār·nân′dō) Ferdinand
Filemone (fē·le′mō·nā) Philemon
Filippo (fē·lēp′pō) Philip
Fiorenza (fyō·rān′tsâ) Florence
Flaviano (flâ·vyâ′nō) Flavian
Flavio (flâ′vyō) Flavius
Fortunata (fōr·tū·nâ′tâ) Fortune
Fortunato (fōr·tū·nâ′tō) Fortunatus
Francesca (frân·chā′skâ) Frances
Francesco (frân·chā′skō) Francis, Frank
Fulvia (fūl′vyâ) Fulvia
Fulvio (fūl′vyō) Fulvius

G

Gabriele (gâ·bryā′lā) Gabriel
Gabriella (gâ·bryāl′lâ) Gabriella
Galileo (gâ·lē·lā′ō) Galileo
Geltrude (jāl·trū′dā) Gertrude
Genoveffa (jā·nō·vāf′fâ) Genevieve

Geraldina (jā·râl·dē'nâ) Geraldine

Geraldo (jā·râl'dō) Gerald

Gerardo (jā·râr'dō) Gerard

Geronimo (jā·rô'nē·mō) Jerome

Gervasio (jär·vâ'zyō) Gervase

Giacinta (jâ·chēn'tâ) Hyacinth

Giacobbe (jâ·kōb'bā) Jacob

Giacomina (jâ·kō·mē'nâ) Jenny

Giacomo (jâ'kō·mō) James, Jacques

Giampietro (jâm·pyā'trō) John Peter

Gian Andrea (jân ân·drā'â) John Andrew

Gian Carlo (jân kâr'lō) John Charles

Gian Lorenzo (jân lō·rān'dzō) John Lawrence

Gianmaria (jân·mâ·rē'â) John Marion

Giannetta (jân·nāt'tâ) Jeanette, Jenny

Giannetto (jân·nāt'tō) Jack

Giano (jâ'nō) Ian

Giasone (jâ·zō'nâ) Jason

Gilberto (jēl·bär'tō) Gilbert

Gina (jē'nâ) Jean

Gino (jē'nō) Gene

Gioconda (jō·kōn'dâ) Jocunda

Gionata (jô'nâ·tâ) Jonathan

Giordano (jōr·dâ'nō) Jordan

Giorgetto (jōr·jāt'tō) Georgie

Giorgiana (jōr·jâ'nâ) Georgiane

Giorgio (jôr'jō) George

Giovanna (jō·vân'nâ) Jane, Joan, Johanna

Giovanni (jō·vân'nē) John

Giovannina (jō·vân·nē'nâ) Jean

Giuditta (jū·dēt'tâ) Judith

Giulia (jū'lyâ) Julia, Julie

Giuliana (jū·lyâ'nâ) Juliana

Giuliano (jū·lyâ'nō) Julian

Giulietta (jū·lyāt'tâ) Juliet

Giulio (jū'lyō) Julius, Jules

Giuseppe (jū·zāp'pā) Joseph

Giuseppina (jū·zāp·pē'nâ) Josephine

Giustina (jū·stē'nâ) Justina

Giustiniano (jū·stē·nyâ'nō) Justinian

Giustino (jū·stē'nō) Justin

Giusto (jū'stō) Justus

Goffredo (gōf·frā'dō) Godfrey

Gregorio (grā·gô'ryō) Gregory

Gualtiero (gwâl·tyā'rō) Walter

Guglielmino (gū·lyāl·mē'nō) Bill

Guglielmo (gū·lyāl'mō) William

Guido (gwē'dō) Guy

Guntero (gūn·tā'rō) Gunther

Gustavo (gū·stâ'vō) Gustav

I

Ida (ē'dâ) Ida

Ilario (ē·lâ'ryō) Hilary

Irene (ē·rā'nâ) Irene

Isabella (ē·zâ·bāl'lâ) Isabel

Isacco (ē·zâk'kō) Isaac

Ivone (ē·vō'nâ) Yves

L

Lamberto (lâm·bär'tō) Lambert
Laura (lâ'ū·râ) Laura
Lavinia (lâ·vē'nyâ) Lavinia
Leandro (lā·ân'drō) Leander
Leonardo (lā·ō·nâr'dō) Leonard
Leone (lā·ō'nā) Leo
Leonia (lā·ō'nyâ) Leonia
Leonora (lā·ō·nō'râ) Leonore
Leopoldo (lā·ō·pōl'dō) Leopold
Lea (lā'â) Leah
Lidia (lē'dyâ) Lydia
Lionello (lyō·nāl'lō) Lionel
Lisa (lē'zâ) Betty
Lisetta (lē·zāt'tâ) Betsy
Livia (lē'vyâ) Livia
Lodovico (lō·dō·vē'kō) Lewis
Lorena (lō·rā'nâ) Lorraine
Lorenzo (lō·rān'dzō) Lawrence
Luca (lū'kâ) Luke, Lucas
Lucano (lū·kâ'nō) Lucan
Lucia (lū·chē'â) Lucy, Lucia
Luciano (lū·châ'nō) Lucian
Lucio (lū'chō) Lucius
Lucrezio (lū·krē'tsyō) Lucretius
Luigi (lwē'jē) Louis
Luisa (lwē'zâ) Louisa

M

Maddalena (mâd·dâ·lā'nâ) Madeleine, Madeline
Magda (mâg'dâ) Maud
Manfredo (mân·frā'dō) Manfred

Manlio (mân'lyō) Manlius
Manuele (mâ·nwā'lā) Manuel
Marcantonio (mâr·kân·tô'nyō) Mark Anthony
Marcellina (mâr·chāl·lē'nâ) Marcelline
Marcellino (mâr·chāl·lē'nō) Marcellinus
Marcello (mâr·chāl'lō) Marcel
Marco (mâr'kō) Mark
Margherita (mâr·gā·rē'tâ) Margaret, Margery, Margot, Madge
Maria (mâ·rē'â) Mary, Marie
Marianna (mâ·ryân'nâ) Marianne
Marietta (mâ·ryāt'tâ) Peggy, Marion, May
Mario (mâ'ryō) Marius
Marta (mâr'tâ) Martha
Martino (mâr·tē'nō) Martin
Massimiliano (mâs·sē·mē·lyâ'nō) Maximilian
Matilde (mâ·tēl'dā) Mathilda
Matteo (mât·tā'ō) Matthew
Maurizio (mâū·rē'tsyō) Maurice
Melissa (mā·lēs'sâ) Melissa
Mercede (mār·chā'dā) Mercedes
Michelangelo (mē·kā·lân'jā·lō) Michaelangelo
Michele (mē·kā'lā) Michael
Michelino (mē·kā·lē'nō) Mike
Minerva (mē·nār'vâ) Minerva
Miranda (mē·rân'dâ) Miranda
Modesto (mō·dā'stō) Modestus
Monica (mô'nē·ka) Monica, Monique

N

Nannetta (nân·nāt′tâ) Nannette
Natale (nâ·tâ′lā) Noel
Natalia (nâ·tâ·lē′â) Natalie
Nataniele (nâ·tâ·nyā′lā) Nathaniel
Nicola (nē·kō′lâ) Nicholas
Nicoletta (nē·kō·lāt′tâ) Nicolette
Nicolò (nē·kō·lō′) Nicholas
Nicoluccio (nē·kō·lū′chō) Nick
Nina (nē′nâ) Nina, Nan
Nino (nē′nō) Nino

O

Ofelia (ō·fe′lyâ) Ophelia
Olivia (ō·lē′vyâ) Olive, Olivia
Oliviero (ō·lē·vyā′rō) Oliver
Omero (ō·mā′rō) Homer
Onofredo (ō·nō·frā′dō) Humphrey
Onorato (ō·nō·râ′tō) Honore
Orazio (ō·râ′tsyō) Horace, Horatio
Orlando (ōr·lân′dō) Orlando
Orsola (ôr′sō·lâ) Ursula
Ortensia (ōr·ten′syâ) Hortense, Hortensia
Oscar (ō′skâr) Oscar
Osvaldo (ō·zvâl′dō) Oswald
Ottavia (ōt·tâ′vyâ) Octavia
Ottaviano (ōt·tâ·vyâ′nō) Octavian
Ottavio (ōt·tâ′vyō) Octavius
Ovidio (ō·vē′dyō) Ovid

P

Panfilo (pân′fē·lō) Pamphilus
Paola (pâ′ō·lâ) Paula
Paolina (pâ·ō·lē′nâ) Paulina
Paolino (pâ·ō·lē′nō) Paulinus
Paolo (pâ′ō·lō) Paul
Pasquale (pâ·skwâ′lā) Pascal
Patrizia (pâ·trē′tsyâ) Patricia
Patrizio (pā·trē′tsyō) Patrick
Penelope (pā·ne′lō·pā) Penelope
Petronilla (pā·trō·nēl′lâ) Petronella
Petronio (pā·trô′nyō) Petronius
Piero (pyā′rō) Peter
Pietro (pyā′trō) Peter
Pietruccio (pyā·trū′chō) Pete
Pindaro (pēn′dâ·rō) Pindar
Placidia (plâ·chē′dyâ) Placidia
Platone (plâ·tō′nā) Plato
Plauto (plâ′ū·tō) Plautus
Plinio (plē′nyō) Pliny
Pompeo (pōm·pā′ō) Pompey
Porfirio (pōr·fē′ryō) Porphyry
Porzia (pôr′tsyâ) Portia
Priscilla (prē·shēl′lâ) Priscilla
Prospero (prô′spâ·rō) Prosper
Proteo (prô′tā·ō) Proteus
Prudenza (prū·dān′tsâ) Prudence

Q

Quintiliano (kwēn·tē·lyâ′nō) Quintilian
Quintino (kwēn·tē′nō) Quentin

R

Rachele (râ·kā'lā) Rachel
Raffaele (râf·fâ·ā'lā) Raphael
Raimondo (râē·mōn'dō) Raymond
Rainero (râē·nā'rō) Rainerd
Randolfo (rân·dōl'fō) Randolph
Raulo (râ'ū·lō) Ralph
Rea (rā'â) Rhea
Rebecca (rā·bāk'kâ) Rebecca
Reginaldo (rā·jē·nâl'dō) Reginald
Reinardo (râē·nâr'dō) Reinhard
Renato (rā·nâ'tō) Renatus
Riccardino (rēk·kâr·dē'nō) Dick
Riccardo (rēk·kâr'dō) Richard
Rinaldo (rē·nâl'dō) Reynold, Reggie, Ronald
Roberto (rō·bār'tō) Robert
Rodolfo (rō·dōl'fō) Rudolph, Ralph
Rodrigo (rō·drē'gō) Roderick
Rolando (rō·lân'dō) Roland
Romolo (rô'mō·lō) Romulus
Rosa (rō'zâ) Rose
Rosalia (rō·zâ·lē'â) Rosalie
Rosalinda (rō·zâ·lēn'dâ) Rosalind
Rosamonda (rō·zâ·mōn'dâ) Rosamund
Rosetta (rō·zāt'tâ) Rosette
Rosina (rō·zē'nâ) Rosalie
Rossana (rōs·sâ'nâ) Roxanne
Rufo (rū'fō) Rufus
Ruggero (rūj·jā'rō) Roger
Ruth (rūt) Ruth

S

Salomone (sâ·lō·mō'nā) Solomon
Samuele (sâ·mwā'lā) Samuel
Sandro (sân'drō) Andrew
Sansone (sân·sō'nā) Samson
Sara (sâ'râ) Sarah, Sally
Saul (sâ'ūl) Saul
Saverio (sâ·ve'ryō) Xavier
Sebastiana (sā·bâ·styâ'nâ) Sebastiana
Sebastiano (sā·bâ·styâ'nō) Sebastian
Sempronia (sām·prô'nyâ) Sempronia
Sempronio (sām·prô'nyō) Sempronius
Severo (sā·vā'rō) Severus
Sibilla (sē·bēl'lâ) Sibyl
Sigfrido (sēg·frē'dō) Siegfried
Sigismondo (sē·jē·zmōn'dō) Sigmund
Silvestro (sēl·vā'strō) Silvester
Silvia (sēl'vyâ) Sylvia
Silvio (sēl'vyō) Sylvius
Simeone (sē·mā·ō'nā) Simeon
Simone (sē·mō'nā) Simon
Sofia (sō·fē'â) Sophie
Stefania (stā·fâ'nyâ) Stephanie
Stefano (ste'fâ·nō) Stephen
Stella (stāl'lâ) Estelle, Stella
Stentore (stān·tō'rā) Stentor
Susanna (sū·zân'nâ) Susan, Sue, Susannah
Susetta (sū·zāt'tâ) Susie

T

Tacito (tâ′chē·tō) Tacitus
Taddeo (tâd·dā′ō) Thaddeus
Teobaldo (tā·ō·bâl′dō) Theobald
Teodato (tā·ō·dâ′tō) Theodatus
Teodora (tā·ō·dō′râ) Theodora
Teodorico (tā·ō·dō·rē′kō) Theo-
doric
Teodoro (tā·ō·dō′rō) Theodore
Teodosia (tā·ō·dō′zyâ) Theodosia
Teodosio (tā·ō·dō′zyō) Theodo-
sius
Terenzio (tā·ren′tsyō) Terence
Teresa (tā·rā′zā) Therese, Teresa
Tibaldo (tē·bâl′dō) Tybald
Timeo (tē·mā′ō) Timaeus
Timoteo (tē·mô′tā·ō) Timothy
Tirone (tē·rō′nā) Tyrone
Tito (tē′tō) Titus
Tommasina (tōm·mâ·zē′nâ) Thom-
asina
Tommasino (tōm·mâ·zē′nō) Tom
Tommaso (tōm·mâ′zō) Thomas
Tonio (tô′nyō) Tony

U

Ubaldo (ū·bâl′dō) Hubaldus
Uberto (ū·bār′tō) Hubert
Ugo (ū′gō) Hugh
Ulisse (ū·lēs′sā) Ulysses
Ulrico (ūl·rē′kō) Ulric
Umberto (ūm·bār′tō) Humbert
Urania (ū·râ′nyâ) Urania
Urbano (ūr·bâ′nō) Urban

V

Valentina (vâ·lān·tē′nâ) Valen-
tina
Valentino (vâ·lān·tē′nō) Valen-
tine
Valeria (vâ·le′ryâ) Valerie
Valeriano (vâ·lā·ryâ′nō) Valerian
Venere (ve′nā·rā) Venus
Veronica (vā·rô′nē·kâ) Veronica
Vincenza (vēn·chān′dzâ) Vincen-
tia
Vincenzina (vēn·chān·dzē′nâ)
Vinny
Vincenzo (vēn·chān′dzō) Vincent
Vilfrido (vēl·frē′dō) Wilfred
Vinfrido (vēn·frē′dō) Winfred
Viola (vyō′lâ) Violet
Virgilio (vēr·jē′lyō) Virgil
Virginia (vēr·jē′nyâ) Virginia
Vitale (vē·tâ′lā) Vitellius
Vito (vē′tō) Vitus
Vittore (vēt·tō′rā) Vic
Vittoria (vēt·tô′ryâ) Victoria
Vittoriano (vēt·tō·ryâ′nō) Victor-
ian
Vittorio (vēt·tô′ryō) Victor
Viviana (vē·vyâ′nâ) Vivian

Z

Zaccaria (dzâk·kâ·rē′â) Zachary
Zaccheo (dzâk·kā′ō) Zaccheus
Zenobia (dzā·nô′byâ) Zenobia
Zenone (dzā·nō′nā) Zeno

ABBREVIATIONS

a	adjective		*interj*	interjection
adv	adverb		*lit*	literature
aesp	aerospace		*m*	masculine
agr	agriculture		*math*	mathematics
anat	anatomy		*mech*	mechanics
arch	architecture		*med*	medicine
art	article		*mil*	military
ast	astronomy		*min*	mineralogy
auto	automobile		*mus*	music
avi	aviation		*n*	noun
biol	biology		*naut*	nautical
bot	botany		*phot*	photography
chem	chemistry		*phys*	physics
coll	colloquial		*pl*	plural
com	commerce		*pol*	politics
comp	compound		*prep*	preposition
conj	conjunction		*print*	printing
dent	dentistry		*pron*	pronoun
eccl	ecclesiastic		*rad*	radio
elec	electricity		*rail*	railway
f	feminine		*sl*	slang
fam	familiar		*theat*	theatre
fig	figuratively		*TV*	television
for	formal		*vi*	verb intransitive
geog	geography		*vt*	verb transitive
geol	geology		*vt&i*	verb transitive and intransitive
gram	grammar		*zool*	zoology

English-Italian

A

a *art* un, uno, una, un'
aback *adv* indietro; **be taken —** rimanere di sasso
abacus *n* abbaco
abandon *vt* abbandonare; **–ment** *n* abbandono
abase *vt* umiliare; **–ment** *n* degradazione, umiliazione
abash *vt* intimidare, svergognare, umiliare
abate *vi* diminuire; **–ment** *n* diminuzione, indebolimento, sconto
abbey *n* abbazia
abbot *n* abate *m*
abbreviate *vt* abbreviare
abbreviation *n* abbreviazione
abdicate *vt&i* abdicare, rinunciare
abdication *n* abdicazione
abdomen *n* addome *m*, ventre *m*
abdominal *a* addominale
abduct *vt* rapire; **–ion** *n* ratto; **–or** *n* rapitore *m*
abed *adv* a letto, infermo
aberration *n* aberrazione
abet *vt* favoreggiare
abeyance *n* giacenza; **in —** giacente, pendente, sospeso
abhor *vt* aborrire; **–rence** *n* aborrimento; **–rent** *a* aborrevole, odioso
abide *vt* sopportare; resistere; **—** *vi* dimorare, continuare; **— by** sostenere, mantenere
abiding *a* dimorante, costante
ability *n* capacità, facoltà
abject *a* abietto, basso, vile
abjure *vt* abiurare
ablative *a* ablativo
ablaze *adv* in fiamme; splendente
able *a* abile, capace; **be — to** potere,
essere in grado di, sapere
able-bodied *a* robusto, vigoroso
ablution *n* abluzione
ably *adv* abilmente
abnegate *vt* rinunziare
abnegation *n* rinunzia
abnormal *a* anormale; **–ity** *n* anormalità
aboard *adv&prep* a bordo; **All —!** *interj* Tutti a bordo!; **go —** imbarcarsi
abode *n* dimora
abolish *vt* abolire
abolition *n* abolizione
A-bomb *n* bomba atomica
abominable *a* abominevole, infame
abominate *vt* detestare
abomination *n* abominazione, infamia
aboriginal *a* aborigeno, primitivo
abort *n* *(aesp)* fallimento
abortion *n* aborto
abortive *a* abortivo; senza esito
abound *vi* abbondare; **–ing** *a* abbondante
about *prep* intorno, intorno a; *(time)* verso, circa; **be — to** essere sul punto di, stare per
above *adv&prep* sopra, su; **— all** soprattutto
above-mentioned *a* sopraccitato
aboveboard *a* sincero; **—** *adv* lealmente
abrasion *n* abrasione, logoramento
abrasive *a* abrasivo; **—** *n* abrasivo
abreast *adv* in linea; **— of the times** conforme ai tempi
abridge *vt* accorciare
abroad *adv* all'estero
abrogate *vt* abrogare; *(abolish)* abolire; *(annul)* annullare
abrupt *a* brusco, improvviso
abscess *n* ascesso

abscond *vi* nascondersi, rendersi latitante

absence *n* assenza; **leave of —** licenza, congedo

absent *a* assente; **–ee** *n* assenteista *m*

absent-minded *a* distratto

absolute *a* assoluto; **–ly** *adv* assolutamente

absolution *n* assoluzione

absolve *vt* assolvere

absorb *vt* assorbire

absorbent *a* assorbente; **— cotton** cotone idrofilo

absorption *n* assorbimento

abstain *v* astenersi

abstemious *a* astemio

abstinence *n* astinenza

abstract *vt* sottrarre; **—** *n&a* astratto, estratto; **—** *n (com)* riassunto; **in the —** in astratto; **–ly** *adv* astrattamente

abstracted *a* distratto; **–ly** *adv* distrattamente

abstraction *n* astrazione

abstruse *a* astruso

absurd *a* assurdo; **–ity** *n* assurdità

abundance *n* abbondanza

abundant *a* abbondante

abuse *vt* maltrattare; **—** *vi* abusare; **—** *n* abuso, insulto

abusive *a* abusivo

abut *vi* sfociare, confinare

abyss *n* abisso, profondità

Abyssinia *n* Abissinia

Abyssinian *n&a* abissino

academic *a* accademico, classico

academy *n* accademia, scuola

accede *vi* accedere, consentire, assentire

accelerate *vt* accelerare; **—** *vi* affrettarsi

acceleration *n* accelerazione

accelerator *n* acceleratore *m*

accent *n* accento, tono; **—** *vt* accentare, accentuare; **–uate** *vt* accentuare

accept *vt* accettare, accogliere; *(approve)* approvare; **–able** *a* accettabile, ammissibile; **–ance** *n* accettazione; approvazione; *(com)* cambiale *f*

access *n* accesso, entrata

accessory *a* accessorio; **—** *n* accessorio; *(partner)* complice *m*

accident *n* incidente *m;* **–al** *a* accidentale, fortuito; **–ally** *adv* accidentalmente, per caso

acclaim *vt* acclamare; **—** *n* acclamazione

acclamation *n* acclamazione

acclimate *vt* acclimatare

accomodate *vt* accomodare, favorire; *(house)* alloggiare; **—** *vi* accomodarsi, prestarsi, conformarsi; **— oneself** adattarsi

accommodating *a* cortese, accomodante

accommodation *n* accomodamento; **–s** *npl* *(hotel)* alloggiamento

accompaniment *n* accompagnamento

accompanist *n* accompagnatore *m,* accompagnatrice *f*

accompany *vt* accompagnare

accomplice *n* complice *m*

accomplish *vt* realizzare; **–ed** *a* adempiuto, compiuto; **–ment** *n* complimento, effettuazione

accord *vt* accordare; *(grant)* concedere; **—** *vi* accordarsi; **—** *n* accordo, concordia; **of one's own —** spontaneamente; **with one —** simultaneamente, di comune accordo; **–ance** *n* conformità

according *a* concedente; **—** *adv* secondo, conforme a; **–ly** *adv* così, pertanto

accordion *n* fisarmonica; **— player** fisarmonicista *m&f*

accost *vt* accostare, abbordare

account *n (com)* conto; *(report)* resoconto; *(story)* racconto, versione; **of no —** di nessuna importanza; **on —** *(com)* per conto; **on — of** per causa di; **on my —** per conto mio, a causa mia; **on no —** in nessun modo

account *vt (com)* contare; **— for** render conto di

accountant *n* ragioniere *m,* contabile *m*

accounting *n* contabilità

accredit *vt* accreditare; **–ed** *a* accreditato

accrual *a* crescente, montante

accrue *vi* accumularsi; **–d** *a* accumulato

accumulate *vt* accumulare, ammucchiare; **—** *vi* accumularsi

accumulation *n* accumulazione

accuracy *n* precisione, esattezza

accurate *a* esatto, giusto, preciso

accursed *a* maledetto

accusation *n* accusa

accusative *a&n* accusativo

accuse *vt* accusare; **–d** *a* accusato

accuser *n* accusatore *m*

accustom *vt* abituare; **become –ed** abituarsi

ace *n* asso

acetate *n* acetato

acetic *a* acetico

acetone *n* acetone *m*

acetylene *n* acetilene *m*

ache *n* dolore *m;* **—** *vi* sentir male, dolere; far male

achieve *vt* raggiungere, conseguire, pervenire; **–ment** *n* raggiungimento; *(goal)* meta; *(result)* esito

acid *n&a* acido; **— test** analisi finale

acid-forming *a* acidico

acidity *n* acidità

acidosis *n* acidosi *f*

acknowledge vt riconoscere; — **receipt** accusare ricevuta
acknowledgment n riconoscimento, confessione
acme n acme m, crisi f, apogeo
acorn n ghianda
acoustic a acustico; **-s** npl acustica
acquaint vt informare; **be -ed** conoscere; **be -ed with** essere edotto di; — **oneself with** fare la conoscenza di
acquaintance n conoscenza
acquiesce vi consentire a
acquiescence n acquiescenza
acquiescent a acquiescente, accomodante
acquire vt acquistare
acquisition n acquisizione, acquisto
acquit vt assolvere; — **oneself well** fare buona figura
acquittal n assoluzione
acre n acro; **-age** n superficie f
acrid a agro
acrobat n acrobata m&f; **-ics** npl acrobazie fpl; **-ic** a acrobatico
across adv dirimpetto; **come** — imbattersi in; — **prep** attraverso
act n atto, azione; (law) legge f; (of a play) atto; (theat) recitazione, rappresentazione; — vt fare; (behavior) agire; rappresentare; funzionare; — **as** fungere da
acting n azione, recitazione
action n azione, fatto; **legal** — azione legale; **-s** condotta
activate v attivare
active a attivo; **-ly** adv attivamente
activity n attività
actor n attore, interprete m
actress n attrice, interprete f
actual a effettivo, reale; **-ly** adv effettivamente
actuality n attualità
acumen n acume m
acute a acuto; **-ly** adv acutamente
adage n adagio, proverbio
adamant a inflessibile
adapt v adattare; **-able** a adattabile; **-ability** n adattabilità; **-ation** n adattamento; **-er** n (theat) adattatore m
add vt aggiungere; (math) addizionare, sommare
addendum n aggiunta; addendo
addict vt assuefare; **drug** — tossicomane m
addiction n inclinazione; propensione
adding machine n addizionatrice f
addition n aggiunta; (math) addizione; **in** — **to** oltre a; **-al** a supplementare, addizionale
addle vt confondere; — vi confondersi
addle-brained a stupido
address n indirizzo; — vt indirizzare;
— vi indirizzarsi; **-ee** n destinatario
address n discorso; — vt rivolgere la parola a; — vi rivolgersi
adduce vt addurre, aggiungere
adenoids npl adenoidi fpl
adept n&a esperto, adepto
adequate a sufficiente, adeguato; **-ly** adv sufficientemente; **-ness** n adeguamento
adhere vi aderire
adherent a&n aderente m&f; **-ly** adv aderentemente
adhesion n adesione f
adhesive a adesivo; — **tape** nastro adesivo; — n cerotto; **-ness** n vischiosità
adipose a adiposo, grasso
adit n entrata
adjacent a contiguo, adiacente
adjective n aggettivo
adjoin vt aggiungere; — vi confinare, essere contiguo; **-ing** a contiguo
adjourn vt rinviare; — vi fare rinvio; (discussion) aggiornare; (meeting) sciogliere l'adunanza; **-ment** n rinvio
adjudication n aggiudicazione; condanna, sentenza
adjunct n aggiunto
adjust vt aggiustare; — **oneself** adattarsi; **-able** a aggiustabile; **-ment** n accomodamento
adjutant n aiutante m
ad-lib vt improvvisare
administer vt amministrare; — vi contribuire, somministrare
administrator n amministratore m
administration n amministrazione, governo
admirable a ammirevole
admirably adv mirabilmente
admiral n ammiraglio
admiration n ammirazione
admire vt ammirare; **-r** n ammiratore m, ammiratrice f
admissible a ammissibile
admission n (acknowledgment) ammissione, (entrance) ingresso, entrata
admit vt ammettere; (acknowledge) confessare, riconoscere
admittance n entrata, ingresso; **no** — vietato l'ingresso
admittedly adv ammissibilmente
admix vt mischiare; — vi mescolarsi con; **-ture** n miscela
admonish vt ammonire, riprendere
admonition n ammonizione
ado n rumore m, confusione
adobe n&a mattone crudo
adolescence n adolescenza
adolescent a adolescente

adopt *vt* adottare; **–ed** *a* adottato, addottivo
adoption *n* adozione
adorable *a* adorabile
adoration *a* adorazione
adore *vt* adorare; — *vi* fare atto di adorazione
adorn *vt* adornare, fregiare; — **one's self** adornarsi, abbellirsi
adrenal *a* adrenale; **–in** *n* adrenalina
adrift *a&adv* alla deriva
adroit *a* destro, abile
adsorb *vt* raccogliere, riunire, assorbire
adulation *n* adulazione
adult *a&n* adulto
adulterant *n&a* adulterante
adulterer *n* adultero; adultera
adulterate *vt* adulterare, falsificare
adultery *n* adulterio
advance *vt* avanzare; *(money)* prestare; **pay in** — anticipare; — *vi* andare avanti; **–d** *a* avanzato; — *n* anticipo; *(price, wage)* aumento; — **allowance** anticipio di trasferta; **in** — in anticipo; anticipatamente; **–ment** *n* promozione; anticipo; **make –s** fare approcci, tentar di amicarsi
advantage *n* vantaggio; **take** — **of** approfittarsi di; **–ous** *a* vantaggioso, conveniente
advent *n* avvenimento
Advent *n* Avvento
adventure *n* avventura; **–some** *a* ardito, coraggioso; **–r** *n* avventuriero; — *vt* avventurare; — *vi* avventurarsi
adventurous *a* avventuroso, coraggioso
adverb *n* avverbio; **–ial** *a* avverbiale
adversary *n* avversario
adverse *a* avverso, contrario
adversity *n* avversità
advertise *vt&i* annunziare; inserire un annunzio; *(publicize)* fare pubblicità; **–ment** *n* pubblicitario
advertiser *n* inserzionista *m*
advertising *n* pubblicità
advice *n* consiglio
advisability *n* prudenza, sagacità
advisable *a* consigliabile; *(suitable)* conveniente; *(wise)* prudente
advise *vt* consigliare; — **with** consultare
advisor *n* consigliere *m*
advisory *a* consultivo
advocate *n* *(law)* avvocato; *(of cause)* sostenitore *m*, difensore *m*; *(promoter)* propugnatore *m;* — *vt* avvocare, difendere
aerate *vt* aerare, arieggiare
aerial *a* aereo; — *n* *(rad&TV)* antenna; **–ist** *n* ginnasta *m*, funambulo
aerodynamics *npl* aerodinamica

aeroembolism *n* aeroembolismo
aeromedicine *n* aeromedicina
aeronautics *n* aeronautica
aerosol *n* particola dell'aria; — **bomb** spruzzatore
aerospace *a* aerospazio
aerostat *n* aerostato; **–ic** *a* aerostatico
aerothermodynamics *npl* aerotermodinamica
aesthetic *a* estetico; **–s** *n* estetica
afar *adv* lontano; **from** — da lontano
affability *n* affabilità
affable *a* affabile
affair *n* affare *m*; *(love)* relazione amorosa; *(party)* festa
affect *vt* affettare; *(emotions)* commuovere; **–ed** *a* *(emotions)* commoso; *(manners)* affettato; **–edly** *adv* affetosamente; **–ing** *a* influente
affection *n* affezione; **–ate** *a* affettuoso; **–ately** *adv* affezionatamente
affidavit *n* affidavit *m*; dichiarazione giurata, certificato legale
affiliate *vt* affiliare, associarsi
affiliation *n* affiliazione, associazione
affirm *vt* affermare; **–ation** *n* affermazione, ratifica
affirmative *n* affermativa; — *a* affermativo
affix *vt* affiggere
afflict *vt* affliggere
affliction *n* afflizione
affluence *n* affluenza
affluent *a* affluente
afflux *n* afflusso
afford *vt* fornire
affray *n* rissa
affront *n* affronto; — *vt* affrontare
afield *adv* lontano; in campo
afire *a* in fiamme
afloat *a* a galla, galleggiante
afoot *a&adv* a piedi, camminando
aforesaid *a* sopraddetto
afoul *a&adv* in collisione
afraid *a* pauroso; **be** — aver paura, temere
African *a&n* africano
aft *adv* *(naut)* a poppa; posteriore
after *prep&adv* dopo; **day** — **tomorrow** dopodomani; — *conj* dopo che; **–ward** *adv* dopo, più tardi
afterburner *n* *(avi)* tubo di scappamento di aviogetto
aftereffect *n* conseguenza, risultato
aftermath *n* postumo; conseguenza
afternoon *n* pomeriggio
afterthought *n* cambiamento di idea
again *adv* ancora, di nuovo, nuovamente, un'altra volta; — **and** — ripetutamente
against *prep* contro

agape *a&adv* spalancato; con la bocca aperta

age *n* età, era; **–less** *a* sempre giovane; **of —** maggiorenne; **—** *vt&i* invecchiare; **–d** *a* vecchio, invecchiato

agency *n* agenzia; **government —** ente governativo

agent *n* agente, rappresentante *m&f;* sostanza

agglomerate *vt* agglomerare

agglomeration *n* agglomerazione

agglutinin *n* anticorpo agglutinante

aggrandize *vt* ingrandire; **–ment** *n* ingrandimento

aggravate *vt* aggravare, irritare

aggravation *n* aggravazione, provocazione

aggregate *a* totale; **—** *n* aggregato, totale; **—** *vt* aggregare

aggregation *n* aggregato, riunione

aggression *n* aggressione

aggressive *a* aggressivo, invadente

aggressor *n* aggressore *m*

aghast *a* terrorizzato

agile *a* agile

agility *n* agilità

agitate *vt* agitare

agitation *n* agitazione

agitator *n* agitatore *m*

aglow *a* infuocato, ardente

agnostic *n&a* agnostico

ago *adv* passato, fa; **long —** molto tempo fa

agog *a* eccitato, agitato; **—** *adv* agitatamente; **be all —** essere emozionato

agonize *vi* agonizzare

agonizing *a* agonizzante

agony *n* agonia

agrarian *a* agrario

agree *vi* acconsentire; andare d'accordo, essere d'accordo, mettersi d'accordo; **–able** *a* piacevole

agreement *n* accordo, patto; *(gram)* concordanza; **— with** accordo con; **general —** unanimità; **reach an —** pervenire ad un accordo

agricultural *a* agricolo

agriculture *n* agricoltura

agronomy *n* agronomia

aground *a&adv* incagliato, arenato; **run —** arenare

ahead *adv* avanti, d'avanti; **get —** oltrepassare; **go —** avanzare, andare avanti; **— of time** in anticipo

aid *vt* aiutare; **—** *n* aiuto, assistenza; **first —** pronto soccorso

aide *n* aiutante *m*

ail *vt* addolorare; **—** *vi* soffrire; **What —s you?** Che cosa ti fa soffrire?; **–ment** *n* indisposizione; **–ing** *a* sofferente

aileron *n* alerone *m*

aim *vt* aspirare; *(gun)* mirare; **—** *n* mira; *(purpose)* scopo; **–less** *a* senza scopo

air *n* atmosfera, aria; *(manner)* aspetto, maniera; **—** **brush** aerografo; **— chamber** camera d'aria; **— gun** fucile ad aria compressa; **— lift** ponte aereo; **— mail** posta aerea; **— pocket** *(avi)* vuoto d'aria; **— pump** pompa pneumatica; **— shaft** *(mine)* pozzo d'aerazione; **up in the —** in aria

air *n (avi)* aria; **— base** base aerea; **— by —** per via aerea; **— freight** trasporto aereo; **— line** aviolinea; **— terminal** aerostazione; **–way** rotta aerea

air– *(in comp)* –borne *a* aerotrasportato; **— condition** *vt* applicare l'aria condizionata; **—mail** *a* per via aerea

air *vt (opinion)* esprimere; *(ventilation)* aerare, ventilare

airily *a* leggermente, delicatamente

airless *a* senz'aria

airing *n* passeggiata; *(things)* esposizione all'aria

airplane *n* aeroplano; **— carrier** nave portaerei

airport *n* aeroporto

airtight *a* ermetico

airy *a* arioso

aisle *n* corridoio; *(church)* navata

ajar *a* socchiuso

akin *a* imparentato

alacrity *n* alacrità

a la mode alla moda, di moda

alarm *n* allarme *m; (fright)* spavento; **— clock** sveglia; **— signal** segnale d'allarme; **—** *vt* allarmare

alarming *a* allarmante

alas *interj* ahimè

albeit *adv* benchè

album *n* album *m*

albumen *n* albume *m*, albumina

alcohol *n* alcool *m*, spirito

alcoholic *n* alcolizzato; **—** *a* alcoolico

alcove *n* alcova, nicchia

alderman *n* consigliere municipale

ale *n* birra forte

alert *n* allarme *m; —* *a* sveglio, svelto, vigilante

alertness *n* vigilanza

algae *npl* alghe *fpl*

algebra *n* algebra

alias *adv* alias, altrimenti detto

alibi *n* alibi *m; (excuse)* scusa

alien *a&n* straniero, forestiero

alienate *vt* alienare

alight *vi (get off)* scendere, uscire

align *vt* allineare

alignment *n* allineamento

alike *a* simile

alimentary *a* alimentare
alimony *n* alimenti *mpl*
alive *a* vivo, vivente
alkali *n* alcali *m*
alkaline *a* alcalino
all *a&adv* tutto; — **around** tutt'intorno; — **at once** improvvisamente; *(immediately)* subito; — **right** bene, molto bene; — **the better** tanto meglio; **be** — **in** *(coll)* essere esausto; **by** — **means** in assoluto; **not at** — nient'affatto; **with** — **my heart** di tutto cuore
all- *(in comp)* —**out** *a* *(coll)* massimo; totale; —**over** *a* dalla testa ai piedi *(fig); (coll)* completo; —**round** *a* perfetto
allay *vt* calmare, mitigare
allegation *n* allegazione
allege *vt* dichiarare, pretendere, allegare; –**d** *a* presunto
allegiance *n* lealtà, fedeltà
allegorical *a* allegorico
allegory *n* allegoria
allegro *a* allegro
allergic *a* allergico
allergy *n* allergia
alleviate *vt* alleviare, lenire
alley *n* vicolo; **blind** — vicolo cieco
alliance *n* alleanza
allied *a* alleato
alligator *n* alligatore *m*
alliteration *n* allitterazione
allocate *vt* assegnare, ripartire
allocation *n* collocamento, distribuzione
allot *vt* ripartire; *(assign)* assegnare; *(award)* accordare; –**ment** *n* divisione, porzione
allow *vt* permettere, ammettere, lasciare; — **for** prevedere; –**able** *a* permissibile; –**ance** *n* assegno
alloy *n* lega; — *vt* fondere
allspice *n* pepe di Giamaica
allude *vt* alludere
allure *vt* lusingare, sedurre
allurement *n* simpatia, attrazione
alluring *a* seducente
allusion *n* allusione
alluvial *a* alluviale, alluvionale
ally *n* alleato; — *vt* alleare, collegare
almanac *n* almanacco
almighty *a* onnipotente
Almighty (The) *n* Dio , l'Onnipotente
almond *n* mandorla; — **tree** mandorlo
almost *adv* quasi
alms *npl* limosina, elemosina
aloft *adv* in alto
alone *a* solo; — *adv* solamente, solo, soltanto; **let** — lasciare in pace, lasciare tranquillo
along *adv* avanti; — *prep* per, lungo; —

with assieme a; **go** — **with** andare con; **get** — **with** *(sl, agree)* andare d'accordo con
alongside *adv* lungo il bordo
aloof *adv* in disparte; — *a* riservato
aloud *adv* ad alta voce
alphabet *n* alfabeto; –**ical** *a* alfabetico; –**ize** *vt* disporre in ordine alfabetico
Alps *npl* Alpi *fpl*
already *adv* già
also *adv* anche, pure
altar *n* altare *m;* **high** — altare maggiore
alter *vt* modificare, cambiare; –**ation** *n* modificazione
altercation *n* alterco
alternate *vt* alternare; — *n* supplente *m&f,* sostituto
alternating *a* alternante; — **current** corrente alternata
alternative *n* alternativa
although *conj* benchè, quantunque, sebbene
altimeter *n* altimetro
altitude *n* altitudine *f,* altezza
alto *n* contralto; — *a (mus)* alto
altogether *adv* tutto, completamente; nell'insieme
altruism *n* altruismo
alum *n* allume *m*
aluminum *n* alluminio
always *adv* sempre
A.M., ante meridiem antimeridiano, del mattino
amalgamate *vi* amalgamare, fondere; — *vi* amalgamarsi, fondersi
amass *vt* ammassare
amateur *n&a* dilettante *m&f;* –**ish** *a* dilettante, dilettantesco, da dilettante
amaze *vt* stupire, meravigliare; –**ment** *n* stupore *m,* meraviglia
amazing *a* meraviglioso, stupefacente
amazon *n* amazzone *f*
Amazon River Rio delle Amazzoni
ambassador *n* ambasciatore *m;* — **at large** Ministro senza portafoglio
amber *n* ambra
ambidextrous *a* ambidestro; versatile *(fig)*
ambiguity *n* ambiguità
ambiguous *a* ambiguo
ambition *n* ambizione
ambitious *a* ambizioso
amble *vi* incedere tranquillamente; *(horse)* ambiare; — *n* ambio; andatura tranquilla
ambulance *n* ambulanza
ambulatory *n&a* ambulatorio, ambulante
ambuscade *n* imboscata

ambush *n* imboscata; — *vt* imboscare
ameliorate *vt* migliorare
amen *interj* così sia; amen
amenable *a* sottomesso, arrendevole
amelioration *n* miglioramento
amend *vt* emendare, riformare; **–ed** *a* in compenso; **–ment** *n* emendamento; **–s** *npl* ammenda; **make –s** dar in compenso
amenity *n* amenità
American *n&a* americano; americana
amiable *a* affabile
amiableness *n* amabilità, cordialità
amicable *a* amichevole
amid *prep* fra, nel mezzo di
amiss *adv* male; di traverso, in senso contrario; **take** — prendere in mala parte
amity *n* amicizia, intesa
ammeter *n* amperometro
ammonia *n* ammoniaca
ammunition *n* munizioni *fpl*
amnesia *n* amnesia
amnesty *n* amnistia
amoeba *n* ameba
among *prep* fra, in mezzo di; in mezzo a
amoral *a* amorale
amorous *a* amoroso
amorphous *a* amorfo
amortization *n* amortizzamento
amortize *vt* ammortizzare
amount *n* quantità, somma; *(large)* somma considerevole; *(small)* piccola somma; — *vi* ammontare; — **to something** arrivare a qualcosa *(fig)*
ampere *n* ampere *m*
amperage *n* amperaggio
amphibian *n* anfibio
amphitheater *n* anfiteatro
ample *a* ampio, vasto
amplification *n* ampliazione, amplificazione
amplifier *n* amplificatore *m*
amplify *vt* amplificare, ampliare, *(enlarge)* ingrandire
amplitude *n* ampiezza
amplitude modulation, (AM) *(rad)* ampia modulazione
amply *adv* ampiamente
amputate *vt* amputare
amputation *n* amputazione
amputee *n* amputato, invalido
amulet *n* amuleto
amuse *vt* divertire
amusement *n* divertimento; — **park** parco di divertimenti
amusing *a* divertente; *(funny)* buffo
an *art* un, uno, una, un'
anachronism *n* anacronismo
anagram *n* anagramma *m*
analgesic *n* analgesico; — *a* analgesico

analogous *a* analogo
analogy *n* analogia
analysis *n* analisi *f*
analytical *a* analitico
analyze *vt* analizzare
anarchy *n* anarchia
anathema *n* anatema *m*
anatomical *a* anatomico
anatomy *n* anatomia
ancestor *n* antenato; **–s** *npl* antenati *mpl*
ancestral *a* atavico
ancestry *n* discendenza, origine *f*
anchor *n* ancora; **lie (ride) at** — stare all'ancora; **–age** *n* ancoraggio; — *vt* ancorare; — *vi* ancorarsi
anchorite *n* anacoreta *m*
anchovy *n* acciuga
ancient *a* antico; **very** — antichissimo
and *conj* e, ed; — **so on** e così via
andiron *n* alare *m*
anecdote *n* aneddoto
anemia *n* anemia
anemic *a* anemico
anemometer *n* anemometro
anesthesia *n* anestesia
anesthetic *n&a* anestetico
anew *adv* di nuovo, da capo
angel *n* angelo; *(sl)* finanziatore *m*;
angelic *a* angelico
anger *n* collera, rabbia, stizza
angle *n* angolo; *(corner)* canto; *(opinion)* punto di vista; — *vi* pescare
angler *n* pescatore
Anglo-Saxon *n&a* anglo-sassone *m&f*
angry *a* arrabbiato; **get** — andare in collera; *(med)* infiammato
anguish *n* angoscia
angular *a* angolare
animal *n&a* animale *m*
animate *vt* animare; — *a* animato; **–d** *a* animato, vivace
animation *n* animazione
animosity *n* animosità
anise *n* anice *m*
ankle *n* caviglia
anklets *npl* calzini *mpl*
annals *npl* annali *mpl*
annex *vt* annettere; — *n (building)* annesso; *(com)* succursale; **–ation** *n* annessione
annihilate *vt* annichilire, annichilare, annientare
annihilation *n* annientamento, annichilazione
anniversary *n&a* anniversario
annotate *vt* annotare
annotation *n* annotazione
announce *vt* annunziare, far noto, proclamare; **–ment** *n* annunzio, proclama *m*,

partecipazione
announcer *n (rad)* annunciatore *m*
annoy *vt* annoiare, seccare, incomodare; **–ance** *n* noia, molestia, disturbo; **–ing** *a* noioso, fastidioso, seccante
annual *a* annuo; — *n* annuale *m*
annuity *n* annualità, pensione annuale; **life** — rendita vitalizia
annul *vt* annullare
annulment *n* annullamento
annunciation *n* annunciazione
anode *n* anodo
anoint *vt* ungere, consacrare
anomaly *n* anomalia
anon *adv* subito
anonym *n* anonimo
anonymous *a* anonimo, sconosciuto
another *a* un altro, un'altra
answer *n* risposta; **–able** *a* corrispondente; — *vi* rispondere; — **back** *(coll)* ribattere *(fig)*; — **for** essere responsabile; — **the description** corrispondere alla descrizione; — **the purpose** servire allo scopo
ant *n* formica
antacid *a&n* antiacido
antagonism *n* antagonismo
antagonist *n* antagonista *m;* **–ic** *a* antagonistico
antagonize *vt* affrontare, mettersi contro
antarctic *a&n* antartico
ante *n* piatto *(coll)*
antecedent *a&n* antecedente, anteriore *m*
antedate *vt* antidatare, prevenire
antelope *n* antilope *m*
antenna *n* antenna
anterior *a* anteriore
anteroom *n* anticamera
anthem *n* inno
anthology *n* antologia
anthracite *n* antracite *f*
anthropoid *a&n* antropoide *m*
anthropology *n* antropologia
antiaircraft *n&a* antiaereo
antibiotic *n&a* antibiotico
antibody *n* anticorpo
antics *npl* buffoni *mpl;* farse *fpl*
anticipate *vt* prevedere, precedere, prevenire
anticipation *n* anticipo, anticipazione; *(qualm)* presentimento
antidote *n* antidoto
antifreeze *n* anticongelante *m*
antihistamine *n* antistamina
antimycin *n* antimicina
antipathy *n* antipatia
antipodes *npl* antipodi *mpl*
antiquated *a* antiquato
antique *a* antico; — *n* oggetto antico

antiquity *n* antichità
antiseptic *a&n* antisettico
antisocial *a* antisociale
antithesis *n* antitesi *f*
antitoxin *n* antitossina
antitrust *a* contro i monopoli
antler *n* corno del cervo
antonym *n* antinomia
anvil *n* incudine *f*
anxiety *n* ansia; *(eagerness)* premura
anxious *a* desideroso; *(worry)* preoccupato; impaziente
any *a&pron* alcuno; — **at all** qualsiasi; qualunque; — **mail** della posta; — **money** del danaro; — **more** di più; — **old thing** *(sl)* qualunque cosa; **not** — nessuno; **not on** — **account** per niente al mondo
anybody, anyone *pron* uno; — **at all** chiunque, chichessia; — **who** chi; **not** — nessuno
anyhow *adv* in qualsiasi modo, in ogni caso, comunque
anyone *pron* chi, chiunque
anything *pron* qualsiasi cosa
anyway *adv* insomma, in ogni caso, comunque
anywhere *adv* dovunque, in qualsiasi parte
apart *adv* separatamente, in disparte
apartment *n* appartamento; — **house** casa d'appartamenti
apathetic *a* apatico
apathy *n* apatia
ape *n* scimmia; — *vt* imitare
aperture *n* apertura
apex *n* apice *m,* cima, apogeo
aphorism *n* aforisma *m*
apiary *n* apiario, luogo delle api
apiece *adv* ciascuno, ognuno, l'uno
apocryphal *a* apocrifo
apogee *n* apogeo
apologetic *a* apologetico
apologize *vi* scusarsi, chiedere perdono; fare le scuse
apology *n* scusa, apologia
apoplexy *n* apoplessia
apostle *n* apostolo
apostolic *a* apostolico
apostrophe *n* apostrofo
appall *vi* impallidire; **–ing** *a* spaventevole
apparatus *n* apparecchio
apparel *n* vestiario, indumenti *mpl,* abbigliamento
apparent *a* apparente, chiaro; **–ly** *adv* apparentemente
apparition *n* apparizione
appeal *vi* fare appello, ricorrere in appello; *(attract)* attrarre, fare sim-

patia; — *vt* sottomettere a; — *n* attrazione, atrattiva; *(law)* appello; **–ing** *a* supplichevole

appear *vi* apparire; *(seem)* parere, sembrare; *(show oneself)* esibirsi; presentarsi; **–ance** *n* apparenza; apparizione; *(aspect)* aspetto, aria

appease *vt* calmare, ammansire; **–ment** *n* pacificazione

append *vt* appendere; **–age** *n* appendice *f*

appendectomy *n* appenditomia

appendicitis *n* appendicite *f*

appendix *n* appendice *f*; *(book)* aggiunta

appertain *vi* appartenere

appetite *n* appetito

appetizer *n* *(drink)* aperitivo; *(food)* antipasto

appetizing *a* aperitivo, stimolante d'appetito

applaud *vt* applaudire; — *vi* felicitarsi

applause *n* applauso

apple *n* mela, pomo; — **of one's eye** pupilla dell'occhio; — **orchard** pometo; — **polisher** *(sl)* cortigiano *(fig)*; leccapiedi *m* *(sl)*; — **tree** melo

apple-pie order *(coll)* ordine perfetto

applesauce *n* salsa di mela; *(sl)* storie *fpl* *(fig)*; un sacco di sciocchezze *(fig)*

appliance *n* apparecchio, attrezzo; *(elec)* elettrodomestico

applicable *a* applicabile

applicant *n* candidato

application *n* domanda, applicazione

applied *a* applicato

apply *vt* applicare; — *vi* applicarsi; — **for** sollecitare, chiedere; — **to** rivolgersi a

appoint *vt* nominare; **–ment** *n* appuntamento; nomina

apportion *vt* distribuire; **–ment** *n* distribuzione

apposition *n* apposizione

appraisal *n* stima, valutazione

appraise *vt* valutare

appreciable *a* apprezzabile

appreciate *vt* apprezzare, stimare, gradire; *(realize)* rendersi conto di; — *vi* aumentare di prezzo

appreciation *n* apprezzamento

appreciative *a* apprezzativo

apprehend *vt* comprendere; *(dread)* temere; — *vi* comprendere, supporre

apprenhension *n* apprensione, timore *m*

apprehensive *a* apprensivo, timoroso

apprentice *n* apprendista *m&f*

approach *vt* accostarsi, avvicinarsi; — *vi* avvicinarsi, appressarsi; — *n* accesso, approccio

approbation *n* approvazione

appropriate *a* acconcio, adatto, appro-priato; — *vt* stanziare; *(sl)* appropriarsi di

appropriation *n* appropriazione; *(money)* stanziamento

approval *n* approvazione, conferma

approve *vt* approvare, confermare

approving *a* favorevole

approximate *a* approssimativo; **–ly** *adv* approssimativamente, presso a poco, verso; — *vt* approssimare

approximation *n* approssimazione

apricot *n* albicocca; — **tree** albicocco

April *n* aprile *m;* — **Fools' Day** Primo d'aprile

apron *n* grembiule *m*

apropos *adv* a proposito

apt *a* *(proper)* adatto, atto; *(inclined)* disposto, inclinato; **–ness** *n* attitudine *f*

aptitude *n* abilità, attitudine *f*, disposizione

aqualung *n* serbatoio dell'aria

aquaplane *n* acquaplano

aquarium *n* acquario

aquatic *a* acquatico

aqueduct *n* acquedotto

aquiline *a* aquilino

Arabia Arabia

Arab, Arabian *n&a* arabo

arable *a* arabile

arbiter *n* arbitro

arbitrary *a* arbitrario

arbitrate *vt* arbitrare — *vi* arbitrarsi, fare da arbitro

arbitrator *n* arbitro

arbor *n* pergola; **–eal** *a* arboreo; **–etum** *n* arboreto

arc *n* arco; — **lamp** lampada ad arco voltaico; — **light** luce d'arco voltaico; — **welding** arco voltaico

arcade *n* arcata

arch *n* arco, volta; **–way** *n* arcale *m*; passaggio a volta; — *a* principale; *(crafty)* furbo; **–ed** *a* arcato; **–ly** *adv* accortamente; — *vt* arcuare; — *vi* formare arco

archaic *a* arcaico

archbishop *n* arcivescovo

archdiocese *n* arcidiocesi *f*

archeology *n* archeologia

archer *n* arciere *m*; **–y** *n* tiro all'arco

architect *n* architetto; **–ural** *a* architettonico; **–ure** *n* architettura

archives *npl* archivio

arctic *n&a* artico

ardent *a* ardente

ardor *n* ardore *m*

arduous *a* arduo

area *n* zona, regione *f;* *(surface)* superficie *f*

arena *n* anfiteatro, arena, stadio

argot *n* gergo
argue *vt* discutere, disputare, litigare; — *vi* argomentare, fare discussione
argument *n* discussione, diverbio
arid *a* arido; sterile
arise *vi* alzarsi, levarsi
aristrocracy *n* aristocrazia
aristrocrat *n* aristrocratico; **–ic** *a* aristocratico
arithmetic *n* aritmetica
arm *n* braccio; *(mil)* arma; — **in** — a braccetto; **at –s length** a distanza; **–chair** *n* poltrona; **–ful** *n* bracciata; **–hole** *n* giro; **–pit** *n* ascella; — *vt* armare; — *vi* armarsi
armament *n* armamento
armistice *n* armistizio
armor *n* corazza, blinda; **–y** *n* armeria
armored *a* corazzato, blindato; — **car** autoblinda
army *n* esercito
aroma *n* profumo, fragranza; **–tic** *a* aromatico
around *prep* attorno; — *adv* intorno; all'intorno; *(turning)* in giro
arouse *vt (wake)* svegliare; *(foment)* suscitare; — *vi* svegliarsi
arraign *vt* tradurre; **–ment** *n* traduzione
arrange *vt* ordinare, disporre; **–ment** *n (order)* disposizione, ordine *m; (agreement)* accordo
arrant *a* insigne
array *n* schiera; *(dress)* abbigliamento; — *vt* parare, disporre
arrears *n* arretrati; **be in** — essere in arretrati
arrest *n* arresto; — *vt* arrestare; fermare; — **attention** chiamare l'attenzione
arresting *a* che arresta
arrival *n* arrivo
arrive *vi* arrivare, giungere
arrogance *n* arroganza
arrogant *a* arrogante, prepotente
arrow *n* freccia; **–head** *n* punta di freccia
arsenal *n* arsenale *m*
arsenic *n* arsenico
arson *n* incendio doloso
art *n* arte *f;* **–less** *a* semplice, senz'arte; **the fine –s** le belle arti
artery *n* arteria
artful *a* artificiale; **–ness** *n* artificialità; **–ly** *adv* artificialmente
arthritis *n* artrite *f*
artichoke *n* carciofo
article *n* articolo, oggetto
articulate *vt* articolare, pronunziare; — *vi* pronunziarsi
articulation *n* articolazione
artifact *n* artefatto
artifice *n* artefice *m*

artificial *a* artificiale; — **insemination** fecondazione artificiale
artillery *n* artiglieria
artisan *n* artigiano
artist *n* artista *m&f;* **–ic** *a* artistico
as *conj&adv* come; — **far** — fino a; — **for** quanto a; — **if** come se; — **it were** generalmente parlando *(coll);* — **large** — grande come; — **much** — tanto quanto; — **soon** — **possible** il più presto possibile; — **to** quanto a; — **well** *(also)* anche, pure; **just** — così; **the same** — come, lo stesso che
asbestos *n* amianto
ascend *vi* montare, salire; — *vt* ascendere, salire; **–ancy** *n* ascendente *m*
ascendant *n* ascendente *m;* — *a* ascendente
ascension *n* ascesa, ascensione
Ascension *n* Ascensione
ascent *n* ascesa, salita, erta
ascertain *vt* accertarsi, constatare, appurare
ascetic *n* asceta *m;* — *a* ascetico
ascribe *vt* ascrivere, attribuire
ash *n* cenere *f; (bot)* frassino; **–can** *n* pattumiera; **–tray** *n* portacenere *m;* **A- Wednesday** Giorno delle Ceneri
ashamed *a* vergognoso; **be** — vergognarsi
ashen *a* di frassino
ashore *adv* a terra; **go** — sbarcare, scendere a terra
Asian, Asiatic *n&a* asiatico
aside *adv* a parte; — **from** eccetto, a parte
asinine *a* asinino
ask *vt* domandare, chiedere; *(invite)* invitare; — *vi* informarsi di; — **about** domandare circa
askance *adv.* lateralmente, di traverso
askew *adv* obliquamente; — *a* obliquo
asleep *a* addormentato; **be** — dormire; **fall** — addormentarsi
asparagus *n* asparago
aspect *n* aspetto
asperity *n* asprezza, rudezza
aspersion *n* aspersione, denigrazione
asphalt *n* asfalto; — *vt* asfaltare
asphyxiate *vt* asfissiare; — *vi* asfissiarsi
asphyxiation *n* asfissia
aspirant *n* aspirante *m;* — *a* aspirante
aspiration *n* aspirazione
aspire *vi* aspirare, bramare
aspirin *n* aspirina
ass *n* asino
assail *vt* assalire, attaccare; **–ant** *n* assalitore *m*, assalitrice *f*
assassin *n* assassino; **–ate** *vt* assassinare, ammazzare
assassination *n* assassinio
assault *n* assalto; — *vt* assalire, attac-

care

assay *vt* saggiare; — *n* assaggio, saggio

assemblage *n* raccolta; assemblea

assemble *vt* riunire; — *vi* riunirsi, adunarsi

assembly *n* (*people*) assemblea, riunione; (*mech*) montaggio; — **line** linea di montaggio; — **line production** produzione in serie

assent *vi* assentire; — *n* consenso

assert *vt* asserire, affermare

assertion *n* asserzione

assess *vt* tassare; –**ment** *n* tassazione, imposta; –**or** *n* assessore *m*; agente delle tasse

asset *n* assetto; –**s** *npl* (*com*) attività

assiduous *a* assiduo; –**ly** *adv* assiduamente

assign *vt* assegnare, attribuire; –**ment** *n* (*school*) compito; (*task*) incarico; missione

assimilate *vt* assimilare; — *vi* assimilarsi

assimilation *n* assimilazione

assist *vt* aiutare, assistere; — *vi* aiutare, contribuire a; –**ance** *n* assistenza, aiuto, soccorso, sussidio; –**ant** *n* assistente *m*, aiutante *m*; aggiunto

associate *vt* associare, unire; — *vi* associarsi con; — **with** frequentare; –**d** *a* associato, relazionato

associate *n* compagno di lavoro, collega; — *a* associato

association *n* associazione, società

assort *vt* assortire; — *vi* essere d'accordo; –**ed** *a* assortito; –**ment** *n* scelta; assortimento

assuage *vt* calmare; — *vi* calmarsi

assume *vt* assumere, supporre, usurpare; — *vi* arrogarsi; –**d** *a* assunto; preso; pervenuto a

assuming *a* presuntuoso, altero; — **that** supponendo che

assumption *n* supposizione; arroganza

Assumption *n* Assunzione

assurance *n* certezza, sicurezza, conferma

assure *vt* assicurare, rassicurare; — *vi* assicurarsi di

assured *a* assicurato, sicuro; –**ly** *adv* certamente, sicuramente

aster *n* astero

asterisk *n* asterisco

astern *adv* a poppa

asthma *n* asma; –**tic** *a* asmatico

astigmatism *n* astigmatismo

astir *a&adv* in movimento

astonish *vt* stupire, meravigliare; –**ing** *a* stupefacente, stupendo, straordinario; –**ment** *n* stupore *m*, maraviglia

astound *vt* sbalordire, stupefare

astray *a* sviato; (*lost*) smarrito; — *adv* fuori strada; **go** — fuorviarsi, perdersi; **lead** — sviare, traviare, fuorviare

astride *a* a cavalcioni

astringent *a&n* astringente *m*

astrobiology *n* (*aesp*) astrobiologia

astronaut *n* astronauta *m*

astronavigation *n* astronavigazione

astronomy *n* astronomia

astrophysics *n* astrofisica

astute *a* astuto, furbo

asunder *adv* separatamente; **put** — collocare separatamente; **tear** – stracciare; —*a* separato

asylum *n* asilo; **insane** — manicomio

at *prep* a, in, da; — **all events** in ogni modo; — **large** in libertà; — **last** finalmente; — **once** subito

atheism *n* ateismo

atheist *n* ateo; –**ic** *a* ateistico

Athens Atene *f*

athlete *n* atleta *m&f*; —'s **foot** (*med*) piede d'atleta

athletic *a* atletico; — **field** campo sportivo; –**s** *npl* atletica

Atlantic *n&a* atlantico

atlas *n* atlante *m*

atmosphere *n* atmosfera; (*surroundings*) ambiente *m*

atmospheric *a* atmosferico

atom *n* atomo; — **bomb** bomba atomica

atomic *a* atomico; — **blast** esplosione atomica; — **energy** energia atomica; — **pile** pila atomica, reattore *m*

atomize *vt* atomizzare, polverizzare; –**r** *n* polverizzatore *m*

atone *vt* riparare, fare ammenda, espiare; — *vi* riparare a; –**ment** *n* espiazione

atrocious *a* atroce

atrocity *n* atrocità

atrophy *n* atrofia; — *vt* atrofizzare; — *vi* atrofizzarsi

attach *vt* attaccare, unire; (*importance*) attribuire; (*law*) sequestrare, requisire; –**ment** *n* attaccamento; (*fondness*) affetto; (*law*) sequestro

attack *vt* attaccare; — *n* attacco, aggressione, assalto

attain *vt* raggiungere; –**able** *a* attaccabile; –**ment** *n* attaccamento

attempt *vt* tentare; –**ed** *a* tentato; — *n* tentativo; (*crime*) attentato; (*effort*) sforzo

attend *vt* (*to*) attendere; (*be present*) assistere; (*escort*) scortare; — *vi* essere presente, presenziare; — **to** incaricarsi di; –**ance** *n* presenza; (*care*) servizio; (*audience*) pubblico; frequenza; –**ant** *n* attendente, inserviente *m&f*

attention *n* attenzione; at — (*mil*) sull'attenti; **attract** — attirare l'attenzione; **call** — richiamare l'attenzione; **give** — **to** prestare attenzione a; **pay** — stare attento, fare attenzione; **to the** — **of** attenzione personale

attentive *a* attento; **-ly** *adv* attentamente

attenuate *vt* attenuare, far dimagrire

attest *vt* attestare, legalizzare; — *vi (law)* testimoniare

attic *n* soffitta; — *a* attico, dell'Attica

attire *n* vestito; — *vt* vestire, abbigliare

attitude *n* attitudine *f*, posizione; *(behavior)* contegno, atteggiamento

attorney *n* avvocato, procuratore *m*

attract *vt* attrarre, attirare; — *vi* esercitare attrazione; **-ive** *a* attraente, bello, gradevole, simpatico

attraction *n* attrazione, simpatia, attrattiva

attribute *vt* attribuire

attribute *n* attributo, qualità; *(trait)* tratto

attributive *a* attributivo

attrition *n* attrito

attune *vt* accordare, mettere a tono

auburn *a* castagno rossiccio

auction *n* asta pubblica; **-eer** *n* imbonitore *m*

audacious *a* audace, ardito

audacity *n* audacia

audible *a* udibile, percettibile

audience *n* pubblico; *(interview)* udienza

audiophile *n* audiofilo, audio-amatore *m*

audio-visual *a* audio-visuale

audit *n* controllo; **-or** *n (com)* revisore dei conti; — *vt* controllare, verificare; **-ing** *n* verifica

audition *n* audizione

auditorium *n* auditorio, sala

auditory *a* uditivo

auger *n* succhiello, trivella

augment *vt&i* aumentare

augur *vt&i* augurare

August *n* agosto

august *a* augusto

aunt *n* zia

aura *n* aura, esalazione

aureomycin *n* aureomicina

auricle *n* auricola

aurora *n* aurora

auspices *npl* auspici *mpl;* **under the** — **of** sotto l'egida di

auspicious *a* auspice, propizio; **-ly** *adv* propiziamente

austere *a* austero

austerity *n* austerità

Australia Australia

Australian *n&a* australiano

Austrian *n&a* austriaco

authentic *a* autentico; **-ity** *n* autenticità

author *a* autore *m*

authoritative *a* autoritario

authority *n* autenticità

authorization *n* autorizzazione

authorize *vt* autorizzare

autobiography *n* autobiografia

autocade *n* treno *(or* fila) di automezzi

autocracy *n* autocrazia

autocrat *n* autocrate *m;* **-ic** *a* autocratico

autogiro *n* autogiro

autograph *n* autografo; — *vt* autografare

automatic *a* automatico; — *n (mech)* distributore automatico

automation *n* automazione

automaton *n* automa *m*

automobile, auto *n* automobile *f;* — **show** autosalone *m*

automotive *a* automobilistico

autonomous *a* autonomo

autonomy *n* autonomia

autopilot *n* autopilota *m,* pilota automatico

autopsy *n* autopsia

autumn *n* autunno; **-al** *a* autunnale

auxiliary *a* ausiliario; — *n* ausiliare *m*

avail *vt&i* valere, servire, giovare; — **oneself of** servirsi di; — *n* vantaggio, effetto; **of no** — vano, inutile; **-able** *a* disponibile, trovabile; **-ability** *n* disponibilità

avalanche *n* valanga

avarice *n* avarizia

avaricious *a* avaro; **-ly** *adv* avidamente

avenge *vt* vendicare; vendicarsi di

avenger *n* vendicatore *m*

avenue *n* corso, viale *m*

aver *vt* affermare, certificare

average *n* media; — *a* medio; — *vt* fare una media; — *vi* mostrare la media

averse *a* avverso, contrario

aversion *n* antipatia, avversione; **pet** — antipatia cordiale

avert *vt* allontanare, distogliere

aviary *n* uccelliera

aviation *n* aviazione

aviator *n* aviatore *m,* aviatrice *f*

avid *a* avido; **-ity** *n* avidità

avocation *n* passatempo

avoid *vt* evitare, schivare, scansare, fuggire; **-able** *a* evitabile; **-ance** *n* l'evitare; *(law)* annullamento

avow *vt* confessare; **-al** *n* confessione

await *vt* attendere, aspettare; — *vi* aspettarsi

awake *vt* svegliare; — *vi* svegliarsi;

— *a* desto, sveglio
awaken *vt* destare
awakening *n* risveglio; — *a* eccitante
award *n* premio; — *vt* aggiudicare, conferire
aware *a* informato, consapevole; **become**
— accorgersi
away *a* assente; — *adv* via; **be** — distare;
go — andarsene; **keep** — **(from)** tener
lontano
awe *n* soggezione
awe-inspiring *a* imponente
awe-struck *a* atterrito, impaurito
awful *a* terribile, spaventoso

awhile *adv* un poco, un momento
awkward *a* goffo, maldestro; **–ly** *adv* goffamente, maldestramente
awl *n* lesina
awning *n* tenda
awry *a&adv* di traverso, di sghembo
ax **(axe)** *n* scure *f*
axiom *n* assioma *m*
axis *n* asse *m*
axle *n* assale *m*
azalea *n* azalea
azon bomb *n* proiettile radiocomandato,
bomba radiocomandata
azure *a* azzurro, blu

B

B.A., Bachelor of Arts diplomato in
lettere
babble *n* balbettio; — *vt* balbettare; —
vi dire e ridire, ripetersi
babbling *a* balbettante
babel *n* confusione, parapiglia *m*
baboon *n* babbuino
baby *n* bambino, bambina; *(in affection)*
bimbo, bimba; — *a* bambinesco; —
carriage carrozzino; — **grand piano**
pianoforte a mezzacoda
baby *vt* vezzeggiare
baby– *(in comp)* **–sit** *vi* fare da bambinaia; **–sitter** *n* bambinaia
babyhood *n* prima fanciullezza, infanzia
babyish *a* infantile
bachelor *n* scapolo
back *n* dorso; *(chair)* schienale *m; (human)*
schiena; *(shoulders)* spalle *fpl;* **turn**
one's — **on** dare la schiena; — *a* di
dietro; — **seat** posto di dietro; —
stairs scala di servizio; — *adv* addietro, dietro; **call** — richiamare; **come**
— ritornare; — *vt&i* appoggiare, indietreggiare; *(com)* finanziare; munire di
indietro; *(auto)* far marcia indietro;
— **down, out** ritirarsi; — **up** indietreggiare
backbite *vt&i* diffamare
backbone *n* spina dorsale; *(fig)* energia
(fig)
backer *n* protettore *m; (sport)* secondo
backfielder *n* *(sport)* giocatore di retrolinea
backfire *n* contraccolpo; *(auto)* ritorno
di fiamma
background *n* sfondo; *(environment)* ambiente *m; (past)* precedenti *mpl*
backing *n* appoggio, *(com)* sostegno
backlog *n* ceppo
backnumber *n* *(fig)* parruccone *m; (print)*
numero arretrato

backstage *n* dietro le quinte
backstitch *n* punto indietro; — *vt&i*
cucire a punto indietro
backstop *n* *(sport)* ostacolo per la palla
backward *a* tardivo; — *adv* di dietro, indietro
backwash *n* risacca
bacon *n* pancetta affumicata
bacteria *npl* batteri *mpl*
bacterial *a* batterico
bacteriology *n* batteriologia
bad *a* cattivo; *(evil)* malo; *(spoiled)*
guasto; — **blood** cattivo sangue; —
humor malumore *m;* — **look** cattivo
aspetto; **–ly** *adv* male, malamente;
gravemente
badge *n* distintivo, placca
badger *n* tasso; — *vt* seccare, tormentare, stuzzicare
badinage *n* scherzo
baffle *vt* lasciare perplesso, confondere
baffling *a* frustrante, sconcertante
bag *n* sacco; *(luggage)* valigia; *(paper)*
sacchetto; *(purse)* borsa; — *vt* insaccare; — *vi* gonfiarsi
baggage *n* bagaglio; — **car** carro-bagagli;
— **check** scontrino del bagaglio; —
master bagagliere *m;* — **room** deposito
bagagli
baggy *a* come un sacco; *(hanging)* pendente; *(swollen)* gonfio
bail *n* cauzione; **on** — sotto cauzione;
— *vt* rilasciare sotto cauzione; —
out *(avi)* lanciarsi col paracadute
bailiff *n* ufficiale giudiziario
bailiwick *n* giurisdizione
bait *vt* adescare; — *n* esca
bake *vt* cuocere al forno; — *vi* essere
cotto, dissecarsi; **–d** *a* al forno; infornato

baker *n* fornaio; **—y** *n* *(bread)* panificio, panetteria; *(sweet goods)* pasticceria
baking *n* infornata; **— powder** lievito; **— soda** bicarbonato di soda
balance *n* *(com)* saldo; *(remainder)* resto; *(scales)* bilancia, bilancio; equilibrio; **— of power** equilibrio politico; **— of trade** bilancia del commercio; **— sheet** bilancio; **lose one's —** perdere l'equilibrio
balance *vt* *(com)* saldare; *(equalize)* pareggiare, equilibrare; **—** *vi* equilibrarsi, pareggiarsi; **— an account** chiudere un conto, accertare il saldo
balcony *n* loggia; *(theat)* galleria; *(window)* balcone *m*
bald *a* calvo; **–ness** *n* calvizie *f*
bale *n* balla; **–ful** *a* calamitoso, maligno
balk *vt* *(hinder)* intralciare; **—** *vi* impuntarsi, arrestarsi; **—** *n* *(coll)* puntiglio; *(obstacle)* ostacolo; **–y** *a* puntiglioso
ball *n* palla, pallone *m*; *(dance)* ballo; **— bearing** cuscinetto a sfere
ballpoint pen *n* penna a sfera
ballad *n* canzone popolare
ballast *n* zavorra
ballet *n* balletto; **— dancer** ballerino, ballerina
ballistic missile *n* missile balistico
ballistics *n* balistica
balloon *n* pallone *m*, palloncino; **— tire** gomma ballon
ballot *n* voto; scheda di votazione; **— box** urna; **— count** scrutinio; **—** *vt&i* votare a scrutinio segreto
ballplayer *n* giocatore di baseball
ballyhoo *n* *(sl)* baccano, montatura, propaganda sensazionale
balm *n* unguento; **–y** *a* imbalsamato
balsam *n* balsamo
balustrade *n* balaustrata
bamboo *n* bambù *m*; **— curtain** tendina di bambù
bamboozle *vt* *(coll)* turlupinare; **—** *vi* turlupinarsi
ban *n* bando; **—** *vt* interdire, proibire, vietare
banal *a* banale; **–ity** *n* banalità
banana *n* banana
band *n* banda; *(cloth)* striscia, nastro, fascia; *(group)* gruppo; *(mus)* orchestra; **—** *vt* unire, unirsi; **—** *vi* associarsi; legarsi con
bandage *n* benda, fascia; **—** *vt* fasciare, bendare
bandanna *n* fazzoletto
bandit *n* bandito
bandstand *n* piattaforma per orchestra
bane *n* flagello
bang *n* colpo; *(explosion)* detonazione;

—s *npl* *(hair)* frangetta; **—** *vt* colpire, sbattere; **—** *vi* rumoreggiare, saltare
bangle *n* braccialetto
banish *vt* esiliare, bandire; **–ment** *n* bando, proscrizione, esilio
banister *n* ringhiera
banjo *n* banjo *m*
bank *n* *(com)* banca, banco; *(river)* riva; *(savings)* cassa di risparmio; **–book** *n* libretto di banca; **—** *vt* arginare; coprire; depositare in banca; **—** *vi* *(embank)* fare banchi; fare il banchiere; *(avi)* virare
banker *n* banchiere *m*
banking *n* servizio bancario
bankrupt *a* fallito; **–cy** *n* bancarotta, fallimento; **—** *vt* fallire
banner *n* stendardo, bandiera; *(standard)* gonfalone *m*, vessillo
banns *npl* bandi *mpl*, pubblicazione
banquet *n* banchetto
bantamweight *n* peso bantam *(fig)*
banter *n* burla, scherno; **—** *vt* burlare, schernire; **—** *vi* burlarsi di
baptism *n* battesimo; **–al** *a* battesimale
baptize *vt* battezzare; *(eccl)* amministrare il battesimo
bar *n* *(barricade)* sbarra; *(candy)* tavoletta; *(inn)* bar *m*, taverna; *(law)* avvocatura; *(line)* verga; *(mus)* battuta; *(obstacle)* ostacolo; **–keeper, –maid** *n* barista *m&f*; **— prep** eccettuato; **—** *vt* sbarrare; *(exclude)* escludere
barb *n* punta, spina; **–ed** *a* spinato
barbarian *n&a* barbaro
barbarism *n* barbarie *f*; *(language)* barbarismo
barbarity *n* barbarie *f*, crudeltà
barbarous *a* barbaro
barbecue *n* carne arrostita; **—** *vt* arrostire
barber *n* barbiere, parrucchiere *m*; **–shop** *n* bottega di barbiere
barbiturate *n* barbiturico
bare *a* nudo; **–faced** *a* sfacciato; col viso scoperto; **–foot** *a* scalzo; **–headed** *a* a testa scoperta; **lay —** svelare; **—** *vt* scoprire; **–ly** *adv* appena, nudamente
bareness *n* nudità, nudezza
bargain *n* occasione; **—** *vt* decidere, regolare; **—** *vi* mercanteggiare
barge *n* chiatta, zattera; **—** *vt* trasportare con chiatta; **—** *vi* muoversi lentamente
baritone *n* baritono
bark *n* *(dog)* abbaiamento; *(tree)* scorza; **—** *vt* scorticare; **—** *vi* abbaiare, latrare
barley *n* orzo

barn *n* stalla; granaio; **–yard** *n* aia
barometer *n* barometro
baron *n* barone *m;* **–ess** *n* baronessa
baronet *n* baronetto
barracks *npl* caserma
barrage *n* sbarramento
barrel *n* barile *m,* botte *f;* — *vt* imbarilare
barren *a* sterile, arido
barrette *n* fermaglio per i capelli
barricade *n* barricata; — *vt* barricare
barrier *n* barriera
barring *prep* eccettuato, salvo
barrister *n* avvocato
barroom *n* bar *m;* taverna
bartender *n* barista *m*
barter *vt* barattare; — *vi* fare baratto; — *n* baratto, permuta
basal *a* fondamentale, basico; — **metabolism** metabolismo basale
base *n* base *f;* fondamento; — *a* basso; vile; **–less** *a* infondato, senza base; **–ness** *n* bassezza; — *vt* basare
baseball *n* palla a basi, baseball *m*
baseboard *n* zoccolo
basement *n* cantina, sottosuolo
bashful *a* timido; **–ness** *n* timidezza
basic *a* basilare, fondamentale
basil *n* basilico
basin *n (hand)* catinella, lavabo; *(river)* bacino di un fiume
basis *n* base *f*
bask *vt* scaldare; — *vi* scaldarsi
basket *n* paniere *m,* sporta, cesta; *(waste)* cestino; **–ball** *n* pallacanestro; **–ry** *n* mestiere del panieraio
bass *n (fish)* pesce persico; *(mus)* basso; — **horn** corno di bassetto; — **viol** violoncello
bassinet *n* culla
bassoon *n* fagotto
bastard *n&a* bastardo; **–ly** *a* bastardamente
baste *vt (abuse)* bastonare, frustare; *(cooking)* umettare; *(sewing)* imbastire
bastion *n* bastione *m*
bat *n (animal)* pipistrello; *(club)* mazza, bastone *m;* **go on a** — *(sl)* bighellonare; — *vt* battere; — **an eye** batter ciglio
batch *n (bread)* infornata; *(lot)* partita
batch *n* infornata; partita
bated *a* turbato; **with — breath** con voce turbata
bath *n* bagno; **–ometer** *n* batometro; **–robe** *n* accappatoio; **–room** *n* stanza da bagno; **–tub** *n* vasca da bagno
bathe *vt* lavare, bagnare; farsi il bagno; — *vi* fare il bagno
bathing *n* bagno; — **cap** cuffia da bagno; — **suit** costume da bagno

bathyscaphe *n* batiscafo
bathysphere *n* batisfera
baton *n* bacchetta; bastone di comando
battalion *n* battaglione *m*
batter *n (baseball)* battitore *m;* *(cookery)* pastetta; — *vt* battere; *(wreck)* guastare
battery *n* batteria; — **charge** carica della batteria
battle *n* battaglia; **–field** *n* campo di battaglia; — **royal** battaglia strenua; **pitched** — battaglia campale; **sham** — battaglia finta; **–ship** *n* nave da guerra; — *vt* combattere qualcuno; — *vi* battagliare; battersi
bauble *n* bagatella
Bavaria Baviera
Bavarian *n&a* bavarese *m&f*
bawl *vt* sgridare; — **out** *(coll)* dare una lavata di testa *(coll);* — *n* sgridata, lavata di testa
bay *n (arch)* alcova; *(bot)* lauro, alloro; *(color)* baio; *(geog)* baia; — *a* baio; — **leaf** foglia d'alloro; — **window** finestra sporgente; **hold at** — tenere in iscacco; **keep at** — tenere a bada; **stand at** — essere in iscacco; essere appressato
bay *n (arch)* arginare; — *vi (animal)* abbaiare
baying *n (animal)* abbaiamento
bayonet *n* baionetta
bayou *n* canaletta
bazaar *n* bazar *m,* emporio; **charity** — pesca di beneficenza
B.C., Before Christ *adv* avanti Cristo
be *vi* essere, esistere, stare; — **ill** star male; — **in a hurry** avere fretta; — **right** aver ragione; — **that as it may** comunque; — **well** star bene
beach *n* spiaggia; **–comber** *n* vagabondo di spiaggia; **–head** *n (mil)* spiaggia di sbarco
beach *vt* tirare in secco
bead *n* grano, chicco; *(pearl)* perla; **tell one's –s** sgranare il rosario
beading *n* inserto per nastrino
beaded *a* perliforme
beady *a* rotondo come perla; *(eyes)* lucente
beak *n* becco
beaker *n* bicchierone *m,* provino
beam *n (arch)* trave *f;* sorriso; *(light)* raggio; *(scale)* asta; **fly on the** — seguire la rotta del radar; — *vt* raggiare, irradiare; — *vi* sorridere
bean *n* fagiolo; *(broad)* fava; *(coffee)* chicco di caffè; *(navy)* fagiolo; *(string)* fagiolino; **spill the –s** *(fig)* divulgare un segreto
beanpole *n* sostegno per piante; **thin as a** — *(sl)* stecchito

bear *n* orso; **–ish** *a* d'orso, rozzo

bear *vt (carry)* portare; *(endure)* sopportare; **— in mind** ricordarsi; **— out** *(prove)* convalidare; **— up** sostenersi, mantenersi

bearable *a* tollerabile, sopportabile

bearer *n* portatore *m*

bearing *n (manner)* comportamento, contegno; *(mech)* cuscinetto; *(naut)* rilevamento; *(reference to)* riferimento; **— on** *prep* relativo; **get one's –s** orientarsi

beard *n* barba; **–ed** *a* barbuto; **–less** *a* imberbe, senza barba

beard *vt (dare)* sfidare; *(defy)* bravare

beast *n* bestia, animale *m*, bruto; **— of burden** bestia da soma; **–ly** *a* bestiale

beat *n* battito; **—** *vt* battere, picchiare; *(coll)* vincere; *(whip up)* frullare; **—** *vi* battere, bussare

beaten *a* abbattuto, vinto *(fig)*; battuto; *(defeated)* sconfitto

beater *n* battitore; *(egg)* frullino

beating *n* battito; *(defeat)* sconfitta

beatitude *n* beatitudine *f*

beatific *a* beatifico

beatnik *n (sl)* anticonformista, bohemian

beau *n* fidanzato, innamorato

beautician *n* imbellitore *m*; addetto all'imbellimento

beautiful *a* bello

beautify *vi* abbellire

beauty *n* bellezza; **— contest** concorso di bellezza; **— parlor** salone di bellezza, istituto di bellezza

beaver *n* castoro

becalm *vt* calmare

because *conj* perchè; **— of** per, a causa di, per motivo di

beck *n* **at the — and call of** agli ordini di

beckon *vi* far cenno; **—** *vt* far cenno a

become *vi* diventare, divenire; *(befit)* convenire; **—** *vt* addirsi a; **— worthy** essere degno di

becoming *a* conveniente, grazioso

bed *n* letto; *(garden)* aiuola; *(river)* greto; **–clothes, –ding** *npl* biancheria da letto; **–fellow** *n* compagno di letto; **–ridden** *a* degente; **–room** *n* camera da letto; **–sheet** *n* lenzuolo; **–spread** *n* coperta; **–spring** *n* elastico; **–stead** *n* telaio del letto; letto; **–time** *n* ora di andare a letto

bedbug *n* cimice *f*

bedevil *vt* violentare, tormentare

bedlam *n* caos *m*, pandemonio

bedraggle *vt* infangare

bedrock *n* fondamento solido

bedside *n* bordo del letto; **—** *a* da letto; di capezzale

bee *n* ape *f;* **have a — in one's bonnet** avere un'idea fissa, aver qualcosa nella manica; **make a –line** *(fig)* andare in linea retta

beech *n* faggio

beef *n* manzo; *(meat)* carne bovina; *(ox)* bue *m;* **–steak** *n* bistecca; **–y** *a* grasso, grosso

beehive *n* alveare *m*

beer *n* birra; **— garden** birreria, barristorante *m*; **draft —** birra alla pompa

beeswax *n* cera d'api

beet *n* barbabietola; **— sugar** zucchero di barbabietola

beetle *n* scarafaggio

befall *vi* accadere, capitare, succedere

befit *vt* convenire a; *(adapt)* adattarsi a

befitting *a* conveniente

before *adv* prima; **—** *prep* prima di; davanti a **—** *conj* prima che

beforehand *adv* in anticipo

befriend *vt* aiutare; trattare da amico

befuddle *vt* confondere con sofisma

beg *vt* mendicare; pregare, implorare, chiedere; **—** *vi* domandare, chiedere l'elemosina; **— the question** dare per ammesso

beggar *n* mendicante *m;* **–ly** *a* povero

beget *vt* causare, generare

begin *vt&i* cominciare, principiare; **to — with** prima di tutto

beginner *n* principiante *m*

beginning *n* principio; **in the —** al principio

begrudge *vt* invidiare

beguile *vt (cheat)* ingannare; *(distract)* distrarre; *(entice)* sedurre

behalf *n* beneficio, difesa; **in — of** a favore di; **on — of** a nome di

behave, **— oneself** *vi* comportarsi

behavior *n* comportamento; **–ism** *n* comportismo

behead *vt* decapitare

behest *n* ingiunzione, mandato

behind *prep* dietro, dietro di; **—** *adv* dietro, indietro; in ritardo

behold *vt* vedere, contemplare, scorgere; **—!** *interj* ecco! guarda!

behoove *vt* convenire, essere utile *(or* conveniente); **—** *vi* essere conveniente

being *n* essere *m*, esistenza; creatura; *(human)* essere umano

belabor *vt* lavorare, colpire

belated *a* ritardato

belch *vt&i* eruttare

belfry *n* torre *f*, campanile *m*

Belgian *a&n* belga

Belgium Belgio

belie *vt* diffamare, travisare

belief *n* fede *f*; opinione *f*
believable *a* credibile
believe *vt* credere, pensare; — *vi* credere in
believer *n* credente *m&f*
bell *n* campana; *(door)* campanello; **ring the** — suonare; **–boy** *n* ragazzo, groom d'albergo
belle *n* bella donna
bellicose *a* bellicoso
belligerency *n* aggressività, belligeranza
belligerent *n&a* belligerante *m*
bellow *vt&i* muggire, mugghiare; **–s** *n* mantice *m*
belly *n* pancia, ventre *m*
belong *vi* *(membership)* far parte; *(ownership)* spettare, appartenere; **–ings** *npl* proprietà, beni *mpl*
beloved *a* benamato, caro, amato, diletto, adorato
below *adv* sotto, giù; — *prep* sotto, al disotto di
belt *n* cintura; *(geog)* zona; *(girdle)* cinghia; — **conveyor** trasportatore a nastro; **hit below the** — fare un tiro mancino; **tighten one's** — stringere la cinghia di un buco; — *vt* cingere; *(coll)* battere
bemoan *vt* deplorare, lamentare, piangere
bench *n* banco; *(garden)* panchina; *(law)* tribunale *m*; — **warrant** mandato di cattura; — *vt* esibire
bend *n* piega, curva; — *vt* piegare; — *vi* piegarsi
beneath *adv* sotto, giù; — *prep* sotto, al disotto di
benediction *n* benedizione
benefactor *n* benefattore *m*
beneficence *n* beneficenza
beneficent *a* caritatevole
beneficial *a* buono, benefico, utile, salutare, vantaggioso
beneficiary *n* beneficiario
benefit *n* beneficio, vantaggio; *(subsidy)* sussidio; **for the** — **of** a beneficio di; — *vt* beneficare
benevolence *n* benevolenza
benevolent *a* buono, benevolo; *(charitable)* caritatevole
benighted *a* ignorante, oscurato
benign *a* benigno
bent *n* attitudine *f*; disposizione; *(tendency)* tendenza; — *a (crooked)* curvo; *(twisted)* torto
benumb *vt* intorpidire, intirizzire
benzine *n* benzolo
bequeath *vt* fare testamento, testare
bequest *n* lascito
berate *vt* rimproverare

bereave *vt* privare; **–ment** *n* perdita; lutto
bereft *a* privato, spogliato
beret *n* berretto, basco
berkelium *n (chem)* berchelio
berry *n* bacca
berserk *a* vandalico, distruttivo
berth *n* cuccetta, letto; **give a wide** — **to** evitare
beseech *vt* supplicare, pregare
beset *vt* circondare, assediare
besetting *a* circondante
beside *prep* accanto a; — **oneself** fuori di sè; — *adv* d'altronde, inoltre
besides *adv* inoltre, per giunta; — *prep* inoltre a
besiege *vt* assediare
bespeak *vt* ordinare, prenotare, sollecitare
best *a* migliore; ottimo; — **man** testimone *m*; — *adv* meglio; **do one's** — fare il possibile; **for the** — per il meglio; **get the** — **of** aver il meglio di; **make the** — **of** trar vantaggio di
bestial *a* bestiale; **–ity** *n* bestialità
bestir *vt* eccitare
bestow *vt* elargire, conferire
bet *n* scommessa; **You** —! *interj (coll)* Per certo!; — *vt* scommettere; — *vi* fare una scommessa
beta ray raggio beta
betake *vt* — **oneself** andarsene per conto proprio
betatron *n* betatrone *m*
betide *vt&i* accadere
betray *vt* tradire; — **oneself** tradirsi; **–al** *n* tradimento
betroth *vt* fidanzare; **–al** *n* fidanzamento; **–ed** *n&a* fidanzato
better *n* meglio, vantaggio; **for the** — per il meglio; **so much the** — tanto meglio; — *adv* meglio; **do one's** — **and** — di bene in meglio; — *a* meglio, migliore; **think** — **of** pensarci meglio; — *vt* migliorare; — **oneself** migliorarsi; **get** — migliorare
between *prep* fra, tra; **betwixt and** — nè l'uno nè l'altro, fra i due; — *adv* nel mezzo, fra i due
bevel *n* angolo; — *vt&i* smussare
bevelled *a* smussato
beverage *n* bevanda, bibita
bevatron *n* bevatrone *m*
bevy *n* gruppo; *(swarm)* sciame *m*
bewail *vt* lamentare; *(regret)* rimpiangere; — *vi* lamentarsi
beware *vt&i* guardarsi da, stare in guardia
bewilder *vt* sgomentare, confondere, turbare; **–ing** *a* sgomentevole; **–ment** *n*

sgomento; estasi *f*
bewitch *vt* ammaliare, stregare, incantare; **–ing** *a* affascinante
beyond *prep* al di là di; — *adv&n* al di là; **go** — andare più lontano di
biannual *a* biennale
bias *n* inclinazione; *(prejudice)* pregiudizio; **on the** — di sbieco; **–ed** *a* prevenuto; — *vt* influenzare
bib *n* bavaglino
Bible *n* Bibbia
biblical *a* biblico
bibliography *n* bibliografia
bicarbonate *n* bicarbonato
bicentennial *a* bicentennale
biceps *npl* bicipiti *mpl*
bicker vi far questione, litigare, bisticciare
bicycle *n* bicicletta; **ride a** — andare in bicicletta
bid *vt (command)* ordinare; *(offer)* offrire; — *vi* offrire un prezzo; — **adieu** dire addio; — **fair** promettere di; — *n* offerta, licitazione
bidder *n* offerente *m*
bidding *n* invito, offerta, ordine *m*
bide *vt* attendere, aspettare, sopportare; — **one's time** attendere l'occasione
biennial *a&n* biennale
bier *n* bara
bifocal *a* bifocale
big *a* grosso, grande; importante; — **shot** *(sl)* pezzo grosso; **look** — darsi delle arie; **talk** — darsi importanza; **B–Dipper** Orsa Maggiore
bigamist *n* bigamo
bigamous *a* bigamo
bigamy *n* bigamia
big-hearted *a* di buon cuore, generoso
bigot *n* bigotto; **–ry** *n* bigottismo, fanatismo
bigotted *a* bigotto, fanatico
bigwig *n (coll)* pezzo grosso
bilateral *a* bilaterale
bile *n* bile *f*
bilingual *a* bilingue
bilious *a* bilioso
bill *n* conto; *(bird)* becco; *(com)* fattura; — **of fare** lista delle vivande; — **of health** certificato di salute; — **of lading** polizza di carico; — **of sale** atto di vendita; **dollar** — biglietto da un dollaro; **–fold** *n* portafogli *m*, portafoglio; **–ing** *n* carezze *fpl*; — *vt* affigere; *(com)* fatturare; — **and coo** coccolare
billboard *n* albo di avvisi
billet *n (lodging)* accantonamento, alloggio: *(note)* lettera; — *vt* assegnare, collocare

billiards *npl* biliardo
billion *n* miliardo
billionnaire *n* miliardario
billow *n* maroso; — *vi* mareggiare, beccheggiare, rollare; **–y** *a* ondoso, agitato
bimonthly *a&n* bimestrale *m*; *(fortnight)* quindicinale *m*; — *adv* bimestralmente; quindicinalmente
bin *n* madia
bind *vt* legare; *(again)* rilegare; — **oneself** impegnarsi; **–er** *n* legatore *m*
binding *n* legatura; — *a* obbligatorio
bingo *n* tombola
biochemistry *n* biochimica
binoculars *npl* binoccolo
biographer *n* biografo
biographical *a* biografico
biography *n* biografia
biological *a* biologico; — **warfare** *n* guerra biologica
biologist *n* biologo
biology *n* biologia
bionics *npl* bionica
biophysics *n* biofisica
biopsy *n* biopsia
biotin *n (growth factor)* biotina
bipartisan *a* che fa doppio gioco
biped *n* bipede *m&f*
birch *n* betulla
bird *n* uccello; **–'s–eye** *a* a vista d'uccello
birdseed *n* becchime *m*
biretta *n* berretta
birth *n* nascita; **–day** *n* compleanno; **–mark** *n* voglia; **–place** *n* luogo di nascita; **–right** *n* diritto di nascita, primogenitura; **give** — **to** partorire; dare alla luce
biscuit *n* panino
bisect *vt* bisecare; — *vi* tagliare in due
bishop *n* vescovo; **–ric** *n* vescovato
bit *n (amount)* pezzetto; *(horse)* morso; *(restraint)* freno; *(tool)* punta da trapano; **two –s** *(sl)* un quarto di dollaro
bitch *n* cagna; — *vi (sl)* lagnarsi
bite *vt&i* mordere; *(sting)* pungere; — *vi (fish)* abboccare; — *n* morso; *(mouthful)* boccone *m*
biting *a* mordente, aspro, sarcastico
bitter *a* amaro; **fight to the** — **end** lottare fino alla fine; **–ly** *adv* amaramente
bitterness *n* amarezza
bituminous *a* bituminoso
bivouac *n* bivacco; — *vi* bivaccare
biweekly *a&adv* ogni due settimane; bisettimanale; due volte la settimana; — *n* bisettimanale *m*
bizarre *a* bizzarro

blab *vi* chiacchierare; — *vt* raccontare

black *a* nero, scuro; — **eye** occhio pesto; — **list** lista nera; — **market** mercato nero, borsa nera; — **sheep** pecora nera; **–smith** *n* fabbro

blackball *vt* votare contro, bocciare, rigettare

blackberry *n* mora selvatica; *(bush)* moro

blackbird *n* merlo

blackboard *n* lavagna

blacken *vt* annerire, infamare; — *vi* annerirsi

blackguard *n* briccone *m*, mascalzone *m*

blackhead *n* punto nero

blackmail *n* ricatto; — *vt* ricattare; **–er** *n* ricattatore *m*

blackout *n* oscuramento; *(med)* amnesia; — *vt* oscurare, obliare

bladder *n* vescica

blade *n* lama; *(grass)* filo; **propeller** — pala d'elica

blame *n* colpa; **–less** *a* innocente; — *vt* dare la colpa

blameworthy *a* biasimevole

blanche *vt* imbiancare; evitare; — *vi* impallidire; tergiversare

bland *a* blando, soave; **–ness** *n* affabilità; **–ly** *adv* blandamente

blandishment *n* blandizia

blank *n&a* bianco; *(void)* vuoto; — **cartridge** cartuccia; — **check** assegno a vuoto; — **verse** verso libero; **–ly** *adv* vagamente

blanket *n (cover)* coperta; — **instructions** ordini generali *mpl;* **–ing** *(rad)* interferenza; — *a* generale; — *vt* coprire con coperta

blare *vi* risuonare, muggire; — *vt* proclamare a suon di tromba; — *n* suono, muggito

blarney *n* adulazione

blasé *a* scettico, blasé, abulico, indifferente

blaspheme *vi* bestemmiare

blasphemous *a* blasfematorio, sacrilego

blasphemy *n* bestemmia

blast *n* colpo di vento; esplosione; *(loud noise)* squillo; **–off** *n (aesp)* lancio; — *vt* far saltare; fare appassire; — **off** *(coll)* esplodere da impazienza; **–ed** *a* appassito, rovinato; **–ing** *n* distruzione, rovina

blatant *a* risuonante; **–ly** *adv* risuonatamente, sonoramente

blaze *n* incendio, fiamma; — *vi* divampare; *(glitter)* brillare; — *vt* far brillare; — **a trail** marchiare una pista

blazing *a* sfolgorante

bleach *vt&i* imbiancare; — *n* varecchina

bleachers *npl (stadium)* scalinate *fpl*

bleak *a* pallido

blear *vt* offuscare; *(vision)* velare; **–ed** offuscato

bleary *a* offuscato; *(of eyes)* infiammato; *(teary)* lagrimoso

bleat *n* belato; — *vi* belare

bleed *vi* sanguinare; — *vt* salassare; **–er** *n (med)* emofiliaco

bleeding *n* emorragia; — *a* sanguinante

blemish *vt* macchiare; — *n* macchia

blend *vt (mingle)* mischiare; *(mix)* mescolare; — *n* miscela; **–er** *n* frullatore *m*

bless *vt* benedire, consacrare; **–ed** *a* felice; **–ing** *n* benedizione

blight *n* ruggine *f; (bot)* golpe *f;* — *vt* danneggiare, riardere; *(fig)* guastare

blind *a* cieco; — **alley** vicolo cieco; — **flying** volo cieco; — *vt* accecare; — *n* sotterfugio, pretesto; persiana; *(fig)* finta; **Venetian** **–s** tende alla veneziana, persiane avvolgibili *fpl*

blinder *n (horse)* paraocchi *m*

blindfold *vt* bendare gli occhi, — *n* benda

blindly *adv* alla cieca

blink *vi (eyes)* sbattere gli occhi; **–er** *n (auto)* segnale di svolta

bliss *n* felicità; **–ful** *a* felice; **–fully** *adv* felicemente

blister *n* vescica, bollicina; — *vi* produrre vesciche

blithe *a* gaio, giocondo

blitz *n* attacco a sorpresa

blizzard *n* tormenta; bufera

bloat *vt* gonfiare; — *vi* gonfiarsi; **–ed** *a* gonfio, gonfiato

blob *n* goccia, macchia

bloc *n (pol)* blocco, gruppo

block *n* blocco; *(of houses)* isolato di case; — **and tackle** paranco; **stumbling** — intoppo; — *vt* bloccare

blockade *n* blocco; *(war)* assedio; **run a** — rompere il blocco; — *vt* bloccare; assediare

blockhead *n* testardo

blonde *a&n* biondo

blood *n* sangue *m;* — **plasma** plasma sanguigno

bloodcurdling *a* atterrito

bloodhound *n* segugio

bloodless *a* esangue

bloodshed *n* spargimento di sangue

bloodshot *a* congestionato

bloodstain *n* macchia di sangue

bloodthirsty *a* assetato di sangue

bloody *a* sanguinario

bloom *n* fiore *m;* — *vi* fiorire; **–ing** *a* in fiore, fiorente

blossom *n* fiore *m;* — *vi* fiorire, sbocciare

blot *vt* disonorare; *(hide)* oscurare; *(spot)*

macchiare; — **out** cancellare; — *vi* macchiarsi; — *n* macchia
blotch *n* pustola, grossa macchia
blotter *n* carta sugante, brogliaccio
blotting paper carta asciugante
blouse *n* camicetta; blusa
blow *n* colpo; **–gun, –pipe** *n* cerbottana; **–torch** *n* cannello ossidrico; **come to –s** azzuffarsi; — *vi* soffiare, sbuffare; *(wind)* tirare; — **away** dissipare; — **out** *(fuse)* fulminare; *(light)* spegnere; — **over** soffiar via, rovesciare; — **up** gonfiare; *(photo)* ingrandire
blowout *n (tire)* scoppio
blubber *n* pianto; — *vi* piangere a dirotto; **–ing** *n* singhiozzo
bludgeon *n* randello, mazza; — *vt* colpire con mazza
blue *n* blu; *(azure)* azzurro; *(dark)* turchino; *(light)* celeste; *(sky)* azzurrocielo; **be** — essere depresso; **–berry** *n* mirtillo blu; **–bird** *n* beccafico; **–jay** *n* ghiandaia blu; **–print** *n* cianotipia; **once in a** — **moon** ad ogni morte di papa; **turn the air** — bestemmiare
blueing *n* indaco
blues *n pl* melanconia; **have the** — essere giù di spirito; *(mus)* musica nostalgica
bluff *n (geog)* scogliera; *(sham)* bluff *m*, smargiassata; — *vt* ingannare, bluffare; — *vi* vantarsi di
bluffer *n* vanaglorioso
bluish *a* bluastro
blunder *n* topica; sbaglio grossolano; — *vi* fare una topica, commettere un errore, equivocarsi
blunt *a* smussato; *(abrupt)* brusco; *(dull)* ottuso; — *vt* ottundere, rintuzzare
bluntly *adv* rudemente
blur *n* disonore *m*; *(mark)* macchia, segno indistinto; — *vt* offuscare, rendere indistinto; — *vi* confondersi
blurb *n* encomio
blurry *a* macchiato
blurt *vt* soffiare, singhiozzare
blush *n* rossore *m*; — *vi* arrossire
bluster *n* fanfaronata; — *vi* fare chiasso; *(weather)* infuriare
blustering *a* rumoroso
blustery *a* tempestoso
boar *n* verro; **wild** — cinghiale
board *n (com)* consiglio; *(food)* tavola; *(wood)* asse *m*; — **of directors** consiglio di amministrazione; — **of health** ufficio d'igiene; — **of trade** camera di commercio; **on** — a bordo
board *vt* impalcare; prendere a pensione; — *vi (boat)* imbarcarsi; stare a pensione; *(train)* salire in treno
boarder *n* pensionato; *(school)* convittore

m
boardinghouse *n* pensione
boarding school pensionato, collegio, convitto
boardwalk *n* passeggio, lungomare *m*
boast *n* vanto; — *vt* vantare; — *vi* vantarsi, gloriarsi; **–er** *n* spaccone *m*
boastful *a* millantatore; **–ness** *n* millantaria
boat *n* barca, battello; *(steam)* piroscafo; **in the same** — *(coll)* nella stessa situazione
boating *n* canottaggio
boatman *n* battelliere *m*
boatswain *n* nostromo
bob *n (hair)* orecchino
bob *vt* battere, scuotere; — *vi* dondolare; — **up** *(appear)* apparire improvvisamente
bobby pin molletta per i capelli
bobby socks *(coll)* braccialetti *mpl*
bobby soxer *(coll)* ragazzina, adolescente *f*
bobcat *n* gatto selvatico
bobsled *n* slitta
bode *vt&i* presagire; — **well, (ill)** promettere bene, (male)
bodice *n* busto
bodiless *a* incorporeo
bodily *a* corporeo; — *adv* di peso
body *n* corpo; *(airplane)* fusoliera; *(auto)* carrozzeria; *(corpse)* cadavere *m*; — **politic** corpo governativo; **in a** — tutti insieme
bodyguard *n* guardia del corpo *(or* personale*)*
bog *n* pantano; — *vt&i* impantanare; — **down** affondare nel pantano
boil *n* bollitura; *(med)* foruncolo; — *vi* bollire; — *vt* lessare, fare bollire; **–ed** *a* bollito
boiler *n* bollitore *m*, caldaia
boiling *a* bollente; — **point** punto d'ebollizione
boisterous *a* turbolento, chiassoso
bold *a* temerario; **–ly** *adv* temerariamente
boldness *n* ardimento, coraggio
boldface *n (type)* grassetto
bold-faced *a* sfrontato, sfacciato
bolero *n* bolero
boll *n* capsula; — **weevil** acaro del cotone
bolster *n* cuscino, cuscinetto; — *vt* accomodare con cuscini; *(fig)* rafforzare
bolt *n* bullone *m*; *(thunder)* fulmine *m*; — **upright** tutto dritto
bolt *vt* scattare; *(food)* trangugiare
bomb *n* bomba; — **bay** *(avi)* forma di sgancio; — **shelter** rifugio aereo; **–proof** *a* a prova di bomba; **–shell** *n* bossolo;

-**sight** n strumento di sgancio
bombard vt bombardare; -**ment** n bombardamento
bombast n ampollosità; -**ic** a ampolloso
bomber n bombardiere m
bonanza n prosperità, fortuna; (mine) miniera ricca
bonbon n bombone m
bond n legame m, vincolo; (com) obbligazione, titolo; — vt depositare, immagazzinare; -**ed** a depositato; -**holder** n portatore m
bondage n servitù f
bondsman n avallo, garante m; schiavo
bone n osso; (fish) lisca; **feel in one's** -**s**; intuire; **have a** — **to pick** avere un punto da chiarire; **make no** -**s about** non avere scrupoli per; — vt disossare; — **up on** riassumere; -**less** a disossato, senz' osso
bone-dry a secco come un osso
boner n (sl) sproposito
bonehead n (sl) testa dura, stupido
bonfire n falò
bonnet n cuffia
bonus n gratifica
bony a ossuto
boo interj bu! — vt burlare, fischiare
booby n stupido; — **prize** premio per l'ultimo arrivato; — **trap** tranello, trappola esplosiva
book n libro; — **end** appoggialibri m; — **jacket** coprilibro; **memorandum** — libretto d'appunti; -**binder** n rilegatore m; -**case** n libreria, scaffale m; -**let** n libretto; -**mark** n segnalibro; -**plate** n etichetta di un libro; -**seller** n libraio; -**shelf** n scaffale m; -**store** n libreria, negozio di libri
book vt registrare; (reserve) prenotare, riservare; (theat) scritturare; — vi (travel) prendere il biglietto; -**ing** n registrazione
bookkeeper n contabile m&f
bookkeeping n contabilità
bookmaker n (sport) allibratore m
bookworm n tarlo, tignola; (fig) topo di biblioteca
boom n rimbombo; (com) prosperità improvvisa; (naut) boma, asta; — vi progredire, prosperare; — vt promuovere
boomerang n boomerang; — vi ritorcersi contro l'autore
boon n favore m, beneficio; — a gaio; buono
boondoggle n (sl) lavoro di poco profitto; — vi (sl) lavorare per poco
boor n zotico; -**ish** a rozzo, grossolano, volgare

boost n (help) aiuto; (rise) rialzo; — vt (praise) esaltare; (increase) aumentare
booster n connessione elettrica a combinazione; — **rocket** (aesp) razzo comandato
boot n stivale m; **to** — in più, in aggiunta; -**less** a inutile
bootblack n lustrascarpe m
booth n baracca
bootleg a contrabbandato; — vt&i contrabbandare
bootlegger n contrabbandiere m
booty n bottino
borax n borace m
border n (edge) orlo; (geog) frontiera; — vt orlare, confinare; — vi essere limitrofo; — **on** confinare con
borderland n paese limitrofo
borderline n confine m; — a incerto, dubbioso; — **case** caso incerto
bore n buco; (gun) calibro; (mech) alesaggio; (person) noia, seccatore m, seccatrice f; impiastro (fig); — vt (pierce) bucare, forare; (weary) annoiare, seccare
boredom n noia
boring a noioso, seccante
born a nato; **be** — (birth) nascere
borrow vt prendere a prestito; — vi fare un prestito; -**er** n mutuatario; colui che chiede prestito
bosh n (coll) assurdità, stupidaggine f
bosom n seno; — **friend** amico amato
boss n (coll) principale, padrone m
botanical a botanico
botany n botanica
botch vt rammendare; — n rappezzo, rattoppo
both a&pron ambedue, tutt'e due; — conj così come, tanto quanto; — **hands** ambe le mani
bother n fastidio; — vt molestare, dar fastidio, seccare; — vi infastidirsi di
bothersome a fastidioso, noioso
bottle n bottiglia; (flask) fiasco; (vial) fiala
bottle vt imbottigliare; — **up one's feeling** nascondere l'emozione
bottleneck n intoppo, congestione di traffico
bottom n fondo; **at the** — in fondo; — a del fondo, inferiore; infimo, ultimo; -**less** a senza fondo
bottom vt fondare; (naut) sondare
botulism n botulismo
boudoir n spogliatoio, salottino da signora
bough n ramo
bouillon n brodo
boulder n ciottolo, sasso
boulevard n corso, viale m

bounce *vi* rimbalzare; — *vt* battere, far saltare; — *n* balzo, rimbalzo
bouncing *a* robusto; pieno di salute
bound *n* rimbalzo; **out of -s** fuori limite; — *a* obbligato, impegnato, rilegato; — **for** diretto a; — **to happen** inevitabile; **-less** *a* illimitato
bound *vi* (*jump*) balzare; — *vt* (*limit*) limitare
boundary *n* confine *m*
bountiful *a* generoso, benifico
bounty *n* generosità, bontà
bouquet *n* mazzolino; (*smell*) profumo; (*wine*) aroma *m*
bout *n* partita, turno
bow *n* inchino; (*naut*) prora; — *vi* inchinarsi; (*yield*) cedere; — *vt* inclinare; (*head*) abbassare la testa
bow *n* arco; (*mus*) archetto; (*ribbon*) nodo; (*tie*) cravatta; **draw a long —** esagerare; — *vt* piegare, curvare
bowels *npl* intestini *mpl*, budella *fpl*
bower *n* capanna
bowl *n* scodella, boccia; — *vi* giuocare ai birilli; giocare alle bocce; — **over** stravolgere
bowlegged *a* gambistorto
bowling *n* le bocce; — **alley** pista (*or* salone) di bocce; — **ball** boccia; — **pin** birillo
box *n* scatola; (*case*) cassa; (*slap*) ceffone *m*; (*theat*) palco; — **office** botteghino
box *vt* incassare; (*ears*) schiaffeggiare; (*sport*) fare del pugilato
boxcar *n* furgone, vagone *m*
boxer *n* (*packer*) imballatore *m*; (*sport*) pugile *m*
boxing *n* pugilato; — **glove** guanto da pugilato; — **match** partita di pugilato
boy *n* ragazzo; — **scout** Giovane Esploratore
boycott *n* boicottaggio; — *vt* boicottare
boyhood *n* puerizia, adolescenza
boyish *a* fanciullesco
brace *n* sopporto, sostegno; — *vt* (*bind*) legare; (*support*) sostenere; — **up** rianimarsi
bracelet *n* braccialetto
bracing *a* corroborante, tonico
bracket *n* mensola; (*print*) parentesi quadra
brad *n* chiodino
brag *n* vanteria; — *vi* vantarsi; — *vt* vantarsi di
braggart *n* millantatore *m*
braid *n* cordoncino, spighetta; (*hair*) treccia; — *vt* intrecciare
braille *n* Braille *m*, sistema braille
brain *n* cervello; — **fever** meningite ce-

rebro-spinale; — **storm** (*coll*) confusione mentale; **electronic —** cervello elettronico; **beat one's -s out** (*sl*) spremere il cervello; **rack one's -s** scervellarsi; **-less** *a* poco intelligente, stupido; **-y** *a* (*coll*) intelligente; — *vt* far saltare le cervella
brainwash *n* psico-inquisizione, lavaggio mentale
braise *vt* brasare; **-d** *a* brasato
brake *n* freno; — **band** freno a nastro; — **lining** tessuto per freni; **apply the —** usare il freno; **release the —** rilasciare il freno; — *vt* frenare
brakeman *n* frenatore *m*
bramble *n* pruno, rovo
bran *n* crusca
branch *n* (*com*) succursale *f*; (*rail*) biforcazione; (*tree*) ramo; — *vt* suddividere, ramificare; — *vi* ramificarsi; — **off** diramarsi, biforcarsi; — **out** espandersi
brand *n* marca; — *vt* bollare, marchiare
brandish *vt* brandire
brand-new *a* fiammante
brandy *n* acquavite *f*
brash *a* arrogante
brass *n* ottone *m*; — **band** fanfara; **bold as —** (*coll*) spudorato
brassiere *n* reggiseno, reggipetto
brat *n* moccioso
bravado *n* spacconata
brave *a* coraggioso; — *vt* sfidare; — *n* (*American Indian*) bravo
bravery *n* coraggio, eroismo
brawl *n* zuffa, rissa; — *vi* sbraitare, gridare
brawn *n* polpa di carne; **-y** *a* muscoloso, forte
bray *n* raglio; — *vi* ragliare
brazen *a* sfrontato, impudente, sfacciato; — *vt* trattare con disprezzo
brazier *n* ottonaio
Brazil Brasile *m*
Brazilian *a&n* brasiliano
breach *n* breccia, rottura, violazione; — **of promise** violazione di promessa; — **of trust, faith** abuso di fiducia; — *vt* aprire una breccia, infrangere
bread *n* pane *m*; (*graham, wholewheat*) pane integrale; (*rye*) pane di segala; **earn one's —** guadagnarsi il pane; **fresh —** pane fresco; **know which side one's — is buttered on** sapere barcarmenarsi; **-board** *n* tagliere per pane; **-line** *n* fila di persone per ricevere alimento gratis; **-winner** *n* lavoratore *m*
bread *vt* impanare; **-d** *a* impanato
breadth *n* larghezza, estensione

break *vt* rompere, spezzare; *(news)* comunicare; — *vi* rompersi; — **away** farla finita; — **down** *(health)* ammalarsi; *(mech)* avere una panna; — **in on** irrompere su, interrompere; — **into** invadere; — **one's word** mancare alla promessa; — **off** cessare di, smettere; — **out** scoppiare; *(flare)* divampare; *(rise up)* sorgere; — **up** distruggere, abbattere; cessare

break *n* rottura; *(bone)* frattura; *(pause)* interruzione; *(weather)* cambiamento; — **of day** alba; **bad** — sfortuna, scalogna; **give a** — concedere una occasione

breakable *a* fragile

breakage *n* rottura

breakdown *n* *(auto)* panna; *(damage)* guasto; *(med)* crollo; *(separation)* classificazione

breakfast *n* prima colazione

breakneck *a* sfrenato; *(foolhardy)* azzardato; — *adv* a rompicollo

breakwater *n* frangiflutti *m*

breast *n* *(anat)* petto, seno; — **stroke** nuoto a rana; **make a clean** — **of it** confessare tutto

breast *vt* affrontare

breath *n* fiato, respiro; **be out of** — essere senza fiato; **gasp for** — ansare; **take one's** — **away** sconcertare

breathless *a* senza fiato

breathe *vi* respirare, fiatare; — *vt* infondere

breathing *n* respiro; — **space** tempo di tirare il fiato *(fig)*

breath-taking *a* emozionante, sfiatante

breech *n* posteriore *m; (gun)* culatta

breed *vt* generare; allevare; — *vi* moltiplicare; — *n* razza, stirpe *f*; **-er** *n* allevatore *m*

breeding *n* educazione, modi garbati, allevamento

breeze *n* brezza

breezy *a* arieggiato, brioso, vivace

breve *n* breve *m*

breviary *n* breviario

brevity *n* brevità, concisione

brew *n* miscela, fermentazione; — *vt (beer)* fare la birra; *(ferment)* fermentare; *(infuse)* fare un infuso di; *(mix)* miscelare; *(plot)* tramare; **something** **–ing** gatta ci cova *(fig)*

brewery *n* fabbrica di birra

briar *n* rovo

bribe *n* subornazione, corruzione, seduzione; — *vt* corrompere, subornare

bribery *n* subornazione, corruzione

brick *n* mattone *m*; **–layer** *n* muratore *m*; **–yard** *n* fabbrica di mattoni

bridal *a* nuziale; — **gown** abito da sposa

bride *n* sposa, sposina; — **and groom** gli sposi

bridegroom *m* sposo

bridesmaid *n* damigella d'onore

bridge *n* ponte *m; (dent)* ponte dentale; *(game)* bridge *m; (suspension)* ponte sospeso; **–head** *n* testa di ponte; — *vt* costruire un ponte su, fare ponte su

bridle *n* briglia; — **path** galoppatoio; — *vt* frenare; — *vi* raddrizzarsi

brief *a* breve; **in** — in breve; — *n* memoriale *m*, riassunto; *(law)* esposto, citazione; **hold no** — **for** non essere d'accordo con; **–ly** *adv* in modo conciso; — *vt* dare istruzioni precise; **–ing** *(avi)* *n* istruzione di volo

brig *n* *(naut)* brigantino

brigade *n* brigata

bright *a* vivace, brillante, chiaro, intelligente; **–ness** *n* splendore *m; (light)* chiarore *m; (mirth)* allegria

brighten *vt* rischiarare; — *vi* rischiararsi

brilliance, brilliancy *n* splendore *m*

brilliant *a* brillante; — *n* brillante *m*, diamante *m*

brim *n* orlo; — **over** traboccare

brimful *a* ricolmo

brine *n* salamoia

bring *vt (carry)* portare; *(lead)* condurre; — **about** effettuare, causare; — **around** convincere; — **forth** produrre; — **oneself to** persuadersi; — **out** emettere; — **to** *(revive)* ravvivare; — **to one's mind** chiamare l'attenzione; — **up** *(child)* educare, allevare; *(subject)* tirare su

brink *n* orlo

brisk *a* attivo, vivace

bristle *n* setola; — *vi* arricciare, rizzare; — *vt* rizzarsi, arricciarsi

bristly *a* setoloso

British *a* britannico

brittle *a* fragile, friabile

broach *vt* introdurre, intavolare, abbordarsi

broad *a* largo; **–jump** *(sport)* salto in lungo; **–side** *n (naut)* bordo; bordato

broadcast *n* radiotrasmissione; — *vt* divulgare; *(rad&TV)* radiotrasmettere

broadcasting *n* radiodiffusione; — *a* trasmittente, radiotrasmittente; — **station** stazione radiotrasmittente

broaden *vi* allargare; — *vt* allargarsi

broad-minded *a* tollerante, liberale, di larghe vedute

brocade *n* broccato

broccoli *n* broccolo

brochure *n* opuscolo

broil *vt* arrostire in graticola; **–ed** *a* ai

ferri; **–er** *n* arrostitrice *f*
broke *a (sl)* al verde, senza quattrini
broken *a* rotto; — **English** cattivo inglese
broken– *(in comp)* **—down** *a* scoraggiato; **—hearted** *a* disperato
broker *n (com)* sensale *m*, mediatore *m;* agente *m*
brokerage *n* mediazione
bromide *n* bromuro
bronchial *a* bronchiale; — **tube** bronco
bronchitis *n* bronchite *f*
bronchoscope *n* bronchiscopio
bronze *n* bronzo; — *a* bronzeo; di bronzo
brooch *n* spilla, fermaglio
brood *n* nidiata, covata; *vt&i* covare, meditare; — **over** angosciarsi
brook *n* ruscello; — *vt* sopportare; — **no interference** non tollerare intrusione
broom *n* scopa; *(bot)* ginestra; **–stick** *n* manico di scopa
broth *n* brodo
brothel *n* postribolo
brother *n* fratello; frate *m;* **–hood** *n* fratellanza; **–ly** *a* fraterno
brother-in-law *n* cognato
brow *n* fronte *f;* **knit one's –s** accigliarsi
browbeat *vt* imporre, intimidire
brown *a* bruno; *(hair)* castagno; *(skin)* abbronzato; — **paper** carta straccia; — **sugar** zucchero greggio; — *vt* abbrunire; *(cooking)* dorare, rosolare
browse *vt* pascolare, brucare; — *vi (in books)* scartabellare
bruise *vt* ammaccare; — *n* livido, contusione
bruiser *n* pugile *m*
brunch *n (coll)* combinazione di colazione e pranzo
brunette *a&n* brunetta, bruna
brunt *n* attacco, urto
brush *n* pennello; *(carbon)* elettrodi di carbonio; *(shoe)* spazzola per le scarpe; *(tooth)* spazzolino da denti; — *vt* spazzolare; — **past** sfiorare
brush-off *n (sl)* scoraggiamento
brushwood *n* macchia
brusque *a* brusco, rude
Brussels Brusselle; — **sprouts** *npl* cavoli di Brusselle
brutal *a* brutale; **–ity** *n* brutalità
brute *n* bruto, bestia; — *a* bruto
B.S., Bachelor of Science diploma in scienze; diplomato in scienze
bubble *n* bolla, bollicina; — *vt* far bollire; — *vi* bollire; — **over** traboccare
buccaneer *n* bucaniere, pirata *m*
buck *n* daino; *(sl)* dollaro; **pass the —** *(sl)* scaricare la responsabilità; — *vi* sgroppare; *(auto)* andare a strappi *(fig);*

(horse) imbizzarrirsi; — *vt* opporsi *(coll);* — **up** *(coll)* rallegrare
bucket *n* secchia, secchio; — **seat** *(auto)* strapuntino
buckle *n* fibbia; — *vt* affibbiare; — *vi* piegarsi; torcersi
buckshot *n* pallini da caccia
buckwheat *n* grano saraceno
bucolic *a* bucolico
bud *n* bottone *m;* gemma; **nip in the —** prevenire; — *vi* germogliare; — *vt* innestare
buddy *n (coll)* compare *m*, amicone *m;* camerata *m*
budge *vi* muoversi, indietreggiare; — *vt* spostare
budget *n* bilancio; — *vt* fare il bilancio
buff *n* colpo; — *a* marrone chiaro, fulvo; — *vt* lisciare, lucidare
buffalo *n* buffalo
buffer *n* paraurti *m;* *(rail)* respingente *m*
buffet *n (furniture)* credenza; *(meal)* tavola calda; *(service)* servizio di buffet
buffet *vt* colpire, schiaffeggiare; — *vi* fare a pugni
buffoon *n* buffone *m*
bug *n* insetto; *(coll)* microbo
bugbear *n* spauracchio
buggy *n* calesse *m;* **baby —** carrozzina
bugle *n* tromba
bugler *n* trombettiere *m*
build *n (stature)* struttura fisica; **–up** *n* opinione precostruita, propaganda; **–er** *n* costruttore *m;* **–ing** *n* edifizio, fabbricato; — *vt&i* costruire
bulb *n* bulbo, globo; *(elec)* lampadina elettrica; **–ous** *a* bulboso
Bulgarian *n&a* bulgaro
bulge *vt&i* gonfiarsi; — *n* protuberanza
bulk *n* massa, volume *m;* **in —** sciolto; **–head** *n* paratia; **–y** *a* voluminoso
bull *n* toro; — **market** mercato in aumento; **papal —** bolla papale
bulldog *n* mastino
bulldoze *vt (coll)* intimidire
bulldozer *n* apripista *m;* livellatrice *f*
bullet *n* pallottola; **–proof** *a* a prova di pallottole
bulletin *n* bollettino; — **board** albo, tabella per gli avvisi pubblici
bullfight *n* tauromachia, toreo, corrida
bullfighter *n* toreadore *m*, torero
bullfrog *n* rana toro
bullion *n* lingotto d'oro *(or* d'argento*)*
bully *n* prepotente *m*, gradasso; — *vi* fare il prepotente; — *vt* maltrattare, tiranneggiare
bulwark *n* baluardo; — *vt* fortificare
bum *n (coll)* lazzarone, straccione *m*
bumblebee *n* calabrone *m*

bump *n* colpo, urto, collisione; *(head)* bernoccolo; **-y** *a* pieno di bozze; — *vt* urtare; — *vi* sbattere contro
bumper *n (auto)* paraurti *m*, respingente *m;* — **crop** raccolta eccezionale
bumpkin *n* rusticone, cafone *m*
bumptious *a* presuntuoso
bun *n* panino, focaccia; *(hair)* boccolo
bunch *n* mazzetto; *(grapes)* grappolo; **in -es** a grappoli; — *vt* riunire in fascio; raccogliere; — *vi* gonfiarsi, raccogliersi in
bundle *n* involto, pacco, collo, fascio; *(sticks)* fagotto; — *vt* impaccare, avvolgere; — **off, out** svignarsela
bungalow *n* villino, casetta
bungle *vi* lavorare alla carlona; — *vt* storpiare
bungler *n* incapace *m*
bunion *n* grosso callo al piede
bunk *n* cuccetta; *(sl)* stupidaggine *f*
bunt *vt&i* spingere, cozzare; — *n (baseball)* spintone *m*
bunting *n* bandiere *fpl*
buoy *n* boa; — *vt* sostenere a galla; — *vi* galleggiare
buoyancy *n* leggerezza, elasticità, vivacità
buoyant *a* leggero, galleggiante; *(gay)* allegro
burden *n* fardello, carico; **-some** *a* pesante, opprimente; — *vt* gravare, caricare
bureau *n (furniture)* comò, cassettone *m; (office)* ufficio, ente governativo; **travel** — agenzia di viaggio
bureaucracy *n* burocrazia
burglar *n* svaligiatore, scassinatore *m;* **-y** *n* furto con scasso
burial *n* sepoltura, interramento; — **ground** cimitero
burlap *n* tela da sacco
burlesque *a* burlesco; — *n* burletta; — *vt&i* parodiare, imitare mettendo in ridicolo
burly *a* corpulento
Burma Birmania
burn *n* scottatura, ustione *f;* **-er** *n* bruciatore *m;* — *vt* bruciare
burning *n* incendio; — *a* ardente
burnish *vt* brunire
burnt *a* bruciato
burr *n (accent)* pronuncia forte dell'erre; *(bot)* involucro della castagna; *(mech)* limatura, bava, scoria; *(sound)* suono confuso; *(tool)* trapano; — *vt&i* parlare in erre
burrow *n* tana; — *vt&i* rintanarsi, fare un buco
bursitis *n* borsite *f*
burst *vi* scoppiare; — **into tears** scop-

piare in pianto; — *vt* far esplodere; — *n* scoppio, esplosione; accesso; — **of applause** ovazione; esplosione di applausi
bury *vt* seppellire, sotterrare
bus *n* autobus *m*, pullman *m*
busboy *n* garzone, fattorino
bush *n* cespuglio, macchia; **beat around the** — menar il can per l'aia
bushel *n* staio
bushing *n (mech)* boccola
bushy *a* folto
busily *adv* attivamente
business *n* azienda, commercio, affare *m; (kind of work)* faccenda, occupazione; — **cycle** giro d'affari; — **house** casa di commercio; — **office** amministrazione; **make it one's** — prendere per proprio conto; **-man** *n* uomo d'affari
businesslike *a* commerciale, pratico
bust *n* busto; — *vi (sl)* andare in rovina
bustle *n* trambusto, chiasso; **hustle and** — andirivieni *m;* — *vi* affaccendarsi
busy *a* occupato, affaccendato, impegnato; — **oneself** occuparsi
busybody *n* ficcanaso, intrigante *m*
but *prep, conj&adv* ma, però, salvo, eccetto; — **for** senza; **no one** — nessuno eccetto; **all** — quasi
butane *n* butano
butcher *n* macellaio, — **shop** macelleria; — *vt* massacrare
butchery *n* massacro
butler *n* maggiordomo
butt *n (humor)* zimbello; *(cigar)* mozzicone *m*, cicca *(coll); (gun)* calcio; *(target)* bersaglio; — *vt&i* cozzare; — **in** *(coll)* intromettersi
butter *n* burro; — **dish** burriera; — **knife** coltello del burro; — *vt* imburrare; — **up** *(coll)* lusingare; **-ed** *a* imburrato
butterfly *n* farfalla
buttermilk *n* siero del latte
butterscotch *n* caramella al burro
buttocks *npl* natiche *fpl*
button *n* bottone *m;* — *vt* abbottonare; abbottonarsi
buttonhole *n* occhiello; — *vt* attaccare un bottone *(fig)*
buttress *n* pilastro
buxom *a* procace, grassoccio
buy *n* compra; **a good** — un buon acquisto
buyer *n* compratore *m*, compratrice *f*
buy *vt* comprare, acquistare; — **off** corrompere; — **up** accaparrare; — *vi* fare compere
buzz *n* ronzio; — *vi* ronzare; — *vt* sussurrare; *(avi)* ronzare

buzzard *n* bozzagro
buzzer *n* cicalino
by *prep (according to)* secondo; *(near)* presso, vicino a; *(per)* da, per; *(time)* non più tardi di, entro; — *adv* vicino, accanto, in disparte; — **air** per via aerea; — **all means** a tutti i costi; — **and** — prossimamente, fra poco, — **and large** comunque; — **your leave** a tuo beneplacito; — **the way** a proposito;

— **train** col treno
bygone *a* passato; — *n* cosa passata
bylaw *n* statuto, regolamento
bypass *n* circonvallazione, strada di deviazione; — *vt* deviare
by-product *n* sottoprodotto
bystander *n* astante, spettatore *m*
byway *n* disvio
byword *n* proverbio; *(ridicule)* oggetto di derisione

C

cab *n* tassì *m;* –**stand** *n* stazione di vetture
cabal *n* cabala; — *vi* intrigare, complottare
cabaret *n* ritrovo notturno, tabarin *m*
cabbage *n* cavolo
cabin *n* cabina; — **steward** cameriere di bordo
cabinet *n (cupboard)* armadio; *(curio)* stipo; *(pol)* consiglio dei ministri; –**maker** *n* ebanista *m;* –**work** *n* ebanisteria
cable *n* cablogramma *m; (elec)* filo elettrico, cavo; *(rope)* corda; *(wire)* cavo metallico; — **railway** funivia, funicolare; — *vt* telegrafare; *(rope)* legare con corda; — *vi* mandare un cablogramma
cabman *n* vetturino, fiaccheraio
caboose *n (naut)* cucina, cambusa
cackle *n* chiacchierio; *(hen)* chioccolio; — *vt&i* chiacchierare, chioccolare, chiocciare
cacophony *n* cacofonia
cactus *n* agave *f*, cacto
cad *n* mascalzone *m*
cadaver *n* cadavere *m;* –**ous** *a* cadaverico
caddy *n (golf)* portabastoni *m; (tea)* scatola da tè
cadence *n* cadenza
cadenza *n* cadenza
cadet *n* cadetto
café *n* caffè, bar *m;* — **keeper** barista *m*
cafeteria *n* tavola calda, caffè, pasticceria
cage *n* gabbia; — *vt* mettere in gabbia
cagey *a (sl)* astuto
caisson *n (arch)* cassone *m*
cajole *vt* accarezzare, adulare; — *vi* fare carezze, fare adulazioni
cake *n* dolce *m; (little)* pasticcino; *(many-layered)* torta; *(soap)* saponetta; — *vt (coagulate)* far quagliare; *(harden)* fare indurire; — *vi* quagliarsi; indurirsi
calamity *n* calamità
calcification *n* calcificazione
calcify *vt* calcificare; — *vi* calcificarsi

calcimine *n* tinta a calce
calcium *n* calcio
calculable *a* calcolabile
calculate *vt* calcolare; — *vi* fare calcoli; *(rely on)* contare su
calculating *a* calcolatore; — **machine** macchina calcolatrice
calculation *n* calcolo, previsione
calculus *n* calcolo
calendar *n* calendario
calf *n* vitello; *(leg)* polpaccio
caliber *n* calibro
calibrate *vt* calibrare
calibration *n* calibrazione
californium *n (chem)* californio
calipers *npl* compassi *mpl*
call *n (appeal)* appello; *(request)* invito; *(social)* visita; *(sound)* voce; *(summons)* chiamata; **make a** — **on** visitare; **within** — a portata di voce; –**er** *n* visitatore *m*, visitatrice *f*; chiamatore *m*, chiamatrice *f;* –**ing** *n* chiamata, appello; *(work)* professione, vocazione
call *vt&i* chiamare; — **away** attirare; — **back** richiamare; — **down** *(sl)* rimarcare; — **for** esigere; — **forth** designare; — **names** vituperare; — **off** distrarre; — **to mind** ricordarsi; — **to order** richiamare all'ordine; — **the roll** fare l'appello; — **together** riunire; — **up** evocare; *(phone)* telefonare
callous *a* duro, calloso, insensibile; — *vt* incallire; — *vi* incallirsi
callow *a* implume
callus, callous *n* callo
calm *n* calma, tranquillità; — *a* calmo; — *vi* calmarsi; — **down** ammansire, tranquillizzarsi; **become** — calmarsi
calorie *n* caloria
calumny *n* calunnia
calypso *a* calipso
calyx *n* calice *m*
cam *n (mech)* camma
camel *n* cammello; —'**s hair** *(cloth)* pelo di cammello
cameo *n* cammeo

camera *n* macchina fotografica; *(movie)* macchina cinematografica da presa
camerman *n* cineoperatore *m*
camouflage *n* mimetizzazione; — *vt* mascherare, camuffare
camp *n* campo, accampamento; **break** — levare il campo; **–ground** area per campeggio; — *vi* campeggiare, far campeggio; accamparsi
campaign *n* campagna; — *vi* fare una campagna
camphor *n* canfora
campus *n* area scolastica
can *n* latta; *(tiny)* barattolo; — **opener** apriscatole *m*; — *vt* inscatolare, inlattare, mettere in conserva; *(com)* mettere in latta; *(dismiss, sl)* dimettere; — *vi (able)* potere, sapere
Canadian *a&n* canadese
canal *n* canale *m*
canary *n* canarino
cancel *vt* annullare, cancellare; **–ed** *a* cancellato, annullato
cancellation *n* annullamento, cancellazione
cancer *n* cancro; **–ous** *a* canceroso, cancrenoso
candid *a* sincero, franco; **–ly** *adv* candidamente
candidate *n* candidato, aspirante *m*
candied *a* candito
candle *n* candela; *(church)* cero; **–light** *n* luce di candela; **–stick** *n* candeliere *m*; **–wick** *n* lucignolo per candele
candor *n* candore, ingenuità
candy *n* dolci, dolciumi, zuccherini *mpl*; — **store** negozio di dolci, pasticceria; — *vt* candire
cane *n* canna; bastone *m*; — *(or* **caned)** **furniture** mobili di vimini *(or* di canna); **sugar** — canna da zucchero
canine *a* canino
canister *n* scatola di latta
canker *n* cancro
canned *a* inscatolato, inlattato; *(mus)* inciso in dischi; *(sl)* dimesso
cannery *n* fabbrica di conserve
cannibal *n* cannibale *m*; **–ism** *n* cannibalismo
cannon *n* cannone *m*
canny *a* abile, prudente
canoe *n* canoa, canotto, sandalino; — *vi* remare in canoa
canon *n* canone *m; (mus)* fuga; — **law** diritto canonico
canonize *vt* canonizzare
canopy *n* baldacchino, tenda
cant *n* ipocrisia, affettazione
cantaloupe *n* melone *m*
cantankerous *a* sgradevole, litigioso

cantata *n* cantata
canteen *n (container)* borraccia; *(mil)* casa del soldato, spaccio
canter *n* piccolo galoppo; — *vt&i* andare al piccolo galoppo
cantor *n* cantore *m*
canvas *n* canovaccio; *(cloth)* tela
canvass *vt* sollecitare; *(examine)* vagliare; — *vi* sollecitare voti; **–er** *n* propagandista; *(com)* piazzista; *(solicitation)* sollecitatore *m; (pol)* agente elettorale
canyon *n* vallone profondo, burrone *m*
cap *n* berretto; *(lid)* coperchio; *(mech)* tappo; — *vt (cover)* coprire, *(finish)* completare; **to — it all** per rendere la cosa completa
capability *n* capacità
capable *a* capace, abile; in gamba *(coll)*
capacity *n* abilità, capacità, qualità; **seating** — capacità di luogo
cape *n* mantellina, mantella; *(geog)* capo
caper *n* capriola, salto; *(bot)* cappero; — — *vi* far capriole
capillary *n* vaso capillare; — *a* capillare; — **action** forza capillare
capital *a* capitale, importante, principale, maiuscolo; — **punishment** pena di morte, pena capitale; — *n (arch)* capitello; *(com)* capitale *m; (geog)* capitale *f; (print)* maiuscola; **provincial** — capoluogo di provincia
capitalist *n* capitalista *m&f*
capitalization *n* capitalizzazione
capitalize *vt* capitalizzare
capitol *n* Capitolio
capitulate *vi* capitolare
capitulation *n* capitolazione
capon *n* cappone *m*
caprice *n* capriccio
capricious *a* capriccioso
capsize *vt* capovolgere; — *vi* capovolgersi
capsule *n* capsula; *(aesp)* capsula, calotta
captain *n* capitano
caption *n* sottotitolo, didascalia
captivate *vt (charm)* sedurre; *(win)* conquistare, cattivare
captivating *a* seducente
captive *n&a* prigioniero, schiavo
captivity *n* cattività, schiavitù *f*, prigionia
capture *n* cattura, arresto; — *vt* catturare, impadronirsi di
car *n* automobile *f*, macchina *(coll); (rail)* vagone ferroviario; — **pool** intercambio di guida; **armored** — autoblinda; **baggage** — vagone bagagli; **dining** — vagone ristorante; **freight** —

vagone merci; **sleeping** — vagone letto; **smoking** — scompartimento fumatori; **side**– *n* motocarrozzino, sidecar *m*

carafe *n* caraffa

caramel *n* caramella; **–ize** *vt&i* candire, caramellare

carat *n* carato

caravan *n* carovana

caraway *n* carvi *m*, comino

carbolic acid *n* acido fenico

carbon *n* carbone *m;* — **paper** carta carbone

carbuncle *n* carbonchio; *(med)* foruncolo

carburetor *n* carburatore *m*

carcass *n* carcassa, carcame *m*

card *n* cartolina, carta; *(catalog, index)* schedario; *(greeting)* cartolina di auguri; — **game** giuoco di carte

cardboard *n* cartone *m*

cardiac *a&n* cardiaco

cardinal *a* cardinale, principale; *(color)* rosso vivo; — *n* cardinale *m*

cardiogram *n* cardiogramma

cardiograph *n* cardiografia

cardsharp *n* baro

care *n* attenzione; *(nursing)* cura; *(worry)* preoccupazione; **take** — **of** occuparsi di; *(med)* curare; — *vi* curarsi di, badare; — **about** interessarsi di; — **for** *(like, love)* voler bene a; **I don't** — Non m'importa; **What do I** —? Che m'importa?

careen *vt* carenare

career *n* carriera

carefree *a* spensierato

careful *a* accurato, attento; **Be** —! Attenzione!

careless *a* imprudente, negligente; **–ness** *n* negligenza, noncuranza

caress *n* carezza; — *vt* accarezzare

caret *n* segno di richiamo

caretaker *n* custode *m*, portinaio

careworn *a* preoccupato

carfare *n* prezzo della corsa

cargo *n* carico

caricature *n* caricatura; — *vt* mettere in caricatura, caricaturare

caries *npl* carie *f*

carillon *n* cariglione *m*, carillon *m*

carload *n* carico, limite di carico; — **lot** *(com)* lotto di carico, unità di carico

carnage *n* strage *f*, carneficina

carnal *a* carnale

carnation *n* garofano

carnival *n* carnevale *m*, fiera

carnivorous *a* carnivoro

carol *n* canto, canzone *f*

carouse *vi* gozzovigliare

carousel *n* carosello

carp *n* *(fish)* carpio; — *vi* *(blame)* censurare; *(quibble)* cavillare

carpenter *n* falegname *m*, carpentiere *m*

carpentry *n* falegnameria

carpet *n* tappeto; — **sweeper** scopa automatica, macchina spazzatrice; **on the** — *(sl)* sul tappeto; **–ing** *n* materiale per tappeti; — *vt* tappetare, coprire con tappeto

carport *n* cappotta

carriage *n* carrozza, carrozzella; *(behavior)* portamento

carrier *n* portatore, vettore *m;* *(aircraft)* nave portaerei; *(luggage)* portabagaglio; *(pigeon)* piccione viaggiatore

carrion *n* carogna

carrot *n* carota

carry *vi* portare, trasportare; — **away** portar via; — **forward** riportare; — **off** portar via, asportare; — **on** continuare; spingere; — **out** *(accomplish)* realizzare; *(complete)* portare a termine; *(execute)* eseguire; *(move)* portare fuori; — **over** trasportare

cart *n* carretto; **–load** *n* carrettata; — *vt* trasportare

cartage *n* carreggio, trasporto

cartel *n* cartello

cartilage *n* cartilagine *f*

cartographer *n* cartografo

cartography *n* cartografia

carton *n* scatola di cartone; — **of** cigarettes stecca di sigarette

cartoon *n* caricatura; vignetta; **–ist** *n* caricaturista; **animated** — cartone animato

cartridge *n* cartuccia; — **belt** cartucciera; *(mil)* giberna; — **clip** bossolo di cartuccia

cartwheel *n* salto obliquo

carve *vt* scolpire, intagliare; *(food)* trinciare; decorare con figure intagliate

carver *n* intagliatore *m*, *(food)* trinciante *m*

carving *n* intaglio, scultura; — **knife** trinciante *m*

casaba *n* melone d'inverno

cascade *n* cascata; — *vi* cadere in cascata

case *n* cassetta; *(chance)* caso; *(container)* astuccio; *(gram)* caso; **just in** — nel caso che; **–ment** *n* finestra a battenti

cash *n* contante *m;* — **on delivery, C.O.D.** pagamento alla consegna; — **register** registratore di cassa; **hard** — contanti; **pay** — pagare in contanti; — *vt* pagare; incassare

cashbook *n* libro di cassa

cashbox *n* scrigno

cashew (nut) *n* anacardo

cashier *n* cassiere *m*; — *vt* destituire
cashmere *n* casimiro
casing *n* (*cover*) copertura; (*frame*) telaio; (*packing*) incassamento
cask *n* botte *f*, fusto, barile *m*
casket *n* bara; cofanetto, scrigno
casserole *n* casseruola
cassock *n* tonaca, sottana
cast *vt* (*metal*) fondere; (*show*) dare le parti; (*throw*) gettare; — **about for** considerare; cercare; — **off** (*discard*) scartare, rigettare; (*naut*) mollare gli ormeggi; — **a ballot** votare; — *n* (*eye*) leggero strabismo; (*plaster*) calco; (*theat*) complesso
castanets *npl* nacchere *fpl*
castaway *n* naufrago
caste *n* casta
caster *n* gettatore *m*; (*foundry*) fonditore *m*; (*furniture*) rotella
castigate *vt* castigare, punire, correggere
casting *n* (*sport*) lancio
cast iron ghisa
castle *n* castello, palazzo; fortezza
castoff *n* (*discard*) scarto; (*jettison*) gettito
castor oil olio di ricino
castrate *vt* castrare
casual *a* accidentale, casuale, fortuito; (*nonchalant*) indifferente, disinvolto; — **clothes** vestito da casa; **-ty** *n* (*mishap*) accidente; (*victim*) vittima
cat *n* gatto; — **nap** pisolino; **let the — out of the bag** (*fig*) svelare un segreto; **be a —'s paw** fare la testa di ferro (*fig*)
catabolism *n* catabolismo
cataclysm *n* cataclisma; **-ic** *a* disastroso
catafalque *n* catafalco
catalog *n* catalogo; — *vt* catalogare
catalyst *n* catalizzatore *m*
catapult *n* catapulta; — *vt* catapultare
cataract *n* cascata; (*med*) cataratta
catarrh *n* catarro
catastrophe *n* catastrofe *f*
catastrophic *a* catastrofico
catcall *n* miagolio
catch *vt* (*grab*) afferrare, prendere; (*nab*) acchiappare; — *vi* afferrarsi; — **a glimpse of** intravedere; — **cold** prendere un raffreddore; — **fire** incendiarsi; — **the train** prendere il treno
catch *n* (*arrest*) cattura; (*door*) anelli di porta; (*fish*) pesca; (*jewelry*) fermaglio; (*window*) gancio; — **basin** marginatore *m*; **-word** *n* grido popolare, slogan *m*
catching *a* contagioso
catchy *a* (*attractive*) attraente; (*deceitful*) ingannevole; (*mus*) orecchiabile

catechism *n* catechismo
categorical *a* categorico
category *n* categoria
cater *vt* provvedere; **-er** *n* provveditore, fornitore *m*
caterpillar *n* bruco; (*mech*) trattore a cingoli
caterwaul *vi* miagolare; — *n* miagolio
catfish *n* pesce gatto
catgut *n* minugia
cathartic *a*&*n* catartico
cathedral *n* cattedrale *f*
catheter *n* catetere *m*
cathode *n* catodo; **-ray tube** lampada a raggi catodici
catholic *a* cattolico
Catholicism *n* Cattolicismo, Cattolicesimo
catnip *n* erba dei gatti
catsup *n* salsa di pomodori
cattiness *n* felinità
cattle *n* bestiame *m*; — **ranch** fattoria di allevamento bovino; **-man** *n* allevatore di bovini
catty *a* dispettoso
Caucasian *n*&*a* caucasico
caucus *n* comitato elettorale
caudal *a* caudale
cauliflower *n* cavolfiore *m*
causative *a* causativo
cause *n* causa, motivo; **make common — with** far causa comune con; — *vt* causare
causeway *n* marciapiedi *m*
caustic *a* caustico; — *n* (*chem*) caustico
cauterize *vt* cauterizzare
caution *n* prudenza; cautela; — *vt* prevenire
cautious *a* cauto, prudente
cavalcade *n* cavalcata
cavalier *n* cavaliere *m*
cavalry *n* cavalleria
cave *n* grotta, caverna; — **man** uomo delle caverne, troglodita *m*; — *vt* scavare; — *vi* (*fail*) fallire; (*sag*) afflosciarsi; — **in** scassare; (*coll*) cedere
cavern *n* caverna
caviar *n* caviale *m*
cavil *n* cavillo; — *vi* cavillare
cavity *n* buco; (*tooth*) carie *f*
caw *n* gracchiamento; — *vi* gracchiare
cayenne *n* pepe di Caienna
cease *vt*&*i* cessare; (*give up*) smettere; (*interrupt*) interrompere; **-less** *a* incessante
cease-fire *n* tregua
cedar *n* cedro
cede *vt* cedere
cedilla *n* cediglia
ceiling *n* soffitto; (*avi*) massima alti-

tudine
celebrant *n (eccl)* celebrante *m*
celebrate *vt&i* festeggiare, celebrare, commemorare
celebrated *a* celebre, famoso
celebration *n* celebrazione, festa
celebrity *n* celebrità, persona celebre
celery *n* sedano
celestial *a* celeste, divino
celestial mechanics meccanica celeste
celibacy *n* celibato
celibate *n&a* celibe *m*
cell *n* cella; *(anat)* cellula; *(elec)* pila; *(prison)* cella; **–ular** *a* cellulare
cellar *n* cantina
cellist *n* violoncellista *m&f*
cello *n* violoncello
cellophane *n* cellofane *f*
celluloid *n* celluloide *f*
cellulose *n* cellulosa
cement *n* cemento, mastice *m*; *(adhesive)* adesivo; *(dent)* resina indiana; — *vt* cementare, collegare con cemento; attacare; *(dent)* otturare; *(stick)* incollare; — *vi* cementarsi
cemetery *n* cimitero, camposanto
censer *n* incensiere *m*, turibolo
censor *n* censore *m*; — *vt* censurare; **–ship** *n* censura
censure *n* censura; *(reproof)* rimprovero; — *vt* censurare
census *n* censimento
cent *n* centesimo, cento
centenary *n&a* centenario
centennial *a* secolare; — *n* centenario
center *n* centro; — **of attraction** centro d'attrazione; — *vt* centrare; — *vi* essere in centro
centigrade *a* centigrado
centigram *n* centigrammo
centimeter *n* centimetro
centipede *n* millepiedi *m*
central *a* centrale; **–ize** *vt* centralizzare
Central America America Centrale
centralization *n* centralizzazione
centrifugal *a* centrifugo
centripetal *a* centripeto
century *n* secolo
ceramic *a* ceramico; **–s** *npl* ceramica
cereal *n* cereale *m*
cerebellum *n* cervelletto
cerebral *a* cerebrale; — **palsy** paralisi cerebrale
cerebrum *n* cervello, cerebro
ceremonial *a&n* rituale, cerimoniale *m*
ceremonious *a* cerimonioso; **–ly** *adv* cerimoniosamente
ceremony *n* rito, cerimonia, solennità; **without** — senza complimenti

cerise *n* color ciliegia; — *a* di color ciliegia
certain *a* certo, sicuro; — **man** un tale; **for** — di sicuro, in forma certa
certainly *adv* sicuro, certo, certamente; senz'altro, senza dubbio
certainty *n* certezza, sicurezza; **with** — con sicurezza
certificate *n* certificato; *(com)* titolo
certified *a* certificato; — **check** assegno garantito dalla banca; — **milk** latte certificato; — **public accountant, C.P.A.** ragioniere abilitato
certify *vt* certificare, legalizzare; — **to** garantire
certitude *n* certezza
cervical *a* cervicale
cessation *n* cessazione
cesspool *n* pozzo nero
chafe *vt* irritare; scaldare *(fig)*
chaff *n (husk)* loglio; *(ridicule)* beffa; — *vt&i* beffare
chafing dish scaldavivande *m*
chagrin *n* cruccio, mortificazione
chain *n* catena; — **reaction** reazione a catena; — **store** succursale *f;* — **of events** serie d'eventi
chair *n* sedia; *(deck)* sedia a sdraio; *(folding)* sedia pieghevole; *(professorial)* cattedra; *(wheel)* sedia con rotelle; **take the** — insediarsi; assumere la presidenza
chairman *n* presidente *m; —ship n* presidenza
chalice *n* calice *m*
chalk *n* gesso; — *vt* scrivere col gesso; — **up** sommare a conto di qualcuno; **–y** *a* calcareo, gessoso
challenge *n* sfida; *(mil)* chi va là; *(law)* ricusazione; — *vt* sfidare, provocare; — **attention** chiamare l'attenzione
challenger *n* sfidante *m*, provocatore *m*, aggressore *m*
chamber *n* camera; *(hall)* aula; *(room)* stanza, sala; **air** — camera d'aria; — **music** musica da camera
chambermaid *n (hotel)* cameriera
Chamber of Comerce Camera di Commercio
chamois *n* camoscio
champ *vt* mordere, masticare; — *n (sl)* campione *m*
champagne *n* spumante *m*, sciampagna *m*
champion *n* campione *m; —ship n* campionato
chance *n* combinazione, imprevisto; ventura; caso; **by** — per caso, per combinazione; — *a* fortuito, accidentale; — *vi* accadere per caso; — *vt (coll)* tentare, avventurare; — **on** imbattersi con
chancellor *n* cancelliere *m*

chancery *n* cancelleria
chandelier *n* lampadario
change *vt* cambiare, scambiare; cambiarsi; — **hands** cambiare di proprietario; — **one's mind** cambiare idea
change *n* cambio; *(money)* piccolo cambio; — **of heart** conversione; — **of life** cambio di vita; — **of venue** cambio di giurisdizione; **make a** — cambiare, fare un cambiamento
changeable *a* cambiabile, variabile, mutabile
changeless *a* immutabile, costante
changeover *n* cambio
channel *n* canale *m*, stretto; *(rad, TV)* stazione; *(river)* canale *m*; **The English C-La Manica**; — *vt* scannellare, scavare un canale
chant *n* canto; — *vt&i* cantare; **-er** *n* cantore *m*
chaos *n* caos *m*
chaotic *a* caotico
chap *vt&i* crepare; — *n* uomo, giovanotto
chapel *n* cappella
chaperon *n* istitutrice *f*, aia; — *vt* accompagnare
chaplain *n* cappellano
chapter *n* capitolo
char *vt* carbonizzare; — *vi* carbonizzarsi
character *n* carattere *m*, temperamento; *(print)* carattere *m*; *(theat)* personaggio
characteristic *a* caratteristico; — *n* caratteristica
characterization *n* caratterizzazione
characterize *vt* caratterizzare
charcoal *n* carbone di legna, carbonella; — **burner** carbonaio
charge *n* carica; *(care)* custodia; *(cost)* prezzo, costo; *(law)* accusa; — **account** conto; **be in** — essere in carico di; **free of** — gratis; **in** — **of** in custodia di; — *vt* caricare, accusare; — *vi (mil)* caricare, andare alla carica; — **to account** mettere in conto
chargeable *a* accusabile, imponibile, imputable
charger *n (horse)* destriero da carica; *(elec)* carica-batterie
chariot *n* carro; **-eer** *n* carrista *m*, cocchiere *m*
charitable *a* caritatevole
charity *n* carità, bontà; **out of** — *a* beneficienza
charlatan *n* ciarlatano
charm *n* fascino; *(luck)* portafortuna *m*, amuleto; — *vt* incantare, affascinare; **-ing** *a* affascinante, grazioso, delizioso
chart *n* carta; *(med)* storia clinica; —

vt fare un piano, tracciare
charter *n* carta, brevetto; — **member** socio fondatore; — *vt (com)* concedere una licenza; *(hire)* noleggiare
chase *vt* cacciare, dare la caccia; — *n* caccia, inseguimento; **give** — dare la caccia a
chasm *n* baratro, abisso, voragine *f*
chassis *n* telaio
chaste *a* casto, puro
chasten *vt* castigare, punire
chastise *vt* castigare, punire
chastisement *n* castigo
chastity *n* castità
chasuble *n* pianeta
chat *vi* chiacchierare, far due chiacchiere; — *n* chiacchiera
chattel *n* mobile *m;* — **mortgage** ipoteca mobiliare
chatter *n* chiacchiera; **-box** *n* chiacchierone *m;* — *vi* chiacchierare, ciarlare
chattering *n* ciarla, chiacchiera; — *a* ciarliero
chatty *a* ciarliero, loquace
cheap *a* economico; a buon mercato; **feel** — essere imbarazzato
cheapen *vt* deprezzare, svilire; *(price)* diminuire di prezzo; — *vi* scemare il valore di
cheapness *n (cost)* buon mercato; *(person)* spregevolezza
check *vt* verificare, controllare; *(stop)* fermare, arrestare; *(store)* lasciare in deposito; — *vi* provare di aver ragione, — **in** *(register)* registrarsi; — **out** dimettersi
check *n (baggage)* scontrino bagagli; *(bank)* assegno; *(blank)* assegno in bianco; *(cashier's)* assegno di cassa; *(mark)* segno; *(obstacle)* ostacolo; *(traveler's)* assegno per viaggiatore; — **list** lista di verifica; **-book** *n* libretto d'assegni; **-er** *n* controllore *m;* **-up** *n* esame generale, controllo, verifica; **-ed** *a* a quadretti
checkered *a* quadrettato; — **career** vita avventurosa
checkerboard *n* scacchiera
checkers *npl (game)* scacchi *mpl*
checkmate *n* scacco matto; — *vt* dare scacco matto
checkroom *n* vestiario, guardaroba; *(rail)* deposito bagagli
cheek *n* guancia; **-y** *a (coll)* sfacciato
cheekbone *n* zigomo
cheep *n* pigolio; — *vi* pigolare
cheer *n* allegria, gioia; *(hurrah)* grido di gioia; **-less** *a* triste, malinconico; **-y** *a* gioioso, contento; — *vt* rallegrare, consolare, incoraggiare; — **up** gioi-

re, animarsi
cheerful *a* allegro; **-ly** *adv* graziosamente, gaiamente; **-ness** *n* vivacità
cheese *n* cacio, formaggio
chef *n* capo cuoco
chemical *a* chimico; — **engineering** ingegneria chimica; — *n* prodotto chimico
chemist *n* chimico; **-ry** *n* chimica
cherish *vt* accarezzare, nutrire
cherry *n&a* ciliegia; — **tree** ciliegio
cherub *n* cherubino, cherubo; **-ic** *a* cherubico
chess *n* scacchi; **-board** *n* scacchiera; **-men** *npl* pedine degli scacchi
chest *n* *(anat)* petto, torace *m*; *(container)* cassa, cassone *m*; *(furniture)* comò, cassetone *m*
chestnut *n* marrone *m*, castagna; — **tree** castagno; — *a (color)* castano, marrone, castagno
chevalier *n* cavaliere *m*
chevron *n (mil)* gallone *m*
chew *vt* masticare
chewing gum gomma da masticare, cicla
chiaroscuro *n (arts)* chiaroscuro
chic *a* scic
chicanery *n* intrigo; *(cavil)* sofisticheria
chicken *n* pollo; **-pox** *n* varicella, morbiglione *m*
chicken-hearted *a* timido, pauroso
chicory *n* cicoria
chide *vi* sgridare, rimproverare
chief *n* capo; — *a* principale; — **justice** giudice supremo; — **of staff** capo reparto; **-ly** *adv* sopratutto
chieftain *n* capo, capobanda; condottiero
chiffon *n* sciffon *m*
chilblains *npl* geloni *mpl*
child *n* bambino, bambina, fanciulla, fanciullo; bimbo, bimba; creatura; **with** — incinta; **-birth** *n* parto; **-hood** *n* fanciullezza; *(infancy)* infanzia; **-ish** *a* puerile, infantile; **-less** *a* senza figli; **-like** *a* bambinesco
children *npl* bambini, fanciulli, figli *mpl*
Chile Cile; **-an** *n&a* cileno
chili *n* peperone, peperosso; — **sauce** salsa pepata
chill *n* brividio, raffreddore *m;* — *a* freddo, glaciale; **-y** *a* freddo; *(people)* freddoloso
chill *vt* raffreddare; — *vi* raffreddarsi
chime *n (bell)* cariglione *m; (harmony)* concerto; *(mus)* accordo; — *vt* far risuonare; — *vi* scampanare; risuonare; — **in with** prender parte al concerto; accordarsi con
chimerical *a* chimerico
chimney *n* camino, fumaiolo

chiming *a* scampanante; — *n* scampanio
chimpanzee *n* scimpanzè
chin *n* mento
china *n* porcellana; **-ware** *n* porcellana
chinchilla *n* cinciglia
Chinese *n&a* cinese *m&f*
chink *n* screziatura, fessura
chip *n* frammento, scheggia; — *vt* scheggiare, tagliuzzare; — *vi* scheggiarsi, — **in** *(coll)* pagare la propria quota; **have a — on one's shoulder** *(coll)* essere aggressivo
chipmunk *n* scoiattolo striato
chipper *a (coll)* vivace
chiropractor *n* ortopedico
chirp *vi* cinguettare, trillare; — *n* cinguettio
chisel *n* scalpello, cesello; — *vt* cesellare; *(coll)* turlupinare; **-ed** *a* cesellato
chivalrous *a* cavalleresco, cortese
chivalry *n* cavalleria
chives *npl* cipollina verde
chloremia *n* clorimia
chloride *n* cloruro
chlorinate *vt* clorurare
chlorination *n* clorurazione
chlorine *n* cloro
chloroform *n* cloroformio
chlorophyll *n* clorofilla
chock-full *a* colmo, completamente pieno
chocolate *n* cioccolata, cioccolatino; — *a* di cioccolata
choice *n* scelta; — *a* scelto, raro, squisito
choir *n* coro
choke *vt* strangolare, soffocare; — *vi (block)* ingombrarsi, ostruirsi; — **back** ricacciar dentro; — **down** ringoiare; — **off** soffocare; — **up** ingorgare; — *n (auto)* diffusore *m*, valvola dell'aria; *(mech)* regolatore *m*
choler *n* collera; **-ic** *a* collerico
cholera *n* colera
cholesterol *n* colesterina
choose *vt (desire)* preferire, decidere; *(select)* scegliere; — *vi* preferirsi, volere, decidersi a
choosy *a (coll)* sofistico *(coll)*
chop *vt* tritare, tagliuzzare; *(meat)* sminuzzare; — *n* taglio; *(meat)* costoletta, cotoletta; **-s** *npl (jaws)* mascelle *fpl;* **lick one's -s** leccarsi le labbra
chopped *a* tagliato, tritato
choppy *a* screpolato, increspato
choral *a* corale
chord *n* corda; *(mus)* accordo
chore *n* lavoro, faccenda
choreography *n* coreografia
chorister *n* corista *m&f*
chortle *n* sogghigno; — *vt&i* ridacchiare

chorus n *(people)* coro; *(song)* ritornello; — **girl** ballerina; — vt far coro a
chosen a scelto, preferito
Christ n Cristo
christen vt battezzare; *(coll)* usare per la prima volta; **–ing** n battesimo
Christian n&a cristiano; — **name** nome di battesimo
Christianity n cristianità
Christmas n Natale m; **Merry —** Buon Natale
chrome n cromo
chrome-plated a cromato
chromium n cromio
chromogen n cromogeno
chromosome n cromosomo
chromosphere n (ast) cromosfera
chronic a cronico
chronicle n cronaca
chronological a cronologico
chronology n cronologia
chrysalis n crisalide f
chrysanthemum n crisantemo
chubby a paffuto, grassoccio
chuck vt *(throw)* buttare, gettare; — **under the chin** dare un colpetto sotto il mento; — **out** buttare fuori; — n *(mech)* mandrino
chuckle vi ridacchiare; ridere sotto i baffi; — n sogghigno, riso represso
chug n *(motor)* rumore d'esplosione; — vi fare rumore di esplosione; — **along** guidare provocando esplosioni
chum n *(coll)* amico intimo, compagno; — vi *(coll)* amicarsi
chump n *(coll)* scemo
chunk n ceppo; **–y** a tozzo
church n chiesa, tempio; — **music** musica sacra; — **service** ufficio divino
churlish a grossolano
churn n zangola; — vt&i zangolare; *(froth)* spumeggiare
chute n canale di scolo
cider n sidro
cigar n sigaro; — **store** rivendita di tabacchi; tabaccheria; — **holder** bocchino
cigarette n sigaretta; — **butt** cicca, mozzicone; — **case** portasigarette m; — **holder** bocchino; — **lighter** accendisigari m; **filter —** sigaretta con filtro
cilia npl ciglia fpl
cinch n sottopancia, cigna; *(coll)* certezza; — vt assicurare con cigna
cincture n cintura
cinder n cenere, carbon fossile
cinemascope n cinemascopio
cinnamon n cannella
cipher n cifra m, zero
circle n circolo; *(astr)* orbita; **dress**

— prima galleria; — vt circondare, accerchiare; — vi formare circolo
circuit n circuito; **short —** corto circuito
circuitous a tortuoso, indiretto
circular a&n circolare m
circulate vt mettere in circolazione
circulating a circolante; — **library** biblioteca circolante
circulation n circolazione; *(newspaper)* tiratura
circumcise vt circoncidere
circumference n circonferenza
circumflex a circonflesso
circumlocution n circonlocuzione
circumnavigate vt circumnavigare
circumscribe vt circoscrivere
circumspect a circospetto; **–ive** a circospettivo
circumspection n circospezione
circumstance n circostanza, condizione; stato, incidente m
circumstances npl circostanze fpl; **under no —** sotto nessun concetto; in nessun caso; **under the —** nelle circostanze
circumstantial a circostanziale; — **evidence** evidenza circostanziale
circumstantiate vt dettagliare
circumvent vt circonvenire, circuire
circus n circo equestre
cirrhosis n cirrosi f
cirrus a *(ast)* cirro; — **cloud** cirro
cistern n cisterna
citadel n cittadella
citation n citazione
cite vt citare; allegare testimonianze
citified a cittadinizzato
citizen n cittadino; **–ship** n cittadinanza
citric acid acido citrico
citron n cedro
citrus a citro; — **fruit** agrume m; — **grove** agrumeto
city n città; **—hall** municipio; — **planning** piano regolatore; — **editor** redattore del notiziario locale
civic a civico; **–s** npl diritto civile
civil a civile; *(manner)* cortese, urbano; — **engineer** ingegnere civile; — **service** amministrazione civile
civilian n borghese m
civilization n civiltà, civilizzazione
civility n cortesia, gentilezza
civilize vt civilizzare
civilized a civile
clabber n quaglio; — vi quagliare
clack vi scoppiettare, scoccare; — n scoppiettamento
clad a vestito; *(covered)* coperto
claim vt pretendere, reclamare; — n pretesa, reclamo

claimant *n* reclamante *m*, pretendente *m*
clairvoyance *n* chiaroveggenza
clairvoyant *a&n* chiaroveggente *m*
clam *n* pettine *m*, vongola; *(person, coll)* chiuso in sè *(fig);* — **up** *(coll)* rinchiudersi in sè
clamber *vi* arrampicarsi
clammy *a* viscido, colloso, *(humid)* umidiccio
clamor *n* clamore *m;* –**ous** *a* chiassoso
clamp *n* rampone *m*, grappa; *(vise)* morsa; — *vt* stringere con la morsa; — **down** *(coll)* irrigidirsi
clan *n* clan *m*; tribù *f; (faction)* fazione
clandestine *a* clandestino
clang, clank *vt&i* risuonare; — *n* clangore *m*
clannish *a* tradizionalista; strettamente unito alla famiglia
clap *vi* applaudire, battere le mani; — *vt* battere; *(fling)* gettare, lanciare; — *n (blow)* colpo; *(hands)* battimano; *(thunder)* scoppio
clapboard *n* assicella per rivestimento; — *a* di assicella per rivestimento
clapping *n* applauso, battimano
claptrap *n* sciocchezza, — *a* sciocco
claque *n* clac *f;* gente pagata per applaudire
claret *n* vino di Borgogna; chiaretto
clarify *vt&i* chiarire, chiarificare
clarinet *n* clarinetto
clarity *n* splendore *m*, chiarezza
clash *vi (collide)* urtarsi, cozzare; *(oppose)* opporsi, contrastare; — *vt* far produrre rumore
clash *n* urto, scontro, contrasto
clasp *n* fermaglio; — *vt* affibbiare, stringere, allacciare
class *n* classe *f;* lezione *f;* –**mate** *n* compagno di scuola; –**room** *n* aula; — **consciousness** coscienza di classe; — *vt* classificare
classic, –al *n&a* classico
classification *n* classificazione
classified *a* classificato; *(confidential)* riservato, segreto
classify *vt* classificare
clatter *n* rumore *m; fracasso;* — *vi* far rumore; — *vt* far fare rumore
clause *n* articolo; *(gram)* clausola; *(law)* proposizione
claustrophobia *n* claustrofobia
clavicle *n* clavicola
claw *n* artiglio; *(hammer)* taglio; *(shellfish)* pinza; — *vt* graffiare, lacerare
clay *n* creta, argilla; — **pigeon** piattello per tiro
clean *a* pulito, –**liness** *n* pulizia, nitidezza; –**ly** *adv* pulitamente

clean *vt* pulire, nettare; — **up** far pulizia; –**ing** *n* pulizia, pulitura
clean-cut *a* delineato, ben delineato
cleaner *n* nettatore, pulitore *m*
cleanse *vt* nettare, pulire
cleanser *n* nettatore, pulitore *m*
clean-shaven *a* rapato a zero
clear *a* chiaro, netto; — **complexion** bella carnagione; **be in the** — essere in regola; **keep** — **of** tenersi lontano da; –**ly** *adv* chiaramente; –**ness** *n* chiarezza
clear *vt* chiarire, chiarificare; — *vi* rischiararsi, schiarirsi; *(weather)* rasserenarsi, rimettersi; — **away** dissipare, svanire; — **the table** sgombrare; — **up** rischiararsi
clear- *(in comp)* —**cut** *a* tagliato nettamente, positivo; —**headed** *a* dalla mente chiara; —**sighted** *a* chiaroveggente
clearance *n (sale)* liquidazione; *(space)* spazio libero
clearing *n* chiarimento; *(debt)* regolamento dei conti; *(explanation)* schiarimento; *(land)* sgombero, dissodamento; *(woods)* radura; — **house** *(com)* stanza di compensazione
clearness *n* chiarezza
cleat *n* gattello
cleavage *n* taglio, fessura
cleave *vi* aderire a, attaccarsi a; — *vt* fendere, spaccare
cleaver *n* scure *f*
clef *n* chiave *f*
cleft *n* fessura; — **palate** labbro leporino
clemency *n* clemenza, mitezza
clement *a* clemente
clench *vt* impugnare; *(teeth, fist)* stringere
clergy *n* clero; –**man** *n* ecclesiastico, pastore *m*; *(priest)* sacerdote *m*, prete *m*
cleric *n* chierico; –**al** *a* clericale –**al work** lavoro d'ufficio
clerk *n* impiegato d'ufficio, commesso di negozio; — *vi* fare l'impiegato d'ufficio
clever *a* abile, capace, scaltro; ingegnoso; –**ly** *adv* abilmente
cleverness *n* abilità, intelligenza, merito
click *n* tintinnio; — *vi* tintinnare; *(sl)* accordarsi
client *n* cliente *m*; –**ele** *n* clientela
cliff *n* scogliera
climactic *a* climatico
climate *n* clima *m*
climax *n* culmine *m*, punto culminante; — *vi* ascendere, culminare
climb *vt&i* montare; *(clamber)* arrampicarsi; *(scale)* scalare; — *n* ascensione; scalata; — **indicator** *(avi)* ascensi-

metro; **–er** *n* ascensionista *m*

clinch *n* stretta; *(boxing)* abbraccio; — *vt* impugnare, *(boxing)* stringere in pugno; — **a bargain** concludere un affare

clincher *n* rampone *m*, gancio

cling *vi* aderire, aggrapparsi; **–ing** *a* agganciato

clingy *a* tenace

clinic *n* clinica; — *a* clinico; **–al** *a* clinico

clink *vt&i* tintinnare; — **glasses** toccare; *(toast)* fare un brindisi a; — *n* tintinnio; *(sl)* carcere *f*

clinker *n (coal)* scoria

clip *vt* tagliare; *(cut out)* ritagliare; *(cut short)* tagliar corto; *(shear)* tosare; *(words)* storpiare le parole; — *n* gancio; *(coll)* colpo; *(hair)* tosatura, taglio di capelli; *(paper)* fermaglio; **go at a good** — camminare speditamente

clipper *n* macchinetta per tosure; *(naut)* veliero rapido

clippers *npl (hair)* tosatrice *f*

clipping *n* ritaglio di giornale

clique *n* cricca

cloak *n* cappotto; *(mask)* maschera; *(pretext)* pretesto; — *vt (hide)* celare; coprire con mantello

cloakroom *n* guardaroba

clobber *vt (sl)* bastonare

clock *n* pendola, orologio; *(alarm)* sveglia; *(sock)* ricamo; **–maker** n orologiaio; **–wise** *a* destrorso, da sinistra

clockwork *n* orologeria; **go like** — andare come un orologio

clod *n* massa; *(sod)* gleba

clodhopper *n* tanghero; **–s** *npl* scarponi *mpl*

clog *n* intoppo; *(shoe)* zoccolo; — *vt* impacciare, ostruire; — *vi* incagliarsi

cloister *n* chiostro; **–ed** *a* solitario; ritirato dal mondo

close *vt* chiudere; *(end)* finire; — **quarters** corpo a corpo; — **the ranks** serrare le file; — *vi* chiudersi; — *a (airless)* senz'aria; *(compact)* stretto, serrato; *(nearby)* vicino; *(reserved)* riservato; — **call** *(coll)* stretta scappatoia; — **friendship** amicizia stretta; — **shave** scampato liscio; — *adv* vicino; strettamente; — **by** vicino a

close- *(in comp)* **–mouthed** *a* reticente, incomunicativo; **–up** *n* fotografia di primo piano

closed *a* chiuso; — **circuit** circuito chiuso

closefisted *a* misero, avaro

closer *a* più vicino

closet *n* ripostiglio, armadio a muro; — *vt* chiudere nell'armadio

closing *n* chiusura, conclusione; — **of accounts** *(com)* chiusura dei conti

clot *n* coagulo; — *vi* coagularsi; — *vt* coagulare

cloth *n* stoffa, tessuto; — **binding** rilegatura in tela

clothe *vt* vestire, rivestire

clothes *npl* abiti *mpl;* **suit of** — abito completo; — **closet** guardaroba; armadio, guardaroba a muro; **–line** *n* corda per biancheria; **–pin** *n* moletta per la biancheria

clothier *n (maker)* fabbricante di tessuti; *(seller)* commerciante in tessuti

clothing *n* abiti *mpl*, vestiario

cloud *n* nuvola; **–burst** *n* acquazzone *m;* **be in the –s** essere fra le nuvole *(coll);* **–less** *a* sereno; **–y** *a* nuvoloso

cloud *vt* annuvolare; — *vi* rannuvolarsi

clove *n* chiodo di garofano

clover *n* trifoglio; **in** — nella bambagia *(coll);* **be in** — vivere agiatamente

cloverleaf *n* quadrifoglio

clown *n* pagliaccio, buffone *m; (harlequin)* arlecchino; — *vi* fare il pagliaccio

cloy *vt* saziare; — *vi* saziarsi

club *n* circolo; *(card)* fiore *m; (weapon)* mazza; — **car** vagone bar; — **sandwich** panino imbottito; — **steak** lombo di manzo

club *vt* bastonare; — *vi* riunirsi

clubfoot *n* piede storto

clubhouse *n* circolo

cluck *vi* chiocciare

clue *n* gomitolo, filo

clump *n* blocco, massa; — *vi* camminare pesantemente; — *vt* ammassare

clumsiness *n* grossolanità; *(weight)* pesantezza

clumsy *a* goffo, maldestro

cluster *n* grappolo; mazzetto; — *vt* riunire, aggrappolare; — *vi* riunirsi, aggrappolarsi

clutch *n* presa; *(auto)* frizione; *(mech)* innesto; — **pedal** pedale di frizione; — *vt* stringere, afferrare; **throw in the** — *(mech)* ingranare

clutches *npl* grinfie *fpl;* **in the** — nelle grinfie

clutter *n* disordine *m*, confusione; — *vt* ingombrare

coach *n (pupil's)* ripetitore *m; (sport)* allenatore *m; (teacher)* istruttore *m; (vehicle)* vettura, carrozza; — *vt* addestrare, preparare, dar lezione di ripetizione; — *vi* scarrozzare; andare in carrozza

coachman *n* cocchiere *m*

coagulant *n* coagulante *m*

coagulate *vt* coagulare; — *vi* coagularsi

coagulation *n* coagulazione

coal *n* carbone *m;* — **mine** miniera di carbone; — **oil** petrolio, kerosina; — **pit** pozzo di carbone; — **tar** catrame di carbone; **bituminous** — carbone bituminoso; **hard** — carbone duro; **soft** — carbone dolce; **rake over the –s** rimproverare, ridicolizzare

coalesce vi unirsi, fondersi, coalizzarsi

coalition n coalizione

coarse a grossolano, volgare, ruvido; **–ly** adv grossolanamente; **–ness** n grossolanità

coarsen vt rendere grossolano; — vi arrozzire, diventare grossolano

coast n costa, litorale m; — **line** litorale; — **guard** guardacosta; **have a clear** — essere fuori pericolo; **–al** a costiero; — vi costeggiare

coaster n (glass) sottobicchiere m; (naut) nave costiera; — **brake** freno contro pedale

coat n soprabito, pastrano; (jacket) giacca; (paint, varnish) strato; **–ing** n (cloth) stoffa; (film) strato; (paint) mano f; — **of arms** cotta d'arme; scudo nobiliare; **–ed** a vestito, coperto; — vt rivestire

coatroom n guardaroba

coax vt pregare con lusinghe; persuadere con moine; — vi usare persuasione

coaxing n adulazione; **–ingly** adv carezzevolmente, adulatamente

coaxial a coassiale; — **cable** cavo coassiale

cob n (corn) pannocchia; (swan) cigno

cobalt n cobalto

cobble vt rammendare; (shoes) rattoppare

cobbler n ciabattino

cobra n cobra

cobweb n ragnatela

cocaine n cocaina

cock n gallo; (gun) cane m; (mech) ago; — **and bull story** fandonia; **–ade** n coccarda; **–roach** n scarafaggio; **–sure** a sicurissimo; **–y** a (coll) vanitoso; arrogante; — vt drizzare; — vi drizzarsi

cocked a drizzato; — **hat** cappello a due punte; **knock into a — hat** sconfiggere completamente

cockeyed a strabico; (sl) a sghembo; alla ventitrè (coll)

cockpit n (avi) carlinga, abitacolo

cocksure a sicurissimo

cocktail n cocktail m; — **shaker** shaker m, bottiglia da cocktail

cocoa n cacao; — **butter** burro di cacao

coconut n noce di cocco

cocoon n bozzolo

C.O.D. contro assegno, pagamento alla consegna

cod, –fish n merluzzo; **dried** — baccalà m

coda n codetta

coddle vt vezzeggiare; (cooking) cuocere lentamente

code n codice m; **secret** — cifrario; — vt cifrare

codex n manoscritto antico

codicil n codicillo

cod-liver oil olio di fegato di merluzzo

coeducation n coeducazione

coeducational a coeducazionale; — **school** scuola mista

coefficient n coefficiente m

coequal a eguale, coeguale

coerce vt forzare, costringere, obbligare

coexist vi coesistere; **–ence** n coesistenza

coffee n caffè m; — **bean** chicco di caffè; — **mill** macinino da caffè; — **plantation** piantagione di caffè; — **pot** caffettiera; — **shop** caffè, ristorante m

coffer n cofano, scrigno

coffin n bara, cassa da morto

cog n dente di ruota; — **railway** ferrovia a cremagliera; **–wheel** n ruota dentata, ingranaggio

cogent a evidente; urgente; (strong) forte, potente

cogitate vi cogitare, meditare

cognac n cognac m

cognate a parente, consanguineo

cognizance n cognizione

cognizant a competente, istruito

cognomen n cognome m

cohabit vi coabitare; **–ation** n coabitazione

cohere vi aderire a; (agree) concordare

coherence n coerenza

coherent a coerente

cohesion n aderenza, coesione

cohesive a coesivo

cohort n coorte f

coiffure n pettinatura

coil vt avvolgere, arrotolare; — vi piegarsi, avvolgersi; — n rotolo; (elec) bobina

coin n moneta; **–age** n conio; invenzione; — vt coniare, battere moneta; — **a word** inventare una parola

coincide vi coincidere

coincidence n combinazione, coincidenza, concordanza

coincident a coincidente; **–al** a coincidentale

coke n (fuel) coke m

colander n colatoio, colabrodo

cold n freddo, (med) raffreddore m; **take** — pigliare un raffreddore, raffreddarsi; — a freddo; **be** — (person) aver freddo; — **cream** (cosmetic) crema di bellezza; — **storage** conservazione a freddo; — **weather** tempo freddo; **–ness** n freddezza, freddo; **–ly** adv freddamente

cold– (in comp) **–blooded** a di sangue freddo, insensibile; **–wave** n (weather) ondata di freddo

colic n colica

coliseum n colosseo

colitis n colite f

collaborate vt&i collaborare

collaboration n collaborazione

collaborator n collaboratore m

collapse vi crollare, avere un collasso; — vt provocare collasso; — n crollo; sfacelo; (med) collasso, prostrazione; **nervous —** esaurimento nervoso

collapsible a pieghevole, ribaltabile

collar vt prendere per il collo; (fig) catturare

collar n collare m; (coat) bavero; (shirt) colletto; **–bone** n clavicola

collate vt collazionare

collateral n&a collaterale m

colleague n collega m&f

collect vi raccogliere, collezionare, riscuotere; (money) incassare; **–or** n collezionista m; (com) controllore m; (tax) esattore m

collective a collettivo; — **bargaining** contratto collettivo

collection n raccolta, collezione

collectivism n collettivismo

college n collegio; scuola superiore; università; facoltà di università; **electoral —** collegio elettorale

collegiate a collegiato

collide vi scontrarsi, urtarsi

collie n cane da pastore scozzese

collision n collisione, scontro, investimento, urto

collocate vt collocare

collocation n collocamento, collocazione

colloid n&a colloide m

colloquial a familiare; della lingua parlata; **–ism** n parola familiare; espressione familiare

colloquy n colloquio

collusion n collusione, connivenza, complicità

cologne n colonia (coll); **C–** Colonia

colon n (anat) colon m; (gram) due punti

colonel n colonnello

colonial a coloniale

colonist n colono

colonize vt colonizzare; — vi formare una colonia

colony n colonia

color n colore m, colorito; **change —** cambiar colore; **–less** a incolore, insulso; — vt colorare

coloration n colorazione

colorblindness n daltonismo

colored a colorato; — **people** npl gente di colore

coloring n colore m; colorito; (skin) carnagione f

colossal a colossale

colt n puledro

columbine n aquilegia

column n colonna; (newspaper) rubrica, colonna di giornale

coma n coma m

comatose a comatoso

comb n pettine m; (cock) cresta; (hair) pettine per capelli; (honey) favo; — vt pettinare; — **out** (fig) eliminare; — vi pettinarsi

combat n combattimento; — **fatigue** psicopatia di guerra

combat vt combattere; — vi contendere con; **–ive** a combattivo, litigioso

combatant n&a combattente m

combination n combinazione; — **lock** serratura a combinazione

combine vt combinare; — vi combinarsi, allearsi; — n (coll) consorzio, combriccola; (com) società; (mech) macchina trebbiatrice

combined a combinato; — **efforts** sforzi combinati

combustible a&n combustibile m

combustion n combustione; — **chamber** camera di scoppio

come vi venire; — **about** accadere; — **after** (follow) seguire; (get) venire a prendere; — **again** ritornare; — **apart** separarsi, — **away** venire via; — **back** tornare; — **between** intervenire; — **by** (get) ottenere, acquistare; (pass) passare; — **down** scendere; — **for** venire per; — **forward** avanzarsi; — **home** tornare a casa; — **in** entrare; **C– in!** Avanti!; **May I (we) — in?** Si può?; — **near** avvicinarsi; — **of age** diventare maggiorenne; **off** staccarsi; **C– on!** Andiamo!; — **out** uscire; (stain) scomparire; — **through** riuscire; — **to** (amount to) ammontare; (revive) riaversi; — **to terms** mettersi d'accordo; — **undone** sfarsi; — **up** venire su; venire a galla (fig); — **what may** qualunque cosa avvenga (fig); — **up with** raggiungere

comeback n ritorno

comedian n comico, buffone m; (theat) commediante m

comedown n (coll) caduta

comedy n commedia; **musical —** burletta, opera comica, operetta

comeliness n bellezza, avvenenza

comely a avvenente, grazioso, bello

comet *n* cometa
comfort *n* consolazione, conforto; *(body)* comodità; **–er** *n* confortatore *m*; *(bedding)* imbottita, coltrone *m*; **–able** *a* confortevole; comodo; **–ably** *adv* comodamente; — *vt* confortare, consolare; **–ing** *a* confortante
comic *n* comico; — **book** giornalino per i piccoli; — **opera** opera buffa; — **strip** fumetto; vignetta
comical *a* comico
coming *n* venuta, arrivo; — *a* prossimo
comma *n* virgola
command *vt* comandare, ordinare; — *vi* essere al comando; — *n* comando, ordine *m*, padronanza; **–er** *n* comandante *m*, capo; **–ment** *n* comandamento
commanding *a* autoritario
commando *n* reparto di truppe d'assalto
commandeer *vt* requisire
commemorate *vt* commemorare
commemoration *n* commemorazione
commemorative *a* commemorativo
commence *vt&i* cominciare, incominciare, iniziare, mettersi a
commencement *n (beginning)* inizio; *(graduation)* cerimonia della consegna del diploma
commend *vt (praise)* lodare, elogiare; *(recommend)* raccomandare; **–able** *a* raccomandabile; **–ation** *n* raccomandazione; **–atory** *a* raccomandatorio
commensurate *a* commisurato
comment *n* commento, osservazione; — *vt* commentare, criticare; — *vi* fare commento
commentary *n* commento, annotazioni *fpl*
commentator *n* commentatore *m*
commerce *n* commercio
commercial *a* commerciale; — **art** arte commerciale; — **college** scuola commerciale; — *n (rad, TV)* annunzio pubblicitario; **–ize** *vt* commercializzare
commiserate *vt* commiserare
commiseration *n* commiserazione
commissar *n* commissario; **–iat** *n* commissariato
commissary *n* commissario
commission *n* commissione; provvigione *f*; — **house** ditta per commissioni; — **merchant** commissionario; **out of** — fuori uso; — *vt* commissionare; incaricare con una missione
commissioned *a* inviato in missione, commissionato
commit *vt* fare, affidare, commettere; — **to memory** imparare a memoria
commitment *n* consegna
committee *n* comitato, commissione
commodious *a* comodo

commodity *n* prodotto, derrata
commodore *n* commodoro
common *a* comune; *(usual)* ordinario; *(vulgar)* triviale; — **carrier** vettore *m*; — **sense** buon senso; — **stock** *(com)* titolo in comune; **in** — in comune
commonplace *n* banalità; — *a* banale; volgare
commonwealth *n* stato; repubblica
commotion *n* agitazione, tumulto, chiasso
communal *a* comunale
commune *vi* conferire, discorrere; — **with oneself** meditare
commune *n* comune *m*
communicable *a* comunicabile
communicant *n* comunicando
communicate *vt* comunicare, trasmettere; — *vi* comunicarsi, fare la comunione
communication *n* comunicazione
communicative *a* comunicativo
communion *n* comunione; **take** — comunicarsi
communiqué *n* comunicato ufficiale
communism *n* comunismo
communist *n* comunista *m&f*; **–ic** *a* comunista, comunistico
community *n* comunità, collettività; *(locality)* vicinato; *(village)* paese *m*; — **chest** fondo di comunità; — **center** luogo di riunione di una comunità
communize *vt* socializzare, accomunare
commutation *n* commutazione; — **ticket** abbonamento combinato
commutator *n* commutatore *m*
commute *vt* commutare; sostituire; — *vi* fare sostituzione di; viaggiare giornalmente con abbonamento combinato
commuter *n* colui che viaggia al lavoro
compact *a* compatto; **–ly** *adv* concisamente
compact *n (agreement)* patto, contratto; *(auto)* piccola automobile; *(powder)* portacipria *m*
companion *n* compagno, compagna; **–ship** *n* compagnia, cameratismo, amicizia
companionable *a* socievole
companionway *n* scaletta
company *n* compagnia, società; **part** — separarsi
comparable *a* paragonabile
comparative *a* comparativo, relativo; **–ly** *adv* comparativamente, relativamente
compare *vt* paragonare, confrontare; — **notes** fare uno scambio di idee
comparison *n* paragone *m*, confronto; **beyond** — senza confronto, senza paragone; **in** — **with** in confronto a
compartment *n* compartimento, scomparti-mento
compass *n (naut)* bussola; *(range)* limite

m, portata; — *vt* circondare, andare attorno; *(achieve)* compiere
compassion *n* compassione, pietà; **–ate** *a* compassivo, compassionevole
compatible *a* compatibile
compatriot *n* compatriota *m&f*
compel *vt* costringere, obbligare, forzare
compellation *n* appello
compensate *vt* compensare, risarcire; — *vi* compensarsi
compensation *n* compenso, ricompensa, indennità
compensator *n* compensatore *m,* compensatrice *f*
compensatory *a* compensativo
compete *vi* concorrere, gareggiare
competence *n* competenza
competent *a* competente, capace, abile
competition *n* competizione, gara, concorso
competitive *a* competitivo
competitor *n* competitore, concorrente *m*
compilation *n* compilazione, raccolta
compile *vt* compilare
compiler *n* compilatore *m*
complain *vi* lamentarsi
complainant *n* accusatore, querelante *m*
complaint *n* lamento; *(protest)* protesta, reclamo, accusa; *(law)* querela; *(med)* malattia, disturbo; **lodge a** — dar querela
complaisance *n* compiacenza
complaisant *a* compiacente
complement *n* complemento; — *vt* completare, riempiere; **–ary** *a* complementare
complete *a* finito, completo; — *vt* completare, terminare, finire; **–ly** *adv* completamente
completion *n* complemento, fine *f,* termine *m*
complex *a&n* complesso; **inferiority** — *n* complesso di inferiorità
complexion *n* carnagione *f,* colorito
complexity *n* complessità; complicazione
compliance *n* obbedienza, acquiescenza; **in** — **with** in conformità con
compliant *a* condiscendente
complicate *vt* complicare; **–d** *a* complicato
complication *n* complicazione
complicity *n* complicità
compliment *n* complimento; *(eulogy)* elogio; *(homage)* omaggio; — *vt* felicitare, lodare
complimentary *a* laudativo, complimentoso; *(gratis)* gratuito, in omaggio, di favore; — **ticket** biglietto-omaggio
component *a&n* componente
compose *vt* comporre; — *vi* fare composizioni, creare; **–d** *a* disinvolto, calmo,

tranquillo; **be –d of** consistere di
composer *n* compositore *m*
composite *a* composto
composition *n* composizione, natura, componimento
compositor *n* compositore *m*
compost *n* composto
composure *n* disinvoltura, calma; sangue freddo
compote *n* composta, conserva
compound *vt* comporre, combinare; — *vi* venire a una transazione; — **a felony** comporre *(or* sospendere) un'accusa di delitto; — *n* composto; — *a* composto, composito
comprehend *vt* comprendere, concepire, capire, includere
comprehensible *a* comprensibile
comprehension *n* comprensione
comprehensive *a* comprensivo, spazioso, vasto
compress *n* compressa
compress *vt* comprimere, condensare; **–ed** *a* compresso
compressor *n* *(mech)* compressore *m*
compression *n* compressione
comprise *vt* comprendere, includere; **–d** *a* compreso, incluso
compromise *n* compromesso, transazione; — *vt* compromettere, transigere; — *vi* compromettersi
comptometer *n* comptometro
comptroller *n* controllore *m;* **–ship** *n* controlleria
compulsion *n* compulsione, costrizione
compulsive *a* obbligatorio, forzato; **–ly** *adv* forzosamente
compulsory *a* obbligatorio
compunction *n* compunzione
computation *n* computo
compute *vt* calcolare
computer *n* computatore *m,* computatrice *f*
comrade *n* camerata *m,* compagno; **–ship** *n* cameratismo
concave *a* concavo
conceal *vt* celare, nascondere; **–ed** *a* celato, nascosto
concealment *n* *(deception)* dissimulazione; *(hiding)* celamento
concede *vt* concedere, ammettere
conceit *n* vanità, amor proprio, presunzione, boria; **–ed** *a* presuntuoso, vanitoso, vanesio; **–edly** *adv* vanamente; infatuatamente
conceivable *a* concepibile
conceive *vt&i* concepire, immaginare
concentrate *vt* concentrare; — *vi* concentrarsi, raccogliersi; — **on** convergere; **–d** *a* concentrato

concentrate *n* concentrato, essenza
concentration *n* concentrazione
concentric *a* concentrico
concept *n* concetto, idea
conception *n* concezione; *(idea)* concetto
concern *vt* riguardare, concernere, interessare; — **oneself** interessarsi, occuparsi
concern *n (com)* ditta, azienda; *(interest)* cura, interesse *m*, faccenda, affare *m*; *(worry)* preoccupazione
concerned *a* preoccupato; interessato; **as far as . . . is** — per ciò che riguarda
concerning *prep* di; quanto a, relativo a, riguardante a
concert *n* concerto; **–ed** *a* concertato
concert *vt* concertare; — *vi* concertarsi
concession *n* concessione
conciliate *vt* conciliare
conciliation *n* conciliazione
conciliatory *a* conciliatorio
concise *a* conciso
conclave *n* conclave *m*
conclude *vt&i* concludere, terminare, finire; *(deduce)* dedurre
conclusion *n* conclusione
conclusive *a* conclusivo; **–ly** *adv* conclusivamente
concoct *vt (develop)* elaborare; *(plot)* complottare; *(prepare)* preparare
concoction *n* elaborazione; complottazione; *(mixture)* miscela
concomitant *a* concomitante, accessorio; — *n* compagno, accessorio
concord *n* concordia, armonia; — **grape** uva concordia; — *vi* concordare
concourse *n* concorso, affluenza
concrete *n* cemento, *(arch)* calcestruzzo; — **mixer** betoniera: — *a* concreto; di calcestruzzo
concubine *n* concubina
concupescence *n* concupiscenza
concur *vi* convenire con, concordare con, accordarsi
concurrence *n* concorrenza
concurrent *a* concorrente, simultaneo; **–ly** *adv* simultaneamente
concussion *n* scossa, concussione; *(brain)* trauma, commozione cerebrale
condemn *vt* condannare, biasimare
condemnation *n* condanna
condensation *n* condensazione
condense *vt* condensare, abbreviare
condenser *n* condensatore *m*
condescend *vi* accondiscendere; *(deign)* degnarsi; **–ing** *a* condiscendente
condescension *n* condiscendenza
condiment *n* condimento
condition *n* condizione; **–al** *a* condizionale; — *vt* imporre condizioni; — *vi*

stipulare
condole *vi* fare le condoglianze, condolersi
condolence *n* condoglianza
condone *vt* condonare, perdonare, scusare
conduce *vi* contribuire, tendere
conducive *a* tendente, favorevole
conduct *n* condotta, contegno, procedimento
conduct *vt* guidare, dirigere; condurre a; — **oneself** *(behave)* comportarsi; — *vi (phy)* condurre
conductivity *n (elec)* conduttività
conduction *n* conduzione
conductor *n* capotreno; *(streetcar)* conduttore *m*; *(elec)* conduttore *m*; *(mus)* direttore *m*, direttrice *f*
conduit *n* condotto, condotta
cone *n* cono; *(bot)* pigna, pina; *(ice cream)* cono gelato; *(paper)* cartoccio
confection *n* confetto, conserva
confectionery *n* confetturaria; — **store** confetteria
confederacy *n* confederazione; lega
confederate *a&n* confederato; — *vt* federare, confederare; — *vi* federarsi, confederarsi
confederation *n* confederazione
confer *vt&i* conferire; — **with** conferire con; avere una conferenza con
conference *n* conferenza, colloquio; *(meeting)* riunione *f*
confess *vt* confessare; — *vi* confessarsi; — **to** ammettere di
confession *n* confessione; **–al** *n* confessionale *m*
confessor *n* confessore *m*
confetti *npl* coriandoli *mpl*
confidant *n* confidente *m*
confide *vt&i* confidare; aver fiducia
confidence *n* fiducia; **in strict** — in stretta confidenza; — **game** abuso di fiducia; — **man** abusatore di fiducia
confident *a* confidente; **–ly** *adv* fiduciosamente
confidential *a* confidenziale
confiding *a* confidente, fiducioso
configuration *n* configurazione
confine *vt* confinare; — **oneself** limitarsi; **–d to bed** obbligato a letto
confinement *n* confino, ritiro; *(law)* reclusione; **solitary** — segregazione cellulare
confirm *vt* confermare; *(eccl)* cresimare; **–ation** *n* conferma; cresima; **–atory** *a* confermatorio; **–ative** *a* confermativo; **–ed** *a* inveterato; **–ing** *a* confermante
confiscate *vt* confiscare
confiscation *n* confisca

conflagration *n* conflagrazione, accensione
conflict *n* conflitto, contrasto
conflict *vi* contrastare, essere in conflitto; **–ing** *a* in conflitto, contrastante
conform *vt* conformare, adattare; — *vi* adattarsi, conformarsi; **–able** *a* conforme *a*; sottomesso *a*; **–ation** *n* conformazione; **–ist** *n* conformista *m;* **–ity** *n* conformità
confound *vt* confondere; **–ed** *a* confuso
confront *vt* confrontare, affrontare
confuse *vt* confondere, turbare, sconcertare; **–ed** *a* confuso, disordinato
confusedly *adv* confusamente
confusion *n* confusione; **be covered with** — essere imbarazzato
confute *vt* confutare
congeal *vt* congelare, gelare; coagulare; — *vi* congelarsi; coagularsi; **–ed** *a* congelato
congenial *a* simpatico, gradevole
congenital *a* congenito
congest *vt&i* riunire, ammassare, congestionare
congested *a* riunito, congestionato; — **district** settore superpopolato
congestion *n* congestione *f*
conglomerate *a* conglomerato
conglomeration *n* conglomerazione, conglomerato
congratulate *vt* felicitare
congratulation *n* congratulazione; **–s** *npl* congratulazioni, complimenti
congregate *vt* radunare, riunire; — *vi* adunarsi, riunirsi
congregation *n* congregazione; **–al** *a* congregazionale
congress *n* congresso; **–man** *n* congressista *m*
congressional *a* congressionale, del congresso
congruent *a* congruente
congruity *n* congruismo, congruità
congruous *a* congruo
conical *a* conico
conifer *n* conifera
conjecture *n* congettura, supposizione; — *vt&i* congetturare
conjugal *a* coniugale
conjugate *vt* coniugare
conjugation *n* coniugazione
conjunction *n* congiunzione
conjunctive *a* congiuntivo
conjunctivitis *n* congiuntivite *f*
conjure *vt&i* scongiurare
conjurer *n* prestigiatore *m*
connect *vt* connettere, unire; — *vi* far coincidenza, connettersi, unirsi; **–ing** *a* d'unione, di comunicazione; **–ed** *a* connesso, unito, imparentato
connection *n* rapporto, relazione; *(elec)* connessione, contatto
connivance *n* connivenza
connive *vi* avere connivenza con
conniving *a* connivente
connoisseur *n* intenditore *m*, intenditrice *f*; buongustaio
connotation *n* senso, significato
connote *vt* implicare; significare indirettamente
connubial *a* coniugale, connubiale
conquer *vt&i* vincere, conquistare; **–or** *n* vincitore *m*
conquest *n* conquista
consanguinity *n* consanguinità
conscience *n* coscienza; **in all** — in tutta coscienza
conscience-stricken *a* con peso di coscienza *(fig)*
conscientious *a* coscienzioso; **–ly** *adv* coscienziosamente
conscious *a* conscio, consapevole; **–ly** *adv* consciamente; **–ness** *n* conoscenza, coscienza
conscript *vt* coscrivere, reclutare
conscription *n* coscrizione, reclutamento
consecrate *vt* consacrare, benedire; **–d** *a* consacrato
consecration *n* consacrazione
consecutive *a* consecutivo
consensus *n* consenso
consent *vi* acconsentire; approvare, accettare; — *n* consenso, accordo
consequence *n* conseguenza; **take the –s** pagare le conseguenze
consequent *a* conseguente; **–ly** *adv* in conseguenza, conseguentemente
consequential *a* conseguenziale, logico
conservation *n* conservazione
conservative *a* conservativo; — *n* conservatore *m*, conservatrice *f*
conservatory *n* conservatorio musicale; *(hothouse)* serra; — *a* conservativo
conserve *vt* conservare; *(in syrup)* mettere in conserva
conserve *n* conserva
consider *vt&i* considerare, riflettere sopra; **–ed** *a* considerato; **–able** *a* considerabile; **–ate** *a* considerato, di considerazione
consideration *n* considerazione; **in — of** in considerazione di; **under no** — sotto nessuna circostanza; **take into** — prendere in considerazione; **under** — in esame, allo studio
considering that in considerazione di; considerando che
consign *vt&i* consegnare; **—ee** *n* consegnatario; **–or** *n* depositante *m; (sender)*

mittente *m*

consignment *n* consegna; deposito; **on —** in deposito

consist *vi* ·consistere; **–ency** *n* consistenza; **–ent** *a* consistente

consistory *n* concistoro

consolation *n* consolazione

console *vt* consolare

console *n* mensola

consolidate *vt* consolidare; **—** *vi* consolidarsi

consolidation *n* consolidamento

consommé *n* brodo ristretto

consonant *a&n* consonante *f*

consort *n* consorte *m*

consort *vt* associare, unire; **—** *vi* associarsi, unirsi; **— with** associarsi con

conspicuous *a* cospicuo; **–ly** *adv* cospicuamente

conspiracy *n* congiura, complotto, cospirazione

conspirator *n* cospiratore *m*, cospiratrice *f*

conspire *vt&i* complottare, congiurare

constabulary *npl* corpo di polizia

constancy *n* costanza

constant *a* costante, ininterrotto; **—** *n* *(math)* costante *f*; **–ly** *adv* costantemente

constellation *n* costellazione

consternate *vt* costernare; **–d** *a* costernato

consternation *n* costernazione, sgomento

constipate *vt* costipare; **–d** *a* costipato

constipation *n* costipazione

constituency *n* circoscrizione elettorale

constituent *a* costituente

constitute *vt* costituire

constitution *n* costituzione

constitutional *a* costituzionale; **—** *n* passeggiata igienica

constitutionality *n* costituzionalità

constrain *vt* costringere; **–ed** *a* costretto

constraint *n* costrizione

constrict *vt* costringere

constriction *n* costrizione

constrictor *n* costrittore *m*; **boa —** *n* serpente boa

construct *vt* costruire; **–or** *n* costruttore *m*

construction *n* costruzione; **give a wrong —** mal interpretare; **–al** *a* strutturale; di costruzione

constructive *a* costruttivo

construe *vt* interpretare

consubstantiate *vt* consustanziare

consul *n* console *m*; **–ar** *a* consolare

consulate *n* consolato

consult *vt* consultare; **—** *vi* consultarsi con; **–ing** *a* consultante; **–ation** *n*

consulto; **–ant** *n* consultante *m*

consume *vt* consumare; **—** *vi* consumarsi; **–d** *a* consumato

consumer *n* consumatore *m*

consummate *a* consumato

consummate *vt* consumare, finire

consummation *n* consumazione

consumption *n* consumazione; *(med)* consunzione

contact *n* contatto; **— lenses** *npl* lenti di contatto

contact *vt&i* fare contatto, mettersi a contatto

contagion *n* contagio

contagious *a* contagioso

contain *vt* contenere; **— oneself** contenersi

contaminate *vt* contaminare

contamination *n* contaminazione

contemplate *vt&i* contemplare, meditare

contemplation *n* contemplazione, meditazione

contemporaneous *a* contemporaneo; **–ly** *adv* contemporaneamente

contemporary *n&a* contemporaneo

contempt *n* disprezzo; **–ible** *a* spregevole

contemptuous *a* sprezzante

contend *vt* contendere, contestare; **—** *vi* pretendere

content *n* contentezza; **to one's heart's —** a volontà; **—** *a* contento; **–ed** *a* contento, contentato; **—** *vt* accontentare

contention *n* controversia; **bone of —** seme di discordia

contentment *n* contentamento

contents *npl* contenuto; **table of —** indice *m*

contest *vt* contestare; **—** *vi* lottare, concorrere; **–ant** *n* contestante *m*

contest *n* contestazione, concorso; **beauty —** concorso di bellezza

context *n* contesto, senso

contextual *a* contestuale

contiguity *n* contiguità

continguous *a* contiguo

continence *n* continenza

continent *n* continente *m;* **–al** *a* continentale

contingency *n* contingenza

contingent *a* contingente; **—** *n* contingente *m*

continual *a* continuo; **–ly** *adv* continuamente

continuance *n* continuazione, continuità

continuation *n* continuazione

continue *vt&i* continuare; **–d** *a* continuo

continuity *n* continuità; *(movies)* copione cinematografico; *(radio)* copione per radio

continuous *a* continuo

contort *vt* contorcere, attorcigliare
contortion *n* contorsione; **–ist** *n* contorsionista *m&f*
contour *n* contorno; — **plowing** rilievo topografico
contraband *n* contrabbando
contraception *n* contracconcezione, antifecondazione
contract *n* contratto; **party to a** — contraente *m;* **–ing** *a* contrattante; **–or** *n* contraente *m,* imprenditore *m;* — *vt (com)* contrarre
contract *vt (med)* contrarre; **–ed** *a* contrattato; **–ible** *a* contrattile; **–ibility** *n* contrattilità
contraction *n* contrazione
contradict *vt&i* contraddire; **–ory** *a* contraddittorio
contradiction *n* contraddizione
contrail *n (avi)* fumeggio, scia
contralto *n* contralto
contrariness *n* contrarietà
contrary *a&n* contrario; **on the** — al contrario
contrast *vi* contrastare; — *vt* mettere in contrasto; — *n* contrasto; **–ing** *a* contrastante
contravene *vt* contravvenire
contribute *vt&i* contribuire
contribution *n* contributo
contributor *n* contributore *m,* contributrice *f*
contributory *a* contributivo
contrite *a* contrito
contrition *n* contrizione
contrivance *n* escogitazione, invenzione
contrive *vt* escogitare; — *vi* ingegnarsi
control *vt* controllare; — **oneself** controllarsi; — *n* controllo; — **stick** *(avi)* cloche *f,* leva di comando; — **tower** *(avi)* torre di controllo
controller *n* controllore *m*
controversial *a* di controversia, controverso
controversy *n* controversia
contusion *n* contusione
conundrum *n* indovinello
convalesce *vi* essere convalescente
convalescence *n* convalescenza
convalescent *a&n* convalescente *m&f;* — **home** convalescenziario
convection *n* convezione
convene *vt* convenire; — *vi* adunarsi
convenience *n* convenienza, **at one's** — con comodità; **a bell'agio**
convenient *a* conveniente; **–ly** *adv* convenientemente
convent *n* convento
convention *n* convenzione; **–al** *a* convenzionale

converge *vt&i* convergere
convergence *n* convergenza
convergent *a* convergente
converging *a* convergente
conversant *a* versato in
conversation *n* conversazione, — **piece** *(arts)* gruppo; **–al** *a* di conversazione; **–alist** *n* parlatore *m,* parlatrice *f*
converse *vi* conversare
converse *a* reciproco; **–ly** *adv* reciprocamente, per converso
conversion *n* conversione
convert *vt* convertire; — *vi* convertirsi; **–er** *(elec)* convertitore *m*
convert *n* convertito
convertibility *n* convertibilità
convertible *a* convertibile; — *n (auto)* convertibile, decapottabile *m*
convex *a* convesso
convey *vt* portare, trasmettere, trasferire; — **thanks** inviare ringraziamenti
conveyance *n* trasporto
conveyor *n* trasportatore *m,* trasportatrice *f*
convict *vt* condannare
convict *n* condannato, detenuto, forzato
conviction *n* convinzione
convince *vt* convincere
convincible *a* convincibile
convincing *a* convincente; **–ly** *adv* in modo convincente
convivial *a* conviviale; **–ity** *n* convivialità
convocation *n* convocazione; **–al** *a* convocazionale
convolution *n* convoluzione
convoy *n* convoglio, scorta; — *vt* convogliare, scortare
convulse *vt* agitare, mettere in convulsione; **–d** *a* convulso
convulsion *n* convulsione
convulsive *a* convulsivo
coo *vi* tubare, gemere; **–ing** *n* il tubare
cook *n* cuoco; — *vt&i* cuocere; — **one's goose** *(fig)* dare il colpo di grazia; — **up** *(coll)* arrangiare; **–ed** *a* cotto; *(coll)* falsificato; **–ing** *n* cucina
cookie *n* pasticcino
cool *a* fresco; — *vt&i* raffreddare, rinfrescare; — **down** calmarsi; **–ly** *adv* indifferentemente; **–ing** *a* rinfrescante
cooler *n* rinfrescatoio
cooling-off period periodo di assestamento
coolness *n* fresco; *(manner)* indifferenza
coop *n* stia; — *vt* rinchiudere
co-operate *vi* cooperare
co-operation *n* cooperazione
co-operative *a* cooperativo; — *n* cooperativa
co-ordinate *vt* coordinare; — *vi* coordi-

narsi
co-ordination *n* coordinazione
co-ordinator *n* coordinatore *m*
coot *n* folaga
cop *n* (sl) poliziotto; — *vt* (sl) acchiappare, afferrare
copartner *n* socio
cope *n* cappa; — *vt* coprire; — **with** lottare contro
coping *n* comignolo
copious *a* copioso
copper *n* rame *m*; **-y** *a* di rame
copra *n* copra *m*
copse *n* bosco ceduo
copy *n* copia; — *vt&i* copiare, imitare; **-book** *n* quaderno; **-cat** *n* scimmia (fig)
copyright *n* diritto d'autore; — *vt* patentare; assicurare (or comprare) la esclusiva artistica
coquette *n* civetta (fig)
coquettish *a* civettuolo, vezzoso
coral *n* corallo; — *a* corallino; di corallo; — **reef** banco di corallo
cord *n* corda, cordone *m*; (elec) filo; cavo elettrico; **spinal** — spina dorsale; — *vt* legare con corda; (wood) misurare
cordage *n* cordame *m*
corded *a* fatto a corda, di corda
cordial *a* cordiale; — *n* cordiale *m*; **-ly** *adv* cordialmente; **-ity** *n* cordialità
cording *n* legamento; (wood) misura
cordon *n* cordone *m*
corduroy *n* corderoy *m*, fustagno; — *a* di corderoy
core *n* cuore *m*; nocciolo; — *vt* vuotare, estrarre il torsolo
co-respondent *n* coimputato
cork *n* sughero, turacciolo; — *a* di sughero; — *vt* turare, tappare; **-screw** *n* cavaturaccioli *m*
corn *vt* salare
corn *n* grano, cereale *m*, granturco; (foot) callo; — **borer** *n* parassita del granturco
corncob *n* pannocchia
corner *vt* rincantucciare; — *vi* essere in angolo; trovarsi all'angolo; — *n* angolo; **turn the** — girare l'angolo; **cut -s** (fig) accorciare; **-ed** *a* ad angolo, angoloso
cornerstone *n* pietra angolare
cornet *n* (mus) cornetta; (paper) cartoccio
cornice *n* cornice *f*
cornstarch *n* amido di grano, fecola di grano
corollary *n* corollario
corona *n* corona
coronary *a* coronario; — **thrombosis** *n*

trombosi coronaria
coronation *n* incoronazione
coroner *n* giudice istruttore
coronet *n* corona, diadema
corporal *n* (mil) caporale *m*; (eccl) corporale *m*; — *a* corporeo; corporale; — **punishment** punizione corporale
corporate *a* corporativo
corporation *n* corporazione
corporeal *a* corporeo
corps *n* corpo; (avi) aviazione, corpo areonautico
corpse *n* corpo, cadavere *m*
corpulence *n* corpulenza
corpulent *a* corpulento
corpuscle *n* corpuscolo
corral *n* recinto; — *vt* raccogliere
correct *vt* correggere; — *a* corretto; **-ive** *a* correttivo, di correzione; **-ness** *n* correttezza; **-ional** *a* correzionale; **-ly** *adv* correttamente
correction *n* correzione
correlate *a* correlazionato, correlativo; — *vt* correlazionare; — *vi* essere in relazione
correlation *n* correlazione
correlative *a&n* correlativo
correspond *vi* corrispondere; **-ent** *n* corrispondente *m*; **-ing** *a* corrispondente
correspondence *n* corrispondenza, — **school** scuola per corrispondenza
corridor *n* corridore *m*
corrigible *a* correggibile
corroborate *vt* corroborare
corroboration *n* corroboramento, corroborazione
corroborator *n* corroboratore; **-y** *a* corroborante
corrode *vt* corrodere, rodere; — *vi* corrodersi, rodersi
corrosion *n* corrosione
corrosive *a* corrosivo
corrugate *vt* corrugare, ondulare; — *vi* corrugarsi, ondularsi, **-d** *a* corrugato, ondulato
corrupt *vt* corrompere; — *vi* corrompersi; **-ibility** *n* corruttibilità; **-ible** *a* corruttibile; **-ive** *a* corruttivo
corruption *n* corruzione
corsage *n* mazzolino
corset *n* corsetto
cortege *n* corteo
cortex *n* (anat) cortice *m*; (bot) corteccia
cortisone *n* cortisona
coseismal *a* cosismico
cosine *n* coseno
cosmetic *a&n* cosmetico; **-ian** *n* cosmetico
cosmic *a* cosmico, — **dust** particella cosmica, pulviscolo cosmico; — **rays**

raggi cosmici
cosmonaut n (aesp) cosmonauta m&f
cosmopolitan a&n cosmopolita m
cosmotron n cosmotrone m
Cossack n Cosacco
cost n costo; — **of living** costo della vita; — **price** prezzo di costo; **whatever the** — a qualunque costo; **at all** **–s** ad ogni costo; **–liness** n costosità; **–ly** a costoso, caro; — vt stimare; — vi costare
costume n costume m; — vt vestire in costume
costumer n costumista m&f, costumiere m
cot n lettino; culla
cote n stabbio; (dove) piccionaia; colombaia
coterie n combriccola
cottage n capanna, villetta
cotton n cotone m; — a di cotone, cotoniero; **absorbent** — cotone idrofilo; — **gin** macchina cardatrice del cotone; **–seed oil** olio di cotone; **–y** a cotonato
couch n divano, sofà; — vt coricare; — vi coricarsi, stendersi
cough n tosse f; — **drop** pastiglia per la tosse; — **syrup** sciroppo per la tosse; **whooping** — tosse asinina; — vt espettorare; — vi tossire
coughing n tosse f
council n consiglio, concilio; **city** — consiglio comunale; **–or** n membro del consiglio, consigliere m
counsel n consiglio, opinione; **keep one's** **own** — tenere per sè le proprie opinioni; **take** — consultare; — vt consigliare
counselor n consigliere m
count vt contare; (mus) solfeggiare; — **me in** contare con me; — **on** contare su; fare affidamento; — n conto, calcolo; (title) conte m; **–down** n (aesp) conteggio
countenance n viso, sembiante m; — vt&i appoggiare, favorire, secondare, sostenere; **put out of** — fare confusione; sconcertare
counter n (calculator) calcolatore m, calcolatrice f; (game) gettone m; (person) contante m&f; contatore m, contatrice f; (store) banco; **Geiger** — contatore Geiger; — a oppositore, controcorrente (fig); — adv contro, contrariamente; — vt opporre; — vi rispondere; (sport) controbattere
counteract vt contrariare
counterattack n contrattacco; — vt&i contrattaccare
counterbalance vt contrappesare; — n contrappeso
counterclaim n controreclamo; — vi controreclamare

counterclockwise a opposto all'orologio
counterfeit a contraffatto; — n contraffazione; — vt contraffare; — vi fingere; **–er** n contraffattore m, contraffatrice f
counterirritant n contrirritante
countermand vt contromandare, annullare
countermarch n contromarcia
countermove n contromossa; — vt&i contromuovere
counteroffensive n controffensiva
counterpane n contrappunta, coltre f
counterpart n controparte f
counterpoint n contrappunto
counterpoise n contrappeso; — vt controbilanciare
counterrevolution n controrivoluzione
countersign vt contrassegnare
countersink vt fresare, accecare, incassare
counterweight n contrappeso
countess n contessa
countless a innumerevole
countrified a rustico
country n paese m, regione f, patria; campagna; (native) paese natio; — **club** circolo campestre; (golf) campo di golf; **–man** n compatriotta m&f, contadino, paesano; **–side** n campagna, paese; **–wide** a in tutto il paese (fig); — a rurale, di campagna
county n contea; — **poor farm** campo di ritiro per i poveri; — **seat** (privincial) capoluogo
coup n colpo
coupé n cupè m
couple n coppia, paio; — vt accoppiare, appaiare; — vi accoppiarsi, appaiarsi
coupling n (mech) accoppiamento, attacco
coupon n cupone m, cedola; (com) cupone m
courage n coraggio; — **of one's convictions** coraggio delle proprie opinioni; **–ous** a coraggioso
courier n corriere m
course n corso, corsa, carriera; (meal) portata; (river) corso; (study) corso di studi; **a matter of** — cosa naturale; **in due** — regolarmente; **in the** — **of** durante, **of** — naturalmente; **run its** — seguire il suo corso; — vt&i correre
court n corte f, assemblea; **out of** — extra legale; **–house** n tribunale m, corte f, palazzo di giustizia; — a di corte, della corte; **–room** n sala di corte
court vt corteggiare, fare la corte; **–ship** n corte f, assiduità
courteous a cortese
courtesan n cortigiana

courtesy *n* cortesia
courtliness *n* cortesia
courtly *a* cortese
court-martial *n* corte marziale
court plaster *n* taffettà inglese
cousin *n* cugino, cugina; **first** — cugino germano
covalence *n* *(phys)* covalenza
cove *n* *(arch)* arco; *(geog)* seno
covenant *n* covenzione
cover *vt* coprire; celare, nascondere; — **oneself** coprirsi; — **up** dissimulare, ricoprire interamante; — *n* copertura, coperta; — **charge** prezzo di coperto; **book** — copertina; **take** — proteggersi; **under separate** — separatamente; **-ed** *a* coperto, ricoperto
coverall *n* spolverina
covering *n* copertura
coverlet *n* copriletto
covert *a* coperto, nascosto
covet *vt&i* desiderare; — *vt* bramare, agognare; avere un cattivo desiderio; **-ous** *a* avido, cupido
covey *n* covata, branco
cow *n* vacca; **-boy** *n* vaccaro; **-catcher** *n* *(engine)* paraurti; **-hand** *n* vaccaro; **-hide** *n* pelle di vacca; — *vt* intimidire; scoraggiare
coward *n* codardo, vile *m; *-ice** *n* codardia, viltà; **-ly** *a* codardo, vigliacco
cower *vi* accoccolarsi, accovacciarsi
cowl *n* cappuccio
cowlick *n* ciuffo
co-worker *n* compagno di lavoro, collaboratore *m*
coy *a* modesto, timido
coyote *n* sciacallo americano
cozily *adv* gradevolmente, comodamente
coziness *n* comodità
cozy *a* accogliente
C.P.A., certified public accountant *n* ragioniere abilitato
crab *n* granchio; — **apple** mela selvatica; **-grass** *n* gramigna; — *vt&i* *(coll)* avvilire
crack *vt* spaccare, fendere; — *vi* spaccarsi, fendersi; — **a joke** fare scherzi; — **down** *(coll)* costringere con severità; — **up** *(coll)* crollare; *(praise)* vantare
crack *n* fessura, crepa; — **of dawn** *n* prime ore del mattino; **-brained** *a* matto, pazzo; **-ed** *a* spaccato; *(coll)* balzano
cracker *n* biscotto; *(fireworks)* galletta
crackle *vt&i* screpolare; *(sound)* crepitare
cracking *n* scoppiettio, crepito
crack-up *n* collisione; *(med)* collasso
cradle *n* culla; — *vt* mettere nella culla
craft *n* arte *f; (naut)* battello; *(slyness)* astuzia; *(trade)* mestiere *m;* **-ily** *adv*

abilmente; *(slyly)* con inganno; **-iness** *n* astuzia **-y** *a* *(able)* astuto, capace; *(sly)* furbo
craftsman *n* artigiano; **-ship** *n* artefice *m*
crag *n* rupe *f,* picco
craggy *a* roccioso, scosceso
cram *vt* riempire; — *vi* riempirsi; *(coll)* rimpinzare
cramp *n* crampo; — *vt* dare crampi; **-ed** *a* indolenzito, con i crampi
cranberry *n* mortella; — **sauce** salsa di mortella
crane *n* gru *f;* — *vt&i* sollevare con la gru; — **one's neck** allungare il collo
cranial *a* cranico
crank *n* gomito; *(coll)* eccentrico; **-case** *n* *(auto)* carter *m;* **-shaft** *n* albero a gomito; **-y** *a* debole, capriccioso
cranny *n* fessura, incrinatura; **in nook and** — in ogni dove *(coll)*
crash *vt* fracassare; — *vi* far rumore; — *n* fracasso; *(com)* fallimento; — **landing** *(avi)* atterraggio irregolare
crash-dive *vt* *(avi)* picchiare
crass *a* crasso, grossolano
crate *n* gabbia per imballaggio; — *vt* ingabbiare
crater *n* cratere *m*
cravat *n* cravatta
crave *vt&i* supplicare, chiedere insistentemente
craven *a* codardo
craving *n* aspirazione, desiderio
craw *n* *(bird)* gozzo; **stick in one's** — *(coll)* stare nello stomaco *(coll)*
crawfish *n* gameto; — *vi* *(coll)* indietreggiare
crawl *vi* strisciare; — **with** formicolare; — *n* strisciamento, *(swimming)* stile libero, crawl *m*
crayon *n* matita, lapis *m*
craze *vt* squilibrare, fare impazzire; **-d** *a* folle; ammatassato *(fig);* — *n* mania
crazy *a* matto, pazzo; illogico; — **bone** gomito
cream *n* crema, panna; *(best)* il meglio; — **cheese** formaggio grasso; — **pitcher** vaso per la crema; — **puff** bignola; — **sauce** salsa bianca; **whipped** — panna montana; **-y** *a* cremoso; **-ery** *n* cremeria; — *vt* *(sauce)* aggiungere la salsa bianca; *(whip)* frullare
crease *n* piega; — *vt&i* piegare, fare pieghe, sgualcire
crease-resistant *a* antipiega
create *vt* creare
creation *n* creazione
creative *a* creativo
creator *n* creatore *m*
creature *n* creatura; — **comforts** prov-

viste *fpl*
credence *n* credito; *(eccl)* credenza
credential *n* credenziale *f;* **-s** *npl* credenziali *fpl*
credenza *n* credenza
credibility *n* credibilità
credible *a* credibile
credit *n* credito; *(school)* attestato scolastico; — **card** lettera di credito; — **rating** credito commerciale; — **union** cooperativa di credito; **-able** *a* degno di credito; **-or** *n* creditore *m;* — *vt* credere a, fare *(or* dare) credito
credulity *n* credulità
credulous *a* credulo; **-ly** *adv* credulamente
creed *n* credo, fede *f,* simbolo
creek *n* seno, caletta
creel *n* paniere da pesca, nassa
creep *vt&i* strisciare; *(bot)* arrampicarsi; — *n (sl)* rettile *m (fig);* **-er** *n* rettile *m; (bot)* rampicante *m;* **-ing** *a* strisciante; *(bot)* rampicante *m;* **-s** *npl* brividi *mpl;* **-y** *a* strisciante
cremate *vt* cremare, incenerire
cremation *n* cremazione
crematory *n* crematorio
creosote *n* creosoto
crêpe *n* crespo; — **paper** carta increspata
crepitation *n* crepitio, crepitazione
crescendo *n&adv* crescendo
crescent *n* crescente *m;* — *adj* crescente; — **moon** luna crescente
crest *n* cresta; *(bird)* cresta, ciuffo; *(wave)* cresta dell'onda; **-ed** *a* crestato, con la cresta
crestfallen *a* depresso
Crete Creta
cretinism *n* cretinismo
cretonne *n* creton *m,* cotonina
crevice *n* fessura, incrinatura; **-d** *a* fesso, incrinato
crew *n* ciurma, equipaggio; — **cut** capelli a spazzola
crib *n (bed)* culla; *(eccl)* presepe *m; (food)* mangiatoia; — *vt* copiare, sottrarre, plagiare
cribbing *n (coll)* plagio
crick *n* crampo, spasimo; — *vt* dare crampi
cricket *n* grillo
crier *n* banditore *m*
crime *n* delitto, crimine *m;* — **wave** onda di delitti
criminal *n&a* criminale
criminologist *n* criminalista *m,* criminologo
criminology *n* criminologia
crimp *vt* arricciare, arruolare; — *n* arruolatore *m;* **put a — in** *(coll)* mettere il bastone fra le ruote *(coll);* **-y** *a*

riccio, ricciuto; arricciato
crimson *n* cremisi *m;* — *a* cremisino, cremisi; — *vt&i* arrossire
cringe *vt* contrarre; — *vi* inchinarsi, fare riverenza
cringing *a* servile; — *n* servilità
crinkle *n* crespa, grinza; ondulazione; — *vt* aggrinzare; — *vi* increspare, incresparsi
cripple *n&a* storpio, zoppo; — *vt* storpiare
crisis *n* crisi *f*
crisp *a* crespo, riccio; *(air)* crespo; *(manner)* insinuante; *(repartee)* vivace; — *vt* ondulare, arricciare, increspare; — *vi* ondularsi, arricciarsi, incresparsi; **-ly** *adv* acutamente; **-ness** *n* l'esser crespo; **-y** *a* crespo
crisscross *a* crociato, incrociato; — *adv* a croce; — *vt&i* incrociare; *(sign)* firmare con la croce; — *n (signature)* segno di croce
criterion *n* criterio
critic *n* critico; **-al** *a* critico; **-ism** *n* critica; **-ize** *vt&i* criticare
croak *vt&i* gracchiare; — n gracchiamento; **-y** *a* rauco
crochet *n* uncinetto; — *vt&i* lavorare all'uncinetto; — **hook** uncinetto
crock *n* pignatta; **-ery** *n* maiolica
crocodile *n* coccodrillo; — **tears** *(fig)* lagrime di coccodrillo
crocus *n* croco, zafferano
crony *n* compagno, amico
crook *n* curvatura; *(coll)* truffatore; **-ed** *a* curvo, piegato; *(person)* perverso; **-edness** *n* curvatura; perversità; — *vt* curvare, piegare; — *vi* curvarsi, piegarsi
croon *vt&i* gemere, canticchiare; **-er** *n* canticchiatore *m*
crop *n* raccolto; *(zool)* gozzo; — *vt (grass)* pascolare; *(hair)* tosare; *(reap)* cogliere; — **off** tagliare; — **up** affiorare, sopravvenire
cropper *n* collasso; *(coll)* caduta; **come a —** stramazzare; fare un capitombolo
cross *n* croce *f;* — **reference** rimando, richiamo; — *a* incrociato, traversale; *(humor)* di malumore; — **as a bear** di pessimo umore; **-bow** *n* balestra; **-walk** *n* passaggio pedonale; — *vt* incrociare, attraversare; — *vi* incrociarsi, attraversarsi; — **out** cancellare
crossbreed *n* incrocio, ibrido; — *vt&i* incrociare razze
cross- *(in comp)* **—country** *a&adv* attraverso i campi; — **examine** *vt* fare contro interrogatorio; **—eyed** *a* strabico; **—grained** *a* a fibre irregolari; *(peevish)* bisbetico; **—hatch** *vt (print)* tratteggia-

re; —**legged** *a&adv* a gambe incrociate; —**patch** *n* bisbetico; —**piece** *n* traversa; —**road** *n* crocevia; —**section** *n* sezione trasversale; —**town** *a* transurbano

crosscut saw *n* sega a due mani

crossing *n* incrocio; *(rail)* intersezione; **level** — passaggio a livello

cross-purpose *n* equivoco, contradizione, malinteso; **work at** —**s** contrastare

crosswise *adv&a* di traverso

crossword puzzle *n* cruciverba *m*

crotch *n* forca; *(anat, pants)* inforcatura

crouch *vi* accovacciarsi; essere servile

croup *n* groppa; *(med)* crup *m*; –**y** *a (med)* crupale

crouton *n* crostino

crow *n* corvo, cornacchia; **as the** — **flies** a volo d'uccello; **eat** — umiliarsi; — *vi (cock)* cantare; *(fig)* cantar vittoria

crowbar *n* leva

crowd *n* folla, ressa; — *vt* affollare, ingombrare; — *vi* affollarsi, affluire; –**ed** *a* affollato, sovraccaricato

crown *n* corona, cima; *(head)* sommità; — *vt* incoronare; — **prince** principe ereditario; –**ing** *a* finale, supremo, ultimo

crow's feet *npl* rughe *fpl*, zampe di gallina *(coll)*

crow's-nest *n (naut)* coffa

crucial *a* cruciale, decisivo

crucible *n* crogiuolo

crucifix *n* crocifisso

crucify *vt* crocifiggere

crude *a* crudo; — **oil** olio grezzo; –**ly** *adv* crudamente; –**ness** *n* crudezza

cruel *a* crudele; –**ty** *n* crudeltà

cruet *n* ampolla

cruise *vi* incrociare, andare in crociera; — *n* crociera

cruiser *n* incrociatore *m*

crumb *n* mollica, briciola; — *vt* sbriciolare, impanare; –**ed** *a* sbriciolato, grattugiato; –**y** *a* pieno di briciole; *(sl)* schifoso

crumble *vt* grattugiare, sbriciolare; — *vi* sbriciolarsi

crumbling *n* sbriciolamento; crollo

crumbly *a* midolloso, friabile

crumple *vt* raggrinzare; — *vi* raggrinzarsi

crunch *vt&i* scricchiolare, sgranocchiare, sgretolare; — *n* scricchiolio; –**ing** *a* scricchiolante

crusade *n* crociata; — *vi* fare una crociata

crusader *n* crociato

crush *vt* schiacciare; — *vi* schiacciarsi; — *n (coll)* infatuazione; *(crowd)* affollamento; –**ing** *a* schiacciante

crust *n* crosta; *(sediment)* deposito; —

vt incrostare; — *vi* incrostarsi; –**y** *a* incrostato

crustacean *n&a* crostaceo

crutch *n* gruccia, stampella

crux *n* difficoltà; *(puzzle)* indovinello, rebus *m*; — **of the matter** punto cruciale

cry *vt&i* piangere; *(yell)* gridare; –**baby** *n* piagnucolone *(coll)*; — *n* pianto; grido; –**ing** *n* pianti *mpl*; grida *fpl*

cryogenics *npl* criogenica

crypt *n* cripta; –**ic** *a* segreto, nascosto

cryptography *n* criptografia, crittografia

crystal *n* cristallo; — *a* cristallino; di cristallo

crystalline *a* cristallino

crystallize *vt&i* cristallizzare

cub *n* cucciolo; **bear** — orsacchiotto; — **reporter** *(coll)* giornalista inesperto

cubbyhole *n* sgabuzzino

cube *n* cubo; — *vt* cubare; — **root** *n* radice cubica

cubic *a* cubico; — **measure** volume *m*

cubicle *n* cubicolo

cuckoo *n* cuculo; — **clock** orologio a cuculo, pendola

cucumber *n* cetriolo

cud *n* bolo alimentare; **chew the** — ruminare

cuddle *vt* serrare, stringere; — *vi* serrarsi, stringersi, rannicchiarsi; –**some** *a* vezzoso, coccolone

cudgel *n* bastone *m*, randello; **take up the** –**s for** difendere; — *vt* bastonare

cue *n (billiard)* stecca; *(hair)* codino; *(line)* coda, fila, linea; *(theat)* parola, suggerimento; **give a** — dare lo spunto

cuff *n (blow)* schiaffo, ceffone *m*; *(shirt)* polsino; *(trouser)* risvolto dei pantaloni; — **button** bottone da polsino; — **links** *npl* gemelli *mpl*; **off the** — *(sl)* ufficioso; **on the** — *(sl)* sulla parola; — *vt* schiaffeggiare; prendere a pugni

cuirass *n* corazza

cuisine *n* cucina

culinary *a* culinario

cull *vt* cogliere, scegliere

culminate *vi* culminare

culmination *n* culminazione

culpability *n* colpevolezza, colpabilità

culpable *a* colpabile

culprit *n* colpevole *m*; *(law)* imputato

cult *n* culto

cultivate *vt* coltivare

cultivation *n* coltivazione

cultivator *n* aratro; *(mech)* coltivatore *m*

cultural *a* culturale

culture *n* cultura; — *vt* coltivare

culvert *n* sottopassaggio

cumber *vt* ingombrare, oberare; –**some** *a*

ingombrante
cumulative *a* cumulativo
cumulous *a* cumuloso *m*
cumulus (cloud) *n* cumulo
cunning *a* abile; — *n* abilità
cup *n* tazza; — *vt* applicare la ventosa;
–ful *n* tazza piena; contenuto della tazza
cupboard *n* armadio, credenza
Cupid *n* Cupido
cupidity *n* cupidigia
cupola *n* cupola
cur *n* degenerato; *(dog)* cane bastardo
curable *a* curabile, guaribile
curate *n* curato
curative *a* curativo
curator *n* curatore *m*
curb *n* *(check)* giogo, freno, barbazzale *m*;
(street) ciglio di strada; **–ing** *n* *(fig)*
freno; — *vt* frenare, reprimere, mettere
il freno
curd *n* latte quagliato
curdle *vt* coagulare, quagliare; — *vi* coagularsi; — **one's blood** agghiacciare il
sangue
cure *n* cura; — *vt* curare, guarire; *(by
salting)* salare; *(by smoking)* affumicare; *(pelt)* conciare
cure-all *n* toccasana, curatutto, panacea
curfew *n* coprifuoco
curia *n* *(eccl)* curia
curio *n* anticaglia
curiosity *n* curiosità
curious *a* curioso
curl *vt* arricciare, inanellare; — *vi* arricciarsi, inanellarsi; — **up** aggrovigliarsi; — *n* ricciolo, boccolo; **–y** *a*
ricciuto
curlicue *n* ghirigoro
currant *n* ribes *m*
currency *n* circolazione; **foreign** — valuta
straniera
current *a* corrente; **–ly** *adv* correntemente; — **events** attualità *fpl*; — **expenses**
spese correnti
current *n* corrente *f*; — **density** densità di
corrente; **alternating** — corrente alternata; **direct** — corrente diretta
curricular *a* curriculare
curriculum *n* curricolo
curry *vt* condire; — **favor** entrare in grazia
curse *n* maledizione, afflizione; — *vt* maledire; — *vi* bestemmiare; **be –d with**
essere afflitto da; **–d** *a* maledetto, afflitto
cursing *n* maledizione
cursive *a* corsivo
cursory *a* rapido, affrettato
curt *a* corto, breve
curtail *vt* accorciare, abbreviare; **–ment**
n abbreviazione
curtain *n* cortina, tenda; — **call** pre-

sentazione agli applausi; — **lecture**
rimprovero coniugale; — **raiser** avan-
spettacolo; **iron** — cortina di ferro;
— *vt* applicare le cortine; *(hide)* velare
curtsy *n* cortesia, inchino; — *vi* fare cortesia
curvature *n* curvatura
curve *n* curva; — *vt* curvare; — *vi* curvarsi; **–d** *a* curvo
cushion *n* cuscino; — *vt* collocare sopra
cuscini; *(pad)* imbottire
cusp *n* cuspide *f*; **–id** *n* dente canino; — *a*
cuspidato, acuto
cuspidor *n* sputacchiera
custard *n* crostata
custodial *a* di custodia
custodian *n* custode *m*
custody *n* custodia; **in** — in custodia,
arrestato; **take into** — prendere in
custodia, arrestare; **have** — **of** avere
custodia di
custom *n* costume *m*, usanza; **–ary** *a* con-
suetudinario; **–arily** *adv* consuetudina-
riamente; **–er** *n* cliente *m*; **–house** *n* dogana
custom-built, –made *a* fatto a richiesta
customs *npl* dogana; — **declaration**
dichiarazione doganale; — **inspection**
ispezione doganale; — **inspector** ispettore doganale
cut *n* taglio; *(blow)* colpo; *(wound)* incisione; *(fig)* affronto; — **and dried**
preelaborato, preparato; — **glass** cristallo intagliato
cut *vt&i* tagliare; *(cards)* alzare; *(class)*
(sl) marinare la scuola; *(omit)* omettere;
(a person, sl) far finta di non vedere;
(prices) ribassare; *(teeth)* mettere i
denti; — **and run** *(sl)* svignarsela; tagliare la corda *(coll)*; — **down to size** *(sl)*
mettere a posto *(coll)*; — **off** ritagliare,
(detach) staccare; *(interrupt)* interrompere; — **short** tagliar corto *(coll)*;
C– it out! Smettila!; — *n (print)* cliché
m
cutaneous *a* cutaneo
cutback *n* riduzione
cute *a (coll)* grazioso
cut-glass *a* di vetro intagliato
cuticle *n* cuticola, pellicola
cutlery *n* coltelleria
cutlet *n* cotoletta, braciola
cutoff *n* scorciatoia
cutout *n* interruttore *m*; *(auto)* valvola;
(picture) disegno *(or* figura) da ritagliare
cut-rate *a&adv* a buon mercato
cutthroat *n* assassino, sicario; — *a* omicida
cutting *n* taglio; — *a* tagliente

cyanide *n* cianuro
cyclamen *n* ciclamino
cycle *n* ciclo
cyclic, cyclical *a* ciclico
cyclist *n* ciclista *m&f*
cyclone *n* ciclone *m*
cyclotron *n* ciclotrone *m*
cylinder *n* cilindro; — **head** camera di combustione
cylindrical *a* cilindrico

cymbal *n* cembalo; –**ist** *n* suonatore di piatti
cynic *n* cinico; –**ism** *n* cinismo
cynical *a* cinico
cynosure *n* cinosura, *(ast)* Orsa Minore
cypress *n* cipresso
Cyprus Cipro
cyst *n* ciste *f*
Czech *n&a* czeco, ceco
Czechoslovakia Cecoslovacchia

D

dab *vt&i* comprimere; *(pat)* battere leggermente; — **at** macchiare; *(food)* piluccare; — **it** colpetto; *(mud)* zacchera; *(paint)* schizzo; *(small bit)* pizzicotto
dabber *n* tampone *m*
dabble *vt* immergere, bagnare; — *vi* guazzare, immischiarsi
dactyl *n* dattilo
dad, daddy *n* papà *m*, babbo
dadaism *n* dadaismo
dado *n (arch)* dado
daffodil *n* narciso prataiolo
dagger *n* daga, pugnale *m*
dahlia *n* dalia
daily *a* quotidiano, giornaliero; — **newspaper** giornale quotidiano; — *adv* quotidianamente, giornalmente
daintily *adv* delicatamente, gustosamente
daintiness *n* delicatezza, leccornia
dainty *a* delicato, ghiotto
dairy *n* latteria; — **farm** vaccheria; — **products** latticini *mpl*
dais *n* palco
daisy *n* margherita
dale *n* valle *f*
dalliance *n* indugio, ritardo
dally *vi* indugiare, ritardare, dimorarsi
dam *n* diga; *(animal)* madre; **give a tinker's** — non dare nessun valore; — *vt* fornire di diga, frenare, arginare
damage *n* danno; — *vt* danneggiare, nuocere; — *vi* subire danno; –**able** *a* danneggiabile; –**d** *a* danneggiato
damaging *a* danneggiante, dannoso
damask *n* damasco
dame *n* dama, signora
damn *vt* maledire, dannare; — *a* dannato; –**able** *a* maledetto, odioso; –**ation** *n* dannazione; –**ed** *a* dannato
damp *n* umidità, *(mine)* vapore *m*; — *a* umido, umidiccio; –**er** *n (fig)* guastafeste *m*; *(flue)* regolatore *m*; *(mus)* sordina; –**ness** *n* umidità
dampen *vt* inumidire, abbattere; — *vi* inumidirsi; abbattersi
dance *vi* danzare, ballare; **make — an-**

other tune far cambiare di tono *(coll)*; — **attendance on** servire con attenzione; — *n* ballo, danza
dancer *n* ballerino, danzatore *m*
dandelion *n* radicchiella
dander *n (coll)* collera; **get one's — up** montare in collera
dandle *vt* dondolare, cullare, accarezzare
dandruff *n* forfora
dandy *n* damerino; — *a (sl)* elegante, ricercato
Dane, Danish *n&a* danese
danger *n* pericolo
dangerous *a* pericoloso; –**ously** *adv* pericolosamente
dangle *vt* far penzolare; — *vi* penzolare; penzolarsi
dank *a* umido, madido
dapper *a* gentile, grazioso
dapple *a* screziato; — *vt* macchiettare, screziare; — *vi* screziarsi, macchiettarsi; –**d** *a* macchiettato, screziato
dare *vt* sfidare; — **say** osare di dire; –**devil** *n* audace *m&f*, temerario
daring *a* ardito, audace; — *n* ardimento, audacia
dark *a* oscuro, nero; — **horse** *(pol)* candidato insignificante; — **secret** segreto profondo; **in the** — all'oscuro; **keep** — lasciare all'oscuro; — *n* oscurità; –**ness** *n* oscurità; –**room** *n* camera oscura
darken *vt* oscurare; — *vi* oscurarsi, imbrunire
darling *n* favorito, diletto; — *a* caro, prediletto
darn *vt* rammendare; — *n* rammendo; –**ed** *a* rammendato; –**ing needle** ago da rammendo
dart *n* dardo; — *vt* dardeggiare; — *vi* slanciarsi, balzare
dash *vt* colpire, rompere; — *vi* rompersi; — **hopes** togliere la speranza; — **off** *(do)* fare frettolosamente; *(go)* precipitarsi *(coll)*
dash *n* impeto, slancio; *(print)* lineeta; *(small amount)* goccia; pizzico

dashing *a* vivace, impetuoso

dashboard *n* cruscotto; *(mudguard)* parafango

dastard *n* vile *m*, codardo; — *a* codardo; **-liness** *n* codardia; **-ly** *adv* codardamente

data *npl* dati *mpl*; — **processing** progressione di date *(or* datista)

date *n* data; *(bot)* dattero; *(coll)* appuntamento; **out of** — passato, fuori moda; **until now, this** — fino ad oggi, alla data; **up to** — moderno; di moda; — *vt* datare; — *vi* datare da

daub *vt&i (blob)* sgorbiare; *(plaster)* intonacare; *(stain)* imbrattare; — *n* imbratto, sgorbio; *(plaster)* intonaco; **-er** imbrattatore *m*

daughter *n* figlia

daughter-in-law *n* nuora

daunt *vt* intimidire; **-less** *a* intrepido

dauphin *n* delfino

davenport *n* sofà *m*

davit *n (naut)* gru *f*

dawdle *vi* bighellonare

dawdler *n* perdigiorno

dawdling *a* bighellone, fannullone; — *n* bighellonamento

dawn *n* alba, aurora; — *vi* albeggiare; — **on** balenare *(fig)*

day *n* giorno; — **after** — ogni giorno; — **after tomorrow** dopodomani; — **before yesterday** avantieri; — **by** — giorno per giorno; — **in,** — **out** un giorno dopo l'altro; **by the** — alla giornata; **call it a** — averne abbastanza; **every other** — ogni due giorni; **from** — **to** — da un giorno all'altro

daybreak *n* alba

daydream *n* sogno ad occhi aperti; — *vi* sognare ad occhi aperti

day-laborer *n* giornaliere *m*

daylight *n* giorno; **by** — di giorno; — **saving time** ora estiva

day nursery asilo infantile

daytime *n* il giorno; — *a* di giorno

day school scuola diurna

daze *vt* stupefare, sbalordire; — *n* stupore *m*

dazedly *adv* sbalorditamente

dazzle *vt* abbagliare; — *vi* brillare; — *n* abbagliamento

dazzling *a* abbagliante

deacon *n* diacono; **-ess** *n* diaconessa

deactivate *vt* annullare, neutralizzare

dead *a* morto; *(color)* smorto; *(elec)* senza corrente; *(exhaustion, fire)* spento; *(sound)* sordo; — **center** punto morto; **—drunk** ubriaco fradicio; — **end** vicolo cieco; **in a—heat** alla stessa distanza del traguardo; — **letter** giacente *f*; — **loss**

perdita totale; — **sleep** sonno profondo; — **sure** sicurissimo; — **weight** peso morto; **the** — i morti

deadliness *n* letalità, natura mortale

deadlock *n* paralisi *f*, ostruzione; — *vt* paralizzare, ostruire

deadly *a* mortale, letale; — *adv* mortalmente, a morte

deaf *a* sordo; **-ness** *n* sordità

deafen *vt* assordare; **-ing** *a* assordante

deaf-mute *n* sordomuto

deal *vt* distribuire; — *vi* agire, comportarsi; *(com)* commerciare, trattare

deal *n (amount)* quantità, parte *f*; *(cards)* mano *f*; *(com)* affare *m*; *(pol)* arrangiamento politico; — **in** *(com)* commerciare in; — **with** aver a che fare, *(concern)* concernere; **a good** — un buon affare; molto; **a great** — moltissimo; **give a square** — trattare giustamente; **make a** — fare un affare; — *a (wood)* di legno di pino

dealer *n (card)* chi distribuisce le carte; *(com)* esercente, distributore *m*

dealing *n* azione, condotta; *(manner of)* modo d'agire; **-s** *npl* pratiche *fpl*

dean *n* decano

dear *n* diletto, caro; — *a* caro, prezioso; *(costly)* costoso; **-ly** *adv* caramente, teneramente; *(amount)* molto; **-ness** *n* carezza; alto prezzo; — **friend** caro amico, cara amica

dearth *n* carestia, scarsità

death *n* morte *f*; — **rate** mortalità; — **rattle** rantolo mortale; — **warrant** ordine d'esecuzione; **-bed** *n* letto di morte; **-less** *a* immortale; **-ly** *a* mortale

debacle *n* sfacelo, disfatta

debar *vt* escludere; *(law)* prescrivere

debark *vt* sbarcare; **-ation** *n* sbarco

debase *vt* avvilire; **-ment** *n* avvilimento

debasing *a* degradante

debatable *a* discutibile

debate *vt* dibattere, discutere; — *n* dibattito, discussione

debater *n* dibattente *m*, oratore *m*, parlamentare *m*

debauch *vt* pervertire; — *vi* pervertirsi; **-edly** *adv* perversamente; **-ery** *n* pervertimento

debenture *n* obbligazione

debilitate *vt* debilitare

debilitation *n* debilitazione

debility *n* debolezza

debit *n* debito; — *vt* addebitare

debonaire *a* bonario

debris *n* frammenti *mpl*

debt *n* debito, obbligo; **get into** — andare in deficit; **-or** *n* debitore *m*

debunk *vt (coll)* sgonfiare

debut *n* debutto, esordio; **–ante** *n* debuttante, esordiente *m&f*
decade *n* decade *f*
decadence *n* decadenza
decadent *a* decadente
decalcify *vt* decalcificare
decamp *vi (escape)* svignarsela, scappare; levare il campo (*or* le tende)
decant *vt* decantare; **–er** *n* caraffa
decapitate *vt* decapitare
decapitation *n* decapitazione
decay *vi* decadere, deperire; — *n* decadenza, decadimento; *(putrifaction)* marciume *m*; *(tooth)* carie *f*
decease *vi* decedere; **–d** *a* deceduto
decedent *n* defunto
deceit *n* inganno, frode *f*; **–ful** *a* falso, ingannevole
deceive *vt* ingannare; **–r** *n* ingannatore *m*
December *n* dicembre *m*
decency *n* decenza, modestia
decent *a* decente, modesto
decentralize *vt* decentrare
deception *n* decezione; frode *f*; delusione; inganno
deceptive *a* ingannevole
decibel *n (elec)* decibel *m*
decide *vt* decidere; — *vi* decidersi
decidedly *adv* decisamente
decimal *a&n* decimale *m*
decimate *vt* decimare
decipher *vt* decifrare; **–able** *a* decifrabile
decision *n* decisione; **come to a** — giungere a una decisione
decisive *a* decisivo, deciso
deck *n* ponte *m*, tolda; *(sl)* terra; *(cards)* mazzo di carte; — **chair** sedia a sdraio; **–hand** *n* marinaio di ponte
declaim *vt&i* declamare
declamation *n* declamazione
declamatory *a* declamatorio
declaration *n* dichiarazione
declare *vt* dichiarare; — **oneself** dichiararsi, rivelarsi
declension *n* declino; *(gram)* declinazione
decline *vt&i* declinare; — *n* declino; consunzione
decoction *n* decotto, decozione
decode *vt* decifrare
decompose *vt* decomporre, scomporre; — *vi* decomporsi, scomporsi
decomposition *n* decomposizione
decontaminate *vt* decontaminare
decontrol *vt* liberare dal controllo; — *n* cessazione di controllo
décor *n* decorazione
decorate *vt* decorare
decoration *n* decorazione
decorative *a* decorativo, ornamentale
decorator *n* decoratore *m*

decorous *a* decoroso
decorum *n* decoro
decoy *n (bait)* esca; *(snare)* trappola; — *vt* allettare
decrease *vt&i* diminuire, decrescere
decreasing *a* descrescente; **–ly** *adv* in diminuzione
decree *n* decreto, sentenza; — *vt* decretare
decrepit *a* decrepito
decry *vt* screditare; *(censure)* biasimare; *(disparage)* deprezzare
dedicate *vt* dedicare; *(coll)* inaugurare
dedication *n* dedica
deduce *vt* dedurre, derivare, desumere
deduct *vt* dedurre; **–ible** *a* deducibile
deduction *n* deduzione *f*
deed *n* atto, fatto; **in** — in realtà
deem *vt&i* giudicare, pensare, credere
deep *a* profondo, grave; **–freeze** *vt* congelare; — **seated** profondo; intimo; **go off the** — **end** *(coll)* passare i limiti; **in** — **water** *(fig)* in difficoltà, in cattive acque *(coll)*; **–ly** *adv* profondamente
deepness *n* profondità
deepen *vt* approfondire; — *vi* approfondirsi
deep-rooted *a* inveterato
deer *n* cervo
deface *vt* sfigurare; *(discredit)* screditare
defalcation *n* diffalco
defamation *n* diffamazione
defamatory *a* diffamatorio
defame *vt* diffamare
default *n* difetto; *(lack)* mancanza; — *vt* condannare in contumacia; — *vi* essere contumace; **–er** *n* imputato, contumace *m*; **in** — **of** in mancanza di
defeat *vt* sconfiggere; — *n* sconfitta, disfatta; **–ist** *n* disfattista *m*
defect *n* difetto; **–ive** *a* difettoso
defection *n* defezione *f*
defend *vt* difendere; **–ant** *n (law)* accusato; **–er** *n* difensore *m*
defense *n* difesa; **–less** *a* indifeso
defensive *a* difensivo; — *n* difensiva
defer *vt* differire; — *vi* deferire; **–ence** *n* deferenza
deferential *a* deferente
deferment *n* differimento
deferred *a* differito, deferito
defiance *n* sfida, disfida; **in** — **of** a dispetto di
defiant *a* provocante
deficiency *n* deficienza, difetto
deficient *a* deficiente
deficit *n (com)* deficit *m*, ammanco
defile *vt* disonorare; *(sully)* macchiare; — *vi* sfilare; **–ment** *n* profanazione,

macchia
definable *a* definibile
define *vt* definire
definite *a* definito; — **article** articolo determinativo; **–ly** *adv* definitamente; certamente; **–ness** *n* determinatezza
definition *n* definizione
deflate *vt* sgonfiare
deflation *n* sgonfiamento; *(economics)* deflazione
deflect *vt&i* deflettere
deflection *n* deviazione
deform *vt* deformare; — *vi* deformarsi; **–ation** *n* deformazione; **–ed** *a* deforme
deformity *n* deformità
defraud *vt* defraudare
defray *vt* pagare
defrock *vt* svestire; *(eccl)* spretare
defrost *vt* sgelare; rimuovere il ghiaccio; **–er** *n* disgelatore *m; (windshield)* visiera termica; **–ing** *n* disgelo
deft *a* destro, abile
defunct *a&n* defunto
defy *vt* sfidare, scartare, resistere a
degeneracy *n* degenerazione
degenerate *a&n* degenerato; — *vi* degenerare
degeneration *n* degenerazione
deglutinate *vt* deglutinare
degradation *n* degradazione
degrade *vt* degradare; **–d** *a* degradato
degrading *a* digradante
degree *n* grado; diploma; **in some** — fino a un certo punto; **to a** — all'estremo; **by –s** gradatamente; a poco a poco
degression *n* degressione, regressione, diminuzione
dehumidify *vt* deumidificare; diminuire l'umidità
dehydrate *vt* disidratare
dehydration *n* disidratazione
deice *vt* prevenire la formazione di ghiaccio; **–r** *n* scioglighiaccio
deification *n* deificazione
deify *vt* deificare
deign *vt* concedere; — *vi* degnarsi
deity *n* deità
deject *vt* abbattere; **–ed** *a* abbattuto
dejection *n* abbattimento; *(med)* deiezione
delay *vt* differire, ritardare; — *vi* indugiare; — *n* indugio; *(deferment)* rinvio
delaying *a* ritardante
delectable *a* dilettevole
delegate *n* delegato; — *vt* delegare
delegation *n* delegazione
delete *vt* cancellare
deletion *n* cancellazione
deliberate *vt&i* deliberare
deliberate *a* deliberato; *(cautious)* cauto

deliberation *n* deliberazione, riflessione
delicacy *n* delicatezza
delicate *a* delicato
delicatessen *n* negozio di cibi prelibati
delicious *a* delizioso, squisito
delight *vt* dilettare; — *vi* dilettarsi; — *n* diletto; **–ed** *a* deliziato
delightful *a* dilettevole
delineate *vt* delineare
delineation *n* delineazione
delineator *n* disegnatore *m*, delineatore *m*
delinquency *n* delinquenza
delinquent *a&n* delinquente *m&f*; **juvenile** — delinquente giovanile
delirious *a* delirante
delirium *n* delirio
deliver *vt* liberare; *(blow)* lanciare; *(goods)* consegnare; *(med)* far sgravare; *(save)* salvare; *(speech)* enunciare; **be –ed of** partorire; **–ance** *n* rilascio, liberazione
delivery *n* liberazione; *(goods)* consegna; *(mail)* distribuzione; *(med)* parto; *(speech)* dizione; *(sport)* lancio; **general** — fermo in posta; **special** — lettera espresso
delude *vt* deludere
deluge *n* diluvio; — *vt* inondare
delusion *n* delusione, illusione
delve *vt* vangare, sondare
demagogue *n* demagogo; **–ry** *n* pratica demagogica
demand *vt* domandare; *(require)* esigere; — *n* domanda; *(complaint)* reclamo; **in** — ricercato; **on** — *(com)* su domanda
demanding *a* esigente
demarcation *n* demarcazione
demean *vt* degradare, abbassare; — **one's self** avvilirsi
demeanor *n* condotta
demented *a* demente
demerit *n* demerito
demigod *n* semidio
demijohn *n* damigiana
demilitarize *vt* smilitarizzare; sostituire la legge civile a quella marziale
demise *n* morte *m*, decesso; *(law)* cessione, trapasso
demitasse *n* tazzina
demobilization *n* smobilitazione
demobilize *vt* smobilitare
democracy *n* democrazia
democrat *n* democrata *m&f*; **–ic** *a* democratico; **–ically** *adv* democraticamente
demolish *vt* demolire
demolition *n* demolizione
demon *n* demone *m*, demonio; **–iacal** *a* demoniaco, diabolico

demonstrable *a* dimostrabile
demonstrate *vt* dimostrare; — *vi* fare (*or* participare a) dimostrazione
demonstration *n* dimostrazione
demonstrative *a* dimostrativo
demonstrator *n* dimostratore *m*; dimostratrice *f;* dimostrante *m&f*
demoralization *n* demoralizzazione
demoralize *vt* demoralizzare
demote *vt* retrocedere
demotion *n* retrocessione
demount *vt* smontare
demur *vi* esitare, temporeggiare; — *n* esitazione, temporeggiamento
demure *a* sobrio; *(modest)* pudico
demurrage *n* sosta, controstallie *fpl*; *(charges)* magazzinaggio
den *n* covo, tana; *(private room)* studio intimo
denatured *a* denaturato
deniable *a* negabile
deniably *adv* negabilmente
denial *n* diniego, rinnegazione
denizen *n* abitante *m*; *(citizen)* cittadino
Denmark Danimarca
denomination *n* denominazione; *(coin)* taglio, conio; **–al** *a* particolare, settario
denominator *n* denominatore *m*
denote *vt* denotare
denounce *vt* denunciare; **–ment** *n* denuncia
dense *a* denso; *(stupid)* sciocco
density *n* densità
dent *n* incavo, intaccatura; — *vt* incavare, intaccare, dentellare; **–ed** *a* dentellato, intaccato
dental *a* dentale; — **floss** filo per pulire i denti
dentate *a* dentato, dentellato
dentation *n* *(bot)* dentellatura; *(med)* dentizione
dentifrice *n* dentifricio
dentist *n* dentista *m;* **–ry** *n* odontoiatria
denture *n* dentiera, dentatura
denude *vt* denudare
denunciation *n* denuncia
deny *vt* negare, rifiutare; — **oneself** negarsi, privarsi
deodorant *a&n* disodorante, deodorante *m*
deodorize *vt* deodorare
deodorizer *n* deodorante *m&f*
deontology *n* deontologia
depart *(deviate from)* deviare, derogare; *(go)* partire; **–ed** *a* morto, passato; **–ure** *n* partenza, dipartita; morte *f*
department *n* dipartimento; — **store** grande magazzino, bazar *m*, emporio; **–al** *a* dipartimentale
depend *vi* dipendere; — **on** dipendere da; **–ability** *n* affidamento; **–able** *a* fidato; **–ably** *adv* fidatamente; **–ence** *n* di-

pendenza, fiducia; **–ency** *n* dipendenza; **–ent** *a* dipendente
depict *vt* dipingere
depilatory *n&a* depilatorio
deplete *vt* *(empty)* vuotare; *(exhaust)* esaurire
depletion *n* deplezione, diminuzione, esaurimento
deplorable *a* deplorabile
deplore *vt* deplorare
deploy *vt* dispiegare
depopulate *vt* spopolare; — *vi* spopolarsi
deport *vt* deportare; **–ation** *n* deportazione; **–ment** *n* condotta, comportamento
depose *vt* deporre
deposit *vt* depositare; — *n* deposito; **–or** *n* depositante *m&f;* **–ory** *n* deposito, depositario
deposition *n* deposizione; *(law)* testimonianza, deposizione
depot *n* deposito; *(rail)* stazione
deprave *vt* depravare; **–d** *a* depravato
depravity *n* depravazione
deprecate *vt* deprecare
deprecating *a* screditante
depreciate *vt* deprezzare; — *vi* deprezzarsi
depreciation *n* deprezzamento
depredation *n* depredamento
depress *vt* deprimere; **–ed** *a* depresso; **–ant** *n&a (med)* deprimente *m*; **–ing** *a* deprimente, depressivo
depression *n* depressione
deprivation *n* privazione; *(dismissal from office)* deposizione
deprive *vt* privare; *(dismiss)* deporre
depth *n* profondità, abisso *(fig)*; colmo *(fig)*; **beyond one's** — senza fondo *(coll)*
deputation *n* deputazione
deputize *vt* delegare
deputy *n* deputato, delegato
derail *vt* far deragliare; — *vi* deragliare; **–ment** *n* deragliamento
derange *vt* disordinare; **–d** *a* disordinato; *(insane)* pazzo; **–ment** *n* disordine *m*; pazzia
derby *n* *(hat)* bombetta; *(race)* derby *m*
derelict *a* derelitto; — *n* relitto
dereliction *n* abbandono; *(law)* delinquenza
deride *vt* deridere
derision *n* derisione
derisive *a* derisivo
derivation *n* derivazione
derivative *a* derivato, derivativo; — *n* derivato
derive *vt&i* derivare
dermatitis *n* dermatite *f*

dermatologist *n* dermatologo
derogate *vi* derogare
derogation *n* calunnia
derogatory *a* derogatorio
derrick *n* gru meccanica
dervish *n* dervis *m*, dervigio
descant *n (mus)* melodia
descend *vt&i* discendere; **be –ed from** discendere da
descendant *n* discendente *m&f*; **–s** *npl* discendenti *mpl*
descent *n* discesa
describe *vt* descrivere
description *n* descrizione; **of all –s** di tutti i generi
descriptive *a* descrittivo
desecrate *vt* profanare, sconsacrare
desecration *n* profanazione
desegregate *vt* integrare, contro-discriminare
desegregation *n* integrazione, antidiscriminazione
desensitize *vt* insensibilizzare
desert *vt&i* disertare; **–er** *n* disertore *m*
desert *n (geog)* deserto
desertion *n* diserzione
deserts *npl (just reward)* ricompensa secondo il merito
deserve *vt&i* meritare; **–d** *a* meritato
deserving *a* meritevole, degno
desiccate *vt* essicare; **—** *vi* essicarsi, seccare
design *vt* disegnare; *(plan)* progettare; **—** *n* disegno; **–s** *npl* piani *mpl*
designer *n* disegnatore *m; modellista f*
designing *a* astuto, intrigante
designate *vt* designare
desirability *n* desiderabilità
desirable *a* desiderabile
desire *vt* desiderare; **—** *n* desiderio
desirous *a* desideroso
desist *vi* desistere
desk *n* scrivania
desolate *a* desolato
desolation *n* desolazione
despair *vi* disperare, disperarsi; **—** *n* disperazione; **–ing** *a* disperante, disperato
desperate *a* disperato
desperation *n* disperazione
despicable *a* vile, spregevole
despise *vt* disprezzare
despite *prep* nonostante
despoil *vt* spogliare *(fig)*
despondency *n* scoraggiamento
despondent *a* scoraggiato
despot *n* despota *m; –ic a* dispotico; **–ism** *n* dispotismo
dessert *n* dolci e frutta
destination *n* destinazione
destine *vt* destinare; **–d** *a* destinato

destiny *n* destino
destitute *a* destituito, bisognoso
destitution *n* destituzione, bisogno
destroy *vt* distruggere; **–er** *n (naut)* cacciatorpediniere *m*
destructible *a* distruttibile
destruction *n* distruzione
destructive *a* distruttivo; **–ness** *n* distruttività
desultory *a* saltuario
detach *vt* staccare; **–able** *a* staccabile; **–ed** *a* staccato; **–ment** *n* distacco; *(mil)* distaccamento
detail *n* dettaglio; *(mil)* distaccamento; **go into —** entrare in particolari; **in —** in dettaglio; **–ed** *a* particolareggiato; **—** *vt* dettagliare
detain *vt* detenere
detect *vt* svelare
detective *a&n* rivelatore *m*, investigatore *m*
detection *n* scoperta, rivelazione
detector *n* scopritore, rivelatore *m*; *(elec)* coesore *m; (rad)* detettore *m*
detention *n* detenzione, arresto; *(delay)* ritardo
deter *vt* scoraggiare, dissuadere; *(detain)* trattenere; **–rent** *a&n* preventivo, dissuadente *m*
detergent *a&n* detergente, detersivo
deteriorate *vt* deteriorare; **—** *vi* deteriorarsi
deterioration *n* deterioramento
determinable *a* determinabile
determinate *a* definito, determinato
determination *n* determinazione, risoluzione
determinative *a* determinativo, definitivo
determine *vt* determinare, decidere; **—** *vi* determinarsi, decidersi; **–d** *a* risoluto, determinato, deciso
detest *vt* detestare; **–able** *a* detestabile; **–ation** *n* detestazione
dethrone *vt* detronizzare; **–ment** *n* detronizzazione
detonate *vi* detonare; **—** *vt* far detonare
detonation *n* detonazione
detonator *n* detonatore *m*
detour *n* deviazione, giravolta; **—** *vt&i* deviare
detract *vt&i* detrarre, denigrare; **— from** sparlare di; **–or** *n* detrattore, denigratore *m*
detraction *n* detrazione, diffamazione
detriment *n* detrimento; **–al** *a* dannoso
deuce *n (cards, dice)* due; *(tennis)* 40 pari
devaluate *vt* svalutare
devaluation *n* svalutazione
devalue *vt* svalutare
devastate *vt* devastare; **–d** *a* devastato
devastating *a* devastante, devastatore

devastation *n* devastazione
develop *vt* sviluppare; — *vi* svilupparsi; **–ment** *n* sviluppo
developer *n (photo)* sviluppatore *m*
deviate *vi* deviare
deviation *n* deviazione
device *n* disegno; *(plan)* progetto, stratagemma *m*; **leave to one's own –s** lasciare in balia della propria volontà
devil *n* diavolo; **between the — and the deep blue sea** fra l'incudine e il martello *(coll)*; **give the — his due** render giustizia all'avversario; **play the — with** *(coll)* mandare in rovina completa; **–ish** *a* diabolico; **–ment** *n* diavoleria; **–try** *n* diavoleria, azione diabolica
devil-may-care *a (careless)* trascurato; *(dissolute)* scapestrato
devious *a* indiretto, deviato
devise *vt* escogitare; *(law)* legare per testamento
devitalize *vt* privare della vitalità; indebolire
devoid *a* destituito; privo di
devolve *vt* devolvere, passare a, trasferire
devote *vt* dedicare; **— oneself to** dedicarsi a; **–d** *a* devoto
devotee *n* devoto, fanatico; persona dedita
devotion *n* devozione; **–al** *a* devozionale; religioso; **–s** *npl* devozioni *fpl*, preghiere *fpl*
devour *vt* divorare
devout *a* devoto, pio; **–ness** *n* devozione, religiosità
dew *n* rugiada; **— claw** sprone *m*
dewy *a* rugiadoso
dexterity *n* destrezza
dexterous *a* abile, destro
dextrin *n* destrina
dextrose *n* destrosio
diabetes *n* diabete *m*
diabetic *a* diabetico
diabolic, –al *a* diabolico
diacritical *a* diacritico; **— mark** segno diacritico
diadem *n* diadema *m*
diaeresis *n* dieresi *f*
diagnose *vt* diagnosticare
diagnosis *n* diagnosi *f*
diagonal *a&n* diagonale; **–ly** *adv* diagonalmente
diagram *n* diagramma *m;* **–matic** *a* diagrammatico
dial *n* quadrante *m*; *(sun)* meridiana; *(telephone)* disco; — *vt* misurare, indicare sul quadrante; — *vi (telephone)* discare; fare il numero
dialect *n* dialetto; **–ic, –ical** *a* dialettale, dialettico; **–ics** *npl* dialettica

dialogue *n* dialogo
diameter *n* diametro
diametric, diametrical *a* diametrale
diametrically *adv* diametralmente; — **opposed** diametralmente opposto
diamond *n* rombo; *(baseball)* campo di giuoco; *(cards)* quadri *mpl*; *(gem)* diamante *m*; — **in the rough** *(fig)* diamante grezzo
diapason *n* diapason *m*
diaper *n (baby's)* pannolino
diaphanous *a* diafano
diaphragm *n* diaframma *m*
diarrhea *n* diarrea
diary *n* diario
diastase *n* diastasi *f*
diathermy *n* diatermia
diatonic *a* diatonico
diatribe *n* diatriba
dice *npl* dadi *mpl*; — *vi* giuocare ai dadi, — *vt (food)* tagliare in dadi
dicker *vi (sl)* contrattare; — *vt* barattare; — *n* buon affare
dictaphone *n* dittafono
dictate *vt&i* dettare; — *n* dettame *m*
dictation *n* dettatura; *(order)* comando
dictator *n* dittatore *m*; **–ship** *n* dittatura
dicatatorial *a* dittatorio, dittatoriale
diction *n* dizione
dictionary *n* dizionario
dictograph *n* dittografo
dictum *n* detto, massima
didactic *a* didattico; **–s** *npl* didattica
die *vi* morire; **— away** morire lentamente, languire; **— off** estinguersi; *(wither)* appassire, svanire; **— out** perire; estinguersi; **–hard** *n* intransigente *m*
die *n (coin)* conio; *(dice)* dado; *(mech)* stampo, marchio; **— casting** pressa, fusione; **the — is cast** il dado è tratto; **–maker** *n* tecnico formista
diesel engine motore Diesel
diet *n (pol)* dieta, assemblea
diet *n* dieta, regime *m*; **be on a —** essere a dieta; **put on a —** mettere a dieta
dietetic *a* dietetico; **–s** *n* dietetica
dietitian *n* dietista *m&f*; *(med)* medico dietista
differ *vi* differire; *(disagree)* dissentire
difference *n* differenza; **split the —** dividere la differenza
different *a* differente, diverso
differential *n&a* differenziale *m*
differentiate *vt* differenziare; — *vi* differenziarsi
differentiation *n* differenziazione
difficult *a* difficile; **–y** *n* difficoltà
difficulties *npl* difficoltà *fpl*; **be in —** essere in difficoltà
diffidence *n* diffidenza, timidezza

diffident *a* diffidente, timido
diffract *vt* diffrangere
diffraction *n* diffrazione
diffuse *a* diffuso; **-r** *n* diffusore *m*
diffusion *n* diffusione
dig *vt&i* scavare; *(hoe)* zappare; — **in**
rintanarsi; *(coll)* indagare; — **up** dissotterrare; *(find out)* scoprire; — *n*
(coll) sarcasmo; *(push)* spinta; *(sl)*
sgobbone *m*
digest *n* digesto, compendio
digest *vt* considerare; *(summarize)* riassumere; — *vt&i (food)* digerire
digestible *a* digeribile
digestive *a* digestivo
digger *n (mech)* scavatrice *f*
diggings *npl (coll)* alloggio
digit *n* dito; *(number)* cifra; **-al** *a* digitale
dignified *a* austero, nobile, dignitoso
dignify *vt* dignificare, nobilitare
dignitary *n* dignitario
dignity *n* dignità
digraph *n* digramma *m*
digress *vi* digredire
digression *n* digressione
dike *n* diga
dilapidate *vt* dilapidare; — *vi* dilapidarsi;
-d *a* dilapidato
dilapidation *n* dilapidazione
dilate *vt* dilatare; — *vi* dilatarsi, espandersi
dilation *n* dilazione, dilatazione
dilatory *a* dilatorio
dilemma *n* dilemma *m*; **the horns of a —**
i corni di un dilemma
diligence *n* perserveranza
diligent *a* diligente
dill *n* aneto
dillydally *vi* tentennare, nicchiare
dilute *vt* diluire
diluted *a* diluito; **be —** diluirsi
dilution *n* diluzione
dim *a* oscuro, confuso; — *vt* oscurare, offuscare; **-ly** *adv* oscuramente, confusamente
dime *n* moneta da 10 cents
dimension *n* dimensione; **-al** *a* dimensionale; **di** dimensione
diminish *vt&i* diminuire
diminutive *a&n* diminutivo
dimmer *n* reostato
dimness *n* oscurità
dimout *n* oscuramento
dimple *n* fossetta, affossamento; — *vi*
formare fossette; **-d** *a* increspato
din *n* fracasso; — *vt* stordire
dine *vi* pranzare, desinare; — **out** pranzare fuori
diner *n* chi pranza; *(rail)* vagone ristorante
dinghy *n (naut)* dingo

dinginess *n* oscurità; sporcizia
dingy *a (dark)* oscuro; *(dirty)* sporco
dining *n* pranzo; — **room** sala da pranzo
dinner *n* pranzo, desinare *m*; — **jacket**
abito da sera; smoking *m*
dinosaur *n* dinosauro
dint *n* forza; **by —** **of** a forza di
diocese *n* diocesi *f*
diorama *n* diorama *m*
dioxide *n* biossido
dip *vt* immergere; *(plunge into)* tuffare;
— *vi* immergersi; tuffarsi; — **into** attingere a; — **the flag** abbassare la bandiera; — *n* immersione, tuffo
diphtheria *n* difterite *f*
diphthong *n* dittongo
diploma *n* diploma *m*
diplomacy *n* diplomazia
diplomat *n* diplomatico; **-ic** *a* diplomatico
dipper *n (person)* immersionista; *(spoon)*
cucchiaione *m*; **Big D-** Orsa Maggiore;
Little D- Orsa Minore
direct *a* diretto, diritto; — **current**
corrente continua; — **object** *(gram)*
accusativo; **-ly** *adv (direction)* direttamente; *(time)* immediatamente; **-ive** *n*
direttiva
direction *n* direzione; *(address)* indirizzo; — **finder** *(rad)* ondascopio
directions *npl* direzioni *fpl*; *(instructions)*
istruzioni, indicazioni *fpl*
director *n* direttore *m*; *(actors)* regista
m; *(mus)* direttore d'orchestra; **board**
of -s consiglio di amministrazione
directory *n* direttorio, guida; *(phone)*
guida telefonica
dirge *n* canto funebre
dirt *n* sudiciume *m*
dirtiness *n* sporcizia; *(baseness)* bassezza
dirty *a* sporco, sudicio; — *vt* sporcare,
imbrattare
disability *n* incapacità, invalidità; —
insurance assicurazione per l'invalidità
disable *vt* inabilitare; **-d** *a* invalido
disablement *n* incapacità
disabuse *vt* disingannare
disadvantage *n* svantaggio, perdita, inconveniente *m*
disagree *vi* dissentire, non essere d'accordo
disagreeable *a* antipatico, spiacevole,
sgradevole
disagreement *n* disaccordo, divergenza
disallow *vt* disapprovare
disappear *vi* sparire; **-ance** *n* scomparsa
disappoint *vt* ingannare, deludere
disappointment *n* delusione, disappunto
disapproval *n* disapprovazione
disapprove *vt* disapprovare; — *vi* avere
cattiva opinione
disarm *vt&i* disarmare

disarming a ingenuo
disarmament n disarmo; — **conference** conferenza del disarmo
disarrange vt scompigliare
disarray n confusione
disaster n disastro, sciagura
disastrous a disastroso, catastrofico
disavow vt negare
disband vt sbandare, congedare; — vi sbandarsi; essere licenziato
disbar vt (law) cancellare dall'albo degli avvocati
disbelieve vt diffidare, discredere
disburse vt sborsare; **–ment** n sborso, spese fpl
discard n rifiuto; (card) scarto
discard vt&i scartare
discern vt discernere, distinguere; — vi discriminare; **–ible** a percettibile; **–ing** a perspicace, giudizioso; **–ment** n discernimento
discharge n (elec) scarico; (med) spurgo; (mil) congedo, rilascio
discharge vt&i (dismiss) licenziare; (a duty) compiere; (elec) scaricare; (gun) sparare; (mil) congedare; (release) rilasciare; (unload) scaricare; — **an obligation** adempiere un dovere
disciple n discepolo
disciplinarian a disciplinare
discipline n disciplina; — vt punire; castigare
disclaim vt rinunciare
disclose vt svelare, manifestare
disclosure n rivelazione
discolor vt scolorare, scolorire, cambiar colore; **–ation** n scoloramento
discomfort n disagio, incomodo
disconcert vt sconcertare
disconnect vt staccare, tagliare; (part) separare; (elec) interrompere
discontent n malcontento, scontento
discontinue vt sospendere, prosciogliere; — vi desistere
discontinued a sospeso, soppresso, esaurito
discord n discordia; **–ant** a discordante
discount n sconto, ribasso; — **rate** tasso di sconto; — vt scontare
discountenance vt turbare, sconcertare
discourage vt scoraggiare; (deter) dissuadere; **—ment** n scoraggiamento, scoramento
discouraging a scoraggiante
discourse n discorso, trattato
discourtesy n scortesia
discourteous a scortese, sgarbato
discover vt scoprire, trovare; **–er** n scopritore m; **–y** n scoperta
discredit vt screditare
discreet a discreto, prudente

discrepancy n discrepanza, divergenza, contraddizione
discretion n discrezione, prudenza
discriminate vt&i discriminare, distinguere; far distinzione; — **against** far distinzioni nocive contro
discriminating a discretivo, da intenditore
discrimination n discriminazione, distinzione
discus n (sport) disco
discuss vt dibattere, parlare di, discutere, ragionare di
discussion n discussione
disdain n disdegno, disprezzo; — vt disdegnare; **–ful** a sdegnoso
disease n malattia; **–d** a malato
disembark vt sbarcare; **–ation** n sbarco
disenchant vt disincantare; **–ment** n disincanto, disillusione
disencumber vt sgombrare
disengage vt liberare; (mech) sganciare; — vi separarsi da
disfavor n disgrazia, sfavore m
disfigure vt sfigurare, sfregiare
disfranchise vt privare della franchigia
disgorge vt vomitare, recere
disgrace n vergogna, disonore m; — vt disonorare; **–ful** a vergognoso, disonorevole
disgruntled a malcontento, di malumore, imbronciato
disguise vt travestire, mascherare; — n travestimento, finzione, maschera; **in —** camuffato
disgust n schifo, disgusto; — vt disgustare; **–ing** a disgustoso, schifoso
dish n piatto, pietanza; — vt servire, scodellare; **—water** n lavatura di piatti; **–cloth** n strofinaccio da piatti; **–pan** n recipiente per lavare i piatti; **–towel** n strofinaccio per asciugare i piatti
dishearten vt scoraggiare
dishevel vt scapigliare, scarmigliare; **–ed** a scapigliato
dishonest a disonesto
dishonor n disonore m, infamia; — vt disonorare, svergognare; **–able** a disonorevole; **–ably** adv disonorevolmente
dishwarmer n scaldavivande m
dishwasher n lavapiatti m; (person) sguattero
disillusion n disillusione; **–ment** n liberazione d'una illusione; — vt disilludere
disinclined a contrario
disinfect vt disinfettare; **–ant** n&a disinfettante m; **–ion** n disinfezione
disinherit vt diseredare
disintegrate vt disintegrare
disintegration n disintegrazione

disinter *vt* disseppellire; **–ment** *n* dissotterramento
disinterested *a* disinteressato
disjoin *vt* disgiungere; — *vi* disgiungersi
disjoint *vt* slogare, disgiungere; **–ed** *a* slogato
disk *n* disco; — **jockey** presentatore di dischi
dislike *n* antipatia, avversione; — *vt* avere in antipatia
dislocate *vt* slogare
dislocation *n (med)* slogatura
dislodge *vt&i* sloggiare, scacciare
disloyal *a* sleale; **–ty** *n* infedeltà, slealtà
dismal *a* triste, misero, funesto
dismantle *vt* smantellare
dismay *vt* costernare; — *n* costernazione
dismember *vt* smembrare
dismiss *vt* licenziare, destituire, congedare; **–a meeting** togliere una seduta; *(oust)* scacciare; **–al** *n* licenziamento, destituzione, congedo
dismount *vi* smontare, scavalcare
disobedience *n* disobbedienza
disobedient *a* disobbediente
disobey *vt* disobbedire a
disobliging *a* senza gentilezza
disorder *n* disordine *m*; **–ed mind** psicopatico; **–ly** *a* disordinato
disorganization *n* disorganizzazione
disorganize *vt* disorganizzare
disown *vt* negare, non confessare, rinunciare
disparage *vt* menomare
disparaging *a* offensivo
dispassionate *a* spassionato; **–ly** *adv* spassionatamente
dispatch *n* prontezza, urgenza, fretta; *(com)* dispaccio, spedizione; — *vt* inviare, spacciare, spedire; *(kill)* uccidere
dispel *vt* dissipare; — *vi* dissiparsi
dispensable *a* non indispensabile
dispensary *n* dispensario
dispensation *n* distribuzione; *(excuse from)* dispensa
dispense *vt* distribuire; *(administer)* amministrare; *(exempt)* dispensare, esentare
dispersal *n* dispersione
disperse *vt* disperdere, spargere; — *vi* disperdersi
dispirit *vt* scoraggiare; **–ed** *a* abbattuto; scoraggiato; *(dismayed)* sgomento
displaced *a* spostato — **person** profugo
displacement *n* spostamento; *(naut)* stazzo; **cylinder** — cilindrata
display *n* mostra, esibizione; — *vt* esporre, mostrare
displease *vt* offendere, dispiacere a
displeasure *n* dispiacere *m*, disapprovazione

disposable *a* disponibile
disposal *n* disposizione
dispose *vt* disporre; — **of** disporre di; *(sell)* vendere
disposed *a* disposto; **ill** — maldisposto, malintenzionato; **be** — **to** avere dispozione per; essere incline per
disposition *n* inclinazione, carattere *m*; *(disposal of)* disposizione; *(temper)* indole *f*
dispossess *vt* espropriare; **–ed** *a* espropriato
disproportionate *a* sproporzionato
disprove *vt* confutare, invalidare
disputable *a* disputabile
dispute *n* disputa, dibattito
disqualification *n* inabilitazione; squalifica
disqualify *vt* squalificare
disquiet *n* inquietudine *f;* travaglio; — *vt* inquietare, tribolare; **–ing** *a* inquietante
disregard *vt* non dare importanza a, trascurare; — *n* negligenza, indifferenza
disreputable *a* vergognoso; screditato, malfamato
disrepute *n* disonore *m*, discredito
disrespect *n* insolenza; mancanza di rispetto; **–ful** *a* irriverente, incivile; **–fully** *adv* irrispettosamente
disrobe *vt* svestire, spogliare; — *vi* spogliarsi
disrupt *vt* rompere
dissatisfaction *n* malcontento
dissatisfied *a* malcontento
dissatisfy *vt* scontentare, dispiacere
dissect *vt* notomizzare, sezionare; **–ion** *n* dissezione
dissemble *vt&i* simulare
dissemblingly *adv* dissimulatamente
disseminate *vt* disseminare, diffondere
dissemination *n* disseminazione
dissension *n* discordia
dissent *vi* dissentire; — *n* dissenso
dissertation *n* dissertazione; *(school)* tesi di laurea
disservice *n* disservizio
dissimilar *a* dissimile; **–ity** *n* dissimilitudine *f*
dissimulate *vt* dissimulare
dissimulation *n* dissimulazione
dissipate *vt* dissipare; — *vi* dissiparsi
dissipation *n* dispersione, dissipazione
dissolute *a* dissoluto, licenzioso; **–ly** *adv* dissolutamente
dissolution *n* dissoluzione, licenza
dissolve *vt* sciogliere, dissolvere; — *vi* disciogliersi
dissonance *n* dissonanza
dissonant *a* dissonante, differente

dissuade *vt* dissuadere
dissuasion *n* dissuasione
distaff *n* rocca, conocchia
distance *n* distanza; **at a — of** alla distanza di
distant *a* distante, lontano; *(reticent)* riservato
distantly *adv (far)* lontanamente; *(coldly)* con distanza
distaste *n* disgusto, dispiacere *m*; *(dislike)* avversione, idiosincrasia
distasteful *a* fastidioso, sgradevole, antipatico
distemper *n* indisposizione; *(med)* malattia; **—** *vt (disturb)* turbare; fare male, fare ammalare
distend *vt* stendere, allargare; **—** *vi* distendersi, allargarsi
distill *vt* distillare; **–ed** *a* distillato; **–ation** *n* distillazione
distillery *n* distilleria
distinct *a* distinto; **–ive** *a* distintivo
distinction *n* distinzione
distinguish *vt* distinguere; **–ed** *a* distinto
distinguishing *a* distintivo
distort *vt* contorcere, distorcere; *(alter)* travisare *(fig)*
distortion *n* distorsione
distract *vt* distrarre, svagare; turbare
distracted *a* distratto; divertito; *(upset)* sconvolto; **–ly** *adv* distrattamente
distraction *n* distrazione
distress *n* sfortuna, guaio, miseria, pena, angoscia; **— signal** segnalazione di soccorso; **–ed** *a* spiacente; **—** *vt* inquietare, affliggere
distribute *vt* distribuire
distribution *n* distribuzione
distributor *n* distributore *m*
district *n* distretto; **— attorney** procuratore di stato
distrust *vt* sospettare; diffidare di; non aver fiducia in; **—** *n* diffidenza, sfiducia; **–ful** *a* sospettoso
disturb *vt* disturbare; **–ance** *n* disturbo
disuse *n* disuso
ditch *n* fosso, fossato; **fight to the last —** resistere ad oltranza
ditto *n* idem *m*, lo stesso
diuretic *a* diuretico
divan *n* divano, sofà
dive *vi* tuffarsi; *(naut)* immergersi; **—** *n* immersione, tuffo; *(coll)* bettola; *(avi)* scesa in picchiata
dive– *(in comp)* **—bomber** *n* aereo da picchiata; **— bombing** *n* bombardamento in picchiata
diver *n* tuffatore *m*; *(deep-sea)* palombaro; *(skin)* sommozzatore *m*
diverge *vi* divergere, deviare, differire

divergence *n* divergenza
diverging *a* divergente
divers *a* assortito
diverse *a* diverso, differente, vario
diversion *n* diversione, divertimento, passatempo; *(turning from)* deviazione; **–ary** *a* ricreativo
diversity *n* diversità
divert *vt* divertire; *(amuse)* svagare; **–ing** *a* divertente
divest *vt* svestire, spogliare; **— oneself** svestirsi, spogliarsi
divide *vt* dividere; **—** *vi* dividersi, scindersi; **–d** *a* diviso; **—** *n (geog)* spartiacque *m*
dividend *n* dividendo
divider *n* divisore *m*; **–s** *npl (compass)* compasso a molla
divination *n* divinazione
divine *a* divino; **—** *vi* profetizzare, fare profezia
diving *n* immersione, tuffo; **— bell** campana da palombaro; **— suit** scafandro
divinity *n* divinità
division *n* divisione; **–al** *a* divisorio, divisionale
divisor *n* divisore *m*
divorce *n* divorzio; **—** *vt* divorziare, divorziarsi; **— court** tribunale dei divorzi; **sue for a —** chiedere un divorzio
divorcé *n* divorziato, **-e** *n* divorziata
divot *n (golf)* zolla erbosa strappata dal bastone
divulge *vt* rivelare, divulgare
dizziness *n* veŕtigini *fpl*, stordimento
dizzy *a* vertiginoso; *(coll)* stordito; **feel —** avere le vertigini; **make one —** stordire, dare le vertigini a
D.N.A., deoxyribonucleic acid *n* D.N.A., acido diossigenucleico
do *vt&i* fare; **— away with** sopprimere, distruggere; **— dishes** lavare i piatti; **— in** *(coll)* rovinare; *(kill)* uccidere; **— one's best** fare del proprio meglio; **— out of** frodare; **— up** rifare, riparare, involgere, abbottonare; **— without** fare senza; **have to — with** aver che fare con; **make — aggiustarsi** con; **this will —** ciò basta
docile *a* docile
dock *n* molo, imbarcadero; **dry — bacino** di carenaggio; **—** *vt* abbreviare; *(ship)* far entrare in bacino; *(tail)* tagliare la coda; *(wages)* far dedurre dalla paga
docket *n* registro; *(law)* attergato
dockyard *n* cantiere navale
doctor *n* dottore *m*; **—** *n* dottorato; **—** *vt* adulterare; **— oneself** curarsi da sè; **be under a –'s care** essere assistito dal

dottore
doctrine *n* dottrina
document *n* documento; **–ary** *a* documentario
documentation *n* documentazione
dodder *vi* tremare; **–ing** *a* tremante
dodge *n* balzo; *(coll)* trucco *(fig);* — *vt* evitare, schivare, eludere; — *vi* cambiare di posto; sfuggire con sotterfugi
doe *n* daina
doff *vt* cavarsi, togliersi; sbarazzarsi di
dog *n* cane *m;* — **days** canicola; — **one's footsteps** pedinare qualcuno; **let sleeping –s lie** lasciare dormire il cane che dorme; — *vt (follow)* pedinare; *(spy on)* spiare, seguire le orme
dog– *(in comp)* **—eared** *a* sfogliato, spiegazzato; **—eared page** pagina con gli angoli sfogliati; **—tired** *a* stanco morto
dogged *a* ostinato, accanito; **–ly** *adv* risolutamente; *(firmly)* tenacemente; *(stubbornly)* ostinatamente
doghouse *n* canile *m;* **be in the** — *(sl)* essere nei pasticci *(coll)*
dogma *n* dogma *m;* **–tic** *a* dogmatico
doily *n* tovagliolino, sottocoppa *m; (coaster)* sottobicchiere *m*
doing *n* fatto, evento; **be worth** — valere la pena; **–s** *npl* faccende *fpl*, fatti *mpl*
doldrums *npl (naut)* calme equatoriali *fpl;* **be in the** — essere malinconico
dole *n* elemosina, piccola quantità; **–ful** *a* doloroso, lamentevole; — *vt* fare la carità; — **out** distribuire
doll *n* bambola
dollar *n* dollaro
dolly *n (toy)* bambolina; *(truck)* carrello
dolor *n* dolore *m*
dolorous *a* doloroso
dolt *n* balordo, stupido
domain *n* dominio, proprietà
dome *n* cupola
domestic *a* domestico, di famiglia; nazionale; locale; — *n (servant)* domestico
domesticate *vt* addomesticare
domicile *n* domicilio
dominance *n* dominio
dominant *a* dominante
dominate *vt* dominare, predominare
domination *n* dominazione
domineer *vt&i* tiranneggiare, signoreggiare; **–ing** *a* tirannico, prepotente
Dominican Republic *n* Republica domenicana
dominion *n* dominio; colonia autonoma
domino *n* domino
don *vt* indossare; — *n* signore *m*
donate *vt* donare, dare
donation *n* offerta, dono
donkey *n* asino; **make a** — **of** far passa-

re per stupido *(coll)*
donor *n* donatore *m*, donatrice *f*
doodle *n* allocco, ingenuo; — *vt&i* disegnare *(or scrivere)* distrattamente
doom *n* condanna; **voice of** — la voce della Giustizia Divina; — *vt* condannare; **–ed** *a* predestinato; *(condemned)* condannato
doomsday *n* la fine del mondo
door *n* porta, uscio; **–bell** *n* campanello; **–knob** *n* maniglia della porta; **–man** *n* portiere *m;* **–mat** *n* nettapiedi *m;* **–step** *n* soglia; **–way** *n* vano della porta; **back** — porta di servizio
dope *n* stupefacente *m; (sl)* narcotico; *(low-down, sl)* informazione *(fig);* — *vt (sl)* affettare con stupefacenti
dormant *a* dormiente
dormer window *n* abbaino
dormitory *n* dormitorio
dose *n* dose *f;* — *vt* dosare, somministrare dosi
dossier *n* incartamento
dot *n* punto; **on the** — a punto
dotage *n* rimbambimento
dote *vi* rimbambire; — **on** amare pazzamente
double *n&a* duplicato, doppio; — **feature** due film d'un programma; **one's** — l'altro sè stesso; — *vt* doppiare, raddoppiare; — **back** *(fold)* piegare indietro; *(retrace)* ritornare sui propri passi; — *vi* ripiegare; tornare indietro, girarsi
double– *(in comp)* **—breasted** *a* a due petti; **—cross** *n (sl)* tradimento; doppio giuoco; — *vt* tradire; fare il doppio giuoco; **—edged** *a* a due tagli; — **faced** *a (cloth)* a doppia faccia; *(person)* ipocrita, falso; *(of faccia doppia (coll)*
doubt *n* dubbio; **no** — senza dubbio; **put in** — mettere in dubbio; **–ful** *a* dubbioso; **–less** *adv* certamente; senza dubbio; — *vt* dubitare
douche *n* doccia
dough *n* pasta; *(sl)* denaro, soldi *mpl*
doughnut *n* frittella
dove *n* colomba
dovetail *n* coda di rondine; — *vt* unire a coda di rondine
dowager *n (coll)* matrona di prestigio
dowdy *a* malvestito, trasandato
down *n (feather)* piuma; *(hair)* lanugine *f;* — *adv* giù abasso; in basso; — **to** fino a; — **the street** *(be)* giù per la strada; *(go)* per la strada; **go** — scendere; **pay** — pagare la prima quota
down *vt (debase)* umiliare; (lower) abbassare; *(pull)* abbattere; *(swallow)* buttar giù
downcast *a* abbattuto

downfall n rovina, caduta
downgrade n discesa; — vt degradare
downhearted a abbattuto, scoraggiato
downhill a scendente; — adv in discesa
downpour n acquazzone m; pioggia a catinelle
downright a diretto, assoluto, completo; — adv assolutamente
downstairs adv giù, abbasso, di sotto, in basso, al piano di sotto; — n pianterreno
downtown n centro della città; — adv in città
downwards adv abbasso
dowry n dote f
doze vi sonnecchiare
dozen n dozzina
drab a grigiobruno, monotono; (color) nocciuola
draft n tiro; (air) corrente d'aria; (com) tratta; (drink) sorsata; (mil) leva, coscrizione; (plan) disegno; (sketch) schizzo; — **beer** birra spillata; **rough** — minuta, brutta copia
draft vt disegnare; (compose) redigere; (sketch) tracciare
draftsman n disegnatore m
drag n draga; (sl) influenza, favore m; — vt trascinare; — vi trascinarsi
drag chute (avi) paracaduta che frena l'atterraggio
dragnet n rete f; (police) retata
dragon n drago
drain vt scolare, prosciugare; (empty) vuotare; –**pipe** n tubo di scarico, tubo di drenaggio
drain n canale m; (med) drenaggio; –**age** n drenaggio
drama n dramma m
dramatic a drammatico
dramatist n drammaturgo; autore drammatico
dramatize vt drammatizzare
drape n drappo; — vt drappeggiare; — vi pendere flosciamente
drapery n drappeggio, tendaggio, drapperia
drastic a drastico
draw vt disegnare; (attract) attrarre; (pull) tirare; (sword) sguainare; (water) attingere; — **a sigh** sospirare; — **away** sorpassare; — **back** indietreggiare; — **lots** sorteggiare; — **near** avvicinarsi; — **oneself up** mettersi ritto; — **out** tirar fuori
draw n attrazione f; (score) parte indecisa
drawback n svantaggio, inconveniente m
drawbridge n ponte levatoio
drawer n cassetto
drawers npl (clothing) mutande f

drawing n disegno; (lottery) lotteria; (pulling) tiraggio; (raffle) sorteggio; — **card** specchio per le allodole (fig); — **pen** tiralinee m; — **room** sala da ricevimento, salone m
drawl n voce affettata; — vi strascicare le parole
drawn a indeciso; (face) emaciato; (sword) sguainato
dread n paura, terrore m; — vt avere orrore di
dreadful a terribile, spaventevole
dream n sogno; — vt avere una visione di; — vi sognare; — **up** inventare; –**er** n sognatore m
dreamy a sognante; (fantastic) chimerico
dreary a lugubre, cupo, desolato, monotono
dregs npl feccia, sedimento
drench vt inzuppare, bagnare
dress n abbigliamento; vestito da donna; — vt vestire; (med) medicare; (wrap) fasciare; — vi vestirsi; –**y** a (coll) elegante, vistoso
dresser n (furniture) comò, cassettone m; (theat) guardarobiere m; **a good** — persona ben vestita
dressing n (meat, fowl) ripieno; (med) medicazione; (salad) condimento per l'insalata; — **table** toletta
dressmaker n sarta; sarto
dribble vi gocciolare; — vt far gocciolare
dried a secco
drift n (avi) deriva; deviazione a causa del vento; (meaning) significato; (naut) deriva, direzione; (snow) cumulo di neve; **get the** — (sl) comprendere; — vi andare alla deriva; — vt accumulare
drill n (mech) trapano, perforatrice f; (mil) esercitazione; (training) addestramento; — vt forare, perforare, (train) addestrare
drink n bibita, bevanda; –**able** a potabile; — vt bere; — **a toast** fare un brindisi; — **in** assimilare
drip vi gocciolare; — vt far sgocciolare; — n sgocciolamento
drive n energia, sforzo; (mech) trasmissione; (pressure) pressione; (ride) passeggiata in carrozza; — vt guidare; — **away** allontanare; — **back** respingere; — **mad** far ammattire; — vi guidare; essere sospinto; andare in veicolo; (rush) precipitarsi; — **a bargain** condurre un affare; — **at** tendere a
drive-in n (restaurant) autoristorante m, autoristoratore m; (theat) autocinema m, cineparco
driver n (auto) automobilista, autista m; (bus) conduttore m; (coachman) coc-

chiere *m*
driver's license patente *f*
driveway *n* vialetto d'entrata; passo carreggiabile
driving *a* movente; di guida; — **power** forza di propulsione
drizzle *vt&i* piovigginare; — *n* pioggerella
droll *a* bizzarro, scherzoso, burlone
drone *n* fuco, pecchione *m*; *(avi)* aereo a controllo remoto; — *vt* dire come ronzando; — *vi* ronzare
drool *vi* sbavare, far bava
droop *vi* curvarsi; *(hang)* pendere; — *vt* abbassare
drop *n* goccia; *(descent)* caduta; *(ear)* pendente *m*; *(globule)* globulo
drop *vi* gocciolare; *(prices)* ribassare; — *vt* lasciar cadere; abbandonare, negligere; — **behind** rimanere indietro; — **in** capitare per caso; — **out** mettersi fuori
drop– *(in comp)* —**kick** *(football)* n calcio di rimbalzo; — *vt&i* dare un calcio di rimbalzo; —**leaf** *n* asse accessoria per allungare un tavolo
dropper *n (med)* contagocce *m*
dropsy *n* idropisia, edema *m*
drought *n* siccità
drove *n* gregge *m*, mandra; *(crowd)* folla
drown *vt&i* annegare
drowse *vt* assopire; — *vi* assopirsi
drowsiness *n* sonnolenza, assopimento
drowsy *a* sonnacchioso, sonnolento
drudge *n* sgobbone *m;* uomo di fatica; — *vi* sfacchinare
drudgery *n* facchinata, lavoraccio
drug *n* droga, stupefacente *m*; *(med)* medicinale *m;* — **addict** tossicomane *m;* **be a — on the market** *(com)* essere in troppa concorrenza; — *vt* narcotizzare
druggist *n* farmacista *m*
drugstore *n* farmacia
drum *n (ear)* timpano; *(mus)* tamburo; — *vi (fingers)* tamburellare; *(mus)* tamburreggiare; — **into** *(fig)* inculcare; — *vt* tamburellare; — **up** *(get)* sollecitare, ottenere ostentando
drummer *n (com)* commesso viaggiatore; *(mus)* tamburino
drumstick *n (fowl)* coscia; *(mus)* bacchetta di tamburo
drunk *n&a* ubriaco, ebbro; bevuto *(coll)*; –**ard** *n* ubriacone, beone *m;* –**en** *a* ubriaco, ebbro; –**enly** *adv* ebbramente, ubriacamente; da ubriaco
drunkenness *n* ubriachezza
dry *a* secco; — **cell** cellula elettrica secca; — **cleaner** tintore *m*; — **cleaning** pulitura a secco; — **dock** bacino di carenaggio; — **goods** mercerie *fpl;* — *vt*

seccare; — **up** seccarsi
dryness *n* aridità
dual *a* doppio, duplice, — **control** doppio controllo
dub *vt* investire; armare cavaliere; *(name)* soprannominare; — **in** *(movies)* doppiare
dubious *a* dubbio, incerto, equivoco
duchess *n* duchessa
duchy *n* ducato
duck *n* anitra; — *vt (avoid)* schivare; *(dip)* immergere; *(plunge)* tuffare; — **the head** chinare la testa; — *vi* immergersi; tuffarsi; schivarsi
duct *n* condotto, tubo
ductless *a* senza condotti; — **gland** ghiandola endocrina
dud *n (failure)* cosa che fa cilecca; *(rag)* cencio; — *a* inutile
dude *n* bellimbusto, zerbinotto
duds *npl (sl, clothes)* abiti *mpl;* *(things)* roba
due *n&a* debito, dovuto; — **bill** *(com)* cambiale *f,* tratta; **fall —**, **be —** scadere; **in — time** a tempo debito; — *adv* direttamente
dues *npl* quota, diritti *mpl,* ammontare dovuto
duet *n* duetto
duel *n* duello
duke *n* duca *m*
dull *a* ottuso, noioso; *(color)* oscuro; *(edge)* smussato; — **pain** dolore sordo; –**ness** *n* povertà di spirito; *(surface)* opacità
duly *adv* regolarmente, debitamente
dumb *a* muto; *(coll)* stupido, cretino
dumbly *a* mutamente
dumbbell *n* manubrio
dumbwaiter *n* calapranzi *m*
dumbfound *vt* confondere; far tacere
dummy *n* prestanome *m*; *(cards)* morto; *(manikin)* manichino; *(print)* menabò; *(sl)* stupido; *(straw)* uomo di paglia; — *a* falso, finto
dump *n* mondezzaio; *(sl)* luogo malandato; — *vt* scaricare; svendere in quantità; — *vi* cadere improvvisamente; scaricarsi; –**y** *a* tozzo; *(thickset)* tarchiato
dumps *npl (sl)* malinconia; **be in the —** essere malinconico
dumping ground posto dei rifiuti
dumpling *n* gnocco
dun *vt&i* importunare; *(for money)* insistere nella riscossione
dunce *n* stupido, ignorante *m,* balordo, asino
dune *n* duna
dungeon *n* carcere sotterraneo
dupe *n* gonzo; — *vt* gabbare, truffare,

imbrogliare
duplex *a* doppio, duplice
duplicate *n* copia; — *n&a* duplicato; — *vt* riprodurre, duplicare
duplicity *n* doppiezza, duplicità
durable *a* durevole
durability *n* durabilità
duration *n* durata
duress *n* coercizione; **under** — per forza, dietro minaccia
during *prep* durante
dusk *n* crepuscolo, imbrunire *m*
dusky *a* scuro, nerastro, bruno
dust *n* polvere *f*; — **storm** tormenta di sabbia; **throw** — **in the eyes** *(fig)* gettare polvere negli occhi *(fig)*; **-y** *a* polveroso
dust *vt* spolverare, spazzolare; — *vi* impolverarsi; levare la polvere dai mobili
duster *n* stroffinaccio
Dutch *n&a* olandese *m&f*; — **treat** pagamento alla romana *(coll)*; **go** — *(coll)* fare alla romana
duties *npl* funzioni *fpl*; doveri *mpl*; *(tax)*

diritti di dogana
dutiful *a* obbediente
duty *n* dovere *m*; *(mil)* servizio; **on** — di servizio
duty-free *a* franco di dazio; in franchigia
dwarf *n&a* nano; — *vt* rimpicciolire
dwell *vi* abitare, risiedere; — **on** *(a subject)* insistere su
dwelling *n* dimora
dwindle *vt* ridurre; — *vi* diminuire, deperire, ridursi
dye *vt* tingere, colorire; — *vi* tingersi, colorarsi; — *n* tinta, tintura, colore *m*
dyed-in-the-wool *a* tinto prima della confezione
dyer *n* tintore *m*
dying *a* moribondo, morente
dynamic *a* dinamico; **-s** *n* dinamica
dynamite *n* dinamite *f*
dynamo *n* dinamo *f*
dynasty *n* dinastia
dysentery *n* dissenteria
dyspepsia *n* dispepsia
dyspeptic *a* dispeptico

E

each *a* ciascuno, ogni; — *pron* ognuno, ciascheduno; — **other** l'un l'altro
eager *a* desideroso, avido, volenteroso, impaziente; **-ness** *n* ardore *m*, impazienza
eagle *n* aquila
eagle-eyed *a* dalla vista d'aquila
ear *n* orecchio; *(corn)* pannocchia; **in one** — **and out the other** entrato in un orecchio e uscito dall'altro *(coll)*; **-ache** *n* dolore all'orecchio; mal d'orecchi; **-drum** *n* timpano
earl *n* conte *m*
early *a* mattutino, mattiniero; — **bird** la prima rondine *(fig)*; l'uccello mattiniero; — *adv* di buon'ora, in anticipo
earmark *vt* destinare, serbare, designare
earmuffs *npl* copriorecchi *mpl*
earn *vt&i* guadagnare; *(deserve)* meritare
earnest *a* serio, sincero; — **money** caparra
earnings *npl* salario, guadagni *mpl*
earphone *n* cuffia telefonica
earring *n* orecchino
earth *n* terra; **-ly** *a* terrestre
earthen *a* terreo, di terra; **-ware** *n* terraglie *fpl*
earthquake *n* terremoto
earthworm *n* verme di terra, verme anellide
earwax *n* cerume *m*
ease *n* agio, facilità, disinvoltura; **at** — **a** proprio agio; **ill at** — in imbaraz-

zo; — *vt* calmare, sollevare
easel *n* cavalletto
easily *adv* facilmente, senza difficoltà
east *n* est, oriente *m*; **the E-** Oriente; **the Far E-** l'estrem'Oriente
Easter *n* Pasqua; — **Sunday** Pasqua; — *a* pasquale
easterly *a&adv* orientale, dell'est
eastern *a* orientale, dell'oriente
easy *a* facile, disinvolto, comodo; — **money** *(coll)* danaro guadagnato facilmente; — **chair** poltrona; **-going** *a* tranquillo, sereno, bonario
eat *vt* mangiare; *(breakfast)* far colazione; *(dinner)* pranzare; — **one's words** ricredersi; **-en** *a* mangiato
eatable *n* commestibile *m*, alimento; —, **edible** *a* commestibile, mangiabile; **-s** *npl* commestibili *mpl*
eavesdrop *vi* origliare
ebb *n* riflusso; — **tide** bassa marea; — *vi* rifluire, abbassarsi; *(decline)* decadere
ebony *n* ebano; — *a* d'ebano
ebullition *n* ebollizione, bollore *m*; *(fig)* agitazione
eccentric *a&n* eccentrico; **-ity** *n* eccentricità
ecclesiastic, -al *n&a* ecclesiastico
echelon *n* scaglione *m*
echo *n* eco *m&f*; — *vt* far eco a; — *vi* echeggiare

eclair *n* pasta di crema
éclat *n* successo, applauso, effetto
eclipse *n* eclisse *m&f*; — *vt* eclissare, superare; — *vi* ecclissarsi
ecliptic *a (ast)* eclittico
economics *n* scienza economica
economist *n* economista *m*
economize *vt&i* economizzare
economy *n* economia
ecru *a* color seta crudo
ecstasy *n* estasi *f*
ecstatic *a* estatico
ecumenical *a* ecumenico
eddy *n* turbine *m*, vortice *m*; — *vt&i* turbinare
edema *n* edema, gonfiore *m*
edge *n* bordo, margine *m*; *(knife)* filo; **have the — on** *(coll)* aver vantaggio; **on —** sul filo; sull'orlo; *(nervous)* irritabile; **-wise** *adv* di taglio; di profilo; — *vi* avanzare gradatamente; camminare di traverso *(fig)*; *(border)* orlare; — *vt* bordare, orlare; *(whet)* affilare
edging *n* bordo, orlo
edible *a* commestibile, mangereccio
edict *n* editto
edifice *n* edificio
edify *vt* edificare
edit *vt* curare, redigere, rivedere
edition *n* edizione
editor *n (book, magazine)* redattore, curatore *m*; *(newspaper)* direttore *m*
editorial *n* editoriale *m*; articolo di fondo
educate *vt* istruire; *(rear)* allevare; **-d** *a* istruito, colto
education *n* istruzione, insegnamento; **physical —** educazione fisica
educational *a* educativo, pedagogico, scolastico
educator *n* educatore *m*, insegnante *m*, maestro
educe *vt* estrarre; *(infer)* dedurre
eel *n* anguilla
eerie *a* lugubre, tetro, irreale, magico
effable *a* esprimibile, pronunciabile
efface *vt* cancellare
effect *n* effetto; — *vt* effettuare, produrre; **-ual** *a* efficace
effective *a* efficace, effettivo
effervescent *a* spumante
efficacious *a* efficace
efficiency *n* efficienza, efficacia
efficient *a* efficiente, capace
effort *n* sforzo
effusive *a* espansivo, esuberante
egg *n* uovo; *(fried)* uovo fritto; *(hard-boiled)* uovo sodo; *(poached)* uovo affogato; *(scrambled)* uovo strapazzato; *(soft-boiled)* uovo da bere, uovo appena bollito; *(sunny side up)* uovo ad occhio

di bue; — **white** chiara d'uovo, albume *m*; — **yolk** tuorlo d'uovo; — *vt* lanciare uova contro; — **on** incitare
eggnog *n* zabaione *m*
eggplant *n* melanzana
ego *n* ego
egocentric *a* egocentrico
egoism, egotism *n* egoismo, egotismo
egotist *n* egotista *m*
egress *n* egresso
egret *n* ciuffetto
Egypt Egitto; **-ian** *n&a* egiziano
eider down *n* peluria, lanugine *f*
eight *a* otto; **-ieth** *a* ottantesimo; **-y** *a* ottanta
eighteen *a* diciotto; **-th** *a* diciottesimo; **-th century** il Settecento
eighth *a* ottavo
either *pron&a* ambi; l'uno e l'altro; uno dei due; **in — case** i ambo i casi; **not —** nemmeno; **— ... or** o **... o**
ejaculation *n* eiaculazione, emissione
eject *vt* espellere, scacciare
ejection *n* espulsione; — *(law)* sfratto
eke *vt* allungare, prolungare; — **out** complementare
elaborate *vt* elaborare; — *a* elaborato, accurato
elan *n* slancio
elapse *vi* decorrere, passare, trascorrere
elastic *n&a* elastico
elated *a* allegro, esultante
elbow *n* gomito; **out at the -s** malconcio; **-room** *n* libertà d'azione; — *vt* dare gomitata a; — *vi* fare gomito; avanzare a gomitate
elder *a* maggiore, anziano
elderly *a* d'una certa età
eldest *a* il maggiore, il più anziano, il più vecchio
elect *a* eletto, nominato; — *vt* eleggere; **the —** gli eletti
election *n* elezione
electioneer *vt* sollecitare voti
electoral *a* elettorale
electric, -al *a* elettrico
electrician *n* elettricista *m*, elettrotecnico
electricity *n* elettricità
electrify *vt* elettrizzare
electrocardiogram *n* elettrocardiogramma *m*
electrocute *vt* folgorare, fulminare
electrocution *n* elettrocuzione
electrode *n* elettrodo
electrodynamics *n* elettrodinamica
electromagnet *n* elettromagnete *m*
electron *n* elettrone *m*
electronic *a* elettronico; — **brain** cervello elettronico; **-s** *n* elettronica
electroplate *vt* placcare con galvanopla-

stica
elegance *n* eleganza, buon gusto
elegant *a* elegante, di buon gusto
element *n* elemento; **–al** *a* elementare
elements *npl* rudimenti *mpl*
elementary *a* elementare; **— school** scuola
    elementare
elephant *n* elefante *m*
elevate *vt* elevare, innalzare
elevated *a* elevato; **— railway** ferrovia
    soprelevata
elevation *n* elevazione
elevator *n* ascensore *m*; **freight —** mon-
    tacarichi *m*; **— boy** ragazzo
eleven *a* undici
eleventh *a* undicesimo; **— hour** l'undi-
    cesima ora, l'ultima ora per fare qual-
    cosa
elf *n* folletto, fata; **–in** *a* di folletto,
    incantato
elicit *vt* incitare, educere
elide *vt* elidere
eliminate *vt* eliminare
elimination *n* eliminazione
elision *n* elisione
elite *a* seletto, alto; **— n** il meglio,
    elite *m*
elk *n* alce *f*
ell *n* (*building*) ala
eligible *a* eleggibile, desiderabile
ellipse *n* ellisse *f*
ellipsis *n* ellissi *f*
elm *n* olmo
elongate *vt* allungare, estendere; **— vi**
    aumentare la lunghezza
elope *vi* fuggire per sposarsi
elopement *n* fuga con l'amante
eloquence *n* eloquenza
eloquent *a* eloquente
else *a* altro; **anybody —** chiunque altro;
    anything —? qualche cosa d'altro?
    anywhere — ogni altro luogo; **every-
    thing —** tutto il resto; **nobody —** nes-
    sun altro; **nothing —** nient'altro; **no-
    where —** nessun altro luogo
elsewhere *adv* altrove, in altro luogo
elucidate *vt* chiarire, delucidare
elusive *a* evasivo, elusivo
em *n* (*print*) unità di spazio
emaciate *vt* emaciare; **— vi** emaciarsi
emaciated *a* magro, smunto, scarno
emancipate *vt* emancipare
emasculation *n* evirazione, sterilizzazione
embalm *vt* imbalsamare
embankment *n* argine *m*, diga; terrapieno
embargo *n* embargo
embark *vt* imbarcare; **— vi** imbarcarsi
embarkation *n* imbarco
embarrass *vt* imbarazzare, mettere in im-
    barazzo; **–ing** *a* imbarazzante; **–ment** *n*

imbarazzo
embassy *n* ambasciata
embellish *vt* abbellire
ember *n* tizzone *m*, brace *f*; **E– Day** Quat-
    tro Tempora
embezzle *vt* appropriarsi fraudolente-
    mente
embezzler *n* prevaricatore *m*
emblem *n* emblema *m*
embolism *n* embolia
emboss *vt* lavorare d'incavo, damaschi-
    nare
embossed *a* in rilievo
embrace *vt* stringere, abbracciare; **—
    vi** abbracciarsi; **— n** stretta, abbraccio
embroider *vt* ricamare; **–y** *n* ricamo
embroil *vt* imbrogliare
embryo *n* embrione *m*; **–nic** *a* embrionale
emcee, M.C. *n* cerimoniere *m*; **— vt&i** fa-
    re il maestro di cerimonie
emerald *n* smeraldo
emerge *vi* emergere
emergency *n* emergenza; **— exist** uscita
    di sicurezza; **— landing** atterraggio di
    fortuna
emery *n* smeriglio
emetic *n&a* emetico
emigrant *n* emigrante *m&f*
emigrate *vi* emigrare
emigration *n* emigrazione
eminence *n* eminenza
eminent *a* eminente
emissary *n* emissario
emit *vt* emettere
emollient *a&n* emolliente *m*
emolument *n* emolumento
emotion *n* emozione; **–al** *a* emotivo
empanel *vt* formare la lista dei giurati
emperor *n* imperatore *m*
emphasis *n* enfasi *f*
emphasize *vt* mettere in rilievo; (*insist
    on*) insistere su; (*underline*) sottolineare
emphatic *a* enfatico, energico, deciso
emphatically *adv* decisamente
empire *n* impero
employ *vt* impiegare, usare; **— n** impiego
employee *n* impiegato
employer *n* principale *m*; datore di lavoro
employment *n* impiego, occupazione
empower *vt* autorizzare; conferire potere
empress *n* imperatrice *f*
emptiness *n* vuoto, vanità; (*frivolity*)
    frivolità
empty *a* vuoto; **— vt** vuotare; (*remove*)
    sgombrare
empty– (in comp) –handed *a* a mani
    vuote; **–headed** *a* senza cervello
empyema *n* empiema *m*
emulate *vt* emulare
emulsify *vt* emulsionare

en *n (print)* mezza unità di spazio
enable *vt* consentire; abilitare
enact *vt* decretare, promulgare; **–ment** *n* decreto, promulgazione
enamel *n* smalto; — *vt* smaltare
enamor *vt* innamorare
encamp *vt* accampare; — *vi* accamparsi; **–ment** *n* accampamento
encase, incase *vt* incassare, incassonare; *(cover)* coprire
enchant *vt* incantare; **–ing** *a* incantevole
enchantment *n* incanto, incantesimo
encircle *vt* accerchiare, cingere, circondare
enclose *vt* allegare; *(include)* accludere; *(shut in)* racchiudere
enclosure *n* allegato; *(pen)* recinto
encompass *vt* circondare, abbracciare, racchiudere
encore *n* bis *m;* ripetizione; — *vt (ask for)* chiedere il bis; *(give)* ripetere, bissare
encounter *n* incontro, scontro; *(battle)* combattimento; — *vt* affrontare; *(meet)* incontrare; — *vi* ingaggiare battaglia; incontrarsi
encourage *vt* incoraggiare
encouragement *n* incoraggiamento
encouraging *a* incoraggiante
encroach *vt&i* usurpare, invadere; abusarsi di
encumber *vt* ingombrare, imbarazzare; *(burden)* opprimere
encyclopedia *n* enciclopedia
end *n* fine *m&f,* estremità: *(purpose)* scopo; **by the** — **of** prima della fine di; **make both –s meet** sbarcare il lunario; **odds and –s** cianfrusaglie *fpl;* **on** — ritto; **put an** — **to** mettere fine a
end *vt* terminare, finire; — *vi* finire, cessare
endanger *vt* mettere in pericolo
endear *vt* rendere caro a; fare amare da
endearment *n* amabilità; *(tenderness)* tenerezza
endeavor *vt&i* cercare, tentare; *(strive)* sforzarsi; — *n* tentativo; sforzo
ending *n* fine *f,* conclusione; *(gram)* desinenza
endive *n* indivia
endless *a* interminabile
endocarditis *n* endocardite *f*
endocrine *n&a* endocrina; **–ology** *n* endocrinologia
endorse *vt* approvare *(fig); (check)* indorsare, girare; *(guaranty)* garantire, avallare; *(law)* girare
endorsement *n* avallo, girata, approvazione *(fig)*
endow *vt* dotare; **–ment** *n* dotazione, dono
endurable *a* tollerabile, sopportabile
endurance *n* resistenza, pazienza; **beyond** — intolerabile
endure *vt&i* soffrire, sopportare, *(last)* durare, continuare
enema *n* clistere *m,* enteroclisma *m,* lavativo
enemy *n* nemico
energetic *a* energico, dinamico
energy *n* energia; **atomic** — energia atomica
enervate *vt* scoraggiare
enforce *vt* imporre; *(law)* far rispettare la legge; **–ment** *n* esecuzione; *(law)* applicazione della legge
enfranchise *vt* affrancare
engage *vt* riservare; *(hire)* impegnare; *(reserve)* prenotare; — **in conversation** entrare in conversazione
engaged *a* fidanzato; *(busy)* occupato; *(employed)* impegnato
engagement *n (marital)* fidanzamento; *(mil)* scontro; *(promise)* impegno; **keep an** — andare a un appuntamento
engaging *a* attraente
engender *vt* ingenerare, produrre; *(cause)* causare, far nascere
engine *n* motore *m;* macchina; *(rail)* locomotiva
engineer *n* ingegnere *m; (avi)* motorista *m; (mil)* geniere *m; (rail)* macchinista *m;* — *vt* combinare; *(scheme)* macchinare
engineering *n* ingegneria
England Inghilterra
English *n&a* inglese *m&f;* **in plain** — per essere chiaro; in parole povere
Englishman, –woman *n* inglese *m&f*
engrave *vt* incidere, scolpire
engraver *n* incisore *m*
engraving *n* incisione
engross *vt* occupare, assorbire; **be –ed** essere assorto; **–ing** *a* interessante; avvincente
engulf *vt* inghiottire; gettare nel gorgo *(fig)*
enhance *vt* intensificare, aumentare, elevare
enhancement *n* aumento
enigma *n* enigma *m* **–tic** *a* enigmatico
enjoy *vt* godere, gustare; aver piacere di; **–able** *a* piacevole, divertente
enjoyment *n* godimento, piacere *m*
enlarge *vt* ingrandire; — *vi* ingrandirsi
enlargement *n* ingrandimento
enlighten *vt* illuminare, dare schiarimenti; **–ment** *n* schiarimento
enlist *vt* arruolare; — *vi* arruolarsi
enlistment *n* arruolamento
enliven *vt* animare, ravvivare

enmity *n* inimicizia
enormous *a* enorme
enough *a&adv* abbastanza; **be — bastare;**
essere sufficiente; **That's —!** Basta!
enrage *vt* irritare, arrabbiare
enrapture *vt* mandare in estasi, estasiare
enrich *vt* arricchire
enrichment *n* arricchimento
enroll *vt* iscrivere; **—** *vi* iscriversi
ensconce *vt* accomodare; *(hide)* nascondere; *(protect)* proteggere
ensemble *n* insieme *m*; complesso
ensign *n* *(banner)* bandiera; *(insignia)*
insegna; *(officer)* guardiamarina *m*
enslave *vt* schiavizzare, cautivare
ensnare *vt* sedurre, allettare; prendere in
trappola *(fig)*
ensue *vi* seguire, risultare, derivare
ensuing *a* seguente, successivo, prossimo
entail *vt* importare, occasionare; *(law)*
assegnare
entangle *vt* imbrogliare, arruffare, coinvolgere
entente *n* intesa, patto
enter *vt* entrare, penetrare; *(accounting)*
portare; *(law)* intentare; *(record)*
iscrivere
enterprise *n* impresa
enterprising *a* intraprendente
entertain *vt* divertire; dare un ricevimento;
–ing *a* divertente
entertainment *n* divertimento, spettacolo
enthrall *vt* incantare, cattivare; *(enslave)*
soggiogare
enthrone *vt* incoronare; *(eccl)* investire,
intronizzare
enthusiasm *n* entusiasmo
enthusiast *n* entusiasta *m*; **–ic** *a* entu-
siastico
entice *vt* incitare, adescare, sedurre
enticement *n* fascino, seduzione
enticing *a* seducente, tentatore
entire *a* intero; **–ly** *adv* interamente
entirety *n* tutto, intero, totalità; **in its —**
nella sua pienezza; nella sua totalità
entitle *vt* intitolare, nominare; dare un
diritto
entity *n* entità
entomologist *n* entomologo
entrails *npl* interiora *fpl*, intestini *mpl*,
viscere *fpl*
entrance *n* ingresso, entrata
entrance *vt* estasiare
entrant *n* inscritto, participante *m*; *(beginner)* novizio
entreat *vt* implorare, supplicare
entreaty *n* supplica, sollecitazione, insistenza
entrench *vt* trincerare; **—** *vi* trasgredire
entrust *vt* affidare a

entry *n* entrata; *(com)* iscrizione, registrazione; **— blank** domanda; **double —**
(bookkeeping) partita doppia
enumerate *vt* enumerare
enumeration *n* enumerazione
enunciate *vt* pronunziare, enunciare
enunciation *n* enunciazione
envelop *vt* avviluppare, involgere
envelope busta; **window — busta con**
finestrina
enviable *a* invidiabile
envious *a* invidioso
environment *n* ambiente *m*
environs *npl* dintorni *mpl*
envoy *n* messo; inviato diplomatico
envy *n* invidia; **be green with — essere**
verde d'invidia; **—** *vt* invidiare
enzyme *n* enzimo
eon *n* era, età
ephedrine *n* efedrina
ephemeral *a* effimero
epic *a* epico; **—** *n* epopea; **— poem** epico
epicure *n* epicureo; **–an** *a* epicureo
epidemic *n* epidemia; **—** *a* epidemico
epidermis *n* epidermide *f*
epiglottis *n* epiglotide *f*
epigram *n* epigramma *m*
epigrammatic *a* epigrammatico
epigraph *n* epigrafe *f*
epilepsy *n* epilessia
epileptic *a* epilettico
epilogue *n* epilogo
Epiphany *n* Epifania
episode *n* episodio
epitaph *n* epitaffio
epitome *n* epitome *f*, compendio
epithet *n* epiteto
epoch *n* epoca
Epsom salts sale inglese, solfato di
magnesia
equadistant *a* equidistante
equal *n&a* eguale; **—** *vt* eguagliare; **–ly**
adv egualmente
equalization *n* equalizzazione
equality *n* eguaglianza
equalize *vt* egualizzare
equanimity *n* equanimità
equation *n* equazione
equator *n* equatore *m*
equatorial *a* equatoriale
equilibrium *n* equilibrio
equinox *n* equinozio
equip *vt* dotare, attrezzare, equipaggiare
equipment *n* macchinario, dotazione,
attrezzatura
equitable *a* equo, giusto
equity *n* equità
equivalent *a&n* equivalente *m*
equivocation *n* equivoco
era *n* era, epoca

eradicate *vt* estirpare, sradicare

erase *vt* cancellare

eraser *n* gomma da cancellare

erasure *n* cancellatura

erect *vt* erigere; — *a* eretto, diritto

erg *n* ergon *m*

ergo *adv* ergo, dunque

ergot *n* granosprone *m*, malattia di cereali

ermine *n* ermellino

erode *vt* rodere, consumare

erosion *n* erosione

erotic *a* erotico

err *vi* sbagliarsi; **–ing** *a* errante

errand *n* commissione; — **boy** commesso, fattorino

erratic *a* irregolare, eccentrico

erroneous *a* erroneo

error *n* errore *m*, sbaglio; **typographical** — errore di stampa

erudite *a* erudito

erupt *vi* eruttare

eruption *n* eruzione

erysipelas *n* risipola

escalator *n* scala mobile

escapade *n* scappata, follia

escape *vt* fuggire, evadere; *(evade)* evitare, scansare; — *vi* scappare

escape *n* evasione, fuga; — **valve** *(mech)* valvola di scappamento; **fire** — uscita d'emergenza, uscita d'incendio; **have a narrow** — scampare per miracolo; **make one's** — evadere

escort *n* scorta, compagno; — *vt* scortare, accompagnare

escrow *n* contratto in deposito presso un terzo; deposito di caparra

Eskimo *n&a* esquimese

esophagus *n* esofago

esoteric *a* esoterico

especially *adv* particolarmente, specialmente

espionage *n* spionaggio

essay *n* saggio; — *vt* provare

essence *n* essenza, profumo

essential *a* essenziale; **–ly** *adv* essenzialmente

establish *vt* stabilire, fondare

establishment *n* stabilimento, organizzazione; complesso; *(company)* ditta

estate *n* proprietà; **real** — beni immobili *mpl*

esteem *vt* stimare, rispettare; — *n* stima, considerazione

ester *n* estere *m*

esthete *n* esteta *m&f*

esthetic *a* estetico

estimate *vt* stimare, valutare; *(calculate)* calcolare; — *n* valutazione, perizia, preventivo; *(com)* stima

estimation *n* giudizio, opinone *f*, stima

Estonia Estonia

et cetera (etc.) *n* eccetera *m* (ecc.)

etch *vt* disegnare *(fig)*; incidere all'acquaforte

etching *n* incisione, acquaforte *f*

eternal *a* eterno

eternity *n* eternità

ether *n* etere *m*

ethical *a* etico

ethics *npl* etica

ethnology *n* etnologia

ethyl *n* etile *m*

etiquette *n* etichetta, cerimoniale *m*, convenienza

etude *n* *(arts)* studio

etymology *n* etimologia

Eucharist *n* Eucaristia

eugenics *npl* eugenetica

eulogy *n* elogio

eunuch *n* eunuco

euphonious *a* eufonico, armonioso

European *n&a* europeo

eurythmics *npl* euritmica, euritmia

euthanasia *n* eutanasia

evacuate *vt* evacuare; *(people)* sfollare

evacuee *n* sfollato

evade *vt* scansare, eludere, schivare

evaluate *vt* valutare

evangelist *n* evangelista *m&f*

evaporate *vt* far evaporare; — *vi* evaporare, svaporare

evaporated *a* evaporato

evaporation *n* evaporazione

evasion *n* evasione, pretesto, sotterfugio

evasive *a* evasivo

eve *n* vigilia

even *a* pari, eguale; — **number** numero pari; — **temper** carattere pacifico; **be** — **with** essere alla pari; **get** — **with** sdebitarsi con; — *adv* persino, anche; — **as** nel momento in cui; — **if** anche se; — **so** anche così; — **then** anche allora, di già, a quel tempo; — **though** benchè; **not** — neppure; — *vt* rendere eguale, eguagliare; *(com, scale)* bilanciare

evening *n* sera, serata; **during the** — di sera, durante la sera; **every** — ogni sera; **in the** — alla sera; **the** — **before** la sera precedente; — *a* di sera, serale; — **clothes** abiti da sera

evenly *adv* uniformemente

event *n* evento, avvenimento, caso; *(contest)* gara; **in the** — **that** in caso che

eventful *a* movimentato, avventuroso; importante

eventual *a* eventuale, finale; **–ly** *adv* finalmente, alla fine, eventualmente

eventuality *n* eventualità

ever *adv* sempre, mai; — **since** dopo, a

decorrere da; **for — and —** per sempre; **more than —** più che mai; **scarcely —** quasi mai

evergreen *n* sempreverde *m*

everlasting *a* eterno; *(ceaseless)* incessante; **—** *n* eternità

every *a* ogni, ciascuno; **— now and then** di tanto in tanto; **— other** uno sì uno no; **— time** ogni volta; **— day** giornalmente; ogni giorno; **–one, -body** *pron* ognuno, ciascuno; *(all)* tutti

everyday *a* quotidiano, comune, per ogni giorno

everything *n* tutto, ogni cosa

everywhere *adv* dovunque

evict *vt* sfrattare; *(dispossess)* espellere, spossessare

eviction *n* sfratto, espulsione

evidence *n* prova, testimonianza; **give —** testimoniare

evident *a* evidente, ovvio

evil *a* cattivo; **—** *n* male *m*, danno

evildoer *n* malfattore *m*, malfattrice *f*

evil-minded *a* malevolo, perverso, malintenzionato

eviscerate *vt* sviscerare, sventrare

evocation *n* evocazione

evoke *vt* evocare

evolution *n* evoluzione

evolve *vt* evolvere; **—** *vi* evolversi

ewe *n* pecora

ewer *n* brocca, boccale *m*

exact *a* esatto, preciso; **–ing** *a* esigente; **–ly** *adv* esattamente, precisamente; **–ness** *n* esattezza; **—** *vt* esigere, pretendere

exaggerate *vt* esagerare

exaggeration *n* esagerazione

exalt *vt* esaltare; **–ed** *a* esaltato, sommo, altolocato; **–ation** *n* esaltazione

examination *n* esame *m*; *(med)* visita; **competitive —** esame di concorso

examine *vt* esaminare

examiner *n* esaminatore *m*, esaminatrice *f*

example *n* esempio

exasperate *vt* esasperare

exasperation *n* esasperazione

excavate *vt* scavare

excavation *n* scavo

exceed *vt* superare, eccedere

exceedingly *adv* eccessivamente

excel *vt* eccellere, superare

excellence, excellency *n* eccellenza

Excellency *n* *(eccl)* Eccellenza

excellent *a* eccellente, ottimo

excelsior *n* l'eccelso, il migliore

except *vt* escludere, eccettuare; **—** *prep* fuori di, salvo, eccetto, tranne

exception *n* obiezione, eccezione; **take —** *(object)* obiettare; *(offense)* risentirsi di

exceptional *a* eccezionale

excerpt *vt* estrarre; **—** *n* estratto, brano, passo

excess *n* eccesso, soverchio; *(exaggeration)* esagerazione; **— baggage** bagaglio in eccedenza; **–ive** *a* troppo, eccessivo

exchange *vt* scambiare; **— greetings** scambiare auguri

exchange *n* cambio; *(com)* borsa; **rate of —** prezzo di cambio

excise *n* dazio, imposta; tributi indiretti *mpl*; **—** *vt* tassare, daziare; *(cut out)* tagliare

excitable *a* eccitabile, emotivo

excite *vt* eccitare, provocare, suscitare

excited *a* eccitato; **get —** eccitarsi, esaltarsi

excitement *n* agitazione, emozione; *(confusion)* trambusto

exciting *a* emozionante, vivificativo

exclaim *vt* esclamare

exclamation *n* esclamazione; **— point** punto esclamativo

exclude *vt* escludere

exclusion *n* esclusione

exclusive *a* esclusivo, scelto, aristocratico; di classe; **— of** a prescindere da

excommunicate *vt* scomunicare

excommunication *n* scomunica

excresence *n* escrescenza

excrete *vt* escretare

excretion *n* escrezione

excruciating *a* atroce, terribile

excursion *n* escursione, gita

excuse *n* scusa, pretesto; **—** *vt* scusare; **— oneself** scusarsi

execration *n* esecrazione

execute *vt* eseguire; *(penal)* giustiziare

execution *n* adempimento; esecuzione

executive *a* esecutivo; **—** *n* dirigente *m*

exemplary *a* esemplare

exemplify *vt* servire d'esempio

exempt *a* esente; **—** *vt* esentare, dispensare

exemption *n* esenzione

exercise *n* esercizio; **—** *vt* esercitare, far esercizi, addestrare; **—** *vi* esercitarsi, addestrarsi

exert *vt* esercitare, compiere; **— oneself** sforzarsi

exertion *n* sforzo

exhale *vt* esalare

exhaust *n* scappamento; *(auto)* tubo di scappamento; **—** *vt* esaurire

exhausted *a* esaurito, sfinito

exhausting *a* spossante

exhaustion *n* esaurimento

exhaustive *a* esauriente

exhibit *vt* esporre, mostrare; **—** *n* mo-

stra; *(object)* oggetto esposto; **–or** *n* espositore *m*, esibitore *m*
exhibition *n* mostra, esposizione
exhibitionism *n* esibizionismo
exhilarate *vt* rallegrare, esilarare
exhilarating *a* esilarante
exhilaration *n* ilarità, allegrezza
exhort *vt* esortare; **–ation** *n* esortazione
exhume *vt* esumare
exigencies *npl* esigenze, necessità *fpl*; bisogni *mpl*
exigent *a* urgente, esigente
exile *n* esilio, bando; *(person)* esule *m*; — *vt* esiliare, proscrivere
exist *vi* vivere, esistere; **–ence** *n* esistenza, vita; **–ing** *a* esistente, attuale
existent *a* esistente
existential *a* esistenziale
existentialism *n* esistenzialismo
existentialist *n* esistenzialista *m&f*
exit *n* uscita
exodontist *n* chirurgo odontoiatra
exodus *n* esodo
exonerate *vt* discolpare, prosciogliere
exoneration *n* esonero
exorbitant *a* esorbitante
exorcize *vt* esorcizzare
exotic *a* esotico
expand *vt* espandere, stendere; — *vi* espandersi, dilatarsi
expanse *n* espansione, distesa
expansion *n* espansione
expansive *a* espansivo
expatriate *vt* espatriare
expect *vt (anticipate)* prevedere; *(await)* attendere; *(require)* pretendere; **–ancy** *n* attesa, aspettativa
expectant *a* aspettante
expectation *n* aspettativa, speranza
expedient *a* utile, pratico, vantaggioso; — *n* espediente *m*, mezzo, ripiego
expedite *vt* affrettare, sbrigare
expedition *n* spedizione; *(speed)* prontezza
expel *vt* scacciare, espellere
expend *vt* spendere, consumare; **–able** *a* spendibile, consumabile
expenditure *n* spesa
expense *n* spesa, costo
expensive *a* caro, costoso; **be** — essere dispendioso; essere caro
experience *n* pratica, esperienza; — *vt* provare
experienced *a* pratico, esperto
experiment *n* esperimento, prova, esperienza; **–al** *a* sperimentale
expert *a* pratico, esperto; — *n* intenditore *m*, specialista *m*; perito
expertly *adv* destramente
expertness *n* abilità, capacità, destrezza
expiration *n* scadenza, termine *m*

expire *vt (die)* spirare; *(end)* scadere
explain *vt* spiegare
explainable *a* spiegabile
explanation *n* spiegazione
explanatory *a* spiegativo, esplicativo, espositivo
explicate *vt* spiegare
explicit *a* esplicito
explode *vi* scoppiare, esplodere; — *vt* far scoppiare; *(theory)* demolire
exploit *n* prodezza, impresa; — *vt* utilizzare, sfruttare
exploration *n* esplorazione
explore *vt* esplorare; *(investigate)* indagare
explorer *n* esploratore *m*
explosion *n* scoppio, esplosione
explosive *a* esplosivo
exponent *n* esponente *m*, rappresentante *m*
export *n* esportazione; — **house** casa d'esportazione
export *vt* esportare; **–er** *n* esportatore *m*
expose *vt* esporre; *(uncover)* smascherare; **–d** *a* esposto, scoperto
exposé *n* esposto, esposizione
exposition *n* mostra, esposizione
expository *a* espositivo
expostulate *vi* lagnarsi, fare rimostranze
expostulation *n* disputa, protesta
exposure *n* esposto, esposizione; *(frostbite)* assideramento; *(photo)* posa; — **meter** *(photo)* esposimetro
express *vt (speech)* esprimere, espressare; *(transport)* spedire per espresso; — *a (exact)* formale, esplicito; *(speed)* espresso; **–ed** *a* espresso; — *n* espresso
expression *n* espressione
expressive *a* espressivo
expressway *n* autostrada
expropriation *n* espropriazione
expurgate *vt* espurgare
exquisite *a* squisito
extant *a* esistente
extemporaneous *a* estemporaneo, improvviso
extend *vt* estendere, prolungare, allargare; *(put out)* porgere; — *vi* stendersi, prolungarsi, estendersi
extended *a* esteso, prolungato; *(taut)* teso
extension *n* estensione; prolungamento; — **of time** proroga
extensive *a* diffuso, vasto, esteso
extensively *adv* estesamente, considerevolmente
extent *n* grado, punto, limite *m;* **to a certain** — fino ad un certo punto
extenuating *a* estenuante; *(law)* attenuante; — **circumstances** circostanze attenuanti

exterior n&a esterno
exterminate vt estirpare, sterminare
extermination n sterminio
exterminator n sterminatore m, distruttore m
external a esterno
extinct a estinto; **–ion** n estinzione
extinguish vt spegnere
extinguisher n estintore m; spegnitoio; **fire —** estintore d'incendio
extirpate vt estirpare, sradicare
extol vt estollere, esaltare, vantare
extort vt estorcere
extortion n estorsione; **–ist** n estorsionista m&f, strozzino
extra a supplementare; **— charges** spese supplementari fpl; **— edition** edizione straordinaria; **— pay** supplemento di paga; **— adv** in più
extra n supplemento; (theat) comparsa m&f
extract vt estrarre; **— n** estratto
extraction n estrazione; (lineage) discendenza, origine f
extracurricular a fuori dell'ordinario, extracurricolare
extradite vt estradare
extradition n estradizione
extraneous a estraneo
extraordinary a straordinario; (wonderful) stupendo
extrasensory a estrasensoriale; **— perception** percezione estrasensoriale

extravagance n prodigalità, spreco
extravagant a esagerato; (price) esorbitante; (wasteful) prodigo
extreme a&n estremo; **— a** ultimo
extremity n estremità
extricate vt districare
extrovert n estroverso
extrude vt espellere; **— vi** uscire
exuberance n esuberanza
exuberant a esuberante
exude vt traspirare, trasudare; (display) manifestare
exult vt esultare; **–ant** a esultante
exultation n esultazione; (joy) giubilo; (triumph) trionfo
exultingly adv esultando
eye n occhio; **— to —** in accordo assoluto; **in the twinkling of an —** in un batter d'occhi; **keep an — on** tenere d'occhio; **cry one's –s out** disfarsi in pianto; **–ball** n globo dell'occhio; **–cup** n bacinella per gli occhi; **–lid** n palpebra; **–sight** n vista; **–strain** n fatica degli occhi; **–wash** n lozione per gli occhi; **— vt** sbirciare
eyebrow n sopracciglio; **— pencil** matita per le sopracciglia
eyeful n occhiata
eyeglasses npl occhiali mpl, lenti fpl
eyelash n ciglio; **–es** npl ciglia fpl
eyelet n occhiello
eyetooth n dente canino
eyewitness n testimone oculare m&f

F

fable n favola
fabric n tessuto, stoffa
fabricate vt (construct) costruire; (create) creare; (lie) inventare, mentire
fabrication n fabbricazione; (invention) invenzione; (untruth) bugia
face n faccia, viso; **— card** figura; **— down** a faccia in giù; al rovescio; **— to —** faccia a faccia; **— powder** cipria; **— value** valore nominale; valore apparente; **about —** fare volta faccia; **fall on one's —** cadere con la faccia in giù; **lose —** far cattiva figura; perdere prestigio; **make a —** far boccaccie; **on the — of it** sulla faccia; secondo l'apparenza; **save —** salvare la faccia (fig); **— vt** confrontare; fronteggiare; **— the issue** confrontare la situazione
facet n faccetta; **— vt** sfaccettare
facial a facciale
facilitate vt facilitare
facilities npl agevolazioni, facilità, installazioni fpl; (services) servizi mpl; **toilet**

— bagno di decenza
facility n facilità
facing n risvolta; (building) rivestimento; (cloth) guarnizione
facsimile n facsimile m
fact n fatto; **as a matter of —** in linea di fatto; **in —** effettivamente, infatti; **matter of —** effettivo, positivo; **the — is** il fatto è
faction n fazione; (discord) discordia (fig); dissenso (fig)
factor n fattore m; (math) coefficiente m
factory n fabbrica
factual a effettivo, fattivo
faculty n (ability) facoltà, talento; (school) corpo degli insegnanti; il personale insegnante
fad n capriccio del gusto; moda del momento
fade vt far appassire; far sbiadire; **— vi** (color) sbiadire; (wither) appassire; **— away** appassire; **— out** svanire gradualmente

fade-out n sparizione; (movies, TV, rad) sparizione graduale

fag vt stancare, affaticare; — vi affaticarsi, sfinirsi di lavoro

fagged out sfinito

fail vt mancare, abbandonare; — **to pass** (examination) essere bocciato; — **to do** mancare di fare; — vi venir meno; non riuscire; (decline) deperire; **without** — senza fallo, senz'altro

failing n difetto, fallo; — prep in mancanza di, in difetto di; — **for** debolezza per

failure n insuccesso, fallimento, fiasco; (person) fallito, caduto

faint n svenimento, deliquio; — a debole, lieve; (pale) pallido; — vi svenire; — **away** svenire

fainthearted a timido; (cowardly) pusillanime

fainting n svenimento

faintly adv debolmente

faintness n languore m

fair a leale, equo giusto; (beautiful) bello; (hair) biondo; (skin) bianco; — **chance** buona occasione; — **deal** lealtà; — **name** buona reputazione; — **play** lealtà, giustizia; — **possibility** alta probabilità; — **sex** sesso debole; — **weather** buon tempo

fair n fiera, esposizione; –**ground** n campo della fiera

fair-minded a imparziale, senza pregiudizi

fairness n giustizia; **in all** — per essere giusto

fairy n fata; — **tale** racconto delle fate, fiaba

faith n fede f, fiducia; **breach of** — slealtà; mancanza di parola

faithful a fedele, leale; –**ness** n fedeltà, costanza

faithfully adv fedelmente; con fedeltà

faithless a infedele, miscredente, sleale

fake a (coll) falso; — vt (coll) far finta di, simulare; — n (coll) contraffazione

faker n (coll) imbroglione m

fakir n fachiro

fall n caduta, cascata; (season) autunno

fall vt cascare, cadere; — **asleep** addormentarsi; — **back** indietreggiare, rinculare; — **behind** rimanere indietro; — **by the wayside** perdere la giusta via (fig); — **due** scadere; — **for** (coll) accettare (fig); essere attratto; — **headlong** cadere a testa giù; — **in love** innamorarsi; — **into a trap** cadere in trappola (fig); — **off** cadere, staccarsi, diminuire; — **on deaf ears** essere ignorato; — **out** rompere, litigare; —

through fallire; fare fiasco

fallacy n fallacia, errore m

fallible a fallibile

falling n caduta; — a cadente

fall-out n polvere radioattiva

false a falso, fallace; (unfaithful) infedele; — **alarm** falso allarme; — **bottom** doppio fondo; — **face** maschera; — **teeth** denti finti; **make a** — **step** mettere un passo in falso (fig); fare un passo falso (fig)

falsehood n menzogna, bugia

falsely adv falsamente, fintamente

falsetto n falsetto

falsify vt falsificare

falsity n falsità

falter vt&i (move) esitare; (stammer) balbettare

fame n fama, celebrità

famed a rinomato, celebre, conosciuto, famoso

familiar a familiare, conosciuto, intimo; **be** — **with** essere familiare con; essere in confidenza con

familiarity n familiarità; confidenza; (knowledge) conoscenza

family n famiglia; — **name** cognome m; — **tree** albero genealogico; **be in the** — essere familiare; **be in the** — **way** essere incinta; — a di famiglia

famine n carestia

famish vt affamare; — vi soffrire la fame; aver fame

famished a affamato

famous a famoso, celebre

fan n ventaglio; (elec) ventilatore m; (coll) tifoso, entusiasta di uno sport; — vt ventilare; far vento; stimolare (fig); — vi (spread out) aprirsi a ventaglio

fanatic a&n fanatico

fanatical a fanatico

fanaticism n fanatismo

fanciful a fantastico, fantasioso

fancy a di fantasia; — n fantasia, capriccio; **take a** — **to** simpatizzare per; — vt immaginare; — **oneself to be** presumere di se stesso

fancy– (in comp) –**dress party** festa in costume; ballo in maschera; –**free** a col cuore libero

fang n zanna

fantastic a fantastico, bizzarro

fantasy n fantasia

far a&adv lontano, distante; — **and away** oltremodo; — **and wide** da tutti i lati; — **be it from me** lungi da mè; — **better** molto meglio; — **between** a lunghi intervalli; — **from it** tutt'al contrario; **as** — **as** (distance) lontano quanto;

by — oltremodo; **go** — andar lontano; **just so** — fino a; **so** — finora, talmente

far- *(in comp)* **—fetched** *a* improbabile; forzato; remotamente connesso; **—off** *a* lontano; **—reaching** *a* esteso, di lunga portata

farad *n (elec)* farad *m*

faraway *a* lontano; *(absent)* assente

farce *n* farsa

farcical *a* burlesco

fare *n (food)* cibo; *(transportation)* prezzo di un biglietto; passeggero; **half** — metà prezzo; **full** — prezzo intero

fare *vi* barcamenarsi; — **badly** essere in cattivo stato; — **well** prosperare

farewell *n* addio, commiato; — *a* d'addio

farinaceous *a* farinaceo

farm *n* podere *m*, fattoria; — **hand** bracciante agricolo; **–house** *n* cascina; casa colonica **–yard** *n* aia; — *vt&i* coltivare; *(rent)* affittare

farmer *n* agricoltore *m*

farming *n* agricoltura; — *a* agricolo

farseeing *a* sagace, lungimirante

farsighted *a* previdente; *(sight)* presbite

farther *a* più lontano; — **back** più indietro; — *adv* più lontano, al di là; ancora di più

farthest *a* il più lontano; — *adv* più lontano

fascinate *vt* affascinare, ammaliare, incantare

fascination *n* fascino

fascinating *a* affascinante

Fascism *n* fascismo

fashion *n* moda; *(way)* maniera; — **show** sfilata di moda; **after a** — in certo modo; **in** — di moda

fashion *vt* adattare, foggiare, formare

fashionable *a* elegante, di moda, alla moda

fast *vt* digiunare; — *n* digiuno; — *a* rapido, veloce; *(color)* solido; *(dissolute)* dissoluto; *(faithful)* fedele; *(secure)* fermo, stabile; **make** — *(secure)* fissare, assicurare; **sleep** — *(soundly)* dormire profondamente

fasten *vt* attaccare

fastener, fastening *n* fermaglio, legame *m*; *(bolt, latch)* chiavistello

fastidious *a* delicato, schizzinoso; *(exacting)* esigente

fat *n&a* grasso; **get** — diventar grasso, ingrassare

fatal *a* mortale, fatale; decisivo, importante; **–ity** *n* fatalità

fate *n* fato, destino, fatalità; sorte *f*

father *n* padre *m;* **–land** patria; **–ly** *a* paterno; **–less** *a* orfano di padre

father-in-law *n* suocero

fathom *n (measure)* braccio; — *vt* sondare scandagliare; *(understand)* profondizzare, capir bene

fatten *vt* ingrassare

fatuous *a* fatuo, vano

faucet *n* rubinetto

fault *n* colpa, mancanza; **at** — in difetto; **find** — criticare, trovare a ridire; **to a** — fino alla meticolosità; **–less** *a* perfetto, irreprensibile; **–y** *a* difettoso

faultfinder *n* critico, censore *m*

faultfinding *n* biasimo, rimprovero

favor *n* favore *m*; **be in** — **of** essere in favore di; **do a** — fare un favore; **find** — **with** essere ben accetto; **show** — mostrare preferenza *(fig)*; — *vt* favorire

favorable *a* favorevole

favorite *a&n* prediletto, favorito

fawn *n* daino, cerbiatto; — *a (color)* fulvo; — *vi* adulare

fawning *a* servile

fear *n* timore *m*, paura; **–ful** *a* terribile; timoroso; **–less** *a* intrepido, senza paura

feasibility *n* possibilità, praticabilità

feasible *a* praticabile, fattibile, probabile

feast *n* banchetto, festa, festino; — *vt* banchettare, far festa a

feat *n* impresa, prodezza

feather *n* piuma, penna; — **in one's cap** distinzione, vanto; **birds of a** — persone di una sola risma; — *vt* piumare; **–ed** *a* piumato, pennuto

featherbedding *n* obbligazione sindacale di pagare i lavoranti per lavoro non eseguito

featherweight *n* peso piuma

feature *n* tratto, caratteristica; **double** — due film principali; — **story** articolo di fondo; — *vt* ritrarre, rappresentare

features *npl* fattezze *fpl*, fisionomia; *(face)* viso

February *n* febbraio

fecundity *n* fecondità

federal *a* federale

federation *n* federazione

fee *n* onorario; *(law)* diritti *mpl*; *(tax)* tassa; **admission** — *(school)* quota d'iscrizione; *(theat)* prezzo d'entrata

feeble *a* debole, fiacco; **–ness** *n* debolezza

feebly *adv* debolmente

feed *n* foraggio, mangime *m*; — *vt* alimentare, dar da mangiare; — *vi* mangiare; — **on** nutrirsi di

feedback *a (elec)* controcircuitico, controgenerante; — *n* sistema controgenerante

feeding *n* alimentazione, mangiata, pascolo; *(animal)* alimento, foraggio; *(meal)* pasto

feel *n (sense)* tatto; **-ing** *n* senso, sensazione
feel *vt&i* sentire, sentirsi; *(believe)* credere, ritenere; *(touch)* toccare, tastare; — **better** sentirsi meglio; — **like** aver voglia di; sentirsi come; — **one's way** procedere con prudenza; — **strongly about** avere una opinione positiva
feeler *n* antenna; *(insect)* tentacolo
feeling *n* sensazione, sentimento
feelings *npl (emotions)* sensibilità
feet *npl* piedi *mpl*
feign *vt* simulare, fingere; — *vi* fingersi
felicitation *n* felicitazione
felicitous *a* felice, appropriato
feline *a* felino
fell *vt* atterrare, abbattere, ribattere
fellow *n* compagno, collega *m*; *(coll)* persona; — *a* dello stesso gruppo; **-ship** *n* cameratismo; *(scholarship)* borsa di studi
felon *n* malfattore *m*, traditore *m*; *(med)* patereccio
felony *n* fellonia, reato grave
felt *n* feltro
female *n* femmina; — *a* femminile
feminine *a* femminile
femur *n* femore *m*
fence *n* steccato, recinto; *(stolen goods)* ricettatore *m*; **be on the** — essere indeciso; — *vt* cingere; — *vi (sport)* tirare di scherma
fencing *n (sport)* scherma
fend *vt* parare; — **for oneself** difendersi, arrangiarsi; — **off** parare, sviare
fender *n* parafanghi *m*; *(fireplace)* parafuoco
ferment *n* fermento; agitazione; — *vt* fermentare
fermentation *n* fermentazione; *(yeast)* lievito
fern *n* felce *f*
ferocious *a* feroce
ferret *n* furetto; — *vt&i* cacciare col furetto; — **out** snidare
ferric *a* ferrico
ferry *n* traghetto; — *vt&i* traghettare
fertile *a* fertile
fertility *a* fertilità
fertilize *vt* fertilizzare
fertilizer *n* fertilizzante *m*; *(manure)* concime *m*
fervency *n* calore, fervore, ardore *m*
fervent *a* fervente; **-ly** *adv* con fervore; fervorosamente
fervid *a* fervido, ardente, caloroso
fester *vi* suppurare; **-ing** *a* ulcerante, suppurante, infezioso
festival *n* festivale *m*, festa

festive *a* festivo, gaio
festivity *n* festività
festoon *n* festone *m*; — *vt* festonare; ornare con festoni
fetching *a* seducente, attraente
fete *n* festa; — *vt* far festa a
fetish *n* feticcio
fetters *npl* ceppi *mpl*, catene *fpl*; schiavitù *f (fig)*
fettle *n* stato, ordine *m*, condizione; **in fine** — in ottimo stato
fetlock *n* garretto
fetus *n* feto
feud *n* vendetta, ostilità; inimicizia di famiglie, fra due famiglie; **-al** *a* feudale
fever *n* febbre *f*; **get into a** — eccitarsi
feverish *a* febbricitante, febbrile
few *a&pron* pochi, poche; **a** — alcuni, alcune; **-er** *a* meno; di meno
fiancé *n* fidanzato
fiancée *n* fidanzata
fiasco *n* fiasco
fiat *n* decreto, comando, ordine *m*
fib *n* menzognetta, frottola; — *vt* dire una piccola bugia
fibber *n* bugiardo
fiber *n* fibra
fibrous *a* fibroso
fickle *a* volubile, inconstante, capriccioso
fiction *n* invenzione; *(lit)* romanzo, narrativa
fictitious *a* fittizio, immaginario
fidelity *n* fedeltà; **high** — alta fedeltà
fiddle *n* violino ordinario; **play second** — essere di second'ordine; — *vi (coll)* suonare il violino; — **around** *(coll)* gironzolare
fidget *vi* agitarsi, essere irrequieto
fiduciary *n&a* fiduciario
field *n* campo; *(subject)* settore *m*, soggetto; — **day** giornata campale; — **glasses** binoccolo da campo; — **mouse** arvicola; — *a* campale; di campo; **-er** *n (baseball)* ribattitore *m*
fiend *n* diavolo, demonio; **-ish** *a* cattivo, diabolico, perfido
fierce *a* feroce, accanito; **-ness** *n* ferocia, fierezza
fiery *a* focoso, ardente, infocato
fifteen *a* quindici
fifteenth *a* quindicesimo, decimoquinto
fifth *a* quinto; *(mus)* quinta
fiftieth *a* cinquantesimo
fifty *a* cinquanta
fifty-fifty *a&adv* mezzo e mezzo; *(so-so)* così così, nè bene nè male
fig *n* fico; — **tree** fico; **not be worth a** — non valere niente
fight *vt* combattere, lottare; — **a way through** aprirsi un cammino; — **it out**

combattere ad oltranza
fight *n* lotta, combattimento, disputa, rissa; **pick a — with** provocare
fighter *n* lottatore *m*, combattente *m*
fighting *n* combattimento, battaglia; — *a* combattente, battagliero
figment *n* finzione, invenzione; — **of the imagination** opera della immaginazione
figurative *a* traslato, figurato, allegorico, metaforico
figure *n* taglia, statura; *(math)* cifra; *(mus)* figura; — **of speech** modo di dire; **cut a poor** — fare brutta figura; **–head** *n (naut)* polena; figura di prua; *(fig)* prestanome *m;* — *vt* calcolare; esprimere in figure; *(coll)* supporre; — **out** *(coll)* comprendere, calcolare; — *vi* calcolare; lavorare con figure numeriche; — **on** *(coll)* contare su
figurine *n* statuetta, figurina
filament *n* filamento
filbert *n* nocciuola, avellana
filch *vt* rubacchiare
file *n (folder)* cartella; *(tool)* lima; — **card** cartellino di agendario; — **clerk** impiegato; **in single** — in fila indiana; — *vt* limare; archiviare; classificare; — **by** sfilare
filial *a* filiale
filibuster *n* filibustiere *m;* — *vi* fare il filibustiere
filigree *n* filigrana
filing *n* limatura; collezione; — **cabinet** schedario
fill *vt* riempire; — *vi* riempirsi; — **in** inserire; riempire; — **out** riempire; — *n* sufficienza; **–er** *n* riempitore *m*
fillet *n* benda; *(meat)* filetto
filling *n* ripieno; — **station** stazione di servizio; **tooth** — otturazione, impiombatura; — *a* sazievole
filly *n* cavallina
film *n* film *m*, pellicola; — **library** cineteca; **–y** *a* trasparente
filmstrip *n* film a proiezione fissa
filter *n* filtro; *(photo)* filtro luce; — **tipped** con filtro; — *vt* filtrare
filth *n* sudiciume *m*, sporcizia; **–y** *a* sporco, sudicio; *(obscene)* osceno
filtrate *n* liquido filtrato; — *vt&i* filtrare
filtration *n* filtrazione
fin *n* pinna; natatoia
final *a* finale; **–s** *npl* esami finali
finally *adv* finalmente
finality *a* finalità
finance *n* finanza, **–s** *npl* finanze *fpl;* — *vt* sovvenzionare, finanziare
financier *n* finanziere *m*
financial *a* finanziario
financing *n* finanziamento

find *vi* trovare; *(law)* dichiarare; — **out** indovinare, scoprire; — **fault** trovare a ridire; — **for oneself** trovare per proprio conto; — *n* trovata, scoperta
findings *npl* utensili *mpl*, arnesi *mpl*
fine *a* fino; *(beauty)* bello; — *n* multa, ammenda; — **arts** belle arti *fpl;* — *vt* multare; fare una contravvenzione; **F–!** *interj* Bene!, Molto bene!
Finland Finlandia
finesse *n* finezza, delicatezza
finger *n* dito; — **bowl** lavadita *m;* — **mark** ditata; *ring* — anulare *m;* **–nail** *n* unghia; **–print** *n* impronta digitale; — *vt* tastare, maneggiare
fingering *n* tocco, il tastare; *(mus)* diteggio, tocco
finicky *a* meticoloso; di gusti difficili
finish *vt* terminare, finire; — *n* fine *f*
Finnish *a* finlandese
fir tree *n* abete *m*
fire *n* fuoco, incendio; — **department** servizio di pompieri; — **engine** pompa d'incendio; — **escape** uscita di sicurezza; — **extinguisher** estintore *m;* — **screen** parafuoco; — **station** stazione dei pompieri; **–man** *n* vigile del fuoco; **–plug** *n* idrante *m*, bocca d'incendio
fire *vt* incendiare; *(ceramics)* cuocere; *(coll)* licenziare, congedare; *(weapon)* sparare; — **with enthusiasm** infiammare d'entusiasmo
firearms *npl* armi da fuoco *fpl*
firebrand *n* tizzone *m*, testa calda *(fig)*
firecracker *n* castagnuola, petardo
fireplace *n* focolare *m*, camino
fireproof *a* incombustibile, resistente al fuoco
firewood *n* legna da ardere
fireworks *npl* fuochi d'artificio
firing *n (furnace)* alimentazione del fuoco; — **line** linea di tiro; — **pin** percussore *m;* — **squad** plotone d'esecuzione
firm *a* solido, fermo; — *n (com)* ditta, azienda, società
firmament *n* cielo, firmamento
first *a* primo; — **aid** pronto soccorso; — **base** *(sport)* prima base; — **night** *(theat)* première *m;* notte di debutto; — *adv* prima, dapprima; in primo luogo; — **and last time** per prima ed ultima volta; **get to** — **base** *(sl)* giungere all'oggettivo *(fig)*; raggiungere il proposito
first– *(in comp)* — **born** *n* primogenito; primo nato; **—class** *a* di prima classe; di prima qualità; **—rate** *a* di primo ordine
firsthand *a&adv* di prima mano
fiscal *a* fiscale

fish *n* pesce *m*; — **bone** lisca; **a queer** — *(coll)* un eccentrico; **-hook** *n* amo; **-line** lenza; — *vt&i* pescare; — **for information** sondare, indagare, cercare informazioni

fishing *n* pesca; — **rod** canna da pesca; — **tackle** aggeggi da pesca

fisherman *n* pescatore *m*

fishy *a* pescoso; di pesce; *(coll)* ambiguo, equivoco

fission *n* scissione, fissione; **nuclear** — scissione dell'atomo

fissure *n* fessura, crepatura

fist *n* pugno; **shake a** — **at** mostrare i pugni a *(fig)*; **-ful** *n* pugnata

fit *n* *(clothes)* taglio; *(med)* attacco, accesso; **by –s and starts** saltuariamente; — *a* adatto, conveniente, idoneo; *(health)* sano; — **to be tied** *(coll)* furioso; — **to drink** buono da bere; **see** — **to** considerare appropriato; — *vt* adattarsi; star bene; — **in with** accordarsi con

fitful *a* saltuario, irregolare; **-ly** *adv* a salti

fitness *n* convenienza, attitudine *f*

fix *n* difficoltà; **in a bad** — nei pasticci; — *vt* fissare, stabilire; *(adjust, repair)* aggiustare, riparare

fixation *n* fissazione

fixative *n* fissativo

fixed *a* fisso, stabilito, convenuto; — **charge** spesa di manutenzione

fixings *npl* *(coll)* accessori *mpl*

fixture *n* infisso; *(elec)* impianto elettrico

fizz *n* spuma; sciampagna *(coll)*; — *vi* spumare, spumeggiare; **-y** *a* gassoso

fizzle *n* *(coll)* fiasco, fallimento; — *vi* *(froth)* spumeggiare; *(hiss)* fischiare

flabbiness *n* flaccidità, languidezza

flabby *a* fiacco

flag *n* bandiera; **-pole** *n* asta di bandiera; **-ship** *n* nave ammiraglia

flag *vt* *(signal)* segnalare con bandiera; — *vi* languire; *(droop)* pendere

flagging *a* diminuente

flagrant *a* flagrante, palese

flair *n* fiuto, attitudine *f*, acume *m*

flake *n* fiocco, falda; —, — **off** *vt* sfaldare; — *vi* sfioccarsi, sfaldarsi

flaky *a* a falde, scaglioso

flamboyant *a* fiammeggiante, sfavillante

flame *n* fiamma; — *vi* fiammeggiare

flaming *a* fiammeggiante; *(emotion)* ardente

flange *n* fiangia

flank *n* lato, fianco; — *vt* fiancheggiare

flannel *n* flanella

flap *n* lembo, tesa; *(noise)* battuta; *(avi)* ipersostentatore *m*, deflettore *m*; — *vt* sbattere, agitare

flare *n* fuoco, fiamma; *(flash)* bagliore *m*; *(gift)* talento; *(rocket)* razzo; — *vi* divampare; — **up** sfuriare, perdere le staffe *(fig)*

flare-up *n* sfuriata

flaring *a* sfolgorante, fiammante

flash *n* flash *m*, lampo, splendore; **in a** — in un lampo; **lightning** — lampo

flash *vi* sfolgorare, lampeggiare; *(lightning)* balenare; — **by** passare come una freccia

flashing *n* lampo, bagliore *m*; — *a* scintillante, lampeggiante

flashlight *n* lampadina tascabile

flashy *a* sgargiante, vistoso

flask *n* fiasco; *(hip)* fiaschetta

flat *n* apartamento; *(mus)* bemolle *m*

flat *a* piano, piatto; — **broke** *(sl)* in bolletta, al verde; — **denial** deciso rifiuto; — **rate** cifra esatta; — **refusal** rifiuto categorico; **fall** — far fiasco

flat *vt* *(mus)* fare un bemolle

flat– *(in comp)* **—bottomed** *a* a fondo piatto; **—footed** *a* dai piedi piatti

flatiron *n* ferro da stiro

flatten *vt* livellare, appiattire

flatter *vt* lusingare, adulare

flattery *n* lusinga, adulazione

flatware *n* coperti *mpl*, argenteria

flatulent *a* flatulento; vuoto

flaunt *vt* ostentare; — *vi* pavoneggiarsi

flavor *n* gusto, sapore *m*, aroma *m*

flavoring *n* condimento; ciò che dà sapore

flaw *n* difetto, pecca; **-less** *a* perfetto, senza difetti

flax *n* lino; **-en** *a* di lino; *(hair)* biondo

flea *n* pulce *f*

fleck *n* macchia

fledgling *n* novellino; *(bird)* uccelletto

flee *vi* scappare, fuggire

fleecy *a* lanoso

fleet *n* flotta, marina; *(trucks)* equipaggiamento di veicoli; **merchant** — flotta mercantile; — *a* veloce

fleet-footed *a* veloce, svelto

fleeting *a* fugace, effimero

flesh *n* carne *f*; — **color** color carne; — **wound** ferita superficiale

fleshy *a* pingue, carnoso

flex *vt* flettere, piegare

flexible *a* flessibile

flexibility *n* flessibilità

flick *n* buffetto, colpettino; *(whip)* frustatina; — *vt* dare un colpetto a

flicker *vt* tremolare, guizzare, vacillare; — *n* guizzo, tremolio; — **of an eyelash** batter d'occhio

flier *n* aviatore *m*; *(advertisement)* volantino

flight n volo; (escape) fuga; (stairs) rampa di scale; — **pattern** (avi) formazione; **put to** — mettere in fuga; –**iness** n leggerezza, volubilità; –**y** a leggero, volubile, frivolo

flimsiness n leggerezza, inconsistenza, frivolità

flimsy a sottile, fragile

flinch vi ritirarsi, esitare, titubare, indietreggiare

fling vt scagliare, lanciare; — vi precipitarsi, scagliarsi

fling n getto, colpo, lancio; (attempt) tentativo

flint n pietra focaia

flip n ditata, buffetto; — a impertinente

flippant a impertinente, frivolo

flipper n natatoia, pinna

flirt vi flirtare; — n civetta, fraschetta

flirtation n flirt m; amoreggiamento

flit vi svolazzare

float vi galleggiare, fluttuare; — n carro allegorico; –**er** n spostato

floating a galleggiante; — **dock** bacino galleggiante

flock n gregge m; — vi affollarsi, adunarsi

floe n banco di ghiaccio

flog vt sferzare, staffilare

flood n inondazione; — **tide** alta marea; –**gate** n chiusa; –**light** n proiettore m; — vt inondare

floor n pavimento, suolo; (building story) piano; — **polish** lucido per pavimento; **ground** — pianterreno; **tiled** — pavimento a mattonelle; **have the** — avere turno per parlare; — vt pavimentare; (coll) ridurre in silenzio

flooring n pavimentazione

floorwalker n capo reparto

flop n caduta; (coll) insuccesso; — vt&i cadere; (fish) dibattersi; (coll) far fiasco

floral a floreale

Florence Firenze f

Florentine a&n fiorentino

florid a florido

florist n fioraio, fiorista m&f

floss n piumino, cascame di seta; –**y** a lanuginoso

flounce n balza; — vt ornare di gale; — **about** dimenarsi; — **out** precipitarsi fuori

flounder vi dibattersi; (speech) impappinarsi

flour n farina; — vt infarinare; –**y** a farinoso, infarinato

flourish vt&i prosperare, fiorire; (brandish) brandire; — n svolazzo; (mus) fioritura, fanfara; (sword) mulinello

flourishing a fiorente, prosperoso

flout vt&i schernire, beffarsi

flow vi scorrere; — **into** affluire, influire; **ebb and** — flusso e riflusso; — n corso, flusso, corrente f; –**ing** a fluente, scorrevole; (tide) montante

flower n fiore m; — **shop** negozio di fioraio; — **stand** portafiori m, giardiniera; — vt&i fiorire; –**ed** a fiorito, a fiori

flowering a fiorito; — n fioritura

flowery a infiorato; in fiore; (language) fiorito

flu n (med) influenza

fluctuate vi oscillare, fluttuare

flue n tubo, condotto, gola

fluency n scorrevolezza, facilità

fluent a fluente, scorrevole; –**ly** adv correntemente, speditamente

fluff n borra; (hair) lanugine f, peluria; — vt rendere soffice; (bird) scuotere le penne; — vi (fig) scuotersi le penne; –**y** a lanuginoso

fluid a&n fluido; — **drive** (auto) giunto idraulico

fluke n colpo di fortuna; caso inaspettato; — vi (coll) avere un colpo di fortuna

flunk vt (coll) bocciare; — vi essere bocciato agli esami; far fiasco

fluorescent a fluorescente

fluoridation n fluoridazione, fluorazione

fluoride n fluorite f

fluoroscope n fluoroscopio

flurry n trambusto, agitazione; (snow) mulinello di neve

flush n rossore m, accesso (fig); (cards) flusso; — vt snidare (fig); (level) livellare; (rinse) sciacquare; — vi arrossire; — a ripieno; (coll) a livello; (print) allineato

fluster vt agitare; — vi agitarsi, turbarsi; — n agitazione, trambusto

flustered a sconcertato

flute n flauto

fluting n scanalatura

flutter vt svolazzare, agitare; — vi agitarsi

fly vi volare; (flee) fuggire; — vt sventolare, far volare; (avi) pilotare; — **away** scappare; volar via; — **into a rage** perdere il freno (fig); — **off the handle** uscire dai gangheri (fig); — **on the beam** (avi) volare radio-guidato; — **over** sorvolare; volare sopra

fly n mosca; –**leaf** n foglio di guardia; –**paper** n carta moschicida; –**weight** n (sport) peso mosca; –**wheel** n (mech) volante m; **on the** — al volo

flying n volo, aviazione; — **saucer** disco volante; **blind** — volo cieco; — a volante

F.M., frequency modulation modulazione

di frequenza
foal *n* puledro, asinello
foam *n* schiuma; — **rubber** gomma piuma
F.O.B., free on board F.O.B., consegna a bordo
focus *n* fuoco, centro; — *vt* mettere a fuoco; **in** — a fuoco; **out of** — sfocato
fodder *n* foraggio
foe *n* avversario, nemico
fog *n* nebbia; **–horn** *n* sirena
foggy *a* nebbioso; **It's** — C'è nebbia
fogy *n* persona antiquata; **–ish** *a* antiquato
foible *n* debole *m*
foil *vt* sventare; *(block)* impedire, — *n* lamina metallica; *(person)* contrasto
foist *vt* imporre, affibbiare
fold *vt* piegare; — *n* piega, piegatura; *(sheep)* ovile *m*; **–er** *n (file)* cartella; **–ing** *a* pieghevole
foliage *n* fogliame *m*
folio *n* folio; — *vt* numerare le pagine
folk *n* gente *f*, popolo; — *a* popolare; del popolo; **–lore** *n* folclore *m*; — **song** canto popolare
follicle *n* follicolo
follow *vt* seguire; — *vi* risultare
following *n* seguito; — *a* seguente
folly *n* follia, assurdità
foment *vt* fomentare
fond *a* affezionato, affettuoso, tenero; amante di; **be** — **of** voler bene a
fondle *vt* carezzare
fondly *adv* teneramente
fondness *n* affetto, amore *m*
food *n* cibo
fool *n* cretino; **make a** — **of oneself** mostrarsi sciocco; **–hardy** *a* pericoloso; — *vt* ingannare; — **away** sperperare
foolish *a* sciocco, stupido
foolishness *n* scemenza
foolproof *a* semplicissimo, sicurissimo
foolscap *n (paper)* carta protocollo *f*
foot *n* piede *m*; *(animal)* zampa; *(measure)* piede; *(stand)* base *f*; — **brake** freno a pedale; **have one** — **in the grave** avere un piede nella fossa *(fig)*; **on** — in piedi; **put one's** — **down** puntare i piedi; **put one's** — **in it** mettere lo zampino; **–bridge** *n* passerella; **–hill** *n* collinetta, rialzo di terreno; **–lights** *npl* luci della ribalta; **–print** *n* pedata, traccia, orma; **–sore** *a* con mal di piedi; **–step** *n* passo; **–stool** *n* sgabello; **–wear** *n* calzatura
foot *vt (math)* fare la somma; — *vi* camminare; andare a piedi; — **the bill** pagare il conto
football *n* pallone *m*, palla; *(game)* giuoco del calcio
footing *n* piede *m*, sostegno, base *f*; **lose**

one's — perdere l'equilibrio
fop *n* bellimbusto, zerbinotto
for *prep* per; — *conj* perchè; **What** —? A che scopo?
forage *vi* foraggiare
foray *n* scorreria
forbear *vt&i* evitare, pazientare; astenersi da, fare a meno di
forbearance *n* indulgenza, pazienza
forbid *vt* proibire
forbidden *a* proibito, vietato
force *n* forza; **air** — aereonautica; **in** — in vigore; **–s** *npl* forze *fpl*; — *vt* costringere, sforzare, obbligare; — **back** respingere; — **one's way in** aprirsi il cammino con la forza; **–d** *a* costretto, forzato
forceful *a* potente, vigoroso
forceps *npl* forcipi *mpl*
forcibly *adv* energicamente; con forza
ford *n* guado; — *vt* guadare
forearm *n* avambraccio; — *vt* premunire
forebear *n* avo, antenato
foreboding *n* presagio, presentimento
forecast *n* previsione; *(weather)* previsione del tempo, bollettino meteorologico; — *vt* prevedere
foreclose *vt* precludere
foreclosure *n* preclusione
forefather *n* avo, antenato
forefinger *n* dito indice
forefront *n* la parte anteriore, l'anteriore *m*, il davanti *m*
forego *vt&i* precedere
foregoing *a* precedente, summenzionato
foregone *a* predeterminato, preconcetto; — **conclusion** deduzione ovvia
foreground *n* primo piano
forehead *n* fronte *f*
foreign *a* estero, forestiero; — **affairs** affari esteri; — **legion** legione straniera; — **trade** commercio estero
foreigner *n* straniero, straniera
Foreign Office *n* Ministero degli Affari Esteri
foreman *n* caposquadra, capotecnico, capomastro, capo operaio; *(jury)* capo della giuria
foremost *a* primo, principale; il migliore; il più grande
forenoon *n* mattino
forerunner *n* precursore *m*
foresee *vt* prevedere
foreshadow *vt* adombrare, prefigurare; far presentire
foresight *n* previdenza
forest *n* foresta, bosco; — **ranger** guardia forestale, guardaboschi *m*
forestall *vt* prevenire, anticipare, accaparrare

foretell vt predire

forethought n previdenza, previsione, premeditazione

forever adv sempre

forewarn vt preavvisare

foreword n proemio, prefazione

forfeit n multa, ammenda; — vt demeritare; perdere il diritto di

forge n fucina, forgia; — vt fucinare, forgiare, fabbricare; contraffare, falsificare

forgery n falsificazione, contraffazione

forget vt dimenticare; non ricordarsi

forgetful a dimentico, smemorato, negligente; –**ness** n dimenticanza; negligenza, smemoratezza

forget-me-not n nontiscordardimè m

forgive vt perdonare; –**ness** n perdono

forgiving a clemente, indulgente

forgotten a dimenticato, rimesso; fatto grazia

fork n (road) biforcazione; (table) forchetta; (tool) forca; (tree) forcella; (trousers) inforcatura; **tuning** — diapason m; — vt rimuovere con forca; — vi biforcarsi

forlorn a infelice, sconsolato, abbandonato

form n forma, modulo; — **letter** lettera circolare; **matter of** — questione di forma; **proper** — forma appropriata; –**ation** n formazione; –**less** a informe, amorfo; — vt formare, foggiare; — vi formarsi

formal a formale, d'etichetta, ufficiale; — **dress** abito da cerimonia

formality n cerimonia, formalità

former a precedente, passato; **the** — qello, questo; il primo; –**ly** adv altre volte, anteriormente, già, precedentemente; tempo fa

formidable a formidabile, minaccioso

formula n formula

formulate vt formulare

fornicate vi fornicare

forsake vt lasciare, abbandonare; (renounce) rinunziare

forsaken a abbandonato

fort n forte m, fortezza

forte n&adv forte m

forth adv avanti; (outward) fuori; **and so** — e così via; –**coming** a prossimo, futuro, imminente; –**right** a franco, esplicito, sincero; –**with** adv subito, immediatamente

fortieth a quarantesimo

fortification n fortificazione

fortify vt fortificare

fortitude n fortezza, fermezza, coraggio

fortnight n due settimane; quindici giorni; una quindicina; –**ly** a quindicinale, bisettimanale

fortuitous a accidentale, fortuito; –**ly** adv fortuitamente, accidentalmente

fortunate a fortunato; –**ly** adv per fortuna

fortune n fortuna; (fate) sorte f; — **hunter** cacciatore di dote

fortuneteller n indovino, indovina

forty a quaranta

forum n foro, tribunale m; dibattito pubblico

forward a (ahead) avanzato, inoltrato; (brash) audace, impertinente, sfacciato; (daring) spinto; — adv avanti; — vt inoltrare; far seguire

forwardness n progresso; (manner) impertinenza; precocità

forwards adv avanti

fossil n fossile m; –**ize** vt fossilizzare; –**ize** vi fossilizzarsi

foster vt (encourage) incoraggiare, secondare; (shelter) allevare, incrementare

foster child figlio adottato, affiliato

foster father padre adottivo

foster mother balia, nutrice, madre adottiva

foster parents genitori adottivi

foul a sporco; (improper) scorretto; — **ball** palla fuori campo; — **play** giuoco scorretto; condotta disonesta

foul-mouthed a osceno, sboccato

found vt fondare

foundation n fondazione; fondamento, base f; (arch) fondamenta fpl; — **garment** reggicalze m

founder n fondatore m; — vt affondare; — vi sprofondare

foundling n trovatello

foundry n fonderia

fountain n fontana; — **pen** penna stilografica

four a quattro

four-footed a a quattro piedi, a quattro gambe

foursome n gruppo di quattro persone; (golf, cards) partita a quattro

fourteen a quattordici; –**th** a quattordicesimo

fourth a quarto

fowl n pollame m

fox n volpe f; –**hole** n trincea; –**y** a astuto, furbo

fracas n chiasso, fracasso

fraction n frazione

fracture n frattura; — vt rompere, fratturare

fragile a fragile

fragility n fragilità

fragment n frammento; –**ary** a frammentario

fragrance n odore m, fragranza, profumo

fragrant a fragrante, profumato, odoroso

frail a fragile, delicato; **–ty** n fragilità, debolezza

frame n forma, struttura; *(mech)* telaio; *(picture)* cornice f; — **house** casa con struttura di legno; — **of mind** stato d'animo; **–work** n struttura, armatura

frame vt formare, incorniciare; *(coll)* incriminare con intrigo

framed a composto, escogitato, forgiato, incorniciato

France Francia

franchise n franchigia; *(com)* esclusiva, privativa

frank a sincero, franco

frankly adv francamente

frankfurter n salsicciotto

frantic a frenetico, furioso

frantically adv pazzamente, freneticamente

fraternal a fraterno

fraternity n fratellanza, confraternità

fraternize vt fraternizzare

fraud n frode f; **–ulent** a fraudolento

fray n lotta, cambattimento; *(scuffle)* zuffa; — vt consumare; *(ravel)* sfilacciare; *(wear)* logorare; — vi consumarsi, logorarsi, sfilacciarsi; **–ed** a consumato, logoro, sfilacciato

freak n ghiribizzo; *(monster)* mostro; *(whim)* capriccio; **–ish** a capriccioso; *(abnormal)* strano, anormale

freckle n lentiggine f; — vi divenire lentigginoso; **–d** a lentigginoso

free a libero, gratuito; — **and easy** senza complimenti; — **enterprise** impresa privata; — **hand** mano libera; — **of charge** gratis; — **speech** libertà di parola; — **will** libero arbitrio; **make —with** stralimitarsi; **of one's own — will** di spontanea volontà

free vt svincolare; *(exempt)* esimere; *(liberate)* liberare

freedom n libertà

free-for-all n *(coll)* giuoco *(or* concorso) aperto a chiunque

free fall n *(aesp)* mozione nello spazio

freehand a a mano libera

freemason n framassone m

freeway n autostrada

freeze vt gelare, congelare; — n gelo, congelamento

freezer n congelatore m; **deep —** frigorifero a temperatura bassa

freezing a gelido, glaciale; — **cold** freddo glaciale

freight n carico mercantile; — **train** treno merci

freightage n nolo

French a&n francese m; — **dressing** condimento francese; — **door** porta a due battenti; — **horn** corno inglese; — **leave** uscita alla chetichella; — **seam** orlo francese; — **window** finestra a due battenti

Frenchman, –woman n francese m&f

frenzied a frenetico

frenzy n pazzia, frenesia

frequency n frequenza; — modulation modulazione di frequenza

frequent a frequente; **–ly** adv frequentemente

fresh a fresco; *(sl)* presuntuoso, impertinente; **–ness** n freschezza; *(strength)* vigore m; **–ly** adv di fresco; di recente; **–en** vt&i rinfrescare

freshman n matricolino, matricola

fresh-water a d'acqua dolce

fret n agitazione; *(stringed instrument)* tasto; — vi agitarsi, irritarsi

fretful a irritato, impaziente, inquieto; *(peevish)* stizzoso, scontroso

fretfulness n irritabilità

friable a friabile

friar n frate m

friction n frizione

Friday n venerdì; **Good —** Venerdì Santo

fried a fritto

friend n amico, amica; **make a —** farsi un amico; **–less** a senza amici; **–ly** a amichevole; **–ship** n amicizia

frieze n *(arch)* fregio

fright n spavento; **–en** vt spaventare; **–ened** a spaventato, impaurito, intimidito; **–ful** a spaventoso, spaventevole

frigid a freddo, frigido, glaciale

frigidity n freddezza, frigidezza, frigidità

frill n trina, gala, fronzolo; — vt guarnire, orlare; ornare di trine

fringe n frangia; — **benefit** introito extrasalariale; — vt orlare, ornare con frangia

frisk vi sgambettare, saltellare, folleggiare; — vt *(coll)* perquisire addosso; **–y** a vispo, vivace

fritter n frittella; — vt gingillare; — **away** disperdere; *(time)* sprecare il tempo

frivolity n frivolità, frivolezza

frivolous a frivolo

frizzle vt arrostire alla griglia; — vi far rumore di friggere

frizzy a arricciato

fro adv indietro; **to and —** avanti e indietro

frock n veste f; costume m; vestito; *(eccl)* tonaca; sottana

frog n rana, ranocchio; *(rail)* incrocio, raccordo; *(trimming)* alamaro; — **in the**

throat raucedine *f*
frolic *n* trastullo; — *vi* trastullarsi; –some *a* allegro, giocoso, festevole
from *prep* da; da parte di; — now on da ora in poi; take — *(accept)* accettare; *(deprive of)* privare di
front *n* davanti *m*, facciata; — *a* di avanti; del davanti; in — of in faccia, dirimpetto; — *vt&i* affrontare
frontier *n* frontiera, confine *m*
frontispiece *n* frontespizio
frost *n* gelo; hoar — brina; –bite *n* congelamento; –bitten *a* congelato, gelato
frosted *a (food)* candito; *(hoary)* brinato; — glass vetro smerigliato
frosting *n* ghiacciata; *(cake)* crosta di zucchero
froth *n* schiuma; — *vt* far spumare; — *vi* spumeggiare, schiumare, spumare
frown *n* cipiglio; sguardo corrucciato; — *vi* accigliarsi; — on disapprovare
frowning *a* corrucciato
frowsy *a* sporca, scalcinato
frozen *a* gelato, congelato
frugal *a* parco, frugale
fruit *n* frutto, frutta; — dealer fruttivendolo; — stand banco di fruttivendolo
fruitful *a* fruttifero; *(profitable)* proficuo
fruition *n* soddisfazione, adempimento
fruitless *a* improduttivo; *(useless)* vano
frustrate *vt* deludere, frustrare
frustration *n* insuccesso, delusione
fry *vt* friggere; — *vi* friggersi
frying pan padella
fuel *n* combustibile *m;* — oil petrolio da ardere; — tank cisterna per carburanti; — *vt* alimentare con combustibile; — *vi* rifornirsi di carburante
fugitive *a* fuggiasco, evaso; — *n* disertore *m*
fugue *n* fuga
fulcrum *n* fulcro
fulfil *vt* compiere, eseguire, esaudire
fulfilment *n* realizzazione
full *a* pieno; at — blast al massimo; — dress abito da cerimonie; — house *(poker)* un tris e una coppia; *(theat)* teatro esaurito; — moon luna piena; — stop fermata completa; at — speed a tutta velocità; in — per esteso; in pieno; –back *n (football)* terzino
full– *(in comp)* —blooded *a* pieno di vitalità; *(breeding)* puro sangue, di razza; —blown *a* in piena fioritura; —bodied *a* grasso, pingue; —faced *a* dalla faccia piena; —fledged *a* completo; — grown *a* adulto, maturo; —length *a* dalla testa ai piedi; —term *a* di periodo completo

fullness *n* pienezza
fully *adv* tutto, interamente, perfettamente
fume *n* emanazione, esalazione; — *vt* affumicare, offuscare; — *vi (anger)* arrabbiarsi, smaniare
fumigate *vt* disinfettare, soffumicare
fumigation *n* fumigazione
fuming *a* collerico, adirato
fun *n* divertimento; full of — molto divertente; have — divertirsi; in — per scherzo; make — of burlarsi di
function *n* funzione; — *vi* funzionare
fund *n* capitale liquido, fondo monetario; sinking — fondo di ammortamento
fundamental *a* fondamentale
funeral *n* funerale *m;* — director assistente funebre; — home ditta di pompe funebri
funereal *a* funebre, lugubre
fungicide *n* funghicida *m*
fungus *n* fungo
funnel *n* imbuto
funny *a* buffo, comico, divertente; *(odd)* strano, curioso; — bone nervo del gomito
fur *n* pelliccia; — store pellicceria
furbish *vt* forbire, lucidare
furious *a* furioso; –ly *adv* furiosamente
furlough *n* licenza, congedo
furnace *n* fornace *f*
furnish *vt* ammobiliare; *(supply)* fornire
furnished *a* ammobiliato; — room camera ammobiliata
furnishings *npl* arredamenti *mpl*
furniture *n* mobili *mpl*, mobilia
furor *n* furore *m*
furrier *n* pellicciaio
furrow *n* solco
furry *a* peloso; *(tongue)* patinoso
further *a* ulteriore; — *adv* oltre, più in là, oltre a ciò; — *vt* assecondare, agevolare; without — ado senza ulteriori difficoltà
furtherance *a* promozione, avanzamento
furthermore *adv* inoltre, d'altronde
furthest *a* il più lontano; — *adv* alla massima distanza
furtive *a* furtivo, occulto; –ly *adv* furtivamente
fury *n* furore *m*
fuse *n* valvola, fusibile *m*
fuselage *n (avi)* fusoliera
fuss *n* chiasso, trambusto; — over nothing trambusto per un nonnulla; — *vi* inquietarsi, affannarsi
fussy *a* meticoloso, schifiltoso
futile *a* inutile, futile, frivolo, vano
futility *n* futilità
future *a* futuro; — *n* futuro, avvenire *m;*

in the — nel futuro
futurist *n* futurista *m&f*

futurity *n* avvenire *m*, futuro
fuzz *n* materia volatile (*or* impalpabile)

G

G– *(in comp)* **—force** *n* forza di gravità; **—man** *n* agente federale; **—suit** *n* (*avi*) scafandro spaziale
gab *n* loquacità, cicaleccio; **gift of —** lingua sciolta; — *vi* cicalare
gabardine *n* gabardina
gabby *a* loquace
gable *n* frontone *m*; **— roof** tetto spiovente
gad *vi* gironzare, girellare; **— about** vagare, andare qua e là
gadabout *n* giramondo
gadget *n* aggeggio, congegno; (*mech*) meccanismo
gaff *n* rampone *m*, uncino; (*naut*) picco di randa
gag *n* bavaglio; (*coll*) scherzo, battuta, trovata; — *vt* imbavagliare; — *vi* (*theat*) improvvisare
gaiety *n* allegria, gaiezza
gaily *a* gaiamente
gain *n* guadagno; — *vt&i* guadagnare; — **on** diminuire la distanza; — **weight** ingrossare
gainful *a* vantaggioso, lucrativo
gainsay *vt* contraddire; dire di no
gait *n* andatura, portamento, passo
gala *a* di gala
galaxy *n* galassia; (*ast*) Via Lattea
gale *n* tormenta, bufera; **— of laughter** scroscio di risa
gall *n* bile *f*; (*coll*) impudenza, sfacciataggine *f*; — *vt* irritare
gallant *a* galante; (*brave*) coraggioso; (*gay*) gaio; (*imposing*) imponente
gallantry *n* galanteria, coraggio
gallbladder *n* cistifellea
gallery *n* galleria; (*theat*) loggione *m*
galley *n* cucina di bordo; (*naut*) galera; (*print*) bozza di stampa
gallivant *vi* bighellonare, andare a zonzo
gallon *n* gallone *m*
gallop *n* galoppo; — *vi* galoppare
gallows *npl* forca, patibolo
gallstone *n* calcolo biliare, mal della pietra
galore *adv* a iosa, in abbondanza
galoshes *npl* galosce *fpl*
galvanize *vt* galvanizzare
galvanometer *n* galvanometro
gamble *n* giuoco d'azzardo; — *n* (*coll*) rischio, azzardo; — *vi* giuocare d'azzardo; — *vt* fare scommessa
gambler *n* giocatore *m*
gambling *n* giuoco d'azzardo; — **house**

bisca
game *n* giuoco; (*food*) cacciagione *f*; (*coll*) sotterfugio; (*sport*) partita; **make a — of** giocarsi di; **play the — right** essere onesto; — *a* coraggioso; (*lame*) zoppo; **die —** resistere fino in fondo
gamekeeper *n* guardacaccia *m*
gamma *n* gamma; — **globulin** emoglobina; — **ray** raggio gamma
gander *n* maschio dell'oca
gang *n* banda, combriccola; (*work*) squadra; **–plank** *n* passerella; plancia di sbarco
ganglion *n* ganglio
gangrene *n* cancrena
gangrenous *a* cancrenoso
gangster *n* gangster *m*, bandito, delinquente *m*
gangway *n* passaggio, corridoio; (*naut*) pontile *m*; (*mine*) tunnel di miniera
gantlet *n* (*fig*) sfida; **run the —** superare gli ostacoli
gantry tower *n* (*aesp*) torre di lancio
gap *n* (*blank*) lacuna; (*breach*) breccia; (*mountain*) gola, valico
gape *vi* (*open*) spalancarsi; (*yawn*) sbadigliare; restare a bocca aperta; — **at** guardare attonito
gaping *a* sbadigliante; (*agape*) stordito
garage *n* autorimessa, garage *m*
garb *n* abbigliamento
garbage *n* immondizie *fpl*
garble *vt* mutilare; (*falsify*) falsificare
garden *n* giardino
gardener *n* giardiniere *m*
gardenia *n* gardenia
gargle *vt* gargarizzare; — *n* gargarismo
gargoyle *n* garguglia
garish *a* vistoso, sfarzoso, abbagliante
garland *n* ghirlanda
garlic *n* aglio; — **clove** capo d'aglio
garment *n* indumento; — **industry** industria dell'abbigliamento
garnish *n* guarnizione; (*food*) contorno; — *vt* abbellire, guarnire
garnishee *vt* imporre trattenute sul salario
garrison *n* guarnigione *f*
garret *n* soffitta
garrote *n* cappio; — *vt* strangolare
garter *n* giarrettiera; — **belt** reggicalze *m*; — **snake** biscia
gas *n* gas *m*; (*coll*) benzina; — **heater** stufa a gas; — **meter** contatore del gas; —

stove cucina a gas; — **tank** *(auto)* serbatoio; **–light** *n* luce di gas
gaseous *a* gassoso
gash *n* taglio, sfregio; — *vt* sguarciare
gasoline *n* benzina
gasp *vi* ansare, boccheggiare; — *n* sospiro, anelito; **last** — ultimo respiro
gasping *n* ansito, affanno; — *a* ansimante, affannoso
gastrectomy *n* rettogastrotomia, gastrorettotomia
gate *n* cancello; porta del cancello
gateway *n* portone *m*
gather *vt* raccogliere; *(infer)* dedurre; *(sewing)* increspare, pieghettare; — *vi (meet)* adunarsi
gathering *n* adunata, riunione *f*; *(harvest)* raccolta; *(med)* ascesso, suppurazione; *(people)* adunanza
gaudy *a* sgargiante, vistoso
gauge *n* misura; *(mech)* indicatore *m*; — *vt* misurare; stimare
gaunt *a* sparuto
gauntlet *n* guanto da moschettiere; **take up the** — accettare la sfida; **throw down the** — tirare il guanto di sfida *(fig)*
gauze *n* garza
gavel *n* tributo, gabella
gawk *vi* guardare attorno stupidamente; **–y** *a* balordo, sguaiato
gay *a* allegro, gaio
gaze *vi* guardare; — **at** fissare; — *n* sguardo fisso
gazeteer *n* gazzettiere *m; (* dizionario geografico
gear *n* arnesi *mpl*, arredo; *(auto)* meccanismo, ingranaggio; *(equipment)* corredo; *(mech)* congegno; *(tools)* arnesi *mpl*; — **shift** cambio di velocità; **in** — funzionante; **throw out of** — arrestare; *(disable)* mettere fuori posto; — *vt* abbigliare; *(mech)* ingranare
gearing *n* ingranaggio
geiger counter contatore Geiger
gelatin *n* gelatina
gem *n* gemma, gioiello
gender *n* genere *m*
gene *n* tipo genetico
genealogy *n* genealogia
general *a&n* generale *m*; — **delivery** fermo in posta; **in** — in generale
generality *n* generalità
generalization *n* generalizzazione
generally *adv* generalmente; — **speaking** generalmente parlando
generate *vt* generare, produrre
generation *n* generazione
generator *n* generatore *m*
generic *a* generico

generosity *n* generosità
generous *a* generoso
genesis *n* genesi *f*, origine *f*
genetics *n* genetica
Geneva Ginevra
genial *a* cordiale, cortese
geniality *n* genialità
genitals *npl* genitali *mpl*
genitive *a* genitivo
genius *n* genio
Genoa Genova
Genoese *a&n* genovese *m&f*
genteel *a* ammanierato, affettato, ricercato
gentility *n* gentilezza; *(breeding)* nascita aristocratica
gentle *a (mild)* dolce, moderato; *(genteel)* raffinato, cortese
gentleman *n* signore *m*; gentiluomo
gentlemen *ipl* gentiluomini *mpl*; signori *mpl*
gentleness *n* dolcezza, tenerezza
gently *adv* dolcemente
gentry *n* gente per bene; benestanti di campagna
genuflection *n* genuflessione
genuine *a* autentico, genuino
genus *n* genere *m*
geochemistry *n* geochimica
geographic, –al *a* geografico
geography *n* geografia
geologist *n* geologo
geology *n* geologia
geometric, –al *a* geometrico
geometry *n* geometria; **solid** — geometria solida; **plane** — geometria piana
geophysics *n* geofisica
geopolitics *n* geopolitica
geranium *n* geranio
geriatrics *n* geriatria
germ *n* germe *m*, microbo
German *a&n* tedesco, tedesca; — **measles** rosolia
germane *a* relativo, pertinente; *(akin)* germano
Germany Germania
germicide *n* germicida
germinate *vi* germinare
gerund *n* gerundio
gestation *n* gestazione
gesticulate *vi* gesticolare
gesture *n* atto, gesto; — *vi* gestire, gesticolare
get *vt* avere, ottenere; *(fetch)* portare; *(receive)* ricevere; — *vi (become)* diventare, farsi; *(come)* arrivare; — **about** andare attorno; — **along** avanzare, andare avanti; *(agree with)* andare d'accordo con; — **around** *(avoid)* girare; — **at** raggiungere il segno *(fig)*;

away allontanarsi; — **down** scendere; — **even with** vendicarsi, far da pagare; — **into** entrare, mettersi in; — **rid of** sbarazzarsi di; — **up** alzarsi; — **wind of** avere sentore di

get– *(in comp)* —**together** *n* adunata; —**up** *n (arrangement)* formata; *(coll, dress)* costume *m*; —**up-and-go** *n* energia

getaway *n* fuga

geyser *n* geyser, soffione *m*; *(mech)* stufa a gas

ghastliness *n* orrore, squallore *m*; *(paleness)* pallidezza

ghastly *a* orribile, macabro, cadaverico

ghost *n* spettro, fantasma *m*; — **town** città abbandonata; — **writer** chi scrive in nome altrui; **give up the** — perdersi d'animo; **Holy G**– Spirito Santo

G.I. *(mil)* soldato americano

giant *n* gigante *m*

gibberish *n* ciancia

gibe, (jibe) *n* scherno, beffa; — *vt&i* schernire, beffarsi di

giblets *npl* frattaglie, rigaglie *fpl*

giddiness *n* vertigine *f*, capogiro; *(frivolity)* frivolità

giddy *a* vertiginoso; spensierato *(fig)*; *(scatterbrained)* scervellato; **feel** — avere le vertigini

gift *n* regalo, dono; –**ed** *a* valente, d'ingegno

gigantic *a* enorme, gigantesco

giggle *vi* fare risatine sciocche; — *n* riso sciocco

giggling *a* che ride scioccamente

gild *vt&i* dorare

gills *npl* branchie *fpl*

gilt *n* indoratura, doratura; — *a* dorato

gilt-edged *a* di prim'ordine; dorato sul taglio; — **securities** azioni solide

gimlet *n* succhiello

gimmick *n (sl)* trucco, espediente *m*

gin *n* gin *m*

ginger *n* zenzero; — **ale** gassosa allo zenzero

gingerly *adv* cautamente, delicatamente; — *a* cauto

gingham *n* rigatino

gingivitis *n* gengivite *f*

gird *vt* cingere; *(invest with)* investire; — *vi* schernire

girder *n* trave *f*; **steel** — putrella

girdle *n (belt)* cintura; *(garment)* ventriera elastica; — *vt* cingere; *(circle)* circondare

girl *n* ragazza, fanciulla; *(miss)* signorina; *(coll)* innamorata; **hired** — donna di servizio; –**ish** *a* fanciullesco, femminile; –**hood** *n* fanciullezza

girth *n* circonferenza

gist *n* essenza, sostanza, sunto, punto principale

give *vt* dare; — **account** rendere conto; — **away** presentare; dar via; — **back** restituire; — **birth to** dare alla luce; — **evidence** offrire evidenza; *(show)* dare indicazione; — **off** emettere; — **out** *(emit)* emettere; *(fail)* esaurirsi; — **rise to** dare origine a; — **up** *(renounce)* rinunciare; *(yield)* cedere; — **way** cedere, ritirarsi

given *a* dato, stabilito; disposto; — **name** nome di battesimo; — **time** tempo dato

give-and-take *n* compromesso

giver *n* donatore *m*

gizzard *n* ventriglio

glacial *a* glaciale

glacier *n* ghiacciaio

glad *a* contento, lieto, felice; –**ly** *adv* con piacere, volentieri; –**ness** *n* contentezza, gioia, piacere *m*

gladden *vt* rallegrare, allietare

gladiolus *n* gladiolo

glamour *n* fascino; –**ous** *a* affascinante

glance *n* occhiata, sguardo; **at first** — a prima vista; — *vi* dare un'occhiata; dare uno sguardo

gland *n* glandola; –**ular** *a* glandolare, ghiandolare

glare *n* bagliore *m*, sfolgorio; *(eye)* occhiataccia; — *vi* sfolgorare; gettare sguardi sfologoranti

glaring *a* abbagliante, evidente, lampante

glass *n* vetro, cristallo; — **blower** soffiatore di vetro; — **making** fabbricazione del vetro; — **cut** — cristallo tagliato; **drinking** — bicchiere *m*; **magnifying** — lente d'ingrandimento; **stained** — vetrata colorata; –**ful** *n* bicchiere pieno; –**ware** *n* cristalleria; vetrame *m*

glasses *npl (drinking)* bicchieri *mpl*; *(eye)* occhiali *mpl*, lenti *fpl*

glassy *a* vitreo, trasparente, cristallino

glaucoma *n* glaucoma *m*

glaze *n* smalto; — *vt* smaltare

glazier *n* vetraio

gleam *n* raggio; — *vi* luccicare, raggiare

gleaming *a* lucente

glee *n (hilarity)* ilarità; *(joy)* gioia; — **club** circolo di coristi

glib *a* loquace, scorrevole

glide *vi* scivolare; — *n* scivolata

glider *n (avi)* aliante *m*

glimmer *n* barlume *m*

glimpse *n* occhiata, sguardo di sfuggita; — *vt&i* intravedere

glint *n* scintillio, sprazzo di luce; — *vi* scintillare, brillare

glisten *vi* brillare, luccicare

glitter *vi* scintillare; — *n* scintillio

gloat vi gongolare; divorare con gli occhi (fig)
global a globale
globe n sfera, globo
globular a sferico, globulare
gloom n (darkness) tenebre fpl, oscurità; (sorrow) tristezza; **-y** a (dark) tetro, oscuro; (sad) melanconico, cupo
glorify vt glorificare, magnificare, esaltare
glorious a glorioso, splendido
glory n gloria, onore m; — vi gloriarsi
gloss n lucidezza; **give a** — lustrare; — vt lustrare; lucidare; — **over** adonestare; **-y** a lucido
glove n guanto, — **shop** guanteria, guantificio; negozio di guanti
glow vi (flush) arrossire; (shine) brillare; — n (warmth) calore m; ardore m; (reflection) riflesso
glower vi guardare torvamente
glowing a brillante, animato; (hot) acceso
glucose n glucosio
glue n colla; — vt incollare
gluey a attaccaticcio
glum a cupo, arcigno
glut vt saziare; (obstruct) ingombrare
glutten n glutine m
glutton n ghiottone m
gluttonous a ghiotto
gluttony n ghiottoneria, gola
gnarl n nodo
gnarled a nodoso
gnarly a nodoso
gnat n moscerino
gnaw vt rosicchiare, rodere
gnawing n rodimento; corrosione; — a rosicante
go vi andare; — **against** andar contro; — **astray** perdersi; — **away** partire; — **back** tornare indietro; — **back on** (fig) rinnegare; — **backward** camminare all'indietro; — **beyond** oltrepassare; — **for** (coll) andare in cerca di; — **forward** avanzare; — **out** uscire; — **out of one's way** (detour) deviarsi, sviarsi; (favor) disturbarsi per qualcuno; — **over** (pass over) dare una scorsa; (repeat) ripetere; (to) andare da; — **to sleep** addormentarsi; — **through with** condurre a termine; — **to it** (coll) sbrigarsi; — **under** affondare; (fail) soccombere; — **with** (agree) andare d'accordo; stare con; — **without** fare a meno; **let** — **of** lasciare
go n (coll) energia (fig); **all the** — di moda; **have a** — **at it** trattare di fare; **It's a** —! Accettato!; **make a** — **of it** aver esito; **on the** — in movimento; (busy)

attivo; **no** — (sl) impossibile; di nessun profitto
goad n pungolo; — vt stimolare
goal n meta, mira, scopo
goat n capro, capra
goatee n barbetta, pizzo
gobble vt tranguigiare
gobbler n ghiottone m; **turkey** — tacchino
go-between n mediatore m, intermediario
goblet n coppa
God n Dio; — **willing** se piace a Dio; **-speed** n buon viaggio
god n dio; **-child** n figlioccio; **-father** n padrino; **-mother** n madrina; **-send** n bazza (coll); fortuna inaspettata; **-less** a ateo, empio; **-like** a divino; **-liness** n santità
goddess n dea
goggle-eyed a con gli occhi stralunati
goggies npl occhialoni mpl
goiter n gozzo
gold n oro
golden a dorato, aureo
gold-filled a aurifero
golf n golf m; — **clubs** bastoni mpl; — **course** campo di golf; **-bag** n borsa dei bastoni; — vi giocare al golf
gonad n gonade f; tessuto generativo
gondola n gondola
gone a andato, partito; (finished) finito; (used up) esaurito
gonorrhea n gonorrea
good n bene m; (usefulness) utilità; — **breeding** buona educazione; **G– for you!** interj Molto bene!; **do** — far bene; **make** — riuscir bene; — a buono; — **afternoon, day** buon giorno; — **evening** buona sera; — **nature** indole buona, buona qualità; — **night** buona notte; — **sense** buon senso; — **turn** buon'azione, favore m; — adv bene; **be** — essere buono; **for** — **and all** per sempre
good- (in comp) **-by** n addio, arrivederci, arrivederla; **-for-nothing** n&a buono-nulla m&f; **-hearted** a di buon cuore; — **humored** a di buon umore; **-looking** a attraente; **-natured** a di buona indole; **-night** a di buonanotte; **-sized** a grande
Good Friday Venerdì Santo
goodness n bontà; **thank** — interj grazie a Dio!
goods npl merci fpl, beni mpl; **catch with the** — (coll) prendere in flagrante; **deliver the** — (coll) consegnare la merce; **household** — masserizie fpl; (utensils) utensileria
goose n oca; — **flesh,** — **pimples** pelle d'oca (fig) **wild** — **chase** la luna nel

pozzo *(fig)*
gooseberry *n* ribes *m*, uva spina
gore *n (blood)* grumo di sangue; *(sewing)* taglio di stoffa che compone la gonna; — *vt* incornare
gorge *n* burrone *m*; — *vt&i* gozzovigliare
gorgeous *a* splendido, brillante; *(sumptuous)* fastoso; **-ly** *adv* sontuosamente; con gran fastosità
gorilla *n* gorilla *m*
gory *a* insanguinato
gosling *n* papero
gospel *n* vangelo; — **truth** verità sacrosanta; verità di Vangelo
gossamer *n (gauze)* garza; *(web)* ragnatela; **-y** *a* sottilissimo, tenue
gossip *n* pettegolezzo; — *vi* spettegolare
Gothic *a* gotico
gouge *n* sgorbio; — *vt* sgorbiare
gourd *n* zucca
gourmand *n* ghiottone *m*
gourmet *n* buongustaio
gout *n* gotta
govern *vt* governare
governess *n* governante, istitutrice *f*
government *n* governo, controllo; **-al** *a* governativo
governor *n* governatore *m*
gown *n (coverall)* camice *m*; *(dress)* vestito; **dressing** — veste da camera
grab *vt* afferrare, agguantare; — *n* presa, stretta; — **bag** *(coll)* sacco di regali-sopresa
grace *n* grazia; *(pardon)* perdono; — **note** *(mus)* fioritura; **say** — recitare il benedicite; — *vt* adornare
graceful *a* leggiadro, grazioso
gradation *n* gradazione
grade *n* grado, punto; *(school)* voto; — **crossing** *(rail)* passaggio a livello; — **school** scuola elementare; — *vt* classificare; *(score)* dare i punti; *(surface)* livellare
gradual *a* graduale; **-ly** *adv* man mano, via via
graduate *vt* graduare; conferire un diploma; — *vi* diplomarsi, laurearsi; — *a* diplomato; graduato; — *n* laureato; *(measure)* bicchiere graduato
graduation *n* graduazione
graft *n (bot)* innesto; *(med)* trapianto; *(pol, coll)* corruzione; — *vt (bot)* innestare; *(med)* trapiantare
grain *n (cereal)* grano; *(seed)* chicco; *(texture)* filo; *(weight)* grano; *(wood)* filo, venatura; — **alcohol** alcool di grano; **against the** — di malavoglia; controvoglia
gram *n* grammo
grammar *n* grammatica; — **school** scuola

elementare
grammarian *n* grammatico
grammatical *a* grammaticale
grand *a* grande, grandioso, magnifico; — **opera** opera; — **piano** pianoforte a coda; **-stand** *n* tribuna
grandchild *n* nipotino, nipotina
granddaughter, grandson *n* nipote *m&f*
grandfather *n* nonno
grandmother *n* nonna
grandparent *n* nonno, nonna
grandeur *n* grandezza, fasto, grandiosità, magnificenza
grandiloquent *a* magniloquente
grandiose *a* grandioso
granite *n* granito
grant *n* dono, concessione; *(school)* borsa di studio; — *vt* accordare; *(acknowledge)* ammettere, riconoscere; **-ing that** dato che; **take for -ed** accettare come vero
granulate *vt* granulare; — *vi* granularsi
granulated *a* granulato; — **sugar** zucchero cristallizzato
grape *n* uva; — **seed** acino; **bunch of -s** grappolo d'uva
grapefruit *n* pompelmo
grapevine *n* vigna coltivata; *(coll)* confidenza di notizie non ufficiali
graph *n* grafico, diagramma *m*; **-ic** *a* grafico
graphite *n* grafite *f*
grapple *n* rampone *m*; — *vt (wrestling)* aggrappare; — *vi* afferrarsi; — **with** *(fig)* lottare contro; *(problems)* trattare
grasp *vt* afferrare; *(understand)* capire; — *n* stretta; *(scope)* portata
grasping *a* avaro, tirchio, spilorcio
grass *n* erba; **blade of** — filo d'erba; **-hopper** *n* cavalletta; **-land** *n* prateria; **-y** *a* erboso
grate *n (framework)* inferriata; *(grid)* griglia; *(grill)* graticola; — *vt* grattuggiare; *(sound)* raspare; — *vi* stridere
grateful *a* riconoscente, grato; *(pleasing)* gradito; **-ness** *n* gradevolezza, gratitudine *f*
gratification *n (granting of)* appagamento, raggiungimento della meta; *(pleasure)* soddisfazione
gratified *a* gratificato, soddisfatto
gratify *vt* soddisfare; *(please)* accontentare; **-ing** *a* gradevole
grating *n* griglia, inferriata; *(sound)* stridore *m*
gratis *a* gratuito; — *adv* gratis, gratuitamente
gratitude *n* riconoscenza
gratuity *n* mancia
grave *n* tomba, fossa; **-digger** *n* becchino;

–yard n cimitero; — a grave, austero
gravel n ghiaia
gravitate vi propendere, gravitare
gravity n gravità
gravy n sugo di carne; **–boat** n salsiera
gray a&n grigio
gray-haired a dai capelli grigi
grayness n grigiore m
graze vt rasentare, sfiorare; — vi pascolare
grease n unto, grasso; — **paint** cerone m; **remove** — sgrassare; (spots) smacchiare
greasing n (auto) ingrassaggio
greasy a untuoso, oleoso
great a grande, illustre; **a** — **deal** molto; **a** — **many** molti, gran numero; **to a** — **extent** estesamente
great-grandchild n pronipote m&f
great-grandparents npl bisnonni mpl
greatly adv molto
greatness n grandezza
Grecian, Greek a&n greco
Greece Grecia
greed, greediness n avidità
greedy a avido, ingordo
green a&n verde m; — n (grassy field) prato; — **light** (coll) luce verde (fig); **–ish** a verdastro; **–ness** n verdezza, freschezza; (untrained) inesperienza
green-eyed a dagli occhi verdi; (fig) geloso
greenhouse n serra
greens npl verdura, ortaggio; (herbs) erbe fpl
greet vt salutare
greeting n saluto
gregarious a socievole, gregario
grenadier n granatiere m
grenadine n (pomegranite juice) granatina
grid n grata; (elec) sistema di elettrificazione; (rad, TV) griglia di valvola
griddle n tegamino; plancia per cuocere dolci
gridiron n griglia; (football) campo di calcio demarcato
grief n dolore m, pena; **come to** — finire male
grief-stricken a afflitto, angosciato
grievance n rancore m; (complaint) gravame m, reclamo; (grudge) ruggine f (fig); (wrong) torto
grieve vt addolorare, affliggere, rattristare; — vi affliggersi, crucciarsi, addolorarsi
grievious a penoso
grill vt cuocere sulla graticola; — n graticola
grim a sinistro; (cruel) implacabile; (stern) austero
grimace n boccaccia, smorfia

grime n sudiciume m
grimy a sudicio
grin vi sogghignare; — n gran sorriso, smorfia
grind vt (glass) smerigliare; (mill) macinare; (teeth) digrignare; — n sgobbamento; (coll) fatica; **daily** — (sl) fatica quotidiana
grinder n macinatore m; **knife** — arrotino; **meat** — tritacarne m; **organ** — suonatore d'organetto
grinding n macinatura; (sharpening) affilatura; — a (sound) stridente
grindstone n mola
grip vt stringere, afferrare; — n presa, stretta; (luggage) valigetta; **come to** **–s** **with** essere nel punto critico di una decisione; venire alle mani
gripe n crampo, colica; (sl) lamentela; — vt afferrare, dare crampi di ventre; — vi (sl) lamentarsi
gripping a impressionante, eccitante
gristle n cartilagine f
grit n sabbia, arenaria; (coll) fermezza, coraggio; — vt (teeth) digrignare
gritty a sabbioso; (brave) coraggioso
groan vi gemere; — n lamento, gemito
grocer n rivenditore di generi alimentari
groceries npl alimenti mpl
grocery n negozio di generi alimentari
groggy a (drunk) ubbriaco; (unsteady) malfermo
groin n inguine m
groom n stalliere m; mozzo di stalla; (wedding) sposo; — vt (horse) strigliare; addestrare; — vi addestrarsi
groove n incastro, scanalatura; — vt scanalare
grope vi andare a tastoni; brancolare; — **for** cercare a tastoni
groping a brancolante; **–ly** adv a tastoni, brancolando
gross n grossa; — a grosso, volgare, grossolano; (com) lordo; — **ignorance** ignoranza crassa
grotesque a grottesco
grouch n malinconico, tetro; **have a** — essere di malumore; — vi lamentarsi, essere di malumore
grouchy a (coll) burbero, di cattivo umore
ground n suolo, terra; (basis) fondamento, fondo; — **floor** pianterreno; **break** — dare inizio a, cominciare; **forbidden** — terreno proibito; **give** — (retreat) retrocedere; **hold one's** — star saldo; **–less** a infondato, senza base
ground vt fondare; (avi) proibire il volo; (elec) mettere a terra; **–ed** a fondato, basato; (naut) arenato
ground-control n (avi) controllo da terra

grounds npl (basis) fondamento; (coffee) fondo di caffè, feccia di caffè; (land) parco, giardini mpl; — **for divorce** movente per il divorzio
groundwork n fondamenta, basi fpl
group n gruppo; — vt raggruppare, adunare; — vi raggrupparsi
grove n boschetto; (plantation) piantagione f
grovel vi (flatter) strisciare; (stoop) abbassarsi, umiliarsi
grow vt coltivare; — vi ingrandire, crescere; (progress) progredire; — **better** (improve) migliorare; — **dark** oscurare; — **from** provenire; — **into** (become) diventare; — **old** invecchiare; — **soft** diventare indulgente; — **up** (age) crescere, ingrandire; — **worse** peggiorare
growl v ringhiare; — n ringhio, brontolio
grown a adulto, cresciuto, fatto
grown-up a&n adulto, adulta
growth n vegetazione; (increase) crescita; (med) escrescenza
grub n verme m, bruco; (coll) cibo; — vt sradicare, estirpare; — vi zappare; (coll) mangiare
grubby a sudicio, sporco, bacato
grudge n rancore m; **bear a** — aver rancore contro; **have a** — **against** aver malanimo contro
grudgingly adv malvolentieri
gruel n farina d'avena cotta in acqua
grueling a estenuante, faticoso
gruesome a orrendo, macabro, raccapricciante
gruff a brusco; –**ness** n asprezza, rozzezza
grumble vt borbottare; — vi lamentarsi
grumpy a irritabile, bisbetico; di cattivo umore
grunt vi grugnire; — n grugnito
guarantee vt garantire; — n garanzia, garante m
guarantor n garante m, mallevadore m
guaranty n garanzia
guard n protettore m; (person) guardia m; (rail) capotreno; **under** — sotto vigilanza; –**rail** n controrotaia; — vt sorvegliare, proteggere; — **against** premunirsi contro
guardian n tutore m, tutrice f; (custodian) custode m
guerilla n partigiano, guerrigliero; — **warfare** guerriglia
guess vt&i indovinare; (surmise) credere, supporre; — n supposizione, congettura; **rough** — occhio e croce; –**work** n congettura
guest n invitato
guffaw n risata; scoppio di risa

Guiana Guiana
guidance n guida, norma; — **beam** luceguida
guide n guida; — **rope** (avi) stabilizzatore m; –**book** n guida; –**post** n cartello indicatore; — vt guidare
guided missile missile guidato
guiding a dirigente
guild n associazione, corporazione
guile n astuzia, frode f; –**less** a ingenuo
guillotine n ghigliottina; — vt ghigliottinare
guilt n colpa; –**less** a innocente; –**y** a colpevole
guinea pig porcellino d'India
guise n forma, guisa, sembianza
guitar n chitarra; –**ist** n chitarrista m
gulch n burrone profondo, baratro
gulf n golfo
gull n gabbiano; **sea** — gabbiano di mare
gullible a credulone
gully n burrone m, condotto, cunicolo
gulp n sorsata, boccone m; — vt ingoiare
gum n gomma; (anat) gengiva; (bot) resina; — **tree** albero da gomma
bubble — cicla bomba; **chewing** — gomma da masticare
gumdrop n pasticca di gomma
gummed a gommato, ingommato; — **tape** nastro adesivo
gummy a (adherent) aderente; (rubber) gommoso; (sticky) attaccaticcio
gumption n (coll) spirito d'iniziativa
gun n cannone, fucile m, pistola; — **barrel** canna di fucile; — **butt** calcio di fucile; — **permit** porto d'armi; –**fire** n sparo di cannone; –**man** n assassino; –**powder** n polvere da sparo; –**shot** n tiro di arma da fuoco; –**smith** n armaiolo
gunner n artigliere m; –**y** n artiglieria, balistica
gun-shy a pauroso delle armi da fuoco
gurgle vi gorgogliare; — n gorgoglio
gush vi zampillare; sgorgare; (coll) entusiasmarsi eccessivamente; — n zampillo; –**er** n (oil) getto di petrolio; –**ing** a sgorgante; (person) espansivo; –**y** a meloso, affettatamente sentimentale
gust n raffica; (rush) impeto
gusto n trasporto, entusiasmo
gusty a burrascoso, tempestoso, ventoso
gut n budello; — vt sventare
guts npl intestini mpl; budella fpl; (sl) coraggio, fegato (fig); **have** — (sl) aver coraggio
gutter n (curb) cunetta; (roof) gronda
guttersnipe n monello
guttural a gutturale

guy *n (sl)* tipo, individuo
gymnasium *n* palestra
gymnastics *npl* ginnastica
gypsy *n* zingaro

gypsum *n* gesso
gyrate *vi* girare
gyration *n* rotazione
gyroscope *n* giroscopio

H

haberdashery *n* merceria
habit *n* abitudine *f*
habitable *a* abitabile
habitation *n* dimora, abitazione
hack *vt* mutilare; tagliare all'azzardo; — *vi* tossicchiare; — *n* lacerazione, taglio; *(cab)* carrozza; — **writer** scrittorello *(fig)*
hackneyed *a* trito, banale
haddock *n* merluzzo; **dried** — baccalà *m*
hag *n* vecchia strega
haggard *a* sparuto, allampanato; *(wild)* selvatico
haggle *vi* mercanteggiare
Hague, The L'Aia
hail *n* grandine *f; (greeting)* saluto; – **stone** *n* chicco di grandine; **–storm** *n* grandinata; — *vi* grandinare; — *vt* salutare, acclamare
hair *n (animal)* peli *mpl; (human)* capelli *mpl;* **split –s** cercare il pelo nell'uovo *(fig);* **–brush** *n* spazzola; **–cut** *n* taglio di capelli; **–dresser** *n* parrucchiere *m*, pettinatrice *f;* **–pin** *n* forcina; **–spring** *n (mech)* molla del bilanciere
hair– *(in comp)* **–do** *n* pettinatura; **—raising** *a (coll)* raccapricciante
hairy *a* capelluto, peloso
hale *a* sano, vigoroso
half *n* metà; — **a dozen** mezza dozzina; — **as much** la metà di; — *a* mezzo; — **brother** fratellastro; fratello uterino; — **sister** sorellastra; sorella uterina; — *adv* a metà; in mezzo
half– *(in comp)* **—and-half** *a* mezzo e mezzo; sì e no; così; **—baked** *a (food)* cotto a metà; *(person)* inesperto; **—breed**, **—caste** *n* meticcio, mezzosangue *m;* **—holiday** *n* mezza festa; **—hour** *n* mezz'ora; — **life** *n* semisviluppo di una reazione nucleare; **—light** *n* mezza luce; **—slip** *n* sottogonna, sottoveste a vita; **—truth** *n* verità detta a metà; **—turn** *n* mezza volta; **—wit** *n* mezzo stupido
halfhearted *a* indifferente, apatico; senza entusiasmo
half sole mezza suola
halfway *a* equidistante, mezzo; — *adv* a metà, a metà strada
halibut *n* rombo
halitosis *n* alito pesante

hall *n* sala, aula, **–way** *n* corridoio
hallmark *n* marchio ufficiale per garantire il grado di purezza
hallow *vt* consacrare
hallucination *n* allucinazione
halo *n* alone *m*
halt *vi* fermarsi; — *n* fermata, pausa
halter *n* cavezza
halve *vt* dimezzare
halves *npl* **by** — a metà; **go** — dividere la spesa
ham *n* prosciutto; *(coll, rad)* radioamatore *m, (coll, theat)* cattivo attore; — **and eggs** uova e prosciutto
hamburger *n* carne macinata *f;* — **on a bun** panino ripieno di polpetta
hammer *n* martello; — *vt* martellare
hamper *n* canestro; — *vt* ostacolare
hamstring *vt* sgarrettare, tagliare i garretti
hand *n* mano *f; (measure)* spanna; *(watch)* lancetta; — **and glove** strettamente confidenziale; come pane e cacio; — **in** — strettamente confidenziale *(fig);* con la mano in mano; — **over** — una mano dopo l'altra; — **to** — di mano in mano; **at** — a portata di mano; **by** — a mano; **by the** — per mano; **out of** — fuori controllo; **have the upper** — aver controllo; **lend a** — dare una mano *(fig);* **old** — esperto; **on** — fra le mani, alla mano; **on the other** — dall'altro lato, d'altra parte; **show one's** — rivelare le proprie intenzioni; **upper** — sopravvento
hand *vt* porgere; — **down** trasmettere per successione; — **over** *(com)* consegnare
hand– *(in comp)* **—made** *a* fatto a mano; **live —to-mouth** vivere alla giornata
handbag *n* borsa; *(luggage)* valigetta
handbill *n* annunzio, avviso
handbook *n* manuale *m*
handcuff *n* manetta; — *vt* ammanettare
handful *n* pugno, manata; — **of** mano piena di
handicap *n* ostacolo; *(disadvantage)* svantaggio; — *vt* ostacolare
handicraft *n* artigianato
handkerchief *n* fazzoletto
handle *n* manico; — *vt* maneggiare, toccare
handling *n* manipolazione, maneggio, trat-

tamento
handout n (sl) elemosina
hands npl mani fpl; — **down** adv facilmente; — **off** interj giù le mani; — **up** interj mani in alto; **change** — cambiar mani; **shake** — **with** stringere la mano; **wash one's** — **of** lavarsi le mani (fig)
handshake n stretta di mano
handsome a bello, simpatico, generoso
handspring n salto acrobatico
handwork n lavoro manuale
handwriting n scrittura
handwritten a manoscritto; scritto a mano
handy a comodo, abile; a portata di mano
handyman n fasservizi m
hang vi pendere, penzolare; (execute) impiccare; — **around** indugiare; — **back** esitare; — **in the balance** stare in bilico; — **on** tenersi attaccato a; — **one's head** chinare la testa; — **together** accordarsi; essere attaccato l'un l'altro (fig); — **up** appendere, sospendere
hangar n hangar m, aviorimessa
hangdog a abbattuto
hanger n gancio; **coat** — attaccapanni m
hanger-on n parassita, scroccone m, seguace m
hanging n sospensione; — a pensile, pendente; **-s** npl tappezzerie fpl, tendine fpl
hangman n boia, carnefice m
hangnail n pipita
hangover n mal di testa dopo una bevuta
hank n matassa
hanker vi bramare
hankering n desiderio ardente
haphazard a fortuito, accidentale
happen vi accadere, avvenire, capitare; — **on** capitare, imbattersi
happening n avvenimento
happily adv felicemente
happiness n felicità, contentezza
happy a felice, contento, lieto
happy-go-lucky a spensierato
harangue n arringa; — vt&i arringare
harass vt molestare, tormentare
harbor n porto; — vt&i albergare
hard a duro; difficile, severo; — **and fast** saldo; — **cash** contanti mpl; — **coal** antracite f; — **luck** scalogna, iella; — **of hearing** duro d'orecchio; — **put** (coll) ostacolato; — **to please** difficile d'accontentare; — **up** (coll) al verde, nei guai
hard adv fortemente; **try** — sforzarsi arduamente
hard- (in comp) **—boiled** a duro; (coll) molto sofisticato; **—earned** a guadagnato con fatica; **—working** a laborioso,

lavoratore
harden vt indurare; (steel) temprare; **–ed** a indurito
hardhearted a inumano, duro
hardihood n resistenza
hardiness n vigore m, robustezza
hardly adv appena, difficilmente, quasi, duramente
hardness n durezza, difficoltà
hardship n avversità, pena
hardware n ferramenta fpl, utensileria; — **store** negozio di ferramenta
hardwood n legno duro
hardy a robusto, vigoroso; (daring) audace
harebrained a temerario, imprudente
harlot n prostituta
harm n male m, danno; **–ful** a nocivo, dannoso; **–less** a innocuo; — vt nuocere, fare del male
harmonica n armonica
harmonious a armonioso, armonico
harmonize vt&i armonizzare; (agree) concordare; — **with** andar bene con
harmony n armonia
harness n bardatura, finimenti mpl; armatura; (fig) restrizione; — vt bardare; (connect) attaccare
harp n arpa; — vi suonare l'arpa; — **on** (fig) insistere, ripetere
harpoon n rampone m, fiocina
harridan n vecchiaccia
harrow n erpice m; — vt straziare; (agri) erpicare; **–ing** a straziante, atroce
harry vt devastare, saccheggiare
harsh a rude, brusco
harshness n asprezza; (sound) discordanza
harum-scarum a scervellato, sventato
harvest n raccolto, messe f; — **moon** luna della mietitura; — vt mietere, fare il raccolto; **–er** n mietitore m; (mech) mietitrice f
has-been n (coll) decaduto
hash n carne macinata; carne tritata con patate
hasp n serramento, fermaglio
hassock n cuscino
haste n furia, fretta; — **makes waste** chi va piano va sano
hasten vt affrettare, accelerare; — vi affrettarsi
hastily adv in fretta, affrettatamente, presto
hasty a frettoloso
hat n cappello; — **rack** poggia-cappello; **pass the** — fare una colletta; **top** — cappello a cilindro; **–band** n nastro del cappello; **–box** n cappelliera; **–less** a scappellato; senza cappello
hatch n covata; (naut) boccaporto; — vt

(eggs) covare; *(idea)* tramare; *(print)* tratteggiare; — *vi* uscire dall'uovo

hatchet *n* accetta; **bury the** — riconciliarsi

hate *n* odio; **–ful** *a* odioso; — *vt* detestare, odiare, abominare

hatred *n* odio

haughtily *adv* arrogantemente

haughtiness *n* superbia, alterigia

haughty *a* altezzoso

haul *vt* trasportare, rimorchiare, tirare

haunch *n* anca; *(meat)* coscia

haunt *vt* frequentare; *(follow)* perseguitare; — *n* ricovero, covo, ritiro; **–s** *npl* locali preferiti

haunted *a* visitato dagli spiriti

have *vt* possedere, avere; — **a look at** dare una guardata a; — **on** *(wear)* indossare; — **something done** far fare qualche cosa

haven *n* rifugio, porto

havoc *n* strage *f*, rovina; **play** — **with** devastare

hawk *n* falcone *m*; — *vi* fare il venditore ambulante

hawser *n* gomena

hawthorn *n* biancospino

hay *n* fieno; — **fever** febbre del fieno; **–loft** *n* fienile *m*; **–maker** *n* fienatore *m*; *(boxing)* pugno decisivo; **–rack** *n* covone di fieno; **–stack** *n* mucchio di fieno

hazard *m* rischio, azzardo; — *vt&i* arrischiare; **–ous** *a* azzardato

haze *n* bruma, caligine *f*; — *vt* annebbiare

hazel *n* nocciuolo; — **nut** nocciuola; — *a* di nocciuola

hazy *a* confuso, indistinto; *(misty)* caliginoso

he *pron* egli, lui; — **who** colui che

head *n* testa, capo; *(river)* sorgente *f*; — **of hair** capigliatura; — **over heels** *a* gambe levate, capovolto; **–s or tails** testa o croce; **at the** — in capo a; **alla testa di; come to a** — raggiungere il colmo; *(med)* suppurare; **from** — **to foot** da capo a piedi; **go to one's** — montare alla testa; **keep one's** — tenere la testa a posto; **lose one's** — perdere la testa; **out of one's** — fuori di mente

head *vt* capeggiare, dirigere; — **off** stornare, deviare

headache *n* dolor di testa; mal di capo

headdress *n* pettinatura

headfirst *adv* a capofitto

headgear *n* copricapo; *(cap)* cuffia; *(hat)* cappello

heading *n* titolo

headland *n* promontorio, capo

headlight *n* faro, fanale *m*

headline *n* titolo, intestazione *f*

headlong *adv* a capofitto, precipitatamente; — *a* violento, impetuoso

head-on *a&adv* testa-testa

headphone *n* cuffia telefonica

headquarters *npl* sede *f*; quartier generale; ufficio centrale

headrest *n* poggiatesta

headstone *n* lapide *f*

headstrong *a* testardo

headway *n* progresso, cammino; **make** — progredire, far strada

heady *a* che da alla testa

heal *vt* guarire, sanare

healing *n* guarigione *f*; — *a* curativo

health *n* salute *f*, sanità; — **officer** ufficiale sanitario; — **resort** stazione climatica; **bill of** — certificato di salute; **–y** *a* sano; in buona salute

healthful *a* sano; **–ness** *n* salute, salubrità

heap *n* mucchio, cumulo; — *vt* ammassare, ammucchiare

hear *vt* sentire, udire; — **about** sentire riguardo a; — **from** aver notizie di; — **of** essere informato circa

hearing *n (audience)* udienza; *(sense)* udito; — **aid** apparecchio acustico; **hard of** — duro d'orecchio

hearsay *n* diceria, voce *f*

hearse *n* carro funebre

heart *n* cuore *m; to one's –'s content* a piacimento, con gioia di cuore; — **trouble** disturbo cardiaco; **by** — a memoria; **with all my** — con tutto il mio cuore; — *a* cardiaco

heartbreaking *a* straziante

heartbroken *a* angosciato, straziato, affranto

heartburn *n* bruciore di stomaco

heartfelt *a* sincero, caldo, profondo, intenso

hearten *vt* incoraggiare

heartiness *n* cordialità

hearth *n* focolare *m*

heartless *a* spietato, senza cuore

heart-rending *a* straziante

heartsick *a* afflitto, abbattuto; con la morte nel cuore *(fig)*

heart-to-heart *a* cuore a cuore

hearty *a* cordiale, vigoroso; *(abundant)* abbondante

heat *n* calore *m*, caldo; *(sport)* eliminatoria, preliminare *m*; **dead** — *(sport)* corsa alla pari; **prickly** — eruzione della pelle per il caldo; **–stroke** *n* insolazione; colpo di caldo; — **wave** ondata di caldo; — *vt* scaldare, riscaldare, infiammare; — *vi* scaldarsi, infiammarsi

heated *a* riscaldato; *(excited)* agitato;

(inflammed) infiammato
heater *n* riscaldatore *m*; **electric —** stufettina elettrica; **water —** scaldabagno
heathen *n&a* pagano
heating *n* riscaldamento; **— pad** cuscino termico
heat-resistant *a* refrattario al calore; resistente al calore
heave *vt* gettare, sollevare; **—** *vi* (bulge) gonfiarsi; *(emit)* vomitare; *(lift)* sollevarsi; **— a sigh** emettere un sospiro; **— in sight** apparire; **—** *n* sollevamento, sussulto
heaven *n* paradiso; *(sky)* cielo; **–ly** *a* celeste, divino
heavily *adv* pesantemente; *(much)* molto, assai; *(seriously)* gravemente
heaviness *n* pesantezza
heavy *a* pesante; **–weight** *n* *(sport)* peso massimo
heavy-handed *a* severo, oppressivo
Hebrew *n&a* ebreo, ebrea
heckle *vt* cardare, pettinare; interrompere importunamente; **–r** *n* interruttore importuno
hectic *a* agitato, movimentato; *(feverish)* febbrile
hectogram *n* ettogrammo, etto *(coll)*
hedge *n* siepe *f*; *(defense)* protezione; **—** *vt* assiepare, circondare di siepe; **— in** *(restrict)* restringere; **—** *vi* fare siepi; evadere una domanda
hedgehop *vi* (avi) volare a bassa quota; **—** *n* volo a bassa quota
hedonist *n* edonista *m&f*
heed *vt* badare; dar retta; **—** *n* attenzione
heel *n* *(foot)* tallone *m*; *(shoe)* tacco; *(coll)* carogna (fig) **—** *vt* rattacconare; **—** *vi* *(naut)* sbandarsi
heels *npl* tacchi *mpl*; **fall head over —** cadere a gambe levate; **take to one's —** svignarsela; battere i tacchi
hefty *a* vigoroso, robusto, gagliardo
heifer *n* giovenca
height *n* *(altitude)* elevatezza; *(avi)* quota; *(loftiness)* altezza, *(people)* statura; **–en** *vt* aumentare, intensificare
heir *n* erede *m&f*; **— apparant** erede diretto; **— presumptive** erede presunto
heiress *n* ereditiera
heirloom *n* ereditato; mobile di famiglia
hegemony *n* egemonia
helicopter *n* elicottero
heliotherapy *n* elioterapia
heliport *n* eliporto
hell *n* inferno; **–ish** *a* infernale
hellcat *n* megera
hello *interj* salve, ciao; *(phone)* pronto
helm *n* timone *m*; *(control)* comando

helmet *n* casco, elmo
help *vt* aiutare; **— down** aiutare a scendere; **— oneself** aiutarsi; **— out** aiutare; **H– yourself!** Si serva!; **I can't — it** Non è colpa mia
help *n* aiuto, soccorso; *(assistant)* aiutante *m*; *(remedy)* rimedio; **no — for it** è fatale; **–ful** *a* utile; **–less** *a* impotente, debole, indifeso
helping *n* porzione *f*; **—** *a* utile, soccorrevole
helpmate *n* consorte *m&f*, marito, moglie *f*
helter-skelter *adv* alla rinfusa
hem *n* orlo; **—** *vt* orlare; **— in** cingere, circondare
hemisphere *n* emisfero
hemoglobin *n* emoglobina
hemolysin *n* *(immunology)* emolisina, anticorpo del sangue
hemophilia *n* emofilia
hemophyliac *n* emofiliaco
hemorrhage *n* emorragia
hemorrhoids *npl* emorroidi *fpl*
hemp *n* canapa
hemstitch *n* orlo a giorno; **—** *vt* orlare a giorno
hen *n* gallina; *(birds)* femmina; **— tracks** *(writing)* zampa di gallina *(fig)*; **–coop** *n* gallinaio; piccolo pollaio
hence *adv* di qui, da ora; *(therefore)* perciò
henceforth *adv* da ora in poi
henna *n* ennè *f*
hepatic *a* epatico
her *pron* la; lei; **—** *a* il suo, la sua; **–self** *pron* sè; lei stessa, sè stessa
herald *n* araldo; **—** *vt* annunziare, proclamare; **–ry** *n* araldica
herb *n* erba; **–ivorous** *a* erbivoro
herd *n* gregge *m*, folla; **the common —** gente ordinaria; **—** *vi* far gregge
here *adv* qui; qua; **—** **is, — are** ecco; **that's neither — nor there** è di poca importanza; **–abouts** *adv* da queste parti; qui vicino; **–by** *adv* per questo mezzo; per mezzo della presente; **–in** *adv* qui, in questo; qui accluso; **–with** *adv* unitamente
hereafter *adv* da ora in poi; in avvenire; **—** *n* l'altro mondo
hereditary *a* ereditario
heredity *n* eredità
heresy *n* eresia
heretic *n* eretico
heretofore *adv* fin qui
heritage *n* retaggio
hermaphrodite *n* ermafrodite *m&f*
hermetic *a* ermetico; **–ally** *a* ermeticamente
hermit *n* eremita *m*

hernia *n* ernia
hero *n* eroe *m*; *(theat)* protagonista *m*; **–ic** *a* eroico; **–ics** *npl* eroica; linguaggio letterario; **–ism** *n* eroismo
heroin *n* eroina
heroine *n* eroina, protagonista
herring *n* aringa
hers *pron* il suo, la sua
hesitancy *n* esitazione
hesitate *vi* esitare
hesitation *n* esitazione *f*
heterodox *a* eterodosso
hew *vt* fendere; — **down** abbattere; — **to the line** rimanere negli stretti limiti
hexameter *n* esametro
hiatus *n* iato; lacuna *(fig)*
hibernate *vi* svernare; svernare in letargo
hibernation *n* ibernazione
hiccough *n* singhiozzo; — *vi* avere il singhiozzo
hidden *a* celato, nascosto; segreto, occulto
hide *vt* nascondere, celare; — *vi* nascondersi; — *n* pelle *f*
hide– *(in comp)* **—and-seek** *n* rimpiattino: **—out** *n* nascondiglio
hidebound *a* testardo; di corte vedute *(fig)*
hideous *a* bruttissimo, orribile
hiding *a* che nasconde, che si nasconde
hierarchy *n* gerarchia
hieroglyphics *npl* geroglifici *mpl*
hi-fi *n* *(rad, coll)* alta fedeltà
high *a* alto, elevato; *(drunk, sl)* brillo, ubbriaco; — **and low** ovunque; — **and mighty** arrogante; — **jump** salto in alto; — **noon** pieno mezzogiorno; — **seas** alto mare; — **school** scuola media; — **spirits** coraggio, animo; — **tide** punto culminante; — **time** ultimo momento
high– *(in comp)* **—class** *a* d'alta classe; di qualità superiore; **—grade** *a* di qualità superiore; d'alto grado; **—handed** *a* arbitrario; **—minded** *a* magnanimo; **—necked** *a* dal colletto alto; **—pitched** *a* stridulo, acuto; **—priced** *a* caro, costoso; **—sounding** *a* sonoro, altisonante; **—spirited** *a* audace, vivo, pieno di coraggio (*or* d'energia); **—strung** *a* nervoso, emotivo; **—tension** ad alta tensione; **—test** *a* d'alta prova, con basso grado d'ebollizione
highball *n* whisky con soda e ghiaccio
highbrow *n* sapientone, intellettuale
higher *a* più elevato, superiore
highest *a* il più alto, massimo
highhanded *a* arrogante, prepotente
High Mass *n* Messa Alta
highness *n* elevatezza, altezza; **Your H–** Sua Altezza
highway *n* camionale *f*; strada maestra;

–man *n* grassatore *m*, bandito, ladrone di strada
hijack *vt* *(coll)* contrabbandare; rubare; **–ing** *n* contrabbando; furto
hike *n* marcia; gita a piedi; — *vi* vagabondare
hiking *n* escursione, marcia; — *a* d'escursione, di marcia
hilarious *a* ilare, molto allegro
hilarity *n* ilarità
hill *n* collina, colle *m*; **–side** *n* fianco di collina
hilly *a* collinoso, montuoso
hilt *n* elsa, impugnatura
him *pron* lo, lui; **–self** *pron* sè, egli stesso; lui stesso, sè stesso
hind *n* *(zool)* cerva, daina; — *a* posteriore, dietro, di dietro; — **legs** gambe posteriori; **–quarters** *n* quarti di dietro; **–sight** *n* retrospezione
hinder *vt* impedire, ostacolare
hindrance *n* ostacolo, inciampo
hinge *n* cardine *m*; — *vt* incardinare; — **on** dipendere da
hint *n* cenno, traccia; **drop a** — fare una insinuazione; **take a** — capire a volo *(fig)*; — *vt&i* insinuare; — **at** alludere
hip *n* anca, fianco
hippodrome *n* ippodromo
hire *vt* noleggiare, prendere in affitto; — *n* noleggio, salario; **for** — da nolo
hireling *n* prezzolato, mercenario
hirsute *a* ispido, irsuto
his *pron* il suo, la sua
hiss *vt&i* fischiare; — *n* sibilo
histamine *n* istamina
historian *n* storico
historic, historical *a* storico
history *n* storia
histrionics *npl* drammaturgia
hit *vt* colpire, battere; — **the ceiling** *(coll)* perdere le staffe *(fig)*; — **the jackpot** *(coll)* avere una fortuna sfacciata; — **the mark** dare nel segno; — **the spot** dare giusto nel punto; — *n* colpo, successo; *(coll)* battuta; — **or miss** trascuratamente, a casaccio
hitch *n* impedimento; *(naut)* nodo; — *vt&i* attaccare; **–hike** viaggiare con l'autostop
hitherto *adv* finora; fin qui
hit-or-miss *a* negligente
hive *n* alveare *m*; **–s** *n* *(med)* orticaria
hoard *n* cumulo, mucchio; — *vt* accumulare, ammassare
hoarse *a* rauco
hoary *a* canuto, bianco; *(old)* vecchio
hoax *n* beffa, inganno; *(joke)* scherzo; —

vt fare uno scherzo; corbellare

hobble *n* imbarazzo, pastoia; *(limp)* zoppicamento; — *vi* zoppicare; — *vt* *(horse)* impastoiare

hobby *n* passatempo, distrazione; — **horse** cavallino a dondolo

hobnob *vi* bere insieme, dare del tu, prendersi confidenza

hobo *n* vagabondo

hock *n* garretto; **in** — *(coll)* in pegno; al Monte di Pietà *(coll)*; — *vt* sgarrettare

hocus-pocus *n* giuoco di prestigio

hodgepodge *n* guazzabuglio

hoe *n* zappa; — *vt&i* zappare

hog *n* maiale *m,* porco; **–gish** *a* porcino, suino; *(fig)* bestiale, sporco; **–wash** *n* beverone del porco

hoist *vt* alzare, innalzare; *(naut)* issare; — *n* montacarichi *m*

hold *n* presa; sostegno, appoggio; *(naut)* stiva; — *vt* occupare; *(keep)* tenere; *(sustain)* sopportare; — **back** frenare, impedire; — **forth** offrire, promettere; — **on** star fermo; — **one's tongue** tener la lingua a freno; — **out** resistere a; — **over** aggiornare, posporre, detenere; — **up** sostenere; **get** — **of** impugnare; aver in pugno; **have a** — **on** far presa su; **take** — **of** afferrare; dar di piglio a

holdup *n* furto a mano armata; *(delay)* ritardo

hole *n* foro, buco; **in the** — *(coll)* in debito; **put in a** — *(coll)* imbarrazzare

holiday *n* festa

holiness *n* santità

Holland Olanda

hollow *n* vuoto; — *a* cavo, concavo; *(empty)* vuoto; *(deep)* cupo; *(fig)* falso, vano; *(sound)* sordo; — *vt* scavare

hollow– *(in comp)* **–cheeked** *a* dalle guance infossate; **–eyed** *a* dagli occhi infossati

holly *n* agrifoglio

hollyhock *n* malvarosa, alcea

holster *n* fondina

holy *a* santo; — **water;** acqua santa; **H–Week** settimana santa

homage *n* omaggio, rispetto

home *n* casa, focolare *m;* — **stretch** *(race)* retta finale; — **town** paese natio; **–land** *n* patria; **–less** *a* senza tetto; **–like** *a* comodo, intimo; **–made** *a* casalingo; fatto in casa; **–maker** *n* massaia; padrona di casa; — *a* casalingo, nostrano; di casa

home-coming *n* ritorno a casa

homely *a* brutto, sgraziato

homesick *a* nostalgico; **–ness** *n* nostal-gia

homeward *adv&a* verso casa

homicidal *a* omicida

homicide *n* omicidio

homogenized *a* omogeneizzato

homogenous *a* omogeneo

homonym *n* omonimo

homosexual *n* omosessuale

hone *vt* affilare con cote; — *n* cote *f*

honest *a* onesto; *(frank)* veritiero, sincero, leale; **–y** *n* onestà, probità, *(morals)* correttezza

honey *n* miele *m; (fig)* tesoro *(fig),* carino; **–comb** *n* favo; **–dew melon** melone melato

honeymoon *n* luna di miele

honor *n* onore *m; (glory)* onorificenza; **on my** — sul mio onore; **point of** — punto d'onore; **word of** — parola d'onore; — *vt* onorare; — **a draft** accettare una cambiale; **–ed** *a* onorato, rispettato; **–s** *npl* onori *mpl*

honorable *a* onorevole

honorary *a* onorario, onorifico

hood *n* cappuccio; *(auto)* cofano; *(sl)* mascalzone *m;* camorrista *m (coll)*; **–ed** *a* incappucciato

hoodlum *n (coll* malvivente *m,* teppista *m*

hoodoo *(coll)* iettatore *m*

hoodwink *vt* ingannare

hoof *n* zoccolo, unghia

hook *n* uncino; — **and eye** gancio ad occhio; **by** — **or crook** con le buone o con le cattive *(coll)*; **on one's own** — indipendente; **–up** *n (rad, TV)* connessione; **–worm** *n* verme intestinale; — *vt* agganciare, uncinare

hooky *n* **play** — marinare la scuola

hoop *n* cerchione *m,* cerchio, anello

hop *vi* saltellare; — *n* salto, salto su piede; **–s** *npl (bot)* luppoli *mpl*

hope *n* speranza; — *vt&i* sperare, aver fiducia, confidare; **–ful** *a* promettente; pieno di speranza; **–less** *a* disperato

hopper *n* tramoggia

hopscotch *n* giuoco fanciullesco dove si saltella

horde *n* orda

horizon *n* orizzonte *m*

hormone *n* ormone *m*

horn *n* tromba; *(animal)* corno; *(auto)* clacson *m;* — **in** *(sl, intrude)* intromettersi; **blow one's own** — lodarsi; **blow the** — strombettare; **–ed** *a* cornuto, cornifero; **–y** *a* corneo, calloso

horns *npl* corna *fpl;* **pull in one's** — mordere il freno *(fig)*

hornet *n* calabrone *m;* **—'s nest** vespaio

horoscope *n* oroscopo

horrible *a* orribile

horrid *a* orrendo, brutto

horrify *vt* atterrire

horror *n* orrore *m*

hors d'œuvres *npl* antipasto

horse *n* cavallo; — **sense** buon senso; — **trainer** cavallerizzo; allenatore di cavalli; **race** — cavallo da corsa; **get on one's high** — *(fig)* darsi delle arie *(coll)*; **work like a** — lavorare come un cavallo; **–man** *n* cavaliere *m*; **–play** *n* giuochi di mano *(fig)*; **–power** *n* cavalli vapore; **–shoe** *n* ferro di cavallo

horseback *n* groppa; — *adv* in groppa

horseradish *n* rafano

horticulture *n* orticultura

hose *n* manichetta, tubo flessibile; — *npl* calze *fpl*

hosiery *n* calze *fpl;* — **store** negozio di calze

hospitable *a* ospitale

hospital *n* ospedale *m*; clinica; — **insurance** assicurazione ospitaliera; **maternity** — casa di maternità

hospitality *n* ospitalità

hospitalize *vt* ricoverare in ospedale, ospitalizzare

host *n* ospite *m*, padrone di casa *(coll)*; *(inn)* oste *m*; *(crowd)* moltitudine *f*

Host *n (eccl)* Ostia, Particola

hostage *n* ostaggio

hostel *n* locanda; **youth** — albergo per la gioventù

hostess *n* ospite *f*; padrona di casa *(coll)*; *(inn)* ostessa; *(avi)* hostess *f*

hostile *a* ostile

hostility *n* ostilità

hot *a* caldo; *(food)* piccante; **be in** — **water** *(coll)* essere nei guai; **make it** — **for** *(coll)* dare filo da torcere; **–bed** *n* concimaia; **–foot** *adv* in fretta e furia; **–house** *n* serra; **–water bag** borsa dell'acqua calda

hot– *(in comp)* **—blooded** *a* ardente, impetuoso; **—headed** *a* impetuoso; **—rod** *(sl)* vecchia automobile con motore sovralimentato; **—tempered** *a* collerico

hotel *n* albergo, hotel *m*

hotly *adv* caldamente; *(passionately)* vementemente

hound *n* bracco; — *vt (fig)* perseguitare

hour *n* ora; **half an** — mezz'ora; — **hand** lancetta delle ore; **per** — per ora; **work by the** — lavorare a ore

hourly *adv* ogni ora, tutte le ore; — *a* frequente, che accade ogni ora

house *n* casa; *(com)* ditta; *(legislative)* camera; **full** — *(theat)* sala al completo; **–fly** *n* mosca domestica; **–keeper** *n* governante *f*; **–wife** *n* massaia; **–work** *n* lavoro di casa, faccenda di casa; — *vt* alloggiare

housedog *n* cane da guardia

household *n* famiglia, focolare domestico *(fig)*; — **management** gestione della casa

house physician medico residente

housing *n* alloggio; *(mech)* carter *m*

hovel *n* bicocca, capanna, tugurio

hover *vi* gravitare, esitare, attardarsi; — **over** librarsi su

how *adv* come; — **many** quanti *mpl*, quante *fpl*; — **much** quanto; — **often** quante volte

however *conj* però; per quanto; — *adv* ciononostante, comunque

howl *vi* urlare; — *n* urlo, lamento

hub *n* centro; *(auto)* mozzo; **–cap** *n* piatto della ruota

hubbub *n* tumulto

huckster *n* merciaiolo, trafficante *m*

huddle *n* calca, folla, confusione; — *vt* mettere insieme; — *vi* accalcarsi, affollarsi

hue *n* tinta; — **and cry** clamore di grida

huff *n* sfuriata; **–y** *a* stizzito

hug *vt* stringere, abbracciare; — *n* abbraccio

huge *a* enorme; **–ly** *adv* enormemente; **–ness** *n* enormità

hulk *n (naut)* carcassa di nave; **–ing** *a* grosso, goffo, pesante

hull *n* guscio, baccello; *(bot)* guscio, mallo; — *vt* sgusciare

hullabaloo *n* baccano

hum *vt&i (buzz)* ronzare; *(murmur)* mormorare; *(tune)* canticchiare; — *vi (tune)* cantarellare; — *n* mormorio

human *a* umano; — *n* esser umano; **–ly** *adv* umanamente

humane *a* umano, compassionevole

humanitarian *a* umanitario

humanity *n* umanità

humankind *n* umanità; genere umano

humble *a* umile; — *vt* umiliare; — **oneself** umiliarsi

humbly *a* umilmente

humbug *n* inganno, imbroglio; *(quack)* ciarlatano, impostore *m*; — *vt* ingannare, imbrogliare

humdrum *a* banale, monotono

humid *a* umido; **–ity** *n* umidità

humiliate *vt* umiliare

humiliation *n* umiliazione

humility *n* umiltà

humor *n* umore *m*, spirito; **bad** — malumore; **good** — buonumore; — *vt* compiacere; lasciar fare; **–ous** *a* comico, spiritoso, bizzarro, fantastico; *(whimsical)* capriccioso

humorist *n* umorista *m*
hump *n* gobba
hunch *n* gobba; *(coll)* presentimento, intuizione *f*; **–back** *n* gobbo
hundred *a&n* cento; **about a** — un centinaio; **–th** *a* centesimo
Hungarian *a&n* ungherese *m&f*
Hungary Ungheria
hunger *n* fame *f*; — *vi* aver fame, affamarsi, patir fame; — *vt* affamare; — **for** bramare
hungrily *adv* famelicamente
hungry *a* affamato; **be** — aver fame
hunk *n* massa
hunt *n* caccia, inseguimento; — *vt* inseguire, perseguitare, cacciare; — **down** perseguire; — *vi* andare a caccia; — **for** cercare; **–er** *n* cacciatore *m*; **–ing** *n* caccia
hurdle *n* ostacolo; — *vt* superare
hurdy-gurdy *n* organetto di Barberia
hurl *vt* scagliare, lanciare; — **back** rilanciare; *(reply)* ribattere *(fig)*
Hurrah! *interj* Bravo!; Evviva!
hurricane *n* uragano
hurried *a* affrettato; **–ly** *adv* affrettatamente
hurry *n* fretta; **be in a** — aver fretta; **in a** — in fretta; — *vt* affrettare, sollecitare; — *vi* affrettarsi, far presto; — **away** svignarsela, andarsene in fretta, — **back** tornare in fretta; — **on** affrettare, affrettarsi; — **over** fare in fretta, affrettare; — **up** affrettarsi, spicciarsi
hurt *vt* far male a; *(feelings)* offendere; — *vi* dolere; — *n* ferita, male *m*, danno; — *a* danneggiato; ferito; offeso
hurtle *vi (dash)* precipitarsi; — *vt* lanciare
husband *n* marito
husbandry *n* agricoltura
hush *n* silenzio; — *vt&i* azzittire, far tacere, tacere; **H–!** *interj* Stai zitto!
husk *n* guscio, baccello; — *vt* sgusciare; **–iness** *n* raucedine *f*; **–y** *a* robusto; rauco
hussy *n* donna impertinente, sfacciata
hustle *n (coll)* energia; — *vt&i (hurry)*

sbrigarsi; *(push)* spingere, dare spintoni; — **and bustle** andirivieni *m*
hustler *n (coll)* persona energica
hut *n* capanna
hutch *n* capanna; **rabbit—** conigliera
hyacinth *n* giacinto
hybrid *n* ibrido
hydrant *n* idrante *m*
hydraulic *a* idraulico; **–s** *npl* idraulica
hydrocarbon *n* idrocarburo
hydrocephalus *n* idrocefalo
hydrochloric *a* idroclorico
hydrofoil *n* aliscafo
hydrogen *n* idrogeno; — **bomb** bomba all'idrogeno; — **peroxide** *n* perossido d'idrogeno, *(chem)* acqua ossigenata
hydrolysis *n* idrolisi *f*
hydrophobia *n* idrofobia
hydroplane *n* idroplano
hydroponics *npl* idrocultura, idroponia
hydrostatics *npl* idrostatica
hydrotherapy *n* idroterapia
hyena *n* iena
hygiene *n* igiene *f*
hygienic *a* igienico
hymn *n* inno
hyperacidity *n* iperacidità
hyperbole *n* iperbole *f*
hypersonic *a* ipersonico, supersonico
hypertension *n* ipertensione
hypertrophy *n* ipertrofia
hyphen *n* trattino, lineetta
hypnotic *a* ipnotico
hypnotism *n* ipnotismo
hypnotize *vt* ipnotizzare
hypochondriac *n&a* ipocondriaco, ipocondriaca
hypocrisy *n* ipocrisia
hypocrite *n* ipocrita *m*
hypocritical *a* ipocrito
hypodermic *a* ipodermico
hypothesis *n* ipotesi *f*
hypothetical *a* ipotetico
hysterectomy *n* isterettomia
hysteria *n* isteria, isterismo
hysterical *a* isterico
hysterics *npl* accesso d'isterismo

I

I *pron* io
ice *n* ghiaccio; — **age** era glaciale; — **bag** *(med)* borsa da ghiaccio; — **cream** gelato; — **pack** lastrone di ghiaccio; — **skates** pattini da ghiaccio; — **water** acqua ghiacciata; **–berg** *n* borgognone *m*; iceberg *m*; **–box** *n* ghiacciaia; **–d** *a* ghiacciato, gelato; *(frosted)* candito; — **a cake** candire un dolce

ice-cream cone cono di gelato
ice-skate *vi* pattinare sul ghiaccio
icicle *n* ghiacciuolo
icily *adv* frigidamente, glacialmente
iciness *n* gelidità; freddo glaciale
icing *n* ghiacciata; *(cake)* canditura
iconoclast *n* iconoclasta *m*
iconoscope *n (TV)* iconoscopio
icy *a* glaciale; gelido

idea n idea
ideal n&a ideale m; **–ist** n idealista m&f;
–ly adv idealmente; **–ism** n idealismo;
–istic a idealista
identical a identico
identification n identità, identificazione;
— **card** carta d'identità
identify vt (recognize) riconoscere; —
oneself farsi riconoscere
identity n identità
ideological a ideologico
ideology n ideologia
idiocy n idiozia
idiom n (language) idioma m; (phrase)
idiotismo; **–atic** a idiomatico
idiosyncracy n peculiarità
idiot n idiota m; **–ic** a stupido
idle a ozioso; — **capital** capitale congelato; — vt&i oziare, impigrire; (motor)
funzionare al minimo; (time) perder
tempo; — **away** sprecare; **–ness** n ozio
idler n fannullone m; perditempo
idol n idolo; **–ize** vt indolatrare
idolater n idolatra m&f
idyllic a idillico
i.e., that is ciò è
if conj se; — **ever** se mai; — **not** senò;
— **so** se è così
ignite vt accendere
ignition n accensione; — **switch** chiave
d'accensione
ignoble a ignobile
ignominious a infamante, ignominioso
ignominy n ignominia
ignoramus n ignorante m, asino (fig);
(boor) zotico
ignorance n ignoranza
ignorant a ignorante
ignore vt ignorare; (inattention) non dare importanza
ill a ammalato; — adv male; — **will**
malvolere m; malanimo; mala voglia;
— **at ease** inquieto, incomodo; **–ness**
n malattia, male m
ill– (in comp) **—advised** a malaccorto;
—bred a maleducato; **—disposed** a maldisposto; **—humored** a di cattivo umore;
—mannered a maleducato, scortese,
sgarbato; **—natured** a malvagio, cattivo, bisbetico; **—tempered** a collerico,
irritabile; **—timed** a inopportuno, intempestivo
ill-gotten a mal acquisto; — **gains**
guadagni illeciti
illegal a illegale; **–ly** adv illegalmente
illegible a illeggibile
illegitimate a illegittimo
illicit a illecito
illiteracy n analfabetismo
illiterate a&n analfabeta m&f

illogical a illogico
illuminate vt illuminare
illumination n illuminazione
illusion n illusione
illusive a fallace, illusorio
illustrate vt illustrare
illustration n (example) esempio; (picture) illustrazione, figura
illustrious a illustre
illustrative a illustrativo
image n immagine f
imaginary a immaginario
imagination n immaginazione
imaginative a immaginativo, fantastico
imagine vt&i immaginare, fantasticare;
suppore
imbecile a&n imbecille m
imbecility n imbecillaggine f, imbecil-
lità; (foolishness) sciocchezza; (stupidity) ebetismo
imbibe vt imbevere, assimilare, assorbire
imbroglio n imbroglio
imbue vt inculcare, infondere; (fig) imbevere
imitate vt imitare
imitation n imitazione; — a falso, artificiale
imitator n imitatore m
immaculate a immacolato
immanent a immanente
immaterial a indifferente; incorporeo
immature a immaturo
immaturity n immaturità
immeasurable a immisurabile, smisurato
immediate a immediato; **–ly** adv subito
immemorial a immemorabile
immense a immenso
immensity n immensità
immerse vt tuffare, immergere
immersion n immersione
immigrant n&a immigrante m
immigrate vi immigrare
immigration n immigrazione
imminent a imminente
immobile a immobile, fermo
immobility n immobilità
immobilize vt immobilizzare
immoderate a smodato, immoderato, eccessivo
immodest a immodesto, sfacciato, presuntuoso
immoral a immorale
immorality n immoralità
immortal a immortale
immortality n immortalità
immovable a fermo, irremovibile; (law)
inamovibile
immune a esente, immune
immunology n immunologia
immunity n immunità; (exemption) esen-

zione
immunization *n* immunizzazione
immunize *vt* immunizzare
imp *n* diavoletto; *(child)* birichino; *(goblin)* folletto; **–ish** *a* birichino, sbarazzino; **–ishly** *adv (malice)* maliziosamente; *(mischief)* birichinamente
impact *n* urto; — *vt* ficcare
impair *vt* danneggiare, pregiudicare; nuocere a
impalpable *a* impalpabile
impart *vt* impartire, comunicare, riferire
impartial *a* imparziale; **–ity** *n* imparzialità
impass *n* difficoltà insormontabile; vicolo cieco *(fig)*; **–able, –ive** *a* impassibile
impatience *n* impazienza
impatient *a* impaziente; **get** — impazientirsi
impeach *vt* incriminare; **–able** *a* incriminabile; **–ment** *n* incriminazione, accusa
impeccable *a* impeccabile
impedance *n (elec)* reattanza; *(phy)* trasmittività relativa acustica
impede *vt* ritardare, impedire, ostacolare
impediment *n* ostacolo
impel *vt* costringere, spingere
impend *vi* incombere, soprastare; *(threaten)* minacciare; essere imminente; **–ing** *a* imminente; minaccioso
impenetrable *a* impenetrabile
imperative *a* imperativo, indispensabile
imperfect *a&n* imperfetto
imperfection *n* imperfezione
imperial *a* imperiale, supremo; **–istic** *a* imperialistico; **–ism** *n* imperialismo
imperil *vt* arrischiare, mettere in pericolo
imperishable *a* indistruttibile, imperituro
impermeable *a* impermeabile
impersonal *a* impersonale
impersonate *vt* impersonare, personificare, imitare
impersonation *n* personificazione; *(law)* supposizione di persona
impertinence *n* impertinenza
impertinent *a* impertinente, insolente
imperturbable *a* imperturbabile
impervious *a* impervio
impetuous *a* impetuoso
impetus *n* impulso, impeto, slancio
impiety *n* empietà
impinge *vi* sbattere; — **on** sbattere contro
impious *a* empio
implant *vt* piantare; *(fig)* imprimere, inculcare
implement *n* utensile *m*; implemento; — *vt* effettuare
implicate *vt* implicare

implication *n* implicazione
implicit *a* implicito, assoluto; *(implied)* sottinteso
implied *a* implicito
implore *vt* implorare
imploring *a* supplichevole, implorante; — *n* supplica
imply *vt* implicare, insinuare, suggerire
impolite *a* sgarbato; **–ness** *n* scortesia, villania; maleducazione
imponderable *a* imponderabile
import *vt* importare; — *n* importanza; *(meaning)* senso, significato; **–ation** *n* importazione; — **duties** *npl* diritti doganali; **–er** *n* importatore *m*
importance *n* importanza
important *a* importante; **–ly** *adv* con importanza
impose *vt* imporre; — **on** praticare inganno
imposing *a* imponente
imposition *n* imposizione; *(outrage)* sopruso; *(swindle)* frode *f*
impossibility *n* impossibiltà
impossible *a* impossibile
impost *n* tassa, imposta
impostor *n* impostore *m*
imposture *n* frode *f*, impostura, inganno
impotence *n* impotenza
impotent *a* impotente
impound *vt* sequestrare, confiscare; *(animals)* rinchiudere
impoverish *vt* impoverire
impracticability *n* impraticabilità
impractical *a* non pratico, impraticabile
imprecate *vt* imprecare
imprecation *n* imprecazione
impregnable *a* imprendibile, inespugnabile
impregnate *vt* fecondare, impregnare, imbevere
impress *vt* imprimere; impressionare
impression *n* impressione, idea
impressive *a* imponente, impressionante
imprint *vt* stampare, imprimere; *(fix)* fissare; — *n* stampa
imprison *vt* imprigionare; **–ment** *n* imprigionamento
improbability *n* improbabilità
impromptu *a* improvvisato
improper *a* scorretto, indecente
impropriety *n* sconvenienza; *(gram)* improprietà; *(wrong)* erroneità
improve *vt* migliorare; — *vi* migliorarsi; far progressi; **–ment** *n* miglioramento, perfezionamento
improvident *a* imprudente, imprevidente
improvise *vt* improvvisare
imprudence *n* imprudenza
imprudent *a* imprudente

impudence *n* impudenza
impudent *a* impudente
impugn *vt* impugnare, accusare; contraddire
impunity *n* impunità
impulse *n* impeto, impulso, slancio; **act on** — agire d'impulso
impulsive *a* impulsivo; **–ly** *adv* impulsivamente
impure *a* impuro; *(filthy)* immondo; *(immodest)* impudico
impurity *n* impudicizia, impurità
imputation *n* accusa, imputazione, addebito
impute *vt* imputare
in *prep* in, a, entro; — **spite of** nonostante; — **writing** per iscritto; **be all** — essere sfinito; **have it** — **for** aver rancore per; **know the –s and outs** sapere dell'a alla zeta; **take** — *(absorb)* assorbire; *(attend)* assistere a; *(deceive)* ingannare; — *adv* dentro; **be** — *(at home)* essere a casa
inability *n* incapacità
inaccessible *a* inaccessibile
inaccuracy *n* inesattezza
inaccurate *a* inesatto
inaction *n* inerzia, inazione
inactive *a* inattivo
inactivity *n* inoperosità, inattività
inadvertent *a* incauto, disattento; *(unplanned)* impremeditato; **–ly** *adv* inavvertitamente
inadequacy *n* inettitudine *f*; insufficienza
inadequate *a* inadeguato; *(inexperienced)* inesperto; *(worthless)* inetto
inalienable *a* inalienabile
inane *a* inane, vano, vuoto
inanimate *a* inanimato
inappropriate *a* disadatto; improprio
inaptitude *n* incapacità, inettitudine *f*
inarticulate *a* inarticolato
inasmuch as *conj* poichè, dacchè; in quanto che
inattention *n* disattenzione; *(carelessness)* trascuratezza
inattentive *a* distratto, disattento, trascurato
inaudible *a* inaudibile
inaugurate *vt* inaugurare
inauguration *n* inaugurazione
inauspicious *a* *(ominous)* infausto; *(unfortunate)* infelice; malaugurato
inborn *a* innato
inbound *a* entrante
incalculable *a* incalcolabile
incapability *n* inettitudine *f*, incapacità
incapable *a* incapace
incapacitate *vt* inabilitare, incapacitare
incapacity *n* inabilità, incapacità

incarcerate *vt* incarcerare
incarnation *n* incarnazione
incase *vt* incassare; chiudere; *(cover)* coprire
incendiary *n&a* incendiario
incense *n* incenso; — *vt* incensare; *(anger)* fare arrabbiare
incentive *n* stimolo, incentivo
incessant *a* incessante
incest *n* incesto
inch *n* dito, pollice *m;* — **by** — gradualmente; **every** — del tutto, completamente; **within an** — **of** per un pelo; — *vt* far avanzare gradualmente; — *vi* avanzare gradualmente
incident *n* incidente *m;* **–al** *a* incidentale; **–ally** *adv* a proposito
incinerate *vt* incenerire
incinerator *n* inceneritore *m*
incipient *a* iniziale, incipiente
incision *n* incisione
incite *vt* incitare
incivility *n* scortesia, villania
inclement *a* duro, inclemente
inclination *n* inclinazione, voglia
incline *n* pendio, pendenza; — *vt&i* inclinare; essere disposto a
inclose, enclose *vt* accludere; *(encircle)* circondare
include *vt* includere, comprendere
including *a* compreso
inclusion *n* inclusione
inclusive *a* inclusivo, incluso
incognito *a* incognito; — *adv* in incognito
incoherence *n* incoerenza
incoherent *a* sconnesso, incoerente
incombustible *a* incombustibile
income *n* stipendio; — **tax** tassa sul reddito
incoming *a* prossimo; *(arriving)* in arrivo
incommode *vt* scomodare, incomodare
incommunicado *a* incommunicato
incommutable *a* incommutabile
incomparable *a* impareggiabile, incomparabile
incompatibility *n* incompatibilità
incompatible *a* incompatibile
incompetence *n* incompetenza
incompetent *a* incompetente
incomplete *a* incompleto, imperfetto
incomprehensible *a* incomprensibile
inconceivable *a* inconcepibile
inconclusive *a* inconclusivo, inconcludente
incongruity *n* assurdità, incongruenza
incongruous *a* assurdo, incongruente
inconsequential *a* illogico, inconsequente
inconsiderable *a* trascurabile, inconsiderabile
inconsiderate *a* sconsiderato, senza

riguardi
inconsistency *n* inconsistenza, incongruenza
inconsistent *a* inconsistente, incongruente, incompatibile
incontinent *a* incontinente
incontestable *a* incontrastabile, incontestibile
inconvenience *n* incomodo, disturbo; — *vt* incomodare
inconvenient *a* scomodo
incorporate *vi* fondersi, unirsi; — *vt* incorporare; *(com)* costituire in società anonima; **–d** *a* incorporato, associato
incorporation *n* incorporazione
incorrect *a* sbagliato, scorretto; *(etiquette)* sconveniente
incorrigible *a* incorregibile
incorruptible *a* incorruttibile
increase *vt&i* crescere; aumentare; — *n* aumento
increasing *a* crescente; **–ly** *adv* in aumento
incredible *a* incredibile
incredulity *n* incredulità
incredulous *a* incredulo
increment *n* incremento
incriminate *vt* incriminare, incolpare, imputare
incubate *vt&i* incubare, covare
incubation *n* incubazione
incumbent *n* incaricato, responsabile *m*; — *a* incombente
incur *vt* contrarre; incorrere
incurable *a* inguaribile
indebted *a* obbligato, tenuto, indebitato; **–ness** *n* debito, obbligazione
indecency *n* indecenza; *(immodesty)* scorrettezza
indecent *a* scorretto, indecente
indecision *n* indecisione, perplessità, forse *m*
indecisive *a* non decisivo
indeed *adv* veramente, infatti, davvero
indefatigable *a* instancabile, infaticabile
indefensible *a* indifendibile, insostenibile
indefinable *a* indefinibile
indefinite *a* indeterminato, indefinito
indelicate *a* indelicato, sconveniente
indemnity *n* indennità
indent *vt* frastagliare, intaccare; *(print)* spaziare; **–ation** *n* incavo, intacco
independence *n* indipendenza
independent *a* indipendente
indescribable *a* indescrivibile
indestructible *a* indistruttibile
indeterminate *a* vago, indeterminato
index *n* indice *m*; — **finger** indice; — *vt* fornire di un indice
India India; — **ink** inchiostro di Cina
Indian *a&n* indiano; *(American)* pellirossa *m*; — **summer** estate di San Martino
indicate *vt* indicare
indication *n* indicazione; *(sign)* segno
Indies Indie *fpl*; **East** — Indie orientali; **West** — Indie occidentali
indicative *n&a* indicativo
indicator *n* indicatore *m*
indict *vt* accusare; *(law)* processare; **–ment** *n* atto di accusa
indifference *n* indifferenza
indifferent *a* indifferente
indigenous *a* indigeno
indigent *a* indigente
indigestible *a* indigesto, indigeribile
indigestion *n* indigestione
indignant *a* adirato, sdegnato; **–ly** *adv* indignatamente
indignity *n* indegnità
indirect *a* indiretto
indiscernible *a* impercettibile, indiscernibile
indiscreet *a* indiscreto
indiscretion *n* indiscrezione
indiscriminate *a* indiscriminato, confuso
indispensable *a* indispensabile
indisposed *a* ammalato, indisposto
indisposition *n* indisposizione
indisputable *a* incontestabile, indiscutibile
indistinct *a* indistinto
indistinguishable *a* indiscernibile, indistinguibile
individual *n* individuo; — *a* individuale; **–ism** *n* individualismo; **–ist** *n* individualista *m&f*
indivisible *a* indivisibile
indoctrinate *vt* addottrinare
indolence *n* indolenza
indolent *a* indolente
indomitable *a* indomabile
Indonesia Indonesia
indoor *a* interno; **–s** *adv* dentro, in casa
induce *vt* persuadere, indurre
inducement *n* allettamento, persuasione; *(flattery)* lusinga; *(stimulus)* stimolo
induct *vt* insediare
induction *n* induzione; *(mil)* arruolamento; *(to office)* insediamento; — **coil** rocchetto d'induzione
indulge *vt* contentare, soddisfare, accarezzare *(fig)*; — *vi* indulgere in; abbandonarsi a; — **in** permettersi il lusso di
indulgence *n* indulgenza, privilegio; *(kindness)* favore *m*
indulgent *a* indulgente
industrial *a* industriale; **–ist** *n* industrialista *m&f;* **–ize** *vt* industrializzare; **–ization** *n* industrializzazione
industrious *a* laborioso, industrioso

industry *n* industria, lavoro; *(activity)* attività
inebriate *n* ubbriaco; — *vt* inebriare, ubbriacare; **–d** *a* ubbriacato, inebriato
inedible *a* immangiabile
ineffable *a* ineffabile
ineffective, ineffectual *a* ineffettivo, inefficace, inutile; **–ness** *n* inefficacia, inutilità
inefficacy *n* inefficacia
inefficiency *n* incapacità, inefficienza
inefficient *a* incapace, inefficiente
ineligible *a* ineleggibile
inept *a* incapace, inetto
inert *a* inerte
inertia *n* inerzia
inequality *n* disuguaglianza, ineguaglianza
inequitable *a* ingiusto
ineradicable *a* inestirpabile
inescapable *a* inevitabile
inestimable *a* incalcolabile; *(invaluable)* preziosissimo
inevitable *a* inevitabile
inexcusable *a* imperdonabile, ingiustificabile
inexhaustible *a* inesauribile
inexpedient *a* inefficace
inexpensive *a* economico; poco costoso
inexperience *n* inesperienza
inexperienced *a* inesperto
inexplicable *a* incomprensibile
inexpressible *a* inesprimibile
inexpressive *a* inespressivo
inextricable *a* inestricabile
infallible *a* infallibile
infallibility *n* infallibilità
infamous *a* infame
infancy *n* infanzia; *(law)* minorità
infant *n* infante *m*
infantile *a* bambinesco, puerile; — **paralysis** poliomielite *f*
infantry *n* fanteria
infatuate *vt* infatuare; **become –d** infatuarsi
infatuation *n* infatuazione; *(craze)* pazzia
infect *vt* infettare
infection *n* infezione
infectious *a* infettivo
infer *vt* dedurre, inferire
inference *n* illazione, inferenza
inferior *a* inferiore
inferiority *n* inferiorità; — **complex** complesso d'inferiorità
infernal *a* infernale
inferno *n* inferno
infest *vt* infestare; molestare *(fig)*; **–ation** *n* infestazione, infestamento
infidel *n&a* miscredente *m*
infidelity *n* infedeltà

infiltrate *vt&i* infiltrare, infiltrarsi
infinite *n&a* infinito; **–ly** *adv* infinitamente
infinitive *n* infinito
infinity *n* infinità
infirm *a* debole, infermo, malfermo; **–ity** *n* infermità
infirmary *n* infermeria
inflame *vt* infiammare, irritare; *(fig)* infervorare
inflammable *a* infiammabile
inflammation *n* infiammazione
inflate *vt* dilatare, gonfiare
inflation *n* *(com)* inflazione; *(gas)* gonfiamento; *(of an idea)* esagerazione
inflection *n* inflessione; *(gram)* flessione
inflexible *a* inflessibile
inflict *vt* infliggere
influence *n* influsso; ascendente *m*; — *vt* influenzare, influire
influential *a* influente
influenza *n* influenza
influx *n* affluenza
inform *vt* informare, avvisare; far sapere; — **against** denunciare, accusare **–ant** *n* informatore *m*, informatrice *f*; **–er** *n* delatore *m*, delatrice *f*; **–ed** *a* informato
informal *a* senza cerimonie, intimo; alla mano *(fig)*; **–ity** *n* semplicità; mancanza di cerimonie
information *n* informazione; *(notice)* notizia, avviso; — **bureau** ufficio informazioni
infraction *n* infrazione, contravvenzione, violazione
infrared *a* infrarosso
infrequent *a* infrequente, raro
infringe *vt* contravvenire, trasgredire, violare, infrangere; **–ment** *n* infrazione, contravvenzione, violazione
infuriate *vt* infuriare; **–d** *a* infuriato, furioso, furibondo, furente
infuse *vt* infondere; *(inspire)* ispirare
infusion *n* infusione; ispirazione
ingenious *a* ingegnoso
ingenuity *n* ingegnosità
ingenuous *a* ingenuo, sincero, semplice
inglorious *a* inglorioso; oscuro *(fig)*
ingrained *a* inerente, inveterato, radicato
ingratiate *vt* ingraziare; — **oneself** ingraziarsi; entrare nelle grazie di
ingratitude *n* ingratitudine *f*
inhabit *vt* abitare; **–able** *a* abitabile **–ant** *n* abitante *m*
inhalant *n* inalatore *m*
inhale *vt* aspirare
inharmonious *a* inarmonioso
inherent *a* inerente
inherit *vt* ereditare; **–ance** *n* eredità
inhibit *vt* proibire, inibire

inhibition *n* inibizione, repressione
inhospitable *a* inospitale
inhuman *a* crudele, inumano; **–ity** *n* crudeltà, inumanità
inimical *a* contrario, ostile, avverso, nemico
inimitable *a* inimitabile
iniquitous *a* iniquo
iniquity *n* iniquità
initial *n&a* iniziale *f*; **–ly** *adv* da principio, inizialmente
initiate *vt* iniziare, cominciare; — *n* iniziato
initiation *n* iniziazione
initiative *n* iniziativa
initiator *n* iniziatore *m*
inject *vt* iniettare; **–or** *n (mech)* iniettore *m*
injection *n* iniezione; — **pump** pompa ad iniezione
injudicious *a* sventato, insensato; poco giudizioso
injunction *n* ingiunzione
injure *vt* danneggiare, nuocere; *(wound)* ferire; far male a
injurious *a* dannoso, nocivo
injury *n* ferita, danno; *(wrong)* torto
injustice *n* ingiustizia
ink *n* inchiostro; — **pad** cuscinetto per timbri; **–y** *a (dirty with)* sporco d'inchiostro; **color** inchiostro; — *vt* inchiostrare
inkling *n* sospetto, sentore *m,* indizio
inkstand, inkwell *n* calamaio
inlaid *a* intarsiato
inland *n&a* interno, entroterra; — *adv* all'interno
in-laws *npl* parenti acquisiti
inlay *n* intarsio; — *vt* intarsiare
inlet *n (geog)* baia, insenatura; braccio di mare; *(mech)* immissione
inmate *n* ricoverato
inn *n* locanda, taverna, osteria
innate *a* ingenito, innato
inner *a* interiore; — **tube** camera d'aria; **–most** *a* il più segreto; il più intimo
inning *n* volta, turno
innocence *n* innocenza
innocent *n&a* innocente *m*
innocuous *a* innocuo
innovate *vi* innovare
innovation *n* innovazione
innuendo *n* malignazione, insinuazione
innumerable *a* innumerevole
inoculate *vt* inoculare
inoculation *n* inoculazione
inoffensive *a* innocuo
inopportune *a* intempestivo, inopportuno
inordinate *a* smoderato, disordinato
inorganic *a* inorganico
inquest *n* inchiesta giudiziaria

inquire *vt&i* chiedere, domandare, investigare; — **after** informarsi di
inquiry *n* domanda, inchiesta
inquisitive *a* curioso
inroad *n* irruzione, incursione, invasione; **make –s on** *(supply)* togliere dalla riserva
insane *a* pazzo, demente; — **asylum** manicomio
insanity *n* pazzia
insatiable *a* ingordo, insaziabile
inscribe *vt* inscrivere, iscrivere
inscription *n* iscrizione
insect *n* insetto; **–icide** *n* insetticida *m*
insecure *a* malfermo, insicuro
insecurity *n* precarietà, instabilità, incertezza
inseminate *vt* inseminare, seminare
insensible *a* insensibile, insensato
insensitive *a* insensitivo
inseparable *a* inseparabile
insert *n* allegato, inserto; — *vt* inserire
insertion *n* inserzione
inset *n* inserto, inserzione, riquadro
inside *a&n* interno; — **of** dentro di; *(time, coll)* entro; — **out** a rovescio; **–s** *npl (anat, coll)* intestini *mpl*
insidious *a* insidioso
insight *n* discernimento, perspicacia
insignia *npl* insegne *fpl*
insignificance *n* insignificanza, futilità
insignificant *a* insignificante
insincere *a* insincero, ipocrita
insincerity *n* ipocrisia
insinuate *vt* insinuare; dare ad intendere
insinuation *n* insinuazione
insipid *a* insipido, scipito, sciocco, uggioso
insist *vi* insistere
insistence *n* insistenza
insistent *a* insistente
insolation *n* insolazione
insole *n* soletta
insolence *n* insolenza
insolent *a* insolente
insoluble *a* insolubile
insolvent *a* insolvente
insomnia *n* insonnia
insomuch (as) *conj* a tal punto, talmente che
inspect *vt* visitare, ispezionare
inspection *n* ispezione, visita
inspector *n* ispettore *m*
inspiration *n* ispirazione; **–al** *a* ispirato
inspire *vt* ispirare
inspiring *a* ispirante, suggestivo
install *vt* collocare, installare; **–ation** *n* impianto, installazione; *(to office)* insediamento
installment *n* rata; *(serial)* puntata; **monthly** — rata mensile

instance n caso; (example) esempio; **for — per esempio; in the first —** in primo luogo

instant n attimo; **this —** subito; **— a** urgente; **—ly** adv immediatamente

instantaneous a istantaneo

instead adv invece; **— of** in luogo di

instep n collo del piede

instigate vt incitare, istigare; promuovere

instigation n istigazione

instigator n incitatore m, istigatore m

instill vt istillare, inculcare

instinct n istinto; **–ive** a istintivo

institute n istituto, **— vt** istituire

institution n istituzione

instruct vt istruire; **–or** n insegnante m

instruction n istruzione

instrument n strumento; **— flying** volo strumentale

instrumental a strumentale, utile; **— in** che contribuisce a; **–ist** n strumentista m

insubordination n insubordinazione

insubstantial a inconsistente

insufferable a insopportabile, insoffribile

insufficiency n insufficienza

insufficient a insufficiente; **–ly** adv insufficientemente

insulate vt isolare, separare

insulating a isolante

insulation n isolamento

insulin n insulina

insult n insulto, offesa, ingiuria; **— vt** insultare

insuperable a insuperabile

insupportable a insopportabile

insurable a assicurabile

insurance n assicurazione; **— broker** agente di assicurazione; **life —** assicurazione sulla vita

insure vt assicurare

insurgent n&a insorgente m&f, insorto, ribelle m&f

insurrection n sommossa, insurrezione

insurmountable a insormontabile

intact a intatto; (safe) illeso

intake n immissione, presa; (mech) energia assorbita

intangible a intangibile

integral n totalità; **— a** integrale

integrate vt integrare

integration n integrazione

integrity n integrità

intellect n intelletto

intellectual a&n intellettuale m&f

intelligence n sagacia

intelligent a intelligente

intelligible a intelligibile

intemperance n alcoolismo, intemperanza

intemperate a immoderato, intemperato

intend vt intendere, (plan) progettare

intense a intenso, forte

intensify vt intensificare, rafforzare

intent n intenzione; **— a** intento, attento

intention n intenzione; **–al** a premeditato

interact vi reagire reciprocamente

interaction n azione reciproca

intercede vi intercedere

intercellular a intercellulare

intercept vt arrestare, intercettare

interception n intercettazione

interceptor n intercettatore m, intercettatrice f

intercession n intercessione

interchange n intercambio, scambio, contraccambio; **— vt** contraccambiare, scambiare, alternare; **–able** a intercambiabile

intercollegiate a intercollegiato

intercolonial a intercoloniale

intercommunication n intercomunicazione

intercostal a intercostale

intercourse n comunicazioni fpl, relazioni fpl; (com) commercio, traffico; (sex) coito

interdenominational a interdenominazionale

interdepartmental a interdipartimentale

interdependence n interdipendenza

interest n interesse m; **— rate** saggio d'interesse; **–ed** a interessato; **–ing** a interessante

interfere vi interferire; (meddle) immischiarsi

interference n ingerenza, intervento

interim n intervallo; (meantime) frattempo; (tenure) interinato; **— a** temporaneo; interinale; (temporary) provvisorio

interior a interno

interject vt intercalare, interporre

interjection n interiezione

interlace vt allacciare, intrecciare

interline vt interlineare

interlining n ultrafodera

interlock vt collegare; **— vi** collegarsi

interloper n intruso; (stranger) estraneo

interlude n intermezzo

intermarriage n matrimonio fra parenti; matrimonio fra diverse razze

intermarry vi sposarsi fra parenti; sposarsi fra diverse razze

intermediate a frapposto, intermedio

intermediary a&n intermediario

interminable a interminabile

interminably adv interminabilmente

intermingle vt mescolare, intramezzare; **— vi** mescolarsi, intramezzarsi

intermission n intervallo, pausa

intermittent a intermittente

intern vi internare; — vt confinare; — n (med) interno; **-al** a interno; **-ment** n confino, internamento; **-ist** n specialista delle malattie interne; **-ship** n internato
international a internazionale; — law diritto internazionale
interplanetary a interplanetario
interpolate vt inserire, interpolare, intercalare
interpolation n interpolazione
interpret vt interpretare; **-er** n interprete m&f; **-ation** n interpretazione
interpretative a interpretativo
interracial a interrazziale
interrelationship n correlazione
interrogate vt interrogare
interrogation n interrogazione; — mark punto interrogativo
interrupt vt interrompere; **-er** n (elec) interruttore m
interruption n interruzione
intersect vt incrociare, intersecare
intersection n intersezione; (street) incrocio stradale
intersperse vt seminare, cospargere, alternare
interstate a interstatale
interurban a interurbano
interval n intervallo
intervene vi intervenire
intervention n intervento, interposizione
interview n colloquio, intervista; — vt intervistare
interweave vt intrecciare, intessere
interwoven a intrecciato, intessuto
intestate a intestato
intestinal a intestinale
intestines npl intestini mpl
intimacy n intimità
intimate a intimo
intimate vt accennare, notificare
intimation n intimazione, notifica
intimidate vt intimidire
intimidation n minaccia
into prep in
intolerable a intollerabile
intolerance n intolleranza
intolerant a intollerante
intone vt intonare
intoxicated a ebbro, ubriaco
intoxicating a inebriante
intoxication n intossicazione; (alcohol) ubriachezza
intractable a intrattabile
intransitive a intransitivo
intravenous a endovenoso
intrepid a intrepido
intricate a complicato, difficile
intrigue n intrigo; — vt stuzzicare; — vi intrigare
intriguing a intrigante
intrinsic a intrinseco
introduce vt introdurre; (people) presentare
introduction n introduzione; (people) presentazione
introductory a introduttivo, preliminare
introspection n introspezione
introspective a introspettivo
introvert n introverso
intrude vt intrudere; — vi ingerirsi, immischiarsi; — on disturbare, importunare
intrusion n intrusione
intuition n intuizione
intuitive a intuitivo
inundate vt inondare
inundation n inondazione
inure vt abituare
invade vt invadere, violare, assalire; **-r** n invasore m
invalid n&a ammalato, infermo
invalid a invalido, non valido
invaluable a incalcolabile, inestimabile
invariable a invariabile
invariably adv sempre, invariabilmente
invasion n invasione
inveigle vt allettare, sedurre; (allure) persuadere; (deceive) ingannare
invent vt inventare; **-ive** a inventivo; **-or** n inventore m, inventrice f
inventory n inventario; — vt inventariare
inverse a inverso
inversion n inversione
invert vt invertire
invest vt impiegare; (com) investire; **-or** n azionista m&f, inversionista m&f; **-ment** n investimento, impiego
investigate vt investigare, esaminare, indagare
investigation n inchiesta, investigazione, indagine f
investigator n investigatore m
inveterate a inveterato
invigorate vt rinvigorire, rinforzare
invigorating a corroborante, fortificante
invincible a invincibile
inviolable a inviolabile
invisibility n invisibilità
invisible a invisibile
invitation n invito
invite vt invitare
inviting a invitante, attraente, seducente
invocation n invocazione
invoice n fattura; — vt fatturare
invoke vt implorare, invocare
involuntary a involontario
involve vt coinvolgere, implicare; comprendere

involved *a* coinvolto, implicato; **become** — essere coinvolto
invulnerable *a* invulnerabile
inward *a* interno; — **self** fra sè; **-ly** *adv* dentro
iodine *n* iodio
ion *n* ione *m*, iono
iota *n* iota *m*
I.O.U, I owe you cambiale *f*
Iran Iran *m*
Iraq Irac, Irak *m*
irascible *a* irascibile
irate *a* incollerito, irato
IRBM, intermediate range ballistic missile MBMP; missile balistico di media portata
ire *n* collera, ira, rabbia
Ireland Irlanda
iridescent *a* iridescente
iris *n* iris *m*, iride *f*
Irish *a* irlandese
irk *vt* turbare, affligere, annoiare
irksome *a* noioso, seccante
iron *n* ferro; — **curtain** cortina di ferro; — **lung** polmone d'acciaio; **cast** — ghisa; **sheet** — lamiera; **wrought** — ferro battuto; **-clad** *a* irrevocabile, — *vt* stirare; **-ing** *n* stiratura
ironic, -al *a* ironico
irony *n* ironia
irradiate *vt* illuminare, irradiare; *(med)* trattare con radioterapia
irrational *a* irrazionale, illogico
irreconcilable *a* inconciliabile, irreconciliabile
irredeemable *a* irredimibile
irreducible *a* irreducibile
irrefutable *a* irrefutabile
irregular *a* irregolare; **-ity** *n* irregolarità
irrelevance *n* irrilevanza
irrelevant *a* irrilevante
irreligious *a* irreligioso
irremovable *a* irremovibile
irreparable *a* irreparabile
irreproachable *a* irreprensibile, impeccabile
irresolute *a* irresoluto
irresistible *a* irresistibile

irrespective *a* indipendente; — *adv* indipendentemente; — **of** a prescindere da
irresponsibility *n* irresponsabilità
irresponsible *a* irresponsabile
irreverence *n* irriverenza
irreverent *a* irriverente
irreversible *a* irreversibile, irrevocabile
irrigate *vt* irrigare
irrigation *n* irrigazione
irritability *n* irritabilità
irritable *a* irritabile
irritant *n&a* irritante *m*
irritate *vt* irritare
irritating *a* irritante
irritation *n* provocazione, irritazione
Islamism *n* islamismo
island *n* isola; **-er** *n* isolano
isobar *n* isobara
isolate *vt* isolare
isolation *n* isolazione, isolamento **-ism** *n* isolazionismo; **-ist** *n* isolazionista *m&f*
isomer *n* isomero
isothermal *a* isotermico
isotope *n* isotopo
Israel Israele *m*; **-ite** *n* israelita *m&f*
Israeli *a&n* israeliano
issue *n* *(periodical)* fascicolo; *(problem)* soggetto; *(progeny)* prole *f*; *(result)* esito; **take — with** non essere d'accordo
isthmus *n* istmo
it *pron* esso, essa; lo, la
Italian *a&n* italiano, italiana
italics *npl* corsivi *mpl*
Italy Italia
itch *n* prurito, scabbia; — *vi* prudere, pizzicare; **-ing** *n* prurito, pizzicore *m*; **-y** *a* rognoso
item *n* articolo; **-ize** *vt* specificare; fare la distinta
iterate *vt* ripetere, iterare
itinerant *a* girovago, ambulante
intinerary *n* itinerario
its *pron&a* il suo; la sua
itself *pron* si; sè; esso stesso, sè stesso; essa stessa, sè stessa; **by —** da solo
ivory *n* avorio; — *a* d'avorio
ivy *n* edera

J

jab *n* punzecchiatura; *(stab)* pugnalata; — *vt* punzecchiare, pugnalare
jabber *vi* ciarlare; *(grumble)* borbottare
jabbering *n* chiacchierio, cicaleccio; — *a* ciarlante
jack *vt* levare; — *n* *(cards)* fante *m*; *(mech)* martinetto, cricco; — **rabbit** lepre *m*

jack- *(in comp)* **—in-the-box** *n* saltamartino; **—of-all-trades** *n* factotum *m*; tuttofare *m&f*
jackass *n* asino
jacket *n* giacchetta, giacca; *(book)* sopraccopertina, coprilibro
jackknife *n* coltello a serramanico
jackpot *n* *(cards)* monte *m*; *(coll)* suc-

cesso; *(poker)* piatto; **hit the** — *(sl)* aver fortuna

jade *n* *(horse)* ronzino; *(min)* giada; *(woman)* donnaccia; — *vt* affaticare, spossare; **-d** *a* spossato

jag *n* tacca, intaccatura; dente di sega; — *vt* frastagliare, dentellare

jagged *a* dentellato, intaccato

jail *n* prigione *f*; carcere *m*; — *vt* incarcerare

jalopy *n* *(coll)* carcassa

jam *n* *(cooking)* conserva, marmellata

jam *n* inceppamento, blocco; *(traffic)* ingorgo stradale; **in a** — *(coll)* nelle difficoltà; — *vt* bloccare, intasare; *(mech)* grippare; *(rad)* disturbare; — **on the brakes** frenare di colpo; — **the fingers** schiacciarsi le dita

jangle *vt* far tintinnare; *(bells)* scampanellare; — *vi* stonare, altercare

jangling *a* stonato; — *n* *(fig)* contesa, alterco

janitor *n* portinaio, custode *m*

January *n* gennaio

Japan Giappone *m*

Japanese *a&n* giapponese *m&f*

jar *vt&i* *(clash)* urtarsi; *(shake)* vibrare, scuotere; — **one's nerves** dare ai nervi *(fig)*; — *n* scossa, vibrazione; *(clash)* urto, dissonanza; *(container)* giara, boccale *m*

jargon *n* gergo

jaundice *n* itterizia; **-d** *a* geloso

jaunt *n* escursione, gita; **-y** *a* gaio; *(wearing apparel)* azzimato; — *vi* andare a spasso

jaw *n* mascella; **-bone** *n* mandibola; — *vi* *(sl)* ciarlare; rimbrottare

jealous *a* invidioso, geloso

jealousy *n* gelosia, invidia

jeans *npl* tuta di lavoro

jeep *n* camionetta, gip *m*

jeer *n* scherno; — *vt&i* burlare, schernire; — **at** beffarsi di

jeering *n* scherno; — *a* derisorio, beffardo

jellied *a* gelatinato, gelatinoso

jelly *n* gelatina

jeopardize *vt* compromettere, mettere a repentaglio

jeopardy *n* pericolo, rischio, repentaglio

jerk *n* strappo, stratta, scatto; *(sl)* puzzone *m* *(sl)*; — *vt* strappare; — *vi* scattare; **-y** *a* a sbalzi, spasmodico

jersey *n* maglia

jest *n* scherzo, facezia; **-er** *n* burlone *m*, buffone *m*; — *vi* scherzare

Jesus Christ *n* Gesù Cristo

jet *n* *(avi)* aerogetto; *(flame)* getto; vampa; *(gas)* becco a gas; *(min)* giavazzo, ambra nera; — **plane** aeroplano a reazione,

aviogetto; — **propulsion** spinta a getto; — *vt* emettere, buttar fuori; — *vi* sgorgare

jet-black *a* nero lucente

jettison *vt* gettare fuori bordo

Jew *n* israelita *m&f*

jewel *n* gioiello; **watch** — rubino; **-er** *n* gioielliere *m*; **-ry** *n* gioielleria

Jewish *a* ebreo

jib *n* *(naut)* fiocco, vela di bompresso

jibe *vi* accordarsi

jiffy *n* *(coll)* momento

jig *n* *(dance)* giga; — *vi* ballare la giga; — *vt* balzellare; **the** — **is up** *(sl)* è finita la cuccagna *(fig)*; **-saw** *n* sega verticale

jigger *n* *(measure)* un'oncia e mezzo

jiggle *vt&i* scuotere, agitarsi

jilt *vt* abbandonare; piantare *(coll)*

jingle *n* *(metal)* tintinnio; *(rhyme)* filastrocca; — *vt* far tintinnare; — *vi* tintinnare

jitters *npl* *(sl)* nervosità eccessiva; **have the** — essere sulle spine

job *n* lavoro, faccenda; — **lot** *(com)* merce di liquidazione; **-less** *a* disoccupato; — *vi* lavorare a cottimo

jobber *n* *(com)* cottimista *m*; *(middleman)* grossista *m*, distributore *m*

jockey *n* fantino; — *vt&i* *(deceive)* ingannare; *(defraud)* imbrogliare; *(racing)* fare il fantino; — **for position** brigare, intrigare

jocular *a* allegro, piacevole, vivace

jog *n* scossa leggera; *(nudge)* spinta; *(road, line)* rientranza; — **trot** trotto regolare; — *vt* scuotere, spingere; — *vi* *(along)* trotterellare

joggle *vt* scuotere; — *vi* scuotersi

join *vt* congiungere; — *vi* unirsi a; associarsi con; — **in** partecipare

joint *n* *(anat)* articolazione; *(bot)* nodo; *(geol)* fessura; *(junction)* giuntura; **out of** — *(med)* slogato; in disordine; — **account** conto corrente in comune; — **heir** coerede *m*

joist *n* trave *f*

joke *n* scherzo, barzelletta; **practical** — un tiro birbone; — *vi* scherzare, celiare

joker *n* burlone *m*; *(card)* matta

joking *a* scherzoso, faceto; **-ly** *adv* scherzosamente

jolly *a* gioviale, allegro, divertente

jolt *n* scossa; — *vt&i* scuotere

jostle *vt* pigiare, spingere; — *vi* spingersi, urtarsi, pigiarsi

jot *n* quisquilia; — *vt* *(down)* prender nota

jounce *vt* scuotere; far sobbalzare; — *vi* scuotersi, sobbalzare

journal *n (bookkeeping)* giornale *m*; *(diary)* diario; *(magazine)* rivista; *(newspaper)* giornale *m*

journalism *n* giornalismo

journalist *n* giornalista *m*

journey *n* viaggio; — *vi* viaggiare

jovial *a* gioviale

joy *n* gioia

joyful *a* allegro, gioioso, festivo; **-ly** *adv* allegramente

joyous *a* gioioso

jubilant *a* giubilante

jubilation *n* giubilo

jubilee *n* giubileo

judge *n* giudice *m*, arbitro; — *vt&i* giudicare; *(think)* credere, intendere, reputare

judgment *n* giudizio; **pass** — **on** giudicare in materia

judicial *a* giudiziario

judicious *a* giudizioso, assennato

jug *n* boccale *m*, brocca

juggle *vi* giocolare

juggler *n* giocoliere *m*

jugular *a* giugulare

juice *n* succo, sugo

juiciness *n* sugosità

juicy *a* succoso

jukebox *n* fonografo automatico a gettone

July *n* luglio

jumble *n* guazzabuglio; — *vt* confondere, gettare alla rinfusa

jumbo — *a* colossale, gigantesco, enorme; — *n* colosso, gigante *m*; *(mammoth)* mastodonte *m (fig)*

jump *vt&i* saltare; — **around** darsi d'attorno; — **to conclusions** arrivare a giudizi precipitati; — *n* salto; **be on the** — essere in agitazione; **-y** *a* agitato

jumping *n* salto; — *a* saltatore, saltante; — **jack** saltamartino

junction *n* incrocio, bivio; *(forking)* biforcazione

June *n* giugno

jungle *n* giungla

junior *a* iuniore, cadetto; — *n* giovane *m&f*; figlio minore; *(student)* studente di terzo anno

junk *n* rottami *mpl*; *(rags)* stracci *mpl*; **-man** *n* rigattiere *m*

junta *n* giunta

jurisdiction *n* giurisdizione

jurisprudence *n* giurisprudenza

jurist *n* giurista *m*

juror *n* giurato

jury *n* giuria; — **box** banco della giuria; **grand** — gran giurì

just *a* giusto; — *adv* appena, soltanto; — **as** nello stesso momente che; — **gone** appena uscito; — **now** or ora; **-ly** *adv* giustamente; a buon diritto

justice *n* giustizia; *(judge)* giudice *m*

justifiable *a* giustificabile, lecito

justification *n* scusa, giustificazione

justify *vt* giustificare

jut *vi* protendersi, sporgere

jute *n* iuta

juvenile *a* giovanile; — *n* giovane *m&f*; — **delinquency** delinquenza minorile; — **delinquent** delinquente giovanile, giovane delinquente

juxtaposition *n* giustapposizione

K

kale *n* cavolo riccio

kaleidoscope *n* caleidoscopio

kaleidoscopic *a* caleidoscopico

kangaroo *n* canguro

kaolin *n* caolino

kapok *n* capoc, kapok *m*

keel *n (naut)* chiglia; — *vi* rollare; capovolgersi; — *vt (naut)* capovolgere; — **over** *(naut)* capovolgersi; *(person)* svenire

keen *a* acuto, affilato, perspicace; *(desirous)* desideroso; **-ly** *adv* acutamente; **-ness** *n* acutezza, vivacità

keep *n* mantenimento; — *vt* tenere, mantenere; — *vi* tenersi; mantenersi; — **aloof** tenersi in disparte; — **an eye on** tener d'occhio; — **back** *(conceal)* nascondere *(fig)*; *(restrain)* trattenere; — **books** tenere la contabilità; — **from** astenersi; — **house** mantenere casa; — **mum** tacere; — **on** continuare

keeping *n* cura, mantenimento; *(care)* custodia; **in** — **with** d'accordo con, in armonia con

keepsake *n* ricordo

ken *n* conoscenza, comprensione

kennel *n* covo, canile *m*

kernel *n* essenza; *(center)* nucleo; *(grain)* chicco; *(nut)* nocciolo

kerosene *n* petrolio; — **lamp** lampada a petrolio

kettle *n* pentola, bollitore *m*; **-drum** *n* timpano

key *n (door, mus)* chiave *f*; *(elec)* chiavetta; *(piano)* tasto; **master** — chiave generale; **-board** *n* tastiera; **-hole** *n* buco della serratura; **-note** *n* tonica, nota dominante; **-stone** *n (arch)* chiave di volta; — *a* principale; — *vt* chiudere a chiave; *(mus)* intonare, accordare

kick *vt&i* prendere a calci; dare un calcio; *(coll)* lamentarsi; — *n* calcio, pedata; *(coll)* lamento; **–off** *n (sport)* calcio d'inizio

kid *n* capretto; *(coll)* bimbo; **handle with** — **gloves** trattare con guanti di velluto; **–skin** *n* pelle di capretto; — *a* di capretto; — *vt (coll)* burlare

kidnap *vt* rapire

kidney *n* rene *m*; — **bean** fagiuolo

kill *vt* ammazzare, uccidere; — *n* uccisione; **–er** *n* assassino

killing *n* assassinio, uccisione; **make a** — *(coll)* fare man bassa *(fig)*; — *a (coll)* schiacciante; *(funny)* esilarante; *(weather)* micidiale

kill-joy *n* guastafeste *m*

kiln *n* fornace *m*, forno

kilo *n* chilo; **–cycle** *n* chilociclo; **–gram** *n* chilogramma *m*, chilo; **–meter** *n* chilometro; **–watt** *n* chilowatt *m*

kin *n* famiglia, parentela; **next of** — il parente più prossimo; **–ship** *n* parentela

kind *a* gentile, buono; — *n* maniera, genere *m*, specie *f*; **nothing of the** — niente del genere; **–hearted** *a* buono, benevolo; **–ly** *adv* gentilmente; **–ness** *n* gentilezza, bontà

kindergarten *n* giardino d'infanzia

kindle *vt* provocare, accendere; dar fuoco a; *(excite)* eccitare; — *vi* accendersi; prender fuoco

kindliness *n* amabilità

kindling wood legna minuta per accendere

kindred *n* parentela, parenti *mpl*; — *a* affine; imparentato

kinetic *a* cinetico; **–s** *npl* cinetica

king *n* re *m*

kingdom *n* regno

kingpin *n (bowling)* birillo centrale; *(coll)* principale *m*, pezzo grosso

king-size *a* di formato gigante

kink *n (knot)* arricciatura; *(muscle)* crampo; **–y** *a* ricciuto

kiss *n* bacio; — *vt* baciare

kit *n* armamentario, corredo; cassetta di arnesi

kitchen *n* cucina; — **stove** fornello, cucina

kite *n (com)* cambiale di favore; *(toy)* aquilone *m*; *(zool)* nibbio; — *vi (com)* aver denaro con cambiale di favore; *(hurry)* volare *(fig)*

kitten *n* gattino; **–ish** *a* come un gattino

kitty *n (cat)* gattino, micino; *(money pool)* piatto, monte *m*

kleptomaniac *n* cleptomane *m&f*

knack *n* abilità

knave *n* briccone *m*, mariuolo; *(cards)* fante *m*

knead *vt* impastare

knee *n* ginocchio; **on one's –s** ginocchioni, in ginocchio; **–cap** *n* rotula

knee– *(in comp)* **–deep** *a* fino alle ginocchia; **–high** *a* all'altezza del ginocchio

kneel *vi* inginocchiarsi

knell *n* rintocco a morto, suono a morto

knickknack *n* ninnolo, gingillo, bagatella

knife *n* coltello; — **grinder** arrotino; — *vt* pugnalare, accoltellare

knight *n* cavaliere *m*; *(chess)* cavallo; **–hood** *n* cavalleria; **–ly** *a* cavalleresco; — *vt* fare cavaliere, creare cavaliere

knight-errant *n* cavaliere errante

knit *vt&i* unire; lavorare a maglia; *(bone)* saldarsi; — **one's brows** aggrottare le ciglia

knitting *n* lavoro a maglia; — **needle** ferro da calza

knob *n* bozza, protuberanza, pomo; **–by** *a* nodoso

knock *vt&i* bussare, picchiare; *(against)* urtare, — **around** *(coll)* sballottare; — **down** atterrare; — **off** *(price)* ribassare; *(work)* smettere il lavoro; — **out** vincere, sopraffare; *(boxing)* mettere fuori combattimento

knocker *n (door)* battente *m*

knocking *n* colpi *mpl*

knock-kneed *a* con le gambe storte

knockout *n* successone; *(boxing)* fuori combattimento

knot *n* nodo; **–hole** *n* foro rimasto nel legno allo staccarsi di un nodo; **–ted** *a* annodato, nodoso; **–ty** *a* nodoso; difficile

knottiness *n (fig)* difficoltà; complicazione; complessità

know *n* conoscenza; **be in the** — saperla lunga

know *vt* sapere; *(acquaint)* conoscere

knowingly *adv* accortamente

known *a* noto, conosciuto

know– *(in comp)* **–how** *n (coll)* conoscenza pratica; il saper fare; **–nothing** *n* ignorante

knowledge *n* sapere *m*; conoscenza, erudizione *f*; *(science)* scienza

knuckle *n (anat)* articolazione; *(finger)* nocca; *(meat)* ossobuco; *(mech)* giunto; — **under** sottomettersi, cedere; **rap over the –s** battere sulle nocche

kowtow *vi (bow)* salutare, toccando il suolo con la fronte, *(submit)* mostrare devozione

L

label *n* etichetta; — *vt* classificare; *(mark)* marcare
labial *a* labiale
labor *n* lavoro; — **market** offerta e domanda di lavoro; — **union** sindicato operaio; **hard** — lavori forzati; **-er** *n* bracciante, lavoratore *m*; — *vt&i* lavorare; *(distress)* angosciare, soffrire; **be in** — *(birth)* avere le doglie; **-ed** *a* stentato, elaborato
labor-saving *a* che evita fatica
laboratory *n* laboratorio
labyrinth *n* labirinto
lace *n* merletto, trina; *(shoe)* laccio, stringa; — *vt (beat)* battere; *(berate)* strigliare *(fig)*; *(connect)* allacciare; *(trim)* gallonare
laceration *n* strappo, lacerazione
lachrymose *a* lagrimoso
lacing *n* allacciamento; *(beating)* battuta; *(diatribe)* strigliata *(fig)*
lack *n* mancanza, difetto; **for** — **of** in mancanza di; — *vt&i* mancare, scarseggiare
lackadaisical *a* lezioso, languido, svenevole
lacking *a* mancante, difettante; — **in** privo di
lackluster *a* opaco
laconic *a* laconico
lacquer *n* lacca
lacrimose *a* lagrimoso
lactation *n* allattamento
lactic *a* lattico; — **acid** acido lattico
lactose *n* lattosio
lacy *a* traforato, calato; di pizzo
lad *n* ragazzo
ladder *n* scala a piuoli
lade *vt* imbarcare, caricare
lading *n* carico, caricamento; **bill of** — polizza di carico
ladle *n* mestolo; — *vt* scodellare; — **out** distribuire
lady *n* signora; *(nobility)* nobildonna; **-like** *a* distinto, fine, signorile; **-love** innamorata
lag *vi* attardarsi; restare indietro; — *n* ritardo
laggard *n* infingardo
lagoon *n* laguna
laid up *(sick)* ammalato; *(stored)* accumulato
lair *n* tana, covo, nascondiglio
laity *n* laicato; laici *mpl*
lake *n* lago
lamb *n* agnello; **-skin** *n* pelle d'agnello
lame *a* storpio, zoppo; — **excuse** scusa magra; **-ness** *n* difetto; *(med)* zoppi-

camento; — *vt* storpiare; **-ly** *adv* zoppicando, imperfettamente
lament *vt&i* lamentare, lamentarsi; — *n* lamento; **-ation** *n* lamentela, lamentazione; **-able** *a* lamentabile
laminate *vt* laminare; **-d plastic** laminati plastici
lamp *n* lampada; **-black** *n* nerofumo; **-post** *n* lampione *m*; **-shade** *n* paralume *m*
lampoon *n* libello, satira; — *vt* satireggiare
lance *n* lancia; *(med)* lancetta; — *vt (med)* incidere con la lancetta
land *n* terra; *(country)* paese *m*; *(soil)* terreno; — *vi (naut)* sbarcare, approdare; *(avi)* atterrare, arrivare; — *vt* tirare a terra; — **on one's feet** cadere in piedi
landholder *n* proprietario terriero
landing *n (avi)* atterraggio; *(naut)* approdo, sbarco; *(arch)* pianerottolo; **blind** — atterraggio cieco *or* radiocomandato; — **place** sbarcatoio; — **gear** carrello; — **strip** pista di atterraggio
landlady *n* affittacamere *f*; padrona di casa
landlord *n* locatore *m*
landmark *n* segno di confine; punto di riferimento
land office catasto
landowner *n* proprietario terriero
landscape *n* paesaggio; — **painter** paesista *m*
landslide *n* frana; *(pol)* elezione per maggioranza schiacciante
lane *n (auto)* corsia stradale; *(path)* sentiero; *(street)* vicolo
language *n* lingua, linguaggio; **bad** — turpiloquio
languid *a* languido
languish *vi* languire; **-ing** *a* languido, languente
languor *n* languore *m*; **-ous** *a* languido
lanky *a* allampanato
lanolin *n* lanolina
lantern *n* lanterna
lantern-jawed *a* macilento
Laos Laos
lap *n (anat)* grembo; *(cloth)* falda; *(sport)* giro; — *vt* piegare; *(animal)* lappare; *(water)* lambire
lapel *n* risvolto
lapping *a* lambente
lapse *n* dimenticanza; intervallo; *(gap)* lacuna; *(expiration)* decadenza; — *vi* trascorrere; decadere, ricadere
larceny *n* furto

lard *n* strutto, sugna; — *vt* lardellare
larder *n* dispensa
large *a* grosso, ampio; — **as life** in bella vista; **at** — in libertà; **al largo** *(coll)*; **in generale**; **nell'insieme**; **-ly** *adv* ampiamente
large-scale *a* in larga scala
largess *n* liberalità, regalo, dono
lariat *n* laccio
lark *n* allodola; *(fun)* divertimento; **go on a** — divertirsi
laryngitis *n* laringite *f*
larynx *n* laringe *f*
laser *n* amplificazione di luce per mezzo d'emissione stimolata di radiazione
lash *n* *(scourge)* sferza, frusta, flagello; *(eye)* ciglio; — *vt* frustare, sferzare; *(tie)* legare **-ing** *n* battitura; *(punishment)* castigo, flagellazione; *(cable)* gomena
lassitude *n* sfinimento, lassitudine
last *n* fine *f*; *(shoe)* forma da scarpe; — *a* ultimo; — **night** la notte scorsa; — **time** ultima volta; — **week** la settimana scorsa; **at** — finalmente; **next to** — penultimo; **-ly** *adv* finalmente, ultimamente, infine; — *vi* durare; **-ing** *a* duraturo, durevole, durabile
latch *n* *(door)* serratura, chiavistello; *(gate)* spranga; **-key** *n* chiave di casa; — *vt* chiudere con chiavistello
late *adv* tardi, in ritardo; **of** — recentemente; — *a* tardivo, recente; *(deceased)* fu, defunto, buonanima; **-ly** *adv* recentemente; — **in the night** a notte tarda; — **in the week** verso la fine della settimana
latent *a* latente
later *a* posteriore; *(following)* seguente; — *adv* più tardi
lateral *a* laterale
latest *a* ultimo, più recente; **at the** — al più tardi
lath *n* listello; — *vt* coprire di assicelle; **-ing** *n* listellatura
lathe *n* tornio
lather *n* schiuma, saponata; — *vt* insaponare, schiumare; *(coll)* bastonare; — *vi* spumeggiare
Latin *a&n* latino; — **America** America latina
latitude *n* latitudine *f*; *(of action)* ampiezza; libertà d'azione; carta bianca *(fig)*
latter *a* ultimo; **the** — quest'ultimo, questi
lattice *n* traliccio, graticcio, grata; **-work** *n* graticolato, graticcio, traliccio
laud *vt* esaltare; **-able** *a* lodevole
laugh *vi* ridere; — **at** farsi beffe di;

— *n* riso; **-ter** *n* risata, ilarità; — **up one's sleeve** ridere sotto i baffi; **-able** *a* risibile, ridicolo
laughing *a* allegro, ridente; **no** — **matter** niente da ridere; **-stock** *n* zimbello; **-ly** *adv* ridendo
launch *vt* lanciare, varare; — *vi* imbarcarsi *(fig)*; — *n* varo; *(boat)* lancia
launching *n* lancio, varo; — **pad** *(aesp)* piattaforma di lancio
launder *vi* fare il bucato; — *vt* lavare
laundress *n* lavandaia, stiratrice *f*
laundry *n* bucato; *(place)* lavanderia
lavatory *n* lavabo; *(restroom)* gabinetto di decenza
lavender *n* lavanda; — *a* color lavanda
lavish *a* abbondante, prodigo; — *vt* prodigare, largire; **-ness** *n* prodigalità, profusione, sciupio *(coll)*
law *n* legge *f*, diritto; **according to** — secondo la legge; **lay down the** — dettar legge; **civil** — diritto civile; **-breaker** *n* violatore delle legge; **-maker** *n* legislatore *m*; **-suit** *n* causa, querela
law-abiding *a* rispettoso della legge
lawful *a* legale, legittimo; **-ly** *adv* legittimamente
lawless *a* sfrenato; senza legge; **-ness** *n* licenza, sfrenatezza
lawn *n* praticello, tappeto erboso
lawnmower *n* falciatrice meccanica
lawyer *n* avvocato
lax *a* negligente, trascurato; *(morally)* immorale; **-ity** *n* negligenza; immoralità
laxative *n* lassativo, purgante *m*; — *a* purgativo
lay *vt* collocare, mettere, posare; *(paint)* coprire di pittura; *(spread)* stendere; — **aside** mettere da parte; — **a bet** fare una scommessa; — **bare** scoprire; — **a hand on** mettere le mani su; — **low** abbattere; *(hide)* appiattarsi; — **open** esporre; — **out** preparare, esporre; *(money)* spendere; — **up** conservare; mettere da parte; — *vi (bet)* scommettere; far scommessa; *(egg)* deporre uova
lay *n* *(position)* situazione, posizione; — **of the land** sistemazione del terreno; **-off** *n* sospensione di lavoro
lay *a* laico, secolare; **-man** *n* laico, secolare *m*
layer *n* strato
layette *n* corredo di neonato
layout *n* progetto, disegno; *(print)* menabò
laze *vi* oziare; esser pigro; vivere nell'inerzia
laziness *n* indolenza, pigrizia
lazy *a* pigro, indolente; **-bones** *n* *(coll)* indolente *m*

lead *vt (guide)* condurre, guidare; *(head)* capeggiare; *(cause)* indurre; — **away, off** condurre via; — **the way** mostrare il cammino; andare avanti; — *n* direzione, comando; *(elec)* cavo maestro; *(theat)* primo attore; **take the** — prendere il comando

lead *n (min)* piombo; — *a* plumbeo, di piombo; **–en** *a* pesante, plumbeo, di piombo; — **poisoning** saturnismo, colica saturnina; — *vt* impiombare

leader *n* capo, guida, persona autorevole; **–ship** *n* direzione, direttiva

leading *a* principale, primario, primo; — **question** domanda capziosa *or* suggestiva

leaf *n (book)* pagina, foglio; *(bot)* foglia; *(table)* aggiunta; **–let** *n (print)* foglietto, fasciolo; **–less** *a* senza foglie; **–y** *a* frondoso, carico di foglie; — *vi (bot)* frondeggiare; *(book)* sfogliare le pagine di

league *n (measure)* lega; *(organization)* lega, associazione; **in** — **with** in lega con

leak *n* fuga, perdita; *(gas)* fuga di gas; **spring a** — *(gas)* fare fuga; *(liquid)* fare acqua; **–age** *n* falla, scolo, filtrazione; — *vt&i* perdere, colare; — **out** *(secret)* trapelare

leaky *a* fesso; che ha una falla

lean *n&a* magro; **–ness** *n* magrezza; — *vt&i* inclinare, appoggiare; — **back one's head** piegare la testa indietro; — **on** appoggiarsi a; — **out** sporgersi

leaning *n* inclinazione, tendenza, pendenza; — *a* tendente, inclinato, pendente

lean-to *n* tettoia, baracchino

leap *vt&i* saltare; — *n* salto; — **year** anno bisestile

leapfrog *n* saltamontone *m*, cavallina

learn *vt* imparare, apprendere; **–er** *n* allievo, scolaro; **–ing** *n* sapere *m*, conoscenza, scienza

learned *a* dotto, erudito, sapiente

lease *n* contratto d'affitto; — *vt* dare *(or* prendere) in affitto

leash *n* laccio, guinzaglio; — *vt* tenere al guinzaglio

least *a&n* minimo; — *adv* minimamente; meno possibile; **at** — almeno; **not in the** — in nessun modo, per nulla

leather *n* pelle *f*, cuoio

leathery *a* coriaceo

leave *n* licenza, congedo; permesso; **take** — **of** accomiatarsi da; — *vt&i* lasciare; *(depart)* partire, andarsene; — **alone** lasciare in pace; — **behind** lasciare indietro; **on** — in licenza; — **out** omettere, tralasciare; **sick** — licenza di convalescenza

leaven *n* lievito; — *vt* lievitare

leavening *n* lievitazione, fermentazione, lievito; — *a* in fermentazione

leavings *npl* avanzi, resti *mpl*

Lebanon Libano

lecher *n* libertino

lecherous *a* lascivo, osceno

lechery *n* libertinaggio, lascivia

lecture *n* conferenza, discorso; *(scolding)* ramanzina; — *vi* far conferenze; — *vt* rimproverare, ammonire

lecturer *n* conferenziere *m*

ledge *n* sporgenza, bordo; *(geol)* strato; *(mountain)* cornice *f*; *(window)* davanzale *m*

ledger *n* libro mastro

leech *n* sanguisuga; **stick like a** — attaccarsi come una sanguisuga

leek *n* porro

leer *n* sbirciata; — *vi* sbirciare; — **at** sogguardare

lees *npl* sedimento

leeward *a&n* sottovento

leeway *n* deriva

left *a&n* sinistra; *(neglected)* trascurato; — **behind** sorpassato, lasciato indietro; **on the** — a sinistra; **–over** *n* rimasuglio; **–ward** *adv* verso sinistra; **left–** *(in comp)* **–hand** *a* sinistro; **–handed** *a* mancino; ambiguo; **–wing** *a (pol)* di sinistra; **–winger** *n (pol)* appartenente alla sinistra

leftist *n* persona di sinistra

leg *n* gamba; *(animal)* zampa; *(fowl)* coscia; *(trip)* tappa; **pull someone's** — fare un tiro scherzoso a qualcuno, prendere in giro qualcuno; **shake a** — *(sl)* sbrigarsi; **stand on one's own two legs** essere indipendente; **without a** — **to stand on** senza nessuna ragione; **on one's last –s** essere alle ultime risorse

legacy *n* eredità

legal *a* giuridico, legale; **–ity** *n* legalità; **–ize** *vt* legalizzare

legate *n* nunzio, legato

legation *n* legazione *f*

legend *n* leggenda; **–ary** *a* leggendario

legerdemain *n* gioco di prestigio

leggings *npl* uose *fpl*

legible *a* leggibile

legion *n* legione *f*

legislate *vi* legiferare

legislation *n* legislazione

legislator *n* legislatore *m*

legislature *n* legislatura

legitimacy *n* legittimità

legitimate *a* legittimo

legume *n* legume *m*

leisure *n* comodo, agio; **at** — a proprio

agio; **–ly** *a* deliberato, calmo; **–ly** *adv* comodamente, con comodo; **in a –ly way** senza fretta
lemon *n* limone *m*; **— squeezer** spremilimoni *m*; **— tree** limone *m*; **–ade** *n* limonata
lend *vt* dare in prestito, prestare, imprestare; fornire; **–er** *n* prestatore *m*, prestante *m*; **— a hand** prestar man forte
lending *a* di prestito; **— ** *n* prestito; **— library** biblioteca circolante
lend-lease *n* prestito di guerra
length *n* lunghezza; *(time)* durata; **at —** finalmente; per esteso, diffusamente; **–wise** *a* per il lungo; **–y** *a* lungo; **–en** *vt* allungare
leniency *n* benevolenza, indulgenza
lenient *a* indulgente
lens *n* lente *f*; *(eye)* cristallino; *(magnifying)* lente d'ingrandimento; **— shutter** *(photo)* otturatore *m*
Lent *n* quaresima; **–en** *a* quaresimale, magro
lentil *n* lenticchia, lente *f*
leopard *n* leopardo
leper *n* lebbroso
leprosy *n* lebbra
leprous *a* lebbroso
lesion *n* lesione
less *a* meno, minore, inferiore; **— ** *adv* & *prep* meno; **–er** *a* minore; più piccolo; **–en** *vt&i* diminuire; **for —than** per meno di; **in — than no time** in men che non si dica; **— and —** sempre meno; **none the —** nondimeno
lessee *n* locatario, affittuario
lesson *n* lezione
lessor *n* locatore *m*
lest *conj* per tema che, affinchè non
let *vt* lasciare, permettere; **— alone** lasciare in pace; **— down** deludere; **— go (of)** lasciare andare *(coll)*; **— in** lasciar entrare; **— know** far sapere; **— off** perdonare; lasciar passare *(fig)*; **— out** far uscire; *(dress)* allargare; *(secret)* divulgare; **— up** *(coll)* diventar meno rigido; *(slacken)* mollare; **–down** *n* *(coll)* disappunto; **–up** *n* rallentamento
lethargy *n* letargo
letter *n* *(alphabet, mail)* lettera; **— box** *n* cassetta postale; **— carrier** postino; **–head** intestazione; **— of attorney** mandato di procura; **— of credit** lettera di credito; **— opener** aprilettere *m*; **capital —** maiuscola; **dead —** lettera morta; **form —** lettera circolare; **lower-case —** *(print)* minuscola; **registered —** lettera raccomandata; **small —** minuscola; **— ** *vt* scrivere con caratteri alfabetici

lettering *n* caratteri alfabetici; iscrizione
lettuce *n* lattuga
leucocyte *n* leucocite *m*
leukemia *n* leucemia
levee *n* argine *m*; diga
level *a* piano; **— with** a livello con; **do one's — best** fare del proprio meglio; **— ** *n* livello; piano; **be on the —** avere intenzioni oneste; **— ** *vt* livellare; *(aim)* puntare; *(avi)* volare raso terra; **— to the ground** radere al suolo
level-headed *a* equilibrato, di buon senso
lever *n* leva; **control —** *(avi)* asta di comando; **–age** *n* punto d'appoggio, fulcro; influenza, vantaggio
levity *n* leggerezza, frivolità
levulose *n* levulosio
levy *n* imposizione, esazione; **— ** *vt* requisire, esigere; **— a tax** imporre un tributo
lewd *a* libidinoso, dissoluto
lewdness *n* oscenità, libidine *f*
lexicographer *n* lessicografo
lexicon *n* lessico
liabilities *npl* *(com)* passività; *(debts)* impegni *mpl*
liability *n* obbligo
liable *a* responsabile; *(likely)* suscettibile di
liar *n* bugiardo
libel *n* diffamazione *f*; **— ** *vt* diffamare
liberal *a* generoso, liberale; **–ism** *n* liberalismo; **–ity** *n* liberalità; **–ly** *adv* liberalmente; **–ize** *vt* rendere liberale
liberate *vt* liberare
liberation *n* liberazione
liberator *n* liberatore *m*
libertine *n* libertino; **— ** *a* licenzioso
liberty *n* libertà; **take the —** prendersi la libertà
libidinous *a* libidinoso
libido *n* libidine *f*
librarian *n* bibliotecario
library *n* biblioteca
librettist *n* librettista *m&f*
libretto *n* libretto
Libya Libia
license *n* licenza, permesso; **— plate** targa di circolazione; **driver's —** patente di guida; **hunting —** porto d'armi; **— ** *vt* autorizzare
licentious *a* licenzioso, libertino
licentiousness *n* licenziosità
licit *a* lecito
lick *vt* leccare; *(coll)* battere, sconfiggere; **— one's chops** *(fig)* leccarsi i baffi *(fig)*; **— someone's boots** leccare i piedi a qualcuno; **— ** *n* leccata; **give a — and a promise** *(fig)* fare qualche cosa superficialmente

licorice *n* liquirizia
lid *n* coperchio; *(eye)* palpebra
lie *n* menzogna, bugia; — *vi* mentire
lie *vi* trovarsi, stare; giacere; — **down** sdraiarsi, stendersi, coricarsi; — **still** star fermo
lien *n* diritto di rivalsa
lieu *n* luogo; **in** — **of** in vece di, in luogo di
lieutenant *n* tenente *m*; **second** — sottotenente *m*
life *n* vita; — **annuity** vitalizio; — **belt** salvagente *m*; — **buoy** gavitello di salvataggio; — **expectancy** probabilità di vivere; — **insurance** assicurazione sulla vita; — **preserver** apparecchio di salvataggio, sfollagente *m*; **come to** — ritornare in vita; **for** — a vita; **high** — alta società; **matter of** — **and death** questione di vita o morte; –**blood** *n* anima *(fig)*; –**boat** *n* battello di salvataggio; –**guard** *n* bagnino; –**long** *a* perpetuo; –**saver** *n* salvavita; –**time** *a* a vita, per la vita; –**work** *n* lavoro di una vita; **still** — natura morta
lifeless *a* inanimato
likelike *a* verosimile, dal vero
life-size *a* al vero, al naturale
lift *vt* sollevare, alzare; — *vi* dissiparsi; alzarsi; — *n* sollevamento; *(air)* ponte aereo; *(auto)* passaggio
ligament *n* legamento
ligature *n* legatura
light *n* luce *f;* — **beam** raggio di luce; — **bulb** lampadina; — **meter** *(phot)* fotometro; — **wave** onda luminosa; **bring to** — mettere in luce; **come to** — venire in luce, manifestarsi; **throw** — **on** gettar luce su *(fig)*; –**hearted** *a* allegro, gaio; –**house** *n* faro; –**weight** *n (sport)* peso leggero
light *a* chiaro; *(weight)* leggero
light *vt* accendere; illuminare; — *vi* accendersi; illuminarsi; — **on** *(encounter)* imbattersi in
lighten *vt* illuminare; *(weight)* alleggerire; — *vi* illuminarsi; balenare; alleggerirsi
light– *(in comp)* —**fingered** *a* lesto di mano; —**footed** *a* agile, veloce; —**headed** *a* svenato, leggero; —**year** *n (ast)* anno luce
lighting *n* illuminazione
lightning *n* baleno; — **rod** parafulmine *m*; **flash of** — un lampo; **fork** — saetta; **sheet** — lampeggio
ligneous *a* ligneo
likable *a* simpatico, piacevole
like *a* simile, somigliante; — *prep* simile a, come; — *vt* piacere a; voler bene a, aver simpatia per; — *adv* come, da,

nella maniera di; –**ly** *a* probabile; –**ness** *n* rassomiglianza; –**wise** *adv* così, ugualmente; –**lihood** *n* probabilità, verosimiglianza; **feel** — aver voglia di; **look** — somigliare a
liken *vt* confrontare, paragonare
liking *n (affection)* affetto, simpatia; *(desire)* inclinazione; *(taste)* gusto; **take a** — **to** prendere in simpatia
lilac *n* lilla
lily *n* giglio
limb *n* membro; *(tree)* ramo
limber *a* flessibile, agile; — *vt* rendere flessibile
lime *n* calce *f;* *(fruit)* limetta; –**stone** *n* calcare *m*; pietra calcarea
limelight *n* evidenza *(fig)*; **be in the** — essere prominente
limit *n* limite *m*; — *vt* limitare; –**ed** *a* ristretto, limitato; –**less** *a* illimitato
limitation *n* limitazione, limite *m*, riserva
limp *n* zoppicamento; — *vi* zoppicare; –**ing** *a* zoppicante
limp *a* floscio, fiacco, molle; –**ly** *adv* flosciamente
limpid *a* chiaro, limpido, terso
line *n* linea, riga; *(com)* linea d'affari; *(poet)* verso; **draw the** — *(fig)* segnare il limite; — *vt* rigare, segnare; *(articles)* rivestire, ricoprire, foderare; *(rule)* allineare; — **up** allinearsi
lineage *n* lignaggio, stirpe *f*, razza
lined *a (inside)* rivestito, ricoperto, foderato; *(ruled)* lineato
lineal *a* lineale
linear *n* lineare
lineman *n (rail)* guardalinea *m*
linen *n* tela di lino; **bed** — biancheria; — *a* di lino
liner *n (boat)* transatlantico
linesman *n (sport)* arbitro
line-up *n* sfilata
linger *vi* attardarsi; –**ing** *a* ritardato, lungo, lento; *(lasting)* persistente
lingual *a* linguale
linguist *n* linguista *m&f*; –**ics** *npl* linguistica; –**ic** *a* linguistico
liniment *n* linimento
lining *n* fodera, rivestimento
link *n* vincolo; anello di congiunzione; — *vt* concatenare, unire
linoleum *n* linoleum *m*
linotype *n* macchina linotipo
linseed *n* seme di lino; — **oil** olio di lino
lint *n* peluria, cascame *m*
lion *n* leone *m*
lion-hearted *a* dal cuor di leone
lip *n* labbro; — **reading** il capire dal moto delle labbra; — **service** fedeltà a parole

lipstick *n* rossetto per le labbra
liquefaction *n* liquefazione
liquefy *vt* liquefare; — *vi* liquefarsi
liqueur *n* liquore *m*
liquid *a&n* liquido
liquidate *vt* liquidare
liquidation *n* liquidazione
liquor *n* liquore *m*; — **store** negozio di liquori; **hard** — bevanda di alto grado alcoolico
Lisbon Lisbona
lisp *vt&i* parlare bleso; — *n* pronunzia blesa
list *n* elenco, lista; *(naut)* sbandamento; — **price** prezzo marcato; — *vt* elencare; — *vi (naut)* sbandare
listen *vi* ascoltare; **-er** *n* ascoltatore *m*; **-ing** *a* ascoltante
listless *a* indifferente; svogliato; **-ness** svogliatezza
litany *n* litania
liter *n* litro
literacy *n* il saper leggere e scrivere
literal *a* letterale; **-ly** *adv* letteralmente
literary *a* letterario
literate *a* letterato; che sa leggere e scrivere; — *n* letterato, erudito in lettere
literature *n* letteratura
lithe *a* snello, pieghevole
lithograph *n* litografia; **-er** *n* litografo
lithography *n* litografia
litigant *n* litigante *m&f*; parte in causa
litigate *vt (law)* discutere; — *vi* avere una causa in corso; litigare
litigation *n* lite legale
litmus *n* tornasole *m*; — **paper** carta di tornasole
litter *n (animal)* figliata; *(mess)* disordine, sossopra *m*; — *vt* disordinare; — *vi (animal)* partorire; **-ed** *a* disordinato, sossopra
little *a* piccolo; — *n&adv* poco; — **by** — a poco a poco; **a** — **while** un po' di tempo; **L- Bear** Orsa Minore
liturgy *n* liturgia
live *vt&i* vivere; *(reside)* abitare; — **down** *(past)* far dimenticare; — **from hand to mouth** vivere alla giornata; — *a* vivo, vivente; ardente; — **show** *(TV)* scena dal vero; — **steam** vapore compresso; **-liness** *n* vivacità
livelihood *n* sussistenza, mantenimento
lively *a* vivo, vivace
liven *vt* animare; — *vi* ravvivarsi
liver *n* fegato
livery *n* livrea; — **stable** stalla dove si noleggiano cavalli
livestock *n* bestiame *m*

livid *a* livido
living *n* esistenza, vita, pane quotidiano; — **room** salotto; — **wage** salario livellato alle esigenze vitali; **earn a** — guadagnarsi il pane; **standard of** — tenore di vita; — *a* vivente
lizard *n* lucertola; — *a* di lucertola
llama *n* lama
load *vt* caricare; — *n* carico, peso; **-s of** *(coll)* mucchi di
loaded *a* caricato; — **dice** dadi truccati
loaf *n* pane *m*, forma di pane; — *vi* bighellonare; **-er** *n* bighellone *m*, ozioso; **-ing** *n* ozio
loan *n* prestito; — **shark** strozzino; — *vt* prestare
loathe *vt* detestare; avere a schifo
loathing *n* ripugnanza
loathsome *a* schifoso, disgustoso
lobby *n* vestibolo, atrio; — *vi (pol)* sollecitare voti con manovre influenzabili
lobe *n* lobo
lobster *n* aragosta
local *a* locale; **-ity** *n* località; **-ize** *vt* localizzare; **-ly** *a* localmente
locale *n* scena
locate *vt* collocare; individuare, reperire; **be -d** essere situato
location *n* posto, posizione
lock *n (canal)* chiusa; *(gun)* percussore *m*; *(hair)* ricciolo, ciocca, bioccolo; *(latch)* serratura, toppa; **air** — camera di pressione intermedia; **pick a** — aprire con grimaldello; **under** — **and key** sotto chiave; **-smith** *n* magnano, chiavaio; **-out** *n (labor)* serrata; **-ed** *a* chiuso a chiave
lock *vt* chiudere a chiave; — *vi* chiudersi; — **in** rinserrare; — **out** chiuder fuori; — **up** rinchiudere
locker *n* ripostiglio; armadietto; baule *m*; tiretto; — **room** spogliatoio
locket *n* ciondolo reliquiario
lockjaw *n* tetano
lockup *n* prigione *f*
locomotion *n* locomozione
locomotive *n* locomotiva; — *a* locomotivo, mobile
locomotor ataxia atassia locomotrice
locus *n (geom)* luogo
locust *n* locusta; — **tree** carrubo
lode *n (geol)* filone metallifero
lodge *n* villetta; locale notturno; — *vt&i* alloggiare; — **a complaint** sporgere querela
lodger *n* inquilino
lodging *n* alloggio
loft *n (attic)* solaio, soffitta; *(dove)* piccionaia; — *vt* mettere in soffitta

lofty *a* elevato, alto; *(noble)* nobile
log *n* ceppo, tronco; *(naut)* libro di bordo; — **cabin** capanna di tronchi d'albero; — *vt&i* tagliare in ceppi
logarithm *n* logaritmo
logger *n* boscaiolo
loggerhead *n* stupido; **be at –s** essere alle prese
logic *n* logica; **–al** *a* logico
logistics *npl* logistica
loin *n* lombo; *(meat)* lombata; **–s** *npl* lombi *mpl*, reni *fpl*
loiter *vi* indugiarsi; gironzolare; **–er** *n* bighellone *m*, ozioso, sfaccendato; **–ing** *n* l'andare a zonzo
loll *vi* penzolare; afflosciarsi — *vt* lasciar penzolare
lollipop *n* caramella
London Londra
lone *a* solo, solitario; **–liness** *n* solitudine *f*; **–ly** *a* solitario, isolato, desolato; **–some** *a* solitario, solo
long *a* lungo; — *adv* per molto tempo, a lungo; **in the — run** nell'insieme; **a — time** molto tempo; **as — as** fin tanto che; **before — fra** poco; — **for** desiderare vivamente, agognare; **–ing** *n* desiderio, brama
long– *(in comp)* **—distance** *a* di lunga distanza; *(phone)* interurbano; **—faced** *a* malinconico, triste; **—legged** *a* dalle gambe lunghe; **—lived** *a* longevo, dalla vita lunga; **—lost** *a* perduto da lungo tempo; **—playing record, LP** disco microsolco; **—standing** *a* esistente da lungo tempo; **—suffering** *a* paziente; **—winded** *a* che ha grande resistenza per correre; *(fig)* tedioso, parolaio
longevity *n* longevità
longhand *n* scrittura ordinaria
longitude *n* longitudine *f*
longshoreman *n* scaricatore del porto
look *vt&i* guardare; *(appear)* sembrare; — **after** aver cura di; — **as if** sembrare che; — **at** guardare, esaminare; *(consider)* considerare; — **away** girar gli occhi; — **back (on)** ricordarsi (di); — **bad** aver cattivo aspetto; — **down on** *(fig)* disprezzare; — **for** cercare; *(expect)* aspettare; — **into** esaminare; — **like** somigliare; — **on** *(face)* dare su; **L– out!** Bada!, Guarda!, Attento! Attenzione!; — **over** esaminare, sorvegliare; — **up** *(word)* cercare; *(glance)* alzare lo sguardo; — **up to** *(admire)* ammirare, respettare; **as it –s to me** come mi sembra, secondo me; **by the –s of it** secondo le apparenze
look *n* aria, sguardo, cera
looking glass specchio

lookout *n* guardia; **be on the — stare** all'erta *(or* in guardia); **That's my — Ciò** spetta a me, É affar mio
loom *n* telaio; — *vi* apparire, profilarsi
loop *n* cappio, nodo scorsoio; *(avi)* cerchio della morte; **–hole** *n* scappatoia
loose *a* sciolto, libero; sfrenato, dissoluto; **at — ends** trascurato, disordinato; indeciso; — **change** spiccioli *mpl*; **–ly** *a* sciolatemente; vagamente; **–n** *vt* sciogliere, slegare; — *vi* sciogliersi, allentarsi
loose– *(in comp)* **—jointed** *a* dinoccolato; **—leaf** *a* dai fogli sciolti
looseness *n* scioltezza; *(moral)* immoralità
loot *n* bottino; — *vt* predare
lop *vt* potare; recidere; mozzare; **–sided** *a* mal equilibrato; pendente; asimetrico; — **off** mozzare
lope *vi* correre a lunghi passi; — *n (gait)* passo lungo
lop-eared *a* con gli orecchi penzoloni
loquacious *a* loquace; **–ness** *n* loquacità
Lord *n* Signore *m*, Dio
lord *n* signore, padrone *m*
Lord's Prayer Paternostro
lore *n* sapienza, erudizione
lose *vt&i* perdere; — **one's temper** andare in collera; — **one's way** smarrirsi; — **sight of** perdere di vista; **–r** *n* perditore *m*, perdente *m&f*
losing *a* in perdita, perdente
loss *n* perdita; **be at a — non** sapere cosa fare, essere confuso; **sell at a — vendere** in perdita
lost *a* perduto, perso; *(ruin)* rovinato
lot *n* sorte *f*, destino; *(land)* lotto; *(goods)* partita; **draw –s** tirare a sorte
lotion *n* lozione *f*
lots *npl (coll)* grande quantità, un mucchio
lottery *n* lotteria
loud *a* forte; sgargiante; **–ness** *n* forza, rumorosità; *(of dress)* vistosità
loudspeaker *n* altoparlante *m*
loudmouthed *a* volgare, grossolano
lounge *n* atrio, vestibolo; divano, sofà *m*; — *vi* andare a zonzo, oziare
louse *n* pidocchio
lousy *a* pidocchioso; *(sl)* schifoso
lout *n* villanzone *m*
lovable *a* caro, amabile
love *n* amore *m*, affetto; — **affair** amoruccio, passioncella; **be in — essere** innamorato; **fall in — with** innamorarsi di; **make — corteggiare**; **–less** *a* senza amore; **–liness** *a* bellezza, grazia, incanto; **–lorn** *a* infelice in amore; **–ly** *a* bello, grazioso, piacevole; **–r** *n* amante *m&f*; innamorato; **–sick** *a* innamorato
love *vt* amare, voler bene a

love-making n corte, flirteo
loving a amoroso; affettuoso; devoto
low a basso; vile; depresso; — adv basso; — vi muggire; — n (cow) muggito; **-ly** a umile
low- (in comp) **—cut** a scollato, decoltè; **—down** a (coll) vile, meschino; **—pitched** a (tone) di tono basso; (roof) di bassa inclinazione; **—pressure** a di bassa pressione; **—spirited** a triste, scoraggiato, abbattuto
lowdown n (sl) il nocciolo della questione (fig)
lower a più basso; — **berth** cuccetta bassa; — vt abbassare; (shame) avvilire; — vi abbassarsi; avvilirsi; (sink) affondarsi
lower-case a minuscolo
lowland n pianura, bassopiano; **-s** pianura del sudest scozzese
lowliness n umiltà
lox n (chem) ossigeno liquido; salmone affumicato
loyal a fedele; **-ist** n monarchico; **-ty** n fedeltà
lozenge n pasticca, pastiglia; (geom) losanga
lube n olio lubrificante
lubricant n lubrificante m
lubricate vt lubrificare
lubricating lubrificante; — **oil** olio lubrificante
lubrication n lubrificazione
lucid a lucido; brillante; **-ity** n lucidità
luck n fortuna; **bad** — disdetta; **good** — buona fortuna; **-ily** adv fortunatamente
lucky a felice, fortunato; — **charm** amuleto
lucrative a lucrativo
ludicrous a ridicolo, comico; assurdo, ludicro
lug n (pull) strappone m; (mech) aletta, aggetto; (projection) sporgenza; — vt spingere; trascinare
luggage n bagaglio
lugubrious a lugubre
lukewarm a tiepido; (fig) indifferente
lull n sosta, bonaccia, intervallo di calma; — vt cullare, calmare; — vi calmarsi
lullaby n ninnananna
lumber n legname m; — **dealer** commer-

ciante di legname; **-jack** n boscaiolo; **-man** n taglialegna m; commerciante in legname; **-yard** n deposito di legname; — vi tagliar legna; **-ing** a pesante, ingombrante, goffo
lumen n lumen m
luminary n luminare m
lump n pezzo; bernoccolo; — **in the throat** nodo alla gola; — **sum** somma globale; — vt ammucchiare; prendere all'ingrosso, ammassare; — vi muoversi pesantemente; fare mucchio
lunacy n demenza, follia, alienazione mentale
lunar a lunare
lunatic a&n pazzo, matto
lunch, luncheon n colazione f; — vi far colazione
lung n polmone m; **iron** — (med) polmone d'acciaio
lunge n slancio; (fencing) a fondo; — vi slanciarsi; (fencing) fare a fondo
lurch n scarto; (naut) bordata; (auto) sbandata; **leave in the** — lasciare nei guai; — vi rollare, sbandare, traballare
lure n (fishing) esca; (fig) lusinga, allettamento; — **away** sviare; — vt adescare, allettare
lurid a lurido; scandaloso
lurk vi nascondersi; stare in agguato
luscious a succolento
lush a lussureggiante
lust n concupiscenza, lussuria; incontinenza; — vi agognare, bramare; **-y** a vigoroso, forte
luster n splendore m, lustro
lustiness n vigore m
lustrous a lucido, brillante, splendente, lustro
lute n liuto
luxuriant a rigoglioso, lussureggiante
luxurious a lussuoso, suntuoso
luxury n lusso
lye n liscivia; soda caustica
lying n mendacia, falsità; — a giacente; (false) mendace
lying-in hospital casa di maternità
lymph n linfa; — **gland** n glandola linfatica; **-atic** a linfatico
Lyons Lione
lyric n lirica; — a lirico
lyrical a lirico

M

M. A., Master of Arts n diplomato in lettere
macabre a macabro
macadam n macadam m, massicciata; — a

macadamizzato, massicciato
macaroni n maccheroni mpl
macaroon n amaretto
mace n (spice) macis m; (club) mazza

macerate *vt* macerare
machination *n* macchinazione, complotto
machine *n* macchina; — **gun** mitragliatrice *f*; — **shop** officina meccanica; — **tool** macchina utensile
machine-gun *vt* mitragliare
machine-made *a* fatto a macchina
machinery *n* macchine *fpl*; meccanismo; congegno
machinist *n* macchinista *m*, meccanico
mackerel *n* sgombro; — **sky** cielo a pecorelle
macrocosm *n* macrocosmo
macron *n* (*gram*) lunga
mad *a* pazzo; (*coll*) arrabbiato; **stark** — matto del tutto; **drive** — far impazzire; **get** — (*coll*) adirarsi; **go** — impazzire; **–cap** *n* scervellato, impulsivo; **–man** *n* pazzo, matto, folle *m*
madam *n* madama, signora
madden *vt* far diventar matto, far ammattire; **–ing** *a* da far impazzire
made *a* fatto
Madeira *n* Madera
made-to-order *a* fatto su misura
made-up *a* artificiale, falso; (*cosmetics*) truccato
madly *adv* pazzamente
madness *n* pazzia, follia
Madonna *n* Madonna
madrigal *n* madrigale *m*
magazine *n* rivista; (*mil*) arsenale *m*; **powder** — polveriera
magenta *n&a* cremisi
maggot *n* verme *m*, baco; (*fig*) capriccio, ubbia
magic *n* magia; — *a* magico; **–al** *a* magico; **–ian** *n* mago; illusionista *m*
magistrate *n* magistrato
magnanimity *n* magnanimità
magnanimous *a* magnanimo
magnate *n* magnate *m*; (*coll*) pezzo grosso (*coll*)
magnesia *n* magnesia
magnesium *n* magnesio; — **light** luce al magnesio
magnet *n* calamita; **–ic** *a* magnetico; **–ic recorder** magnetofono; **–ism** *n* magnetismo; **–ize** calamitare, magnetizzare
magneto *n* magnete *m*
magnetohydrodynamics *npl* (*phy*) magnetoidrodinamica
magnetron *n* tubo catodico regolato con campo magnetico
magnification *n* amplificazione, ingrandimento
magnificence *n* magnificenza
magnificent *a* magnifico
magnify *vt* ingrandire, esagerare
magnifying *a* ingranditore; — *n* ingran-

dimento; — **glass** lente d'ingrandimento
magnitude *n* grandezza; **of the first** — di somma importanza
magpie *n* gazza
mahogany *n* mogano
maid *n* cameriera, donna di servizio; — **of honor** damigella d'onore; **old** — vecchia zitella
maiden *n* zitella; ragazza; vergine *f*; — **voyage** viaggio inaugurale; — *a* verginale, nubile; — **name** nome da signorina
mail *n* (*armor*) maglia di ferro
mail *n* posta, corriere *m*; **by return** — a giro di posta; — **delivery** distribuzione della posta; **registered** — posta raccomandata; **–box** *n* cassetta delle lettere; **–man** *n* portalettere *m*; — *vt* imbucare, impostare
mail-order house casa di commercio per corrispondenza
maim *vt* mutilare
main *n* (*utility*) conduttura principale; — *a* principale; — **office** ufficio principale, sede centrale; — **thing** l'essenziale, il principale; **–land** *n* continente *m*, terraferma; **–ly** *adv* principalmente; **–spring** *n* molla principale di meccanismo; (*fig*) causa basica; **–stay** (*naut*) straglio di maestra; (*fig*) appoggio principale
maintain *vt* sostenere; mantenere
maintenance *n* mantenimento, manutenzione
maize *n* granturco
majestic *a* maestoso; **–ally** *adv* maestosamente
majesty *n* maestà
majolica *n* maiolica
major *a* maggiore; — **general** (*mil*) maggiore generale; — *n* (*mil*) maggiore *m*; (*law*) maggiorenne *m*; **–domo** *n* maggiordomo; — *vi* (*study*) specializzarsi
majority *n* maggioranza
make *vt* fare; fabbricare; obbligare; costringere; — **a fool of** prendere per stupido; — **a living** guadagnarsi la vita; — **headway** progredire; — **a point** raggiungere lo scopo; — **believe** far finta di; dar ad intendere; — **no difference** non avere importanza; — **out** (*list, check*) compilare; (*document*) stendere; (*succeed*) riuscire; — **over** (*remake*) rifare; (*transfer*) trasmettere; — **ready** preparare, approntare; — **room** far posto; — **up** (*compose*) comporre; (*complete*) completare; (*reconcile*) fare la pace; — *n* fattura, fabbricazione; marca
make-believe *n* finzione, sembianza; — *a* finto

maker *n* fattore *m*
Maker *n* Creatore *m*
makeshift *n* espediente *m*; — *a* improvvisato
make-up *n (print)* impaginazione *f*; *(cosmetics)* truccatura; *(composition)* composizione, costituzione, struttura; *(theat)* trucco
making *n* fattura, creazione; struttura; **have the –s of** avere la stoffa di
maladjusted *a* inadatto
maladjustment *n* cattivo accomodamento, aggiustatura malfatta
maladroit *a* malaccorto
malady *n* malattia
malar *a* zigomatico; — *n* zigomo
malaria *n* malaria
malcontent *n&a* malcontento
male *a* maschile; — *n* maschio
malefactor *n* malfattore *m*
malevolent *a* malevolo
malfeasance *n* cattiva condotta, misfatto
malformation *n* malformazione, deformazione
malformed *a* deforme
malfunction *n* cattivo funzionamento; — *vi* funzionare male
malice *n* malizia, cattiveria; **with — aforethought** con premeditazione
malicious *a* malevolo, maligno; **–ness** *n* maliziosità
malign *vt* diffamare, calunniare
malignancy *n* malignità
malignant *a* maligno, nocivo
malinger *vi* fingersi ammalato
malleability *n* malleabilità
malleable *a* malleabile
mallet *n* mazzuola; martello di legno
malnutrition *n* denutrizione
malodorous *a* puzzolente
malpractice *n* negligenza professionale
malt *n* malto; **–ed** *a* di malto
Malta Malta
maltreat *vt* maltrattare; **–ment** *n* maltrattamento
mamma *n* mamma, madre *f*
mammal *n* mammifero
mammary *a* mammario
mammoth *n* mammut *m*; — *a (coll)* grande, enorme
man *n* uomo; **old —** vecchio; **young —** giovane *m*, giovanotto; **–hole** *n* chiusino; **–hood** *n* virilità, umanità; **–kind** *n* genere umano; umanità; **–liness** *n* virilità, mascolinità; fermezza virile; — *vt* equipaggiare; **–ly** *a* virile, mascolino, **–ly** *adv* virilmente
manacle *n* manetta; — *vt* ammanettare
manage *vt* dirigere, amministrare, manipolare; — *vi* arrangiarsi, cavarsela

(coll); **–able** *a* maneggevole, trattabile; **–ment** *n* direzione *f*; gestione *f*
manager *n* direttore *m*; **–ial** *a* direttivo
managing *a* gerente, amministratore
mandate *n* mandato
mandatory *a* impositorio, obbligatorio
mandible *n* mandibola
mandolin *n* mandolino
mane *n* criniera
man-eating *a* antropofago
maneuver *n* manovra; — *vt* manovrare
manganese *n* manganese *m*
mange *n* rogna, scabbia
manger *n* greppia; *(eccl)* presepio
mangle *n* mangano; — *vt (iron)* manganare; lacerare, sfigurare
mangy *a* scabbioso
manhandle *vt* malmenare
mania *n* mania, pazzia
maniac *n&a* maniaco
manicure *n* manicura; — *vt* far la manicura
manicurist *n* manicure *f*
manifest *n* manifesto; — *a* evidente; — *vt* manifestare; — *vi* manifestarsi; **–ation** *n* manifestazione
manifesto *n* proclama, manifesto
manifold *a* molteplice; multiforme; — *n (mech)* tubo collettore
manikin *n* manichino
manipulate *vt* manipolare
manipulation *n* manipolazione
manipulator *n* manipolatore *m*
manna *n* manna
manner *n* maniera; modo; aria; **in a — of speaking** per modo di dire; **in this —** in questo modo; **–ly** *a* cortese, educato; **–ism** *n* manierismo; **–s** *npl* modo di comportarsi; educazione
man-of-war *n* nave da guerra
manor *n* maniero; feudo, castello
mansion *n* casa signorile
manslaughter *n* omicidio preterintenzionale
mantel *n* mensola di camino
mantilla *n* mantiglia
mantle *n (cape)* mantello; manto; *(fireplace)* cappa
manual *a&n* manuale *m*; — **training** pratica apprendista
manufacture *n* fabbrica, manifattura; — *vt* manifatturare, fabbricare; **–r** *n* manifatturiere, fabbricante *m*
manufacturing *n* fabbricazione; — *a* manifatturante
manumit *vt* emancipare
manure *n* letame, concime *m*
manuscript *n* manoscritto
many *n&a* molti, tanti; **how —, so —** quanti; **as — as** tanti quanti; **too —**

troppi

many-sided *a* con molti lati (*or* aspetti)

map *n* carta geografica; — **maker** *n* cartografo; — *vt* fare una carta di; — **out** tracciare; progettare in dettaglio

maple *n* acero

mar *vt* (*ruin*) guastare; (*spoil*) avariare; (*disfigure*) sfigurare; — *n* guasto, rovina, danno

maraschino *n* maraschino

marathon *n* maratona

marauder *n* predone, predatore *m*

marble *n* marmo; — *a* di marmo; **-d** *a* marmoreo, marmorizzato; — *vt* marmorare, marmorizzare

March *n* marzo

march *n* marcia; — *vi* marciare; — *vt* far marciare; — **by** sfilare

mare *n* giumenta

margarine *n* margarina

margin *n* margine *m*, orlo; — (*com*) deposito di garanzia marginale; **-al** *a* marginale

marginate *vt* marginare

marigold *n* fiorrancio

marimba *n* silofono

marinate *vt* marinare

marine *n* marinaio; **M– Corps** marina; — *a* marino, marittimo

mariner *n* marinaio

marionette *n* marionetta

marital *a* maritale

maritime *a* marittimo

marjoram *n* maggiorana

mark *n* segno; (*school*) voto, punto; (*target*) bersaglio; — **of distinction** segno di distinzione; **question** — punto interrogativo; — *vt* marcare; — **down** (*com*) diminuire il prezzo; — **time** segnare il passo; marcare il tempo; — **up** aumentare il prezzo; **-ed** *a* marcato, distinto, noto; **-er** *n* segnatore *m*; marcatore *m*; **-ing** *n* marchio; segno; **trade–** *n* marca di fabbrica

marked– (*as comp*) **—down** *a* a prezzo ribassato; **—up** *a* a prezzo aumentato

market *n* mercato; — **place** piazza del mercato; — **price** (*com*) prezzo di mercato; **-able** *a* mercantile, commerciabile; **on the** — sul mercato; — *vt* vendere

marketing *n* commercio; — **research** indagine di mercato

marksman *n* tiratore esperto

markup *n* (*com*) margine di rivendita

marmalade *n* marmellata

maroon *n&a* (*color*) marrone; — *vt* abbandonare su un'isola

marquee *n* pensilina

marquis *n* marchese *m*

marriage *n* matrimonio; **–able** *a* maritabile, in età da marito; — **license** dispensa di matrimonio

married *a* sposato; (*conjugal*) matrimoniale, coniugale; (*man*) ammogliato; (*woman*) maritata; **get** — sposarsi; — **couple** coniugi *mpl*

marrow *n* midollo

marry *vt* sposare; — *vi* sposarsi

Mars *n* Marte *m*

Marseilles Marsiglia

marsh *n* palude *f*; **–y** *a* paludoso

marshal *n* maresciallo; — **law** legge marziale; — *vt* ordinare; mettere in ordine; — **one's forces** riunire le forze

marshmallow *n* (*bot*) altea

marsupial *n&a* marsupiale *m*

mart *n* mercato, centro commerciale

marten *n* martora

martial *a* marziale

Martian *a&n* marziano

martinet *n* rigorista *m*

martyr *n* martire *m&f*; **–dom** *n* martirio; — *vt* martirizzare

marvel *n* meraviglia; — *vt* meravigliare; — *vi* meravigliarsi; **–ous** *a* meraviglioso; **–ously** *adv* meravigliosamente

marzipan *n* marzapane *m*

mascara *n* rimmel *m*

mascot *n* mascotte *f*; (*charm*) talismano, portafortuna *m*

masculine *a* maschile

masculinity *n* maschilità, mascolinità

mash *vt* ridurre in polpa, pestare; **–ed** *a* ridotto in poltiglia, schiacciato; passato

mask *n* maschera; — *vt* mascherare

masochism *n* masochismo

mason *n* muratore *m*

masquerade *n* mascherata; (*dance*) ballo in maschera; — *vi* mascherarsi

mass *n* massa, mucchio; — **meeting** comizio; — **production** produzione in massa; **-es** *npl* (*people*) masse popolari; — *vt* ammassare; — *vi* ammassarsi

Mass *n* Santa Messa

massacre *n* massacro; — *vt* massacrare

massage *n* massaggio; — *vt* massaggiare

masseur *n* massaggiatore *m*

massive *a* massivo

mast *n* (*naut*) albero

master *n* padrone; maestro *m*; — **hand** mano maestra; — **key** chiave maestra; — **of ceremonies** maestro di cerimonie; — **stroke** colpo maestro; **–ly** *a* magistrale; abile; **–ful** prepotente; **–piece** *n* capolavoro; **–y** *n* possesso; padronanza; maestria; — *vt* dominare

mastermind *n* genio, mente superiore; — *vt* organizzare, dirigere

masticate *vt* masticare

mastication *n* masticazione
mastiff *n* mastino
mastoid *n* mastoide *f*; — *a* mastoideo
mat *n* stuoia; **door** — zerbino; **table** — sottopiatto; **-ted** *a* arruffato; intrecciato
mat *a* opaco
match *n* simile *m*; *(matrimonial)* partito; *(sport)* partita, gara; — *vt (marry)* maritare; *(couple)* accoppiare; *(agree)* accordare; — *vi* maritarsi; **-less** *a* incomparabile
match *n (flame)* fiammifero; **book -es** fiammiferi Minerva *(coll)*
matchbox *n* scatola di fiammiferi
matchmaker *n* combinatore di matrimoni
mate *n* sposo; compagno; *(naut)* secondo di bordo; — *vt&i* accoppiare; accoppiarsi, unirsi
material *a* materiale; — *n* materia, stoffa; materiali *mpl*; **raw —s** materie prime *fpl*; **-ism** materialismo; **-ist** materialista *m*; **-ize** *vi* realizzarsi; **-ly** *adv* materialmente
maternal *a* materno
maternity *n* maternità
mathematical *a* matematico
mathematician *n* matematico
mathematics *npl* matematica
matinee *n* mattinata; rappresentazione diurna
matriarch *n* materfamilias *f*
matriculate *vt* immatricolare; — *vi* immatricolarsi
matriculation *n* immatricolazione
matrimonial *a* matrimoniale
matrimony *n* matrimonio
matrix *n* matrice *f*
matron *n* matrona; *(caretaker)* sorvegliante *f*
matter *n* materia; soggetto; *(med)* pus *m*; **it does not** — non importa; **What is the —?** Cosa c'è?, Che succede?; **as a — of fact** in verità, in realtà; **no — what** non importa che; — *vi* importare; *(med)* produrre pus
matter-of-fact *a* prosaico; effettivo
matting *n (floor covering)* stuoia
mattress *n* materasso; **innerspring —** materasso a molle
mature *a* maturo; — *vt&i* maturare; *(com)* scadere
maturity *n* maturità; *(com)* scadenza
maudlin *a* piagnucoloso, sentimentalone
maul *n* mazza; — *vt* malmenare, stracciare
mausoleum *n* mausoleo
maverick *n* vitello *(or* puledro*)* non marcato; *(fig)* individuo indipendente
mawkish *a* sdolcinato
maxim *n* massima, principio
maximum *a&n* massimo

May *n* maggio
may *vi* potere, esser possibile; **it — be** può darsi; forse; può essere
maybe *adv* forse
mayhem *n* sfregio
mayonnaise *n* maionese *f*
mayor *n* sindaco
maze *n* labirinto
M.C., Master of Ceremonies presentatore *m*; maestro di cerimonie
M.D., Doctor of Medicine dottore in medicina
me *pron* me, mi
meadow *n* prato
meager *a* scarso
meal *n* pasto; *(grain)* farina; **-time** *n* ora del pasto; **-y** *a* farinoso
mean *a* cattivo, vile; meschino; avaro; *(average)* mediocre, medio; — *n* medio, mezzo; *(math)* media; — *vt&i* significare, voler dire; **-ness** *n* inferiorità; spregevolezza; avarizia
meander *vi* vagare; serpeggiare; — *n* meandro
meaning *n* significato; **-ful** *a* pieno di significato; **-fulness** *n* significanza; **-less** *a* senza significato
means *npl* mezzi; **by all —** senz'altro, certamente; **by — of** per mezzo di; **by no —** niente affatto
meantime *n* frattempo; — *adv* nel frattempo, frattanto
meanwhile *adv* intanto
measles *npl* morbillo
measly *a (coll)* insignificante
measurable *a* misurabile
measurably *adv* misurabilmente
measure *n* misura; **in some —** in parte; **-ment** *n* misura, dimensione; — *vt* misurare
meat *n* carne *f*; *(fig)* il punto più importante; **-ball** *n* polpetta; **-less** *a* senza carne; **-man** *n* macellaio; **-market** *n* macelleria; **-y** *a* carnoso
mechanic *n* meccanico, macchinista *m*; **-s** *npl* meccanica
mechanical *a* meccanico; — **engineer** ingegnere meccanico; — **engineering** ingegneria meccanica
mechanism *n* meccanismo
mechanize *vt* meccanizzare
medal *n* medaglia
medallion *n* medaglione *m*
meddle *vi* ingerirsi, immischiarsi; ficcare il naso *(fig)*
meddlesome *a* intrigante; intromettente; — **person** ficcanaso
media *npl* mezzi *mpl*; **advertising —** veicoli pubblicitari
median *a&n* medio; mediano

mediate vt intercedere; arbitrare; far da moderatore
mediation n mediazione
mediator n mediatore m, intermediario
medical a medico; — **examination** visita medica; — **school** facoltà di medicina
medicate vt medicare
medication n medicatura
medicinal a medicinale
medicine n medicina; — **chest** cassetta di medicinali; — **dropper** contagocce m; — **man** stregone m
medieval a medioevale
mediocre a mediocre
mediocrity n mediocrità
meditate vt&i contemplare, meditare; (plan) tramare
meditation n meditazione
meditative a meditativo
Mediterranean a mediterraneo; — **Sea** mare mediterraneo
medium n mezzo; (spiritualist) medium m; — a medio, mediano
medium-sized a di media dimensione or grandezza
medley n mescolanza, miscuglio; farragine f
medulla n (anat) midollo
meek a mite, docile; –**ness** n mansuetudine, mitezza
meerschaum n schiuma di mare
meet n raduno; — a appropriato; convenevole; — vt incontrare; (acquaintance) far la conoscenza di; soddisfare; — vi riunirsi; incontrarsi; — **with** incontrarsi con; **go to** — andare incontro a; **make both ends** — (fig) sbarcare il lunario
meeting n (reunion) riunione f; assemblea; (encounter) incontro; — **place** ritrovo
megaphone n megafono
megaton n megatonnellata
melancholy a melanconico; — n melanconia
meld n (card) dichiarazione; — vt unire; — vi fondersi; (cards) dichiararsi
mellow a tenero; succoso; maturo; — vt maturare; (soften) ammorbidire; — vi maturarsi; ammorbidirsi
mellowing n maturazione; — a maturante
mellowness n maturità
melodious a melodioso
melodrama n melodramma m
melodramatic a melodrammatico
melody n melodia
melon n melone, popone m
melt vt fondere, sciogliere; — vi fondersi, sciogliersi
melting n fusione; liquefazione; (fig) intenerimento; — a fondente; — **point**

punto di fusione; — **pot** crogiuolo
member n membro; socio; –**ship** n insieme di soci
membrane n membrana
memento n memento, ricordo, nota
memorable a memorabile
memorandum, memo n memorandum m, appunto
memorial n monumento; commemorazione; — a commemorativo
memorize vt imparare a memoria
memory n memoria, ricordo; **commit to** — imparare a memoria
menace n minaccia; — vt minacciare
menacing a minacciante; –**ly** minacciosamente
menagerie n serraglio
mend vt riparare; raccomodare; — vi migliorare
mendable a riparabile
mendicant n&a mendicante m
mending n accomodamento, rammendo, riparazione
menial a servile, basso
meningitis n meningite f
meniscus n menisco
menopause n menopausa
menstruate vi aver mestrui
menstruation n mestruazione
mental a mentale; — **hospital** n manicomio
mentality n mentalità
mention n menzione; — vt menzionare; **don't** — **it** prego; si figuri; niente
mentor n mentore m
menu n carta, lista delle vivande
mercantile a mercantile
mercantilism n mercantilismo
mercenary n&a mercenario
mercerize vt mercerizzare
merchandise n mercanzia; — vt&i commerciare
merchant n commerciante m; –**man** n nave mercantile; — **marine** marina mercantile
merciful a pio; misericordioso
merciless a spietato
mercurial a mercuriale
mercury n mercurio
mercy n misericordia; clemenza; **at the** — **of** alla mercè di; **have** — **on** aver pietà di; aver misericordia di; — **killing** eutanasia
mere a solo; semplice; –**ly** adv puramente; solamente
merge vt&i unire, fondere, fondersi, unirsi; –**r** n assorbimento; incorporamento
meridian n&a meridiano
meringue n meringa
merit n merito; — vt meritare; –**orious**

a meritorio; *(person)* meritevole
mermaid *n* sirena
merman *n* tritone *m*
merrily *adv* allegramente
merriment *n* allegria, festevolezza
merry *a* gaio, allegro; **–making** *n* festa; divertimento
merry-go-round *n* carosello, giostra
mesa *n* altipiano
mesh *n* maglia; — *vt&i* ingranare; **in** — in ingranaggio
mesmerize *vt* ipnotizzare
mess *n (mil, naut)* mensa, rancio; — **hall** mensa; — **kit** gavetta e stoviglie da campo
mess *n (dirt)* sporcizia; *(muss)* impiccio; guazzabuglio; *(trouble)* imbroglio; pasticcio *(fig)*; — *vt* sporcare; imbrogliare; **–y** *a* confuso, in disordine
message *n* messaggio
messenger *n* messaggero, fattorino
Messiah *n* Messia *m*
metabolic *a* metabolico
metabolism *n* metabolismo
metal *n* metallo; —, **–lic** *a* metallico
metallurgist *n* metallurgico
metallurgy *n* metallurgia
metamorphose *vt* metamorfosare; — *vi* metamorfosarsi
metamorphosis *a* metamorfosi *f*
metaphor *n* metafora
metaphysical *a* metafisico
metaphysics *npl* metafisica
metatarsal *a* metatarsico
mete *vt* distribuire
meteor *n* meteora; **–ic** *a* meteorico; **–ite** meteorite *f*; **–ological** *a* meteorologico; **–ologist** *n* meteorologo; **–ology** *n* meteorologia
meter *n (distance)* metro; *(device)* contatore, misuratore *m*
method *n* metodo; **–ical** *a* metodico
methyl *n (chem)* metile *m*
meticulous *a* meticoloso
metric *a* metrico; — **system** sistema decimale
metronome *n* metronomo
metropolis *n* metropoli *f*
metropolitan *a* metropolitano
mettle *n* ardore *m*, coraggio, foga
mew *n* miagolio; — *vi* miagolare
Mexican *a&n* messicano
Mexico Messico
mezzanine *n* mezzanino
microbe *n* microbo
microbiology *n* microbiologia
microcosm *n* microcosmo
microfilm *n* microfilm *m*; — *vt* microfilmare
microgroove *n* microsolco

micrometer *n* micrometro
microorganism *n* microrganismo
microphone *n* microfono
microscope *n* microscopio
microscopic, –al *a* microscopico
microwave *n* micro-onda
mid *a* di mezzo, medio; **–day** *n* mezzodì *m*; **–night** *n* mezzanotte *f*
middle *n* mezzo; — **class** borghesia; **–man** *n* intermediario; **–weight** *n (sport)* peso medio
middle-aged *a* di mezz'età
Middle Ages *npl* medioevo
middle-class *a* borghese
middling *a* mediocre; benino
midget *n&a* nano
midriff *n* diaframma *m*
midshipman *n* guardiamarina *m*
midst *n* mezzo; **in the** — **of** nel mezzo di
midsummer *n* mezza estate
midway *a* a metà strada; intermedio; — *adv* a mezza strada
midwife *n* levatrice *f*
midwinter *n* cuore dell'inverno
mien *n* aria, aspetto, cera
might *n* potere *m*; — **and main** tutte le forze; **–y** *a* potente
migraine *n* emicrania
migrant *n* emigrante, migratore *m*; — *a* migratore
migrate *vi* migrare, emigrare
migration *n* migrazione, emigrazione
migratory *a* migratorio
Milan Milano
milch *a* lattifero
mild *a* mite; **–ly** *adv* mitemente; **–ness** *n* mitezza, dolcezza
mildew *n* muffa; — *vt* macchiare; far ammuffire; — *vi* ammuffirsi
mile *n* miglio; **–stone** *n* pietra miliare
mileage *n* chilometraggio; distanza in miglia
militant *a* militante
militarism *n* militarismo
military *a* militare
militate *vi* militare; combattere
militia *n* milizia
milk *n* latte *m*; — **sugar** lattosio; **–man** *n* lattaio; — *vt* mungere
milky *a* latteo; **the M– Way** la Via Lattea
milksop *n* uomo effeminato
mill *n* mulino; **–stone** *n* mola, macina; — *vt* macinare; *(money)* zigrinare; *(wood)* modellare
millennium *n* millennio
millepede *n* millepiedi *m*
miller *n* mugnaio
milligram *n* milligrammo
millimeter *n* millimetro

milliner *n* modista; **–y** *n* modisteria
million *n* milione *m*; **–aire** *n* milionario; **–th** *a* milionesimo
mime *n* mima; *(person)* mimo; — *vt* mimare
mimeograph *n* mimeografo; ciclostile *m*; — *vt* mimeografare
mimic *n* mimo; — *a* mimico; — *vt* imitare, fare la mimica di; **–ry** *n* mimica
minaret *n* minareto
mince *vt* tritare, tagliuzzare; *(weaken)* indebolire; — *vi* camminare affettatamente — **words** mangiarsi le parole; **–d meat** carne tritata
mind *n* mente *f*; spirito; intenzione; — **reader·** che legge il pensiero altrui; **bear in** — tener presente; **be of one** — essere d'accordo; **change one's** — cambiar di parere *or* d'opinione; **have in** — aver in mente, ricordarsi; **make up one's** — decidersi; **peace of** — tranquillità d'animo; **state of** — stato d'animo; **of no** — di nessuna importanza; **–ful** *a* attento; memore; — *vt (heed)* badare a; *(dislike)* dispiacersi; *(look after)* curare
mine *pron* il mio, la mia, i miei, le mie
mine *n* miniera; — **field** campo minato; — **sweeper** dragamine *m*; **–r** *n* minatore *m*; — *vt* minare; *(minerals)* scavare
mineral *a&n* minerale *m*; **–ogist** *n* minerologo; **–ogy** *n* mineralogia
mingle *vt&i* mischiare; mischiarsi
miniature *n* miniatura; — *a* in miniatura, in piccolo
minimize *vt* sottovalutare, diminuire; dar poca importanza a
minimum *a&n* minimo
mining *n* industria mineraria; — *a* mineraria
minion *n* favorito
minister *n* ministro; pastore evangelico; — *vi* soddisfare le necessità
ministry *n (eccl)* sacerdozio; *(pol)* ministero
mink *n* visone *m*
minor *a&n* minorenne *m&f*
minority *n* minoranza
minstrel *n* menestrello
mint *n (bot)* menta; *(fig)* tesoro; *(money)* zecca; — *vt* coniare
minuet *n* minuetto
minus *prep* meno; *(coll)* senza; *n (quantity)* quantità negativa; *(sign)* segno di sottrazione
minute *n* minuto; istante *m*; **any** — da un momento all'altro; — **hand** lancetta dei minuti; **this** — immediatamente
minute *a* minuto, piccolo
minx *n* birichina, sbarazzina

miracle *n* miracolo; — **worker** taumaturgo
miraculous *a* miracoloso
mirage *n* miraggio
mire *n* fango, pantano; — *vt* infangare; — *vi* impantanarsi
mirror *n* specchio; **rear-view** — specchio retrovisivo; — *vt* riflettere; rispecchiare
mirth *n* allegria; ilarità; **–ful** *a* gaio
misadventure *n* disavventura
misalliance *n* cattiva alleanza; matrimonio mal riuscito
misanthrope *n* misantropo
misanthropic *a* misantropico
misapplied *a* mal applicato
misapplication *n* cattiva applicazione
misapprenhension *n* malinteso; equivoco
misappropriate *vt* usare abusivamente
misappropriation *n* appropriazione indebita
misbehave *vi* comportarsi male
misbehavior *n* cattiva condotta
miscalculate *vt* calcolare male; — *vi* sbagliarsi nel calcolo
miscalculation *n* errore di calcolo
miscarriage *n* errore *m*; fiasco; *(med)* aborto; — **of justice** errore giudiziario
miscarry *vi* fallire; *(med)* abortire
miscellaneous *a* miscellaneo
mischance *n* sfortuna
mischief *n* danno; cattiveria; male *m*; *(person)* birichino; *(prank)* birichinata
mischievous *a* dannoso, nocivo; birichino
misconception *n* malinteso; idea sbagliata
misconduct *n* cattiva condotta *or* gestione
misconstruction *n* errata interpretazione
misconstrue *vt* mal interpretare, fraintendere
miscount *n* conto sbagliato
miscreant *n&a* scellerato
misdeal *n* cattiva distribuzione; — *vt&i* distribuire male
misdeed *n* misfatto
misdemeanor *n* reato non grave
misdirect *vt* indirizzare *(or* dirigere) male
miser *n* avaro
miserly *a* avaro
miserable *a* infelice; pietoso; sciagurato
misery *n* angoscia; miseria
misfire *vi* far cilecca
misfit *n* fuori-luogo *m*; pesce fuor d'acqua *(fig)*
misfortune *n* sfortuna; disgrazia
misgiving *n* presentimento, timore *m*, sospetto
misguide *vt* fuorviare, sviare; dirigere male; **–d** *a* maldiretto
mishap *n* incidente *m*
misinform *vt* informare male

misinterpret *vt* interpretare male
misinterpretation *n* malinteso
misjudge *vt* mal giudicare
mislay *vt* mal collocare; *(lose)* smarrire
mislead *vt* fuorviare; **-ing** *a* ingannevole
mismanage *vt* amministrar male
mismanagement *n* cattiva gestione *or* amministrazione
mismatch *vt* assortire male
misnomer *n* uso errato di un titolo *or* nome
misogamist *n* misogamo
misprint *n* errore di stampa; — *vt* stampare erroneamente
mispronounce *vt* pronunziare male
misquote *vt* citare erroneamente
misrepresent *vt* mal rappresentare; **-ation** *n* alterazione
misrule *n* malgoverno; — *vt* governare male
Miss *n* signorina
miss *n* colpo mancato; — *vt* mancare; *(person)* rimpiangere; *(train)* perdere
misshapen *a* mal fatto
missile *n* missile *m,* razzo; **guided** — missile telecomandato; — **base** *n* base per missili
missing *a* mancante, disperso
mission *n* missione; **-ary** *n* missionario
missive *n* missiva
misspell *vt&i* compitar male; fare errori d'ortografia
misstate *vt* travisare, esporre erroneamente
misstatement *n* affermazione sbagliata
misstep *n* passo falso
mist *n* bruma; nebbia; **-y** *a* nebbioso; *(fig)* oscuro
mistake *n* errore *m*; sbaglio; — *vt* sbagliare, confondere; **make a** — commetter uno sbaglio
mistaken *a* erroneo; sbagliato
mistimed *a* intempestivo
mistranslate *vt* tradurre male
mistranslation *n* traduzione errata
mistreat *vt* maltrattare; **-ment** *n* maltrattamento
mistress *n* direttrice *f; (paramour)* amante *f*
mistrust *n* diffidenza; — *vt* diffidare di; **-ful** *a* diffidente
misunderstand *vt* fraintendere, capir male; **-ing** *n* malinteso
misunderstood *a* malinteso, frainteso
misuse *n* cattivo uso; abuso
misuse *vt* abusare; usar male
mite *n* pochettino; cosa piccolissima
miter *n* *(eccl)* mitra; *(joint)* ugna; — **box** ugnatura; — *vt* commettere a triangolo
mitigate *vt* mitigare

mitigating *a* mitigante
mitigation *n* mitigamento, mitigazione
mitten *n* mezzo guanto
mix *n* miscela; — *vt* mischiare, confondere; — *vi* mischiarsi; **-ed** *a* mischiato, mescolato; misto
mixed-up *a* confuso
mixture *n* mescolanza, miscuglio
mix-up *n* confusione, guazzabuglio
mizzenmast *n* albero di mezzana
moan *n* lamento; — *vi* lamentarsi, gemere; — *vt* piangere, lamentare
moat *n* fossato
mob *n* folla, canaglia; — *vt* assalire in tumulto; — *vi* tumultuare
mobile *a* mobile
mobility *n* mobilità
mobilization *n* mobilitazione
moccasin *n* mocassino
mock *a* falso, finto; — *vt* canzonare, deridere; **-ery** *n* canzonatura, beffa; **-ing** *a* canzonatorio
modal *a* modale
mode *n* modo, maniera; *(fashion)* moda
model *n* modello, campione *m*; *(artist)* modella; *(mannequin)* indossatrice *f*; — *vt* modellare, plasmare; — *vi* posare, fare la modella; — *a* esemplare
moderate *a* moderato
moderate *vt* moderare; — *vi* moderarsi
moderation *n* moderazione
modern *n* moderno; **-ize** *vt* modernizzare; **-istic** *a* modernista, modernistico
modest *a* modesto; **-y** *n* modestia
modicum *n* quantità modica
modification *n* modifica, modificazione
modify *vt* modificare
modulate *vt* modulare
modulation *n* modulazione
Mohammedan *n&a* maomettano; **-ism** *n* islamismo
moist *a* umido; **-ness** *n* umidità; **-ure** *n* umidità; **-en** *vt* umettare
molar *a&n* molare *m*
molasses *n* melassa
mold *n* stampo; modello; *(bot)* muffa; — *vt* modellare; — *vi* ammuffire; **-y** *a* ammuffito, muffoso; **-iness** *n* muffa
molding *n* formatura, getto, modellazione; *(trim)* modanatura
mole *n* neo; *(zool)* talpa
molecular *a* molecolare; — **biology** biologia molecolare
molecule *n* molecola
molehill *n* tana di talpa; **make a mountain out of a** — fare di una paglia un trave *(fig)*
moleskin *n* pelle di talpa
molest *vt* molestare
mollify *vt* ammollire

moll

404

most

mollusk *n* mollusco
molt *vi* mudare, rimpiumarsi; **–en** *a* fuso
mollycoddle *n* vezzeggiato
moment *n* momento; **–ary** *a* momentaneo; **–arily** *adv* momentaneamente; **–ous** *a* critico, decisivo
momentum *n* impulso
monarch *n* monarca *m;* **–y** *n* monarchia
monastery *n* monastero, convento
monastic *a* monastico
Monday *n* lunedì *m*
monetary *a* monetario
money *n* danaro, moneta; *(paper)* banconota; *(counterfeit)* moneta falsa; **—box** salvadanaio; **— order** vaglia; **ready — danaro** contante; **–ed** *a* ricco
money-making *a* redditizio
mongrel *n* meticcio; **—** *a* meticcio, ibrido
monitor *n (class)* capoclasse *m*; *(rad)* monitore *m*
monk *n* monaco, frate *m*
monkey *n* scimmia; **— wrench** chiave inglese; **—** *vi (coll)* gingillarsi; **— with** toccare, manomettere
monochromatic *a* monocromatico
monocle *n* monocolo
monogamist *n* monogamo
monogamous *a* monogamo
monogamy *n* monogamia
monogram *n* monogramma *m*
monograph *n* monografia
monologue *n* monologo
monomania *n* monomania
monoplane *n* monoplano
monopolistic *a* monopolista
monopolize *vt* monopolizzare
monopoly *n* monopolio
monorail *n* monovia
monosyllabic *a* monosillabico
monosyllable *n* monosillabo
monotonous *a* monotono
monotony *n* monotonia
monotype *n (print)* monotipo *f*
monoxide *n* monossido; **carbon —** ossido carbonico
monsoon *n* monsone *m*
monster *n* mostro; **—** *a* enorme
monstrance *n (eccl)* ostensorio
monstrosity *n* mostruosità
monstrous *a* mostruoso
montage *n* fotomontaggio
month *n* mese *m*; **–'s allowance** quota mensile; **once a —** una volta al mese; **–ly** *a* mensile; **–ly** *adv* mensilmente
monument *n* monumento; **–al** *a* monumentale
moo *vi* muggire
mood *n* umore *m*; disposizione, stato d'animo; *(gram)* modo; **–y** *a* scontroso, mutevole, di cattivo umore; **be in the — to**

essere in vena di
moodiness *n* scontrosità, mutevolezza
moon *n* luna; **—** *vi* bighellonare; **–light** *n* chiaro di luna
moonbeam *n* raggio di luna
moonstruck *a* lunatico
moor *n* moro; **–ish** *a* moresco
moor *n* brughiera, landa; **—** *vt (naut)* ormeggiare, amarrare; **—** *vi* ormeggiarsi; **–ing** *n* ormeggio
moose *n* alce *m*
moot *a* discutibile
mop *n* radazza; *(hair)* zazzera; **—** *vt* radazzare
mope *vi* essere malinconico, avere la luna *(fig)*
moral *a&n* morale *f*; **–s** costumi *mpl*; **–ist** *n* moralista *m*; **–ly** *adv* moralmente **–ize** *vt&i* moralizzare; **–ity** *n* moralità
morale *n* morale *m*, stato d'anima
morass *n* palude *f*
moratorium *n* moratoria
morbid *a* malsano; morboso
more *a* più, maggiore; **—** *adv* più, ancora; **all the —** al massimo; **not any —** non più; **once —** ancora una volta; **— and — più** e più; **— or less** più o meno **–over** *adv* inoltre, per giunta, di più
mores *npl* usanze *fpl*
morgue *n* camera mortuaria
moribund *a* moribondo
Mormon *n&a* mormone *m*
morning *n* mattina, mattino; **—** *a* del mattino
moron *n* idiota *m&f*; **–ic** *a* idiota
morose *a* burbero; orso *(fig)*; **–ness** *n* scontrosità
morphine *n* morfina
morsel *n* pezzetto
mortal *a&n* mortale *m*; **–ly** *adv* mortalmente, a morte; **–ity** *n* mortalità
mortar *n* mortaio; *(arch)* malta
mortgage *n* ipoteca; **—** *vt* ipotecare
mortician *n* impresario di pompe funebri
mortification *n* mortificazione; *(med)* cancrena
mortify *vt* mortificare
mortuary *n* camera mortuaria; **—** *a* mortuario
mosaic *n&a* mosaico
Moscow Mosca
Moslem *n&a* mussulmano, maomettano
mosque *n* moschea
mosquito *n* zanzara; **— netting** zanzariera
moss *n* musco; **–y** *a* muschioso
most *a* il più, la maggior parte di; **—** *adv* molto, il più; **at the —** tutt'al più; **for the — part** nella maggior parte; **— likely** probabilmente; **— of all**

sopratutto; **–ly** *adv* principalmente
motel *n* autostello
moth *n* falena; *(clothes)* tarma; **— ball** naftalina in palline
mother *n* madre *f*; **–hood** *n* maternità; **–less** *a* orfano di madre; **–ly** *a* materno; **— tongue** lingua materna; **—** *vt* dar vita a; fare da madre a
mother-in-law *n* suocera
mother-of-pearl *n* madreperla
motif *n* motivo
motion *n* moto, movimento; *(parliamentary)* mozione; **— picture** pellicola cinematografica, film *m*; **—** *vt* fare segno; far cenno a; **–less** *a* immobile
motivate *vt* motivare, cagionare
motive *n* motivo
motley *a* multicolore; screziato, eterogeneo
motor *n* motore *m*; **–boat** *n* motoscafo; **–bus** *n* autobus *m*; **–cade** *n* sfilata di automezzi; **–car** *n* automobile *f*; **–cycle** *n* motocicletta; **–ist** *n* automobilista *m*; **–man** *n* manovratore *m*; **–scooter** *n* motoretta
motorize *vt* motorizzare
mottle *vt* screziare; macchiare; **–d** *a* screziato; chiazzato
motto *n* divisa, motto
mound *n* *(pile)* tumulo; *(small hill)* poggio, collinetta
mount *n* monte *m*; *(horse)* cavalcatura; **—** *vt* ascendere, salire; *(horse)* montare; *(gem)* incastonare; **—** *vi* salire, innalzarsi; **–ed** *a* montato
mountain *n* montagna; monte *m*; **— climber** alpinista *m*; **— climbing** alpinismo; **— range** catena di montagne; **–eer** *n* montanaro; **–ous** *a* montuoso
mountebank *n* saltimbanco
mounting *n* montaggio; ascensione; *(gem)* incastonatura; **—** *a* montante; ascendente
mourn *vt&i* piangere, rimpiangere; **–ful** *a* lugubre, triste; **–er** *n* dolente *m&f*; infelice *m&f*
mourning *n* lutto; **—** *a* dolente, afflitto; **go into —** prendere il lutto
mouse *n* topo; **–trap** *n* trappola per topi; **–y** *a* come un topo
moustache *n* baffi *mpl*
mouth *n* *(anat)* bocca; *(river)* foce *f*; **by word of —** a viva voce; **make the — water** far venire l'acquolina in bocca; **— organ** armonica; **–piece** *n* imboccatura; **—** *vt* declamare; mettere in bocca; **—** *vi* parlare gonfio; **–ful** *n* boccone *m*
movable *a* mobile
move *n* movimento; *(household)* trasloco; *(game)* mossa; **–r** *n* motore *m*; *(household)* traslocatore *m*; **–ment** *n* movi-

mento; **—** *vt* muovere, far muovere; *(emotions)* commuovere; **—** *vi* muoversi; progredire; traslocare; **— away** allontanare; **— off** togliere, rimuovere; **— out** portar fuori
movie *n* *(coll)* pellicola cinematografica; **–s** *npl* *(coll)* cinema *m*
moving *n* movimento; trasloco; **— van** carro-trasporti *(or* traslochi) *m*; **— a** mobile; *(emotional)* commovente
mow *vt* falciare; **— the grass** tagliare l'erba
Mr., Mister *n* signor, signore *m*
Mrs., Missis *n* signora
much *a&adv* molto; **as — as** tanto quanto; **how —** quanto; **so —** tanto; **too —** troppo; **very —** moltissimo; **make — of** dare molta importanza a
mucilage *n* mucillagine *f*
muck *n* letame *m*, fango
mucous *n* mucoso
mucus *n* muco
mud *n* fango
muddle *vt* confondere, far pasticci; **— n** imbroglio, confusione
muddy *a* fangoso; **—** *vt* intorbidare, infangare
mudguard *n* parafango
muff *n* manicotto; **—** *vt* impasticciare
muffin *n* panino
muffle *vt* avviluppare, coprire; *(sound)* soffocare
muffler *n* sciarpa da collo; *(auto)* silenziatore *m*
mug *n* boccale *m*
muggy *a* umido
mule *n* mulo
muleteer *n* mulattiere *m*
mulish *a* di mulo; testardo
mull *n* mussola; **—** *vt* *(wine)* aromatizzare; **—** *vt&i* *(coll)* meditare, ruminare *(fig)*
multicolored *a* multicolore
multigraph *n* ciclostile *m*
multiple *a&n* multiplo
multiplex *a* molteplice, multiplo
multiplication *n* moltiplicazione; **— table** tavola pitagorica
multiplicity *n* molteplicità
multiply *vt* moltiplicare; **—** *vi* moltiplicarsi
multistage rocket *(aesp)* razzo plurifasico
multitude *n* moltitudine *f*
mumble *vt&i* borbottare
mummify *vt* mummificare
mummy *n* mummia
mumps *npl* orecchioni *mpl*
munch *vt&i* masticare
mundane *a* mondano
municipal *a* municipale
municipality *n* comune *m*, municipio

munificence *n* munificenza
munificent *a* munificente
munitions *npl* munizioni *fpl*
mural *n* pittura murale; — *a* murale
murder *n* omicidio premeditato; — *vt* assassinare; **–er** *n* assassino; **–ess** *n* assassina; **–ous** *a* micidiale
murky *a* nero, oscuro, tenebroso
murmur *n* mormorio; — *vt&i* mormorare
muscatel *n* moscato
muscle *n* muscolo
muscle-bound *a* dai muscoli induriti
muscular *a* muscolare; — **dystrophy** distrofia muscolare
muscularity *n* muscolosità
musculature *n* muscolatura
muse *n* musa; — *vt&i* riflettere, meditare
museum *n* museo
mush *n* polenta, poltiglia; **–y** *a (coll)* sentimentale; — *vi* viaggiare con slitta tirata da cani
mushroom *n* fungo
music *n* musica; — **hall** sala-concerti *f*; **–al** *a* musicale; **–ally** *adv* musicalmente
musicale *n* programma musicale in una riunione
musing *n* meditazione; fantasticheria
musk *n* muschio
musket *n* moschetto; **–eer** *n* moschettiere *m*
muskrat *n* ondatra
muss *n (coll)* disordine *m*; — *vt (coll)* mettere in disordine; **–y** *a (coll)* in disordine; sciatto
mussel *n* dattero di mare
must *n (wine)* mosto; *(bot)* muffa; **–iness** *n* muffa; **–y** *a* ammuffitto; — *vi* ammuffire, ammuffirsi; *(obligation)* dovere

mustard *n* mostarda, senape *f*; — **plaster** senapismo
muster *n* appello; — *vt (mil)* adunare; **to — courage** farsi coraggio
mutability *n* mutabilità
mutable *a* mutabile, mutevole
mutation *n* cambiamento, mutazione
mute *n* muto; *(mus)* sordina; — *a* muto; — *vt* mettere la sordina; **–d** *a* silenziato; *(mus)* in sordina
mutilate *vt* mutilare
mutilation *n* mutilazione
mutinous *a* ammutinato, sedizioso
mutiny *n* ammutinamento; — *vi* ammutinarsi
mutter *vt&i* mormorare
mutton *n* montone *m*, castrato
mutual *a* mutuo
muzzle *n (animal nose)* muso; *(device)* museruola; *(gun)* bocca; — *vt* imbavagliare; far tacere
my *a* il mio, la mia, i miei, le mie
myopia *n* miopia
myopic *a* miope
myosin *n* miosina
myriad *n* miriade *f*; — *a* innumerabile
myrrh *n* mirra
myrtle *n* mirto
myself *pron* me, mi, me stesso
mysterious *a* misterioso
mystery *n* mistero
mystic *n&a* mistico; **–al** *a* mistico; **–ism** *n* misticismo
mystification *n* mistificazione
mystified *a* mistificato
mystify *vt* mistificare
myth *n* mito; **–ical** *a* mitico; **–ological** *a* mitologico; **–ology** *n* mitologia

N

nab *vt (coll)* acchiappare
nacelle *n (avi)* navicella
nag *n* ronzino; — *vt* rimbrottare
nagging *n* rimbrotto; — *a* rimbrottante
nail *n* chiodo; *(finger)* unghia; — **file** lima per le unghie; — **polish** smalto per le unghie; **hit the — on the head** *(fig)* colpire giusto; mettere un dito sulla piaga *(fig)*; — *vt* inchiodare
naive *a* ingenuo
naked *a* nudo; **–ness** *n* nudità
namby-pamby *a* insulso
name *n* nome *m*, rappresentazione; **–sake** *n* omonimo; **–plate** *n* placca per il nome; **–less** *a* senza nome; **–ly** *adv* cioè, ossia; — *vt* menzionare; nominare
nap *n* sonnellino; *(cloth)* pelo
naphtha *n* nafta

napkin *n* tovagliuolo
Naples Napoli
narcissus *n* narciso
narcosis *n* narcosi *f*
narcotic *a&n* narcotico
narcotize *vt* narcotizzare
narrate *vt* narrare
narration *n* narrazione
narrative *n* narrativa
narrator *n* narratore *m*
narrow *a&n* stretto; — **escape** scappatoia miracolosa *(coll)*; — *vt* restringere; — *vi* restringersi
narrow– *(in comp)* **–gauge** *a* a scartamento ridotto; **–minded** *a* gretto
narrowly *adv (almost)* pressochè; strettamente
narrowness *n* grettezza; strettezza

nasal *a* nasale; **–ize** *vt* nasalizzare
nascent *a* nascente
nastiness *n* malvagità; sporcizia
nasty *a* sporco; schifoso, brutto
natal *a* natale
nation *n* nazione
national *a* nazionale; **–ism** *n* nazionalismo; **–ist** *n&a* nazionalista *m&f*; **–ization** *n* nazionalizzazione; **–ize** *vt* nazionalizzare
nationality *n* nazionalità
nationwide *a* attraverso l'intero paese
native *a&n* indigeno, nativo; — **land** paese natio
native-born *a* nato in un luogo indicato
nativity *n* natività
natty *a* ordinato, netto, elegante
natural *a* naturale; — *n (mus)* bequadro; — **history** storia naturale; **–ism** *n* naturalismo; **–ist** *n* naturalista *m&f*; **–ization** *n* naturalizzazione; **–ize** *vt* naturalizzare; **–ly** *adv* naturalmente; **–ness** *n* naturalezza; — **resources** ricchezze naturali
nature *n* natura; **by** — per natura; **from** — dal naturale; **good** — bontà
naught *n* niente *m*, zero
naughtiness *n* cattiveria
naughty *a* cattivello
nausea *n* nausea
nauseate *vt* nauseare; — *vi* sentir nausea
nauseating *a* nauseante
nauseous *a* nauseabondo
nautical *a* nautico; — **mile** miglio marino *or* nautico
nautilus *n* nautilo
naval *a* navale; — **academy** accademia navale; — **officer** ufficiale di marina
nave *n* navata; *(wheel)* mozzo di ruota
navel *n* ombelico
navigable *a* navigabile
navigate *vt&i* navigare
navigation *n* navigazione
navigator *n* navigatore *m*
navy *n* marina; — **bean** fagiuolo bianco; — **blue** blu marino; — **yard** arsenale *m*
nay *n* voto negativo
Nazi *n* nazista *m&f*
neap *a* basso; — **tide** bassa marea
Neapolitan *n&a* napoletano
near *prep* vicino a, presso di; — *a&adv* vicino; **–by** *a&adv* vicino; **–ly** *adv* quasi, pressappoco; **–sighted** *a* miope; — *vt&i* avvicinarsi
neat *a* pulito, lindo; **–ly** *adv* nettamente, pulitamente; **–ness** *n* lindezza, nettezza
nebula *n (ast)* nebulosa
nebulous *a* nebuloso, nuvoloso
necessarily *adv* necessariamente
necessary *a* necessario; **be** — occorrere, bisognare, essere necessario

necessitate *vt* costringere, rendere necessario
necesity *n* necessità
neck *n* collo; *(bottle)* collo; *(dress)* colletto; *(geog)* lingua di terra; **–lace** *n* collana; **–tie** *n* cravatta; **–wear** *n* cravatte e colletti
necromancer *n* negromante *m&f*
necromancy *n* negromanzia
nectar *n* nettare *m*; **–ine** *n* pesca-noce *f*
née *a* nata
need *n* bisogno; — *vt&i* aver bisogno di; **–iness** *n* indigenza; **–less** *a* superfluo; **–lessly** *adv* inutilmente, innecessariamente; **–y** *a* bisognoso
needle *n* ago; — *vt* cucire con l'ago; — *vi* lavorare all'ago; **–work** *n* lavoro all'ago
ne'er-do-well *n* fannullone *m*, buono a nulla
nefarious *a* nefario, ribaldo
negate *vt* negare
negation *n* negazione
negative *n* negazione; *(photo)* negativa; — *a* negativo
neglect *vt* trascurare; — *n* negligenza; **–ful** *a* trascurato
negligee *n* vestaglia
negligence *n* negligenza
negligent *a* negligente
negligible *a* trascurabile
negotiable *a* negoziabile
negotiate *vt&i* negoziare; *(coll)* superare
negotiation *n* negoziato
negotiator *n* negoziatore *m*
Negro *n&a* negro
neigh *n* nitrito; — *vi* nitrire
neighbor *n* vicino; **–hood** *n* vicinato; quartiere *m*; **–ing** *a* vicino; *(country)* limitrofo; **–ly** *a* amichevole
neither *conj* nè; neppure, neanche; — . . . **nor** nè . . . nè; — **of the two** nessuno dei due
nemesis *n* nemesi *f*
neon *n* neon *m*; — **sign** insegna al neon
neophyte *n* neofito
nephew *n* nipote *m*
nepotism *n* nepotismo
nerve *n* nervo; coraggio; *(coll)* audacia
nerve-racking *a* snervante
nervous *a* nervoso; — **system** sistema nervoso; **–ness** *n* nervosità
nervy *a* coraggioso; *(coll)* audace
nest *n* nido; — *vi* annidarsi; — **egg** gruzzolo
nestle *vi* coccolarsi
net *n* rete *f*; *(police)* retata; — *vt* irretire
net *(com)* *n* guadagno netto; — *a* netto; — **profit** utile netto; — *vt* ricavare,

guadagnarsi
nether *a* basso
Netherlands Paesi Bassi, Olanda
netting *n* reticolato
nettle *n* ortica; — *vt* irritare; pungere
network *n* rete *f; (rad)* rete radiofonica
neuralgia *n* nevralgia
neurasthenia *n* nevrastenia
neuritis *n* nevrite *f*
neurologist *n* neurologo
neurology *n* neurologia
neurosis *n* neurosi *f*
neurotic *a* nevrotico
neuter *n&a* neutro, neutrale
neutral *a&n* neutrale; neutro; **–ity** *n* neutralità; **–ize** *vt* neutralizzare
neutron *n* neutrone *m*
never *adv* mai; — **ending** infinito; — **mind** non importa, pazienza
nevermore *adv* mai più
nevertheless *adv* però, pure; tuttavia
new *a* nuovo; **–born** *a* neonato, nato da poco; rigenerato; **–comer** *n* nuovo venuto; **–ly** *adv* recentemente; **–ness** *n* novità
newfangled *a* di nuova invenzione
newlywed *n* sposino
New Orleans Nuova Orlean
news *npl* notizia; notizie *fpl*; novità; **–boy** *n* strillone *m*, giornalaio; **–cast** *n* giornale radio; **–man** *n* giornalista *m*; **–paper** *n* giornale *m*; **–print** *n* carta per la stampa di giornale; **–reel** *n* notiziario cinematografico; **–stand** *n* edicola di giornali
New Year anno nuovo; **—'s Day** primo dell'anno, capodanno
New World Nuovo Mondo
New York Nuova York
next *a* prossimo, contiguo; — **day** il giorno successivo, il giorno dopo; — *adv* dopo, poi; — **of kin** il parente più prossimo — **to** accanto a
niacin *n* acido nicotinico
nib *n* punta, pennino
nibble *n* rosicchiamento; bocconcino; — *vt&i* rosicchiare; beccare
nice *a* bello, grazioso, gentile, simpatico; **–ly** *adv* scrupolosamente, esattamente; **–ty** *n* finezza
niche *n* nicchia
nick *n* tacca, incisione *f*; **in the — of time** nel momento più propizio; — *vt* incidere tacche
nickel *n (min)* nichelio, nichel *m*; — *vt* nichelare
nickel-plated *a* nichelato
nicknack *n* gingillo
nickname *n* nomignolo
nicotine *n* nicotina

niece *n* nipote *f*
niggardliness *n* avarizia
niggardly *a* avaro, taccagno
night *n* notte *f*; — **blindness** emeralopia; — **club** ritrovo notturno; — **letter** lettera notturna; — **owl** *(coll)* nottambulo; **at —** di notte; **by —** di notte; **–cap** *n* berretto da notte; **–dress, –gown** *n* indumento da notte; **–fall** *n* il cader della notte; **–mare** *n* incubo; **–shirt** *n* camicia da notte
nightingale *n* usignolo
nightlong *a* di tutta la notte; — *adv* nottetempo; durante tutta la notte
nightly *adv* di notte, nottetempo; — *a* notturno, di ogni notte
nihilism *n* nichilismo
nihilist *n* nichilista *m&f*
nil *n* niente, nulla *m*; — *a* nullo
Nile Nilo
nimble *a* agile
nimbus *n* nimbo; *(cloud)* nembo
nincompoop *n* semplicione *m*
nine *a* nove; **–teen** *a* diciannove; **–teenth** *a* diciannovesimo; **–ty** *a* novanta
ninny *n* imbecille *m*
ninth *a* nono
nip *n (pinch)* pizzicotto; *(bite)* morsicotto; — *vt* pizzicare; mordere; *(squeeze)* spremere; — **in the bud** tagliare il male alla radice *(fig)*
nippers *npl* pinze
nipple *n* capezzolo
nippy *a* piccante; *(cold)* pungente
nit *n* lendine *m*
nitric *a* nitrico
niter *n* nitrato di potassio *or* di sodio
nitrate *n* nitrato
nitrogen *n* azoto; **–ous** *a* di nitrogeno, d'azoto; azotato
nitroglycerin *n* nitroglicerina
nitrous *a* nitroso
nitwit *n* persona poco intelligente
no *adv* no; — *a* nessuno; **by — means** in nessun modo; **in — way** di nessun modo; — **doubt** senza dubbio; — **end** infine *m*; — **less** nientemeno; — **longer** non più; basta; — **such thing** impossibile; — **smoking** proibito fumare; — *n* no, voto negativo
nobility *n* nobiltà
noble *a* nobile; **–man** *n* nobiluomo; **–ness** *n* nobiltà
nobly *adv* nobilmente
nobody *pron* nessuno; — **else** nessun altro
nocturnal *a* notturno
nocturne *n* notturno
nod *n* cenno della testa; — *vt* accennare col capo; — *vi (doze)* sonnecchiare
node *n* nodo; *(bot)* nocchio

nodule *n* nodulo
noise *n* rumore *m*, chiasso; **make —** far rumore; **—** *vt* divulgare; **—** *vi* far rumore
noiseless *a* silenzioso; **–ly** *adv* silenziosamente
noisily *adv* rumorosamente
noisome *a* nocivo
noisiness *n* rumorosità
noisy *a* chiassoso
nomad *n* nomade *m&f*; **–ic** *a* nomade
nomenclature *n* nomenclatura
nominal *a* nominale; **–ly** *adv* nominalmente
nominate *vt* nominare, designare come candidato
nomination *n* nomina, designazione
nominative *a&n* nominativo
nominee *n* designato, candidato
nonacceptance *n* rifiuto di accettazione
nonaggression *n* mancata aggressione
nonaggressive *a* inaggressivo
nonallergic *a* inallergico, non-allergico
nonattendance *n* assenza
nonchalance *n* disinvoltura
nonchalant *a* disinvolto
noncombattant *n* non-combattente
noncombattive *a* non-combattivo
noncommissioned *a* *(mil)* senza brevetto; **—** **officer** sottufficiale *m*
noncommittal *a* evasivo, che non vuole impegnarsi
noncompliance *n* inadempienza; opposizione
nonconductor *n* cattivo conduttore, nonconduttore
nonconformist *n* anticonformista, dissidente *m&f*
nondescript *a* indefinibile, inclassificabile
none *pron* nessuno, niente, nulla *m*; **—** *adv* non; **I have —** non ne ho; **— the less** nondimeno
nonentity *n* nullità, inesistenza
nonessential *n* inessenzialità; **—** *a* inessenziale
nonexistent *a* inesistente
nonintervention *n* non-intervento, neutralità
nonpareil *a* ineguagliato
nonpayment *n* mancato pagamento
nonplussed *a* imbarazzato
nonprofit *a* senza profitto
nonresistance *n* ubbidienza passiva
nonresident *a&n* non-residente *m*
nonresistant *a* irresistente, passivo
nonrestrictive *a* non-restrittivo
nonsectarian *a* non-settario
nonsense *n* assurdità; **N–!** *(interj)* Macchè!
nonsensical *a* assurdo
nonskid *a* antisdrucciolevole

nonstop *a&adv (avi)* senza scalo; senza fermate
nonsupport *n (law)* mancato sostentamento
nonunion *a* indipendente dai sindacati
noodles *npl* tagliatelle *fpl*
nook *n* angolo
noon *n* mezzogiorno; **—** *a* meridiano
noose *n* nodo scorsoio; *(fig)* trappola
nor *conj* nè; neppure, neanche; **neither . . .** **— nè . . . nè**
Nordic *n&a* nordico
norm *n* modello, norma, tipo
normal *a&n* normale *m*; **–cy** *n* normalità; **–ly** *adv* normalmente
Norman *n&a* normanno
north *n* nord *m*; **—** *a* settentrionale; **–east** *n* nord-est *m*; **–erly**, **–ern** *a* settentrionale; **–ward** *adv* verso il nord; **–west** *n* nord-ovest *m*; **N–** **America** America del Nord; **N–** **Pole** Polo Nord; **N–** **Star** stella polare
Norway Norvegia
Norwegian *a&n* norvegese *m&f*
nose *n* naso; *(animal)* muso; *(scent)* fiuto; **— dive** *(avi)* picchiata; **blow one's —** soffiarsi il naso; **lead by the —** menar per il naso; **— bag** *(horse)* sacchetto mangiatoia; **–bleed** *n* sangue del naso, epistassi *f*; **–y** *a (coll)* inquisitivo, ficcanaso; **—** *vt&i (sniff)* fiutare, annusare; *(pry)* curiosare
nose-dive *vi (avi)* calarsi in picchiata
nostalgia *n* nostalgia
nostril *n* narice *f*; *(horse)* frogia
nostrum *n* toccasana *m*, panacea, sanatoria
not *adv* non; **— even** neppure; **— at all** niente affatto
notability *n* notabilità
notable *a* notabile, notevole; **—** *n* notabile *m*
notably *adv* notabilmente
notary *n* notaio
notation *n* notazione
notch *n* incisione, intaglio; **—** *vt* incidere, intagliare
note *n (memo)* nota; *(letter)* biglietto; distinzione; *(mus)* nota musicale; **bank —** banconota; **make — of**, **take — of** prendere nota di; **sour —** stonatura; **take –s** prendere appunti; **—** *vt* annotare
notebook *n* taccuino; **loose-leaf —** quaderno d'appunti a fogli staccabili; **— filler** fogli di ricambio
noted *a* noto, famoso
noteworthy *a* degno di nota
nothing *n* niente, nulla *m*; **— but** nient'altro che; **— else** nient'altro; **good for —** buono a nulla
nothingness *n* nulla *m*, oblio

notice *n* avviso; **at short —** con breve dilazione; **give —** licenziare; **take — of** rilevare, osservare; **until further —** fino a nuovo avviso; **—** *vt* notare, osservare; **–able** *a* apparente
notification *n* notificazione
notify *vt* notificare
notion *n* nozione, idea, opinione *f*
notions *npl* idee *fpl*; *(articles)* piccolezze *fpl*
notoriety *n* notorietà, cattiva fama
notorious *a* famigerato
notwithstanding *prep* malgrado; **—** *conj* nonostante, malgrado, quantunque, tuttavia
nougat *n* torrone *m*
nought *n* nulla *m*
noun *n* sostantivo
nourish *vt* nutrire; **–ment** *n* nutrimento; **–ing** *a* nutriente
novel *n* romanzo; **—** *a* nuovo
novelette *n* novella
novelist *n* romanziere *m&f*
novelty *n* novità
November *n* novembre
novena *n* novena
novice *n* novizio
novitiate *n* tirocinio, noviziato
now *adv* ora, adesso; **N–!** *interj* Via! Dunque!; **— and again** di tempo in tempo; **qua e là; — and then** di quando in quando; **till —** finora
nowadays *adv* oggigiorno
nowhere *adv* in nessun luogo
nowise *adv* in nessun modo
noxious *a* nocivo
nozzle *n* ugello, beccuccio
nuance *n* sfumatura
nubile *a* nubile
nuclear *a* nucleare; **— physics** fisica nucleare
nucleus *n* nucleo
nude *n&a* nudo
nudge *n* leggera gomitata; **—** *vt* attirare l'attenzione con leggera gomitata
nudism *n* nudismo

nudist *n* nudista *m&f*
nudity *n* nudità
nugget *n* pepita
nuisance *n* seccatura
null *a* nullo; **— and void** annullato
nullification *n* annullamento
nullify *vt* annullare
numb *a* intorpidito; **—** *vt* intorpidire; **–ness** *n* torpore *m*
number *n* numero; **—** *vt* numerare; **–ed** *a* numerato
numbering *n* numerazione; **—** *a* numerante; **— machine** numeratrice *f*
numeral *n* numero; **—** *a* numerale
numerator *n* *(math)* numeratore *m*
numerical *a* numerico
numerous *a* numeroso
numerousness *n* numerosità
numismatics *npl* numismatica
numismatist *n* numismatico
numskull *n* babbeo, semplicione *m*
nun *n* monaca, suora
nuncio *n* *(eccl)* nunzio
nunnery *n* convento
nuptial *a* nuziale; **–s** *npl* nozze *fpl*
nurse *n* infermiera; **wet —** balia; **—** *vt* curare; allattare; **–maid** *n* bambinaia
nursery *n* stanza dei bambini; **— school** asilo infantile
nursing *n* allattamento; **—** *a* allattante; **— home** casa di salute
nurture *vt* nutrire, alimentare; allevare; **—** *n* nutrimento
nut *n* noce *f*; *(mech)* dado; **–cracker** *n* schiaccianoci *m*; *(zool)* nocciolaia; **–ty** *a* di nocciola; *(sl)* pazzoide
nutmeg *n* noce moscata
nutrient *n* nutritivo, nutriente *m*
nutriment *n* alimento, nutrimento
nutrition *n* nutrimento
nutritious *a* nutritivo
nutshell *n* guscio di noce; **in a —** in breve
nuzzle *vt&i* fregare col muso, accarezzare col muso
nylon *n* nailon *m*
nymph *n* ninfa

O

oaf *n* semplicione *m*, zotico
oak *n* quercia; **–en** *a* di quercia
oakum *n* stoppa
oar *n* remo
oarlock *n* scalmiera
oarsman *n* rematore *m*
oasis *n* oasi *f*
oath *n* giuramento; bestemmia
oatmeal *n* farinata d'avena
oats *npl* avena; **sow wild —** far vita

dissipata
obduracy *n* ostinazione, durezza
obdurate *a* ostinato, duro
obedience *n* ubbidienza
obedient *a* ubbidiente
obeisance *n* deferenza; *(bow)* riverenza
obelisk *n* obelisco
obese *a* obeso
obesity *n* obesità
obey *vt&i* ubbidire

obfuscate *vt* offuscare
obituary *n* necrologia
object *n* oggetto; *(gram)* complemento oggetto; — lesson esempio pratico
object *vt&i* fare obiezione, opporsi
objection *n* obiezione; raise an — sollevare un'obiezione; –able *a* biasimevole
objective *n&a* obbiettivo; –ly *adv* obbiettivamente; oggettivamente
objectivity *n* obbiettività
objector *n* oppositore *m*; consciencious — obiettore di coscienza
oblation *n* oblazione
obligate *vt* obbligare
obligation *n* obbligo; impegno
obligatory *a* obbligatorio
oblige *vt* *(require)* obbligare; *(please)* fare un piacere a
obliged *a* riconoscente, obbligato; be — *(indebted)* essere obbligato a qualcuno; *(required)* esser costretto a fare qualcosa
obliging *a* compiacente
oblique *a* obliquo
obliterate *vt* cancellare
obliteration *n* obliterazione, cancellazione
oblivion *n* oblio
oblivious *a* immemore, dimentico
oblong *a* oblungo; — *n* rettangolo
obnoxious *a* offensivo, odioso
oboe *n* *(mus)* oboe *m*
oboist *n* oboista *m&f*
obscene *a* osceno
obscenity *n* oscenità
obscure *a* oscuro; — *vt* offuscare
obscurity *n* oscurità
obsequies *npl* esequie *fpl*
obsequious *a* ossequioso; –ness *n* ossequiosità
observable *a* notevole
observance *n* osservanza
observant *a* osservante
observation *n* osservazione; — car vagone belvedere
observatory *n* osservatorio
observe *vt&i* osservare; –r *n* osservatore *m*
observing *a* osservante
obsess *vt* ossessionare
obsession *n* ossessione
obsessive *a* ossessionante
obsidian *n* ossidiana
obsolescence *n* disuso
obsolete *a* antiquato, fuori uso; become — cadere in disuso
obstacle *n* ostacolo
obstetrician *n* ostetrico
obstetrics *npl* ostetricia

obstinacy *n* ostinazione
obstinate *a* ostinato
obstreperous *a* clamoroso
obstruct *vt* ostruire; impedire; –ive *a* ostruttivo
obstruction *n* ostruzione, ostacolo; –ist *n* ostruzionista *m&f*
obtain *vt* ottenere; — *vi* prevalere; essere in voga; –able *a* ottenibile
obtrusive *a* importuno
obtuse *a* ottuso
obverse *a* obverso; — *n* diritto
obviate *vt* ovviare
obvious *a* evidente, ovvio; –ly *adv* ovviamente
occasion *n* occasione; –al *a* occasionale, casuale; –ally *adv* sporadicamente; a volte; — *vt* causare
occident *n* occidente *m*; –al *a&n* occidentale
occiput *n* occipite *m*
occult *a* occulto; –ism *n* occultismo
occupancy *n* occupazione
occupant *n* occupante *m&f*; *(tenant)* locatario, inquilino
occupation *n* occupazione, impiego
occupy *vt* occupare
occur *vi* accadere, succedere; venire in mente, –ing *a* occorrente
occurrence *n* occorrenza, contingenza, incidente *m*, avvenimento
ocean *n* oceano; –ic *a* oceanico; –ography *n* oceanografia
ocher *n* ocra
o'clock *adv* one — l'una; two — le due
octad *n* gruppo di otto
octagon *n* ottagono; –al *a* ottagonale
octane *n* *(chem)* ottano
octave *n* ottavo
octet *n* *(mus)* ottetto
October *n* ottobre *m*
octopus *n* polpo
ocular *a* oculare
oculist *n* oculista *m*
odd *a* *(uneven)* dispari, ineguale; *(queer)* originale; –ity, –ness *n* bizzarria; –ly *adv* bizzarramente
odds *npl* probabilità, vantaggio; — and ends ritagli *mpl*, cianfrusaglie *fpl*; be at — with essere in lotta con
ode *n* ode *f*
odious *a* odioso
odium *n* odio
odor *n* odore *m*; –ous *a* odoroso, fragrante; –less *a* inodoro
of *prep* di
off *adv* lontano, distante; — *prep* da, fuori di; — and on di quando in quando; — the record ufficioso; — limits extralimite; come — *(loosen)* stac-

carsi; **far** — remoto; **put** — rinviare
right — *(coll)* subito; **set** — mettere
in rilievo; partire; **take** — *(avi)* decollare; *(remove)* togliere, staccare; **turn** —
(lights, motor) spegnere; *(road)* cambiare di direzione; **Hands** —! Non toccare!

offal *n* avanzi, rifiuti *mpl*
offbeat *a* originale, strano
off-color *a* difettoso di colore; improprio
offend *vt* offendere; **–er** *n* offensore *m*;
–ing *a* offensivo
offense *n* offesa; delitto; attacco
offensive *n* offensiva; — *a* offensivo,
ingiurioso; **–ly** *adv* offensivamente
offer *vt* offrire; — *n* offerta; proposta;
–ing *n* offerta; sacrificio
offertory *n (eccl)* offertorio
offhand *a* estemporaneo, impensato, sul
momento, impreparato
office *n (business)* ufficio; *(position)*
carica; — **boy** fattorino; **–holder** *n*
impiegato statale; — **hours** orario
d'ufficio
officer *n* ufficiale *m*; poliziotto
official *a* ufficiale; — *n* funzionario; **–ly** *a*
ufficialmente
officiate *vi* esercitare le funzioni; *(eccl)*
officiare
officious *a* inframmettente
offing *n (naut)* largo; **in the** — in vista
offset *vt* compensare; — *n (print)* rotocalcografia
offshoot *n* germoglio
offshore *a&adv* vicino alla costa
offside *a* fuori giuoco
offspring *n* prole *f*
often *adv* spesso, frequentemente; **how
—?** quante volte?
ogle *vt* adocchiare, sbirciare, occhieggiare
ogre *n* orco
ohm *n* ohm *m*
oil *n* olio; **crude** — petrolio grezzo;
mineral — olio minerale; — **field**
campo petrolifero; — **painting** pittura
ad olio; — **paints** pitture ad olio;
— **well** pozzo petrolifero; — *vt* lubrificare; **–y** *a* untuoso, oleoso
oilcloth *n* tela cerata
ointment *n* unguento
OK, okay *a* buono; — *adv* molto bene;
— *n* approvazione; — *vt (coll)* approvare
okra *n* ambretta commestibile
old *a* vecchio; — **age** vecchiaia; —
maid zitellona; **–ish** *a* vecchiotto;
–ness *n* vecchiaia, antichità
old– *(in comp)* **—fashioned** *a* antiquato,
fuori moda; **—time** *a* antico; **—timer** *n*
(coll) persona all'antica; **—world** *a*

del Vecchio Mondo
Old World Vecchio Mondo
oleomargarine *n* oleomargarina
olfactory *a* olfattivo
oligarchy *n* oligarchia
olive *n* oliva; — **branch** ramo d'olivo;
— **oil** olio d'oliva; — **tree** olivo; — *a*
verde oliva
Olympic Games giuochi olimpici
omelet *n* frittata
omen *n* presagio, augurio
ominous *a* infausto, di malaugurio
omission *n* omissione
omit *vt* omettere
omnibus *n* omnibus, autobus *m*
omnipotence *n* onnipotenza
omnipotent *a* onnipotente
omnipresence *n* onnipresenza
omnipresent *a* onnipresente
omniscience *n* onniscienza
omniscient *a* onnisciente
omniverous *a* onnivoro
on *prep* su, sopra; — *adv* avanti; **and so —**
e così via
once *adv* una volta; **all at** — ad un tratto; **at** — subito; immediatamente; —
for all una volta per tutte; — **more**
ancora una volta
oncoming *n* l'approssimarsi; — *a* prossimo, che si avvicina
one *n&a* uno, una; — **by** — uno a uno; **at**
— **stroke** d'un colpo; **–ness** *n* unicità,
unità; — *pron* l'uno, l'una; qualcuno,
qualcuna; **— another** l'un l'altro
one– *(in comp)* — **armed** *a* monco; — **eyed**
a guercio, che manca d'un occhio; —
horse *a* con un solo cavallo; *(fig)* povero;
insignificante; **—legged** *a* mutilato
d'una gamba; **—sided** *a* unilaterale,
parziale; **—time** *a* d'una volta; **—track** *a*
(coll) limitato
onerous *a* oneroso
oneself *pron* sè, se stesso, si
one-way *a* a senso unico; — **ticket** biglietto
di sola andata
onion *n* cipolla
onlooker *n* spettatore *m*; spettatrice *f*
only *a* unico, solo; — *adv* solamente, soltanto
onomatopoeia *n* onomatopeia
onrush *n* irruzione
onset *n* assalto, carica, attacco
onslaught *n* assalto, aggressione
onto *prep* sulla cima di, sopra
onus *n* onere, gravame *m*
onward *adv* in avanti
ooze *vi* filtrare; trapelare; — *n* fango;
essudazione
oozing *n* gocciolamento; filtrazione; — *a*
gocciolante; filtrante

opal *n* opale *f*; **–escent** *a* opalescente
opaque *a* opaco
open *a* aperto; franco; **–handed** *a* generoso; **–hearted** *a* franco, sincero; **— house** ricevimento informale; **— letter** lettera aperta; **–ly** *adv* apertamente; **–ness** *n* franchezza; **— question** questione indecisa; **— secret** segreto di Pulcinella *(coll)*; **— shop** officina indipendente dai sindacati
open– *(in comp)* **—air** *a* d'aria libera; **—eyed** *a* attento, sveglio; **—faced** *a* a viso aperto *(fig)*; **—minded** *a* spregiudicato; **—mouthed** *a* a bocca aperta
opener *n* apritore *m*, apritrice *f*; **eye —** rivelazione; **can —** apriscatole *m*
opening *n* apertura
opera *n* opera; **comic —** opera comica; **light —** operetta; **— glasses** binocolo da teatro; **— hat** gibus *m*; **–tic** *a* lirico; operistico
operate *vt&i* operare, agire, gestire, funzionare
operation *n* operazione; **–al** *a* operazionale *(mil)*
operator *n* operatore, monovratore *m*; *(com)* speculatore *m*; **telegraph —** telegrafista *m&f*; **telephone —** centralinista
opiate *n* oppiato
opine *vt&i* opinare
opinion *n* opinione *f*, parere *m*; **–ated** *a* ostinato, dogmatico; **in my —** a mio parere, secondo il mio avviso
opium *n* oppio
opossum *n* opossum *m*
opponent *n* avversario
opportune *a* opportuno; **–ness** *n* convenienza; **–ly** *adv* a proposito
opportunism *n* opportunismo
opportunist *n* opportunista *m&f*
opportunity *n* occasione
oppose *vt* opporre, avversare
opposing *a* avverso, opposto
opposite *a* opposto; **— prep** in faccia a; **— n** contrario
opposition *n* opposizione
oppress *vt* opprimere; **–ion** *n* oppressione; **–ive** *a* oppressivo; **–or** *n* oppressore *m*
opprobrious *a* obbrobrioso
opprobrium *n* obbrobrio
optic, –al *a* ottico
optician *n* ottico
optics *npl* ottica
optimism *n* ottimismo
optimist *n* ottimista *m&f*; **–ic** *a* ottimistico
optimum *n&a* ottimo
option *n* opzione; **–al** *a* facoltativo
optometry *n* optometria
opulence *n* opulenza

opulent *a* opulento
or *conj* o, ovvero, ossia; **either . . . —o . . . o,** sia . . . sia; **— else** altrimenti, oppure
oracle *n* oracolo
oral *a* orale; **–ly** *adv* oralmente
orange *n* arancia; **— tree** arancio; **— a (color)** arancione; **–ade** *n* aranciata
orangutan *n* orango
orate *vt&i* arringare, declamare
oration *n* orazione
orator *n* oratore *m*; **–y** *n* oratorio; **–ical** *a* oratorio
orb *n* orbe *m*
orbit *n* orbita; **— vt** mettere in orbita
orchard *n* frutteto
orchestra *n* orchestra; **–l** *a* orchestrale; **— seat** poltrona
orchestrate *vt* orchestrare
orchestration *n* orchestrazione
orchid *n* orchidea
ordain *vt* ordinare, decretare
ordeal *n* cimento, prova
order *n* ordine *m*; *(com)* ordinazione; **call to —** richiamare all'ordine; **in — that** affinchè, acciocchè; **in — to** allo scopo di; **make to —** fare su ordinazione; **on — su** ordinazione; **out of —** guasto; **— vt** ordinare
orderly *n (mil)* ordinanza, attendente *m*; *(hospital)* inserviente *m*; **— a** ordinato; **— adv** ordinatamente
ordinal *a* ordinale
ordinance *n* ordinanza
ordinary *a* ordinario; **out of the —** straordinario
ordination *n* ordinazione
ordnance *n* artiglieria
ore *n* minerale *m*
organ *n* organo; **–ic** *a* organico; **–ism** *n* organismo; **–ist** *n* organista *m&f*; **— grinder** suonatore d'organetto; **— stop** registro d'organo
organdy *n* organdis *m*
organization *n* organizzazione, complesso
organize *vt* organizzare
organizer *n* organizzatore *m*
orgy *n* orgia
orient *vt* orientare; **— vi** orientarsi
Orient *n* oriente *m*; **–al** *n&a* orientale *m&f*
orientation *n* orientamento
orifice *n* orifizio
origin *n* origine *f*
original *a* originale; **–ity** *n* originalità; **–ly** *adv* originalmente, originariamente
originate *vt&i* creare; derivare, originare
originator *n* originatore *m*
ornament *n* ornamento; **–al** ornamentale; **–ation** ornamentazione; **— vt** ornare, adornare

ornate *a* adorno, ornato
ornithologist *n* ornitologo
ornithology *n* ornitologia
orphan *n* orfano; **–age** *n* orfanotrofio
orthodontia *n* ortodontoiatria
orthodox *a* ortodosso
orthography *n* ortografia
orthopedics *npl* ortopedia
orthopedist *n* ortopedico, ortopedista *m&f*
oscillate *vi* oscillare
oscillation *n* oscillazione
osmosis *n* osmosi *f*
ossification *n* ossificazione
ossify *vt* ossificare; — *vi* ossificarsi
ostensible *a* ostensibile, apparente
ostensibly *adv* apparentemente
ostentation *n* ostentazione
ostentatious *a* ostentativo
osteomyelitis *n* osteomelite *f*
ostracism *n* ostracismo
ostracize *vt* ostracizzare
ostrich *n* struzzo
other *adv* altrimenti; — *a&pron* altro; **each** — l'un l'altro; **every — day** un giorno sì e uno no; **the —s** gli altri *mpl*, le altre *fpl*; **the — world** l'altro mondo
otherworldliness *n* spiritualità
otherworldly *a* spirituale
otherwise *adv* altrimenti
ottoman *n* divano
ought *n* nulla, niente *m*
ought *vi* dovere
ounce *n* oncia
our *a* nostro, nostra; *(pl)* nostri, nostre
ours *pron* il nostro, la nostra; *(pl)* i nostri, le nostre
ourselves *pron* ci, noi stessi
oust *vt* espellere, scacciare
out *adv* fuori; — *a* di fuori; — *n (sport)* fuori *m*, fallo; — **of** fuori di, fuori da; da, di; *(lacking)* senza; **in and —** a zig zag; **way —** uscita
out– *(in comp)* **—and-out** *a* da cima a fondo; **—of-date** *a* sorpassato, fuori moda; **—of-doors** *a&adv* all'aperto, fuori casa; **—of-the-way** *a* remoto, appartato; insolito
outbalance *vt* sbilanciare
outboard *a&adv* fuoribordo; **— motor** motore fuoribordo
outbid *vt (price)* superare l'offerta di
outbound *a* partente
outbreak *n* scoppio; sommossa
outbuilding *n* dipendenza, annesso
outburst *n (anger)* trasporto; esplosione
outcast *n* proscritto
outclass *vt* superare in qualità
outcome *n* risultato, esito
outcry *n* grido

outdated *a* fuori modo, sorpassato
outdistance *vt* lasciar indietro
outdo *vt* sorpassare, superare
outdoor *a* all'aperto; **— exercise** esercizi all'aria libera *or* all'aperto
outdoors *adv* all'aria aperta
outer *a* esterno
outfit *n* equipaggiamento; corredo; gruppo; — *vt* equipaggiare, corredare
outflank *vt* aggirare
outgoing *a* uscente; *(rail)* in partenza
outgrow *vt* superare le misure; **–th** *n* escrecenza; prodotto
outing *n* escursione, gita
outlandish *a* bizzarro, strano
outlast *vt* durare più di, durare oltre
outlaw *n* fuorilegge *m*, bandito; — *vt* proscrivere, bandire
outlay *n (com)* uscita, sborso
outlet *n* sbocco; *(com)* smercio; *(elec)* presa
outline *n* schizzo, abbozzo, — *vt* abbozzare; disegnare
outlive *vt* sopravvivere a
outlook *n* prospettiva
outlying *a* remoto, lontano; *(external)* esterno
outmaneuver *vt* sventare
outmoded *a* messo fuori moda *or* stile
outnumber *vt* sorpassare in numero
outpatient *n (not hospitalized)* malato esterno
outpost *n* avamposto
outpouring *n* spargimento
output *n* produzione
outrage *n* scandalo, oltraggio; — *vt* oltraggiare; **–ous** *a* vergognoso, intollerabile, infame
outrank *vt* superare in rango *or* grado
outright *adv* subito; completamente; — *a* matricolato, completo
outrun *vt* superare in corsa
outs *npl* politici non più in carica; **ins and —** il pro e il contro; **on the —** in discordia
outset *n* principio
outside *a&n* esterno; — *adv* fuori, di fuori; **–r** *n* estraneo
outshine *vi* scintillare, brillare; — *vt* ecclissare
outskirts *npl* dintorni *mpl*
outspoken *a* franco
outspread *a* steso, spiegato; cosparso
outstanding *a* eminente; in sospeso; *(debt)* insoluto, non pagato
outstay *vt* trattenersi più a lungo di; **— one's welcome** restare più del necessario
outstretched *a* steso; allungato
outward *a* esterno; **–ly** *adv* esternamente;

all'esterno
outwear *vt* consumare; *(last longer)* durare di più
outweigh *vt* superare in importanza; superare in peso
outwit *vt* superare in intelligenza
outworn *a* consumato; *(obsolete)* superato; *(trite)* banale
oval *a&n* ovale
ovary *n* ovaia
ovate *a* ovato
ovation *n* ovazione
oven *n* forno; **Dutch** — forno olandese
over *prep* sopra; — **again** una volta ancora; — **and** — ripetutamente
overabundance *n* sovrabbondanza
overabundant *a* sovrabbondante
overact *vt&i* esagerare, eccedere; **–ive** *a* eccessivamente attivo
overage *a* troppo vecchio
over-all *a* complessivo
overalls *npl* tuta
overawe *vt* intimidire; **–d** *a* intimidito
overbearing *a* altezzoso
overboard *adv* in mare
overburden *vt* sovraccaricare
overcast *a* offuscato, oscuro; — *vt (sewing)* cucire a punto rasato; *(sky)* offuscare, oscurare; **–ing** *n (sewing)* ricucitura; *(weather)* offuscamento
overcharge *n* sovraccarico; — *vt* sovraccaricare
overcoat *n* soprabito
overcome *vt&i* sormontare, vincere, superare
overconfidence *n* eccesso di fiducia
overconfident *a* troppo fiducioso
overcooked *a* stracotto
overcrowd *vt* affollare in eccesso; **–ing** *n* ingombro
overdeveloped *a* eccessivamente sviluppato
overdo *vt* fare troppo; esagare; — *vi* strafare
overdone *a* esagerato; *(food)* stracotto
overdose *n* dose eccessiva
overdraft *n (com)* assegno eccedente il deposito; *(mech)* corrente d'aria sul fuoco
overdraw *vt* eccedere
overdrawn *a* esagerato; troppo teso
overdrive *n (auto)* marcia sovramoltiplicata
overdue *a* scaduto, moroso
overeat *vt* mangiare troppo
overestimate *vt* sovrastimare, sopravalutare
overexcite *vt* sovreccitare; **–ment** *n* sovreccitazione
overexertion *n* sforzo eccessivo

overexpose *vt* esporre troppo
overexposure *n* sovresposizione
overfatigue *n* fatica eccessiva
overfeed *vt* rimpinzare; — *vi* rimpinzarsi
overfill *vt* sovraccaricare; — *vi* sovraccaricarsi
overflow *n* inondazione, eccedenza; — *vi* traboccare; — *vt* inondare; **–ing** *a* inondante
overgrown *a* cresciuto eccessivamente; coperto completamente
overgrowth *n* cresciuta eccessiva
overhang *vt* soprastare a; — *vi* soprastare; pendere; **–ing** *a* soprasospeso; *(menacing)* minacciante
overhaul *vt* ispezionare, esaminare
overhead *a* di sopra; — *adv* in alto; — *n (com)* spese generali
overhear *vt* sorprendere, udire involontariamente
overheat *vt* surriscaldare
overindulgence *n* intemperanza
overindulgent *a* intemperante; troppo indulgente
overjoyed *a* pieno d'allegria, colmo di gioia
overland *a* terrestre; — *a&adv* per terra, via terra
overlap *vt* sovrappore; — *vi* sovrapporsi; **–ing** *a* sovrapponente
overload *n* sovraccarico; — *vt* sovraccaricare
overlook *vt* passar sopra a, non far caso di; *(position)* dare su
overnight *adv* durante la notte; dall'oggi al domani; — *a* notturno, di una notte
overpass *n* soprappassaggio
overpay *vt* pagare troppo; **–ment** *n* pagamento eccessivo
overpopulated *a* sovrapopolato
overpower *vt* sopraffare; **–ing** *a* prepotente, soggiogante
overproduction *n* sovraproduzione
overrate *vt* sopravvalutare
overreach *vt* oltrepassare; — *vi* andar troppo oltre; — **oneself** strafare
overripe *a* troppo maturo
overrule *vt&i* dominare; *(prevail)* prevalere
overruling *n* prevalenza, dominazione; — *a* prevalente, dominante
overrun *vt* infestare, invadere
overseas *adv* oltremare; — *a* d'oltremare
oversee *vt* sopraintendere; **–r** *n* sopraintendente *m*
overshadow *vt* ombreggiare; *(eclipse)* eclissare
overshoes *npl* soprascarpe, galosce *fpl*
overshoot *vt* oltrepassare
oversight *n* svista, errore *m*

oversleep *vi* dormire fino a tardi
overstatement *n* esagerazione
overstep *vt* oltrepassare
oversupply *n* sovrabbondanza
overt *a* visibile, pubblico, manifesto
overtake *vt* raggiungere
overtax *vt* soprattassare
overthrow *n* disfatta; — *vt* rovesciare
overtime *n* ore straordinarie
overtire *vt* sopraffaticare, strapazzare
overtone *n* superfrequenza sonica
overture *n* proposta; *(mus)* preludio
overturn *vt* capovolgere; — *vi* capovolgersi
overvalue *vt* sopravvalutare
overweight *n* eccesso di peso; — *a* troppo ●pesante
overwhelm *vt* sopraffare, opprimere; –ing *a* schiacciante
overwork *vt* far lavorare troppo; — *vi* lavorare troppo; — *n* eccesso di lavoro
overwrought *a* sovreccitato
overzealous *a* troppo zelante
oviparous *a* oviparo
ovum *n* uovo
owe *vt* dovere; — *vi* essere in debito
owing *a* dovuto; — **to** a causa di
own *a* proprio; — *vt* possedere; — **up to** confessare
owner *n* proprietario; –ship *n* possidenza
ox *n* bue *m*; –en *npl* buoi *mpl*
oxalic *a* ossalico
oxidation *n* ossidazione
oxide *n* ossido
oxidize *vt* ossidare; — *vi* ossidarsi
oxiacetylene *a* ossiacetilenico
oxygen *n* ossigeno; — **tent** campana d'ossigeno
oyster *n* ostrica
ozone *n* ozono

P

pace *n* passo; — *vt* misurare a passi; percorrere; — *vi* camminare; **keep —with** mantenersi al passo con
pachyderm *n* pachiderma *m*
pacific *a* pacifico
pacifier *n* pacificatore *m*
pacifism *n* pacifismo
pacifist *n* pacifista *m&f*
pacify *vt* placare, calmare
pacifying *n* pacificazione; — *a* pacificatore
pack *n* pacchetto; pacco; *(cards)* mazzo di carte; — **animal** animale da soma; — **horse** cavallo da basto *or* da soma; –er *n* imballatore *m*, imballatrice *f*
pack *vt* impaccare; — **one's bags** far le valigie; — **off** scacciare, licenziare; — **up** impaccare, imballare; far fagotto *(fig)*
package *n* involto, pacco; — *vt* impacchettare; mettere in cassa *(or* involucro)
packing *n* imballaggio; *(mech)* guarnizione
packsaddle *n* basto
pact *n* patto
pad *n* cuscinetto; tampone *m*; *(paper)* blocco; — *vt* imbottire; — *vi* viaggiare a piedi
padding *n* imbottitura; materiale per imbottire
paddle *vi* pagaiare; — *vt (coll)* sculacciare; — *n* pagaia; — **steamer** nave a ruote; — **wheel** ruota a pale
paddock *n* passeggiatoio
padlock *n* lucchetto; — *vt* allucchettare
pagan *n&a* pagano; –ism *n* paganismo
page *n (book)* pagina; *(lefthand)* verso; *(righthand)* recto; *(boy)* paggio; *(messenger)* fattorino *(coll)*; — *vt (print)* numerare le pagine, impaginare; *(call)* chiamare a voce alta
pageant *n* corteo storico, spettacolo; –ry *n* corteo, parata, spettacolo fastoso
pagination *n* impaginazione
pail *n* secchio, secchia
pain *n* dolore *m*; pena; **be in** — soffrire; **take –s** affannarsi, darsi da fare; — *vt* far male a, affliggere, far soffrire; –ful *a* penoso, doloroso
painstaking *a* accurato, diligente
paint *n* pittura; colore *m*; vernice *f*; — *vt* dipingere; –er *n* pittore *m*; *(house)* verniciatore *m*; imbianchino; –ing *n* pittura, quadro
paintbrush *n* pennello
pair *n* paio, coppia; — *vt* accoppiare; — **off** accoppiarsi, mettersi per due
pajamas *npl* pigiama *m*
pal *n (coll)* compagno, amicone *m*
palace *n* palazzo
paladin *n* paladino
palatable *a* saporito
palate *n* palato
palatial *a* grandioso
palatinate *n* palatinato
palatine *n&a* palatino
pale *a* pallido; — *vt* far impallidire; — *vi* impallidire; — *n* palo; confine *m*; **beyond the —** impossibile; smoderato; –ness *n* pallore *m*
paleography *n* paleografia
paleolithic *a* paleolitico
paleontologist *n* paleontologo

paleontology n paleontologia
Palestine Palestina
palette n tavolozza; — **knife** spatoletta di pittore
palisade n palizzata
pall n drappo funebre; coltre f; — vi diventare insipido; — vt rendere insipido; (fig) deprimere; –**bearer** n chi regge i cordoni in un funerale
pallet n giaciglio
palliate vt palliare
palliative n&a palliativo
pallid a pallido
pallor n pallore m
palm n (anat) palmo; (bot) palma; –**ist** n chiromante m&f; — **off** imporre con la frode
Palm Sunday Domenica delle Palme
palpitate vi palpitare
palpitation n palpitazione
palsied a paralizzato
palsy n paralisi f; — vt paralizzare
paltry a piccolo; vile, meschino
pamper vt viziare, vezzeggiare
pamphlet n opuscolo; –**eer** n scrittore di opuscoli
pan n padella; — **out** aver successo; — **someone** (coll) criticare qualcuno
panacea n panacea
Pan-American a panamericano
pancake n frittella
pancreas n pancreas m
pancreatic a pancreatico
pandemonium n pandemonio
pander n mezzano, ruffiano; — vi fare il mezzano
pane n vetro; pannello
panegyric n panegirico
panel n pannello; (law) giuria; **jury** — lista dei giurati; — vt decorare con pannelli; –**ing** n lavoro a pannelli; pannelli mpl
pang n trafitta; dolore m
panic n panico; — vt procurare panico; — vi essere preso da panico; –**ky** a timido, pauroso, atterrito
panoply n panoplia
panorama n panorama
panoramic a panoramico
pansy n viola del pensiero
pant vi ansare, palpitare; — n anelito, palpito
panties npl mutandine fpl
pantheism n panteismo
pantheist n panteista m
pantheistic a panteistico
Pantheon n Panteon m
panther n pantera
pantograph n pantografo
pantomime n pantomima

pantomimist n pantomimo
pantry n dispensa
pants npl calzoni mpl
papacy n papato
papal a papale
paper n carta; documento; **blotting** — carta assorbente; **carbon** — carta carbone; — **clip** fermacarte m; — **hanger** tappezziere in carta; — **knife** tagliacarte m; –**weight** fermacarte m; — a cartaceo; — vt (walls) tappezzare con carta
paperboy n strillone m
papier-mâché n cartapesta
papist n papista m&f
paprika n paprica
papyrus n papiro
par n pari f; **at** — alla pari
parable n parabola
parabola n (math) parabola
parabolic a parabolico
parachute n paracadute m; — vt paracadutare; — vi lanciarsi con il paracadute
parachutist n paracadutista m&f
parade n sfilata; (mil) parata; — vt ostentare; — vi sfilare in parata
paradise n paradiso
paradox n paradosso
paradoxical a paradossale
paraffin n paraffina
paragon n esempio, modello
paragraph n paragrafo; — vt paragrafare
parallel a&n parallelo; — vt parallelizzare; **be** — **with** essere in parallelo con
parallelogram n parallelogramma m
paralogism n paralogismo
paralysis n paralisi f
paralytic a&n paralitico
paralyze vt paralizzare
paramount a supremo
paramour n amante m&f
paranoia n paranoia
paranoiac n paranoico
parapet n parapetto
paraphernalia npl accessori mpl
paraphrase n parafrasi f; — vt parafrasare; — vi fare una parafrasi
paraplegia n (med) paraplegia
parasite n parassita m
parasitic a parassitico
parasol n parasole m
parataxis n paratassi f
paratrooper n (mil) paracadutista m
paratroops npl corpo di paracadutisti
parboil vt far bollire a mezzo
parcel n pacchetto; — **post** pacco postale; — vt dividere in parti, spartire; impacchettare

parch *vt* arrostire; *(dry)* inaridire; — *vi* arrostirsi; inaridirsi
parchment *n* pergamena
pardon *n* perdono; — *vt* perdonare; **-able** *a* perdonabile
pare *vt* pelare; sbucciare
paregoric *n&a (med)* paregorico
parent *n* genitore *m*, genitrice *f*; — *a* madre; natale; nativo; **-age** *n* discendenza, origine *f*, generazione; **-hood** *n* paternità, maternità; genitura; **-s** *npl* genitori *mpl*
parental *a* dei genitori
parenthesis *n* parentesi *f*
parenthetical *a* fra parentisi, parentetico
pariah *n* paria *m&f*
paring *n (peeling)* buccia; sbucciatura; — **knife** trincetto, spacchino
Paris Parigi
parish *n* parrocchia; — *a* parrocchiale; **-ioner** *n* parrocchiano
parity *n* parità
park *n* giardino pubblico, parco; — *vt* parcheggiare
parking *n* parcheggio, posteggio; — **meter** parchimetro; **no** — vietata la sosta *(or* il parcheggio)
parlance *n* linguaggio; il parlare; **in common** — nel linguaggio corrente
parley *n* trattativa parlamentare; — *vi* parlamentare
parliament *n* parlamento; **-arian** *n* parlamentare *m*
parliamentary *a* parlamentare
parlor *n* salotto; **beauty** — salone di bellezza
Parnassian *a&n* parnassiano
parochial *a* parrocchiale
parody *n* parodia; — *vt* parodiare, imitare
parole *n (law)* condizionale *f*, libertà provvisoria; — *vt* concedere la libertà provvisoria
paroxysm *n* parossismo
parquet *n* parchetto, parchè *m*; — *vt* pavimentare a parchè
parrot *n* pappagallo
parry *vt* evitare, parare
parse *vt (gram)* analizzare
parsley *n* prezzemolo
parsnip *n* pastinaca
parson *n* parroco; **-age** *n* canonica
part *n* parte *f*; *(hair)* riga, scriminatura; *(spare)* pezzo di ricambio; *(speech)* parte del discorso; *(theat)* parte *f*; — *a* parziale; — *adv* in parte; **for my** — per parte mia; **for the most** — per la maggior parte; **from all -s** da ogni lato; **in** — in parte, **take** — **in** participare a; **take someone's** — prender la parte di

qualcuno; **-s** *npl* parti *fpl*; regione; abilità
part *vt* separare; — *vi* separarsi; — **from, with** separarsi da
partake *vi* partecipare, condividere
partial *a* parziale; **-ity** *n* parzialità
participant *n* partecipante *m&f*
participate *vt&i* partecipare
participation *n* partecipazione
participator *n* partecipante *m&f*
participial *a (gram)* participiale
participle *n (gram)* participio
particle *n* particella; granello
particular *n&a* particolare *m*; **-ity** *n* particolarità; **-ization** *n* particolarizzazione; **-ize** *vt* particolareggiare; **-ly** *adv* particolarmente
parting *n* separazione
partisan *n&a* partigiano
partition *n* partizione; tramezzo; divisorio; — *vt* dividere in parti
partitive *a (gram)* partitivo
partly *adv* in parte
partner *n* socio; **-ship** *n* società
party *n* festa; partito; **be a** — **to** essere complice in; — **line** *(pol)* partito di linea; *(telephone)* ramificazione telefonica
parvenu *n* nuovo ricco, villano rifatto
pass *vi* passare; — *vt* sorpassare; — **away** morire; — **by** passar presso; *(omit)* omettere; — **on** passar oltre; — **out** *(exit)* uscire; *(distribute)* distribuire; *(faint sl)* perdere i sensi; — **over** omettere, tralasciare
pass *n* passo, valico; *(mountain)* gola; *(permit)* permesso; **-able** *a* passabile; attraversabile; **-ive** *a* passivo
passage, -way *n* passaggio
passbook *n* libretto di banca
passenger *n* passeggero
passer-by *n* passante *m*
passing *a* passeggero; — *n (death)* decesso; **in** — fra parentesi
passion *n* passione; **-ate** *a* ardente
passkey *n* chiave comune
Passover *n* Pasqua ebrea
passport *n* passaporto
password *n* parola d'ordine
past *n&a* passato; — **master** maestro, esperto; — **participle** *(gram)* participio passato; — **perfect** *(gram)* passato anteriore; — *prep* dopo, oltre
paste *n* colla; *(food)* pasta; — *vt* incollare
pasteboard *n* cartone *m*
pasteurization *n* pastorizzazione
pasteurize *vt* pastorizzare
pastime *n* passatempo
pastor *n* pastore *m*; **-al** *n&a* pastorale

pastry n pasticceria; — cook pasticciere m; — shop pasticceria
pasture n pascolo; — vt&i pascolare
pasty a pastoso
pat n colpetto; (butter) pezzo; — a apposito; opportuno; — vt dare un colpetto; accarezzare; stand — impuntarsi (fig)
patch n toppa, pezza; —.vt rattoppare
patchwork n raffazzonatura, rappezzatura
pate n testa
patella n (zool) patella; rotula
paten n disco; (eccl) patena
patent n brevetto; — leather coppale m; — vt brevettare
patent a patente, evidente, ovvio
paternal a paterno; –ism n paternalismo; –istic a paternalistico
paternity n paternità
path n sentiero; (track) corso, traiettoria
pathetic a patetico
pathfinder n esploratore m
pathological a patologico
pathology n patologia
pathos n patos m
pathway n sentiero, via
patience n pazienza; loose — impazientirsi
patient n&a paziente m&f
patina n patina
patriarch n patriarca m
patrician n&a patrizio
patricide n parricida m&f; (crime) parricidio
patrimony n patrimonio
patriot n patriotta m; –ic a patriottico
patriotism n patriottismo
patrol n pattuglia; ronda; — vt perlustrare
patron n patrono, mecenate m; (customer) cliente m
patronize vt frequentare; patrocinare; trattare con fare condiscendente
patter n picchiettio; — vt (rain) picchiettare
pattern n disegno; modello; — vt modellare
paunch n pancia; –y a panciuto
pauper n indigente m&f
pause n pausa; — vi far pausa
pave vt pavimentare; — the way (fig) preparare il cammino (fig)
pavement n lastricato
pavilion n padiglione m
paving n pavimento; pavimentazione
paw n zampa; — vt colpire, raspare con le zampe, maneggiare
pawl n (mech) dente d'arresto
pawn n pegno; (chess) pedina; –broker n prestatore su pegno; –shop n Monte

di Pietà, casa di pegno; — ticket polizza di pegno; — vt impegnare, dare in pegno
pay n paga, salario; –able a pagabile; –day n giorno di paga; –ee n beneficiario; –er n pagatore m, pagatrice f; –ment n pagamento; — roll foglio-paga; — vt pagare; — back restituire; rimborsare; — no attention non prestare attenzione; — off ammortizzare; liquidare; — up pagare completamente, saldare
pay-off n (coll) resa dei conti; cosa inaspettata
pea n pisello; –shooter n cerbottana; — soup passata di piselli
peace pace f; — offering sacrifizio propiziatorio; make — with rappacificarsi con; –ably adv pacificamente; –ful a pacifico, calmo; –maker n pacificatore m
peach n pesca; (tree) pesco
peacock n pavone m
peak n picco, cima, vetta; (zenith) apogeo; –ed a a punta, appuntito; (drawn) scarno
peal n scampanio; (laughter) risata squillante; (thunder) scoppio; — vi sonare; scampanare; — vt far risonare
peanut n arachide f
pear n pera; (tree) pero
pearl n perla; — diver pescatore di perle; — oyster ostrica perlifera
peasant n contadino
peasantry n contadini mpl
peat n torba
pebble n ciottolo
pebbly a ciottoloso
peccadillo n peccatuccio
pecan n noce americana; (tree) noce americano
peck n beccata; (measure) quantità di due galloni; — vt&i beccare; (food) sbocconcellare; — at (criticize) biasimare; mangiare delicatamente
pectoral a pettorale
peculiar a strano; –ity n peculiarità; caratteristica
pedagogical a pedagogico
pedagogue n pedagogo
pedagogy n pedagogia
pedal n pedale m; — vt pedelare
pedant n pedante m
pedantic a pedante
pedantry n pedanteria
peddle vt vendere in piccole quantità; — vi fare il venditore ambulante; –r n venditore ambulante
pedestal n piedestallo
pedestrian n pedone m
pediatrician n pediatra m
pedicure n callista m&f

pedigree *n* genealogia
pediment *n* frontone *m*
pedometer *n* pedometro; passimetro
peek *n* sguardo fugace; — *vi* far capolino
peel *vt* pelare, sbucciare; — *n* buccia
peep *vi (sound)* pigolare; *(look at)* sbirciare, spiare; — *n (sound)* pigolio; occhiata; **–hole** *n* buco; *(opening)* spiraglio; *(slit)* fessura
peer *n* pari *m*; — *vi* spuntare; scuriosare; **–age** *n (pol)* Pari *mpl*; aristocrazia; almanacco nobiliare; **–less** *a* incomparabile
peevish *a* irritabile; stizzoso; **–ness** *n* irritabilità
peg *n* caviglia; — *vt (fasten)* incavicchiare, incavigliare; *(com)* stabilizzare
pell-mell *adv* alla rinfusa; — *a* disordinato
pelt *n* colpo; velocità; *(animal)* pelliccia; *(rain)* scroscio; — *vt* lanciare, scagliare
pelting *n (of objects)* assalto; — *a (rain)* furioso
pelvic *a* pelvico
pelvis *n* pelvi *f*
pen *n* recinto; *(writing)* penna; — **name** pseudonimo d'arte; **ballpoint** — penna a sfera; **–holder** *n* portapenna *m*; — *vt* scrivere a penna; *(enclose)* rinchiudere
penal *a* penale; **–ty** *n* penalità; pena, punizione; **–ize** *vt* penalizzare
penance *n* penitenza
pencil *n* matita, lapis *m*
pendant *n&a* pendente *m*
pending *a* pendente; — *prep* durante; in attesa di
pendulum *n* pendolo
penetrate *vt* penetrare
penetrating *a* penetrante
penetration *n* penetrazione; intuizione
penicillin *n* penicillina
peninsula *n* penisola
peninsular *a* peninsulare
penis *n* pene *m*
penitence *n* penitenza
penitent *a&n* penitente *m*
penitentiary *n* penitenziario
penknife *n* temperino
penmanship *n* calligrafia
pennant *n* fiamma, stendardo, gagliardetto
penniless *a* senza un soldo
penny *n* centesimo di dollaro; soldo
pension *n* pensione *f*; — *vt* pensionare
pensioner *n* pensionato
pensive *a* pensoso
pentagon *n* pentagono; **–al** *a* pentagonale
pentameter *n* pentametro
penthouse *n* tettoia
pent-up *a* confinato

penumbra *n* penombra
penurious *a* povero, bisognoso; avaro
penury *n* penuria
people *n* popolo; gente *f*; — *vt* popolare
pep *n (sl)* energia, vigore *m*
pepper *n* pepe *m*; peperone *m*; — *vt* pepare; **–corn** *n* granello di pepe; **–mint** *n* menta peperina; **–y** *a* pepato
pepsin *n* pepsina
peptic *a* peptico
per *prep* per; — **capita** a testa
perambulate *vi* passeggiare, vagare
perambulatory *a* vagante, perambulatorio
perceivable *a* percettibile
perceive *vt* osservare, accorgersi, percepire
percent *n* per cento; **–age** *n* percentuale *f*
perceptibility *n* percettibilità
perception *n* percezione
perceptive *a* percettivo
perch *n* posatoio; *(fish)* pesce persico; — *vi* posarsi
perchance *adv* per caso
percolate *vt&i* filtrare
percolator *n* filtro, colino
percussion *n* percussione; — **cap** capsula di percussione
perdition *n* perdizione
peremptory *a* perentorio
perennial *a* perenne; — *n* pianta perenne
perfect *a* perfetto
perfect *vt* perfezionare
perfectibility *n* perfezionabilità
perfectible *a* perfettibile
perfection *n* perfezione
perfidious *a* perfido
perfidy *n* perfidia
perforate *vt* perforare
perforation *n* perforazione
perforce *adv* per forza
perform *vt* fare, eseguire; *(theat)* rappresentare, recitare
performance *n* esecuzione; rappresentazione
performer *n* artista *m&f*; esecutore *m*; *(theat)* attore *m*, attrice *f*
perfume *n* profumo; — *vt* profumare
perfumery *n* profumeria
perfunctory *a* negligente, superficiale, formale
perhaps *adv* forse
pericardium *n* pericardio
perigee *n* perigeo
peril *n* pericolo; **–ous** *a* rischioso, pericoloso; — *vt* esporre a pericolo; **be in** — pericolare
perimeter *n* perimetro
period *n* periodo; epoca; *(gram)* punto
periodic *a* periodico
periodical *n* periodico

peripatetic *n&a* peripatetico
peripheral *a* periferico
periphery *n* periferia
periphrasis *n* perifrasi *f*
periscope *n* periscopio
perish *vi* perire; **–able** *a* deperibile
peristalsis *n* peristalsi *f*
peristaltic *a* peristaltico
peritoneum *n* peritoneo
peritonitis *n* peritonite *f*
perjure *vt* spergiurare
perjurer *n* spergiuratore *m*
perjury *n* giuramento falso
perky *a* vivace
permanence *n* permanenza
permanent *a* permanente; **— wave** ondulazione permanente, permanente *f*; **–ly** *adv* permanentemente
permanganate *n* permanganato
permeability *n* permeabilità
permeable *a* permeabile
permeate *vt* permeare
permeation *n* permeazione
permissible *a* permissibile
permission *n* permesso
permissive *a* permissivo, indulgente
permit *n* permesso
permit *vt&i* permettere; lasciare
permutation *n* permuta
pernicious *a* pernicioso
peroration *n* perorazione
peroxide *n* acqua ossigenata
perpendicular *n&a* perpendicolare *f*
perpetrate *vt* perpetrare
perpetration *n* perpetrazione
perpetrator *n* perpetratore *m*
perpetual *a* perpetuo
perpetuate *vt* perpetuare
perpetuation *n* perpetuazione
perplex *vt* imbarazzare, rendere perplesso; **–ing** *a* imbarazzante; **–ity** *n* perplessità
perquisite *n* incerto, mancia; *(right)* requisito
persecute *vt* perseguitare
persecution *n* persecuzione
persecutor *n* persecutore *m*
perseverance *n* perseveranza
persevere *vi* perseverare
persevering *a* perseverante
Persian *a&n* persiano
persiflage *n* frivolezza
persist *vi* persistere; **–ence** *n* persistenza; **–ent** *a* persistente
person *n* persona; **–able** *a* ben fatto, bello; **–age** *n* personaggio; **–al** *a* personale; **–ality** *n* personalità; **–ification** *n* personificazione; **–ify** *vt* personificare
personnel *n* personale *m*
perspective *n* prospettiva

perspicacity *n* perspicacia
perspiration *n* sudore *m*
perspire *vi* traspirare, sudare
persuade *vt* persuadere
persuasion *n* persuasione
persuasive *a* persuasivo
pert *a* impertinente
pertain *vi* riguardare, appartenere; riferirsi a
pertinacious *a* pertinace
pertinacity *n* pertinacia
pertinence *n* pertinenza
pertinent *a* pertinente
perturb *vt* turbare, perturbare; **–ation** *n* perturbazione, perturbamento
Peru Perù
perusal *n* lettura accurata
peruse *vt* leggere attentamente
pervade *vt* pervadere, penetrare
pervasion *n* penetrazione
pervasive *a* penetrante
perverse *a* perverso
perversion *n* perversione
perversity *n* perversità
pervert *vt* depravare, pervertire; **—** *n* pervertito; **–er** *n* pervertitore *m*
pervious *a* permeabile
pessimism *n* pessimismo
pessimist *n* pessimista *m&f*; **–ic** *a* pessimistico
pest *n* parassita *m*; *(nuisance)* seccatura; **–er** *vt* infastidire
pestilence *n* pestilenza
pestilent *a* pestilente; noioso
pestle *n* pestello
pet *n* favorito, beniamino; **—** *vt* vezzeggiare; **— name** vezzeggiativo
petal *n* petalo
petition *n* petizione, preghiera; **—** *vt* rivolgere un'istanza; **–er** *n* richiedente *m*
petrel *n* procellaria
petrify *vt* pietrificare; **—** *vi* pietrificarsi
petroleum *n* petrolio; **—** *a* a petrolio, di petrolio
petticoat *n* sottana
pettifog *vi* fare l'azzeccagarbugli; **–ger** *n* azzeccagarbugli *m*; **–ging** *n* cavilli *mpl*
pettiness *n* piccolezza
petty *a* meschino; **— cash** piccola cassa; **— larceny** furterello, piccolo furto; **— officer** sottufficiale di marina
petulance *n* petulanza
petulant *a* petulante
pew *n* panca di chiesa
pewter *a* di peltro; **—** *n* peltro
phagocyte *n* fagocito
phalanx *n* falange *f*
phallic *a* fallico
phallus *n* fallo
phantom *n* fantasma *m*

Pharaoh n Faraone m
pharisaic a farisaico
Pharisee n Fariseo m
pharmaceutical a farmaceutico
pharmaceutics npl farmaceutica
pharmacist n farmacista m
pharmacologist n farmacologo
pharmacology n farmacologia
pharmacopoeia n farmacopea
pharmacy n farmacia
pharynx n faringe f
phase n aspetto, fase f
pheasant n fagiano
phenol n fenolo
phenomenal a fenomenale
phenomenon n fenomeno
Philadelphia Filadelfia
philander vi amoreggiare; **-er** n donnaiuolo
philanthropic a filantropico
philanthropist n filantropo
philanthropy n filantropia
philatelic a filatelico
philatelist n filatelico
philately n filatelia
philharmonic a filarmonico
Philippines Filippine
philological a filologico
philologist n filologo
philology n filologia
philosopher n filosofo
philosophize vi filosofare
philosophy n filosofia
phlegm n flemma; muco
phlegmatic a flemmatico
phobia n fobia
phoenix n fenice f
phone n (coll) telefono; — vt&i telefonare
phonetic a fonetico; **-s** npl fonetica
phonic a fonico
phonograph n grammofono, fonografo
phosphate n fosfato
phosphite n fosfito
phosphorescence n fosforescenza
phosphorescent a fosforescente
phosphoric a fosforico
phosphorous a fosforoso
phosphorus n fosforo
photodynamics npl fotodinamica
photoelectric a fotoelettrico; — **cell** cellula fotoelettrica
photoengrave vt fotoincidere
photoengraving n fotoincisione
photogenic a fotogenico
photograph n fotografia; **-er** n fotografo; **-ic** a fotografico; **-y** n fotografia; — vt fotografare
photogravure n fotoincisione
photometer n fotometro
photomicrograph n microfoto f
photostat n fotostato; macchina fotosta-

tica; — vt fare una copia fotostatica di
photosynthesis n fotosintesi f
phrase n frase f; — vt formulare; (mus) fraseggiare
phraseology n fraseologia
phrenetic a frenetico
phrenology n frenologia
physic n purgante m
physical a fisico
physician n medico
physicist n fisico
physics npl fisica; **solid state** — elettrofisica degli stati solidi
physiognomy n fisonomia
physiological a fisiologico
physiologist n fisiologo
physiology n fisiologia
physiotherapy n fisioterapia
physique n fisico
pianist n pianista m&f
piano n pianoforte m; **baby grand** — pianino; **grand** — pianoforte a coda; **upright** — pianoforte verticale; — a&adv piano
pica n (print) pica
picayune a meschino
piccolo n ottavino
pick n piccone m; scelta; — vt scegliere; cogliere; — **out** scegliere; — **up** (tidy) raccogliere, rassetare
pickax n piccone m
picket n (stake) stacca, picchetto; — **fence** palizzata; — vt picchettare
pickle n sottaceto; (coll) imbarazzo; **in a** — nei pasticci; — vt mettere sotto aceto
picklock n grimaldello
pickpocket n borsaiuolo
pickup n (auto) furgoncino; (speed) accelerazione; (phonograph) pickup, diaframma m; (coll) conoscenza casuale
picnic n merenda in campagna
pictorial a pittorico, illustrato; — n giornale illustrato
picture n quadro; ritratto; — vt dipingere; descrivere
picturesque a pittoresco
piddling a insignificante
pie n torta
piebald a pezzato; (fig) misto, eterogeneo
piece n pezzo; — of one's mind rimprovero; — **rate** (com) compenso a cottimo; — vt congiungere; rappezzare
piecemeal a separato; a pezzi; — adv gradatamente; separatamente; pezzo a pezzo
piecework n lavoro a cottimo
pied a pezzato; variopinto
Piedmont Piemonte; **—ese** a&n piemontese m&f

pier *n* molo
pierce *vt&i* perforare
piercing *a* pungente, penetrante
piety *n* pietà, devozione
pig *n* porco, maiale *m*; — **iron** ghisa; **–headed** *a* (*fig*) ostinato
pigeon *n* piccione *m*, colombo; **clay** — piccione artificiale; **homing** — piccione viaggiatore
pigeon– (*in comp*) **–breasted** *a* di petto a sterno convesso; dal petto di gallina (*fig*); **–toed** *a* con gli alluci in dentro
pigeonhole *n* nicchia; casella; — *vt* depositare in casellario; (*delay*) posporre
piggish *a* porcino; ghiottone; sporco
piggyback *adv* addosso; a spalle
pigment *n* pigmento; **–ation** *n* pigmentazione
pigpen *n* porcile *m*
pigtail *n* codino; **–s** *npl* (*hair*) trecce *fpl*
pike *n* picca; (*fish*) luccio; **–r** *n* giocatore timido
pilaster *n* (*arch*) pilastro
pile *n* mucchio; (*elec*) pila; (*cloth*) pelo; — *vt* ammucchiare
piles *npl* (*med*) emorroidi *mpl*
pilfer *vt&i* rubacchiare; **–er** *n* ladruncolo; **–ing** *n* rubacchiamento
pilgrim *n* pellegrino; **–age** *n* pellegrinaggio
pill *n* pillola; **–box** scatoletta per le pillole; (*mil*) fortino di cemento
pillar *n* pilastro, colonna
pillory *n* gogna; — *vt* mettere alla gogna
pillow *n* cuscino; **–case** *n* federa; — *vt* adagiare su cuscini
pilot *n* pilota *m*; — **light** fiammella d'alimentazione; lampada pilota; — *vt* pilotare, guidare
pimiento *n* pimento di Giamaica
pimple *n* pustoletta
pimply *a* foruncoloso, pustoloso
pin *n* spilla, spillo; — **money** denaro dato alla moglie per le spese personali; **on –s and needles** sulle spine, impacciato; — *vt* fissare, attaccare con uno spillo
pinafore *n* grembiulino
pincers *npl* pinze *fpl*, tenaglie *fpl*
pinch *vt* pizzicare; — *n* (*nip*) pizzicotto; (*quantity*) presa; (*need*) bisogno
pinch-hit *vi* (*baseball*) sostituire un giuocatore; — **for** sostituire in emergenza
pinch-hitter *n* sostituto; (*baseball*) giuocatore sostituto
pincushion *n* portaspilli *m*
pine *n* pino; — *vi* languire; **to** — **for** spasimare per
pineapple *n* ananasso *m*; — *a* d'ananasso
ping-pong *n* tennis da tavola
pink *a* color rosa; — **of condition** con-

dizione ideale
pinnacle *n* pinnacolo; apogeo
pinion, *vt* immobilizzare, inceppare
pinpoint *vt* precisare; localizzare; — *n* punta di spillo
pinprick *n* puntata di spillo
pint *n* pinta
pinwheel *n* girandola
pioneer *n* pioniere *m*; — *vt* preparare, aprire; — *vi* fare il pioniere
pious *a* devoto, pio
pipe *n* pipa; tubo; (*mus*) flauto; **–line** *n* tubatura; **–r** *n* flautista *m*
piping *n* tubazione; suono di zampogna (*or* cornamusa); (*food*) decorazione; (*clothing*) orlo ricamato; — **hot** (*liquid*) bollente, caldo caldo
piquancy *n* piccante *m*
piquant *a* piccante
pique *n* picca; — *vt* piccare; — **oneself on** piccarsi di
piracy *n* pirateria; (*lit*) plagio
pirate *n* pirata *m*; — *vi* pirateggiare, corseggiare; — *vt* plagiare; saccheggiare
pirouette *n* piroetta; — *vi* piroettare
pistachio *n* pistacchio
pistol *n* pistola
piston *n* pistone *m*; — **rod** stelo di stantuffo
pit *n* buca, fossa; cava; (*nut*) nocciolo; — *vt* (*into ground*) interrare; (*mark*) marcare; (*competition*) mettere in gara
pitch *n* punto, grado; (*mus*) tono; (*min*) pece *f*; — **pipe** diapason da fiato; — *vt* buttare, gettare; — *vi* (*naut*) beccheggiare; **to** — **in** lavorare alacremente
pitch– (*in comp*) **–black** *a* nerissimo; **–dark** *a* oscuro, nero come la pece
pitchblende *n* pechblenda
pitcher *n* brocca; **baseball** — lanciatore *m*
pitchfork *n* forca; forcone *m*
piteous *a* pietoso; commovente
pitfall *n* trappola; inganno
pith *n* forza; essenza; (*anat, bot*) midollo; **–y** *a* (*marrow*) midolloso; (*essence*) essenziale, vigoroso
pitiable *a* compassionevole; pietoso; degno di pietà
pitiful *a* pietoso
pitiless *a* spietato, crudele; incompassionevole
pittance *n* (*portion*) porzioncina; (*charity*) elemosina
pitted *a* butterato
pitter-patter *n* scalpiccio, picchiettio; — *vi* scalpicciare, picchiettare
pituitary *a* pituitario
pity *n* pietà, compassione; — *vt* compiangere
pivot *n* perno; — *vt* imperniare; — *vi*

imperniarsi
pixie *n* fata
placard *n* cartellone *m*
placate *vt* placare
place *n* posto, luogo; **in — of** in luo-go di; al posto di; invece; **out of —** inopportuno; fuori luogo; fuori posto; **— vi** *(racing)* piazzare; **— vt** colloca-re; **take —** succedere; aver luogo; **–ment** *n* collocamento
placenta *n* placenta
plagiarism *n* plagio
plagiarist *n* plagiario
plagiarize *vt* plagiare
plague *n* peste *f*; **— vt** tormentare; ap-pestare
plaid *n* mantello scozzese; **— a** *(design)* scozzese
plain *n* pianura; **— a** semplice; ovvio; evidente; **–ly** *adv* semplicemente; **–ness** *n* evidenza; semplicità; assenza di bel-lezza
plainsman *n* abitante della pianura
plain-spoken *a* schietto, franco
plaintiff *n* attore *m*, parte civile
plaintive *a* lamentoso, triste
plan *n* piano; progetto; **— vt** progettare; pianificare
plane *n* pialla; *(avi)* aeroplano; *(level)* piano; **— vt** piallare; spianare
planet *n* pianeta *m*; **–ary** *a* planetario, di pianeta; **–arium** *n* planetario
plank *n* tavola; *(pol)* caposaldo; **— vt** in-tavolare; *(coll)* pagare; **–ing** *n* impal-catura, intavolatura
plant *n* pianta; *(com)* stabilimento; **— vt** piantare, impiantare; fissare; **–er** *n* piantatore *m*
plantation *n* piantagione *f*
plaque *n* placca
plasma *n* plasma *m*; **— physics** *(phys)* fisica dei plasmi
plaster *n* intonaco; gesso; **adhesive —** sparadrappo; **corn —** cerotto callicida; **— cast** riproduzione in gesso; **— of Paris** gesso da scultore, stucco; **–er** *n* gessaio; intonachista *m&f*; **–ing** *n* in-gessatura; intonaco
plasterboard *n* tavola di gesso compensato
plastic *a* plastico; **— n** materia plastica
plasticity *n* plasticità
plat *n* pezzo di terra; **— vt** *(map or chart)* progettare
plate *n* piatto; placca; *(metal)* lamiera, *(dental)* dentiera, protesi dentale; *(print)* incisione; **— glass** lastra di cristallo *(or* vetro*)*; **–ful** *n* piatto pieno; contenuto di un piatto; **— vt** placcare, laminare
platen *n* rullo dattilografico; *(print)* pir-

rone *m*
plateau *n* altipiano
platform *n* piattaforma; *(pol)* programma *m*
plating *n* placcatura
platinum *n* platino; **— a** di platino
platitude *n* banalità; insulsaggine *f*
platitudinous *a* banale
platonic *a* platonico
platter *n* piatto
plaudit *n* applauso
plausibility *n* plausibilità
plausible *a* plausibile
play *n* giuoco; *(theat)* spettacolo; **— on words** giuoco di parole; **— vt&i** giuo-care; *(instrument)* suonare; **–ful** *a* scherzevole; **–ground** *n* luogo di ricrea-zione; campo di giuoco; **–mate** *n* com-pagno di giuoco; **–off** *n* *(sports)* partita decisiva; **–thing** *n* trastullo, balocco
playback *n* collaudo di dischi *(or* nastri*)*
player *n* *(game)* giocatore; *(mus)* suona-tore *m*; *(theat)* attore *m*
playhouse *n* teatro
playing *n* giuoco; **— cards** carte da giuo-co; **— field** campo sportivo
playwright *n* drammaturgo
plea *n* supplica
plead *vi* sollecitare; **— vt** perorare
pleasant *a* ameno, gradevole; **–ness** *n* amenità
please *vt&i* accontentare; **—!** *interj* per favore!; **as you —** come ti piace
pleased *a* soddisfatto, contento; **— to meet you** *(coll)* lieto di conoscerti
pleasing *a* piacevole
pleasurable *a* piacevole
pleasure *n* piacere *m*
pleat *vt* pieghettare; intrecciare; **— n** piega
plebeian *a* plebeo, volgare; **— n** plebeo
plebiscite *n* plebiscito
plectrum *n* plettro
pledge *n* pegno; brindisi; **— vt** impegna-re; brindare a
plenary *a* plenario
plenipotentiary *n&a* plenipotenziario
plentiful *a* copioso, abbondante
plenty *n* abbondanza
plethora *n* pletora
pleurisy *n* pleurite *f*
plexus *n* plesso
pliability *n* pieghevolezza, arrendevolezza
pliable *a* cedevole, arrendevole
pliant *a* pieghevole, flessibile, arrendevole
pliers *npl* pinze *fpl*
plight *n* situazione critica
plod *vi* andare a stento; sgobbare
plodder *n* sgobbone *m*; chi va avanti a stento

plodding n stento, sgobbo; — a laborioso, sgobbone

plop n tonfo; — vi fare un tonfo

plot n trama; *(intrigue)* complotto; — vt complottare, tramare

plotting n complotto

plow n aratro; **gang** — aratro multiplo; **rotary** — aratro rotativo; — vt arare; — **through** profondizzare, sprofondarsi *(fig)*

plowshare n vomere m

pluck n coraggio, fegato *(fig)*; — vt cogliere, togliere; *(pull up)* strappare; –y a corraggioso

plug n tappo; *(elec)* spina; *(advertising, sl)* intromissione reclamistica; **spark** — candela; — vt tappare; — **in** inserire la spina; — vi *(coll)* sgobbare

plum n susina

plumb n piombo; — **line** filo a piombo; — a verticale, a piombo; — adv a piombo, verticalmente; — vt sondare, scandagliare; **–er** n idraulico; **–ing** n piombatura; lavoro d'idraulico

plume n piuma, penna

plummet n piombino; *(naut)* scandaglio; — vi cadere a piombo

plump a paffuto, grassoccio; — vt gettare giù; — vi piombare; **–ness** n grassezza

plunder n bottino; — vt saccheggiare; rubare

plunge vt tuffare; immergere; — vi tuffarsi; immergersi; — n tuffo, immersione

pluperfect n *(gram)* passato anteriore

plural a&n plurale m; **–ity** n pluralità; *(pol)* maggioranza relativa

plus prep più

plush n felpa

plutocracy n plutocrazia

plutocrat n plutocrate m&f; **–ic** a plutocratico

plutonium n plutonio

ply n *(fold)* piega; *(thickness)* spessore m; — vi *(work)* applicarsi; viaggiare rutinariamente; — vt *(trade)* esercitare; adoperare; — **with questions** investire con domande

plywood n legno compensato

P.M. post meridiem dopo mezzogiorno, del pomeriggio, pomeridiano

pneumatic a pneumatico

pneumonia n polmonite f

poach vi sconfinare; — vt *(cooking)* bollire uova in camicia; **–er** n bracconiere m

pock n pustola; **–mark** n buttero

pocket n tasca; — **book** libro tascabile; **line one's –s** riempirsi le tasche *(fig)*; **–book** n portafogli m; borsetta da don-

na; **–knife** n temperino; — a tascabile; — vt intascare; *(feelings)* contenere

pock-marked a butterato

pod n baccello; *(flock)* branco

poem n poesia; poema m

poet n poeta m; **–ic, –ical** a poetico; **–ry** n poesia

poetics npl poetica

poignancy n acutezza

poignant a piccante

point n punto; punta; grado; mira; — **of view** punto di vista; **get to the** — andare al fatto; **make a** — **of** farsi un dovere di; **on the** — **of** sul punto di; **stretch a** — fare un'eccezione; — vt indicare; *(sharpen)* appuntare; **to** — **out** segnalare, notare; **to the** — in proposito

point-blank a a bruciapelo

pointer n *(dog)* cane da punta; bacchetta

pointless a inutile

poise n equilibrio; portamento; dignità; — vt equilibrare; — vi equilibrarsi; esser sospeso

poised a disinvolto, imperturbabile

poison n veleno; — vt avvelenare; **–ing** n avvelenamento; **–ous** a velenoso

poke n colpo, spinta; — vi dar colpi; — vt cacciare, spingere; — **along** poltrire; — **fun at** scherzare; **buy a pig in a** — comprare alla cieca *(fig)*

poker n attizzatoio; *(game)* poker m

Poland Polonia

polar a polare; — **bear** orso bianco

polarity n polarità

polarize vt polarizzare

Pole n polacco

pole n palo; *(geog)* polo; — **vault** salto all'asta

polecat n puzzola

police n polizia; — **station** commissariato, questura; — vt mantenere l'ordine con la polizia; **–man** n guardia, poliziotto, vigile urbano

policy n politica; — **holder** assicurato; **insurance** — polizza d'assicurazione

poliomyelitis n poliomelite f

Polish a polacco

polish vt pulire, levigare; — n lucido, vernice f; **–ed** a raffinato

polite a cortese, garbato; **–ness** n cortesia

politic, –al a politico

politics npl politica

politician n politico, politicante m

polka n polka, polca

poll n *(pol)* votazione; *(opinion)* referendum m; — **tax** testatico; **–s** npl urne fpl; — vt tosare, potare, cimare; ottenere

pollen n polline m

pollinate vt coprire di polline
polling n votazione; — **booth** cabina elettorale
pollute vt contaminare; violare; **–d** a impuro, sudicio; corrotto
pollution n polluzione; profanazione
polo n (sport) polo
polychrome a policromo
polyclinic n policlinico
polygamist n poligamo
polygamous a poligamo
polygamy n poligamia
polyglot n poliglotta m&f
polygon n poligono; **–al** a poligonale
polymer n polimero; — **chemistry** polimerologia, chimica dei polimeri
polymerization n polimerizzazione
polymorphism n polimorfismo
polymorphous a polimorfo
Polynesia Polinesia
polyp n polipo
polyphonic a polifonico
polyphony n polifonia
polysyllabic a polisillabo
polysyllable n polisillabo
polytechnic a politecnico
polytheism n politeismo
polytheist n politeista m&f
polytheistic a politeistico
pomade n pomata
pomegranate n melagrana
pommel n pomo; — vt battere
pomp n pompa, fasto; **–ous** a pomposo; **–ousness** n pomposità
ponder vt&i ponderare; riflettere; meditare; **–ous** a ponderoso
poniard n pugnale m; — vt pugnalare
pontiff n pontefice m
pontifical a pontificale
pontificate n pontificato
pontoon n pontone m
pony n cavallino
poodle n cane barbone
pool n stagno; (betting) piatto di scommesse; (money) fondo comune; (swimming) piscina; — vt mettere in comune
poop n (naut) poppa
poor a povero, cattivo, scadente; — npl i poveri mpl; **–house** n ricovero di mendicità; **–ly** adv malamente, male, scarsamente
pop n sparo; (beverage) gasosa; **–corn** n granturco arrostito; **–gun** n pistola ad aria compressa; — vt&i esplodere, sparare
Pope n Papa m
poplar n pioppo
poplin n poplina
poppy n papavero
populace n plebaglia, popolino

popular a popolare; **–ity** n popolarità; **–ize** vt popolarizzare
populate vt popolare
population n popolazione
populous a popoloso
porcelain n porcellana
porch n veranda; portico
porcupine n porcospino
pore n poro
pore (over) vi ponderare; studiare attentamente
pork n carne di porco; — **chop** costoletta di porco
pornographic a pornografico
pornography n pornografia
porosity n porosità
porous a poroso
porphyry n porfirio
porpoise n focena
port n porto; (naut) babordo; (wine) vino d'Oporto; **–folio** n cartella; (pol) portafoglio; **–hole** n portello; oblò; **–able** a portabile, portatile
portend vt presagire
portent n portento; presagio
portentous a portentoso, prodigioso
porter n facchino, portatore m
portion n porzione; — vt ripartire; dotare
portly a corpulento
portrait n ritratto; — **painter** ritrattista m&f
portray vt ritrarre; descrivere; **–al** n pittura, descrizione
Portugal Portogallo
Portuguese a&n portoghese m
pose n posa, atteggiamento; — vt far posare; — vi posare; atteggiarsi; — as atteggiarsi; — **questions** porre domande
position n posizione; posto; (job) impiego; **be in a — to** essere in grado di; — vt collocare
positive a positivo, assoluto; **–ly** adv positivamente
positivism n positivismo
positron n positrone m; elletrone positivo
posse n pattuglia
possess vt possedere; **–ed** a posseduto; invasato; **–ive** a possessivo; **–or** n possessore m
possibility n possibilità
possible a possibile
possibly adv possibilmente; forse
post n posto; palo; — vt affiggere; impostare; — **no bills** proibita l'affissione; — **office** ufficio postale
postage n affrancatura; — **stamp** francobollo
postal a postale
postcard n cartolina postale
postdate vt posdatare

poster *n* cartellone *m*
posterior *a&n* posteriore *m*
posterity *n* i posteri *mpl*
postgraduate *n&a* universitario
posthaste *adv* subito, immediatamente
posthumous *a* postumo
postman *n* portalettere *m*
postmark *n* timbro postale
postmaster *n* direttore postale
postpaid *a* porto pagato
postpone *vt* rimandare; **–ment** *n* rinvio
postscript *n* poscritto
posture *n* atteggiamento; *(manner)* attitudine *f*
postwar *a* del dopoguerra
pot *n* pentola; vaso; — **roast** arrosto in tegame; — **shot** sparo a caso; — *vt* invasare; — *vi (coll)* sparare; **–hook** *n* gancio del focolare
potable *a* potabile
potash *n* potassa
potassium *n* potassio
potato *n* patata; **sweet** — patata americana
potbellied *a* panciuto
potency *n* potenza, potere *m*
potent *a* potente
potentate *n* potentato
potential *n* potenzialità; — *a* potenziale; **–ity** *n* potenzialità
potion *n* pozione
potluck *n* pasto quotidiano; — *a* alla buona; **take** — desinare alla buona
potter *n* vasaio; **–'s field** cimitero dei poveri; **–'s wheel** ruota del vasaio
pottery *n* ceramica; terraglie, stoviglie *fpl*
pouch *n* borsa
poultice *n* cataplasma
poultry *n* pollame *m*
pounce *(on) vi* balzare su, gettarsi sopra
pound *n* libbra; — *vt* battere, colpire; camminare pesantemente; pulsare
pound *n (animal)* rinchiuso
pour *vt* versare; — *vi* diluviare, piovere a dirotto; — **off** colare, drenare; **–ing** *a* torrenziale
pout *vi* fare il broncio; — *n* broncio
poverty *n* povertà, miseria
poverty-stricken *a* caduto in miseria, impoverito
powder *n* polvere *f*; cipria; — **magazine** polveriera; — **puff** piumino; — **room** toletta per signore; — *vt* impolverare; incipriare; — *vi* incipriarsi; impolverarsi; **–y** *a* polveroso
powdered *a* in polvere; incipriato, impolverato; — **sugar** zucchero al velo
power *n* forza; energia; facoltà; autorità; **–ful** *a* potente; **–less** *a* impotente; **–lessness** *n* impotenza; — **plant** apparato motore; central elettrica

practicability *n* praticabilità
practicable *a* praticabile
practical *a* pratico; — **joke** beffa, burla; **–ly** *adv* praticamente; quasi
practice *n* pratica; *(exercise)* esercizio, uso; *(professional)* clientela; — *vt* praticare, esercitare
practiced *a* abile, esperto
practitioner *n* professionista *m&f*
pragmatic *a* pragmatico
pragmatism *n* pragmatismo
pragmatist *n* pragmatista *m*
prairie *n* prateria
praise *n* lode *f*, elogio; — *vt* lodare; **–worthy** *a* lodevole
prance *vi* impennarsi; pavoneggiarsi
prancing *n* impennata; — *a* rampante
prank *n* burla, tiro birbone
prate *vi* ciarlare, cicalare
prattle *n* ciarla; — *vi* chiacchierare, ciarlare
pray *vt&i* pregare; **–er** *n* preghiera
prayerful *a* devoto, pio
preach *vt&i* predicare; **–er** *n* predicatore *m*; *(minister)* pastore *m*; **–ing** *n* sermone *m*, predica
preamble *n* preambolo
prearrange *vt* predisporre; **–ment** *n* preordinamento
prebend *n (eccl)* prebenda
precarious *a* precario; **–ly** *adv* precariamente; **–ness** *n* precarietà
precaution *n* precauzione; **–ary** *a* precauzionale
precede *vt&i* precedere
precedence *n* precedenza
precedent *n* precedente *m*
precedent *a* precedente
preceding *a* precedente
precept *n* precetto; **–or** *n* precettore *m*
precinct *n* distretto; **–s** *npl* dintorni *mpl*
precious *a* prezioso, caro
precipice *n* precipizio
precipitant *n&a* precipitante *m*
precipitate *n (chem)* precipitato; — *vt&i* precipitare
precipitation *n* precipitazione
precipitous *a* precipitoso
précis *n* sunto
precise *a* preciso; **–ly** *adv* precisamente; **–ness** *n* precisione
precision *n* precisione
preclude *vt* precludere
preclusion *n* preclusione
preclusive *a* preclusivo
precocious *a* precoce; **–ness** *n* precocità
precocity *n* precocità
preconceive *vt* preconcepire; **–d** *a* preconcepito
preconception *n* preconcetto

precursor *n* precursore *m*; **-y** *a* introduttivo
predate *vt* antidatare; predatare; **-d** *a* predatato
predatory *a* rapace; predatorio
predecessor *n* predecessore *m*
predestinate *vt* predestinare; — *a* predestinato
predestination *n* predestinazione
predestine *vt* predestinare
predetermine *vt* predeterminare; **-d** *a* predeterminato
predicament *n* imbarazzo, situazione difficile
predicate *vt* affermare; — *n* predicato
predication *n* predicazione
predict *vt* predire; **-ion** *n* predizione, presagio
predilection *n* predilezione
predispose *vt* predisporre; **-d** *a* predisposto
predisposition *n* predisposizione
predominance *n* predominanza
predominant *a* predominante
predominate *vt&i* predominare, prevalere
preeminence *n* preminenza
preeminent *a* preminente
preempt *vt* acquistare in precedenza
preen *vt&i* lisciarsi le penne; leccarsi *(fig)*
preestablish *vt* prestabilire; **-d** *a* prestabilito
preexist *vt&i* preesistere; **-ence** *n* preesistenza; **-ent** *a* preesistente
prefabricate *vt* prefabbricare; **-d** *a* prefabbricato
preface *n* prefazione; — *vt (book)* fare una prefazione a
prefatory *a* preliminare
prefer *vt* preferire; **-able** *a* preferibile; **-ence** *n* preferenza; **-ential** *a* preferenziale
preferred *a* preferito; *(stock)* privilegiato
prefix *n* prefisso; — *vt* prefiggere, premettere
pregnable *a* prendibile
pregnancy *n* gravidanza, gestazione
pregnant *a* incinta; gravido
preheat *vt* prescaldare; **-ed** *a* prescaldato
prehensile *a* prensile
prehistoric *a* preistorico
prehistory *n* preistoria
prejudge *vt* pregiudicare
prejudgment *n* giudizio prematuro
prejudice *n* pregiudizio; — *vt* pregiudicare; danneggiare
prejudicial *a* pregiudiziale
prelate *n* prelato
preliminary *a&n* preliminare
prelude *n* preludio
premature *a* prematuro; **-ly** *adv* prematu-

ramente; **-ness** *n* prematurità
premeditate *vt* premeditare; **-d** *a* premeditato
premeditation *n* premeditazione
premier *n (pol)* primo ministro
première *n (theat)* prima
premise *n* premessa; **-s** *npl* locali *mpl*; *(logic)* premesse *fpl*; — *vt* premettere
premium *n* premio
premonition *n* presentimento
prenatal *a* prenatale
preoccupation *n* preoccupazione
preoccupy *vt* preoccupare
preordain *vt* preordinare; **-ed** *a* preordinato
prepaid *a* franco di porto
preparation *n* preparazione, preparativo
preparatory *a* preparatorio; — **school** scuola preparatoria
prepare *vt* preparare; — *vi* prepararsi
prepay *vt* pagare in anticipo; **-ment** *n* pagamento anticipato
preponderance *n* preponderanza
preponderant *a* preponderante
preposition *n (gram)* preposizione
prepossessing *a* attraente
prepossession *n* pregiudizio; preoccupazione; prevenzione
preposterous *a* assurdo
prerequisite *a* indispensabile; — *n* requisito
prerogative *n* prerogativa
presage *vt* presagire
prescience *n* prescienza
prescient *a* presciente
prescribe *vt&i* prescrivere
prescription *n* ricetta; prescrizione *f*
presence *n* presenza; — **of mind** prontezza d'animo; **in the — of** alla presenza di
present *n (gift)* regalo, dono; *(time)* presente *m*; — *a* attuale, presente; **at —** ora, adesso
present *vt* presentare, offrire; — **oneself** presentarsi, comparire; **-ation** *n* offerta, presentazione; *(theat)* rappresentazione
presentable *a* presentabile
presentably *adv* presentabilmente
presentiment *n* presentimento
preservation *n* preservazione
preservative *n* preservativo, preservatore *m*
preserve *vt* preservare, conservare
preserve *n* marmellata, conserva
preside *vi* presiedere
presidency *n* presidenza
president *n* presidente *m*
press *vt&i* premere; stringere; stirare; — *n* pressa; torchio; *(print)* stampa,

stamperia; *(mech)* pressa; **the —** *(news)* la stampa

pressing *a* urgente, pressante, insistente; **—** *n* urgenza; pressione; stiratura

pressure *n* pressione; **— cooker** pentola a pressione; **blood —** pressione sanguigna

pressurize *vt (avi&naut)* mantenere la pressione di, pressurizzare

pressurized *a* a pressione; pressurizzato

prestige *n* prestigio

presumable *a* presumibile

presumably *adv* presumibilmente

presume *vt&i* presumere, supporre

presuming *a* presuntuoso

presumption *n* presunzione

presumptive *a* presunto

presumptuous *a* presuntuoso

presuppose *vt* presupporre

presupposition *n* presupposizione

pretend *vt&i* fingere, far finta di

pretender *n* pretendente *m&f*

pretense *n* finzione, pretesto; pretesa

pretention *n* pretesa

pretentious *a* pretenzioso; **–ness** *n* pretenziosità

preterit *n (gram)* preterito

pretext *n* pretesto; **on the — of** col pretesto di

prettiness *n* grazia, leggiadria; eleganza

prettily *adv* graziosamente

pretty *a* carino, grazioso, bello; **—** *adv* discretamente

prevail *vi* prevalere; **–ing** *a* prevalente; comune

prevalence *n* prevalenza

prevalent *a* generale, comune; prevalente

prevaricate *vi* prevaricare; tergiversare

prevarication *n* tergiversazione; prevaricazione

prevaricator *n* prevaricatore *m*

prevent *vt* impedire, prevenire, evitare; **–able** *a* prevenibile; **–ion** *n* prevenzione; **–ative** *n* preventivo

preventive *n* misura preventiva; **—** *a* preventivo

preview *n* anteprima

previous *a* precedente; **–ly** *adv* prima, anteriormente

prewar *a* d'anteguerra

prey *n* preda; **—** *vi* predare

price *n* prezzo; **at any —** ad ogni costo; **— cutting** ribasso; **–less** *a* senza prezzo, inestimabile; **—** *vt* valutare; *(coll)* chiedere il prezzo di

prick *n* puntura; **–ly** *a* spinoso; **—** *vt* pungere

pride *n* orgoglio, fierezza; **take — in** essere fiero *(or* orgoglioso) di; **— oneself on** vantarsi di; gloriarsi di

priest *n* prete, sacerdote *m*; **–hood** *n* sacerdozio; **–ly** *a* sacerdotale

prig *n* meticoloso, sofistico, presuntuoso

prim *a* meticoloso, cerimonioso; affettato; **–ness** *n* formalità

primacy *n* supremazia

primarily *adv* principalmente; prima di tutto

primary *a* primario

prime *a* primo, principale; **—** *n* colmo, perfezione; fiore *m*; **in its —** nel suo fiore; **—** *vt (person)* preparare, istruire; *(gun)* caricare; *(mech)* adescare

primer *n* primo libro

primeval *a* primitivo; **— forests** foreste vergini

priming *n* innesco

primitive *a* primitivo; **–ness** *n* primitività

primogeniture *n* primogenitura

primordial *a* primordiale

primp *vi* prepararsi meticolosamente

primrose *n* primula

prince *n* principe *m*; **–ly** *a* principesco

princess *n* principessa

principal *a* principale; **—** *n (com)* capitale *m*

principle *n* principio

print *vt&i* stampare; *(letter)* scrivere a stampatello; **out of —** esaurito; **—** *n* stampa, impressione; *(photo)* positiva; *(type)* caratteri *mpl*; **–er** *n* tipografo

printed *a* stampato; **— matter** stampe *fpl*

printing *n* stampa, tiratura; **—** *a* tipografico, da stampa; **— press** torchio tipografico

prior *a* precedente, antecedente; **— to** prima di; **–ity** *n* priorità

prior *(eccl)* priore *m*

prism *n* prisma; **–atic** *a* prismatico

prison *n* prigione *f*; **–er** *n* prigioniero

pristine *a* pristino

privacy *n* intimità; segreto

private *a* privato; **—** *n (mil)* soldato semplice; **–ly** *adv* privatamente, in privato; personalmente

privation *n* privazione

privilege *n* privilegio; **—** *vt* privilegiare

prize *n* premio; **—** *a* pregiato

prizefight *n* partita di pugilato; **–er** *n* pugile *m*

pro *n (coll)* professionista *m&f*; **—** *a* favorevole; **the –s and cons** il pro ed il contro; **—** *adv* pro, in favore

probability *n* probabilità

probable *a* probabile

probate *vt* provare l'autenticità di

probation *n* periodo di prova; libertà condizionale

probe *n* sonda; investigazione; **—** *vt* sondare

probity *n* integrità

problem n problema m; **–atical** a problematico
proboscis n proboscide f
procedure n procedimento, procedura
proceed vi procedere, continuare; derivare
proceedings npl procedimenti mpl; (law) procedura
proceeds npl ricavo; incasso
process n corso; procedimento; processo
procession n processione; **funeral —** corteo funebre; **–al** a&n processionale m
proclivity n proclività, inclinazione
procrastinate vt&i procrastinare, posporre
procrastination n procrastinazione
procreate vt&i procreare
procreative a procreatore, generativo
procreator n procreatore m
procurable a procurabile
procure vt procurare, ottenere; **–ment** n ottenimento
prod n pungolo; **—** vt pungere; (push) spingere
prodigal a prodigo
prodigious a prodigioso; **–ness** n prodigiosità
prodigy n prodigio
produce n frutto; profitto; prodotto
produce vt produrre, fabbricare; **–r** n produttore m
producible a producibile
product n prodotto
production n produzione
productive a produttivo; **–ness** produttività
profane a profano; **—** vt violare, profanare
profaner n profanatore m
profanity n profanità
profess vt professare; pretendere, dichiarare
professed a dichiarato; **–ly** adv dichiaratamente
profession n professione
professional a professionale; **—** n professionista m&f
professor n professore m; **–ial** a professorale; **–ship** n cattedra
proffer vt proferire
proficiency n abilità
proficient a abile, provetto, esperto; **–ly** adv espertamente
profile n profilo; **—** vt profilare
profit n profitto; guadagno; **—** vi profittare, trarre vantaggio; **–less** a senza profitto, vantaggioso; **—** by trarre profitto da
profiteer n profittatore m; **–ing** n sfruttamento
profligate a dissoluto
profound a profondo; **–ly** adv profondamente; **–ness** n profondità

profundity n profondità
profuse a profuso; prodigo; **–ly** adv profusamente; prodigalmente; **–ness** n profusione
profusion n profusione
progenitor n progenitore m
progeny n progenie f
prognosis n prognosi f
prognosticate vt pronosticare
prognostication n pronosticazione
program n programma m; **—** vt progettare, fare programma per
programming n (for computers) programmazione
progress n progresso
progress vi progredire, far progressi; **–ive** a progressivo
progression n progressione
prohibit vt proibire
prohibition n proibizione
prohibitive a proibitivo
project n progetto; **–ile** n proiettile m; **–ion** (action) proiezione; sporgenza; **–or** n proiettore m
project vt progettare; **—** vi sporgersi
proletarian a proletario
proletariat n proletariato
prolific a prolifico
prologue n prologo
prolong vt prolungare; **–ation** n prolungazione
promenade n passeggiata; **—** vi passeggiare
prominence n eminenza, importanza; risalto
prominent a eminente; saliente; **–ly** adv prominentemente
promiscuous a promiscuo
promise n promessa; **—** vt&i promettere
promising a promettente
promissory a promettente; **—** note cambiale f
promontory n promontorio
promote vt promuovere
promoter n fautore m
promotion n avanzamento, promozione
prompt a pronto, immediato; puntuale; **–ly** adv subito, prontamente; **–ness** n prontezza; **–er** n suggeritore m; **—** vt incitare; (theat) suggerire
promulgate vt promulgare
promulgation n promulgazione
prone a prono; **— to** inclinato a (fig)
prong n rebbio; **–ed** a con rebbi
pronominal a pronominale
pronoun n pronome m
pronounce vt&i pronunziare; **–able** a pronunziabile; **–d** a pronunziato; **–ment** n dichiarazione
pronunciation n pronunzia

proof *n* prova; *(print)* bozza di stampa; **galley** — bozza di composizione; **–reader** *n* corretore di bozze; **–reading** *n* correzione di bozze; — *vt* tirare una bozza

prop *n* puntello; *(theat)* attrezzatura; — *vt* puntellare

propaganda *n* propaganda

propagandist *n* propagandista *m&f*

propagandize *vt* propagandare; — *vi* fare propaganda

propagate *vt* propagare; — *vi* propagarsi

propagation *n* propagazione

propel *vt* spingere avanti

propellant *n* propulsore *m*

propellent *a* motore, propulsore

propeller *n* elica

propensity *n* propensione

proper *a* proprio, corretto; **–ly** *adv* propriamente, appropriatamente; **–ness** *n* convenienza

property *n* proprietà; beni *mpl*

prophecy *n* profezia

prophesy *vt&i* profetizzare

prophet *n* profeta *m*

prophylactic *a* profilattico

prophylaxis *n* profilassi *f*

propinquity *n* propinquità

propitiate *vt* propiziare

propitiation *n* propiziazione

propitious *a* propizio

proponent *n* proponente *m*

proportion *n* proporzione; **–al** *a* proporzionale; **–ate** *a* proporzionato; — *vt* proporzionare

proposal *n* proposta

propose *vt* proporre; — *vi* fare una proposta di matrimonio

proposition *n* proposta, proposizione

propound *vt* proporre

proprietary *a* di proprietà

proprietor *n* proprietario

propriety *n* proprietà

propulsion *n* propulsione; **jet** — propulsione a reazione

prorate *vt* ripartire proporzionalmente; dividere proporzionalmente

prosaic *a* prosaico

proscenium *n* proscenio

proscribe *vt* proscrivere

proscription *n* proscrizione

prose *n* prosa

prosecute *vt (law)* processare

prosecution *n (law)* processo, querela

prosecutor *n* accusatore *m*; pubblico ministero; *(plaintiff)* parte civile

proselyte *n* proselito

proselytize *vt* convertire

prospect *n* prospetto; *(view)* vista; **–ive** *a* previsto, futuro; — *vt&i* esplorare; cercare

prospector *n* prospettore *m*

prospectus *n* prospetto

prosper *vi* prosperare; — *vt* far prosperare; **–ous** *a* prospero

prosperity *n* prosperità

prostate *n* prostata

prostitute *n* prostituta; — *vt* prostituire

prostitution *n* prostituzione

prostrate *a* abbattuto; prosternato; — *vt* prostrare

prostration *n* prostrazione

protagonist *n* protagonista *m&f*

protect *vt* proteggere; **–ion** *n* protezione; **–ive** *a* protettivo; **–or** *n* protettore *m*; **–orate** *m* protettorato

protein *n* proteina

protest *n* protesta

protest *vt&i* protestare

Protestant *a&n* protestante *m&f*; **–ism** *n* protestantesimo

protestation *n* protestazione

protocol *n* protocollo

proton *n* protone *m*

protoplasm *n* protoplasma *m*; **–ic** *a* di protoplasma

prototype *n* prototipo

Protozoa *npl* protozoi *mpl*

protozoan *n* protozoo

protract *vt* protrarre; **–or** *n* protrattore *m*; *(anat)* muscolo estensore; *(geometry)* goniometro

protrude *vt* spingere avanti; far uscire; — *vi* sporgersi; proiettarsi

protruding *a* sporgente; spingente avanti

protrusion *n* sporgenza, prominenza

protuberance *n* protuberanza

protuberant *a* protuberante

proud *a* fiero, orgoglioso

provable *a* provabile

prove *vt* provare; — *vi* provarsi

proverb *n* proverbio; **–ial** *a* proverbiale

provide *vt&i* fornire; **–r** *n* provveditore *m*

provided *conj* purchè; — **that** *a* condizione che

providence *n* provvidenza

provident *a* provvido, previdente; **–ial** *a* provvidenziale

province *n* provincia

provincial *a* provinciale

provision *n* stipulazione *f*; **–al** *a* provisorio, **–s** *npl* viveri *mpl*; provviste *fpl*

proviso *n* condizione; clausola

provisory *a* provvisorio

provocation *n* provocazione

provocative *a* provocativo

provoke *vt* provocare

provoking *a* provocante

prow *n* prua, prora; **–ess** *n* valore *m*, prodezza

prowl *vi* vagare, gironzolare; **-er** *n* vagabondo
proximity *n* prossimità
proxy *n* procura; **by** — per procura
prudence *n* prudenza
prude *n* schizzinoso; **-ry** *n* schifiltà
prudent *a* prudente; **-ly** *adv* prudentemente
prudish *a* schifiltoso
prune *n* prugna secca; — *vt* potare
pruning *n* potatura
prurience *n* sensualità
prurient *a* lascivo
pry *vi* spiare; ficcare il naso; — *vt* sollevare con una leva; — *n (tool)* leva, palanca
prying *n* curiosità; — *a* curioso, ficcanaso
psalm *n* salmo; **-ist** *n* salmista *m*
psalter *n* salterio
pseudonym *n* pseudonimo
psyche *n* psiche *f*
psychiatric *a* psichiatrico
psychiatrist *n* psichiatra *m&f*
psychiatry *n* psichiatria
psychic *a* psichico
psychoanalist *n* psicoanalista *m&f*
psychoanalysis *n* psicoanalisi *f*
psychological *a* psicologico
psychologist *n* psicologo
psychology *n* psicologia
psychopath *n* psicopatico
psychopathic *a* psicopatico
psychopathology *n* psicopatologia
psychopathy *n* psicopatia
psychosis *n* psicosi *f*
psychosomatic *a* psicosomatico
psychotherapy *n* psicoterapia
puberty *n* pubertà
public *n&a* pubblico; — **works** lavori pubblici *mpl*; **make** — pubblicare
public-spirited *a* con senso civico
publication *n* pubblicazione
publicity *n* pubblicità
publicize *vt* pubblicare
publish *vt* pubblicare; **-er** *n* editore *m*
publishing *n* pubblicazione; — *a* editoriale; — **house** *n* casa editrice
pucker *n* grinza; piega; — *vt* increspare; — *vi* raggrinzarsi
pudding *n* budino
puddle *n* pozzanghera
pudgy *a* tozzo
puerile *a* puerile
Puerto Rico Portorico
puff *n* soffio; — **pastry** pasta sfoglia
puff *vi* soffiare; gonfiarsi; — *vt* gonfiare
puffiness *n* gonfiore *m*; gonfiatura
puffy *a* gonfio
pug *n* cane bolognese; — **nose** naso camuso

pugilism *n* pugilato
pugilist *n* pugilista *m*
pugilistic *a* pugilistico
pugnacious *a* pugnace
pugnacity *n* pugnacità
pug-nosed *a* dal naso camuso
pull *vt* tirare; — **apart** staccare; — **off** cavare, tirar via; — **out** estrarre, strappare; — **oneself together** ricomporsi; — **through** *(recover)* guarire, rimettersi
pull *n* strappo, tiro; *(sl)* influenza, vantaggio
pullet *n* pollastrella
pulley *n* puleggia
pullover *n* pullover *m*
pulmonary *a* polmonare
pulp *n* polpa
pulpit *n* pulpito
pulpy *a* polposo
pulsate *vi* pulsare
pulsation *n* pulsazione
pulse *n* polso
pulverization *n* polverizzazione
pulverize *vt* polverizzare; — *vi* polverizzarsi
pumice *n* pomice *f*
pump *n* pompa; *(shoe)* scarpetta; — *vt&i* pompare; *(inflate)* gonfiare
pumpkin *n* zucca
pun *n* giuoco di parole
punch *n* cazzotto, pugno; *(mech)* punzone *m*; *(drink)* ponce *m*; — *vt* punzonare; perforare; dare un pugno a
punctilious *a* scrupoloso, puntiglioso, meticoloso
punctual *a* puntuale; **-ity** *n* puntualità
punctuate *vt* punteggiare
punctuation *n* punteggiatura
puncture *n* puntura; *(tire)* foratura; — *vt* pungere, bucare, forare
punctureproof *a* antiperforante
pungency *n* agrezza, natura piccante
pungent *a* pungente
puniness *n* debolezza
punish *vt* castigare, punire; **-able** *a* punibile
punishment *n* punizione; **capital** — pena capitale
punitive *a* punitivo
puny *a* floscio, debole
pup, puppy *n* cucciolo; cagnolino
pupa *n* crisalide *f*
pupil *n (eye)* pupilla; *(school)* allievo; alunno, alunna; scolaro, scolara
puppet *n* burattino; — **show** recita di marionette
purchase *n* acquisto, compera; — *vt* acquistare, comperare
purchaser *n* acquirente *m&f*
pure *a* puro; **-ly** *adv* puramente

purgative *n&a* purgante *m*; purgativo
purgatory *n* purgatorio
purge *n* purga, purgante *m*; — *vt* purgare; — *vi* purgarsi
purification *n* purificazione
purifier *n* purificatore *m*
purify *vt* purificare
purism *n* purismo
purist *n* purista *m*
puritan *n* puritano; –**ical** *a* puritanico
purity *n* purezza
purl *vt (knitting)* smerlare; –**ing** *n* smerlo
purloin *vt&i* rubare
purple *n&a (color)* viola; **born to the** — *(fig)* di origine regale — *vt* imporporare; — *vi* imporporarsi
purport *n* significato; tenore *m*
purport *vt* significare; presumere, pretendere
purpose *n* scopo; **for the** — **of** allo scopo di; **on** — intenzionalmente; apposta; **to no** — invano; inutilmente; –**ful** *a* intenzionale; *(resolute)* risoluto; –**ly** *adv* intenzionalmente
purr *n* fusa *fpl*; — *vi* far le fusa; –**ing** *n* fusa *fpl*
purse *n* borsa; *(prize)* denaro; — *vt* increspare; — **the lips** contrarre le labbra; –**r** *n (naut)* commissario di bordo
pursuance *n* esecuzione, effettuazione
pursuant *a* inseguente
pursue *vt* perseguire
persuer *n* inseguitore *m*
pursuit *n* inseguimento; **in** — **of** alla ricerca di
purvey *vt* fornire

purveyor *n* fornitore *m*
pus *n* pus *m*, marcia; –**tule** *n* pustola
push *vt&i* spingere; — **ahead** progressare; — **back** respingere; — **one's way** farsi largo; — *n* spinta; — **button** pulsante *m*
pushover *n (sl)* cosa facile
puss *n* micino
put *vt* mettere; collocare; — **down** deporre, metter giù; — **off** posporre; — **on** indossare, mettersi; — **on airs** darsi arie; — **oneself out** disturbarsi *(coll)*; — **out** insoddisfatto; scontento; — **up** *(house)* soggiornare; *(can)* conservare; — **up with** tollerare, soffrire, sopportare
put-up *a* macchinato; — **job** intrigo, truffa
putrefaction *n* putrefazione
putrefy *vt* putrefare; — *vi* putrefarsi
putrid *a* putrido
putty *n* stucco; — **knife** spatola da stucco; — *vt* stuccare
puzzle *n* enigma *m*, rompicapo; **crossword** — cruciverba *m;* — *vt* rendere perplesso; — *vi* scervellarsi; –**ment** *n* sbalordimento, perplessità; –**r** *n* enigma *m*; *(person)* sfinge *f (fig)*
puzzling *a* problematico
pygmy, pigmy *n&a* pigmeo
pylon *n* pilone *m*
pyorrhea *n* piorrea
pyramid *n* piramide *f*
pyre *n* pira
pyromaniac *n* piromane *m&f*
pyrometer *n* pirometro
pyrotechnics *npl* pirotecnica
python *n* pitone *m*

Q

quack *n* ciarlatano, impostore *m*; *(duck)* gracidio; — *vi* schiamazzare, gracidare
quackery *n* ciarlataneria
quad *n (print)* quadratino
quadrangle *n* quadrangolo
quadrangular *a* quadrangolare
quadrant *n* quadrante *m*
quadratic *n&a* quadratico; — **equation** equazione quadratica
quadrilateral *a* quadrilatero
quadruped *n&a* quadrupede *m*
quadruple *n (math)* quadruplo; — *vt* quadruplicare
quadruplets *npl* quartetto di gemelli
quaff *vt&i* tracannare
quagmire *n* acquitrino
quail *n* quaglia; — *vi* scoraggiarsi
quaint *a* strano, pittoresco, originale; –**ness** *n* il pittoresco, originalità

quake *vi* tremare; — *n* tremore *m*, scossa; terremoto
quaking *n* tremolio; — *a* tremolante
qualification *n* qualifica; capacità; limitazione
qualified *a* idoneo; limitato
qualifier *n* qualificatore *m*; *(gram)* qualificativo
qualify *vt* abilitare, qualificare; limitare; — *vi* rendersi idoneo; qualificarsi
qualifying *a* qualificativo; — **heat** *(sport)* eliminatoria
qualitative *a* qualitativo
quality *n* qualità
qualm *n* apprensione; nausea; — **of conscience** scrupolo
quandary *n* dilemma *m*, imbarazzo
quantitative *a* quantitativo

quantity *n* quantità
quantum *n* quanto
quarantine *n* quarantena; — *vt* mettere in quarantena
quarrel *n* lite *f*, disputa; — *vi* litigare; bisticciare; **–some** *a* litigioso
quarry *n (mine)* cava; *(prey)* preda; *(hunting)* selvaggina
quart *n* quarto di gallone
quarter *n (math)* quarta parte, quarto; *(money)* un quarto di dollaro; **–back** *n (football)* terzino; centro attacco; **–master** *n (naut)* secondo capo timoniere; **–s** *(living)* quartiere *m*; alloggio; — *vt (mil)* alloggiare; squartare
quarter *n (time)* un quarto d'ora; **a —past** e un quarto; **a — to** meno un quarto
quarter– *(as comp)* **—deck** *n (naut)* cassero di poppa; **—hour** *n* quarto d'ora
quarterly *n* pubblicazione trimestrale; — *a* trimestrale; — *adv* trimestralmente
quartet *n* quartetto
quartz *n* quarzo
quash *vt* schiacciare
quasi *a&adv* quasi
quatrain *n* quartina
quaver *n* tremolo; *(mus)* croma; — *vi* vibrare; trillare
quay *n* molo
queasy *a* nauseato
queen *n* regina; — *vt (chess)* fare regina; — *vi* fare la regina; **–ly** *a* regale
queer *a* strano, bizzarro; — *vt (sl)* rovinare; **–ness** *n* stranezza, bizzarria
quell *vt* reprimere
quench *vt (thirst)* dissetare; spegnere; — **a fire** estinguere un incendio
querulous *a* querulo
query *n* domanda; — *vt* domandare
quest *n* ricerca; richiesta; **in — of** in cerca di
question *n* domanda; questione *f*; — **mark** punto interrogativo; **ask a —** fare una domanda; **in — in** questione; **out of the —** impossibile; **without —** senza dubbio; **a —** of una questione di; **–able** *a* discutibile; — *vt* interrogare; *(doubt)* discutere, mettere in dubbio
questioner *n* interrogatore *m*
questioning *n* inchiesta; — *a* interrogante, *(dubious)* dubbioso; **–ly** *adv* interrogativamente
questionnaire *n* questionario
queue *n (hair)* codino; *(line)* coda, fila
quibble *vi* sofisticare, cavillare
quibbler *n* cavillatore *m*
quibbling *n* sofisma *m*, cavillo
quick *n* vivo; **the — and the dead** i vivi e i morti; — *a* lesto, pronto, rapido;

–ness *n* rapidità, vivacità; **–ly** *adv* presto, rapidamente; **–en** *vt* animare; stimolare; — *vi* animarsi; affrettarsi
quickening *n* accelerazione; — *a* eccitante; accelerato
quicklime *n* calce viva
quicksand *n* sabbia mobile
quicksilver *n* mercurio
quick-tempered *a* irascibile
quick-witted *a* di pronto ingegno
quiescence *n* quiescenza
quiescent *a* quiescente; silente
quiet *a* quieto, tranquillo; modesto; calmo; **Keep —!** *interj* Sta zitto!; **be —** stare tranquillo *(or* in silenzio); — *n* calma, quiete *f*; **–ness** *n* quiete *f*; silenzio; **–ly** *adv* silenziosamente; quietamente; — *vt* calmare; quietare; — *vi* calmarsi, quietarsi
quill *n* penna
quilt *n* trapunta; — *vt* trapuntare; **–ed** *a* imbottito
quince *n* cotogna
quinine *n* chinino
quinsy *n* squinanzia
quintal *n* quintale *m*
quintessence *n* quintessenza
quintet *n* quintetto
quintuple *n&a* quintuplo; — *vt* quintuplicare
quip *n* bottata; frizzo
quire *n* quinterno, quaderno
quirk *n* sotterfugio; *(peculiarity)* singolarità; — **of fate** capriccio del destino
quisling *n* disfattista *m&f*; quintacolonnista *m&f*
quit *vt* abbandonare, lasciare
quitclaim *n (law)* remissione, rinunzia
quits *a* pari; **be —** essere pari; **call it —** dichiarare la fine
quitter *n (coward)* codardo; rinunciatario
quite *adv* completamente; realmente; *(coll)* abbastanza
quiver *vi* tremolare; — *n (archery)* faretra; tremito
quivering *n* fremito, tremito
quixotic *a* donchisciottesco
quiz *vt* interrogare, esaminare; — *n* esame superficiale
quizzical *a* interrogante; *(bantering)* beffardo
quondam *a* già, antico
quorum *n* numero legale
quota *n* quota, porzione
quotable *a* citabile
quotation *n* citazione; *(com)* quotazione di borsa; — **marks** virgolette *fpl*
quote *vt* citare; *(com)* quotare
quotient *n* quoziente *m*

R

rabbi n rabbino
rabbit n coniglio
rabble n plebaglia; ressa
rabid a rabbioso; *(rabies)* idrofobo
rabies npl rabbia, idrofobia
raccoon n procione m
race n *(people)* razza, stirpe f
race n corsa; **arms** — corsa agli arma-
menti; **boat** — regata; **foot** — corsa a
piedi; **horse** — corsa di cavalli; — **horse**
cavallo da corsa; — **track** pista; — *vi*
correre; *(compete)* gareggiare; — *vt* far
correre; *(motor)* imballare; **-r** n corridore m
racial a razziale
raciness n brio
racing n corsa, corse fpl; — a di corsa;
dedicato alle corse
racism n razzismo
rack n *(clouds)* nembo; rastrelliera; *(coat)*
attaccapanni m; *(luggage)* reticella; —
vt torturare; — **and ruin** rovina totale;
— **one's brains** *(fig)* torturarsi il cervello; — **up** *(score)* accumulare
racket n gazzarra; *(sl)* traffico delittuoso;
tennis — racchetta; **-eer** n *(sl)* camorrista m *(sl)*
racking a terribile, atroce
racy a caratteristico; piccante
radar n radar m
radial a radiale
radiance n splendore m
radiant a radiante
radiate vi raggiare, irradiarsi; — vt irradiare
radiation n radiazione
radiator n radiatore m
radical a&n radicale m; — **sign** segno di
radice; **-ism** n radicalismo
radicle n radice f
radio n radio f; — **beacon** radiofaro;
— **frequency** radiofrequenza; — **set**
apparecchio; — **station** stazione radio;
— vt trasmettere per radio
radioactive a radioattivo
radioactivity n radioattività
radiobroadcast n radiotrasmissione
radiocarbon n carbonio radioattivo; —
dating determinazione dell'età di so-
stanze organiche per mezzo del contenuto di carbonio radioattivo
radiogram n radiogramma m
radiograph n radiografo
radiography n radiografia
radiolocation n radiolocalizzazione
radiologist n radiologo
radiology n radiologia

radiometer n radiometro
radioscopy n radioscopia
radiosensitive a radiosensibile
radiotelegraphy n radiotelegrafia
radiotherapy n radioterapia
radish n ravanello
radium n radio
radius n raggio; **within a** — **of** entro un
raggio di
raffle n riffa, tombola; — *vt&i* sorteggiare
raft n zattera; *(coll)* quantità di
rafter n trave f
rag n straccio, cencio; **-man** n cenciaiolo
ragamuffin n straccione m
rage n furore m; **fly into a** — montare
in furia; — vi arrabbiarsi; infuriare
ragged a cencioso
raging a furioso, violento
ragout n ragù m
rags npl stracci mpl; **be in** — *(fig)* essere
in cenci *(or stracciato)*
raid n incursione; — vt invadere; predare
rail n sbarra; ringhiera; **by** — per ferrovia, con il treno; — vi rimbrottare;
— **at**, **against** ingiuriare; proferire
ingiurie; **-ing** n ringhiera; cancellata
raillery n derisione
railroad n ferrovia, — **station** stazione
ferroviaria; — **tracks** rotaie fpl, binari
mpl; — **train** treno; **narrow-gauge** —
ferrovia a scartamento ridotto; — vt
(coll) affrettare
rain n pioggia; — **water** acqua piovana;
in the — alla pioggia; **-bow** n arcoba-
leno; — **check** biglietto per spettacolo
all'aperto riusabile in caso di pioggia;
-coat n impermeabile m; **-fall** n pioggia,
precipitazione atmosferica; **-proof** a
impermeabile; **-storm** n uragano di
pioggia; **-y** a piovoso
raise vt alzare, sollevare; *(child)* allevare; *(money)* procurare; — n rialzo;
aumento
raisin n uva passa
rake n *(tool)* rastrello; *(person)* libertino,
scapestrato; *(naut)* inclinazione; — vt
rastrellare, riunire; — **through** frugare;
— vi *(naut)* inclinarsi
rakish a elegante
rally n riunione f; *(tennis)* ripresa; — vt
adunare; *(banter)* beffare; — vi adunarsi; riprendersi
ram n *(mech)* stantuffo; *(naut)* sperone m;
(animal) montone m; — vt *(beat)* battere; *(cram)* riempire; imbottire; *(naut)*
speronare; **-rod** n bacchetta di fucile
ramble vi vagare; divagare; — n *(stroll)*

passeggiata
rambling *a* errante, divagante, — *n* divagazione
ramification *n* ramificazione
ramp *n* rampa
rampage *n* furia, violenza; — *vi* esser violento, sfuriare
rampant *a* violento, aggressivo; *(unchecked)* sfrenato; *(heraldry)* rampante; **be** — imperversare
rampart *n* bastione *m*
ramshackle *a* pericolante, cadente
ranch *n* fattoria per bestiame; **-er** *n* fattore *m*, allevatore di bestiame
rancid *a* rancido; **-ity** *n* rancidezza
rancor *n* rancore *m*
random *a* fortuito; **at** — a casaccio
range *n* catena di montagne; distesa; portata; — **finder** telemetro; **kitchen** — fornello; **in** — a tiro; **out of** — fuori di portata; **-r** *n (forest)* guardia forestale; — *vt* attraversare; — *vi* vagare; variare
rank *n* grado, rango; — *a* rancido, forte; grossolano; *(growth)* esuberante; — *vt* classificare; — *vi* essere classificato; — **with** essere alla pari di
ranking *a* eminente
rankle *vi* infiammarsi
ransack *vt* perquisire; saccheggiare; frugare
ransom *vt* riscattare; — *n* riscatto
rant *vi* smaniare; — *vt* declamare
rap *n* colpetto; *(coll)* condanna, fio; — *vt* battere; — *vi* bussare
rapacious *a* rapace; **-ly** *adv* rapacemente; **-nous** *n* rapacità
rape *n* violenza carnale, stupro; — *vt* violare, fare violenza carnale, stuprare; rapire
rapid *a* veloce, rapido; **-ity** *n* rapidità; **-s** *npl* rapida
rapid-fire *a* a tiro rapido
rapier *n* spada
rapport *n* armonia
rapt *a* rapito, estatico
rapture *n* trasporto; estasi *f*
rapturous *a* estatico
rare *a* raro; *(meat)* poco cotto; **-ly** *adv* di rado, raramente
rarefaction *n* rarefazione
rarefied *a* rarefatto
rarefy *vt* rarefare; — *vi* rarefarsi
rarity *n* rarità
rascal *n* briccone *m*
rash *n (med)* eruzione; — *a* temerario; **-ness** *n* imprudenza, avventatezza; **-ly** *adv* imprudentemente; irriflessivamente
rasp *n* raspa; — *vt* raspare; *(fig)* irritare; — *vi (sound)* raschiare

rasping *n* raschiamento; — *a* rauco
raspberry *n* lampone *m*
rat *n* topo, sorcio; **-trap** trappola per topi; **smell a** — subodorare, mangiare la foglia *(fig)*
ratchet *n* rocchetto
rate *n* proporzione; tariffa; velocità; **at the** — **of** al tasso di; **at any** — (fig) comunque, in ogni modo; **exchange** — quotazione di cambio; **interest** — saggio d'interesse; — *vt* stimare; valutare; — *vi* classificarsi
rather *adv* piuttosto, abbastanza
ratification *n* ratifica
ratify *vt* ratificare
rating *n* classificazione
ratio *n* ragione *f*
ration *n* razione; — *vt* razionare; **-ing** *n* razionamento
rational *a* razionale; **-ize** *vt* razionalizzare
rattle *vi* risonare; sbatacchiare; — *vt* far rumoreggiare; **become -d** *(coll)* confondersi; turbarsi; — *n* rumore *m*; chiacchierio; *(death)* rantolo; *(toy)* sonaglio
rattlebrain *n* chiacchierone *m*
rattlesnake *n* serpente a sonagli
raucous *a* rauco
ravage *vt* devastare; — *n* devastazione
ravaging *a* rovinoso
rave *vi* delirare, vaneggiare; *(coll)* entusiasmarsi
ravel *vt* avviluppare; imbrogliare
ravelling *n* filaccio
raven *n* corvo
ravenous *a* vorace; affamato
ravine *n* burrone *m*, voragine *f*
raving *a* delirante; *(coll)* straordinario; **-s** *npl* deliri *mpl (fig)*
ravish *vt* violare; *(delight)* incantare; **-ing** *a* incantevole
raw *a* crudo; inesperto; — **materials** materie prime; **-ness** *n* crudezza; rozzezza; escoriazione; inesperienza
rawboned *a* scarno
rawhide *n* cuoio greggio
ray *n* raggio; *(zool)* razza; — *vi* raggiare; — *vt* irradiare
rayon *n* raion *m*
raze *vt* radere; *(destroy)* distruggere
razor *n* rasoio; — **blade** lametta da barba; **safety** — rasoio di sicurezza
re *n* **in** — in merito a
reach *vt* raggiungere; arrivare; stendere; — *vi* estendersi; — *n* distesa, portata; **within** — possibile; a portata di mano
react *vi* reagire
reaction *n* reazione; **-ary** *a&n* reazionario
reactor *n* reattore *m*

read vt leggere; **–able** a leggibile; **–ing** n lettura; **–er** n lettore m; libro di lettura

readily adv volentieri; prontamente; facilmente

readiness n prontezza; facilità; **in —** pronto, alla mano

readjust vt raggiustare; riordinare; **–ment** n raggiustamento, riordinamento

readmission n riammissione

readmit vt riammettere

ready a pronto; **— money** contanti mpl; **—** vt preparare, predisporre

ready-made a confezionato

reaffirm vt riaffermare; **–ation** n riaffermazione

reagent n reagente m

real a reale; **— estate** beni immobili; **–ism** n realismo; **–ist** n realista m&f; **–istic** a realistico; **–istically** adv realisticamente; **–ity** n realtà

realization n realizzazione

realize vt accorgersi di; (com) realizzare

really adv veramente, davvero, effettivamente

realm n regno, reame m

realtor n agente immobiliare

realty n beni immobili

ream vt alesare; **–er** n (machine) alesatrice f; (person) alesatore m

reanimate vt rianimare

reanimation n rianimazione

reap vt mietere; falciare

reaper n (mech) mietitrice f; (person) mietitore m, mietitrice f

reappear vi riapparire; **–ance** n riapparizione, ricomparsa

reappoint vt rinominare; **–ment** n rinomina

reapproach vt ravvicinare

rear n di dietro, tergo; (mil) retroguardia; **—** a posteriore; **— admiral** contrammiraglio; **— guard** retroguardia; **—** vt (lift) erigere; (young) allevare; **—** vi (horse) impennarsi

rearm vt riarmare; **–ament** n riarmo, riarmamento

rearrange vt riordinare; **–ment** n riordinamento

reascend vt&i riascendere

reason n motivo, ragione f; **by — of** per causa di; **for this —** per questa ragione; **have — to** aver motivo di; **listen to —** ascoltar la ragione; **stand to —** essere innegabile; **–ing** n ragionamento; **—** vi ragionare; **—** vt razionalizzare; analizzare

reasonable a ragionevole; (price) conveniente

reasonably adv abbastanza; ragionevolmente

reassemble vt riunire ancora; **—** vi riunirsi ancora

reassurance n rassicurazione

reassure vt rassicurare

reawaken vt risvegliare; **—** vi risvegliarsi; **–ing** n risveglio

rebate n bonifica, sconto, diminuzione; **—** vt dedurre, diminuire

rebel a&n ribelle m

rebel vi ribellarsi

rebellion n rivolta

rebellious a ribelle

rebind vt rilegare, ricostruire

rebirth n rinascita

reborn a rinato

rebound n rimbalzo

rebound vi rimbalzare

rebroadcast n ritrasmissione; **—** vt ritrasmettere

rebuff n (refusal) rifiuto; (repulse) rigetto

rebuild vt ricostruire

rebuke vt rimproverare; **—** n rimprovero

recalcitrance n ricalcitramento

recalcitrant a ricalcitrante

recall vt richiamare; (remember) rammentare, ricordare; revocare

recall n richiamo; revoca

recant vt ritrattare; ripudiare; **—** vi ritrattarsi

recap vt (auto) ricostruire il battistrada

recapitulate vt&i ricapitolare

recapitulation n ricapitolazione

recapture n ripresa, ricupero; **—** vt ricatturare

recede vi recedere, indietreggiare

receding a recedente, indietreggiante

receipt n quietanza, ricevuta; **—** vt quietanzare

receivable a ricevibile; **accounts —** (com) conti esigibili

receive vt ricevere; **–r** n ricevitore m, destinatario; (law) curatore m

receiving n ricevimento; (stolen goods) ricettazione

recent a recente; fresco; **–ly** adv recentemente, poco fa

receptacle n ricettacolo

reception n accoglienza; ricevimento; (radio) ricezione

receptionist n accoglitrice f

receptive a ricettivo; **–ness** recettività

recess n recesso; nicchia; **school —** ricreazione

recess vi aggiornarsi; **—** vt formare rientranza

recession n regresso; (com) crisi economica; **–al** a recessionale

recidivist n recidivo

recipe n ricetta

recipient n recipiente, ricevente m
reciprocal a reciproco
reciprocate vt contraccambiare, reciprocare
reciprocity n reciprocità
recital n recita; *(telling)* rappresentazione
recitation n recitazione
recite vt recitare; declamare
reckless a temerario
reckon vi calcolare; *(coll)* supporre, credere
reckoning n computo; **day of —** giorno del giudizio; giorno di retribuzione
reclaim vt redimere; *(land)* bonificare
reclamation n redenzione; correzione; riforma; *(land)* bonifica
recline vi sdraiarsi; adagiarsi; **—** vt reclinare, adagiare
reclining a adagiato
recluse n eremita m
recognition n riconoscimento
recognizable a riconoscibile
recognizance n malleveria
recognize vt riconoscere
recoil vi ritirarsi, indietreggiare; rimbalzare; *(gun)* rinculare; **—** n indietreggiamento; rimbalzo; *(gun)* rinculo
recollect vt ricordare; **–ion** n ricordo; memoria
recommence vt&i ricominciare
recommend vt raccomandare; **–ation** n raccomandazione
recompense n ricompensa; **—** vt ricompensare
reconcilable a riconciliabile
reconcile vt riconciliare
reconciliation n riconciliazione
reconciliatory a riconciliatorio
recondite a recondito
recondition vt riaccondizionare; **–ing** n riaccondizionamento
reconnaisance n ricognizione
reconnoiter vt perlustrare; **—** vi fare una ricognizione
reconquer vt riconquistare
reconsider vt riconsiderare; **–ation** n riconsiderazione
reconstitute vt ricostituire
reconstruct vt ricostruire; **–ion** n ricostruzione
record vt registrare; *(phonograph)* incidere
record n registro; *(phonograph)* disco; *(sport)* primato; **— player** giradischi m; **off the —** non ufficiale; **–ing** n incisione; registrazione; **–s** npl *(law)* precedenti mpl
recorder n registratore m; archivista m; **tape —** fonografo (or incisore) a nastro
record-breaking a primatista
recount n ricomputo; riconto; **—** vt ri-

computare, ricontare; *(narrate)* raccontare
recountal n racconto
recoup vt ricuperare, compensare; **–ment** n ricupero
recourse n rifugio, ricorso; **have — to** ricorrere a
recover vi guarire, rimettersi; **—** vt ricuperare; **–y** n guarigione f, ricupero
re-cover vt ricoprire
recreant a codardo
recreate vt svagare, ristorare; **—** vi ristorarsi, divertirsi
re-create vt ricreare
recreation n ricreazione, divertimento, svago; **–al** a ricreativo
recriminate vi recriminare
recrimination n recriminazione
recruit vt reclutare; **—** n recluta; **–ing** n reclutamento
rectal a rettale
rectangle n rettangolo
rectangular a rettangolare
rectifiable a correggibile
rectification n rettificazione
rectifier n *(elec)* raddrizzatore di corrente
rectify vt rettificare; *(elec)* raddrizzare
rectilinear a rettilineo
rectitude n rettitudine f
rector n *(eccl)* parroco, pastore m; **–y** n casa parrocchiale
rectum n retto
recumbent a giacente
recuperate vi guarire, rimettersi; **—** vt ricuperare
recuperation n ricuperazione, ricupero
recur vi ricorrere; **–rence** n ricorrenza; ritorno; **–rent** a periodico, ricorrente
red n&a rosso; **— light** pericolo; **— pepper** pepe di Caienna; **— tape** *(fig)* burocrazia; **be in the —** *(com)* essere in deficit *(or passivo)*; **–cap** n facchino; **–head** n chi ha i capelli rossi; **–ness** n rossore m; **–skin** n *(Indian)* pellerossa m
red– *(in comp)* **–blooded** a energico; **— eyed** cogli occhi infiammati; **—haired** a dai capelli rossi; **—handed** a con le mani nel sacco; **—hot** a rovente; **—letter day** giorno festivo
redden vi arrossire; **—** vt colorare di rosso
reddish a rossiccio
redecorate vt ridecorare
redeem vt redimere, riscattare; **–able** a redimibile; **–er** n chi riscatta
Redeemer n Redentore m
redemption n redenzione, riscatto
rediscover vt scoprire di nuovo
redistribute vt ridistribuire
redistribution n ridistribuzione
redolence n fragranza, profumo

redolent *a* fragrante, profumato
redouble *vt* raddoppiare; — *vi* raddoppiarsi
redoubtable *a* formidabile
redound *vi* ridondare
redraft *vt* redigere di nuovo
redress *n* rettifica, riparazione
redress *vt* rettificare
reduce *vt&i* ridurre; *(weight)* dimagrare, dimagrire
reducible *a* riducibile
reduction *n* riduzione
redundancy *n* ridondanza
redundant *a* ridondante
reduplicate *vt* raddoppiare
reduplication *n* raddoppiamento
reecho *vi&t* riecheggiare
reed *n* canna; *(musical instrument)* ancia; — *a* di canna
reeducate *vt* rieducare
reeducation *n* rieducazione
reef *n* scoglio; *(naut)* terzaruolo; — *vt* terzaruolare
reek *vt&i* fumare; esalare; *(stink)* puzzare
reel *n* aspo, bobina; *(spinning)* vacillamento; — **off** snocciolare; **news** — notiziario cinematografico; — *vt* avvolgere; — *vi* girare, vacillare
reeling *n* vacillamento; — *a* vacillante
reelect *vt* rieleggere; **-ion** *n* rielezione
reembark *vi* rimbarcarsi
reembody *vt* rincorporare
reenact *vt* eseguire di nuovo; *(law)* rimettere in vigore
reenlist *vi* riarruolarsi
reenter *vt* rientrare
reentry *n* rientrata
reequip *vt* riequipaggiare
reestablish *vt* ristabilire; **-ment** *n* ristabilimento, restaurazione
reexamination *n* riesame *m*
reexamine *vt* riesaminare
reexport *vt* riesportare; **-ation** *n* riesporto
reface *vt* rifare la facciata di
refashion *vt* rimodernare
refasten *vt* rilegare, riassicurare
refectory *n* refettorio
refer *vi* alludere; — *vt* riferire
referable *a* referibile
reference *n* allusione; referenza; richiamo; **letter of** — lettera di raccomandazione; — **book** libro di consultazione; — **library** biblioteca di consultazione; **with** — **to** rispetto a
referee *n* arbitro; — *vt* arbitrare
referendum *n* referendum *n*
referral *n* riferimento
refill *vt* riempire; — *n* rifornimento, ricambio

refine *vt* raffinare; **-d** *a* colto, raffinato; **-ment** *n* raffinatezza
refinery *n* raffineria
refit *vt* riparare
reflect *vt&i* riflettere, riflettersi, meditare; **-or** *n* riflettore *m*
reflection *n* riflessione; riflesso; critica
reflex *n* riflesso; **-ive** *a* riflessivo
reforest *vt* rimboscare; **-ation** *n* rimboscamento
reform *vt* riformare; — *vi* riformarsi; — *n* riforma; **-atory** *n* riformatorio; **-er** *n* riformatore *m*
reformation *n* *(moral)* emendamento; riforma
refract *vt* rifrangere; **-ion** *n* rifrazione; **-ive** *a* rifrattivo; **-or** *n* rifrattore *m*; **-ory** *a* rifrangente
refrain *vi* astenersi; — *n* ritornello; aria
refresh *vt* rinfrescare; **-ment** *n* rinfresco; **-ing** *a* rinfrescante
refrigerate *vt* refrigerare
refrigeration *n* refrigerazione
refrigerator *n* frigorifero
refuel *vt&i* rifornire di carburante
refuge *n* ricovero; rifugio; **take** — rifugiarsi
refugee *n* profugo
refulgence *n* splendore *m*
refulgent *a* rifulgente
refund *vt* rimborsare
refund, -ing *n* rimborso
refundable *a* rimborsabile
refurnish *vt* riprovvedere, riammobiliare
refusal *n* rifiuto
refuse *n* rifiuto; immondizie *fpl*
refuse *vt&i* rifiutare
refutation *n* confutazione
refute *vt* refutare
regain *vt* ricuperare, riguadagnare; — **consciousness** riprendersi
regal *a* regale; **-ia** *n* insegne regali
regale *vt* *(delight)* deliziare; *(fete)* festeggiare
regard *n* riguardo, stima; **have no** — **for** non aver riguardo per; **in** — **to** riguardo a; **in this** — sotto questo rispetto; — *vt* riguardare; stimare
regarding *prep* riguardo a
regardless *a* noncurante; — *adv* in ogni modo; — **of** nonostante
regards *npl* saluti *mpl*; **give** — presentare gli omaggi
regatta *n* regata
regency *n* reggenza
regenerate *vt* rigenerare; — *vi* rigenerarsi
regenerate *a* rigenerato
regeneration *n* rigenerazione
regent *n* reggente *m&f*
regime *n* regime *m*

regiment *n* reggimento; — *vt* irreggimentare; **–al** *a* reggimentale; **–ation** *n* reggimentazione

region *n* regione *f*; **–al** *a* regionale

register *n* registro; **cash —** registratore di cassa; — *vt* registrare; *(mail)* raccomandare; — *vi* iscriversi

registrar *n* archivista *m*; segretario

registration *n* registrazione; *(mail)* raccomandazione

registry *n* segretariato

regnant *a* regnante

regress *vi* regredire

regression *n* regressione

regressive *a* regressivo

regret *n* rammarico; **–ful** *a* rincresciuto; **–fully** *adv* con dispiacere; — *vt* rimpiangere; dispiacere di

regrettable *a* increscioso

regroup *vt* raggruppare di nuovo

regular *a* regolare; **–ity** *n* regolarità; **–ly** *adv* regolarmente; **–ize** *vt* regolarizzare

regulate *vt* regolare

regulation *n* regolamento; regola; — *a* regolamentare

regulator *n* regolatore *m*

regurgitate *vt&i* rigurgitare

regurgitation *n* rigurgito

rehabilitate *vt* riabilitare

rehabilitation *n* riabilitazione

rehearsal *n* prova

rehearse *vt* provare, ripetere

reheat *vt* riscaldare

reign *n* regno; — *vi* regnare; **–ing** *a* regnante

reimbursable *a* rimborsabile

reimburse *vt* rimborsare; **–ment** *n* rimborso

rein *n* redine *f*; — *vt* imbrigliare, frenare, controllare

reincarnation *n* reincarnazione

reincorporate *vt* reincorporare

reindeer *n* renna

reinforce *vt* rinforzare; **–d** *a* rinforzato; **–ment** *n* rinforzo

reinsert *vt* inserire di nuovo

reinstate *vt* *(position)* reintegrare; *(re-establish)* ristabilire; *(replace)* ricollocare; **–ment** *n* ristabilimento; ripristino

reinsurance *n* riassicurazione

reinsure *vt* riassicurare

reinvest *vt* rinvestire; **–ment** *n* rinvestimento

reissue *vt* riemettere; ripubblicare; — *n* riemissione; ripubblicazione

reiterate *vt* reiterare

reiteration *n* reiterazione

reject *n* respinto, rifiuto

reject *vt* scartare

rejection *n* rigetto; reiezione

rejoice *vi* rallegrarsi, gioire; — *vt* rallegrare

rejoicing *n* allegria; gioia

rejoin *vt* riunire di nuovo; *(meet)* raggiungere; *(reply)* replicare; — *vi* riunirsi di nuovo

rejoinder *n* replica

rejuvenate *vt* ringiovanire

rejuvenation *n* ringiovanimento

rekindle *vt* riaccendere; — *vi* riaccendersi

relapse *vi* ricadere; — *n* ricaduta

relate *vt* *(narrate)* raccontare; mettere in relazione; — *vi* riguardare; **–d** *a* imparentato; *(similar)* affine

relating *a* relativo

relation *n* rapporto, relazione; **in — to** in riferimento a; inerente a; **–ship** *n* rapporto, relazione, parentela

relative *n* parente *m&f*; — *a* relativo

relativity *n* relatività

relax *vt* rilassare; — *vi* rilassarsi, distrarsi; **–ation** *n* distensione, svago; **–ing** *a* calmante

relay *n* cambio, muta; *(elec)* raddrizzatore di corrente; *(rad)* trasmissione; — *vt* *(mail)* distribuire; *(rebroadcast)* ritrasmettere

release *vt* liberare, rilasciare; — *n* liberazione, rilascio; esonero; *(mech)* scarico

relegate *vt* relegare

relegation *n* relegazione

relent *vi* cedere, attenuarsi; **–less** *a* inflessibile; **–lessness** *n* implacabilità, inflessibilità

relevance *n* applicabilità, rapporto; pertinenza

relevant *a* pertinente, a proposito

reliability *n* fidatezza

reliable *a* degno di fiducia

reliably *adv* fidatamente

reliant *a* fiducioso

reliance *n* fiducia

relic *n* reliquia

relief *n* sollievo; *(help)* sussidio, aiuto; *(replace)* rilievo

relieve *vt* alleviare; esonerare; dare il cambio a

relight *vt* riaccendere

religion *n* religione *f*

religiosity *n* religiosità

religious *a* religioso

reline *vt* rifoderare; *(brakes)* rifasciare

relinquish *vt* abbandonare, rinunciare; **–ment** *n* rinuncia, abbandono

reliquary *n* reliquario

relish *n* gusto; condimento; — *vt* *(enjoy)* godere; *(taste)* gustare; — *vi* aver sapore di

relive *vt* rivivere
reload *vt* ricaricare
relocate *vt* ricollocare
relocation *n* ricollocazione
reluctance *n* riluttanza
reluctant *a* restio, poco disposto; **-ly** *adv* a malincuore
rely *vi* contare su
remain *vi* restare, rimanere; **-s** *npl* spoglie *fpl*, resti *mpl*
remainder *n* resto
remaining *a* rimanente
remake *vt* rifare
remark *n* osservazione, commento; — *vt* commentare; *(notice)* osservare, notare; **-able** *a* straordinario, notevole
re-mark *vt* marcare di nuovo
remarkably *adv* notevolmente
remarry *vi* risposarsi; — *vt* risposare
remediable *a* rimediabile
remedial *a* curativo, riparatore
remedy *n* rimedio; — *vt* rimediare
remember *vt&i* ricordare, ricordarsi
remembrance *n* memoria, ricordo, rimembranza
remind *vt&i* ricordare; **-er** *n* ricordo, memorandum *m*
reminiscence *n* reminiscenza, ricordo
reminiscent *a* reminiscente, memore
remiss *a* negligente; *(slow)* lento
remissible *a* remissibile
remission *n* remissione, perdono, condono
remit *vt* rimettere; *(decrease)* scemare; **-tal** *n* remissione; **-tance** *n* rimessa; **-ter** *n* mittente *m&f*
remnant *n* resto; scampolo
remodel *vt* ricostruire; rimodellare
remonstrance *n* rimostranza
remonstrate *vt* esprimere protestando; — *vi* rimostrare, protestare
remorse *n* rimorso; **-less** *a* spietato, senza rimorsi; **-ful** *a* pieno di rimorsi, contrito
remote *a* lontano, remoto; — **control** *n* radiotelecomando; **-ly** *adv* remotamente; **-ness** *n* lontananza
remold *vt* rimodellare
remount *vt* rimontare
removable *a* rimovibile
removal *n* trasloco, cambio
remove *vt* togliere, portar via; destituire; **-d** *a* lontano
remunerate *vt* rimunerare
remuneration *n* rimunerazione
remunerative *a* rimunerativo
renaissance *n* rinascimento
renal *a* renale
rename *vt* rinominare
renascence *n* rinascita
renascent *a* rinascente

rend *vt* stracciare, fendere; — *vi* lacerarsi, stracciarsi
render *vt* rendere; *(fat)* sciogliere; *(mus)* eseguire
rendezvous *n* appuntamento; — *vt* radunare; — *vi* riunirsi
rendition *n (mus)* esecuzione
renegade *n* rinnegato; apostata *m*
renege *vi (coll)* rinnegare la parola *(fig)*
renew *vt* rinnovare; ricominciare; — *vi* rinnovarsi; **-al** *n* rinnovo; **-able** *a* rinnovabile
renounce *vt* rinunciare; ripudiare; **-ment** *n* rinuncia
renovate *vt* rinnovare
renovation *n* rinnovazione
renown *n* rinomanza; celebrità, fama; distinzione; **-ed** *a* rinomato
rent *n (cloth)* strappo, spacco; *(income)* reddito; *(property)* affitto; **-al** *n* affitto; *(income)* rendita locativa
rent *vt* affittare, noleggiare; — *vi* venir affittato
renunciation *n* rinuncia
reoccupation *n* rioccupazione
reoccupy *vt* rioccupare
reopen *vt* riaprire; — *vi* riaprirsi; **-ing** *n* riapertura
reorder *vt* riordinare
reorganization *n* riorganizzazione
reorganize *vt&i* riorganizzare
repack *vi* rifare le valige
repaint *vt* ridipingere
repair *vt* riparare, accomodare; — *vi* recarsi; *(withdraw)* ritirarsi; —, **-ing** *n* riparazione; **-able** *a* riparabile; **-man** *n* riparatore *m*
reparable *a* rimediabile, riparabile
reparation *n* riparazione
repartee *n* frizzo, risposta pronta
repast *n* pasto
repatriate *vt&i* rimpatriare
repatriation *n* rimpatrio
repave *vt* rilastricare, ripavimentare
repay *vt* rimborsare, ripagare; valere la pena di, ricompensare; **-able** *a* ricompensabile; rimborsabile; **-ment** *n* restituzione; ricompensa
repeal *n* revoca, abrogazione; — *vt* revocare, abrogare
repeat *vt* ripetere; — *vi* ripetersi; — *n* ripetizione; risuono; **-er** *n* ripetitore *m*; *(law)* recidivo; **-ed** *a* ripetuto; **-edly** *adv* ripetutamente
repeating *a* periodico, ricorrente; — **decimal** decimale periodico
repel *vt* respingere
repellent *a* repellente
repelling *a* repulsivo
repent *vt&i* pentirsi di; **-ance** *n* penti-

mento; **–ant** *a* penitente; pentito
repercussion *n* ripercussione
repertoire *n* repertorio
repertory *n* deposito; *(theat)* repertorio
repetend *n (math)* decimale periodico
repetition *n* ripetizione
replace *vt* rimettere; sostituire; **–able** *a* rimpiazzabile, sostituibile; **–ment** *n* sostituzione
replant *vt* ripiantare
replate *vt* riplaccare
replay *vt (game)* giocare di nuovo; *(mus)* suonare di nuovo
replenish *vt* empire di nuovo; **–ment** *n* riempimento
replete *a* pieno, sazio
replica *n* copia, replica
reply *vt&i* replicare, rispondere; — *n* replica, risposta
repopulate *vt* ripopolare
repopulation *n* ripopolamento
report *vt* riferire; — *vi* presentarsi, consegnarsi; — *n* rapporto; rendiconto; *(gun)* detonazione; **–ing** *n* cronaca; **–er** *n* cronista *m*; *(newspaper)* giornalista *m&f*
repose *n* riposo; — *vi* riposare; riposarsi
repository *n* deposito, magazzino; *(cemetery)* cripta
repossess *vt* ripossedere, riavere
repossession *n* ripossessione
reprehend *vt* biasimare
reprehensible *a* riprensibile
reprehensibly *adv* riprensibilmente
reprehension *n* riprensione
represent *vt* rappresentare
representation *n* rappresentanza
representative *n* rappresentante *m*; deputato; — *a* rappresentativo; tipico
repress *vt* reprimere; **–ed** *a* represso
repression *n* repressione
repressive *a* repressivo
reprieve *n* sospensione, grazia; — *vt* graziare; *(penal)* rinviare l'esecuzione
reprimand *n* rimprovero; — *vt* rimproverare
reprint *n* ristampa; estratto di stampa; — *vt* ristampare; **–ing** *n* ristampa
reprisal *n* rappresaglia
reproach *n* biasimo, rimprovero; — *vt* rimproverare, sgridare; **–able** *a* riprovevole; **–ful** *a* accusante, criticante; **–less** *a* irreprensibile
reprobate *n&a* reprobo, immorale *m&f*; — *vt* riprovare
reprobation *n* riprovazione
reproduce *vt* riprodurre; — *vi* riprodursi
reproducible *a* riproducibile
reproduction *n* riproduzione
reproductive *a* riproduttivo

reproof *n* rimprovero, biasimo
reprove *vt* rimproverare, riprovare, censurare
reptile *n* rettile *m*
republic *n* repubblica; **–an** *n&a* repubblicano
republish *vt* ripubblicare
repudiate *vt* ripudiare, rigettare
repudiation *n* ripudio, ripulsa; *(law)* interdizione
repugnance *n* ripulsione, ripugnanza
repugnant *a* ripugnante
repulse *vt* respingere, repellere; ricusare; — *n* ripulsa, rifiuto
repulsion *n* repulsione, ripulsa
repulsive *a* schifoso, nauseante, ripulsivo
repurchase *n* ricompera; — *vt* ricomperare
reputable *a* stimabile, rispettabile
reputation *n* riputazione
repute *n* riputazione, stima; **–d** *a* reputato; — *vt* ritenere, reputare
request *n* richiesta; — *vt* chiedere, richiedere; **on** — in base a richiesta
require *vt* esigere; **–ment** *n* requisito, bisogno, necessità
requisite *n* requisito; — *a* richiesto, necessario
requisition *vt* requisire; — *n* requisizione
requital *n* contraccambio; *(retaliation)* rappresaglia
requite *vt* contraccambiare, ricompensare, ripagare
reroute *vt* desviare
resaddle *vt* risellare
resale *n* rivendita
rescind *vt* rescindere, abrogare
rescue *n* liberazione, riscatto; — *vt* liberare, salvare; **–r** *n* liberatore *m*
research *n* ricerca, investigazione; — *vt* investigare; — *vi* fare ricerca
resell *vt* rivendere
resemblance *n* rassomiglianza
resemble *vt* rassomigliare a
resent *vt* risentirsi di; **–ful** *a* rancoroso; **–ment** *n* risentimento
reservation *n* prenotazione; riserva
reserve *n* riserva; — *vt* riservare; *(engage)* prenotare
reserved *a* circospetto, riservato; **–ly** *adv* con riserbo
reservist *n* riservista *m*
reservoir *n* serbatoio, cisterna
reset *vt* rimettere; ricollocare; *(gem)* rincastonare; *(print)* ricomporre
resettle *vt* ristabilire; — *vi* ristabilirsi
reside *vi* risiedere
residence *n* domicilio, residenza
resident *n&a* abitante, residente *m*; **–ial** *a* residenziale
residual *a* residuale

residue *n* residuo
resign *vt* dare le dimissioni; rinunciare; — **oneself** rassegnarsi; **–ed** *a* rassegnato; **–edly** con rassegnazione
resignation *n* rassegnazione; dimissioni *fpl*
resilience *n* elasticità
resilient *a* elastico
resin *n* resina; **–ous** *a* di resina, resinoso
resist *vt&i* resistere; **–ance** *n* resistenza; **–ant** *a* resistente; **–ible** *a* resistibile; **–or** *n (elec)* resistenza
resole *vt* risuolare
resolute *a* risoluto
resolution *n* risoluzione; proponimento
resolve *vt* risolvere, decidere; — *vi* risolversi, decidersi
resonance *n* risonanza
resonant *a* risonante
resonator *n* risonatore *m*
resort *n* ricorso; *(summer)* luogo di villeggiatura; — *vi* ricorrere
resound *vi* risonare; **–ing** *a* risonante
resource *n* risorsa; **–ful** *a* abile, intraprendente, ingegnoso; pieno di risorse; **–fulness** *n* intraprendenza
resources *npl (financial)* mezzi economici; *(natural)* risorse naturali
respect *n* rispetto; **in this** — sotto questo riguardo; **with** — **to** riguardo a; con rispetto a; **–able** *a* rispettabile; **–ability** *n* rispettabilità; **–ful** *a* rispettoso; **–fully** *adv* con rispetto; — *vt* rispettare
respecting *prep* riguardo a, circa
respective *a* rispettivo; **–ly** *adv* rispettivamente
respiration *n* respirazione
respirator *n* respiratore *m*
respiratory *a* respiratorio
respire *vt&i* respirare
respite *n* tregua, respiro
resplendent *a* risplendente
respond *vt&i* rispondere
respondent *n (law)* imputato; — *a* rispondente
response *n* responso, risposta; *(med)* riflesso
responsibility *n* responsabilità
responsible *a* responsabile
responsive *a* accondiscendente, corrispondensivo
rest *n* resto; riposo; *(mus)* pausa; *(support)* appoggio, sostegno; **take a** — riposarsi, prendere un riposo; **–ful** *a* calmo; riposante; **–fully** *adv* riposatamente; — *vt&i* riposare; riposarsi
restate *vt* riesporre, ridire
restaurant *n* ristorante *m*
restive *a* restio; ostinato; **–ness** *n* ostinatezza; restio

restless *a* inquieto, irrequieto; **–ness** *n* inquietudine *f*
restock *vt* rifornire
restorable *a* restaurabile
restoration *n* restaurazione, restauro
restorative *n&a* ristorativo
restore *vt* restaurare; restituire
restrain *vt* trattenere
restraint *n* restrizione; detenzione; *(manner)* riservatezza
restrict *vt* restringere; **–ive** *a* restrittivo
restriction *n* restrizione
rest room gabinetto di decenza
result *n* risultato; — *vi* risultare; **as a** — **of** in seguito a
resultant *a* risultante
résumé *n* riassunto
resume *vt&i* riprendere
resumption *n* ripresa
resurge *vi* risorgere
resurgence *n* risorgimento
resurgent *a* risorgente
resurrect *vt* risuscitare
resurrection *n* risurrezione
resuscitate *vt&i* risuscitare
resuscitation *n* ristabilimento, ravvivamento
ret *vt* macerare
retail *n (com)* dettaglio; vendita al minuto; — *a* al minuto; — *vt* vendere al minuto; dettagliare; **–er** *n* venditore al minuto; dettagliante *m*
retain *vt* ritenere; **–er** *n* servitore *m*; *(law)* onorario
retaining *a* che ritiene; — **wall** muro di sostegno
retake *vt* riprendere
retaliate *vi* render pan per focaccia *(fig)*, rivalersi; — *vt* ritorcere, rendere
retaliation *n* rappresaglia; contraccambio; ritorsione
retaliatory *a* di rappresaglia
retard *vt* ritardare, rallentare; — *vi* tardare; **–ed** *a* ritardato
retch *vi* recere; **–ing** *n* conato di vomito
retell *vt* riraccontare, ridire
retention *n* conservazione; ritenzione
retentive *a* ritentivo; **–ness** *n* ritenitiva, ritentiva
reticence *n* reticenza
reticent *a* reticente
retina *n* retina
retinue *n* corteo, seguito
retire *vt* ritirare; — *vi* ritirarsi; *(to bed)* andare a letto; *(from work)* andare in pensione; **–d** *a* in pensione; a riposo; **–ment** *n* riposo, ritiro
retiring *a* riservato, ritirato
retort *n* ritorsione; *(chem)* storta; —

vt&i ribattere, rimbeccare, ritorcere
retouch *vt* ritoccare
retrace *vt* riandare, ricalcare
retract *vt* ritirare; ritrattare; — *vi* ritirarsi; ritrattarsi
retractable *a* ritrattabile
retractile *a* retrattile
retraction *n* ritrattazione
retractor *n* (*anat*) muscolo retrattore
retread *vt* (*auto*) rifare il battistrada
retreat *n* ritirata; ritiro; — *vi* ritirarsi; recedere; **–ing** *a* ritirante; (*mil*) in ritirata
retrench *vt* ridurre; — *vi* risparmiare; **–ment** *n* risparmio
retribution *n* castigo; ricompensa, retribuzione
retrieve *vt* ricuperare
retroact *vi* retroagire
retroaction *n* retroazione
retroactive *a* retroattivo
retrogradation *n* retrogradazione
retrograde *vi* ritirarsi, retrogradare; — *a* retrogrado
retrogress *vi* retrogredire; **–ion** *n* retrogressione; **–ive** *a* retrogressivo
retrospect, retrospection *n* retrospetto, retrospezione
retroversion *n* retroversione
return *vt* restituire; (*send back*) rinviare; (*reciprocate*) contraccambiare; — *vi* ritornare; — *n* ritorno; — *a* di ritorno; — **match** (*sport*) partita di ritorno; — **ticket** biglietto di andata e ritorno; **in** — per contro; a cambio; **in** — **for** in cambio di
returnable *a* restituibile
reunion *n* riunione *f*
reunite *vt* riunire; — *vi* riunirsi
revalue *vt* rivalutare
revamp *vt* riorganizzare, rifare
reveal *vt* rivelare
reveille *n* (*mil*) diana
revel *n* baldoria, festa; — *vi* far baldoria (*or* festa); **–ler** *n* crapulone *m*; **–ry** *n* baldoria
revelation *n* rivelazione *f*
revenge *n* vendetta; **–ful** *a* vendicativo; — *vt* vendicare; **take** — **on** vendicarsi con
revenue *n* reddito, entrata; fisco
reverberate *vt&i* riverberare, ripercuotere, riflettere
reverberation *n* riverbero
revere *vt* riverire
reverence *n* riverenza; venerazione
reverend *a* reverendo
reverent *a* riverente
reverie *n* fantasticheria; meditazione
reversal *n* inversione; revoca

reverse *n* rovescio; opposto, contrario; — (*auto*) retromarcia; — **side** parte opposta; — *a* opposto; — *vt* invertire
reversion *n* riversione, ritorno
revert *vi* rivolgersi, ritornare
review *n* rivista; (*book*) recensione *f*; — *vt* rivedere; recensire; **–er** *n* recensore *m*, critico
revile *vt* insultare
revise *vt* correggere, rivedere
reviser *n* revisore *m*
revision *n* revisione
revisit *vt* rivisitare
revival *n* risorgimento; risveglio; ravvivamento; (*arts*) riesumazione; (*eccl*) risveglio religioso; **–ist** *n* promotore di risvegli religiosi
revive *vt* ravvivare; — *vi* rianimarsi, rivivere
reviver *n* ravvivatore *m*
revocable *a* revocabile
revocation *n* revoca
revoke *vt* revocare
revolt *vi* ribellarsi; — *vt* nauseare; — *n* rivolta; **–ing** *a* nauseante
revolution *n* rivoluzione; (*mech*) giro; **–ary** *a* rivoluzionario; **–ize** *vt* rivoluzionare
revolve *vt&i* girare
revolver *n* revolver *m*, rivoltella
revolving *a* girevole, giratorio
revue *n* (*theat*) rivista
revulsion *n* repulsione
revulsive *n&a* revulsivo
reward *n* ricompensa; — *vt* rimunerare, premiare; **–ing** *a* ricompensatore, di ricompensa
rewin *vt* rivincere
rewind *vt* avvolgere di nuovo
reword *vt* ripetere; mettere in altre parole
rewrite *vt* riscrivere; — *n* riscritto
rhapsodical *a* rapsodico
rhapsody *n* rapsodia
Rhenish *a* del Reno
rheometer *n* reometro
rheoscope *n* reoscopio
rheostat *n* reostato
rhetoric *n* rettorica; **–al** *a* rettorico; **–ian** *n* retore *m*
rheumatic *a* reumatico; — **fever** febbre reumatica
rheumatism *n* reumatismo
Rh factor fattore Rh
Rhine Reno; — **wine** vino del Reno
rhinestone *n* strasso
rhinoceros *n* rinoceronte *m*
rhizome *n* (*bot*) rizoma
rhombus *n* (*math*) rombo
rhubarb *n* rabarbaro
rhyme *n* rima; — *vt&i* rimare; **no** — **or**

reason senza capo nè coda *(fig)*
rhymester *n* rimatore *m*
rhythm *n* ritmo; **-ic** *a* ritmico
rib *n* costola; — *vt* centinare; *(coll)* beffare, deridere
ribald *a* licenzioso, scurrile; **-ry** *n* scurrilità
ribbing *n* costole *fpl*; centinatura; *(coll)* beffa, presa in giro
ribbon *n* nastro; **tear to** —**s** fare a brandelli
rice *n* riso; — **field** risaia; — **paper** carta riso *(or* cinese); — **pudding** riso al latte
rich *a* ricco; **-es** *npl* ricchezza; **-ness** *n* ricchezza; **grow** — arricchirsi; **the** — i ricchi
rickets *npl (med)* rachitismo
rickety *a* rachitico
ricochet *vi* rimbalzare; — *n* rimbalzo
rid *vt* sbarazzare, liberare; **get** — **of** sbarazzarsi di
riddance *n* liberazione
riddle *n* indovinello, enigma *m*; — *vt* risolvere; spiegare; — *vi* parlare per enigmi
riddle *vt (perforate)* crivellare
ride *vt&i* cavalcare; andare in *(or* a); — *n* corsa; cavalcata; passeggiata
rider *n (horseback)* cavaliere *m*; *(jockey)* fantino; *(law)* codicillo, aggiunta
ridge *n* cresta; *(roof)* colmo, comignolo
ridicule *n* ridicolo; — *vt* deridere, mettere in ridicolo
ridiculous *a* ridicolo
riding *n* equitazione; — **boots** stivali per equitazione; — **breeches** calzoni per equitazione; — **habit** abito da amazzone; — **master** maestro d'equitazione; — **school** scuola d'equitazione
rife *a* prevalente, comune; abbondante; — **with** abbondante di
riffraff *n* rifiuti *mpl*; canaglia, marmaglia
rifle *n* fucile *m*; — **range** campo di tiro; portata di fucile; **within** — **shot** *a* portata di fucile; — *vt* predare, derubare
rifleman *n* fuciliere *m*
rift *n* crepa, fessura
rig *n* arnese *m*; — *vt (naut)* attrezzare; equipaggiare; *(tamper)* manipolare fraudolentemente
rigging *n (naut)* attrezzatura
right *n* ragione, diritto; — **and wrong** il giusto e l'ingiusto; — **of way** *(law)* diritto di passaggio; — **side** destra; *(material)* dritto; — **side up** a faccia in sù *(fig)*; **have the** — aver il diritto
right *a* giusto, diritto, corretto; — **angle** angolo retto; **all** — benissimo; **be** — aver ragione
right *adv (directly)* dirittamente; *(justly)*

giustamente; *(well)* bene; — **and left** destra e sinistra; — **away** subito; **do** — far bene
right *vt* raddrizzare, correggere; — *vi* raddrizzarsi
righteous *a* retto; giusto; virtuoso; **-ly** *adv* rettamente; **-ness** *n* rettitudine *f*
rightful *a* legittimo; giusto; equo; **-ly** *adv* legittimamente; equamente; giustamente
right-handed *a* destro
rightly *adv* rettamente, esattamente
rights *npl* diritti *mpl*; **by** — a rigore, per diritto; **within one's** — nei propri diritti
rigid *a* rigido, severo; **-ity** *n* rigidità, severità; rigidezza; **-ly** *adv* rigidamente
rigmarole *n* tiritera
rigor *n* rigidità, severità; *(med)* brivido; **-ous** *a* rigoroso; **-ousness** *n* rigorosità; — **mortis** rigidità cadaverica
rile *vt (coll)* irritare
rill *n* ruscello
rim *n (wheel)* cerchione *m*; orlo; *(eyeglass)* montatura; — *vt* orlare, bordare; **-less** *a* senza montatura
rime *vt* brinare; — *n* brina
rind *n* buccia, scorza
rinderpest *n* peste bovina
ring *n* anello; cerchio; — **finger** anulare *m*; **boxing** — ring *m*, quadrato; **wedding** — anello nuziale, fede *f*, vera; — *vt&i* suonare; *(surround)* circondare; **-leader** *n* agitatore, capobanda *m*; **-worm** *n* tigna
ringing *n* suono, scampanio; — *a* risuonante, sonoro
rink *n* pista di pattinaggio
rinse *vt* sciacquare; — *n* risciacquata
riot *n* sommossa; **-er** *n* rivoltoso, sedizioso; **-ing** *n* sedizia; libertinaggio; **-ous** *a* sedizioso; libertino
rip *vt* lacerare, scucire; — *vi* lacerarsi; — **open** aprire; — *n* scucitura; strappo; *(coll)* furfante *m*; **-cord** *n* cordella per aprire il paracadute *(or* la valvola del pallone aerostatico)
ripe *a* maturo; **-ness** *n* maturità
ripen *vt&i* maturare; **-ing** *n* maturazione
ripple *n* increspatura; mormorio; — *vt* increspare; — *vi* incresparsi
rippling *n* increspamento; mormorio; — *a* increspato
rise *vi* alzarsi; sorgere; *(increase)* aumentare; — *n* alzata; ascesa; *(ground)* salita, elevazione; **-r** *n* chi si alza; *(stair)* alzata di gradino
risibility *n* risibilità
risible *a* risibile
rising *n* rivolta; levata; *(tide)* flusso; — *a*

sorgente, crescente

risk *n* rischio; — *vt* rischiare; **-y** *a* rischioso; **run a** — correre un rischio

riskiness *n* rischiosità

risqué *a* salace

rite *n* rito, cerimonia

ritual *n&a* rituale, cerimoniale *m*; **-ism** *n* ritualismo; **-ist** *n* ritualista *m&f*; **-istic** *a* ritualistico

rival *n&a* rivale; **-ry** *n* rivalità; — *vt* emulare

rive *vt* fendere; — *vi* fendersi

river *n* fiume *m*; **down-** *adv* a valle; **-head** *n* sorgente *f*; **-side** *n* sponda di fiume; **up-** *adv* a monte

rivet *n* bullone *m*, ribattino; — *vt* ribadire, fissare; **-er** ribaditore *m*, ribaditrice *f*

Riviera Riviera

rivulet *n* ruscelletto

roach *n (fish)* lasca; scarafaggio

road *n* strada; — **map** mappa stradale; **main** — strada maestra; **on the** — in cammino; **-bed** *n* fondo stradale; **-block** *n* barricata stradale; **-house** *n* ostello, locanda, albergo; **-side** *n* bordo stradale; **-stead** *n (naut)* rada, ancoraggio; **-way** *n* carreggiata

roadster *n* automobile da sport

roam *vt&i* vagare, percorrere; **-er** *n* vagabondo

roan *a&n* roano

roar *vi* ruggire; — *vt* urlare; — *n* ruggito; *(laughter)* scroscio; **-ing** *a* ruggente; — **with laughter** scoppiare dalle risa

roast *vt* arrostire, torrefare; *(coll)* criticare; — *n* arrosto; — *a* arrostito

roaster *n (coffee)* tostino; *(person)* rosticciere *m*

rob *vt* derubare, rubare

robber *n* ladro, **-y** *n* furto, rapina

robe *n* veste *f*; *(law)* toga; — *vt* vestire; — *vi* vestirsi

robin *n* pettirosso

robot *n* automa *m*

robust *a* vigoroso, robusto; **-ness** *n* robustezza

rock *n* roccia, pietra; — **bottom** il punto più basso; — **crystal** quarzo; — **garden** giardino alpino; — **salt** salgemma *m*; — **wool** *(min)* fibra minerale; — *vt* cullare; — *vi* cullarsi; *(totter)* barcollare; — *vt&i* dondolare; **-y** *a* roccioso

rock-bottom *a* il più basso

rocker *n* dondolo

rocket *n* razzo; — **propulsion** propulsione a razzo

rocking *n* oscillazione; — *a* oscillante; a dondolo; — **chair** sedia a dondolo; —

horse cavallo a dondolo

rococo *n* rococò

rod *n* verga, pertica; *(curtain)* bacchetta da tenda; *(fishing)* canna; *(measure)* 5 metri circa

rodent *n&a* roditore *m*

roe *n (deer)* capriolo

Roentgen rays raggi Roentgen

rogue *n* furfante *m*

roguish *a* furfante; malizioso; **-ness** *n* furfanteria

roil *vt (turbid)* intorbidire; irritare

roisterer *n* millantatore *m*; schiamazzatore *m*

role *n* parte *f*

roll *n* rotolo; *(bread)* panino; *(film)* bobina di pellicola; *(list)* lista; — **call** appello; — *vt* arrotolare, rotolare; — **over** rovesciarsi; — **up** *(sleeves)* rimboccare; — *vi* rotolarsi; arrotolarsi; rullare; oscillare

roller *n (mech)* cilindro; rullo; — **bearing** cuscinetto a sfere; — **skates** pattini a rotelle

rolling *n* rotolamento; rullio; — **in wealth** ricchissimo; — **mill** laminatoio; — **pin** matterello

roly-poly *a* tozzo

Roman *a&n* romano

Romania Rumania; **-n** *a&n* rumeno

romance *n&a* romanzo; *(mus)* romanza; — *vi* favoleggiare

Romance *a* neolatino, romanzo; — **languages** lingue romanze

Romanesque *n&a* romanico

romantic *a* romantico; **-ism** *n* romanticismo

romp *vi* ruzzare; **-ers** *npl* tuta da bambino

rood *n* crocifisso

roof *n (house)* tetto; *(mouth)* palato; **-ing** *n* tetto; — *vt* ricoprire con tetto; mettere il tetto

rook *n (chess)* torre *f*; *(zool)* cornacchia; — *vt* truffare

room *n* stanza; *(space)* posto, spazio; **make** — **for** far posto per; — **and board** pensione completa; **-er** *n* inquilino; **-ette** *n (rail)* cabina; **-y** *a* spazioso, ampio; — *vt&i* alloggiare

roost *n* pollaio; — *vi* appollaiarsi

rooster *n* gallo

root *n* radice *f*; **square** — radice quadrata; — *vi* radicarsi; — *vt (establish)* radicare; *(plant)* piantare; — **out** sradicare; **-ed** *a* radicato

rope *n* corda; — *vt* allacciare; — **in** *(sl)* coinvolgere

ropy *a* viscido, viscoso

rosary *n* rosario, corona

rose *a&n* rosa; **-bud** *n* bocciuolo di rosa;

–bush *n* rosaio; **— water** acqua di rose; **— window** rosone *m*

rose-colored *a* di color rosa; ottimista; **look through — glasses** veder tutto rosa *(fig)*

rosemary *n* rosmarino

rosin *n* resina

roster *n* lista, ruolo

rostrum *n* rostro, tribuna

rosy *a* roseo

rot *vt&i* imputridire; **—** *n* putrefazione, carie *f; (sl)* assurdità

rotary *a* rotatorio; **— press** rotativa

rotate *vt&i* girare, ruotare

rotation *n* rotazione

rote *n* rutina; **by —** a memoria

rotten *a* bacato, putrido, marcio; **–ness** *n* putrefazione

rotund *a* rotondo; **–ity** *n* rotondità

rotunda *n* rotonda

rouge *n* rossetto, belletto; **—** *vt* imbellettare

rough *a* ruvido; rozzo; *(coll)* difficile; **— draft** abbozzo; **–neck** *n (sl)* grossolano; **–ly** *adv* ruvidamente; aspramente; rozzamente; **–ness** *n* ruvidità

rough *vt* irruvidire; abbozzare

roughen *vt* irruvidire; arrozzire; **—** *vi* arrozzarsi; irruvidirsi

roughshod *a* ferrato grossolanamente; **ride — over** trattare duramente

round *a* rotondo; **— number** cifra tonda; **— trip** viaggio di andata e ritorno; **–up** *n (cattle)* raduno, retata *(fig);* **—** *n* cerchio; *(gun)* scarica; *(patrol)* ronda; *(series)* serie *f; (sport)* ripresa; giro, ciclo; **—** *adv* intorno; attorno; in giro; **— prep** intorno a; **—** *vt* arrotondare; completare; circondare; **—** *vi* arrotondarsi, girarsi; **— up** *(coll)* riunire

roundabout *a* evasivo, indiretto

roundness *n* rotondità

round-shouldered *a* dalle spalle rotonde *(or* curve)

round-the-clock *a&adv* giorno e notte

rouse *vt* svegliare; suscitare; **—** *vi* svegliarsi

rousing *a* animatore, eccitante

rout *vt* sbaragliare; **—** *n* sconfitta

route *n* rotta, via

routine *n* rutina, abito; **—** *a* rutinario, abitudinario; abituale

rove *vi* vagare, errare; **–r** *n* girovago

roving *a* vagabondo

row *n* baruffa, litigio; lite *f,* rissa; **—** *vi* litigare; bisticciare

row *n* riga, fila; **–boat** *n* barca a remi; **—** *vi* remare; **—** *vt* muovere a remi

royal *a* regale, reale, regio; **–ist** *n* monarchico; **–ly** *adv* regalmente

royalty *n* regalità, maestà, monarchia; reali *mpl; (book)* diritto d'autore; *(patent)* percentuale sugli utili

rub *n* fregata; ostacolo; frizione; **–down** *n* massaggio; **—** *vt&i* strofinare, fregare; **— the wrong way** offendere; **— out** cancellare; *(kill, sl)* fare fuori *(sl)*

rubber *n* gomma; *(cards)* partita; **— band** elastico; **— stamp** stampino di gomma; **–ize** *vt* gommare

rubberneck *n (sl)* ficcanaso; **—** *vi (sl)* ficcare il naso

rubbers *npl* soprascarpe, galosce *fpl*

rubbish *n* immondizie *fpl;* corbellerie *fpl*

rubble *n* pietrisco, breccia

rubric *n* rubrica

ruby *n* rubino

rudder *n* timone *m*

ruddy *a* rubizzo

rude *a* maleducato; rozzo; **–ly** *adv* grossolanamente, rozzamente; **–ness** *n* rozzezza; grossolanità

rudiment *n* rudimento; **–ary** *a* rudimentale

rue *n (bot)* ruta; **—** *vt* deplorare; pentirsi di; **—** *vi* pentirsi; addolorarsi; **–ful** *a* malinconico, doloroso

ruff *n* gorgiera

ruffian *n* malfattore *m,* ruffiano

ruffle *vt* arruffare; increspare; turbare; **—** *vi* arruffarsi; incresparsi; turbarsi; **—** *n* increspatura; *(drum)* rullio

rug *n* tappeto

rugged *a* ruvido; austero; robusto; **–ness** *n* ruvidezza, inflessibilità

rugose *a* rugoso

rugosity *n* rugosità

ruin *n* rovina; **—** *vt* rovinare; **–ation** *n* rovina; **—** *vt* rovinare; **–ed** *a* rovinato; **–ous** *a* rovinoso; in rovina

rule *n* regola; riga; governo; **— of thumb** regola per esperienza; **as a —** di regola; **slide —** regolo calcolatore; **—** *vi* regnare; **—** *vt* regolare; governare; *(draw lines)* rigare; **–d** *a* rigato; governato; **–d paper** carta rigata

ruler *n (measure)* regolo; governante *m*

ruling *n* rigatura; governo; *(law)* verdetto; **—** *a* dominante

rum *n* rum *m*

rumble *n* rimbombo, rintruono; **—** *vi* rombare, rintronare

rumbling *a* rimbombo, brontolio, rintruono; **—** *a* rimbombante

ruminant *n (zool)* ruminante *m*

ruminate *vt&i* ruminare; meditare

rumination *n* ruminazione

rummage *vt&i* frugare, rovistare

rumor *n* diceria; **—** *vt* divulgare; **it is –ed that** corre voce che

rump *n* posteriore *m*, deretano, culo; *(horse)* groppa

rumple *vt* sgualcire, scompigliare

rumpus *n (coll)* strepito, chiasso

run *n* corsa; *(cattle)* recinto; *(cycle)* serie; *(itinerary)* percorso; *(stocking)* smagliatura; **first** — *(movies)* prima visione; **in the long** — a lungo andare; **on the** — in fuga

run *vt&i* correre; *(extend)* stendersi, spandersi; *(machine)* funzionare; *(manage)* dirigere; *(com)* gestire; *(wound)* suppurare; — **away** fuggire; — **across** imbattersi in; — **down** investire; — **for it** darsela a gambe *(fig)*; — **into** cadere in, raggiungere; — **off** fuggire; stampare; versare; — **over** scorrere; *(auto)* investire; ripetere; — **up** accumulare; — **up against** discordare con

runaway *n&a* fuggitivo

rundown *n* ripasso rapido

run-down *a (clock)* scaricato; *(person)* esaurito, debilitato

rung *n* piuolo

run-in *n (coll)* disaccordo

run-of-the-mill *a* comune, ordinario

runner *n (sport)* corridore *m*; *(stocking)* smagliatura

runner-up *n (sport)* secondo arrivato

running *a* corrente; da corsa; *(med)* purulento; — *n* corsa; marcia; funzionamento; — **board** montatoio

runt *n* nano, pigmeo

runway *n* pista

rupture *n* rottura; *(med)* ernia; — *vt* rompere; erniare; — *vi* rompersi; erniarsi

rural *a* rurale

ruse *n* stratagemma *m*

rush *n* furia; — *vi* affrettarsi, sbrigarsi; — *vt* affrettare, sbrigare; — **hour** ora di punta *(coll)*

rush *n (bot)* giunco

rushing *a* precipitoso

russet *n&a* rossetto

Russia Russia

Russian *a&n* russo

rust *n* ruggine *f*; — *vt* arrugginire; — *vi* arrugginirsi; **-y** *a* rugginoso

rustic *a* rustico

rustiness *n* rugginosità

rustle *n* fruscio, mormorio; — *vi* frusciare, stormire

rustler *n* ladro di bestiame

rut *n* solco; trantran *m (coll)*

ruthless *a* spietato; **-ly** *adv* spietatamente

rye *n* segala; *(bread)* pane di segala

S

Sabbath *n (Christian)* domenica; *(Jewish)* sabato

saber *n* sciabola; — *vt* sciabolare

sable *n* zibellino; — *a* di zibellino

sabotage *n* sabotaggio; — *vt* sabotare

saccharin *n* saccarina

sack *n* sacco; **-cloth** *n* tela da sacco; — *vt* insaccare; *(discharge)* licenziare

sack *n (pillage)* saccheggio; — *vt* saccheggiare

sacrament *n* sacramento; **-al** *a* sacramentale

sacred *a* sacro; inviolabile; **-ness** *n* santità

sacrifice *n* sacrifizio; — *vt* sacrificare; *(com)* vendere con perdita

sacrificial *a* sacrificatorio, di sacrifizio

sacrilege *n* sacrilegio

sacrilegious *a* sacrilego

sacristan *n* sagrestano

sacristy *n* sagrestia

sacrosanct *a* sacrosanto

sacrum *n (anat)* osso sacro

sad *a* triste; **-ly** *adv* tristemente; gravemente; dolorosamente; **-ness** *n* tristezza

sadden *vt* rattristare; — *vi* rattristarsi

saddle *n* sella; **-bag** *n* bisaccia; — **horse** cavallo da sella; — *vt* sellare; accollare; gravare; **be -d with** accollarsi di

safe *a* salvo, sicuro; — *n* cassaforte *f*; — **and sound** sano e salvo; **-guard** *n* salvaguardia; **-keeping** *n* custodia; **-ly** *adv* con sicurezza; **-ness** *n* sicurezza

safe-conduct *n* salvacondotto

safety *n* salvezza, sicurezza; impunità; — **belt** cintura di salvataggio; — **glass** vetro compensato, vetro infrangibile; — **match** fiammifero svedese; — **pin** spilla di sicurezza; — **razor** macchinetta da barba; — **valve** valvola di sicurezza

saffron *n* zafferano

sag *vi* cedere; abbassarsi; — *n* cedimento, depressione

sagacious *a* sagace

sagacity *n* sagacità, sagacia

sage *n* savio; *(bot)* salvia; — *a* prudente, saggio

sagging *a* cascante, cedente; spiegazzato; — *n* cedimento

said *a* suddetto, detto, sopradetto

sail *n* vela; — *vt&i* veleggiare; salpare, partire, navigare; **-boat** *n* barca a vela

sailing *n* navigazione; — **ship** nave a vela

sailor *n* marinaio

saint *n* santo; **-ed** *a* sacro, santo, santificato; **-ly** *a* santo, devoto, pio; — *vt* canonizzare

sake *n* amore *m*; ragione *f*; **for the —
of** per amor di

salaam *n* salamelecco; — *vt* fare salame-
lecchi a

salable *a* vendibile

salacious *a* salace

salacity *n* salacità

salad *n* insalata; **fruit —** macedonia di
frutta; — **bowl** insalatiera; — **dressing**
condimento per insalata

salamander *n* salamandra

salaried *a* salariato

salary *n* stipendio; salario

sale *n* vendita; **auction —** vendita al-
l'asta; **clearance —** liquidazione; **for
—** da vendere

sales *npl* vendite *fpl*; — **tax** tassa sulle
vendite; **-clerk** *n* venditore in negozio,
commesso; **-room** *n* sala di vendita

salesman *n* venditore *m*, commesso; **-ship**
n arte del vendere; **traveling —** commesso viaggiatore, piazzista *m*

salient *n&a* saliente *m*

saline *a* salino, salso; — *n* salina

saliva *n* saliva

salivary *a* salivare

salivate *vi* salivare

sallow *a* giallastro pallido

sally *n* *(mil)* sortita; uscita; escursione;
— *vi* fare una sortita

salmon *n* salmone *m*

saloon *n* taverna; bar *m*

salt *n* sale *m*; — **water** acqua salata *(or*
di mare); **rock —** salgemma; **table —**
sale da tavola; **-cellar** *n* saliera; **-peter**
n salnitro; **-shaker** *n* saliera; — *vt*
salare; **-ed** *a* salato; **-y** *a* salato

saltiness *n* salsezza

saltworks *n* salina

salubrious *a* salubre

salutary *a* salutare

salutation *n* saluto

salute *vt* salutare; — *n* saluto; *(cannon)*
salva

salvage *n* salvataggio; — *vt* ricuperare,
salvare

salvation *n* salvezza, salute *f*

salve *n* unguento, emolliente *m*; — *vt* calmare, lenire

salver *n* vassoio

salvo *n* salva

Samaritan *n* samaritano

same *a* stesso; **all the —** ciò nonostante;
lo stesso, tutt'uno; **at the — time**
con tutto ciò, ciò nonostante, pure;
-ness *n* uniformità; monotonia

sample *n* campione *m*, esempio; — *vt* saggiare, provare

sampling *n* campionatura

sanatorium *n* casa di cura; stazione climatica

sanctify *vt* santificare

sanctimonious *a* bigotto

sanction *n* sanzione; — *vt* approvare

sanctity *n* santità

sanctuary *n* santuario

sanctum *n* santuario, sacrario; studio riservato; **inner —** sancta sanctorum *(fig)*

sand *n* sabbia, rena; **-s** *npl* spiaggia; **-bag**
n sacco a terra; — **bar** banco di sabbia;
-box *n* sabbiera; **-stone** *n* arenaria;
-storm *n* tempesta di sabbia; — *vt*
sabbiare, smerigliare

sandal *n* sandalo; **-wood** *n* legno di sandalo

sandblast *n* *(mech)* sabbiatrice *f*; — *vt*
smerigliare, sabbiare

sandpaper *n* carta vetrata; — *vt* levigare
con carta vetrata

sandwich *n* panino ripieno; — *vt* inserire

sandy *a* sabbioso; *(hair)* biondastro

sane *a* equilibrato, savio

sanguinary *a* sanguinario

sanguine *a* sanguigno; ottimista

sanitary *a* igienico; — **napkin** pannolino
igienico

sanitarium *n* sanatorio

sanitation igiene *f*

sanity *n* sanità di mente

Sanskrit *n* &*a* sanscrito

Santa Claus *n* Befana; Babbo Natale, Papà
Natale

sap *n* linfa; *(sl)* grullo; — *vt* sottominare,
indebolire

sapling *n* arboscello

sarcasm *n* sarcasmo

sarcastic *a* sarcastico

sarcophagus *n* sarcofago

sardine *n* sardina

Sardinia *n* Sardegna; **-n** *a&n* sardo

sardonic *a* sardonico

sash *n* sciarpa; *(window)* telaio

Satan *n* Satana *m*

satanic *a* satanico

satchel *n* borsa, cartella

satellite *n* satellite *m*

satiate *vt* saziare

satiety *n* sazietà

satin *n* raso, satin *m*; **-y** *a* di raso, sa-
tinato

satire *n* satira

satirical *a* satirico

satirist *n* satirico

satirize *vt* satireggiare

satisfaction *n* soddisfazione *f*

satisfactory *a* soddisfacente

satisfy *vt&i* soddisfare, contentare

saturate *vt* saturare

saturation *n* saturazione

Saturday *n* sabato
saturnism *n* saturnismo
satyr *n* satiro
sauce *n* salsa; **–box** *n (coll)* sfacciato, insolente *m*; **–pan** *n* casseruola; — *vt* condire
saucer *n* piattino
sauciness *n* sfacciataggine *f*
saucy *a* insolente, sfacciato
Saudi Arabia Arabia Saudita
sauerkraut *n* crauti *mpl*
saunter *vi* bighellonare
sausage *n* salciccia; carne insaccata
savage *a&n* selvaggio; **–ry** *n* barbarie *f*; ferocia
savannah *n* savana
savant *n* dotto
save *vt* salvare; *(keep)* conservare, — *vt&i* risparmiare; — *prep* salvo, tranne, eccetto; **–r** *n* liberatore *m*; *(money)* risparmiatore *m*
saving *a* economico, frugale; — *n* economia
savings *npl* risparmi *mpl*; — **bank** cassa di risparmio; — **account** conto di risparmio
Saviour *n* Salvatore, Redentore *m*
savor *n* sapore *m*, gusto; aroma; — *vt* assaporare; dar sapore; — *vi* aver sapore di, sapere di
savory *a* saporito
saw *n (tool)* sega; *(adage)* proverbio; **–dust** *n* segatura; **–horse** *n* cavalletto per segare; **–mill** *n* segheria
saw-toothed *a* dentato, dentellato
Saxon *n&a* sassone *m&f*
saxaphone *n* sassofono
say *vt&i* dire; **have one's** — dire la sua; **that is to** — vale a dire, cioè
saying *n* detto, massima; **it goes without** — non è neppure il caso di dirlo
scab *n* crosta; *(labor)* crumiro; — *vi* cicatrizzarsi; formar crosta; fare il crumiro
scabbard *n* fodero, guaina
scabby *a* coperto di croste
scabrous *a* osceno; scabroso
scaffold *n* patibolo; impalcatura; **–ing** *n* impalcatura, intelaiatura
scalawag *n* scapestrato, furfante *m*
scald *vt* scottare; — *n* scottata; **–ing** *a* scottante; **–ing** *n* scottatura
scale *n (fish)* squama; *(measurement)* scala; *(weight)* bilancia; — *vt* scalare, assendere; graduare; *(fish)* squamare
scalene *a (math)* scaleno
scales *npl* bilancia; **platform** — basculla
scaling *n* scalata; desquamazione
scallion *n* scalogno
scallop *n (sewing)* smerlo, orlatura;

(zool) mollusco; — *vt (cooking)* cuocere al gratin; *(sewing)* festonare, orlare
scalp *n* cuoio capelluto; — *vt* scotennare; **–er** *n (ticket seller)* bagarino, incettatore *m*
scalpel *n* bisturi *m*
scaly *a* squamoso, scaglioso; *(sl)* meschino, ladro
scamp *n* furfante *m*
scamper *n* scampo, fuga precipitosa; — *vi* scampare, fuggire precipitosamente
scan *vt (mus)* scandire; esaminare; **(TV)** esplorare
scandal *n* scandalo; **–ize** *vt* scandalizzare; **–monger** *n* maldicente *m&f*; **–ous** *a* scandaloso
Scandinavia Scandinavia
Scandinavian *a&n* scandinavo
scant, scanty *a* scarso
scantily *adv* scarsamente
scantiness *n* scarsezza
scapegoat *n* capro espiatorio
scapegrace *n* scapestrato
scapula *n* scapola
scapular *n (eccl)* scapolare *m*
scar *n* cicatrice *f*; sfregio; — *vi* cicatrizzarsi; — *vt* cicatrizzare, sfregiare
scarab *n* scarabeo
scarce *a* scarso; **–ly** *adv* appena, quasi
scarcity *n* scarsità
scare *n* spavento; — *vt* impaurire, spaventare
scarecrow *n* spauracchio, spaventapasseri *m*
scarf *n* sciarpa, scialle *m*
scarlet *a&n* scarlatto; — **fever** scarlattina
scathing *a* caustico, severo, pungente
scatter *vt* sparpagliare; — *vi* disperdersi; **–ed** *a* sparso; disseminato
scatterbrain *n* scervellato
scattering *n* sparpagliamento
scavenger *n* spazzino
scenario *n* canovaccio
scene *n* scena; **–ry** *n* paesaggio; *(view)* veduta; *(theat)* scenario
scenic *a* scenico
scenography *n* scenografia
scent *n* odore *m*; fiuto; — *vt* odorare; profumare
scepter *n* scettro
schedule *n* programma *m*; tabella; orario; — *vt* programmare
schema *n* schema *m*
schematic *a* schematico
scheme *n* complotto; progetto; — *vi* macchinare; progettare; — *vi* far progetti; intrigare; **color** — armonizzazione di colori
schemer *n* intrigante *m&f*

scheming n macchinazione; progetti mpl; — a scaltro, intrigante; progettante

scherzo n (mus) scherzo

schism n scisma m; **-atic** n&a scismatico

schist n (geol) schisto

schizophrenia n schizofrenia

schizophrenic n&a schizofrenico

scholar n alunno, studente m, scolaro; (erudite) studioso, erudito; **-ly** a erudito, dotto; **-ship** n erudizione; borsa di studio

scholastic a scolastico; **-ism** n scolasticismo

school n scuola; **high** — scuola media; **-book** n libro scolastico; **-boy** n scolaro; **-girl** n scolara; **-house** n scuola, edificio scolastico; **-room** n aula scolastica; **-teacher** n maestro, maestra; insegnante m&f; — vt disciplinare; istruire

schooling n istruzione; (cost) costo di studi

schooner n (boat) goletta; (glass) bicchierone da birra

sciatica n (med) sciatica

science n scienza; — **fiction** fantascienza

scientific a scientifico

scientist n scienziato

scimitar n scimitarra

scintillate vi scintillare

scintillating a scintillante

scion n discendente m

scissors npl forbici fpl

sclerosis n (med) sclerosi f

scoff vt&i schernire, deridere; **-er** n derisore, schernitore m

scoffing n scherno, derisione; — a derisorio

scold vt&i sgridare, rimproverare; — n megera, bisbetica

scolding n rimprovero, sgridata; **-ly** adv sgridando, con rimprovero

scone n focaccia

scoop n ramaiolo, cucchiaione m; (news) colpo giornalistico; — vt vuotare, scavare

scoot vi (coll) darsela a gambe, scappare; **-er** n monopattino; **motor -er** motonetta

scope n portata

scorbutic a scorbutico

scorch vt bruciare, arrostire; — vi bruciacchiarsi, arrostirsi; **-ed** a bruciato; **-er** n giorno scottante

scorching a bruciante; (remark) sarcastico; — n bruciatura, ustione f

score n (game) punteggio; (mus) spartito, partitura; (number) venti m, ventina; — vt segnare; — vi far punti

scoring n (mus) orchestrazione

scorn n disprezzo; **-ful** a sprezzante, sdegnoso; **-fully** adv sdegnosamente; — vt sdegnare, disprezzare

scorpion n scorpione m

Scot n scozzese m

Scotch n whisky scozzese; — a scozzese

scotch vt sopprimere

scot-free a impune, impunito; (gratis) gratuito

Scotland Scozia

Scotsman n scozzese m

Scottish n&a scozzese m

scoundrel n mascalzone m

scour vt (scout) perlustrare, percorrere; (clean) ripulire; — **the country** battere la campagna (fig); **-ing** n smacchiatura, pulitura

scourge n sferza; — vt sferzare

scout n esploratore m; **-master** n capo esploratore m; **boy** — giovane esploratore; **girl** — giovane esploratrice; — vt&i esplorare

scow n chiatta

scowl n sguardo torvo, cipiglio; — vi accigliarsi

scragginess n magrezza

scraggy a scarno, magro

scramble n mischia, tafferuglio; (climb) scalata; — vt agitare, mischiare, strapazzare; — vi (climb) inerpicarsi; agitarsi; (struggle) azzuffarsi; **-d** a agitato, strapazzato; **-d eggs** uova strapazzate

scrap n pezzo; briciola; **-book** n album m; — **heap** mucchio di rifiuti; — vt rigettare, scartare

scrap n (sl) baruffa, zuffa; — vi (sl) altercare, bisticciare

scrape n imbroglio; (skin) spellatura; (sound) stridore m; — vt raschiare; — **together** raggranellare; **-r** n raschietto

scratch n graffio; (sport) linea di partenza; — **pad** blocco di carta per minuta; — **paper** carta per minuta; **from** — dal niente; — vt grattare; graffiare; (sport) eliminare; **-y** a graffiante, aspro; (writing) scarabocchiato

scrawl n scarabocchio; — vt&i scarabocchiare

scrawny a magro

scream n grido, strillo; **-ing** n strilli mpl, urla fpl; — vt&i gridare, urlare

screech n grido, urlo; — **owl** barbagianni m; — vt&i strillare

screen n schermo; paravento; — vt nascondere; vagliare

screw n vite f; — **propellor** propulsore a elica; — **thread** impanatura; — vt avvitare; (distort) torcere; — vi avvitarsi; — **up one's courage** farsi coraggio

screwdriver *n* cacciavite *m*
scribble *n* scarabocchio; mala scrittura; — *vt* scribacchiare
scribe *n* scrivano
scrimmage *n* schermaglia
scrimp *vi* economizzare; restringere; **–iness** esiguità; **–y** *a* esiguo
scrip *n* certificato provvisorio
script *n* scrittura, manoscritto; *(print)* corsivo; *(theat)* copione *m*
scriptural *a* scritturale, conforme alla Sacra Scrittura
Scripture *n* Sacra Scrittura
scriptwriter *n* sceneggiatore *m*
scrofula *n (med)* scrofola
scroll *n* rotolo, papiro; *(design)* spirale *m*, voluta; — **saw** sega da traforo; **–work** *n* traforo, arabesco, intarsio
scrotum *(anat)* scroto
scrounge *vt (sl)* scroccare
scrub *vt* strofinare, pulire; — *n* boscaglia, macchia
scrubby *a* stentato
scruff *n* nuca
scruple *n* scrupolo
scrupulous *a* scrupoloso
scrutinize *vt* scrutare
scrutiny *n* indagine *f*, esame *m*
scuba *n* apparato di respirazione per la pesca subacquea
scuff *n (slipper)* ciabatta, pianella; *(shuffle)* scalpiccio; logorio; — *vt&i* logorare; scalpicciare
scuffle *n* rissa, parapiglia; *(shuffling)* scalpiccio; — *vi* azzuffarsi; scalpicciare
sculptor *n* scultore *m*, scultrice *f*
sculpture *n* scultura; — *vt* scolpire
scum *n* schiuma; scoria
scurrilous *a* scurrile; **–ness** *n* scurrilità
scurry *n* sgambettio, fretta; — *vi* sgambettare, affrettarsi
scurvy *n (med)* scorbuto; — *a* meschino, vile
scuttle *n* secchio; *(naut)* boccaporto; — *vi* affrettarsi; — *vt* affondare; — **away** scappare
scythe *n* falce *f*
sea *n* mare *m*; **–board** *n* litorale *m*, spiaggia; **–going** *a* atto al mare; — **breeze** brezza marina; — **gull** gabbiano; — **horse** ippocampo; — **legs** equilibrio da marinaio; — **level** livello del mare; — **lion** otaria; — **of** *(fig)* mare di; — **power** potenza marittima; — **shell** conchiglia marina; — **urchin** echino; — **wall** diga; **at** — in mare; *(confused)* perplesso; **heavy** — mare agitato; **rough** — mare grosso
seacoast *n* costa
seafarer *n* marinaio

seafaring *a* di mare, marino
seal *n* sigillo; *(zool)* foca; — *vt* sigillare; chiudere; **–skin** *n* pelle di foca
sealing *n* sigillazione; — **wax** ceralacca
seam *n* cucitura; **–less** *a* senza cucitura
seaman *n* marinaio; **–like** *a* marinaresco; **–ship** *n* arte marinaresca
seamstress *n* cucitrice *f*
seaplane *n* idrovolante *m*
seaport *n* porto marittimo
sear *vt* cauterizzare; bruciare; insecchire
search *vt&i* cercare, perquisire; far ricerche; — *n* ricerca, perquisizione
searching *n* ricerca, indagine *f*; — *a* penetrante, scrutatore
searchlight *n* riflettore *m*
seashore *n* spiaggia, lido
seasickness *n* mal di mare
seaside *n* marina
season *n* stagione; — **ticket** biglietto d'abbonamento; **out of** — fuori stagione; **–al** *a* stagionale; **–able** *a* di stagione; opportuno
season *vt* condire; *(mature)* stagionare; **–ed** *a (food)* condito; *(aged)* stagionato;
seasoning *n* (wood) stagionatura; *(food)* condimento
seat *n* posto; sedia; sedile *m*; — *vt* far sedere; insediare; provvedere di posti a sedere; **–ed** *a* seduto
seaweed *n* alga marina
seaworthy *a* a tenuta di mare, atto ad affrontare il mare
secede *vi* staccarsi
secession *n* secessione
seclude *vt* secludere, isolare, ritirare; **–d** *a* ritirato, appartato
seclusion *n* ritiro, solitudine *f*
second *a&n* secondo; — **hand** *(watch)* lancetta dei secondi; — **floor** secondo piano; — **nature** seconda natura; — **sight** prescienza; sesto senso, intuizione; **on** — **thought** tutto ben considerato; — *vt* assecondare
secondhand *a* di seconda mano; d'occasione; per sentito dire
second-rate *a* di seconda qualità
secrecy *n* segretezza
secret *n&a* segreto; **keep a** — mantenere il segreto; **–ive** *a* segreto; secretivo; **–ly** *adv* segretamente
secretary *n* segretario; *(desk)* scrittoio
secrete *vt* nascondere; *(exude)* secernere
secretion *n* secrezione
sect *n* setta; **–arian** *a* settario; **–arianism** *n* spirito settario
section *n* sezione; *(city)* quartiere *m*; **–al** *a* sezionale, parziale; — *vt* sezionare
sector *n* settore *m*
secular *a* secolare; *(laic)* laico; *(worldly)*

mondano; **–ism** *n* secolarismo; **–ize** *vt* secolarizzare

secure *a* sicuro, al sicuro; — *vt* ottenere, assicurare

security *n* sicurezza; garanzia

securities *npl (com)* titoli *mpl*

sedate *a* posato, calmo, tranquillo; **–ness** *n* posatezza, calma, tranquillità

sedative *n&n* sedativo

sedentary *a* sedentario

sedge *n* giunco

sediment *n* deposito, sedimento; **–ary** *a* sedimentario; **–ation** *n* sedimentazione

sedition *n* sedizione

seditious *a* sedizioso

seduce *vt* sedurre

seducer *n* seduttore *m*

seduction *n* seduzione

seductive *a* seducente, seduttore

sedulity *n* diligenza

sedulous *a* diligente

see *vt&i* vedere; — **about** vedere di; — **through** *(understand)* percepire, intuire; — **to** occuparsi di; **as far as I can** — per quanto io possa vedere; **The Holy S–** La Santa Sede

seed *n* seme *m*, chicco; **–ling** *n* pianticella, piantina; **–y** *a* granoso; pieno di semi; *(fig)* logoro; — *vt (deseed)* sgranare; *(sow)* seminare; — *vi* sgranarsi

seeing *n* vista, visione; — *a* vidente; — **that** visto che

seek *vt&i* ricercare, cercare; — **to** tentare di

seeker *n* cercatore *m*

seem *vi* sembrare, parere; **–ing** *a* apparente; **–ingly** *adv* apparentemente; **–ly** *a* decente, conveniente

seemliness *n* decenza

seep *vi* filtrare; **–age** *n* gocciolamento; trasudamento

seer *n* profeta *m*, veggente *m&f*

seer *n (viewer)* spettatore *m*

seesaw *n* altalena; — *vi* fare l'altalena; dondolare

seethe *vi* agitarsi, fermentare; bollire

segment *n* segmento

segregate *vt* segregare

segregation *n* segregazione

seiche *n* fluttuazione lacustre

seine *n* sciabica

Seine Senna

seismic *a* sismico

seismograph *n* sismografo

seize *vt* afferrare; *(law)* confiscare

seizure *n* cattura; *(law)* confisca; *(med)* attacco, accesso

seldom *adv* raramente

select *vt* scegliere; — *a* scelto; **–ion** *n* scelta, selezione; **–ive** *a* selettivo; **–ivity**

selettività

selenite *n* selenite *f*

selenium *n* selenio

self *n* personalità; sè stesso, ego

self- *(in comp)* **—acting** *a* automatico; **—addressed** *a* indirizzato a sè stesso; **—assurance** *n* sicurezza di sè; **—assured** *a* sicuro di sè; **—centered** *a* egocentrico; **—confidence** *n* fiducia in sè stesso; **—confident** *a* sicuro di sè; **—conscious** *a* imbarazzato; **—contained** *a* riservato; **—control** *n* padronanza di sè; **—defense** *n* legittima difesa; **—denial** *n* astinenza, abnegazione; **—determined** *a* con auto-decisione; **—discipline** *n* autodisciplina; **—educated** *a* autodidatta; **—esteem** *n* amor proprio; **—evident** *a* evidente; **—explanatory** *a* ovvio; **—expression** *n* espressione dell'individuo; **—governed** *a* autonomo; **—government** *n* auto-governo, autonomia, indipendenza; **—help** *n* autosufficienza; azione senza l'aiuto altrui; **—importance** *n* boria; **—important** *a* borioso; **—indulgence** *n* indulgenza per sè stesso; **—interest** *n* interesse personale; **—made** *a* fatto da sè; **—possessed** *a* calmo; **—possession** *n* padronanza di sè stesso; **—preservation** *n* istinto di conservazione; **—propelled** *a* automotore; **—regard** *n* rispetto di sè stesso; **—regulating** *a* a regolazione automatica; **—reliance** *n* fiducia in sè; — **reliant** *a* fiducioso di sè stesso; **—respect** *n* dignità; **—restraint** *n* controllo di sè stesso; riservatezza; **—sacrifice** *n* abnegazione; sacrificio di sè stesso; **—satisfied** *a* vanitoso; **—service** *n* autoservizio; **—starter** *n (auto)* avviamento; **—styled** *a* sedicente; **—sufficient** *a* autosufficiente; **—supporting** *a* indipendente; **—taught** *a* autodidatta; **—willed** *a* ostinato

selfish *a* egoistico; egoista; **–ness** *n* egoismo

selfless *a* altruista

selfsame *a* identico; esattamente lo stesso

sell *vt&i* vendere; *(coll)* ingannare; — **out** vender tutto; *(betray)* vendere; **–out** *n* vendita totale, liquidazione; **–er** *n* venditore *m*; negoziante *m*; **–ing** *n* vendita

seltzer *n* acqua di Seltz

selvage *n* cimosa

semantic *a* semantico

semantics *npl* semantica

semaphore *n* semaforo

semblance *n* apparenza, sembianza

semen *n* sperma

semester *n* semestre *m*

semiannual *a* semestrale; **–ly** *adv* semestralmente

semicircle *n* semicerchio
semicolon *n* punto e virgola
semiconscious *a* semicosciente
semifinal *n* semifinale *m*
semimonthly *a* bimensile; quindicinale
seminar *n* seminario
seminary *n* seminario
semination *n* semina
semiofficial *a* semiufficiale
semiprecious *a* semiprezioso
Semitic *a* semitico
semitransparent *a* semitrasparente
semitropical *a* semitropicale
semiweekly *a* bisettimanale
senate *n* senato
senator *n* senatore *m*
send *vt* inviare, mandare, spedire; —
   away mandar via, congedare; — **for**
   mandar a chiamare; **–er** *n* mittente *m&f*
senile *a* senile
senility *n* senilità
senior *n* anziano, decano; — *a* maggiore;
   seniore; **–ity** *n* anzianità
sensation *n* sensazione; **–al** *a* sensazionale
sense *n* senso; **common** — buon senso;
   make — aver significato, essere logico;
   talk — parlare con senno; **–less** *a*
   insensibile; *(silly)* insensato; *(absurd)*
   assurdo; **–s** *npl* sensi *mpl*; — *vt&i*
   intuire
sensibility *n* sensibilità
sensible *a* assennato, giudizioso
sensitive *a* sensibile, suscettibile
sensitivity *n* sensibilità
sensitize *vt* sensibilizzare
sensory *a* sensorio
sensual *a* sensuale; **–ism** *n* sensualismo;
   –ist *n* sensualista *m&f*; **–ity** *n* sensualità
sensuous *a* sensuale, sensitivo
sentence *n* sentenza; condanna; *(gram)*
   frase *f*, periodo; — *vt* condannare
sententious *a* sentenzioso
sentiment *n* sentimento; **–al** *a* sentimentale;
   –alism *n* sentimentalismo; **–alist** *n*
   sentimentale *m&f*; **–ality** *n* sentimenta-
   lità
sentinel *n* sentinella
sentry *n* guardia; — **box** garitta
sepal *n* sepalo
separable *a* separabile
separate *vt* separare; — *vi* separarsi; —
   a diviso, separato; **–ly** *adv* a parte,
   separatamente
separation *n* separazione
separatism *n* separatismo
sepia *n (color)* seppia
September *n* settembre *m*
septic *a* settico
septicemia *n (med)* setticemia
sepulcher *n* sepolcro

sepulchral *a* sepolcrale
sequel *n* sequela, conseguenza
sequence *n* sequenza, serie *f*, successione
sequester *vt* sequestrare; separare; **–ed** *a*
   ritirato; sequestrato
sequin *n* lustrino
seraph *n* serafino
seraphic *a* serafico
serenade *n* serenata; — *vt* fare una serenata a
serene *a* sereno; **–ly** *a* serenamente
serenity *n* serenità
serf *n* schiavo, servo; **–dom** *n* servaggio
sergeant *n* sergente *m*
sergeant-at-arms *n* usciere *m*
serial *n* romanzo a puntate; — *a* di serie;
   periodico; — **number** numero di serie
series *n* serie *f*
serious *a* grave, serio; **–ly** *adv* seriamente,
   sul serio; **–ness** *n* serietà; **take –ly**
   prendere sul serio
sermon *n* predica, sermone *m*; **–ize** *vt* sermoneggiare
serous *a* sieroso
serpent *n* serpente *m*; **–ine** *a* serpentino;
   (twisting) tortuoso
serrate *a* dentellato
serried *a* serrato
serum *n* siero
servant *n* domestico; servo; **civil** —
   impiegato statale
serve *vt&i* servire; — **as** servire da;
   — **time** *(mil)* prestare servizio; *(law)*
   scontare una sentenza
service *n* servizio, prestazione; — **station**
   stazione di servizio; **at your** — ai vostri
   ordini; **be of** — essere utile; **–s** *npl*
   prestazioni *fpl*, servizi *mpl*; — *vt*
   mettere in uso
serviceable *a* durevole; pratico
serviceman *n* militare *m*
servile *a* servile
servility *n* servilità
servitude *n* servitù
sesame *n* sesamo
session *n* sessione, seduta
set *n* servizio, serie *f*, collezione; *(group)*
   gruppo; *(hair)* messa in piega; *(rad)* apparecchio; *(sport)* partita; *(theat)*
   scenario
set *vt* mettere, porre, regolare; *(gem)* incastonare; *(table)* apparecchiare; *(type)*
   comporre; — *vi* mettersi; *(sun)* tramontare; *(congeal)* coagularsi; *(hen)* covare;
   — **aside** metter da parte; *(law)* annullare; — **forth** mostrare; — **out** *(place)*
   mettere, posare; *(start)* partire; *(begin)*
   incominciare; *(plant)* piantare
set *a (firm)* fisso; *(established)* stabilito;
   (stubborn) testardo

setback n arresto; *(retreat)* indietreggiamento
settee n canapè m
setting n *(gem)* incastonatura; *(table)* apparecchiatura, coperto; *(birds)* covata; *(surroundings)* dintorni mpl
settle vt *(establish)* stabilire; comporre, aggiustare; *(pay)* saldare; — vi stabilirsi; **-ment** n accomodamento; pagamento; colonia
settler n colono
set-to n *(coll)* abboccamento; *(argument)* discussione
setup n organizzazione; *(mech)* montaggio
seven a sette; **-teen** a diciasette; **-th** a settimo; **-ty** a settanta
seventeenth a diciassettesimo; — **century** secolo diciasettesimo, il seicento
sever vt dividere, recidere; — vi dividersi; **-ance** n separazione, distacco
several a parecchi
severe a severo; grave
severity n severità
sew vt&i cucire
sewage n acque di scolo
sewer n conduttura, fogna, cloaca
sewing n cucito; — **machine** macchina da cucire
sex n sesso; — **appeal** fascino
sextant n sestante m
sextet n sestetto
sexton n sagrestano
sexual a sessuale; **-ity** n sessualità; **-ly** adv sessualmente
shabbiness n stato logoro
shabby a logoro; mal vestito; — **trick** meschinità
shack n baracca
shackle n ceppo; — vt inceppare
shad n alosa; — **roe** uova di alosa
shade n *(color)* tinta; *(shadow)* ombra; *(window)* scuretto; *(lamp)* paralume m; **-d** a ombreggiato; protetto; all'ombra; — vt ombreggiare
shadiness n ombrosità
shading n sfumatura
shadow n ombra; — vt oscurare; ombreggiare; *(follow)* pedinare; **-y** a ombroso; oscuro; *(ghostly)* spettrale
shady a ombroso; sospetto
shaft n *(light)* raggio; *(lightning)* fulmine m; *(mech)* albero, asse m; *(mine)* pozzo; **crank-** n albero a gomito
shaggy a irsuto, ispido, scabroso
shah n scià m
shake vt scuotere; — vi tremare; — **hands** stringere la mano; **-down** n giaciglio improvvisato; *(sl)* estorsione; — **off** disfarsi di
shake-up n riorganizzazione energica

shaking n scossa, scuotimento; — a agitato; debole; *(voice)* tremante
shale n schisto
shallop n scialuppa
shallow a poco profondo; **-ness** n poca profondità, superficialità
sham a finto, falso; — n finzione, finta, impostura; — vt simulare, fingere
shambles npl macello; strage f, carneficina
shame n vergogna; pudore m; **what a —!** che peccato!; — vt disonorare, svergognare; **-faced** a timido, vergognoso; **-ful** a vergognoso; **-less** a svergognato, spudorato
shammy n pelle di camoscio
shampoo n saponatura; — vt lavare
shamrock n trifoglio
shank n stinco, tibia; gamba
shanty n capanna
shape vt formare, foggiare; — vi *(coll)* prender forma; — n forma; **-less** a informe; **-liness** n bellezza; simmetria; **-ly** a bello; simmetrico
shard n coccio
share n parte f; *(com)* azione f; — vt dividere, spartire, condividere; — vi partecipare; **-cropper** n mezzadro; **-holder** n azionista m&f
sharing n spartizione
shark n pescecane m, squalo; **loan —** strozzino
sharp a acuto, tagliente, affilato; *(clever)* astuto, furbo; — **curve** curva stretta; — n *(mus)* diesis m; — adv preciso; in punto; **two o'clock —** alle due in punto; **-ly** adv acutamente; astutamente; **-ness** n acume m; astuzia; asprezza; **-shooter** n tiratore scelto
sharpen vt affilare, appuntare; acuire
sharpener n *(mech)* affilatrice f; *(grindstone)* arrotino; *(pencil)* temperalapis m
sharp-edged a affilato
sharp-witted a intelligente, acuto
shatter vt fracassare; — vi fracassarsi
shatterproof a infrangibile
shave vt fare la barba a; — vi radersi, farsi la barba; — n sbarbata; **have a close —** *(fig)* cavarsela a malapena; **-r** n *(coll)* imberbe m
shaving n ritaglio, truciolo; *(beard)* sbarbata; *(hair)* tosatura; — **brush** pennello da barba; — **cream** sapone *(or crema)* da barba
shawl n scialle m
she pron lei, ella, essa
sheaf n fascio, covone m; — vt legare in covoni
shear n cesoia; cesoiata; **-ing** n tosatura; — vt tranciare; *(hair)* tosare; **-s** npl

cesoie *fpl*
shearer *n* tosatore *m*
sheath *n* fodero, guaina
sheathe *vt* ringuainare
shed *vt (tears)* versare, spargere; *(skin)* spogliarsi di; — **light on** far luce su; — *n* tettoia, capannone *m*
sheen *n* splendore *m*
sheep *n* pecora; **–ish** *a* timido, impacciato; **black** — pecora nera *(fig)*; — **dog** cane da pastore
sheepskin *n (parchment)* pergamena; pelle di pecora
sheer *a* trasparente; *(mere)* mero, semplice, pretto; *(steep)* profondo
sheer *vi (naut)* virare
sheet *n (bed)* lenzuolo; *(glass)* lastra; *(ice)* distesa, lastra; *(metal)* lamiera, lamina; *(paper)* foglio; — *vt* rivestire, foderare; *(laminate)* laminare; **–ing** *n (material)* tela da lenzuola; *(lining)* fodera
sheik *n* sceicco
shelf *n* mensola, scaffale *m*; **put on the** — mettere in disparte
shell *n* conchiglia; guscio; *(mil)* proiettile *m*; — *vt* sbucciare; bombardare; sgranare
shellac *n* gomma-lacca; — *vt* lucidare a spirito
shellfire *n* tiro d'artiglieria
shellfish *n* crostaceo
shellshock *n* psicosi di guerra
shelter *n* rifugio; — *vt* ricoverare, proteggere; nascondere; — *vi* ricoverarsi; mettersi al coperto
shelve *vt* disporre in scaffale; mettere da parte; licenziare; **–s** *npl* scaffali *mpl*
shelving *n* scaffalatura; pendenza
shepherd *n* pastore *m*; **–ess** *n* pastorella; — *vt* guidare, scortare
sherbet *n* sorbetto
sheriff *n* sceriffo
sherry *n* vino di Xeres
shibboleth *n* parola d'ordine
shield *n* scudo, protezione *f*; *(mech)* schermo; — *vt* proteggere, difendere, coprire
shift *vt* cambiare, spostare; — *vi* spostarsi; — **for oneself** indipendenzarsi, cavarsela; — *n (auto)* cambiamento; *(squad)* squadra; *(labor)* turno; *(typewriter)* tasto per maiuscole; **–less** *a* pigro, inetto; **–y** *a* scaltro; *(eyes)* sfuggente
shiftiness *n* scaltrezza
shilling *n* scellino
shilly-shally *vi* esitare
shimmer *n* barlume, luccichio; **–y** *a* luccicante; — *vt* luccicare, brillare
shin *n* stinco, tibia; — **up** arrampicarsi

shine *vi* brillare; — *vt* lucidare, lustrare; — *n* splendore *m*; **take a** — **to** *(coll)* sentir simpatia per
shiner *n (coll)* occhio pesto
shingle *n (roof)* assicella, tegola di legno; *(gravel)* ghiaia; *(hair)* sfumatura di capelli; **hang out one's** — *(coll)* debuttare nella professione; **–s** *(med)* zona, erpete *m*; — *vt (hair)* tagliare corti; *(roof)* coprire di tegole
shining, shiny *a* lucente
ship *n* nave *f*; — *vt* spedire; — *vi* imbarcarsi; **–builder** *n* costruttore navale; **–owner** *n* armatore *m*; **–per** *n* speditore, caricatore *m*; **–shape** *a* ordinato; in ordine; **–wright** *n* impiegato di cantiere navale; **–yard** *n* cantiere navale, arsenale *m*; **on –board** a bordo
shipping *n* imbarco, spedizione; — **room** cantiere di spedizioni; — **clerk** impiegato spedizioniere
shipment *n* spedizione *f*, carico
shipwreck *n* naufragio; — *vt* far naufragare
shire *n* contea
shirk *vt* schivare, scansare
shirker *n* scansafatiche *m*
shirt *n* camicia; **–front** *n* sparato; **–maker** *n* camiciaio, **–waist** *n* blusa; **in —sleeves** in maniche di camicia
shiver *vi* rabbrividire; — *n* brivido, fremito
shoal *n* bassofondo
shock *n* scossa; *(emotion)* emozione; — **absorber** ammortizzatore *m*; — **treatment** *(med)* elettroterapia; — **wave** ripercussione; — *vt* scuotere, *(scandel)* scandalizzare; *(stun)* stordire. colpire; **–ing** *a* ripugnante, scandaloso
shoddy *a* falso; scadente
shoe *n* scarpa; — **polish** lucido da scarpe; — **brush** spazzola da scarpe; **–horn** *n* calzatoio; **–lace** *n* stringa, laccio; **–less** *a* scalzo; **–maker** *n* calzolaio; — **store** calzoleria; — **tree** forma da scarpe; — *vt* calzare; *(horse)* ferrare
shoestring *n* stringa, laccio; piccolo capitale
shoo *vt* spaventare; cacciare via
shoot *vt&i* sparare; scattare; *(kill)* fucilare; *(bot)* germogliare; — **up** balzare, saltare; — *n (bot)* germoglio
shooting *n* tiro; — **gallery** tiro al bersaglio; — **star** stella filante
shop *n* bottega; — *vi* fare delle compere; **–girl** *n* commessa; **–keeper** *n* negoziante *m*; **–lifter** *n* taccheggiatore *m*; **–per** *n* chi va a far spese; **–window** *n* vetrina; **–worn** *a* sciupato
shopping *n* compere *fpl*; — **bag** borsa da spesa; **go** — andare a far spese

shore *n* costa, lido, riva; *(prop)* puntello; — *vt* puntellare

short *a* corto; *(height)* basso; — **circuit** corto circuito; — **cut** scorciatoia; — **story** novella; — **wave** onda corta; **for** — per brevità; **in** — in breve; **make** — **work of** sbarazzarsi in breve di; **-age** *n* mancanza, deficienza; **-ly** *adv* presto, in breve, tra poco; — *vt (elec)* provocare un corto circuito

short- *(in comp)* —**circuit** *vt (elec)* provocare un corto circuito; —**handed** *a* con personale insufficiente; —**lived** *a* di breve durata, caduco; —**spoken** *a* di poche parole; —**tempered** *a* collerico, irascibile; —**term** *a* a breve scadenza; —**winded** *a* affannoso; *(animals)* bolso

shortcake *n* pasta frolla

shortchange *vt (coll)* imbrogliare nel dare il resto

shortcoming *n* manchevolezza, deficienza

shorten *vt* accorciare, abbreviare, ridurre; — *vi* accorciarsi, ridursi

shortening *n* accorciamento, riduzione, diminuzione; *(cooking)* grasso

shorthand *n* stenografia

shortness *n* piccolezza; scarsità; — **of temper** irascibilità

shorts *npl* mutande *fpl*, calzoni corti, calzoncini *mpl*

shortsighted *a* miope; *(fig)* imprevidente; **-ness** *n* miopia, imprevidenza

shot *n* sparo; *(buckshot)* pallottola, pallini *mpl*; *(drink)* cicchetto *(coll)*; *(person)* tiratore *m*; *(med)* iniezione; *(photo)* scatto; **good** — tiratore scelto

shotgun *n* fucile da caccia; — **shell** cartuccia, bossolo

shoulder *n* spalla; — **blade** scapola — **strap** spallina; — *vt* caricarsi sulle spalle; spingere a spalla; assumere

shout *vt&i* gridare, urlare; — *n* grido; schiamazzo

shove *n* spinta, spintone *m*; — *vt* spingere con forza

shovel *n* pala; — *vt (coal)* scavare; spalare; *(food)* mangiare avidamente, divorare

show *n* spettacolo; *(arts)* mostra, esposizione; — **card** cartello; — **window** vetrata; **-case** *n* vetrina; **-down** *n (coll)* carte in tavola *(fig)*; **-man** *n* espositore *m*; **-manship** *n* abile esposizione; **-room** *n* sala d'esposizione; **-y** *a* vistoso

show *vt* mostrare; — *vi* farsi vedere; — **off** ostentare; — **up** smascherare; smascherarsi

shower *n* acquazzone *m*; doccia; — *vi* fare la doccia; piovere a rovesci; — *vt* riversare, inondare

showiness *n* vistosità

show-off *n* ostentazione; *(person)* millantatore *m*, presuntuoso

shrapnel *n (mil)* granata

shred *n* brandello; — *vt* fare a brandelli, sbrindellare

shrew *n* bisbetica, megera; *(zool)* toporagno; **-ish** *a* bisbetico; **-ishness** *n* temperamento bisbetico

shrewd *a* scaltro, fino; **-ly** *adv* sagacemente; scaltramente; **-ness** *n* sagacia; scaltrezza

shriek *n* grido, urlo; — *vt&i* strillare, gridare

shrill *a* acuto, stridulo; **-ness** *n* acutezza, stridore *m*

shrimp *n* gamberetto di mare

shrine *n* sacrario; reliquario

shrink *vi* restringersi, contrarsi; — *vt* restringere, contrarre; **-age** *n* restringimento, contrazione; — **back** indietreggiare

shrinking *n* diminuzione, contrazione; — *a* restringente

shrivel *vi* contrarsi, raggrinzarsi; — *vt* contrarre, raggrinzare

shroud *n* sudario, velo; *(naut)* sartia; — *vt* avvolgere in sudario, coprire, nascondere

Shrove Tuesday Martedì Grasso

shrub *n* arbusto; **-bery** *n* arbusti *mpl*

shrug *n* scrollata di spalle; — *vi* scrollare le spalle

shrunken *a* accorciato

shuck *vt* sbucciare, sgranare

shudder *vi* rabbrividire; — *n* fremito, brivido

shuffle *n* strascichio; *(deceit)* sotterfugio; *(dance)* passo doppio; *(mus)* scompiglio; — *vt (scuffle)* strascicare; *(confuse)* scompigliare; *(mix)* mischiare; — *vi* strascicarsi; vacillare; *(quibble)* tergiversare; — **off** sbarazzarsi di

shuffleboard *n* giuoco delle piastrelle

shuffling *a* strascicante, evasivo; — *n* *(feet)* strascichio; *(mixing)* rimescolamento

shun *vt* evitare

shunt *vt&i* derivare; *(discard)* scartare; *(rail)* smistare

shut *vt&i* chiudere, chiudersi; — **down** cessare il lavoro; — **in** rinchiudere; — **off** chiudere; — **out** chiuder fuori; — **up** *(coll)* tacere; far tacere — *a* chiuso; **-down** *n* cessazione del lavoro; **-off** *n* chiusura

shut-in *n* rinchiuso, recluso

shutter *n* scuro, imposta, persiana; *(phot)* otturatore *m*

shuttle *n* spoletta, navetta; — *vi* fare la

spola
shuttlecock *n* volano
shy *a* timido; sospettoso; *(lacking)* corto di, mancante di; — *vi* adombrarsi; indietreggiare; **–ly** *adv* timidamente; *(suspiciously)* sospettosamente; **–ness** *n* timidezza, diffidenza
shyster *n* imbroglione, azzeccagarbugli *m*
Siamese *a* siamese; — **twins** fratelli siamesi
sibilant *a* sibilante
sibyl *n* sibilla
Sicilian *a&n* siciliano
Sicily Sicilia
sick *a* ammalato; **–ly** *a* malaticcio; **–bed** letto di dolore; — **leave** licenza di convalescenza
sicken *vt* dar nausea; infastidire; — *vi* ammalarsi; nausearsi; **–ing** *a* nauseante, repulsivo
sickle *n* falce *f*
sickness *n* malattia
side *n* lato; — **by** — fianco a fianco; **–car** *n* motocarrozzella; — **dish** portata secondaria; — **issue** questione secondaria; — **light** fanale laterale; — **line** attività secondaria; supplemento di lavoro; **–long** *a* di lato, obliquo; — **show** baraccone *m*; mostra secondaria; — **street** traversa; **–walk** *n* marciapiede *m*; **–ways** *adv* di lato, a sghembo; **on all –s** da ogni parte; **on one** — da una parte; — *vt* chiudere con pareti; *(coll)* mettere a parte; **–track** *vt&i* sviare; — **with** prendere le parti di; appoggiare; — *a* di fianco, laterale, obliquo
sideboard *n* credenza
side-step *vt* evitare
siding *n (rail)* binario laterale
sidle *vi* camminare di fianco
siege *n* assedio; **lay** — **to** assediare
siesta *n* siesta
sieve *n* staccio, crivello; — *vt* stacciare
sift *vt* stacciare, vagliare; **–er** *n* staccio
sigh *vt&i* sospirare; — *n* sospiro; **–ing** *n* sospiri *mpl*
sight *n* vista; *(gun)* mirino; — **draft** tratta a vista; **at first** — a prima vista; **in** — in vista; **lose** — **of** perdere di vista; **on** — a vista; **out of** — fuori di vista; — *vt* avvistare; prendere di mira; — *vi* mirare; **–less** *a* cieco, invisibile; **–seer** *n* osservatore *m*
sight-see *vi* fare una passeggiata turistica; **–ing** *n* veduta, osservazione, ispezione
sign *n* segno, insegna; — **language** linguaggio a gesti, linguaggio mimico; — **painter** pittore d'insegne; **–post** *n* palo indicatore — *vt&i (signature)* firmare; segnare; — **away** cedere; — **off**

(rad&TV) finire la trasmissione; — **on** ingaggiarsi; — **up** sottoscriversi
signal *n* segnale *m*; — **light** fanale *m*; — *vt&i* segnalare; far segnali; — *a* notevole; esemplare; **S– Corps** *(mil)* corpo segnalatori
signature *n* firma
signboard *n* insegna
signer *n* firmatario
signet *n* sigillo; — **ring** anello con sigillo
significance *n* significato
significant *a* significante, significativo; importante
signify *vt* significare
silence *n* silenzio; — *vt* far tacere, calmare; *(rebellion)* soffocare *(fig)*
silencer *n* smorzatore *m*
silent *a* silenzioso; — **partner** socio non attivo
silhouette *n* sagoma, profilo; — *vt* delineare, siluettare
silica *n* silice *f*
silicon *n* silicio
silk *n* seta; — *a* di seta; **–en** *a* di seta; serico; dolce; — **screen** stampino di seta; **–iness** *n* setosità; **–worm** *n* baco da seta; **–y** *a* setaceo; di seta, serico; *(fig)* dolce
sill *n (door)* soglia; *(window)* davanzale *m*
silliness *n* sciocchezza, stupidaggine *f*
silly *a* sciocco, scemo
silo *n* silo
silver *n* argento; — *a* d'argento; — **plate** posate e vasellame argentati; **–smith** *n* argentiere *m*; **–ware** *n* argenteria; **–y** *a* inargentato
silver-plate *vt* argentare
silver-tongued *a* eloquente
similar *a* somigliante, simile; **–ity** *n* analogia, similitudine *f*; somiglianza; **–ly** *adv* similmente
simile *n* paragone *m*; similitudine *f*
similitude *n* somiglianza
simmer *vt&i* bollire; **–ing** *n* bollore *m*, ebollizione
simony *n* simonia
simper *n* smorfia; sorriso affettato; **–ing** *n* affettazione; smorfie *fpl*; — *vi* sorridere con affettazione
simple *a* semplice
simple-minded *a* semplicione, candido; *(med)* deficiente
simpleton *n* semplicione *m*
simplicity *n* semplicità
simplification *n* semplificazione
simplify *vt* semplificare
simply *adv* semplicemente
simulate *vt* simulare
simulation *n* simulazione
simultaneous *a* simultaneo; **–ly** *adv* simul-

taneamente

sin *n* peccato; — *vi* peccare; **–ful** *a* peccaminoso; **–fulness** *n* colpevolezza; **–ner** *n* peccatore *m*

since *prep* dopo, da; — *conj* dacchè, poichè, giacchè; dopo che; — *adv* dopo, di poi, dopo d'allora

sincere *a* sincero; **–ly** *adv* sinceramente

sincerity *n* sincerità

sine *n* *(math)* sino

sinecure *n* sinecura

sinew *n* tendine *m*; nervo

sinewy *a* nerboruto, nervoso

sing *vt&i* cantare; **–able** *a* cantabile

singe *vt* bruciacchiare; — *n* bruciacchiata

single *a* singolo; *(man)* celibe; *(woman)* nubile; — **file** fila indiana; **–ness** *n* sincerità; — **out** scegliere, separare, distinguere

single- *(in comp)* **–breasted** *a* a un petto; **–handed** *a* da sè; senza aiuto altrui; **–minded** *a* schietto, sincero

singly *a* uno ad uno, individualmente

singsong *n* cantilena; — *a* monotono

singular *a* singolare; — *n* singolarità; **–ize** *vt* singolarizzare; **–ly** *adv* singolarmente

sinister *a* sinistro

sink *vt&i* affondare; *(money)* investire; *(well)* scavare; — *n* acquaio; **–er** *n* *(fish line)* piombo; **–age** *n* calo, diminuzione; affondamento

sinking *a* affondante; — **fund** *n* fondo d'ammortamento

sinuosity *n* sinuosità

sinuous *a* sinuoso

sinus *n* *(anat)* seno nasale, seno frontale

sinusitis *n* sinusite *f*

sip *n* sorso; — *vt&i* sorseggiare

siphon *vt* sifonare; — *n* sifone *m*

sir *n* signore *m*

sire *n* sire, signore *m*; padre; — *vt* procreare, generare

siren *n* sirena

sirloin *n* lombo

sissy *n* *(coll)* maschio effeminato

sister *n* sorella; *(nun)* suora, monaca, religiosa

sister-in-law *n* cognata

sit *vi* sedere; sedersi; — *vt* far sedere; **–down strike** sciopero bianco; — **up** *(wait up)* vegliare; tenersi dritto

site *n* sito, posizione

sitter *n* modello; *(baby)* bambinaia; *(hen)* chioccia

sitting *n* seduta; riunione; *(arts)* posa; — *a* seduto; posante; — **room** salotto

situate *vt* collocare; **–d** *a* posto, situato; **be –d** trovarsi

situation *n* situazione; impiego

six *a* sei; **–teen** *a* sedici; **–teenth** *a* sedicesimo; **–th** *a* sesto; **–tieth** *a* sessantesimo; **–ty** *a* sessanta

sizable *a* abbastanza grande

size *n* misura, formato, grandezza; — *vt* graduare secondo misura; — **up** giudicare, pesare

sizing *n* *(fabric)* imbozzimatura

sizzle *vi* sfrigolare; friggere; — *n* sfrigolio

sizzling *a* caldo fumante

skate *n* pattino; **ice** — pattino da ghiaccio; **roller** — pattino a rotelle; — *vi* pattinare; **–r** *n* pattinatore *m*, pattinatrice *f*

skating *n* pattinaggio; — **rink** pista di pattinaggio; **figure** — pattinaggio artistico

skein *n* matassa; gomitolo

skeleton *n* scheletro; — **key** chiave maestra

skeptic *n* scettico *m*; **–al** *a* scettico; **–ism** *n* scetticismo

sketch *vt&i* abbozzare, schizzare; — *n* abozzo, schizzo; **–book** *n* album di schizzi; **–ily** *adv* senza dettagli; **–y** *a* non dettagliato

skew *a* a sghembo, obliquo

skewer *n* spiedo

ski *n* sci *m*; **–er** *n* sciatore *m*, sciatrice *f*; — **lift** sciovia; **–ing** *n* sport dello sci; — *vi* sciare

skid *n* *(avi)* pattino di coda; *(mech)* freno a scarpa; *(slip)* slittamento, slittata; — *vi* slittare

skiff *n* schifo

skill *n* abilità, destrezza; **–ful** *a* abile, destro, **–fully** *adv* abilmente, accortamente

skilled *a* abile, addestrato; esperto; — **labor** mano d'opera specializzata; — **worker** specialista *m*

skillet *n* padella

skim *vt&i* scremare; scorrere; — **milk** latte scremato

skimp *vt&i* *(coll)* esser tirchio; economizzare; **–y** *a* *(coll)* meschino; scarso; tirchio

skin *n* pelle *f*; — **diver** pescatore subacqueo; **–flint** *n* spilorcio; avaro; — *vt* pelare, scorticare; sbucciare

skin-deep *a* superficiale

skinny *a* scarno, magro

skin-tight *a* indossante come un guanto

skip *vi* saltellare; — *vt* omettere; — *n* salto

skipper *n* capitano di mare

skirmish *n* schermaglia; *(mil)* scaramuccia; — *vi* scaramucciare

skirt *n* gonna; — *vt&i* rasentare, orlare, costeggiare

skit *n* parodia, scherzo, farsa
skittish *a* volubile; *(horse)* bizzarro, ombroso
skoal *interj* salute!
skulk *vi* strisciare, accovacciarsi
skull *n* cranio; **–cap** *n* papalina
skunk *n* moffetta; *(coll)* farabutto
sky *n* cielo; **–light** *n* lucernario, abbaino; **–line** *n* orizzonte *m*; **–scraper** *n* grattacielo; **–writing** *n* scrittura con fumi di aeroplano
sky-high *a&adv* fino alle nuvole *(fig)*
skylark *n* allodola
skyrocket *n* razzo; — *vi (coll)* salire con grande velocità
slab *n* lastra
slack *a* lento; fiacco; debole; negligente; — *n (rope)* imbando; — **time** stagione morta; **–er** *n* poltrone *m*; **–ness** *n* incuranza; allentamento; — **off** allentare; allentarsi
slacken *vt* allentare; moderare; — *vi* allentarsi; moderarsi; diminuire
slacks *npl* calzoni *mpl*
slag *n* scoria
slain *n* ucciso; morto
slake *vt* spegnere, placare; *(thirst)* dissetare; — *vi* spegnersi, placarsi
slalom *n (skiing)* slalom *m*
slam *n (door)* sbattuta di porta; *(sl)* critica severa; **grand** — *(cards)* cappotto; — *vt* sbattere; chiudere rumorosamente; *(sl)* criticare severamente; — *vi* sbattersi
slander *n* calunnia; — *vt* calunniare; **–er** *n* calunniatore *m*
slanderous *a* calunnioso
slang *n* gergo populare
slant *n* pendio, declivio; *(viewpoint)* punto di vista; **–ing** *a* inclinato, obliquo; — *vt* far pendere, inclinare; — *vi* pendere, inclinarsi
slap *n* ceffone *m*; *(face)* schiaffo; — *vt* schiaffeggiare
slapstick *n* scena grottesca, farsa; — *a* grottesco
slash *n* taglio; — *vt (cut)* tagliare; *(gash)* squarciare; *(whip)* sferzare; *(reduce)* ridurre
slat *n* striscia; stecca, assicella
slate *n* ardesia; lavagna; tegola d'ardesia; *(pol)* lista di candidati; — *vt* mettere sulla lista dei candidati; *(coll)* stroncare; coprire d'ardesia
slattern *n* sciattona
slaughter *n* strage *f*, carneficina; macellazione; **–house** *n* mattatoio; macello; — *vt* massacrare; *(animals)* macellare
slave *n* schiavo; — **driver** negriero; *(fig)* aguzzino; — *vi* lavorare come schiavo;

logorarsi; **–ry** *n* schiavitù *f*
slavish *a* servile; abietto; **–ly** *adv* da schiavo; servilmente; bassamente
slaw *n* insalata di cavoli
slay *vt* uccidere; **–er** *n* assassino; **–ing** *n* uccisione
sleaziness *n* mancanza di consistenza
sleazy *a* senza consistenza
sled *n* slitta
sledge *n* traino; **–hammer** mazza
sleek *a* liscio, levigato; lucido
sleep *vi* dormire; **go to** — addormentarsi
sleep *n* sonno; *(fig)* quiete *f*; **–less** *a* insonne; **–less night** notte bianca; **–ily** *adv* sonnolentemente; **–iness** *n* sonnolenza; **–y** *a* assonnato, sonnacchioso; **be –y** aver sonno
sleeping *n* sonno, riposo; — **car** vagone letto; — **pill** sonnifero; — **sickness** malattia del sonno
sleepwalker *n* sonnambulo
sleepwalking *n* sonnambulismo
sleepyhead *n* dormiglione *m*
sleet *n* nevischio; **–y** *a* nevischioso; — *vi* nevicare e piovere insieme
sleeve *n* manica; **–less** *a* senza maniche; **laugh up one's** — ridere sotto i baffi
sleigh *n* slitta
sleight *n* destrezza; — **of hand** giuoco di prestigio, prestigitazione
slender *a* esile, smilzo, snello; **–ness** *n* snellezza
sleuth *n* segugio
slice *n* fetta; — *vt* affettare
slick destro, abile; scivoloso; — *vt* lisciare, appianare; **–er** *n (coll, person)* imbroglione *m*; *(raincoat)* impermeabile *m*
slide *vi* scivolare; scorrere; — *vt* far scorrere; — *n* scivolata; slitta; *(microscope)* vetrino per microscopio; *(photo)* diapositiva; *(rock)* frana; — **rule** regolo calcolatore; — **valve** valvola a cassetto
slight *a* leggero, minimo; smilzo; — *n* affronto; — *vt* trascurare; disprezzare, denigrare; **–ly** *adv* lievemente, superficialmente; **–ness** *n* snellezza
slim *a* smilzo; **–ness** *n* esiguità, esilità, sottigliezza; — *vi* dimagrire
slime *n* limo, fanghiglia
sliminess *n* viscosità
slimy *a* viscido, viscoso
sling *n* fionda; benda per sostenere un braccio al collo; **–shot** *n* fionda, tirelastico; — *vt* sospendere; *(throw)* lanciare
slink *vi* strisciare; sgusciare; **–y** *a* strisciante
slip *n (error)* sbaglio, svista; *(slide)* scivolata; *(underwear)* sottoveste *f*,

combinazione; –cover n fodera di mobile; –knot n nodo scorsoio; — vt&i sdrucciolare; sguisciare, sfuggire; scorrere, infilare; sbagliarsi
slipper n pantofola
slipperiness n sdrucciolosità
slippery a sdrucciolevole
slipshod a trascurato
slipup n sbaglio, errore m
slipway n (naut) scalo
slit vt fendere; — n fessura
sliver n scheggia
slobber vi sbavare; — n bava; –y a bavoso
sloe n prugnola; — gin liquore di prugnola
slog vi avanzare a stento
slogan n slogan m
sloop n scialuppa
slop n risciacquatura di piatti, pozzanghera; — vt versare, spandere; — vi traboccare
slope n pendio; — vt&i inclinare
sloppy a fangoso; (coll) sciatto, trascurato; viscido
slosh vi sguazzare; — vt agitare ; — n fanghiglia
slot n fessura; — machine distributore automatico
sloth n indolenza; (zool) bradipo; –ful a pigro; –fulness n pigrizia
slouch n scompostura; (person) persona goffa, persona curva; negligente m; — hat cappello a tesa in giù; –y a scomposto; — vi stare (or camminare) scompostamente
slough n (swamp) palude f
slough n spoglia; (med) crosta; — vt&i spogliarsi di; cambiare la pelle
slovenliness n trascuratezza
slovenly a trascurato, sudicio
slow a lento; ottuso; (clock) in ritardo; –down n rallentamento; –ly adv adagio, piano, lentamente; –ness n lentezza; — vt ritardare; — vi rallentare; — down rallentare
slow-motion a al rallentatore
sludge n melma, fanghiglia
slug n (metal) lingotto; (bullet) pallottola; (zool) lumaca; (token) gettone m; — vt (coll) percuotere
sluggard n pigrone m
sluggish a lento; pigro; –ness n indolenza; pigrizia
sluice n chiusa; canale m; cateratta; — vt&i inondare, defluire, affluire
slumber n sonno; — vi dormire; sonnecchiare
slump n abbassamento improvviso, tracollo, caduta brusca; — vi precipitare; avere un tracollo; affondare
slums npl quartieri poveri

slur n macchia; diffamazione; (mus) legatura; — vt pronunciare male; diffamare; (mus) legare
slush n fanghiglia di neve
slut n donnaccia
sly a furbo, truffaldino; on the — alla chetichella; –ly a astutamente; furtivamente
smack n gusto; aroma; sapore m; schiocco; schiaffo; bacione m; — vt far schioccare, schiaffeggiare; baciare sonoramente; — vi sapere di, aver sapore
small a piccolo, minuto; — of the day n le reni fpl; — change (money) spiccioli mpl; — letter minuscola; — talk chiacchiera, banalità
small-minded a gretto
smallpox n vaiolo
small-town a provinciale
smart n bruciore, dolore m; — a intelligente; scaltro; elegante; — aleck (coll) presuntuoso e antipatico; –ing n bruciore m; –ing a bruciante; –ly adv vivacemente; elegantemente; acutamente; dolorosamente; –ness n acutezza, prontezza di spirito; eleganza
smarten vt adornare; abbellire
smash n collisione; sconquasso; rovina; — vt fracassare; rovinare; — vi fallire; fracassarsi; spezzarsi
smashup n catastrofe f; rovina; crollo; collisione
smattering n conoscimento superficiale, infarinatura
smear n spalmata; calunnia; — vt&i spalmare; calunniare
smell vt&i odorare; fiutare; –y a puzzolente; — n odore m; (sense of) odorato, fiuto, olfatto; –ing salts sali mpl
smelt n (fish) eperlano; — vt fondere; –er n fonditore m; –ing n fusione; –ing furnace alto forno
smile n sorriso; — vi sorridere
smiling a sorridente
smirch vt insudiciare
smirk n sorriso affettato; — vi sorridere affettatamente
smite vt percuotere, colpire; (kill) uccidere
smith n fabbro; –y fucina
smithereens npl (coll) schegge fpl; pezzi mpl; frantumi mpl; frammenti mpl; break to — andare in frantumi; mandare in frantumi
smock n blusa; camice m; camiciotto
smoke n fumo; — screen cortina di fuma; –stack n fumaiolo; –less a senza fumo; — vt&i fumare; affumicare; –d a affumicato; –r n fumatore m, fumatrice f
smokiness n fumosità
smoking n fumo, il fumare; — jacket

giacca da fumo; **no** — proibito fumare
smoky *a* fumoso, fumante
smolder *vt&i* bruciare senza fiamma; covare nelle ceneri; **–ing** *a* covante, che cova
smooth *a* liscio; — *vt* lisciare; piallare; appianare, calmare; **–ly** *adv* agevolmente; **–ness** *n* levigatezza; calma; agevolezza
smooth-shaved *a* imberbe
smooth-tongued *a* adulatore, mellifluo
smother *vt&i* soffocare; nascondere
smudge *n* sgorbio, macchia; — *vt&i* macchiare, sporcare
smudgy *a* macchiato
smug *a* vanitoso, affettato; **–ness** *n* vanità, affettazione
smuggle *vt&i* contrabbandare; **–r** *n* contrabbandiere *m*
smuggling *n* frodo, contrabbando
smut *n* fuliggine *f*; oscenità
smuttiness *n* oscenità
smutty *a* fuligginoso, nero, osceno
snack *n* spuntino; pasto frugale; — *vi* fare uno spuntino
snag *n* nodo; troncone *m*; intoppo; ramo sommerso; — *vt* ostacolare
snail *n* lumaca, chiocciola; **at a —'s pace** a passo di lumaca *(coll)*
snake *n* serpente *m*; — *vi* serpeggiare
snaky *a* tortuoso, serpentino; *(fig)* scaltro
snap *vt&i* spezzare; mordere, azzannare, cercare di mordere; scattare, schioccare; spezzarsi; — *n* scatto, schiocco; morso; *(sl)* cosa facile da farsi; *(coll)* vivacità; **cold —** periodo di freddo; **–shot** *n (photo)* istantanea
snapdragon *n (bot)* bocca di leone
snappish *a* irascibile, bisbetico
snappy *a (coll)* vivo, pungente; elegante; **make it —** *(sl)* fa presto
snare *n* trappola; — *vt* prendere al laccio
snarl *n (animal)* ringhio; *(tangle)* groviglio; — *vi* ringhiare; aggrovigliarsi; — *vt* aggrovigliare
snatch *vt* strappare, ghermire; — *n* presa; strappone *m*
sneak *n* spia; vile *m*; — **thief** ladruncolo; **–y** *a* servile, basso; ficcanaso; — *vt (coll)* rubare, sottrarre; — *vi* strisciare; spiare; — **in** intrufolarsi; — **out** uscire alla chetichella
sneakers *npl* scarpe da ginnastica
sneaking *a* meschino, basso; sospettoso; **–ly** *adv* bassamente; sospettosamente
sneer *n* sogghigno; — *vi* sogghignare; **–ing** *a* derisorio
sneeze *vi* starnutire; — *n* starnuto
snicker *n* risatina celata; — *vi* ridacchiare
sniff *n* fiutata; — *vi* succhiare col naso; frignare

sniffle *n* succhiata di naso; — *vi* succhiare col naso; frignare
snip *n* ritaglio; taglio; brandello; pezzettino; — *vt&i* tagliuzzare
snipe *n (zool)* beccaccino; **–r** *n* cecchino; — *vi* sparare in appostamento
snippy *a* presuntuoso, arioso
snivel *vi* moccicare, piagnucolare, frignare
snob *n* snob *m*
snobbish *a* snobistico; affettato; **–ness** *n* snobismo; affettazione
snoop *vi (coll)* curiosare, ficcare il naso; **–er** *n* ficcanaso
snoot *n (coll)* naso; faccia, smorfia; **–y** *a* arrogante
snooze *n* pisolino; — *vi* sonnecchiare
snore *vi&n* russare *m*
snorer *n* russatore *m*
snoring *n* il russare
snorkel *n* presa d'aria
snort *n* sbuffo; — *vi* sbuffare; **–ing** *n* sbuffamento; **–ing** *a* sbuffante
snout *n* muso; *(pig)* grugno; *(mech)* beccuccio
snow *n* neve *f*; **–bound** *a* bloccato dalla neve; **–drift** *n* ammasso di neve; **–fall** *n* nevicata; **–flake** *n* fiocco di neve; **–line** limite delle nevi perpetue; **–plow** *n* spazzaneve *m*; **–slide** *n* valanga; **–storm** *n* tempesta di neve; **–suit** *n* vestito da neve; — *vi* nevicare; **it is –ing** nevica
snow– *(in comp)* **–blind** *a* accecato dalla neve; **–capped** *a* coronato di neve
snowball *n* palla di neve; — *vt* lanciare palle di neve; — *vi (enlarge)* crescere rapidamente
snowy *a* nevoso
snub *n* rimprovero, affronto; — *vt* trattare freddamente, offendere; — **nose** naso camuso
snuff *n* moccolo; tabacco da fiuto; presa di tabacco; fiutata; — *vt* smoccolare; fiutare
snuffbox *n* tabacchiera
snuffle *vi* fiutare rumorosamente
snug *a* comodo, agevole; ritirato, nascosto, riparato; **–ly** *adv* comodamente, agevolmente; **–ness** *n* comodità
snuggle *vt* vezzeggiare, abbracciare; — *vi* accomodarsi, rannicchiarsi
so *adv&conj* così, tanto, talmente; quindi; di modo che; **and — forth** e così via; eccetera; — **as to** in modo da; — **long!** ciao!, arrivederci!; — **much** tanto; — **then** bene, allora; — **to speak** per così dire
soak *vt* inzuppare; — *vi* inzupparsi, assorbirsi; filtrare
soaking *a* gocciolante, — *n* bagno, immer-

sione
so-and-so *n (coll)* Tal dei Tali
soap *n* sapone *m*; — **bubble** bolla di sapone; —**dish** portasapone *m*; —**stone** *n* steatite *f*; –**suds** *npl* saponata, soluzione saponosa; **bar** — sapone in barre; **toilet** — saponetta; –**y** *a* saponoso; insaponato; — *vt* insaponare
soar *vi* volare; librarsi, acquistare quota; prendere lo slancio
sob *n* singhiozzo; — *vi* singhiozzare
sober *a* sobrio; –**ness** *n* sobrietà; moderazione; — *vt&i* smaltire la sbornia; rinsavire, calmarsi; ritornare in sè
sober-minded *a* serio, sobrio
sobersides *n* musoduro
sobriety *n* sobrietà
sobriquet *n* soprannome *m*
so-called *a* cosiddetto
sociability *n* sociabilità
sociable *a* socievole, affabile
sociably *adv* socievolmente
social *n* trattenimento sociale; — **security** assicurazione sociale; — *a* sociale; socievole, affabile; –**ism** *n* socialismo; –**ist** *n* socialista *m&f*; –**istic** *a* socialista, socialistico; –**ite** *n* persona dell'alta società; –**ize** *vt* socializzare
society *n* società
sociological *a* sociologico
sociologist *n* sociologo
sociology *n* sociologia
sock *n* calzetta, calzino; *(sl)* pugno; — *vt (sl)* colpire, dare un pugno
socket *n (elec)* incavo, portalampada *m*; *(eye)* orbita; *(joint)* manicotto, giunto; *(anat)* articolazione; *(tooth)* alveolo
sod *n* zolla erbosa
soda *n* soda; **baking** — bicarbonato di soda; — **water** selz *m*, acqua gassosa
sodium *n* sodio; — **chloride** clorato di sodio
sodomy *n* sodomia
sofa *n* sofà, canapè *m*; — **bed** sofà a letto, divano-letto
soft *a* molle; dolce; — **coal** carbone bituminoso; — **drink** bevanda analcoolica; –**ness** *n* morbidezza; tenerezza; debolezza; — **pedal** sordina
soft– *(in comp)* —**boiled** bassotto; — **pedal** *vt (coll)* abbassare il tono; diminuire; —**soap** *vt (coll)* adulare; —**spoken** *a* mellifluo; affabile
soften *vt* ammollire, addolcire, mitigare; — *vi* rammollirsi; addolcirsi; mitigarsi
softhead *n* imbecille *m*
softhearted *a* di buon cuore
soggy *a* inzuppato
soil *n* suolo; terra; sporcizia, macchia; letame; — *vi* sporcarsi

sojourn *n* soggiorno; — *vi* soggiornare
sol *n (mus)* sol *m*
solace *n* consolazione, conforto, — *vt* consolare
solar *a* solare; — **plexus** plesso solare; — **system** sistema solare
sold *a* venduto
solder *vt* saldare; — *vi* saldarsi; — *n* saldatura
soldering *n* saldatura; — **iron** saldatore *m*
soldier *n* soldato; — *vi* fare il soldato
sole *n (fish)* sogliola; *(foot)* pianta del piede; *(shoe)* suola; — *a* solo, unico; — *vt* risolare, solare
solecism *n* solecismo
solemn *a* solenne; grave; –**ity** n solennità; –**ization** n solennizzamento; –**ize** *vt* solennizzare
solicit *vt&i* sollecitare; fare colletta; pregare; –**ation** *n* sollecitazione, richiesta; –**or** *n* piazzista, propagandista *m*; –**ous** *a* sollecito; –**ude** *n* sollecitudine *f*
solid *a&n* solido; –**arity** *a* solidarietà; — **color** tinta unita; –**ity** *n* solidezza, solidità; –**ify** *vt* solidificare; –**ify** *vi* solidificarsi
solid state physics elettrofisica degli stati solidi
soliloquy *n* soliloquio
solitaire *n* solitario
solitariness *n* solitudine *f*
solitary *a* solitario; — **confinement** segregazione cellulare
solitude *n* solitudine *f*
solo *n&a (mus)* assolo
soloist *n* solista *m&f*
solstice *n* solstizio
solubility *n* solubilità
soluble *a* solubile
solution *n* soluzione
solve *vt* risolvere
solvency *n* solvibilità
solvent *a&n* solvente
somber *a* oscuro, ombroso, fosco; –**ness** *n* foscaggine *f*
some *a* qualche, un po'di; qualcuno; del, della, dei, delle; — *pron* alcuni *mpl*, alcune *fpl*; certi *mpl*; certe *fpl*; ne; — *adv* circa
some *(in comb)* –**body** *pron* qualcuno; –**day** *adv* qualche giorno; –**how** *adv* in qualche modo; –**one** *pron* qualcuno; –**one else** un altro; –**thing** *n* qualcosa; qualche cosa, –**time** *adv* qualche volta, uno di questi giorni; –**times** *adv* qualche volta, talvolta; –**what** *adv* alquanto, un poco; –**where** *adv* in qualche luogo; –**where else** altrove
somersault *n* capitombolo, capriola; — *vi*

far salti mortali (or capriole)
somnambulism *n* sonnambulismo
somnambulist *n* sonnambulo
somnolence sonnolenza
somnolent *a* sonnolente
son *n* figlio
sonata *n* sonata
song *n* canzone *f*; **–ster** *n* cantante *m*;
   –stress *n* cantante *f*
sonic *a* di suono, sonico; — **boom** *(avi)*
   strepito di aviogetto
son-in-law *n* genero
sonnet *n* sonetto
sonneteer *n* sonettista *m&f*
sonority *n* sonorità
sonorous *a* sonoro
soon *adv* presto, subito; **as — as** appena
   che; **How —?** Quando?; **–er** *adv* più
   presto; piuttosto; prima
soot *n* fuliggine *f*; **–y** *a* fuligginoso, nero
soothe *vt* calmare, lenire
soothing *a* calmante, mite; adulante
soothsayer *n* indovino
soothsaying *n* divinazione
sop *n* zuppa, pappa; **—, — up** *vt* inzuppare, assorbire; — *vi* inzupparsi;
   –ing *a* bagnato, inzuppato
sophist *n* sofista *m&f*
sophisticated *a* sofisticato; ricercato;
   raffinato
sophistication *n* sofisticazione; adulte-
   razione
sophistry *n* sofisticheria
sophomore *n* studente di secondo anno;
   fagiolo *(student sl)*
sophomoric *a* inesperto, poco giudizioso
soporific *n&a* soporifero
soprano *n* soprano
sorcerer *n* mago, stregone *m*
sorceress *n* maga, strega
sorcery *n* magia, stregoneria
sordid *a* sordido; **–ly** *adv* sordidamente;
   –ness sordidezza
sore *n* piaga; — *a* doloroso; *(coll)* arrabbiato; **–ness** *n* dolore *m*
sorghum *n* sorgo
sorority *n* associazione fra donne
sorrel *n (bot)* acetosa; — *a&n* sauro
sorrow *n* dolore *m*, pena; **–ful** *a* triste;
   addolorato; doloroso; — *vi* addolorarsi,
   affliggersi
sorry *a* spiacente, afflitto, dolente; meschino; **be —** essere spiacente
sort *n* sorta, genere *m*; specie *f*; — *vt*
   assortire
sortie *n (mil)* sortita
so-so *a&adv* così così
sot *n* ubriacone *m*
sough *vi* stormire, sussurrare
sought *a* cercato, ricercato

soul *n* anima; **–ful** *a* spirituale; **–less** *a*
   senz'anima
sound *n* suono; rumore *m*; *(geog)* stretto;
   — **barrier** barriera del suono; — **track**
   (movies) colonna sonora; — **wave** onda
   sonora; — *a* sano; solido; *(com)* solvente; **–ly** *adv* bene; profondamente; **–ness**
   n sanità; validità; **–less** *a* muto, senza
   suono
sound *vt* suonare, far suonare; sondare;
   — *vi* suonare, risuonare; sembrare
sounding *n (naut)* sondaggio; scandaglio;
   — *a* sonante, risonante, sonoro; —
   board tavola armonica; — **line** *(naut)*
   sonda, scandaglio
soundproof *a* refrattario al suono, anti-
   acustico
soup *n* minestra; zuppa; — **plate** scodella;
   –spoon *n* cucchiaione *m*; — **tureen**
   zuppiera; **–y** *a* come zuppa
soupçon *n* pizzico
sour *a* agro; aspro; **–ness** *n* acidità;
   asprezza; — *vt&i* rendere agro, inacidire;
   –ly *adv* aspramente
source *n* fonte *f*
souse *vt* mettere in salamoia; immergere,
   inzuppare, tuffare; — *vi* immergersi,
   inzupparsi, tuffarsi
south *n* sud *m*; **S– America** America del
   Sud; **S– American** sudamericano
southeast *n* sud-est *m*
southern *a* meridionale
southerner *n* meridionale *m&f*
southpaw *n&a (coll)* mancino
southwest *n* sud-ovest *m*
souvenir *n* ricordo
sovereign *a&n* sovrano
sovereignty *n* sovranità
soviet *n* soviet *m*; — *a* sovietico
sow *n* troia, scrofa
sow *vt&i* seminare; **–er** *n* seminatore *m*;
   –ing *n* semina
soy, soybean *n* soia
spa *n* stazione termale
space *n* spazio; — **capsule** capsula spaziale; — **platform** piattaforma interplane-
   tare; — **suit** tuta spaziale; — **travel**
   viaggio spaziale; **–man** *n* astronauta
   m; **–ship** *n* astronave *f*; — **station**
   stazione spaziale; — *vt* spaziare; inter-
   vallare
spacing *n* spaziatura
spacious *a* ampio; **–ness** *n* ampiezza
spade *n (cards)* picca; *(tool)* vanga; **call**
   a — a — dire pane al pane; — *vt* vangare
Spain Spagna
span *n* durata, portata; *(measure)* spanna;
   — *vt* attraversare, stendersi attraverso;
   abbracciare; *(measure)* misurare a

spanne
spangle *n* paglietta, lustrino; — *vt* adornare con lustrini; — *vi* luccicare
Spaniard *n* spagnolo
spaniel *n* bracco spagnolo
Spanish *n&a* spagnolo
spank *vt* sculacciare; **–ing** *n* sculacciamento
spar *n* antenna; *(avi)* alerone *m*; *(geol)* spato; *(naut)* albero; — *vi* fare un incontro di pugilato, combattere; discutere
spare *vt&i* risparmiare; tralasciare; — *a* di ricambio; smilzo; — **parts** pezzi di ricambio; — **time** tempo libero; — **tire** gomma di ricambio
spareness *n* scarnezza
sparerib *n* costoletta di maiale
sparing *a* frugale; parco, economo
spark *n* scintilla; — **plug** candela
sparkle *vi* scintillare; essere effervescente
sparkling *a* scintillante; effervescente
sparrow *n* passero
sparse *a* rado; **–ly** *adv* radamente; **–ness** *n* radezza
Spartan *n&a* spartano
spasm *n* spasmo, spasimo; **–odic** *a* spasmodico; **–odically** *adv* spasmodicamente
spastic *n&a* spastico
spat *n* battibecco; **–s** *npl (footwear)* ghette *fpl*; — *vi* bisticciare
spatial, spacial *a* spaziale
spatter *vt&i* spruzzare; **–ing** *n* spruzzata
spatula *n* spatola
spawn *n* progenie *f*; *(fish)* uova *fpl*; — *vt&i* generare; deporre uova
spay *vt* sterilizzare
speak *vt&i* parlare; — **out** parlar chiaro; — **up** parlare forte
speaker *n* parlatore, conferenziere, oratore *m*; *(mech)* altoparlante *m*
spear *n (grass)* stelo; fiocina; spiedo; lancia; **–fishing** pesca subacquea; — **gun** fucile subacqueo; **–head** *n* punta di lancia; **–mint** *n* menta; — *vt* trafiggere, fiocinare
special *a* speciale; — **delivery** per espresso; **–ist** *n* specialista *m*; **–ization** *n* specializzazione; **–ize** *vi* specializzarsi; **–ize** *vt* specializzare; **–ty** *n* specialità
specie *n* moneta metallica
species *n* specie *f*
specific *a* specifico; — **gravity** peso specifico; **–ally** *adv* specificamente
specification *n* specificazione
specious *a* specioso
specify *vt* specificare
specimen *n* campione *m*
speck *n (amount)* tantino; macchiolina

speckle *vt* variegare; marcare a puntini; — *n* puntino, macchiolina; **–d** *a* variegato, macchiettato
spectacle *n* spettacolo
spectacles *npl (glasses)* occhiali *mpl*
spectacular *a* spettacoloso, spettacolare, sensazionale
spectator *n* spettatore *m*; spettatrice *f*
specter *n* spettro
spectral *a* spettrale
spectroscope *n* spettroscopio
spectrum *n* spettro
speculate *vi* speculare
speculation *n* speculazione
speculator *n* speculatore *m*
speculative *a* speculativo
speech *n* discorso; linguaggio; **–less** *a* muto; figura *f* retorica
speed *n* velocità; **–boat** *n* motoscafo; **–ily** *adv* velocemente; **–iness** *n* rapidità; — **limit** velocità massima; **–ometer** *n* contachilometri *m*; **–way** *n* autopista; **–y** *a* rapido; — *vt* affrettare, far accelerare; — *vi* affrettarsi, accelerare, aumentare la velocità
speed-up *n* accelerazione, acceleramento
spell *n* malia; **–bound** *a* affascinato, incantato; **–binder** *n (coll)* oratore che conquista l'auditorio
spell *vt* compitare, sillabare; **–er** *n (book)* sillabario; *(person)* chi compita
spelling *n* ortografia; — **bee** emulazione *(or* gara) in ortografia
spend *vt* spendere; *(time)* trascorrere; esaurire; **–er** *n* consumatore *m*
spendthrift *n* scialacquatore *m*
spent *a* speso; esaurito
sperm *n* sperma *m*; — **whale** capidoglio
spermatozoa *npl* spermatozoi *mpl*
spew *vt&i* vomitare
sphere *n* sfera
spherical *a* sferico
spheroid *n&a* sferoide *m*
sphincter *n (anat)* sfintere *m*
sphinx *n* sfinge *f*
spice *n* spezie *f*; — *vt* condire con spezie
spiciness *n* gusto piccante
spick-and-span *a* pulito alla perfezione
spicy *a* drogato, pepato, piccante
spider *n* ragno; **–y** *a* come un ragno; — **web** ragnatela
spigot *n* turacciolo; zipolo; rubinetto
spike *n* punta; chiodo; *(bot)* aculeo; *(corn)* spiga; — *vt* inchiodare; infilzare
spill *n* caduta; zipolo, legnetto; — *vt* spargere, versare; confessare; — *vi* versarsi, rovesciarsi
spin *vt* filare; girare; — *n* giro; rotazione; *(avi)* vite *f*; avvitamento; corsa
spinach *n* spinaci *mpl*

spinal *a* vertebrale; — **cord** midollo spinale; — **column** colonna vertebrale
spindle *n* fuso, asse *m*
spine *n* (*anat*) spina dorsale; (*book*) dorso del libro; (*bot*) spina; **–less** *a* invertebrato; slombato
spinet *n* (*mus*) spinetta
spinning *n* filatura; — **jenny** filatoio; — **mill** filanda; — **wheel** ruota per filare; filatoio; — *a* girante, rollante
spinster *n* zitella
spiny *a* spinoso; difficile
spiral *a&n* spirale *f*
spire *n* cuspide *f*, guglia; (*bot*) stelo
spirit *n* spirito; — **level** livello ad aria; **–less** *a* abbattuto, avvilito; **–ed** *a* vivace, coraggioso; — *vt* animare, ravvivare; — **away** trafugare
spirits *npl* bevande alcooliche; liquori *mpl*; **in high** — di buon umore
spiritual *a* spirituale; **–ism** *n* (*philosophy*) spiritualismo; spiritismo; **–ist** *n* spiritista *m&f*
spit *n* sputo; (*cooking*) spiedo; (*land*) lingua di terra; — *vt&i* sputare
spite *n* dispetto, rancore *m*, **in** — **of** malgrado; **–ful** *a* dispettoso; — *vt* vessare; far dispetto a
spitfire *n* stizzoso, irascibile *m*; (*avi*) spitfire *m*
spittle *n* saliva, sputo
spittoon *n* sputacchiera
splash *n* schizzo; — *vt&i* schizzare
spleen *n* (*organ*) milza; malinconia, malumore *m*; **–ful** *a* bisbetico, imbronciato
splendid *a* splendido, magnifico; **–ly** *adv* splendidamente
splendor *n* splendore *m*
splice *n* calettatura, unione *f*, impiombatura; — *vt* calettare, unire, impiombare
splint *n* stecca
splinter *n* scheggia; — *vt* scheggiare; — *vi* scheggiarsi
split *vt&i* fendere, scindere; spaccarsi; dividere; — *n* fessura, scissione; (*dance*) spaccata
splitting *a* fendente, spaccante; — *n* (*atom*) scissione; — **headache** mal di testa lancinante
splotch *vt* macchiare, chiazzare; — *n* macchia, chiazza; **–ed** *a* macchiato, chiazzato; **–y** *a* macchiato
splurge *n* (*coll*) sfoggio, ostentazione; — *vt* (*coll*) sfoggiare, ostentare
splutter *vi* barbugliare
spoil *vt* guastare, viziare, rovinare; — *vi* guastarsi; infradiciarsi; **–age** *n* deterioramento
spoils *npl* bottino
spoilsport *n* guastafeste *m*

spoke *n* raggio
spokesman *n* portavoce *m&f*
sponge spugna; — *vt&i* usare la spugna; (*coll*) scroccare
sponger *n* (*coll*) scroccone *m*
sponginess *n* spugnosità
spongy *a* spugnoso
sponsor *n* garante *m*; padrino, madrina; (*rad, TV*) patrocinatore *m*; — *vt* garantire; **–ship** *n* garanzia
spontaneity *n* spontaneità
spontaneous *a* spontaneo; **–ly** *adv* spontaneamente
spool *n* bobina
spoon *n* cucchiaio; **–ful** *n* cucchiaiata
spoor *n* traccia, pista, orma
sporadic *a* sporadico
spore *n* spora
sport *n* sport *m*; (*biol*) anomalia; **–ing** *a* sportivo; **–ive** *a* scherzevole; — *vi* divertirsi; giuocare; — *vt* (*coll*) ostentare
sportsman *n* sportivo
spot *n* macchia, punto; (*place*) luogo; **be on the** — (*sl*) essere nei guai; **–light** *n* fascio di luce; proiettore *m*; **–less** *a* immacolato; — *vt* (*place*) collocare; (*blemish*) macchiare; punteggiare
spotted *a* macchiato
spotty *a* macchiato; picchiettato
spouse *n* sposo, sposa
spout *vt* spruzzare; — *vi* sgorgare — *n* sgorgo; becco, tubo
sprain *n* storta; — *vt* storcere
sprawl *vi* sdraiarsi, distendersi; **–ing** *a* sdraiato, disteso
spray *vt* spruzzare, vaporizzare; — *n* (*flowers*) ramoscello; spruzzo, getto; raffica; (*device*) spruzzatore *m*
spread *n* distesa; (*bed*) coperta da letto; (*bread*) companatico da spalmare; (*coll*) festa, banchetto
spread *vt&i* spargere; (*news*) divulgare, diffondere; stendere, spalmare
spree *n* baldoria
sprig *n* ramoscello; rampollo
sprightliness *n* vivacità
sprightly *a* vivace
spring *n* (*elasticity*) elasticità; (*leap*) salto, balzo; (*metal*) molla; (*movement*) scatto; (*season*) primavera; (*water*) sorgente *f*; **–board** *n* trampolino; **–lock** *n* serratura a scatto; — **fever** (*fig*) indolenza primaverile; **–y** *a* elastico; — *vt&i* molleggiare; (*water*) scaturire; (*jump*) saltare; (*leak*) aprire; — **from** originare da, provenire da; — **up** balzare su; (*rise*) nascere, sorgere
springlike *a* primaverile
sprinkle *n* aspersione; spruzzata; — *vt* spruzzare; cospargere; — *vi* pioviggi-

nare; **-r** n spruzzatore m
sprinkling n spruzzata; spruzzo
sprint n (sport) volata; — vi fare una volata, correre in volata; **-er** n velocista m
sprite n folletto
sprocket n dente di ruota
sprout n germoglio; rampollo; — vi germogliare
spruce a lindo; — n (bot) abete m; — vt allindare; — vi allindarsi
spry a agile, lesto; **-ness** agilità
spume n schiuma, spuma
spumy a spumoso
spun a filato
spunk n (coll) coraggio
spunky a (coll) coraggioso
spur n sperone m; stimolo; **on the — of the moment** lì per lì, senza riflettere; — vt incitare, spronare
spurious a spurio
spurn vt sdegnare, respingere; **-ing** n respingimento
spurt n getto, zampillo; (sport) scatto, volata; — vt&i spruzzare, zampillare, scaturire
sputter n spruzzo; balbettio; — vi spruzzare; schizzare; balbettare; **-ing** a balbettante
sputum n sputo
spy n spia; — vt&i spiare; far la spia
spyglass n cannocchiale m
squab n piccioncino
squabble n lite f; — vi litigare
squad n squadra
squadron n squadrone m; (avi) squadriglia
squalid a squallido
squall n (storm) turbine m; strillo; — vi strillare, sbraitare; turbinare
squalor n squallore m
squander vt sperperare
square n quadrato; piazza; — a quadrato; (com) saldato; giusto; — vt quadrare; **— measure** misura di superficie; **— root** radice quadrata
square-rigged a (naut) a vele quadre
squash n zucca; schiacciamento; — vt schiacciare
squat vi accosciarsi; **-ty** a tozzo
squawk n strido, gracidio; — vi gracidare
squeak vi squittire; — n strido
squeal n strillo; (coll) delazione; — vt&i strillare; (coll) delatare
squeamish a schifiltoso; **-ness** n schizzinosità
squeeze n stretta; estorsione; — vt spremere; stringere; — vi insinuarsi, intromettersi; **— out** spremere; **lemon -r** spremilimone m
squelch n risposta mordace; — vt schiac-

ciare; tacitare, soffocare
squib n satira
squid n calamaro
squint n sguardo strabico; (med) strabismo; (coll) occhiata di sbieco; — vi guardare con gli occhi socchiusi; (med) essere strabico
squint-eyed a strabico
squinting n strabismo; — a con gli occhi socchiusi; (med) strabico
squire n gentiluomo di campagna; scudiere m; — vt scortare
squirm vi contorcersi; **-ing** n contorcimento
squirrel n scoiattolo
squirt n (syringe) siringa; spruzzo; (coll) persona meschina, omiciattolo; — vt&i spruzzare, zampillare
stab n pugnalata, stoccata; — vt accoltellare, pugnalare; **— in the back** pugnalare alle spalle; **make a — at** fare un tentativo
stability n stabilità
stabilization n stabilizzazione
stabilize vt stabilizzare; **-r** n stabilizzatore m
stable a fermo, stabile — n scuderia, stalla — vt mettere nella stalla
staccato a staccato
stack n mucchio, ammasso; — vt ammucchiare; (cards) preparare per barare
stadium n stadio
staff n bastone m; (editorial) corpo redazionale; (mus) pentagramma m; (office) personale m; (teaching) corpo degli insegnanti; **— of life** mezzo di prima necessità; il pane quotidiano (fig)
stag n cervo; **— party** serata per uomini soli
stage n scena, palcoscenico, teatro; tappa; **— fright** panico dell'attore; **— manager** direttore di scena; **-coach** n diligenza; **-craft** n arte scenica; **-hand** n macchinista scenico; — vt mettere in scena
stagger vi vacillare; esitare; — vt sconcertare; far barcollare; scuotere; **-ed** a a intervalli, d'intervallo, alternato; **-ing** a barcollante; titubante
staging n messa in scena
stagnancy n ristagno
stagnant a stagnante
stagnate vi ristagnare
stagy a teatrale
staid a posato, severo, serio; **-ness** n gravità, posatezza
stain n macchia; — vt tingere, macchiare, sporcare; — vi sporcarsi, macchiarsi; **-ed** a macchiato; sfregiato; **-ed glass**

vetro colorato
stainless *a* senza macchia, immacolato; —
steel acciaio inossidabile
stair *n* gradino, scalino; **–case**, **–way** *n*
scala; **–s** *npl* scale *fpl*; scalinata
stake *n* (*wager*) posta, scommessa; (*wooden*) palo, stecco; — *vt* scommettere;
puntellare; sostenere; — **a claim** dichiararsi proprietario
stalactite *n* stalattite *f*
stalagmite *n* stalagmite *f*
stale *a* raffermo, stantio; — *vt&i* invecchiare; (*baked products*) seccare; **–ness**
n vecchiezza
stalk *n* stelo; picciuolo; torsolo; — *vi* camminare impettito; — *vt* seguire la pista
di
stallion *n* stallone *m*
stalwart *a* robusto; coraggioso
stamen *n* stame *m*
stamina *n* resistenza fisica, vigore *m*
stammer *vt&i* balbettare; **–er** *n* balbuziente *m*; **–ing** *n* balbuzie *f*
stamp *n* impressione; stampa; (*postage*)
francobollo; (*revenue*) marca da bollo;
(*rubber*) timbro di gomma; — **pad**
cuscinetto per timbri; — *vt* battere,
pestare, imprimere; (*mail*) affrancare;
— *vi* scalpicciare, battere i piedi; — **out**
estirpare, sradicare
stampede *n* fuga precipitosa; — *vi* fuggire
precipitosamente; — *vt* mettere in fuga
precipitosa
stance *n* atteggiamento
stand *n* edicola; fermata; posizione; pausa, sosta; tribuna; **–point** *n* punto di
vista; **–still** *n* arresto, fermata; — *vi*
stare; fermarsi; star diritto; essere;
rimanere; alzarsi; — *vt* mettere; tollerare; — **aside** tenersi da parte; —
back of rispondere per, garantire per;
(*behind*) stare dietro di; — **by** assistere, difendere, sostenere; — **for** tollerare; significare; prendere la parte
di; sostituire; — **off** tenersi da parte;
it –s to reason è ovvio; — **up** tenersi
ritto; — **up against** opporsi a; essere
contro; — **up for** sostenere, difendere
standard *n* stendardo; criterio, norma; —
of living tenore di vita; — *a* normale,
usuale; standardizzato; **–ization** *n* standardizzazione; **–ize** *vt* standardizzare
standard-bearer *n* portabandiera *m*
stand- (*in comp*) **—by** *n* appoggio; **—in** *n*
controfigura
standing *a* permanente, fisso; — *n* (*duration*) durata; posizione, rango; — **army**;
esercito permanente; — **order** ordine
permanente; — **room** posto in piedi
standoffish *a* superbo, altero, riservato

stanza *n* strofa
staple *n* prodotto principale; (*metal*)
chiodo ad U; — *a* stabilito, principale;
–r *n* (*paper*) cucitrice a grappe
star *n* stella, astro; (*print*) asterisco;
evening — espero; **shooting** — stella
filante; **–board** *n* tribordo; **–board** *a*
di tribordo; **–gazer** *n* astronomo; **–
less** *a* senza stelle; **–light** *n* luce stellare; **–lit** *a* stellato, illuminato di stelle; **–ry** *a* stellato; — *vi* essere un astro
cinematografico (or teatrale); primeggiare; — *vt* cospargere di stelle; (*mark*)
indicare con asterisco
starch *n* amido; — *vt* inamidare; **–iness**
n inamidatezza; **–y** *a* amidoso
stare *vt&i* guardare fisso; — *n* sguardo
fisso
starfish *n* stella di mare
stark *a* inflessibile, rigido; proprio;
completo; desolato; — *adv* completamente
starling *n* stornello
starry-eyed *a* dagli occhi scintillanti, dagli
occhi sognanti
star-spangled *a* stellato, punteggiato di
stelle
start *n* principio; sussulto; vantaggio;
partenza; avviamento; — *vt&i* cominciare; trasalire; partire; mettere in
moto, fondare; — **again** ricominciare;
starter *n* (*auto*) avviamento; iniziatore *m*;
partente *m*
starting *n* partenza; sussulto; (*beginning*)
inizio, principio; (*business*) lancio; —
gate, **post** palo di partenza; — **point**
punto di partenza
startle *vt* far trasalire, sorprendere,
spaventare
startling *a* sorprendente; emozionante; allarmante
starvation *n* inedia; fame *f*
starve *vi* morire di fame; — *vt* affamare,
far morire di fame
starving *a* famelico
state *n* stato; condizione; **–craft** *n* arte di
governo; **–ly** *a* maestoso; **–liness** *n*
imponenza, maestà; **–room** *n* cabina;
— *a* statale; — *vt* dichiarare
statement *n* dichiarazione, affermazione;
(*com*) rendiconto; distinta
statesman *n* uomo di stato; **–ship** *n* arte di
governo, politica
static *n* disturbi atmosferici; — *a* statico
station *n* stazione; posto; (*social*) posizione sociale; — **agent**, **–master** capostazione *m*; — **break** (*rad*) intervallo;
— **wagon** giardinetta; — *vt* mettere a
posto; collocare
stationary *a* stazionario

stationer *n* cartolaio

stationery *n* articoli di cancelleria; — **store** cartoleria

Stations of the Cross Stazioni della Via Crucis

statistic, -al *a* statistico

statistics *npl* statistica

statistician *n* statistico, esperto in statistica

statuary *n* scultura; statue *fpl*

statue *n* statua; **-sque** *a* scultoreo; statuario

statuette *n* figurina, statuetta

stature *n* statura

status *n* stato, condizione, rango

statute *n* statuto; — **law** legge statutaria

statutory *a* statutario

staunch *a* fermo; leale, fido; — *vt* stagnare

stave *n* doga; *(ladder)* piuola; *(lit)* strofa; — *vt* dogare; — **in** sfondare; — **off** stornare

stay *n* soggiorno; sostegno; *(delay)* proroga; — *vi (remain)* soggiornare, rimanere; *(bear up)* sostenersi; — *vt* prorogare; *(prop)* puntellare; *(stop)* fermare; — **up** *(in place)* stare; *(awake)* vegliare; **-ing power** resistenza

stay-at-home *n* casalingo, persona che ama la propria casa

stead *n* posto; vece *f*; **-fast** *a* risoluto, costante; **-iness** *n* stabilità; **-y** *a* stabile; fisso, fermo

steak *n* bistecca

steal *n (coll)* guadagno senza scrupoli, vantaggio disonesto; — *vt&i* rubare; — away allontanarsi furtivamente

stealth *n* segreto; **-ily** *adv* furtivamente; **-y** *a* furtivo, segreto

steam *n* vapore *m*; **-ing** *a* fumante; — **roller** rullo compressore; **-ship** *n* piroscafo; bastimento

steel *n* acciaio; **stainless** — acciaio inossidabile; **tempered** — acciaio temperato; — **engraving** incisione su acciaio; — **mill** acciaieria; — *a* d'acciaio; **-y** *a* acciaioso; duro; — *vt* fortificare, indurire; temprare; — **oneself** indurirsi

steelyard *n* stadera

steep *a* ripido; *(coll)* caro; **-ly** *adv* ripidamente; **-ness** *n* ripidità; — *vt* imbevere, impregnare

steeple *n* campanile *m*, guglia

steeplechase *n* corsa ad ostacoli

steer *n* manzo

steer *vt* guidare; *(naut)* pilotare; — *vi* sterzare; — **clear of** evitare, girar al largo da

steerage *n* pilotaggio, viraggio, guida; terza classe

steering *n* direzione; *(naut)* governo; *(auto)* guida; — **gear** comando; sterzo;

— **wheel** volante *m*

steersman *n* timoniere *m*

stein *n* boccale da birra

stellar *a* stellare

stellate *a* stellato

stem *n* gambo; *(bot)* stelo; *(gram)* radice *f*; *(mus)* gamba; *(naut)* prua; *(watch)* caricatore *m*; — *vt* resistere a, arginare; — **from** aver origine da

stench *n* puzza

stencil *n* stampino; — *vt* stampinare

stenographer *n* stenografo, stenografa

stenographic *a* stenagrafico

stenography *n* stenografia

stenotype *n* macchina da stenodattilografia

stentorian *a* stentoreo

step *n* passo; *(stairs)* gradino; *(door)* soglia; — *vi* fare un passo, camminare; — **in** entrare; — **off** misurare a passi; — **on** calpestare; — **out** uscire; **take -s** fare passi *(fig)*

stepbrother *n* fratellastro

stepchild *n* figliastro, figliastra

stepdaughter *n* figliastra

stepfather *n* patrigno

stepladder *n* scala a piuoli

stepmother *n* matrigna

steppe *n* steppa

steppingstone *n* pietra a guado; *(fig)* trampolino *(fig)*

stepsister *n* sorellastra

stepson *n* figliastro

stereographic *a* stereografico

stereophonic *a* stereofonico

stereoscope *n* stereoscopio

stereotype *n* stereotipo; — *vt* stereotipare

sterile *a* sterile

sterility *n* sterilità

sterilization *n* sterilizzazione

sterilize *vt* sterilizzare

sterling *a* genuino, vero; — **silver** argento puro

stern *a* austero, severo; — *n (naut)* poppa; **-ly** *adv* severamente; **-ness** *n* severità, austerità

sternum *n* sterno

stethoscope *n* stetoscopio

stevedore *n* stivatore *m*

stew *n* stufatino, ragù *m*; **be in a** — *(coll)* essere in imbarazzo; — *vt* cuocere lentamente; — *vi* cuocersi lentamente

steward *n* economo; *(ship)* cameriere di bordo; **-ess** *(avi)* hostess *f*; **chief** — capo commissario

stick *n* bastone *m*; **-er** *n (label)* etichetta; **-ler** *n* pedante *m&f*; rigido; — *vt* attaccare, fissare, conficcare, appiccicare; *(pierce)* trafiggere; pungere; — *vi* aderire, appiccicarsi; persistere, ostinarsi, preseverare; — **out** sporgersi; —

up alzarsi; *(rob)* rapinare; — up for parlare in difesa di; -y *a* appiccicoso
stiff *a* rigido; -ly *adv* con difficoltà; rigidamente; — neck torcicollo; -ness *n* severità, rigidezza; consistenza
stiffen *vt* irrigidire; rassodare; — *vi* irrigidirsi; rassodarsi
stiffening *n* irrigidimento; *(cloth)* rinforzo, imbozzimatura
stifle *vt&i* soffocare
stifling *a* soffocante
stigma *n* stigma
stigmata *npl* stimmate *fpl*
stiletto *n* stiletto
still *vt* calmare; silenziare; — *a* silenzioso; calmo; fermo; — *n* quiete *f*; silenzio; — *adv* ancora, tuttora; -born *a* nato morto; — life natura morta; -ness *n* silenzio, quiete *f*; immobilità
stilted *a* affettato, pomposo
stilts *npl* trampoli *mpl*
stimulant *a&n* stimolante *m*
stimulate *vt* stimolare
stimulation *n* stimolo, incitamento
stimulus *n* stimolo
sting *vt&i* pungere, bruciare, dolere; — *n* puntura d'insetto; bruciore *m*; *(object)* pungiglione *m*; pungolo; -ing *a* pungente, mordace
stinginess *n* grettezza
stingy *a* spilorcio; meschino
stink *vi* puzzare; — *n* puzza; -er *n (sl)* puzzone *(sl) m*
stint *n* limite *m*; restrizione; compito; — *vt* limitare; — *vi* economizzare
stipend *n* stipendio
stipple *vt* punteggiare
stippling *n* punteggiatura
stipulate *vt&i* stipulare
stipulation *n* stipulazione
stir *vt* rimescolare; agitare, scuotere; attizzare; — *vi* agitarsi, scuotersi; stormire; — *n* eccitamento; moto; tumulto
stirring *a* emozionante
stirrup *n* staffa
stitch *vt* cucire; — *n* punto; *(knitting)* maglia
stock *n* assortimento; scorta; *(cattle)* bestiame *m*; *(com)* valore *m*, titolo; *(cooking)* brodo; *(gun)* fusto; *(handle)* manico; *(material)* materiale *m*; *(lineage)* schiatta; -broker *n* operatore di borsa; — company *(theat)* repertorio; compagnia stabile; — exchange borsa valori, -holder *n* azionista *m*; — in trade mercanzia; take — of inventariare — *a* disponibile; — *vt* provvedere, fornire; popolare, immettere
stockade *n* stecconata

stocking *n* calza; in — feet senza scarpe
stockpile *n* riserva; — *vt* accumulare; *(reserve)* immagazzinare
stock-still *a* immobile
stocky *a* tozzo
stockyards *npl* chiusa per il bestiame
stodgy *a* pesante; ingombrante; noioso
stoic *n&a* stoico; -al *a* stoico; -ism *n* stoicismo
stoke *vt* attizzare; -er *n (mech)* fochista
stole *n* stola
stolid *a* stolido; impassibile; -ity *n* impassibilità, stolidità
stomach *n* stomaco; -ache *n* dolore di stomaco; — *vt* digerire, mangiare; tollerare; turn one's — nauseare, stomacare
stone *n* pietra; sasso; *(fruit)* nocciolo; *(med)* calcolo; -cutter *n* tagliapietra *m*; -hearted *a* dal cuore di pietra; -less *a* senza pietre *(or* nocciuolo); -mason *n* muratore *m*; -ware *n* vasellame di pietra; -work *n* muratura; -y *a* sassoso; — *a* di pietra; — *vt* lapidare; *(fruit)* togliere il nocciolo a; *(pave)* acciottolare
stone- *(in comp)* -blind *a* completamente cieco; -broke *a (sl)* in bolletta *(coll)*; -dead *a* morto stecchito; -deaf *a* sordo come una campana
stoning *n* lapidazione
stooge *n (coll)* tirapiedi *m*
stool *n* sgabello; escremento, feci *mpl*
stoop *vi* chinarsi, abbassarsi; — *vt* inchinare, abbassare; — *n (porch)* portico; curvatura
stop *n* fermata; sosta; interruzione; *(mus)* registro; -gap *n* stoppabuchi, turabuchi *m*; sostituto; -light *n* semaforo; -over *n* sosta, fermata; — sign segnale di fermata; — watch cronometro; — *vt* fermare; sospendere, cessare; impedire; — *vi* fermarsi; smettere; — in visitare; — off, over sostare, fermarsi; — up otturare
stoppage *n* cessazione
stopper *n* fermante *m*; tappo; chiusura; — *vt* turare, tappare
stopping *n* arresto, fermata; otturazione; — *a* fermante; tappante
storage *n* magazzinaggio; — battery accumulatore
store *n* negozio; scorta; magazzino; in — in riserva; in deposito; set — by dare importanza a; -house *n* magazzino; -keeper *n* magazziniere; negoziante *m*; -room *n* magazzino; — *vt* conservare; immagazzinare; fornire
storied *a* istoriato
stork *n* cicogna

storm *n* tempesta; — **cellar** rifugio per tempesta; — **door** porta antintemperie; — **window** finestra da tempesta; **–bound** *a* bloccato da tempesta; **–proof** *a* a prova di tempesta; **–y** *a* tempestoso; — *vt* assalire; — *vi* imperversare

story *n* favola, racconto; *(building)* piano; **–teller** *n* novelliere *m*; raccontatore *m*; *(liar)* bugiardo

storybook *n* libro di racconti

stout *a* robusto; tarchiato; **–ness** *n* corpulenza; risolutezza

stouthearted *a* intrepido

stove *n* *(cooking)* fornello; cucina; *(heating)* stufa; **–pipe** *n* tubo della stufa; **–pipe hat** *(coll)* cappello a cilindro

stow *vt* stivare; smettere; — **away** *(naut)* imbarcarsi clandestinamente; **–away** *n* viaggiatore clandestino

straddle *vi* divaricare le gambe; — *vt* sedere a cavalcioni; *(coll)* essere equivoco

straggle *vi* sbandarsi; sperdersi; **–r** *n* disperso; sbandato

straight *a* diritto; retto, onesto; *(drink)* liscio; **–forward** *a* franco, schietto; **–ness** *n* dirittura; rettitudine *f*; **–way** *adv* immediatamente, subito; — *adv* direttamente

straighten *vt* raddrizzare; rassettare; — *vi* raddrizzarsi

strain *n* sforzo, strappo; razza; *(mus)* ritmo, motivo; tono; — *vt* colare, filtrare; sforzare; storcere; — *vi* sforzarsi; storcersi; colarsi

strainer *n* colatoio, colabrodo

strait *n* *(geog)* stretto; — **jacket** camicia di forza; **–s** *npl* difficoltà *fpl*

straiten *vt* restringere

strait-laced *a* scrupoloso, rigoroso

strand *n* spiaggia, riva, lido; *(thread)* filo; — *vt* far arenare; far incagliare; — *vi* arenarsi; incagliarsi; **be –ed** essere abbandonato

strange *a* strano, singolare; **–ness** *n* singolarità, stranezza; **–ly** *adv* curiosamente, stranamente; **–r** *n* straniero

strangle *vt* strangolare; — *vi* strangolarsi; **–hold** *n* stretta mortale

strangling *n* strangolatura

strangulate *vt* strangolare, strozzare

strangulation *n* strozzatura, strangolatura

strap *n* correggia, cinghia; — *vt* legare, con cinghia; *(punish)* staffilare

strapping *a* robusto

stratagem *n* stratagemma *m*

strategic *a* strategico

strategist *n* stratega *m*

strategy *n* strategia

stratification *n* stratificazione

stratify *vt* stratificare

stratosphere *n* stratosfera

stratum *n* strato

straw *n* paglia; — **vote** votazione preliminare; **last** — *(fig)* colmo

strawberry *n* fragola

stray *vi* fuorviarsi, smarrirsi; — *a* smarrito; sperso; randagio; *(fig)* fortuito; — *n* animale randagio

streak *vt* striare; — *n* striscia; **–y** *a* striato

stream *n* fiume *m*, corso d'aqua, corrente *f*; — *vi* scorrere; fluire; **–er** *n* pennone *m*, banderuola

streamline *vt* sveltire, modernizzare; rendere aerodinamico; **–d** *a* aerodinamico

street *n* strada, via; **–car** *n* tram *m*; **–light** *m* fanale, lampione *m*; — **sweeper** spazzino; *(mech)* spazzatrice meccanica; **–walker** *n* prostituta, donna di marciapiede *(coll)*

strength *n* potenza, forza, energia; resistenza; **at full** — in pieno, al completo

strengthen *vt* rinforzare; consolidare; — *vi* rafforzarsi; consolidarsi

strenuous *a* energico, vigoroso; **–ness** *n* strenuità

streptococcus *n* streptococco

streptomycin *n* streptomicina

stress *n* risalto; sforzo; *(gram)* accento tonico; *(med)* tensione *f*; *(mech)* pressione; — *vt* accentuare, accentare, far risaltare

stretch *n* tensione; stiramento; sforzo; distesa; periodo; **at a** — d'un tratto; — *vt* tendere; stirare; esagerare; sforzare; — *vi* stendersi; stirarsi; allungarsi

stretcher *n* *(frame)* telaio; *(med)* barella; **–bearer** *n* portabarelle *m*

strew *vt* sparpagliare

striated *a* striato

stricken *a* colpito

strict *a* severo, stretto; **–ly** *adv* strettamente; esattamente; **–ness** *n* esatezza; rigore *m*; **–ure** *n* censura, critica; *(med)* restringimento

stride *n* passo lungo; — *vi* camminare a gran passi

strident *a* stridente

strife *n* conflitto

strike *n* colpo; *(baseball)* battuta; *(labor)* sciopero; *(mine)* scoperta; **be on** — essere in isciopero; **go on** — scioperare; **–breaker** *n* crumiro; **–r** *n* *(labor)* scioperante *m*; — *vt* colpire; *(mine)* scoprire; *(hour)* scoccare; *(match)* accendere; — **a bargain** concludere un affare; — **out** *(delete)* cancellare; partire; — *vi* scioperare

striking *a* impressionante, notevole, sensazionale; **–ingly** *adv* sensazionalmente

string *n* filo, spago, laccio; *(mus)* corda; — **beans** fagiolini *mpl*; **-y** *a* fibroso
string *vt* legare; — **up** *(hang)* impiccare; — **out** prolungare; — **along** *(coll)* ingannare; **-ed instrument** strumento a corde
stringency *n* severità; limitazione; penuria
stringent *a* stringente; urgente, rigido
strings *npl (mus)* corde; fili; *(coll)* limitazioni *fpl*; **no — attached** senz'obbligazione
strip *n* striscia; — *vt* privare; *(undress)* spogliare; — *vi* spogliarsi; — **tease** spogliarello *(coll)*; **comic —** fumetti *mpl*
stripe *n* striscia, riga; *(mil)* gallone *m*; sferzata; — *vt* rigare
striped *a* rigato
stripling *n* giovanotto
strive *vi* sforzarsi
striving *n* sforzo; — *a* sforzato, forzoso
stroke *n* colpo; tratto; accesso; *(swimming)* bracciata; *(med)* colpo apoplettico; — **of luck** colpo di fortuna; **on the — of** allo scoccare di; — *vt* accarezzare, lisciare
stroll *n* passeggiatina; — *vi* vagare, fare una passeggiata; **-ing** *a* vagabondo, ambulante; **-er** *n (person)* vagabondo, girovago; *(baby's)* carrozzina per neonati, portinfante *m*
strong *a* forte; duro, robusto; **-box** *n* cassaforte *f*; **-hold** *n* fortezza; caposaldo; **-ly** *adv* fortemente
strong-minded *a* ardito, risoluto
strong-willed *a* risoluto
strontium *n* stronzio
strop *n* coramella; — *vt* affilare sulla coramella
strophe *n* strofa
structural *a* strutturale; — **steel** ferro trafilato per strutture
structure *n* struttura, edifizio, costruzione
struggle *n* lotta; — *vi* lottare
strum *vt&i* strimpellare
strumpet *n* prostituta
strut *n* tronfiezza, modo impettito di camminare; *(prop)* puntello; *(avi)* montante *m*; — *vi* pavoneggiarsi
strychnine *n* stricnina
stub *n* ceppo; mozzicone *m*; *(ticket)* matrice *f*; — *vt* estirpare; *(hit)* sbattere; **-by** *a* tozzo; pieno di ceppi
stubble *n* stoppia
stubbly *a* stopposo; *(hair)* ispido
stubborn *a* ostinato, testardo; **-ness** *n* ostinazione
stucco *n* stucco
stuck *a* attaccato; traffitto; incollato
stud *n* borchia; *(stable)* scuderia; *(prop)*

pilastrino; **-horse** *n* cavallo da razza; — *vt* guarnire con borchie
student *n* studente *m*, studentessa
studied *a* studiato, affettato
studio *n* studio; — **couch** letto alla turca
studious *a* studioso; **-ness** studiosità
study *n* studio; cura, diligenza; — *vt&i* studiare
stuff *vt (cram)* riempire, imbottire, rimpinzare; *(crowd)* pigiare; *(cooking)* infarcire; imbottire; — *n (things)* stoffa, roba, materia; — **and nonsense** insensatezza; **-ed** *a* imbottito, rimpinzato; **-ing** *n (pillow)* imbottitura; *(food)* ripieno; **-y** *a* soffocante, chiuso; *(coll)* rigido, inflessibile
stultify *vt* rendere ridicolo *(or* insignificante); svalorare
stumble *vi* inciampare; barcollare; — *n (in speech)* papera; inciampata
stumbling *a* inciampante; — *n* inciampamento; *(in speech)* balbettio; — **block** ostacolo; scoglio *(fig)*
stump *n* ceppo, tronco, mozzicone *m*; *(art)* sfumino; — *vt* disorientare, confondere; — *vi* camminare pesantemente; *(pol)* fare tournée di comizi politici
stun *vt* stordire
stunning *a* stupendo, sbalorditivo, meraviglioso; che stordisce
stunt *n (coll)* esibizione, montatura; — **flying** acrobazia aviatoria; — *vt* ostacolare; arrestare lo sviluppo di; — *vi* esibirsi
stupefaction *n* stupefazione
stupefy *vt* istupidire, stupefare; **-ing** *a* stupefacente
stupendous *a* stupendo
stupid *a* stupido, sciocco; **-ity** *n* stupidaggine *f*
stupor *n* stupore, torpore *m*
sturdily *adv* vigorosamente
sturdiness *n* vigore *m*, robustezza
sturdy *a* forte, resistente
stutter *vt&i* tartagliare; — *n* balbuzie *f*; **-er** *n* balbuziente *m&f*; **-ing** *n* balbettamento; **-ing** *a* balbettante
sty *n (med)* orzaiuolo; *(pig)* porcile *m*
style *n* stile *m*, moda; maniera; — *vt* disegnare, stilizzare; chiamare, nominare
stylish *a* elegante
stylist *n* stilista *m&f*
stylistic *a* stilistico
stylize *vt* stilizzare
stylus *n* stilo; puntina di fonografo
stymie *vt* ostacolare
styptic *n&a* astringente; — **pencil** matita emostatica
suable *a* processabile
suave *a* soave, dolce, blando; **-ly** *adv* dol-

cemente; soavemente; **–ness** *n* soavità
suavity *n* soavità
subagent *n* subagente *m*
subaltern *n&a* subalterno
subcommittee *n* sottocomitato
subconscious *n&a* subcosciente *m*
subconsciousness *n* subcoscienza
subcontract *n* subcontratto, subappalto;
— *vt* subappaltare; **–er** *n* subcontratti-
sta, subappaltatore *m*
subcutaneous *a* subcutaneo, sottocutaneo
subdivide *vt* suddividere
subdivision *n* suddivisione
subdue *vt* domare, reprimere; *(light)* attenuare
subheading *n* sottotitolo
subject *n&a* soggetto; suddito; — *vt* sottomettere; **–ive** *a* soggettivo; **–ively**
adv soggettivamente; **–ivity** *n* sogget-
tività
subjugate *vt* soggiogare
subjugation *n* soggiogamento, soggiogo
subjunctive *a&n* soggiuntivo, congiuntivo
sublease *vt* subaffittare; — *n* subaffitto
sublet *vt* subaffittare
sublimate *vt* sublimare; — *n&a* sublimato
sublimation *n* sublimazione
sublime *n&a* sublime
sublimity *n* sublimità
submarine *n&a* sottomarino
submerge *vt* sommergere; — *vi* sommergersi
submergible *a* sommergibile
submersion *n* sommersione
submission *n* sottomissione
submissive *a* sottomesso; **–ness** *n* sottomissione
submit *vt* presentare; — *vi* sottomettersi
subnormal *a* subnormale
subordinate *a&n* subordinato; — *vt* subor-
dinare
subordination *n* subordinazione
suborn *vt* subornare
subpoena *n* citazione legale di comparizione; — *vt* fare una citazione legale di
comparizione
subscribe *vi* abbonarsi; sottoscriversi,
aderire; — *vt* sottoscrivere, abbonare
subscriber *n* abbonato; sottoscrittore *m*
subscription *n* abbonamento
subsequent *a* susseguente; **–ly** *adv* sus-
seguentemente
subservience *n* subordinazione, servilismo
subservient *a* subordinato, servile
subside *vi* cedere, sprofondare; diminuire,
cessare
subsidiary *n&a* sussidiario
subsidize *vt* sovvenzionare
subsidy *n* sussidio
subsist *vi* sussistere, mantenersi

subsistence *n* sussistenza
subsoil *n* sottosuolo
subspecies *n* sottospecie *f*
substance *n* sostanza, essenza
substantial *a* sostanziale; **–ity** *n* sostan-
zialità; **–ly** *adv* sostanzialmente
substantive *n&a* sostantivo
substation *n* stazione sussidiaria
substitute *vt* sostituire; — *vi* sostituirsi;
— *n* sostituto; surrogato; — *a* sostituto,
supplente
substitution *n* sostituzione
substratum *n* sostrato
substructure *n* sostruzione
subterfuge *n* sotterfugio
subterranean *a* sotterraneo
subtitle *n* sottotitolo; didascalia
subtle *a* fino, delicato; subdolo, sottile;
–ty *n* sottigliezza
subtly *adv* sottilmente
subtract *vt* sottrarre
subtrahend *n* sottraendo
subtraction *n* sottrazione
subtropical *a* quasi tropicale
suburb *n* sobborgo
suburban *a* periferico, suburbano; **–ite** *n*
abitante dei sobborghi
subvention *n* sovvenzione
subversive *a* sovversivo
subversion *n* sovversione
subvert *vt* sovvertire
subway *n* ferrovia sotterranea, metropolitana; sottopassaggio
succeed *vi* riuscire, succedere; — *vt* succedere a
succeeding *a* succedente
success *n* successo, riuscita; **–ful** *a* di
successo, vittorioso, riuscito; **–ive** *a*
successivo
succession *n* successione
successor *n* successore *m*
succinct *a* succinto; **–ly** *adv* succintamen-
te; **–ness** *n* brevità
succor *n* soccorso; — *vt* soccorrere
succumb *vi* soccombere
succulence *n* succolenza
succulent *a* succolento
such *a* tale, simile; — *pron* tale; — **as**
come quale
suck *vt* succhiare, poppare; assorbire; —
n succhiata, poppata; *(coll)* sorsetto;
–er *n* *(candy)* caramella; *(mech)* stantuffo; *(zool)* succhiatoio; *(bot)* suc-
chione *m*; *(sl)* gonzo
suckle *vt* allattare
suckling *n* lattante *m&f*; — **pig** porcellino
di latte
sucrose *n* saccarosio; zucchero di canna
suction *n* aspirazione; — **pump** pompa
aspirante

sudden *a* improvviso, inaspettato; **all of a —** tutt'a un tratto; **—ly** *adv* improvvisamente; **—ness** *n* istantaneità, subitaneità

suds *npl* schiuma di sapone; acqua saponata

sue *vt&i* querelare, citare

suede *n* pelle scamosciata

suet *n* sugna

suffer *vi&i* soffrire subire; permettere; **—ing** *a* sofferente; **—ing** *n* sofferenza

suffice *vt&i* bastare

sufficiency *n* sufficienza

sufficient *a* sufficiente; **—ly** *adv* sufficientemente

suffix *n* suffisso

suffocate *vt&i* soffocare

suffocating *a* soffocante

suffocation *n* soffocazione, asfissia

sufferage *n* suffragio

suffuse *vt* aspergere; bagnare; spandere sopra

suffusion *n* suffusione

sugar *n* zucchero; **beet —** zucchero di barbabietola; **brown —** zucchero greggio; **granulated —** zucchero granulato; **lump —** zucchero in zollette; **— bowl** zuccheriera; **— cane** canna da zucchero; **—** *vt* inzuccherare; addolcire; **—y** *a* zuccherino

sugar-coated *a* candito, coperto di zucchero; inzuccherato *(fig, manner)* meloso

suggest *vt* proporre, suggerire, suggestionare; **—ive** *a* suggestivo

suggestion *n* consiglio, proposta, suggerimento

suicide *n* suicida *m&f*; *(act)* suicidio; **commit —** suicidarsi, uccidersi

suit *n* *(clothing)* abito completo; *(law)* azione; *(courtship)* corte *f*; *(cards)* seme *m*; *(request)* petizione; **—** *vt&i* convenire; piacere a; **follow —** seguire l'esempio; **—able** *a* conveniente; **—ability** *n* accordo, convenienza; adattabilità, opportunità; **—case** *n* valigia; **—ing** *n* stoffa

suite *n* seguito; serie *f*; appartamento; *(furniture)* mobilia

suitor *n* richiedente *m*; pretendente *m*; *(law)* querelante *m*

sulfate *n* solfato

sulfide *n* solfuro

sulfur *n* zolfo

sulk *vi* accigliarsi, essere di malumore; **—iness** *n* malumore *m*; **—y** *a* scontroso

sullen *a* taciturno; imbronciato

sully *vt* sporcare, macchiare

sultan *n* sultano

sultry *a* soffocante, afoso

sum *n* somma, totale *m*; **—** *vt* sommare; **— up** riassumere

sumac *n* *(bot)* sommacco

summarize *vt* riassumere

summarily *adv* sommariamente

summary *n* sommario

summer *n* estate *f*; **—house** *n* padiglione di giardino; **— resort** stazione estiva; **—time** estate *f*, stagione estiva; **— vacation** vacanze estive; **—y** *a* estivo; **—** *vi* *(vacation)* villeggiare, passare l'estate

summit *n* vetta, cima; **— conference** conferenza al vertice

summon *vt* convocare; *(law)* citare; **—s** *n* *(law)* citazione

sumptuous *a* suntuoso; **—ly** *adv* suntuosamente; **—ness** *n* suntuosità

sun *n* sole *m*; **—bath** *n* bagno di sole; **—beam** *n* raggio di sole; **—dial** *n* meridiana; **—down** *n* tramonto; **—glasses** *npl* occhiali da sole; **—lamp** *n* lampada per raggi ultravioletti; **—light, —shine** *n* luce del sole; **—rise** *n* alba, aurora; **—set** *n* tramonto; **—spot** *n* macchia solare; **—stroke** *n* insolazione, colpo di sole; **—lit** *a* soleggiato; **—ny** *a* solatio; allegro

sun *vt* esporre al sole

sunburn *n* abbronzatura, tintarella *(coll)*; scottatura di sole; **—** *vt* abbronzare; bruciare al sole; **—** *vi* abbonzarsi; **—ed** *a* abbronzato; bruciato dal sole

Sunday *n* domenica; **— school** scuola domenicale

sundries *npl* generi diversi

sundry *a* diversi, parecchi

sunken *a* infossato

suntan *n* abbronzatura

sun-tanned *a* abbronzato

sup *vt* sorseggiare; **—** *vi* cenare

superable *a* sormontabile

superabundance *n* sovrabbondanza

superabundant *a* sovrabbondante

superb *a* superbo

supercilious *a* sdegnoso, arrogante; **—ness** *n* arroganza

superficial *a* superficiale; **—ity** *n* superficialità

superfine *a* sopraffino

superfluity *n* superfluità

superfluous *a* superfluo

superhighway *n* autostrada

superhuman *a* sovrumano

superimpose *vt* sovrimporre

superintend *vt* sovrintendere; **—ence** *n* soprintendenza; **—end** *n* sovrintendente, sopraintendente *m*

superior *a&n* superiore *m*; **—ity** *n* superiorità

superlative *a&n* superlativo

superman *n* superuomo

supermarket *n* supermercato

supernatural *a* sovrannaturale

supernumerary *a* in soprannumero; — *n* soprannumerario; *(theat)* comparsa
supersaturated *a* soprasaturato
supersede *vt* rimpiazzare, soppiantare
supersensitive *a* ipersensibile
supersonic *a* supersonico, ultrasonoro
superstition *n* superstizione
superstitious *a* superstizioso
superstructure *n* soprastruttura
supervene *vi* sopravvenire
supervise *vt* sorvegliare, sovraintendere
supervision *n* sorveglianza
supervisor *n* sovrintendente, controllore *m*
supine *a* supino
supper *n* cena; **The Last S–** L'Ultima Cena; **–time** *n* ora di cena
supplant *vt* soppiantare
supple *a* flessibile, cedevole, docile, arrendevole; servile; **–ness** *n* flessibilità; arrendevolezza; docilità, servilità
supplement *n* supplemento; — *vt* completare; **–ary** *a* supplementare
supplicate *vt&i* supplicare
supplicant *n* supplicante *m&f*
supplication *n* supplica
supplier *n* fornitore *m*
supply *vt* fornire; colmare, soddisfare; — *n* rifornimento, provvista; — **and demand** offerta e domanda
support *vt* mantenere; confermare; appoggiare; — *n* mantenimento, sostegno; **–er** *n* *(person)* fautore, sostenitore *m*; *(hosiery)* giarrettiera; *(med)* sospensorio
supposable *a* supponibile
suppose *vt* supporre, credere; **–d** *a* supposto, putativo
supposing *conj* supposto che
supposition *n* supposizione, congettura
suppository *n* *(med)* supposta
suppress *vt* sopprimere; nascondere
suppression *n* soppressione
suppurate *vi* suppurare
suppuration *n* suppurazione
supremacy *n* supremazia
supreme *a* supremo
surcharge *n* sovraccarico; — *vt* sovraccaricare
sure *a* sicuro, certo; **–ly** *adv* certamente, senz'altro; **make — (that)** accertarsi che; — *adv (coll)* certo, sicuro; **–ly** *adv* certamente; **–ness** *n* sicurezza
sure-footed *a* a piè fermo
surety *n* garanzia; garante *m&f*
surf *n* risacca; **–board** *n* idroscì
surface *n* superficie *f*; **on the —** superficiale; **in superficie;** — *vt* dare una superficie; lisciare; — *vi* venire alla superficie; — *a* superficiale
surfeit *vt* saziare; — *vi* rimpinzarsi; saziarsi; — *n* sazietà, eccesso
surge *n* ondata; — *vi* sollevarsi
surgeon *n* chirurgo
surgery *n* chirurgia
surgical *a* chirurgico
surging *a* agitato; ondeggiante; — *n* agitazione
surliness *n* arcignezza
surly *a* arcigno
surmise *vt&i* congetturare, supporre; — *n* supposizione; sospetto
surmount *vt* sorpassare, sormontare; **–able** *a* sormontabile
surname *n* cognome *m*
surpass *vt* sorpassare
surplice *n* *(eccl)* cotta
surplus *n* eccedenza; — *a* in eccedenza
surprise *vt* sorprendere; — *n* sorpresa
surprising *a* sorprendente; **–ly** *adv* sorprendentemente
surrealism *n* surrealismo
surrealist *n* surrealista *m&f*
surrender *n* resa; abbandono; — *vi* arrendersi; — *vt* cedere; rinunziare a
surrepetitious *a* surrettizio; clandestino
surrogate *n* sostituto; surrogato; — *vt* surrogare
surround *vt* circondare; **–ing** *a* circostante
surroundings *npl* dintorni *mpl*; ambiente *m*
surtax *n* sopratassa
surveillance *n* sorveglianza
survey *vt* osservare, stimare; far perizia di, misurare
survey *n* veduta, agrimensura, esame *m*; inchiesta; rilevamento topografico; **–or** *n* agrimensore *m*; geometra *m*
survival *n* sopravvivenza
survive *vi* sopravvivere
surviving *a* sopravvivente
survivor *n* superstite *m&f*
susceptibility *n* suscettibilità
susceptible *a* suscettibile
susceptive *a* suscettivo
suspect *vt&i* sospettare; supporre; — *n* sospetto
suspend *vt* sospendere; **–ers** *npl* bretelle *fpl*
suspense *n* incertezza, ansia, dubbio, **keep in —** tenere con l'animo sospeso
suspension *n* sospensione; **— bridge** ponte sospeso
suspicion *n* sospetto, traccia
suspicious *a* sospettoso, sospetto; **–ness** *n* sospettosità
sustain *vt* sostenere; subire; prolungare; **–ed** *a* sostenuto
sustenance *n* vitto, mantenimento
suture *n* sutura; — *vt* suturare
swab *n* strofinaccio; radazza; tampone *m*;

— *vt* lavare, radazzare; tamponare
swaddle *vt* fasciare, involgere
swaddling clothes fasce *fpl*; pannolini per bambini
swagger *n* spacconata; — *vi* darsi arie; camminare pavoneggiandosi; **-er** *n* fanfarone, spaccone *m*
swallow *n* boccone *m*; sorsata; sorso; *(bird)* rondine *f*; — *vt* inghiottire; — **up** assorbire, inghiottire; divorare
swamp *n* palude *f*; — *vt&i* inondare, sommergere; impantanare; rovinare; **-y** *a* paludoso
swan *n* cigno; **-sdown** *n* piuma di cigno
swap *vt (coll)* barattare, scambiare
sward *n* erba
swarm *n* sciame *m*; — *vi* sciamare, brulicare
swarthy *a* bruno, olivastro
swashbuckler *n* rodomonte *m*
swatch *n* campione di stoffa
swath *n* falciata; solco falciato
swathe *n* fascia; — *vt* fasciare
sway *n* oscillazione; dominio; — *vt&i* oscillare, vacillare, dondolare; influenzare; deviare; **-ing** *n* oscillazione
sway-backed *a* insellato; con la schiena curva
swear *vt&i* bestemmiare; giurare; — **by** giurare su; — **in** far fare giuramento; — **to** giurare di; **-ing** *n* giuramento; bestemmia
swearword *n* bestemmia
sweat *n* sudore *m*; fatica; — *vt* sudare; far sudare; *(exploit)* sfruttare; — *vi* trasudare; traspirare
sweater *n* golf *m*, maglia
Swede svedese *m&f*
Sweden Svezia
Swedish *a* svedese
sweep *n* colpo, spazzata, distesa; portata; strascicamento; **chimney** — spazzacamino; **in one** — di un colpo; **make a clean** — far piazza pulita; — **away, off** portar via; — **up, out** spazzare via; **-er** *n* spazzino; *(machine)* spazzatrice *f*; **-ing** *a* rapido, violento; completo, totale; **-ing** *n* spazzatura; lo spazzare; — *vt* spazzare; scopare; sfiorare; percorrere; — *vi* scopare; incedere; stendersi
sweepstakes *npl* lotteria sportiva
sweet *a* dolce; amabile; — *n* dolce *m*; dolcezza; fragranza; — **tooth** *(coll)* goloso; bocca dolce *(fig)*
sweeten *vt* inzuccherare; addolcire; **-ing** *n* inzuccheramento; addolcimento
sweetly *adv* dolcemente
sweetness *n* dolcezza
swell *vt&i* gonfiare; — *n (coll)* elegantone *m (coll)*; elevazione; ondulazione;

— *a (coll)* elegante; *(sl)* magnifico
swelling *n* gonfiore *m*
swelter *vi* soffocare dal caldo; — *n* afa
swerve *vi* deviare, sviarsi; — *n* deviazione; — *vt* sviare, deviare
swift *a* rapido; — *n (bird)* rondone *m*; **-ly** *adv* rapidamente, celermente; **-ness** *n* rapidità, velocità
swill *n* rifiuti *mpl*, risciaquatura
swim *vi* nuotare, bagnarsi; *(head)* girare; — *vt* attraversare a nuoto; — *n* nuotata; **be in the** — essere al corrente; **go for a** — fare il bagno; **-suit** *n* costume da bagno
swimmer *n* nuotatore *m*
swimming *n* nuoto; *(head)* vertigine *f*; — **pool** piscina
swindle *vt* turlupinare, imbrogliare; — *n* truffa
swine *n* maiale *m*; **-herd** *n* porcaio
swing *vi* dondolare; oscillare, rotare; bilanciarsi; — *vt* far girare; far oscillare; — *n* altalena; oscillazione; slancio, dondolio; **in full** — in piena attività
swinging *a* oscillante; ritmico; — **door** porta battente
swipe *n (coll)* colpo; pugno; — *vt (coll)* battere forte; prendere a pugni; *(sl)* rubare
swirl *n* turbine *m*; — *vi* turbinare, vorticare; — *vt* far turbinare
swish *n* sibilo, sferzata; *(water)* sciabordio; *(silk)* fruscio; — *vi* frusciare, sibilare; — *vt* sferzare; far sibilare; **-ing** *a* sferzante, frusciante; **-ing** *n* fruscio
Swiss *a&n* svizzero
switch *n* cambiamento; *(elec)* interruttore *m*; *(rail)* scambio; verga; sferzata; **-board** *n* centralino telefonico; — *vt* sferzare; dimenare; intercambiare; *(rail)* deviare; — *vi* deviarsi; — **off** *(light)* spegnere; chiudere; — **on** *(light)* accendere; aprire
Switzerland Svizzera
swivel *n* perno; mulinello; — **chair** sedia girevole; — *vi* girarsi; imperniarsi; — *vt* rotare
swollen *a* gonfiato
swoon *vi* svenire; — *n* svenimento
swoop *n* colpo, avventata; attacco; — *vi* slanciarsi, avventarsi, piombare su, calarsi su; — *vt* ghermire
sword *n* spada; **-fish** *n* pesce spada; **-sman** *n* spadaccino
sworn *a* giurato
sycophant *n* sicofante *m&f*
syllabic *a* sillabico
syllable *n* sillaba

syllabus *n* compendio; *(eccl)* sillabo
syllogism *n* sillogismo
sylph *n* silfide *f*
sylvan *a* silvestre
symbiosis *n* simbiosi *f*
symbol *n* simbolo; **–ic** *a* simbolico; **–ism** *n* simbolismo; **–ize** *vt* simbolizzare
symmetrical *a* simmetrico
symmetry *n* simmetria
sympathetic *a* simpatizzante; comprensivo
sympathize *vi* condividere i sentimenti; simpatizzare
sympathy *n* compassione; condoglianza; simpatia
symphonic *a* sinfonico
symphony *n* sinfonia
symposium *n* simposio
symptom *n* sintomo; **–atic** *a* sintomatico
synagogue *n* sinagoga
synchronize *vt&i* sincronizzare
synchronization *n* sincronizzazione

syncopate *vt* sincopare
syncopation *n* sincopatura *f*; musica sincopata
syndicate *n* *(com)* sindacato, consorzio; associazione
synonym *n* sinonimo
synonymous *a* sinonimo
synopsis *n* sinossi *f*
syntax *n* sintassi *f*
synthesis *n* sintesi *f*
synthesize *vt* sintetizzare
synthetic *a* sintetico
syphilis *n* sifilide *f*
syphilitic *a* sifilitico
Syria Siria; **–c** *a* siriaco; **–n** *n&a* siriano
syringe *n* siringa; — *vt* iniettare, siringare
syrup *n* sciroppo; **–y** *a* sciroppposo
system *n* sistema *m*, metodo; *(rail)* rete *f*; **–atic** *a* sistematico; **–atize** *vt* sistematizzare, sistemare

T

tab *n* linguetta; *(label)* etichetta; **keep — on** *(coll)* sorvegliare; *(expenses)* mantenere controllo di; — *vt* fornire di linguetta
tabernacle *n* tabernacolo
table *n* tavola; tabella, indice *m*; **–cloth** *n* tovaglia; **–land** *n* altipiano, acrocoro; **–spoon** *n* cucchiaio da minestra; **turn the –s** capovolgere la situazione; — *vt* posporre
tablet *n* tavoletta; pastiglia; lapide *f*; *(paper)* taccuino
tableware *n* servizio da tavola
taboo *n* tabù *m*; — *a* proibito; — *vt* interdire, proibire
tabular *a* tabellare, tavolare, tabulare
tabulate *vt* catalogare, classificare, disporre in tabelle
tachometer *n* tachimetro
tacit *a* tacito
taciturn *a* taciturno
tack *n* bulletta, chiodino; *(sewing)* imbastitura; *(naut)* virata, bordeggio; — *vt* inchiodare; imbastire; *(naut)* virare
tackle *n* *(naut)* paranco; carrucola; *(gear)* attrezzatura; *(football)* attacco; — *vt* attaccare; afferrarsi a; intraprendere; *(horse)* bardare
tacky *a* vischioso, attaccaticcio
tact *n* tatto, diplomazia; **–ful** *a* diplomatico; accorto; **–less** *a* senza tatto; **–fully** *adv* con tatto; diplomaticamente
tactical *a* tattico
tactics *npl* tattica
tadpole *n* girino

taffeta *n* taffetà *m*
tag *n* etichetta; — *vt* aggiungere; *(coll)* seguire; mettere l'etichetta a; — **along** *(coll)* accompagnare
tail *n* coda; *(hair)* treccia; — **end** estremità; — **spin** *n* avvitamento; — **wind** vento in poppa; **turn — darsela a gambe; –s** *npl* *(coll)* marsina, frac *m*; — *vt* *(sl)* pedinare; — *vi* accodarsi
taillight *n* fanale di coda
tailor *n* sarto; — *vi* fare il sarto; — *vt* confezionare; **–ing** *n* sartoria
tailor-made *a* fatto dal sarto, tailleur
taint *n* magagna, infezione; — *vt* contaminare, corrompere, guastare; — *vi* corrompersi, guastarsi
take *n* presa; *(earnings)* guadagno, profitto
take *vt* prendere; portare; accettare, ricevere; — *vi* riuscire; — **after** *(resemble)* rassomigliarsi a; — **away** togliere, levare; — **back** riprendere; — **care of** prendersi cura di; attendere a; — **down** *(lower)* abbassare; *(write)* scrivere, prender nota; — **in** *(comprise)* includere; *(deceive)* ingannare, raggirare; — **off** *(disrobe)* levarsi; *(remove)* levare; *(avi)* decollare; — **on** *(add)* assumere; *(coll)* prendersela; — **on oneself** attribuirsi; — **one's time** non affrettarsi innecessariamente, fare con calma; — **out** togliere, levare, asportare; — **over** *(assume)* succeedere; rilevare; — **place** aver luogo; — **to** *(like)* affezionarsi a; — **up** *(consider)* considerare, trattare
take-off *n* *(coll)* caricatura; *(avi)* decollo

taking *a* attraente; *(med)* contagioso

talcum *n* talco

tale *n* racconto; *(lie)* fiaba; **–bearer** *n* maldicente *m*

talent *n* talento; **–ed** *a* intelligente, abile, ingegnoso

talk *n* discorso; conversazione, ciarla; *(gossip)* pettegolezzo; — *vi* parlare, conversare; — *vt* dire; esprimere; — **over** discutere su; **–ative** *a* loquace, chiacchierone, ciarliero

talker *n* parlatore *m*; chiacchierone *m*

talking *n* conversazione; chiacchiere *fpl*; — *a* parlante

talking-to *n* *(coll)* lavata di testa *(fig)*

tall *a* alto, grande; *(coll)* stravagante, straordinario; **–ness** *n* altezza; — **story** panzana

tallow *n* sego

tally *n* targa; tacca; duplicato; conto, verifica; — *vt* registrare; calcolare; far coincidere; — *vi* coincidere

talon *n* artiglio

tambourine *n* tamburino

tame *a* addomesticato; mansueto, docile; **–ness** *n* mansuetudine *f*; **–r** *n* domatore *m*, domatrice *f*; — *vt* addomesticare, domare

tamp *vt* *(cover)* tamponare; *(beat down)* pestare

tamper *vi* immischiarsi; metterci le mani

tampon *n* tampone *m*

tan *vt* *(leather)* conciare; abbronzare; *(coll)* percuotere, malmenare; — *a* abbronzato; — *n* abbronzatura; concia

tang *n* aroma forte, sapore *m*

tangent *n&a* tangente *f*; **go (fly) off on a —** filare per la tangente

tangerine *n* mandarino

tangible *a* tangibile

Tangier Tangeri

tangle *vt* ingarbugliare; — *n* groviglio

tank *n* serbatoio; cisterna; *(mil)* carro armato; **gas —** gazometro; **–age** *n* capacità di serbatoio

tankard *n* boccale *m*

tanner *n* conciatore *m*; **–y** conceria

tannic *a* tannico

tannin *n* tannino

tantalize *vt* tormentare; tentare

tantalizing *a* seducente; tormentante, tormentoso; — *n* supplizio di Tantalo, tormento

tantalum *n* tantalio

tantamount *a* equivalente

tantrum *n* escandescenza

tap *vt* colpire leggermente, bussare; *(cask)* spillare; — *n* colpetto; *(water)* rubinetto; *(elec)* presa, spina; — **dance** tiptap *m*

tape *n* nastro; *(adhesive)* sparadrappo, nastro adesivo; *(recording)* nastro fonografico; **red —** pedanteria burocratica; **— measure** metro a nastro; **— recorder** magnetofono; registratore a nastro; — *vt* *(tie)* legare con nastro; incidere su nastro

taper *n* cero, candela; assottigliamento; — *vi* affusolarsi, assottigliarsi; diminuirsi; — *vt* affusolare, assottigliare; diminuire; **–ing** *a* conico, affusolato

tapestry *n* arazzo

tapeworm *n* tenia

taproot *n* fittone *m*

taps *npl* *(mil)* silenzio

tar *n* pece *f*, catrame *m*; **–ry** *a* incatramato; — *vt* incatramare

tarantula *n* tarantola

tardiness *n* ritardo

tardy *a* in ritardo

target *n* bersaglio

tariff *n* tariffa

tarnish *n* appannamento; — *vt* macchiare, appannare; — *vi* macchiarsi, appannarsi

tarpaulin *n* tela incatramata; copertone *m*

tarry *vi* fermarsi, arrestarsi, sostare, indugiare, attardarsi, trattenersi

tart *n* crostata; *(woman)* donnaccia; — *a* acido, acerbo; *(fig)* aspro; **–ly** *adv* acidamente, mordacemente; **–ness** *n* acidità, mordacità

tartar *n* tartaro; *(person, fig)* scontroso; **cream of —** cremor di tartaro

task *n* compito; **–master** *n* padrone *m*; **take to —** rimproverare; — *vt* esaurire, affaticare

tassel *n* nappa, fiocco

taste *n* gusto, sapore *m*; — *vt* assaggiare; — *vi* sapere di; **–fully** *adv* elegantemente; **–less** *a* insipido, senza gusto

tastiness *n* squisitezza

tasty *a* saporito

tatter *n* straccio, brandello; — *vt* stracciare; **–ed** *a* cencioso

tatterdemalion *n* straccione *m*

tattle *vi* chiacchierare, pettegolare; **–tale** *n* gazzettino

tatto *n* tatuaggio; *(mil)* ritirata; **beat a —** battere una ritirata; — *vt* tatuare

taunt *vt* punzecchiare, beffare; — *n* punzecchiatura

taupe *a&n* color talpa

taut *a* teso, rigido; **–ness** *n* tensione, rigidezza

tautology *n* tautologia

tavern *n* osteria; bettola, taverna; **–keeper** *n* oste *m*

tawdriness *n* vistosità

tawdry *a* sfarzoso, chiamativo, vistoso

tawny *a* fulvo, abbronzato

tax *n* imposta, tassa, gravame *m*; — *vt* tassare, gravare; accusare; — **collector** esattore delle imposte; **-payer** *n* contribuente *m&f*; **income** — imposta sul reddito; **-able** *a* tassabile, imponibile; **-ation** *n* tassazione, tasse *fpl*

taxi *n* tassì *m*; — **driver** tassista *m*; — *vi* andare in tassì; *(avi)* rullare

taxidermist *n* impagliatore *m*, tassidermista *m&f*

taxidermy *n* tassidermia

taximeter *n* tassametro

tea *n* tè *m*; **-cup** *n* tazza da tè; **-kettle** *n* bollitore *m*; **-pot** *n* teiera; **-room** *n* sala da tè; **-spoon** *n* cucchiaino

teach *vt* insegnare; **-er** *n* insegnante *m&f*; maestro, maestra; **-ing** *n* insegnamento

team *n* squadra; gruppo; **-mate** *n* compagno di squadra; **-work** *n* sforzo combinato; — *vt* accoppiare, aggruppare

teamster *n* guidatore, carrettiere *m*

tear *n* lagrima; — **gas** gas lacrimogeno; **-ful** *a* lagrimoso, pieno di lagrime; **-fully** *adv* lagrimosamente, piangendo; **-y** *a* lagrimoso; **burst into -s** scoppiare in lagrime; **shed -s** versare lagrime

tear *vt* lacerare, stracciare; — *vi* strapparsi; — **down** precipitarsi, scendere precipiosamente; *(dismantle)* smontare; — **oneself away** andarsene a malincuore; — **up** salire precipitosamente; — *n* strappo; lacerazione; **wear and** — logorio

tease *vt* stuzzicare; importunare; — *n* seccatore *m*

teasing *n* seccatura; — *a* seccante

teat *n* capezzolo, mammella

technical *a* tecnico; **-ity** *n* tecnicismo

technician *n* tecnico

technique *n* tecnica, metodo

technological *a* tecnologico

technology *n* tecnologia

tedious *a* tedioso; **-ly** *adv* tediosamente

tedium *n* tedio, noia

teem *vi* formicolare; abbondare; **-ing** *a* formicolante, abbondante di; fecondo

teen-age *a* adolescente

teen-ager *n* adolescente *m&f*

teeter *vt* dondolare, — *vi* dondolarsi

teeter-totter *n* altalena

teeth *npl* denti *mpl*; **-ing** *n* dentizione

teethe *vi* mettere i denti

teetotaler *n* astemio

telecast *n* teletrasmissione; — *vt&i* teletrasmettere

telegram *n* telegramma *m*

telegraph *n* telegrafo; **-ic** *a* telegrafico; — *vt&i* telegrafare

telegraphy *n* telegrafia

telelens *n* telelente *f*

telemeter *n* telemetro

teleological *a* teleologico

teleology *n* teleologia

telepathic *a* telepatico

telepathy *n* telepatia

telephone *n* telefono; — **book** guida telefonica; — **booth** cabina telefonica; — **dial** disco del telefono; — **exchange** centralino telefonico; — **operator** centralinista, telefonista *m&f*; — *vt&i* telefonare

telephonic *a* telefonico

telephony *n* telefonia

telephoto *a* telefotografico; — **lens** telelente *f*

telephotograph *vt* telefotografare; — *n* telefotografia

telephotography *n* telefotografia

teleprinter *n* telescrivente *m*

telescope *n* telescopio; — *vt* incastrare, introdurre uno dentro l'altro; — *vi* incastrarsi, mettersi uno dentro l'altro

telescopic *a* telescopico

teletypewriter *n* telescrivente *m*, teletipo

televise *vt* trasmettere per televisione

television *n* televisione; — **set** televisore *m*

tell *vt&i* dire, raccontare; — **apart** distinguere; **-er** *n* narratore *m*; **bank -er** *n* cassiere *m*; **-tale** *a* chiacchierone, indiscreto; informatore

telling *n* racconto; — *a* efficace, energico

tellurium *n* *(chem)* tellurio

temerity *n* temerità

temper *n* umore *m*, indole *f*; collera; tempera; **lose one's** — adirarsi, perdere la calma; — *vt* mitigare, temperare; — *vi* mitigarsi, temperarsi

tempera *n* tempera

temperament *n* temperamento; **-al** *a* temperamentale, impetuoso

temperance *n* temperanza

temperate *a* temperato

temperature *n* temperatura

tempest *n* tempesta

tempestuous *a* tempestoso

temple *n* tempio; *(anat)* tempia

temporal *a* temporale

temporarily *adv* provvisoriamente

temporary *a* temporaneo

temporize *vi* temporeggiare

tempt *vt* tentare, allettare, attrarre; **-ation** *n* tentazione; **-er** *n* tentatore *m*; **-ing** *a* tentatore, seducente; **-ress** *n* tentatrice *f*

ten *a* dieci; **-th** *a* decimo

tenable *a* sostenibile

tenacious *a* adesivo; tenace

tenacity *n* tenacia

tenancy *n* locazione

tenant *n* locatario, inquilino

tend *vt* curare, custodire; — *vi* tendere, piegare
tendency *n* tendenza
tendentious *a* tendenzioso
tender *a* tenero, affettuoso; delicato; **–ness** *n* tenerezza; **–ly** *adv* teneramente
tender *n* offerta; *(money)* valuta; — *vt* porgere, offrire
tenderhearted *a* sensibile, di cuore tenero
tenderloin *n* filetto
tendon *n* tendine *m*
tendril *n* viticcio
tenement *n* casa popolare
tenet *n* dogma *m*; principio; opinione *f*; canone *m*
tennis *n* tennis *m*; — **court** campo da tennis
tenor *n* *(meaning)* tenore *m*; corso; *(mus)* tenore *m*
tense *a* teso, tenso, rigido; — *n* tempo; — *vt* tendere, rendere teso; — *vi* tendersi; **–ness** *n* tensione
tensile *a* tensile
tension *n* tensione
tent *n* tenda; *(med)* cappa per ossigeno; *(med)* sonda, drenaggio; — *vi* attendarsi
tentacle *n* tentacolo
tentative *a* sperimentale
tenuous *a* tenue
tenure *n* tenuta, possesso, occupazione; gestione *f*
tepid *a* tiepido
term *n* sessione; termine *m*; durata; *(name)* nome; *(office)* periodo uffiale; *(school)* periodo scolastico; — *vt* definire, nominare
terminal *n* terminale *m*; *(elec)* serrafilo; — *a* terminale
terminate *vt&i* finire, concludere, terminare
termination *n* fine *f*; *(gram)* desinenza
terminology *n* terminologia
terminus *n* termine, limite *m*
termite *n* termite *f*
terms *npl* condizioni *fpl*; *(com)* rapporti *mpl*; relazioni *fpl*; patti *mpl*; termini *mpl*; **come to** — venire a condizioni; **on good** — in buoni rapporti
tern *n* *(zool)* sterna
terrace *n* terrazza; — *vt* terrazzare
terrain *n* terreno
terrestrial *a* terrestre
terrible *a* terribile
terrier *m* *(zool)* terrier *m*
terrific *a* terrificante; *(coll)* fantastico, fenomenale; **–ally** *adv* spaventevolmente
terrify *vt* spaventare
territorial *a* territoriale
territory *n* territorio

terror *n* terrore *m*; **–ism** *n* terrorismo; **–ist** *n* terrorista *m*
terrorize *vt* terrorizzare
terror-stricken *a* atterrito
terse *a* terso; conciso
tertiary *a* terziario
test *n* esame *m*, prova, collaudo; — **pilot** pilota collaudatore; — **tube** provino; — *vt* provare, analizzare, collaudare; **–er** *n* sperimentatore, collaudatore *m*
testament *n* testamento; **–ary** *a* testamentario
testate *a* testante
testator *n* testatore *m*
testicle *n* testicolo
testify *vt&i* attestare; testimoniare
testimonial *n* attestato
testimony *n* testimonianza
testiness *n* irascibilità
testy *a* permaloso, irascibile
tetanus *n* tetano
tether *n* fune *f*, catena, cavezza; *(abilities)* risorse *fpl*; — *vt* legare, impastoiare
tetrad *n* quaterna; quattro
tetragon *n* tetragono
tetragonal *a* tetragonale, tetragono
tetrahedron *n* tetraedro
tetrameter *n* tetrametro
tetrarch *n* tetrarca *n*
tetrode *n* tetrodo
text *n* testo; **–book** *n* libro di testo; *(manual)* manuale scolastico; **–ual** *a* testuale
textile *a* tessile; — *n* tessuto
texture *n* tessitura; struttura
Thames Tamigi
than *conj* che, che non; di
thank *vt* ringraziare; — **you** grazie
thankful *a* riconoscente; **–fulness** *n* riconoscenza, gratitudine *f*
thankless *a* ingrato
thanks *npl* ringraziamenti *mpl*; grazie *fpl*; **–giving** *n* ringraziamento
that *a&pron* quello, quella; cotesto, cotesta; — *pron* che, ciò, il quale, la quale; — *conj* che; — *adv* tanto, così
thatch *n* paglia; tetto di paglia; stoppia; — *vt* coprire di paglia, **–ed** *a* coperto di paglia; di paglia
thaw *vt&i* disgelare; — *n* disgelo
the *art*, il, lo, la; i, gli *mpl*; le *fpl*
theater *n* teatro
theatrical *a* teatrale
theft *n* furto
their, –s *a&pron* il loro, la loro; i loro *mpl*; le loro *fpl*
theism *n* teismo
theist *n* teista *m&f*
theistic *a* teistico
them *pron* li, loro, essi *mpl*; le, loro, esse *fpl*

theme n tema m, soggetto
themselves pron pl si, sè, sè stessi mpl; sè stesse fpl
then adv allora, in seguito, poi; dunque; anche; **now and** — di tanto in tanto
thence adv dunque, quindi
thenceforth adv d'allora in poi
theocracy n teocrazia
theocratic, -al a teocratico
theologian n teologo
theological a teologico
theology n teologia
theorem n teorema m
theoretical a teoretico; **-ly** adv teoreticamente
theorist n teorico
theorize vi teorizzare
theory n teoria
theosophy n teosofia
therapeutic a terapeutico
therapy n terapia, terapeutica
there adv lì, colà, là; ci, vi; **here and** — qua e là; — **is** c'è, v'è; ecco; — **are** ci sono, vi sono; ecco
thereabouts adv nei dintorni; all'incirca
thereafter adv d'allora in poi
thereby adv con ciò; così
therefore adv quindi, perciò
therein adv vi, in ciò, in esso
thereon adv su ciò, a questo proposito
thereupon adv in seguito a ciò, in conseguenza
therewith adv con ciò, in seguito a ciò
therm n caloria, unità termica; **-ic** termico
thermal a termale; — **barrier** (aesp) barriera termica
thermodynamics npl termodinamica
thermoelectricity n termoelettricità
thermometer n termometro
thermonuclear a termonucleare
thermostat n termostato
thermotherapy n termoterapia
these pron & a pl questi mpl; queste fpl
thesis n tesi f
they pron pl essi mpl, esse fpl; loro m&fpl; — **say** si dice
thick a spesso, folto; (coll) intimo; **-ness** n spessore m; consistenza; densità
thick- (in comp) **-skinned** a insensibile, dalla pelle dura; **-witted** a melenso, stupido
thicken vt rendere spesso; — vi ispessirsi; **-ing** n ispessimento; condensazione
thicket n boschetto, macchia
thickheaded a babbeo, stupido
thickset a denso, folto; robusto, tarchiato
thief n ladro
thievery n ladrocinio, furto
thievish ladresco
thigh n coscia; **-bone** n femore m

thimble n ditale m
thin a magro; (hair) rado; (line) sottile; (voice) acuto; **-ness** n sottigliezza, finezza; (growth) radezza; magrezza; **-ly** adv sottilmente; — vt assottigliare; diradare; — vi assottigliarsi; diradarsi
thing n cosa; oggetto; affare m; **latest** — ultima creazione, ultima moda
think vt&i pensare, credere; figurarsi; stimare; — **over** pensarci su; riflettere su; — **so** pensare così; credere di sì; **-able** a concepibile, pensabile; **-er** n pensatore m
thinking n pensiero; opinione f; — a pensante, intelligente, ragionante
thinner n solvente m
thin-skinned a sensibile; dalla pelle delicata
third terzo; **-ly** adv in terzo luogo
third-rate a di terza categoria, scadente
thirst n sete f; **-y** a assetato; avido; — vi aver sete; **be -y** aver sete
thirteen a tredici; **-th** a tredicesimo
thirtieth a trentesimo
thirty a trenta
this a&pron questo, questa; — pron ciò; **like** — così
thistle n cardo
thong n cinghia, correggia
thorax n torace m
thorium n torio
thorn n spina; — **in the flesh** (fig) una spada nel fianco (fig), grattacapo; **-y** a spinoso
thorough a completo, intero, perfetto; meticoloso; **-ness** n completezza; perfezione; meticolosità; **-ly** adv completamente
thoroughbred a (horse) puro-sangue; (person) nobile m&f
thoroughgoing a meticoloso
thoroughfare n via pubblica, strada frequentata
those pron pl quelli, cotesti mpl; quelle, coteste fpl; — a pl quei, quegli, quelle, cotesti, coteste
though conj quantunque, benchè; — adv cionononstante; **as** — come se; **even** — anche se
thought n pensiero; idea; **-ful** a previdente; riguardoso; pensieroso; **-fulness** n premura, sollecitudine f; previdenza; **-less** a sbadato; irriflessivo, spensierato; **-lessness** n spensieratezza, sbadataggine f
thousand a mille; **-th** a millesimo
thrash vt bastonare; trebbiare; **-ing** n battitura, bastonatura
thread n filo; (screw) filetto, impanatura; — vt infilare; — vi serpeggiare; —

one's way passare attraverso, infilarsi; **-bare** *a* logoro; trito

threat *n* minaccia

threaten *vt&i* minacciare; **-ing** *a* minaccioso

three *a* tre; **-fold** *a* triplo, triplice

three- *(in comp)* **-cornered** *a* triangolare; **-dimensional** *a* tridimensionale; **-legged** *a* a tre gambe; a tre piedi; **-ply** *a* di tre fili; **-quarter** *a* di tre quarti; **-speed gear** *(mech)* cambio a tre velocità; **-wheeled** *a* a tre ruote

thresh *vt* trebbiare, battere

thresher *n* *(mech)* trebbiatrice *f*; *(person)* trebbiatore *m*

threshing *n* trebbiatura; — **machine** trebbiatrice *f*

threshold *n* soglia

thrice *adv* tre volte

thrift *n* economia, risparmio; **-y** *a* frugale, economico

thriftiness *n* frugalità, economia

thrill *vt* commuovere; — *vi* emozionarsi; — *n* emozione

thrilling *a* eccitante, emozionante

thrive *vi* prosperare; aver successo

thriving *a* prospero; vigoroso

throat *n* gola; **sore** — mal di gola; **-y** *a* di gola; gutturale; **clear one's** — schiarirsi la voce

throb *n* pulsazione; battito; — *vi* palpitare

throbbing *n* pulsazione, palpitazione; battito; — *a* pulsante; palpitante

throes *npl* dolori *mpl*; angoscie *fpl*; pene *fpl*; *(childbirth)* doglie *fpl*

thrombosis *n* trombosi *f*

throne *n* trono

throng *n* folla; — *vi* accalcarsi; affollarsi; — *vt* affollare; accalcare

throttle *n* valvola, farfalla; — *vt* strozzare, strangolare; *(mech)* regolare con valvola

through *prep* attraverso; per; durante; a causa di; per mezzo di; — *adv* dal principio alla fine; completamente; — *a* diretto; finito; **-out** *prep* in tutto; da un capo all'altro di; **-out** *adv* dappertutto

throw *n* getto, lancio; **-back** *n* riversione; — *vt* buttare, gettare; — **away** buttar via; *(waste)* scialacquare; — **off** liberarsi di; eludere; — **up** *(hands)* gettare in aria; *(vomit)* rigettare

thrust *n* spinta; *(fencing)* stoccata; *(mech)* propulsione, pressione; — *vt* spingere; imporre; trafiggere, ficcare; — *vi* cacciarsi

thud *n* tonfo, rumore sordo; — *vi* fare un tonfo *(or* un rumore sordo)

thug *n* assassino, strangolatore *m*, sicario

thumb *n* pollice *m*; **-tack** *n* puntina da disegno; — *vt* sporcare con il pollice; — **through** dare uno sguardo a, scartabellare

thump *n* colpo, percossa; tonfo; — *vt* dar pugni a; percuotere; — *vi* fare un tonfo; palpitare

thunder *n* tuono; **-bolt** *n* fulmine *m*; **-cloud, -head** *n* nuvolone *m*; nembo temporalesco; **-storm** *n* temporale *m*; **-struck** *a* stupefatto; — *vi* tuonare

thundering *n* tuono; — *a* tuonante; assordante

Thursday *n* giovedì *m*

thus *adv* così; — **far** fin qui, a questo punto

thwart *vt* impedire

thyme *n* timo

thyroid *n&a* tiroide *f*

tiara *n* tiara

Tiber Tevere

tic *n* *(med)* ticchio

tick *n* *(zool)* zecca; *(watch)* tic-tac *m*, battito; — *vi* ticchettare, battere

ticket *n* biglietto; *(label)* etichetta; *(pol)* lista elettorale; *(fine)* contravvenzione, multa; **complimentary** — biglietto di favore; **season** — abbonamento; — **collector** controllore *m*; — **window** sportello

ticking *n* ticchettio; *(cloth)* traliccio; — *a* ticchettante

tickle *n* solletico; — *vt* solleticare; divertire; — *vi* provare solletico

ticklish *a* suscettibile; solleticoso; difficile

tidal *a* di marea; — **wave** maremoto

tidbit *n* bocconcino prelibato

tide *n* marea

tidiness *n* pulizia, nettezza; ordinatezza

tidings *npl* informazioni *fpl*

tidy *a* ordinato, lindo; *(coll)* considerevole; — *n* coprisedia

tie *vt* legare; annodare; pareggiare; — *vi* pareggiarsi; legarsi; — *n* legame *m*; *(neck)* cravatta; *(rail)* traversina; *(sport)* pareggio; *(mus)* legatura

tiepin *n* spillo per la cravatta

tier *n* fila

tie-up *n* interruzione temporaria

tiff *n* bisticcio, stizza

tiger *n* tigre *f*

tight *a* stretto; teso; ermetico; fermo; *(coll)* spilorcio; *(sl)* ubriaco; **-ness** *n* strettezza; **-rope** *n* corda; **-rope walker** funambolo; **-ly** *adv* strettamente; **-en** *vt* stringere; **-en** *vi* stringersi

tightfisted *a* avaro

tight-fitting *a* attillato

tight-lipped *a* impassibile; silenzioso
tights *npl* maglia
tile *n* tegola; mattonella, piastrella; —
vt coprire con tegole; **-d** *a* coperto di tegole
tiling *n* tegolato
till *prep* fino a; — *conj* finchè; — *n* tiretto di cassa, cassa
till *vt* arare; **-able** *a* coltivabile; **-ing** *n* coltivazione; **-er** *n* coltivatore *m*
tiller *n (naut)* barra del timone
tilt *n* inclinazione; torneo; **full** — a gran velocità; — *vt* inclinare; — *vi* inclinarsi; giostrare; **-ed** *a* inclinato
timber *n* legname *m*; boschi *mpl*
timbre *n* timbro
time *n* tempo; ora; *(era)* epoca; momento; volta; — **after** — tante volte; — **and** (—) **again** ripetutamente; **at the same** — nello stesso tempo; **from** — **to** — di quando in quando; **in, on** — in tempo; **keep** — tenere il tempo; **short** — poco tempo, breve tempo; **a short** — **after** poco dopo; **-less** *a* interminabile; eterno; **-worn** *a* logoro; — *vt* regolare; calcolare il tempo; *(sport)* cronometrare; sincronizzare; cogliere il momento per
time-honored *a* venerabile
timekeeper *n (sport)* cronometrista *m*
timeliness *n* tempestività
timely *a* tempestivo, opportuno, a tempo
timepiece *n* orologio
timetable *n* orario
timid *a* timido
timing *n* sincronizzazione, tempo
tin *n* stagno; latta; — **can** scatola; — **foil** stagnola; — **plate** latta stagnata; **-smith** *n* lattoniere *m*; **-ware** *n* articoli di latta; — *vt* stagnare
tincture *n* tintura
tinder *n* esca
tine *n* rebbio, punta
tinge *n* tintura; pizzico; — *vt* tingere
tingle *n* formicolio, puntura, prurito; — *vi* formicolare
tingling *n* prurito, formicolio
tinker *vi* affaccendarsi
tinkle *vi* tintinnare; — *vt* far tintinnare; — *n* tintinnio
tin-plate *vt* stagnare
tinsel *n* orpello; finzione
tint *n* tinta; — *vt* colorire
tiny *a* minuscolo, piccino
tip *n* punta; *(advice)* consiglio; *(fee)* mancia; *(information)* informazione segreta; — *vt* appuntare; dar la mancia a; inclinare; rivelare una informazione utile; toccare leggermente; — *vi* inclinarsi; — **over** rovesciare; rovesciarsi

tipple *vi* sbevazzare
tippler *n* sbevazzatore *m*
tipsiness *n* ubriachezza
tipsy *a* brillo
tiptoe *vi* camminare in punta di piedi; — *adv* in punta di piedi
tiptop *n (coll)* massimo; colmo; — *a (coll)* eccellente, sommo
tirade *n* sfuriata
tire *n* pneumatico, gomma; — *vt* stancare; annoiare; — *vi* annoiarsi, stancarsi; **-d** *a* stanco; **-dness** *n* stanchezza; **-less** *a* instancabile; **-some** *a* faticoso; noioso, fastidioso
tissue *n* tessuto; — **paper** *n* carta velina
tit *n* — **for tat** colpo per colpo; contraccambio; **give** — **for tat** rendere pan per focaccia
titanic *a* titanico
titanium *n* titanio
tithe *n* decima
title *n* titolo; diritto; — **page** frontespizio; — *vt* intitolare
titlist *n* campione *m*
titrate *vt (chem)* titolare
titration *n (chem)* analisi volumetrica
titter *n* risolino, ridacchiamento; — *vi* ridacchiare
titular *a&n* titolare *m*
to *prep* a; verso; per; in; di; **come** — rinvenire; **up** — fino a
toad *n* rospo
toadstool *n* fungo velenoso
toady *n* parassita *m&f*; adulatore *m*; — *vt* adulare
toast *vt* abbrustolire; — *vi* brindare; — *n* pane abbrustolito; brindisi *m*
toaster *n* tostapane *m*
toastmaster *n* direttore dei brindisi
tobacco *n* tabacco
toboggan *n* toboga; — *vi* andare in toboga
today *n&adv* oggi *m*; **a week from** — fra una settimana; **a week ago** — una settimana fa
toddle *vi* camminare a passi incerti; **-r** *n* bambino
to-do *n (coll)* daffare *m*
toe *n* dito del piede; *(shoe)* punta; — **the mark (line)** essere ligio al dovere; — *vt* toccare con la punta del piede; fornire di punta
toe-dance *vi* ballare sulle punte dei piedi
toenail *n* unghia del piede
toffee *n* caramella
together *adv* insieme
toggle *n (naut)* coccinello; — **switch** *(elec)* interruttore a coltello
togs *npl (coll)* indumenti *mpl*
toil *vi* faticare; — *n* fatica, lavoro; **-er** *n* sgobbone *m*; lavoratore *m*; **-some**

a faticoso, penoso; **–worn** *a* sfinito dalla fatica

toilet *n* toletta; gabinetto; ritirata; — **paper** carta igienica; — **water** acqua di Colonia

token *n* segno; ricordo; prova; *(coin)* gettone; — **payment** pagamento simbolico; **by the same** — per ciò, a conferma di quanto detto; **in — of** in pegno di *(coll)*

tolerable *a* tollerabile

tolerably *adv* tollerabilmente

tolerance *n* tolleranza

tolerant *a* tollerante

tolerate *vt* tollerare

toleration *n* tolleranza

toll *n* pedaggio dazio; *(bells)* rintocco; — **bridge** ponte di pedaggio; — **call** telefonata interurbana; **–house** *n* ufficio daziario; **pay a** — pagare il dazio; — *vi* rintoccare; — *vt* suonare a rintocchi

tomato *n* pomodoro

tomb *n* tomba; **–stone** *n* lapide *f*, pietra sepolcrale

tomboy *n* maschietta

tomcat *n* gatto

tome *n* tomo, volume *m*

tomfoolery *n* sciocchezza

tomorrow *adv&n* domani *m*; **the day after** — dopodomani; — **morning** domattina; **a week from** — domani a otto

tom-tom *n* tam-tam *m*

ton *n* tonnellata; **–nage** *n* tonnellaggio; *(naut)* stazza

tonal *a* tonale

tonality *n* tonalità

tone *n* tono, intonazione; sfumatura; — **down** attenuare; **–less** senza tono; — *vt* intonare

tongs *npl* molle *fpl*, tenaglie *fpl*

tongue *n* lingua; *(shoe)* linguetta; *(bell)* battaglio; *(buckle)* puntale *m*; **on the tip of the** — sulla punta della lingua; **with** — **in cheek** con ironia, con arguzia

tongue-tied *a* bleso

tonic *a&n* tonico; — *n (mus)* tonica

tonight *adv&n* stanotte *f*, stasera

tonsil *n* tonsilla; **–lectomy** *n* tonsillotomia; **–litis** *n* tonsillite *f*

tonsure *vt* tonsurare; — *n* tonsura

too *adv* troppo; anche, pure; — **much** troppo

tool *n* utensile *m*; *(person)* agente *m*

toot *n* suono di corno; — *vt&i* suonare, fischiettare

tooth *n* dente *m*; — *vt* dentellare

toothache *n* mal di denti

toothbrush *n* spazzolino da denti

toothpaste *n* dentifricio

toothpick *n* stuzzicadenti *m*, stecchino

top *n* sommo; colmo; testa; *(bus)* imperiale *m*; *(mountain)* vetta; *(toy)* trottola; **–coat** *n* soprabito; **–flight** *a (coll)* di primissimo ordine; — **hat** cappello a cilindro; — *a* massimo, primo; — *vt* coronare; raggiungere la vetta; sorpassare; svettare

toper *n* ubriacone *m*

topic *n* tema *m*; argomento; **–al** *a* attuale; topico

topmost *a* più elevato, più in alto

top-notch *a (coll)* eccellente

topographer *n* topografo

topographic *a* topografico

topography *n* topografia

topping *n* cima

topple *vi* capitombolare; — *vt* ribaltare

top-secret *a* estremamente segreto

topsy-turvy *a* capovolto

torch *n* fiaccola

torchlight *n* luce di fiaccola; — **parade** fiaccolata

torero *n* torero, toreadore *m*

torment *n* tormento; — *vt* tormentare; **–ing** *a* tormentoso; **–or** *n* tormentatore *m*

torn *a* stracciato

tornado *n* tromba d'aria, ciclone *m*, uragano

torpedo *n* siluro; — **boat** torpediniera; — **tube** tubo lanciasiluri; — *vt* silurare

torpid *a* tardo; intorpidito

torpor *n* torpore *m*

torrent *n* torrente *m*; **in –s** a torrenti; **–ial** *a* torrenziale

torrid *a* torrido

torsion *n* torsione

torso *n* torso

tort *n (law)* torto

tortoise *n* tartaruga

tortuosity *n* tortuosità

tortuous *a* tortuoso

torture *n* tortura; **–r** *n* torturatore *m*; — *vt* torturare, tormentare

toss *n* scossa, colpo; *(naut)* beccheggio; — **off** tracannare; sbrigare; **–up** *n* testa o croce; **–ing** *n* agitazione, scossa; sballottamento; — *vi* agitarsi; — *vt* gettare, lanciare, sballottare; alzare di colpo

tot *n* bambino, bimbo

total *n* totale *m*, somma; — *a* totale; — *vt* addizionare, sommare; ammontare a; **–ization** *n* totalizzazione; **–ity** *n* totalità

totalitarian *n&a* totalitario; **–ism** *n* totalitarismo

totter *vi* vacillare, **–ing** *a* barcollante

toucan *n* tucano

touch *n* tatto, contatto; *(sl)* stoccata

(fig); pizzico; tocco; leggero attacco; **-ing** *a* commovente; **-iness** *n* suscettibilità; **-y** *a* suscettibile; — *vt* toccare; commuovere; concernere, trattare; — *vi* toccarsi; *(naut)* fare scalo

touch-and-go *a* arrischiato; incerto

touchstone *n* pietra di paragone

tough *a* duro; difficile; resistente; violento; ostinato; — *n* tipaccio; **-ly** *adv* difficilmente; ostinatamente; duramente; **-ness** *n* ostinazione; durezza; difficoltà

toughen *vt* indurire; — *vi* indurirsi

tour *n* viaggio, giro; visita; **conducted** — gita in comitiva; — *vi* viaggiare; girare; — *vt* viaggiare attraverso; **-ism** *n* turismo; **-ist** *n* turista *m&f*

tournament *n* torneo; concorso, gara

tousle *vt* scompigliare, disordinare

tow *n* rimorchio; stoppa; **-headed** dai capelli di stoppa *(fig)*; **-line** *n* cavo di rimorchio; — *vt* rimorchiare

toward -s *prep* verso

towel *n* asciugamano; **-ing** *n* stoffa d'asciugamani; — *vt* asciugare

tower *n* torre *f*; *(church)* campanile *m*; — *vi* torreggiare; **-ing** *a* torreggiante

town *n* paese *m*, borgo, città; — **hall** municipio; **-ship** *n* comune *m*

townsman *n* borghese *m*, cittadino

townspeople *npl* cittadinanza

toxic *a* tossico, velenoso

toxicology *n* tossicologia

toxin *n* tossina

toy *n* giocattolo, balocco; — *vi* giocare

trace *n* vestigio, traccia; *(horse)* tirella; — *vt* rintracciare; ricalcare; attribuire; **-able** *a* decalcabile; tracciabile; **-r** *n* ricalcatore, tracciatore *m*; **-ry** *n* intaglio

trachea *n* *(anat)* trachea

tracheotomy *n* tracheotomia

tracing *n* tracciato, ricalco; — **paper** carta per ricalcare

track *n* orma; sentiero; *(rail)* binario; *(sports)* pista, corsa su pista; — **down** scovare, snidare, catturare; **keep** — **of** seguire il corso di; — *vt* pedinare, seguire la pista di; lasciare le tracce

trackless *a* deserto, senza sentieri

tract *n* tratto, spazio; opuscolo; **-able** *a* trattabile

tractability *n* trattabilità

traction *n* trazione *f*

tractor *n* trattrice *f*

trade *n* commercio; mestiere *m*; — **name** nome commerciale; — **union** sindacato operaio; **-mark** marca di fabbrica; **-r** *n* commerciante, negoziante *m&f*; — *vi* commerciare; — *vt* barattare

tradesman *n* commerciante *m*

tradespeople *npl* gente di commercio, commercianti *mpl*

trading *n* commercio, traffico commerciale; baratto; — *a* commerciale; — **stamps** buoni-regalo

tradition *n* tradizione *f*

traditional *a* tradizionale

traditionalism *n* tradizionalismo

traffic *n* traffico, circolazione *f*; commercio; — **jam** congestione di traffico; — **light** semaforo; — **manager** capo traffico; — **policeman** vigile *m*; — **sign** segnale di traffico; — *vi* commerciare, trafficare

tragedian *n* tragico, attore tragico; *(author)* trageda *m*, dramaturgo

tragedy *n* tragedia

tragic *a* tragico

tragicomedy *n* tragicommedia

trail *n* pista; orme *fpl*; sentiero; strascico; — *vt* trascinare, strascicare; pedinare; seguire a stento; — *vi* trascinarsi

trailer *n* rimorchio; *(movie)* cortometraggio pubblicitario

trailing *a* strisciante

train *n* treno; seguito; *(dress)* strascico; — *vt* addestrare, allenare; *(an animal)* ammaestrare; *(sports)* allenare; istruire; *(gun)* puntare; — *vi* allenarsi; **-ed** *a* ammaestrato, allenato

trainee *n* recluta *m*; novizio

trainer *n* allenatore *m*

training *n* allenamento, addestramento; — *a* allenante; esercitante

trait *n* tratto, caratteristica

traitor *n* traditore *m*; **-ous** *a* traditore

trajectory *n* traiettoria

trammel *vt* impedire, impastoiare; irretire; — *n* pastoia

tramp *n* rumore di passi; camminata; vagabondo; — *vi* camminare pesantemente; vagabondare; — *vt* calpestare; percorrere camminando

trample *vt* calpestare

trance *n* trance *m*

tranquil *a* tranquillo; **-ity** *n* tranquillità; **-ize** *vt* tranquillizzare; **-izer** *n* tranquillante *m*

transact *vt* trattare, negoziare

transaction *n* affare *m*, operazione, transazione

transatlantic *a* transatlantico

transcend *vt* trascendere; **-ency** *n* trascendenza; **-ent** *a* trascendente; **-ental** *a* trascendentale; **-entalism** *n* trascendentalismo

transcontinental *a* transcontinentale

transcribe *vt* trascrivere

transcription *n* trascrizione, copia; *(rad)* registrazione di radiotrasmissione

translation *n* traduzione
translator *n* traduttore *m*
transliterate *vt* trascrivere
translucent *a* traslucido
transmigrate *vi* trasmigrare
transmigration *n* trasmigrazione
transmit *vt* trasmettere
transmitter *n* trasmettitore *m*
transmutation *n* trasformazione, trasmutazione
transmute *vt* trasmutare
transoceanic *a* transoceanico
transom *n* lunetta; traversa
transparency *n* trasparenza; *(phot)* diapositiva
transparent *a* trasparente
transpiration *n* traspirazione
transpire *vt&i* traspirare, esalare; *(happen)* accadere
transplant *vt* trapiantare; **–ation** *n* trapianto
transport *vt* trasportare; — *n* trasporto; **–ation** *n* trasporto; mezzo di trasporto; biglietto di viaggio
transpose *vt* trasportare, invertire, trasporre
transposition *n* trasposizione
transship *vt* trasbordare; **–ment** *n* trasbordo
transverse *a* trasversale
trap *n* trappola; inganno; — **door** *n* botola; **set a** — tendere una trappola; — *vt* prendere in trappola; — *vi*
transfer *vt* riportare; cedere; trasferire; — *vi* fare coincidenza; trasferirsi; **–able** *a* trasferibile; — *n* trasferimento; cessione; *(ticket)* biglietto cumulativo
transfiguration *n* trasfigurazione
transfigure *vt* trasfigurare
transfix *vt* trafiggere
transform *vt* trasformare; — *vi* trasformarsi; **–ation** *n* trasformazione
transformer *n* *(elec)* trasformatore *m*
transfusion *n* trasfusione
transgress *vt* trasgredire; — *vi* peccare, errare
transgression *n* trasgressione
transgressor *n* trasgressore *m*
transience *n* temporaneità
transient *a* transitorio, temporaneo; — *n* transeunte *m&f*
transit *n* transito, trasporto; **in** — di passaggio, di transito, in transito
transition *n* transizione
transitional *a* di transizione
transitive *a* transitivo
transitoriness *n* transitorietà
transitory *a* transitorio
translatable *a* traducibile
translate *vt* tradurre; — *vi* tradursi

stendere trappole
trapeze *n* trapezio
trapezoid *n* trapezoide *m*
trapper *n* cacciatore con trappole
trappings *npl* ornamenti *mpl*
trash *n* immondizie *fpl*; robaccia, **–y** *a* di scarto
trauma *n* *(med)* trauma *m*; **–tic** *a* traumatico
travail *n* travaglio, doglia; doglia del parto
travel *vi* viaggiare; — *vt* percorrere; — *n* viaggio; *(mech)* corsa, percorso; **–ogue** *n* conferenza su viaggi
traveler *n* viaggiatore *m*, viaggiatrice *f*; **–'s check** *n* assegno per viaggiatori
traveling *a* viaggiante; — *n* il viaggiare; — **salesman** commesso viaggiatore
traversal *n* attraversamento
traverse *vt* attraversare; — *n* traversa; — *a* trasversale
travesty *n* parodia; travisazione; — *vt* travestire
trawl *vt&i* pescare a rete
trawler *n* imbarcazione peschereccia
tray *n* vassoio
treacherous *a* perfido
treachery *n* perfidia
tread *vt* calpestare; percorrere; *(auto)* mettere il battistrada; — *vi* camminare; porre piede; — **water** nuotare diritto; — *n* passo; *(stair)* gradino; *(auto)* battistrada *m*
treadle *n* pedale *m*
treason *n* tradimento; **–able** *a* proditorio; **–ous** *a* sedizioso
treasure *n* tesoro; — *vt* apprezzare, tesaurizzare
treasurer *n* tesoriere *m*
treasury *n* tesoreria .
treat *vt&i* trattare; curare; — *vi* negoziare; — *vt* offrire, invitare; — *n* regalo; festa; piacere *m*
treatise *n* trattato
treatment *n* trattamento; cura
treaty *n* trattato
treble *n* *(math)* triplo; *(mus)* soprano; suono acuto; — *a* triplice; acuto; — *vt* triplicare; — *vi* triplicarsi; — **clef** chiave di sol
tree *n* albero; **–top** *n* cima d'albero; **family** — albero genealogico
trellis *n* graticciata
tremble *n* tremito; — *vi* tremare
trembling *n* tremolio; — *a* tremante
tremendous *a* tremendo; *(coll)* enorme, meraviglioso
tremolo *n* tremolo
tremor *n* tremore *m*, tremito
tremulous *a* tremolante
trench *n* trincea; — **coat** impermeabile *m*

trenchant *a* penetrante, tagliente
trencherman *n* forte mangiatore, buona forchetta
trend *n* tendenza, direzione; — *vi* tendere, dirigersi
trepan *vt (med)* trapanare; — *n* trapano
trepidation *n* trepidazione
trespass *vi* oltrepassare, sconfinare; trasgredire; peccare; **-er** *n* trasgressore *m*
tress *n* treccia
trestle *n* trespolo; cavalletto
trey *n (cards)* tre *m*
triad *n* triade *f*
trial *n* prova; saggio, collaudo; dolore *m*; *(law)* processo
triangle *n* triangolo
triangular *a* triangolare
triangulate *vt* triangolare
triangulation *n* triangolazione
tribal *a* di tribù
tribe *n* tribù *f*
tribesman *n* membro di tribù
tribulation *n* tribolazione
tribunal *n* tribunale *m*
tribune *n* tribuno; *(dais)* tribuna
tributary *n&a* tributario
tribute *n* tributo
triceps *n* tricipite *m*
trick *n* tiro; inganno; destrezza; giuoco di prestigio; **-ery** *n* astuzia, fraudolenza; **-y** *a* scaltro, malizioso, ingannevole; **-iness** *n* furberia, malizia; — *vt* ingannare; **do the** — eliminare il problema
trickle *n* gocciolio; — *vi* gocciolare, stillare
trickling *n* gocciolio
tricolor *n&a* tricolore *m*
tricycle *n* triciclo
tried *a* provato, fido
triennial *a* triennale
trifle *n* inezia, nonnulla *m*; — *vi* gingillarsi; — *vt* sprecare
trifling *a* frivolo; insignificante
trigger *n* grilletto
trigonometry *n* trigonometria
trill *n* trillo; — *vi* trillare; — *vt* far trillare
trillion *n* trilione *m*
trilogy *n* trilogia
trim *a* lindo, attillato; — *vt* decorare, ornare; aggiustare; ordinare; piallare; *(hair)* spuntare; *(sewing)* guarnire; *(trees)* potare; — *n* assetto, ordine *m*; decorazione; **in** — in ordine; **-ness** *n* nettezza; eleganza
trimming *n* ornamento, guarnizione, decorazione
Trinidad La Trinità
trinity *n* trinità
Trinity *n (eccl)* Trinità
trinket *n* gingillo

trio *n* trio
trip *n* viaggio; **take a** — fare un viaggio; **-hammer** *n* maglio a leva, maglio meccanico
trip *vi (stumble)* incespicare; fare uno sbaglio; saltellare; — *vt* far inciampare; cogliere in fallo; *(mech)* sganciare
tripe *n* trippa
triple *a* triplo; **-t** *n* terzina; *(mus)* tripletta; **-ts** *npl* trigemini *mpl*; *vi* triplicare
triplicate *a* triplice; in tre copie; — *n* triplo
tripod *n* tripode *m*
triptych *n* trittico
trite *a* banale; trito
triumph *n* trionfo; vittoria; — *vi* trionfare; **-ant** *a* trionfante
triumvirate *n* triumvirato
triune *a* trino ed uno
trivet *n* treppiede *m*
trivial *a* banale; da nulla
triviality *n* banalità
trochaic *a* trocaico
Trojan *n&a* troiano
troll *vt&i* pescare con esca girante
trolley *n* puleggia; *(bus)* carrello; **-bus** *n* filobus *m*
trollop *n* prostituta, sgualdrina
trombone *n* trombone *m*
troop *n* truppa; **-er** *n* soldato di cavalleria; — *vi* schierarsi, adunarsi; sfilare; affluire; — *vt* raggruppare, radunare
troopship *n* trasporto
trophy *n* trofeo
tropic *n* tropico
tropical *a* tropicale
tropics *npl* i tropici *mpl*
trot *n* trotto; — *vi* trottare; — *vt* far trottare
troubadour *n* trovatore *m*
trouble *n* guaio; disturbo; male *m*; imbarazzo; **-maker** *n* disturbatore, provocatore *m*; **be in** — trovarsi nei pasticci; **take the** — **to** prendersi la pena di; **be worth the** — valer la pena; — *vt* disturbare; turbare; — *vi* disturbarsi; turbarsi; infastidirsi; **-d** *a* turbato, afflitto
troublesome *a* molesto; fastidioso; noioso
trough *n (kneading)* madia; abbeveratoio
trounce *vt* malmenare, battere; *(coll)* sconfiggere
troupe *n* compagnia
trousers *npl* calzoni *mpl*; **short** — *npl* calzoncini *mpl*
trousseau *n* corredo da sposa
trout *n* trota
trowel *n* cazzuola; vanghetta per trapiantare
Troy Troia

truant *a* chi marina la scuola
truce *n* tregua
truck *n* camione *m*; autocarro; — **driver** camionista *m*; — **farm** orto; — **farming** ortofrutticoltura; — **farmer** trafficante d'ortaggi; **have no** — **with** evitare di trattare con; — *vi* scambiare, barattare; carreggiare
truculence *n* trucolenza
truculent *a* trucolento
trudge *vi* camminare faticosamente
true *a* vero; esatto; leale; — *adv* veramente; lealmente; **come** — realizzarsi, avverarsi; — *vt* rettificare, regolare, conformizzare
true-blue *a* costante, fido
truffle *n* tartufo
truism *n* luogo comune, verità banale
truly *adv* veramente
trump *n (card)* briscola; *(coll)* brav'uomo; — *vt* prendere con la briscola; — **up** inventare
trumpery *n* frottole *fpl*
trumpet *n* tromba; — *vi* strombazzare; strombettare; *(elephant)* barrire; **-er** *n* trombettiere *m*
truncate *vt* troncare
truncheon *n* bastone *m*
trundle *vt* far ruzzolare, far rotolare; — *vi* ruzzolare, rotolare
trunk *n* baule *m*; *(auto)* portabagagli *m*; *(body)* torso; *(elephant)* proboscide *f*; *(tree)* tronco
trunks *npl* calzoncini *mpl*, slip *m*, mutandine *fpl*
truss *n* cinto erniario; travata; — *vt* legare; *(prop)* puntellare
trust *n* fiducia, credito; *(com)* trust *m*, consorzio; **-worthy** *a* fidato; **in** — in deposito; — *vt* dar credito a, fidarsi di; — *vi* fidarsi; **-ing** *a* fiducioso; **-ed** *a* fidato
trustee *n* amministratore *m*; **-ship** *n* amministrazione, curatela
truth *n* verità; **to tell the** — a dire il vero; **-ful** *a* sincero, verace
truthfulness *n* veracità
try *vt* provare, tentare; *(law)* giudicare; *(tire)* stancare; — **out** collaudare; mettere a prova; — **on** provare; — *n* tentativo, prova
trying *a* difficile, penoso, seccante
tryout *n* prova, saggio
tryst *n* appuntamento
T-shirt *n* maglietta estiva, canottiera
tub *n* tino; — **bath** bagno in vasca; **-by** *a* obeso, grasso, paffuto
tuba *n* tuba
tube *n* tubo, canale *m*; *(rad)* valvola; **inner** — camera d'aria

tuber *n* tubero
tubercle *n* tubercolo
tubercular *a* tubercolare
tuberculosis *n* tubercolosi *f*
tuberous *a* tuberoso
tubing *n* tubatura
tubular *a* tubolare
tuck *n* piegatura; — *vt* ripiegare, rimboccare
Tuesday *n* martedì; **Shrove** — Martedì Grasso
tuft *n* ciuffo; *(wool)* fiocco; *(bird)* cresta; **-ed** *a* crestato; fiocchettato; con ciuffi; — *vt* trapuntare
tug *vt* tirare con forza; rimorchiare; — *n* strappo, tirone *m*; rimorchiatore *m*; — **of war** tiro della fune
tugboat *n* rimorchiatore *m*
tuition *n* tassa scolastica
tulip *n* tulipano
tumble *vi* cadere; agitarsi; capitombolare; — *vt* rovesciare, scompigliare — *n* caduta; capitombolo
tumbler *n (acrobat)* acrobata *m&f*, saltimbanco; *(glass)* bicchiere *m*; *(lock)* nasello
tumble-down *a* caduco, crollante
tumefaction *n* tumefazione
tumor *n* tumore *m*
tumult *n* tumulto; **-ous** *a* tumultuoso
tun *n* barile *m*
tuna, tuna fish *n* tonno
tunable *a* accordabile
tundra *n* tundra
tune *n* melodia, aria; **in** — d'accordo, a tono, intonato; **out of** — fuori tono, in disaccordo, stonato; **-ful** *a* intonato, melodioso; **-r** *n* accordatore *m*; **-vt** accordare; *(motor)* regolare
tune-up *n* regolazione
tungsten *n* tungsteno
tunic *n* tunica
tuning *n* accordatura; — **fork** diapason *m*
Tunisia Tunisia; **-n** *n&a* tunisino
tunnel *n* galleria, traforo; — *vt* traforare
turban *n* turbante *m*
turbid *a* torbido
turbine *n* turbina
turbojet *n* turboreattore *m*, turbogetto
turboprop *n* turbopropulsore *m*, turboelica
turbulence *n* turbolenza
turbulent *a* turbolento
tureen *n* zuppiera
turf *n* zolla erbosa; torba; ippodromo, pista
turgid *a* turgido; **-ity** *n* turgidezza
Turin Torino
Turk *n* turco
Turkey Turchia
turkey *n* tacchino

Turkish *n&a* turco; — **bath** bagno turco
turmoil *n* agitazione
turn *vt* voltare; girare; *(blunt)* smussare; cambiare; — *vi* voltarsi; diventare; girare; — **about, around** voltarsi indietro; — **back** tornare indietro; — **off** chiudere; — **on** aprire; dipendere da; — **out** uscire; riuscire; far uscire; *(light)* spegnere; — **over** voltarsi; — **up** presentarsi; scoprire; accadere
turn *n* svolta; turno; giro; cambio; **done to a** — fatto a perfezione; **good** — buona azione; **sharp** — curva stretta; **–coat** *n* opportunista *m*; **–down** *a* rovesciato; **–out** *n (com)* produzione; *(audience)* uditorio; **–over** *n (com)* giro d'affare; rovesciamento; *(pastry)* focaccia; **–stile** *n* molinello; **–table** *n (rail)* piattaforma girevole; *(rad)* piatto giradischi
turpentine *n* trementina
turpitude *n* turpitudine *f*
turquoise *n* turchese *f*
turret *n* torricella
turtle *n* tartaruga; **–dove** tortora; **turn** — capovolgersi
Tuscan *a&n* toscano
Tuscany Toscana
tusk *n* zanna
tussle *n* rissa, zuffa; — *vi* azzuffarsi
tutelage *n* tutela
tutelary *a* tutelare
tutor *n* istitutore *m*; — *vt* istruire, insegnare
tuxedo *n* smoking *m*
twaddle *n* ciancia; — *vi* cianciare
twang *n* tono vibratorio; accento nasale; **speak with a** — parlare col naso
tweak *vt* pizzicare, ritorcere
tweet *vi* cinguettare
tweezers *npl* pinzette *fpl*; *(hair)* mollette *fpl*
twelfth *a* dodicesimo
twelve *a* dodici
twentieth *a* ventesimo
twenty *a* venti
twice *adv* due volte
twiddle *vt* far girare
twig *n* ramoscello
twilight *n* crepuscolo
twin *a&n* gemello
twine *n* spago, corda; — *vt* intrecciare;

attorcigliare; legare; — *vi* attorcigliarsi; serpeggiare
twin-engine *a* bimotore
twinge *n* dolore *m*; spasimo; — *vt* pungere — *vi* dolere
twinkle *vi* scintillare; ammiccare; — *n* scintillio; strizzatina d'occhio, occhiolino
twinkling *n* scintillio, balenio, sfavillio; istante *m*; **in the** — **of an eye** in un batter d'occhio
twirl *vt&i* rigirare
twist *n* attorcigliamento; torsione; tendenza; treccia; **–er** *n (storm)* turbine *m*, tromba d'aria; — *vt* torcere, contorcere; intrecciare; — *vi* torcersi, contorcersi; **–ed** *a* storto; **–ing** *n* contorcimento
twit *vt* rimproverare, rinfacciare
twitch *n* spasimo; strappo; — *vi* contrarsi, contorcersi; — *vt* strappare
twitter *n* pigolio, cinguettio; agitazione; **all of a** — agitato, nervoso; — *vi* pigolare, cinguettare
two *a* due; **–fold** *a* doppio
two- *(in comp)* **–edged** *a* a doppio taglio; **–faced** *a* a due facce; ipocrito; — **fisted** virile, vigoroso; **–handed** *a* a due mani; **–legged** *a* a due gambe, bipede; **–piece** *a* a due pezzi; **–step** *n* passo doppio; **–way** *a* a doppio senso
tycoon *n* magnate *m*
tympanum *n* timpano
type *n* tipo; *(print)* carattere *m*; — *vt* scrivere a macchina; classificare
typesetter *n* compositore *m*
typewriter *n* macchina da scrivere
typhoid (fever) *n* tifoide *f*
typhoon *n* tifone *m*
typhus *n* tifo
typical *a* tipico; **–ly** *adv* tipicamente
typify *vt* rappresentare, figurare, tipificare
typing *n* dattilografia
typist *n* dattilografo, dattilografa
typographer *n* tipografo
typographical *a* tipografico
typography *n* tipografia
tyrannical *a* tirannico
tyrannize *vt&i* tiranneggiare
tyranny *n* tirannia
tyrant *n* tiranno
Tyrol Tirolo

U

ubiquitous *a* onnipresente
udder *n* poppa
ugliness *n* bruttezza
ugly *a* brutto

ulcer *n* ulcera; **–ate** *vt* ulcerare; **–ate** *vi* ulcerarsi; **–ation** *n* ulcerazione; **–ous** *a* ulceroso
ulterior *a* ulteriore; — **motive** secondo

fine
ultimate *a* finale, ultimo
ultimatum *n* ultimatum *m*
ultra *a&n* ultra; **–modern** *a* ultramoderno; **–sonic** *a* ultrasonico; **–violet** *a* ultravioletto
umbilical *a* ombelicale; — **cord** cordone ombelicale
umbilicus *n* ombelico
umbrage *n* ombra, offesa; fogliame *m*; **take** — adombrarsi
umbrella *n* ombrello, parapioggia, paracqua
umpire *n* arbitro; — *vt&i* arbitrare
umpiring *n* arbitraggio
UN, United Nations O.N.U., Organizzazione delle Nazioni Unite
unabashed *a* imperturbato; svergognato
unabated *a* inesausto, non esausto
unabating *a* infaticabile, senza diminuzione di energia
unable *a* incapace; **be — to** non potere, essere incapacitato per
unabridged *a* completo, intero
unaccented *a* non accentato, inaccentuato; atono
unacceptable *a* inaccettabile
unaccomodating *a* inadattabile, incondiscendente
unaccompanied *a* solo, non accompagnato; *(mus)* senza accompagnamento
unaccomplished *a* incompiuto
unaccountable *a* inesplicabile; irresponsabile
unaccounted (for) *a* inspiegato; *(missing)* mancante
unaccredited *a* non accreditato
unaccustomed *a* non abituato
unacknowledged *a* non riconosciuto; *(letter)* senza risposta, senza riscontro
unacquainted *a* non informato; — **with** senza familiarità circa
unacquired *a* naturale
unadapted *a* inadatto
unaddressed *a* senza indirizzo
unadorned *a* disadorno
unadulterated *a* genuino, non adulterato, inalterato
unadvisable *a* non consigliabile
unaffected *a* non affettato; *(naive)* semplice
unaffectedness *n* semplicità
unafraid *a* intrepido, senza paura, temerario
unagreeable *a* sgradevole
unaggressive *a* non aggressivo
unaided *a* senz'aiuto
unallowed *a* non permesso
unalloyed *a* puro, senza lega
unalterable *a* inalterabile
unaltered *a* inalterato

unambitious *a* senz'ambizione
unanimity *n* unanimità
unanimous *a* unanime
unannounced *a* non annunziato, inaspettato
unanswerable *a* irrefutabile
unanswered *a* senza risposta
unanticipated *a* non anticipato
unappeased *a* implacato, insoddisfatto
unappetizing *a* poco appetitoso
unappreciated *a* non apprezzato
unappreciative *a* non apprezzativo
unapproachable *a* inaccessibile
unarmed *a* indifeso, inerme
unashamed *a* spudorato, svergognato
unasked *a* non richiesto
unassailable *a* inattaccabile
unassimilated *a* non assimilato
unassisted *a* non assistito
unassuming *a* modesto, senza pretese
unattached *a* libero; non fidanzato; separato
unattainable *a* irraggiungibile
unattended *a* non accompagnato, solo
unattractive *a* poco attraente
unauthentic *a* non autentico
unavailable *a* non disponibile
unavailing *a* inutile, inefficace
unavenged *a* non vendicato
unavoidable *a* inevitabile
unavowed *a* non riconosciuto; inconfessato
unaware *a* inconsapevole; **be — of** ignorare
unawares *adv* all'insaputa; di sorpresa
unbalanced *a* squilibrato
unbandage *vt* sbendare
unbaptized *a* non battezzato
unbar *vt* aprire
unbearable *a* insopportabile
unbearably *adv* insopportabilmente
unbeatable *a* imbattibile
unbeaten *a* imbattuto
unbecoming *a* indecoroso
unbefitting *a* sconvenevole
unbeknown *a* sconosciuto; — **to** all'insaputa di
unbelief *n* incredulità
unbelievable *a* incredibile
unbeliever *n* miscredente *m&f*
unbelieving *a* incredulo
unbend *vt* raddrizzare; allentare; — *vi* *(relax)* rilassarsi; raddrizzarsi; **–ing** *a* inflessibile
unbiased *a* imparziale
unbidden *a* spontaneo; senza invito
unbind *vt* sciogliere
unblamable *a* innocente, irreprensibile
unbleached *a* non candeggiato
unblemished *a* senza macchia, puro

unblock vt sbloccare; **–ed** a sbloccato
unblushing a svergognato
unbolt vt aprire, levare il catenaccio; **–ed** a aperto, senza catenaccio
unborn a non nato, inesistente
unbosom vt rivelare, confidare; **— oneself** sfogarsi
unbound a sciolto, libero; (book) senza rilegare; **–ed** a illimitato
unbowed a indomito
unbreakable a irrompibile, infrangibile
unbred a maleducato, grossolano
unbridled a sbrigliato, sfrenato
unbroken a intatto, non rotto; ininterrotto
unbuckle vt sciogliere, sfibbiare
unburden vt scaricare
unburied a insepolto
unbusinesslike a poco commerciale, poco pratico
unbutton vt sbottonare; **–ed** a sbottonato
uncalled a non chiamato
uncalled-for a innecessario; impertinente
uncanny a irreale, soprannaturale
uncared-for a trascurato, negletto
unceasing a incessante; **–ly** adv continuamente, incessantemente
uncensored a incensurato
unceremonious a senza cerimonie
uncertain a incerto; **–ty** n incertezza
uncertified a non certificato, non legalizzato
unchain vt liberare, sciogliere dalle catene, scatenare
unchallenged a non sfidato, senza obbiezione
unchangeable a invariabile, immutabile
unchanged a inalterato, immutato, invariato
unchanging a costante, invariabile
uncharitable a non caritatevole, senza carità
uncharted a non indicato in una carta marittima
unchaste a non casto
unchecked a incontrollato, sfrenato
unchivalrous a non cavalleresco
unchristian a indegno d'un cristiano, poco cristiano
unchristened a non battezzato
uncircumspect a imprudente
uncircumcised a incirconciso
uncivil a sgarbato; **–ized** a incivile, barbaro
unclaimed a non reclamato, non domandato
unclasp vt slacciare; **–ed** a slacciato, aperto
uncle n zio
unclean a sporco, sudicio; poco pulito;

–liness n sporcizia; impurità
unclench vt aprire
unclothed a svestito
unclouded a senza nuvole
uncock vt disarmare
uncoil vt svolgere, srotolare
uncollected a non raccolto, non riunito
uncolored a non colorato, incoloro
uncombed a spettinato
uncomfortable a scomodo, a disagio
uncomfortably adv scomodamente
uncommitted a non commesso; non impegnato, non compromesso
uncommon a non comune, raro
uncommunicative a riservato, incommunicativo
uncomplaining a rassegnato
uncomplete a incompleto, incompiuto
uncomplicated a semplice
uncomplimentary a poco lusinghiero, offensivo
uncompromising a intransigente, inflessibile
unconcealed a non nascosto, manifesto
unconcern n indifferenza; **–ed** a indifferente, noncurante
unconditional a incondizionale
unconfirmed a non confermato
uncongenial a incompatibile, antipatico
unconnected a sconnesso; staccato, separato; estraneo
unconquerable a inconquistabile, invincibile
unconquered a invitto, indomito
unconscious a inconscio, inconsapevole, privo di sensi; **be — of** ignorare; **–ly** adv inconsciamente; **–ness** n incoscienza
unconscionable a senza scrupoli
unconsecrated a non consacrato
unconsidered a sconsiderato, inconsiderato
unconstitutional a incostituzionale
unconstrained a senza costrizione, disinvolto
unconsumed a non consumato
uncontaminated a incontaminato
uncontested a incontestato
uncontradicted a non contraddetto
uncontrollable a incontrollabile
uncontrolled a sfrenato, senza controllo
unconventional a non convenzionale
unconverted a non convertito
unconvinced a non convinto
unconvincing a non convincente
uncooked a non cotto, non cucinato, crudo
uncork vt stappare, sturare, **–ed** a sturato, stappato
uncorrected a non corretto
uncorroborated a non corroborato

uncorrupted *a* incorrotto
uncouple *vt* spaiare, sconnettere
uncouth *n* goffo, grossolano; **–ness** *n* grossolanità, goffaggine *f*
uncover *vt* scoprire; — *vi* scoprirsi
uncrowned *a* senza corona
unction *n* unzione; unguento; **extreme** — *(eccl)* estrema unzione
unctuous *a* untuoso
uncultivated *a* incolto
uncultured *a* incolto
uncurbed *a* indomito
uncured *a* non guarito
uncurtailed *a* non diminuito
uncustomary *a* inusato
uncut *a* intonso, non tagliato
undamaged *a* non danneggiato, indenne
undamped *a* non scoraggiato
undated *a* non datato, senza data
undaunted *a* intrepido
undeceive *vt* disingannare
undecided *a* incerto, indeciso
undecipherable *a* indecifrabile
undefeated *a* invitto, non vinto
undefended *a* indifeso
undefinable *a* indefinibile
undefined *a* indefinito
undelivered *a* non recapitato
undemonstrative *a* non aperto, chiuso, riservato
undeniable *a* innegabile
undeniably *adv* innegabilmente
under *prep* sotto, meno di; — **the circumstances** in tali circostanze, nelle circostanze; — *a* di sotto; inferiore; — *adv* al di sotto, sotto
underage *a* minorenne
underage *n* deficit *m*
underbid *vt* offrire un prezzo inferiore a, fare offerta più bassa di
underbrush *n* cespugli *mpl*, macchie *fpl*
undercarriage *n* carrello d'atterraggio; *(auto)* telaio
undercharge *vt* riscuotere al di sotto del prezzo giusto; caricare insufficientemente
underclothing *n* biancheria personale
undercover *a* segreto, occulto, clandestino
undercurrent *n* corrente subacquea; influenza segreta
undercut *n (tennis)* tiro di taglio; — *vt* vendere (*or* lavorare) a prezzo inferiore a
underdeveloped *a* insufficientemente sviluppato
underdog *n* persona sottomessa
underdone *a* poco cotto; *(meat)* al sangue
underestimate *vt* sottostimare, svalutare
underexpose *vt* dare esposizione insufficiente a

underexposure *n (photo)* esposizione insufficiente
underfed *a* malnutrito
underfoot *adv* sotto i piedi
undergarment *n* sottoveste *f*, indumento personale
undergo *vt* subire
undergraduate studente d'università
underground *a* sotterraneo; — *n (pol)* resistenza clandestina, cospiratori *mpl*; — *adv* sottoterra
undergrowth *n* cespuglio, macchia
underhanded *a* subdolo, furbo; corto di personale; **–ly** *adv* clandestinamente, sottomano, segretamente
underhung *a* sporgente
underlie *vt* costituire la base (*or* fondamenta) di; essere sottoposto a
underline *vt* sottolineare
underling *n* subalterno
underlying *a* fondamentale
undermine *vt* sottominare
undermost *a* infimo
underneath *adv* al di sotto; — *prep* sotto; al di sotto di
undernourished *a* denutrito
undernourishment *n* denutrizione
underpaid *a* mal pagato
underpay *vt* pagare insufficientemente
underpass *n* sottopassaggio
underpinning *n* sottomuro
underprivileged *a* privo del benessare; povero
underproduction *n* produzione insufficiente
underrate *vt* sottovalutare; **–d** *a* sottovalutato
underscore *vt* sottolineare
undersea *a* subacqueo, sottomarino
undersecretary *n* sottosegretario
undersell *vt* svendere, vendere in concorrenza
undershirt *n* maglietta
underside *n* parte inferiore
undersign *vt* sottoscrivere; **–ed** *n&a* sottoscritto
undersized *a* di dimensione al di sotto del normale
underskirt *n* sottogonna
understand *vt&i* capire, comprendere; **–able** *a* comprensibile
understanding *n* comprensione, intesa; intelletto, intelligenza, giudizio; **have an** — **with** accordarsi con, aver un'intesa con; **on the** — **that** a condizione che; — *a* intelligente, comprensivo
understate *vt* attenuare; **–ment** *n* affermazione incompleta
understood *a* inteso, sottinteso, capito

understudy n *(theat)* sostituto; — vt studiare la parte di
undertake vt intraprendere, **–r** n imprenditore m, imprenditrice f; impresario di pompe funebri
undertaking n impresa
undertone n tono basso *(or* fievole); sfumatura; **in an** — sottovoce
undervalue vt sottovalutare, svalutare
underwear n biancheria intima
underweight a troppo magro
underworld n oltretomba; inferno; bassifondi mpl; — a d'oltretomba; dei bassifondi
underwrite vt sottoscrivere, garantire, assicurare; **–r** n assicuratore m; garante m
undeserved a immeritato, ingiusto; **–ly** adv immeritatamente, ingiustamente
undeserving a immeritevole
undesirable a sgradito, indesiderabile
undetected a nascosto, segreto, non scoperto
undetermined a indeterminato, indeciso
undeterred a non scoraggiato, non distolto
undeveloped a non sviluppato
undeviating a diritto, costante, non deviante
undigested a indigesto, non digerito
undignified a senza dignità
undiluted a non diluito
undiminished a non diminuito, intero
undiplomatic a poco diplomatico
undirected a senza direzione
undiscerned a inosservato
undiscernible a indiscernibile
undiscerning a senza discernimento
undisciplined a indisciplinato
undiscovered a non scoperto
undisclosed a nascosto, segreto
undiscriminating a senza discernimento, di cattivo gusto
undisguised a aperto, non mascherato; **–ly** adv apertamente, francamente
undismayed a non scoraggiato, senza paura, fermo
undisputed a indisputato, indiscusso, incontrastato; fuori discussione
undissolved a non disciolto
undistinguishable a indistinguibile
undistinguished a non distinto; non famoso; volgare, comune
undistorted a non distorto
undisturbed a indisturbato
undivided a indiviso
undo vt disfare, sciogliere
undoing n rovina; annullamento
undone a sciolto, disfatto; rovinato; **come** — sciogliersi

undoubtedly adv indubbiamente, senza dubbio
undress vt spogliare; — vi spogliarsi, svestirsi; **–ed** a svestito; non preparato, grezzo
undrinkable a imbevibile
undue a eccessivo, inconveniente
undulate vi ondeggiare; fluttuare; — vt far ondeggiare, ondulare
unduly adv eccessivamente
undying a imperituro, immortale
unearned a immeritato, non guadagnato
unearth vt dissotterrare scavare; scoprire; **–ed** a dissotterrato; scoperto; **–ly** a soprannaturale
uneasiness n disagio, inquietudine f, turbamento
uneasy a inquieto, turbato
uneaten a non mangiato
unedible immangiabile
uneducated a incolto, ignorante
unemotional a impassibile, non emotivo
unemployed a&n disoccupato
unemployment n disoccupazione; — **insurance** assicurazione contro la disoccupazione
unencumbered a sgombro; libero di gravami, non ipotecato
unending a interminabile
unendurable a insopportabile, intollerabile
unenlightened a ignorante
unenterprising a poco intrapredente
unenviable a non invidiabile
unequal a ineguale, disuguale; inadatto; **–ed** a ineguagliato; **–ly** adv inegualmente
unequivocal a franco, chiaro; inequivocabile
unerring a infallibile
unessential a non essenziale, superfluo
uneven a ineguale; non piano; dispari; **–ness** n ineguaglianza, disuguaglianza; disparità
uneventful a senza novità, calmo, monotono
unexampled a senza precedenti, inaudito
unexcelled a non sorpassato, insuperato
unexceptionable a irreprensibile
unexciting a non eccitante
unexpected a inatteso, inaspettato; **–ly** all'improvviso
unexpired a non spirato, non scaduto
unexplained a non spiegato, inesplicato
unexplored a inesplorato
unexposed a non esposto, protetto; nascosto, segreto
unexpressed a inespresso
unexpurgated a integro, inespurgato
unfaded a non appassito, non scolorito

unfailing *a* infallibile
unfair *a* ingiusto; parziale; **–ly** *adv* disonestamente, ingiustamente; **–ness** *n* ingiustizia; parzialità
unfaithful *a* infedele; **–ness** *n* infedeltà
unfaltering *a* deciso, fermo
unfamiliar *a* poco pratico; sconosciuto; **–ity** *n* mancanza di familiarità
unfashionable *a* fuori moda
unfasten *vt* slegare, aprire, sciogliere; — *vi* slegarsi
unfathomable *a* insondabile
unfavorable *a* sfavorevole
unfeasible *a* impraticabile, non fattibile
unfeeling *a* insensibile
unfeigned *a* genuino, non finto
unfertile *a* non fertile, sterile
unfettered *a* senza catene, senza ceppi; libero, illimitato
unfilled *a* vuoto; vacante
unfinished *a* incompleto
unfit *a* incapace; inadatto; **–ness** *n* incapacità; **–ting** *a* sconveniente
unflagging *a* infaticabile
unflattering *a* poco lusinghiero
unflinching *a* risoluto, imperterrito
unfold *vt* spiegare, rivelare; — *vt* spiegarsi
unforced *a* spontaneo
unforeseen *a* inatteso, imprevisto
unforgettable *a* indimenticabile
unforgivable *a* imperdonabile
unforgiven *a* senza perdono, non perdonato
unforgiving *a* implacabile
unforgotten *a* non dimenticato
unformulated *a* non formulato
unfortified *a* debole, non fortificato, indifeso
unfortunate *a* disgraziato, sfortunato, infelice; **–ly** *adv* sfortunatamente, per sfortuna
unfounded *a* infondato
unfrequented *a* infrequentato
unfriendliness *n* inimicizia
unfriendly *a* mal disposto, poco amichevole, sfavorevole; ostile
unfrock *vt (eccl)* spretare
unfruitful *a* infruttuoso; sterile
unfulfilled *a* incompiuto, inadempiuto
unfurl *vt* spiegare, aprire; — *vi* distendersi
unfurnished *a* non ammobiliato
ungainliness *n* goffaggine *f*
ungainly *a* maldestro, goffo; — *adv* maldestramente, goffamente
ungenerous *a* meschino, ingeneroso
ungentlemanly *a* grossolano, rozzo, volgare
ungird *vt* scingere

unglazed *a* senza vetri; non lucidato
ungodliness *a* empietà
ungodly *a* empio; *(coll)* orrendo
ungovernable *a* ingovernabile
ungraceful *a* sgraziato, senza grazia
ungracious *a* scortese; antipatico; **–ly** *adv* scortesemente; **–ness** *n* scortesia, grossolanità
ungrammatical *a* scorretto, non grammaticale
ungrateful *a* ingrato, non riconoscente; **–ness** ingratitudine *f*
ungratified *a* insoddisfatto, non appagato
ungrounded *a* infondato
ungrudging *a* liberale, generoso, di buon cuore; **–ly** *adv* generosamente, di buon cuore, volentieri
unguarded *a* incostudito
unguent *n* unguento
ungulate *n&a* ungulato
unhallowed *a* profano, non consacrato
unhampered *a* non impedito, disimbarazzato
unhand *vt* lasciar andare, lasciare
unhandy *a* maldestro
unhappily *adv* sfortunatamente
unhappiness *n* infelicità, sfortuna
unhappy *a* infelice, scontento, sfortunato
unharmed, unhurt *a* illeso, sano e salvo
unhealthful *a* insalubre
unhealthiness *n* insalubrità
unhealthy *a* malsano, malaticcio
unheard *a* non udito
unheard-of *a* inaudito
unheated *a* non riscaldato
unheeding *a* negligente, disattento
unhesitating *a* risoluto, non esitante; **–ly** *adv* senza esitazione, risolutamente
unhindered *a* disimpacciato, non ostacolato
unhinge *vt* sgangherare; *(mind)* disordinare
unhitch *vt* staccare
unholy *a* empio; *(coll)* terribile
unhoped-for *a* insperato
unhorse *vt* scavalcare
unhook *vt* sganciare
unhurried *a* calmo; **–ly** *adv* senza fretta
unicorn *n* unicorno
unidentified *a* non identificato
unification *n* unificazione
uniform *a&n* uniforme *f*; **–ly** *a* uniformemente
uniformity *n* uniformità
unify *vt* unificare
unilateral *a* unilaterale
unimaginable *a* inimmaginabile
unimaginative *a* senza immaginazione
unimpaired *a* integro, non indebolito
unimpeachable *a* inattaccabile, inconte-

stabile
unimpeded *a* senza ostacoli, non impedito
unimportant *a* poco importante, insignificante
unimposed *a* volontario
unimposing *a* poco imponente
unimpressed *a* non impressionato
unimpressionable *a* non impressionabile
unimpressive *a* poco impressionante
unimproved *a* non migliorato
uninflammable *a* non infiammabile
uninfluenced *a* non influenzato
uninfluential *a* senza influenza
uninformed *a* ignaro, non informato, ignorante
uninhabitable *a* inabitabile
uninhabited *a* disabitato, inabitato
uninitiated *a* non iniziato
uninjured *a* incolume, illeso
uninspired *a* senza ispirazione, non ispirato
unintelligent *a* stupido, poco intelligente
unintelligible *a* incomprensibile
unintentional *a* involontario
uninterested *a* disinteressato
uninteresting *a* poco interessante
uninterrupted *a* ininterrotto
uninvited *a* non invitato
uninviting *a* poco attraente
union *n* unione *f*; **labor —** sindacato; **–ist** *n* unionista *m&f*
unique *a* solo, unico
unison *n* unisono; **in —** all'unisono
unit *n* unità; *(mil)* reparto
Unitarian *n&a* unitario
unite *vt* unire; **—** *vi* unirsi
united *a* unito
United Arab Republic Repubbliche Arabe Unite
United Kingdom Regno Unito
United Nations Nazioni Unite
United States of America Stati Uniti d'America
unity *n* unità
univalent *a* univalente, monovalente
universal *a* universale; **–ity** *n* universalità; **–ly** *adv* universalmente
universe *n* universo
university *n* università; **—** *a* universitario
unjust *a* ingiusto; **–ly** *adv* ingiustamente
unjustifiable *a* ingiustificabile
unjustified *a* ingiustificato
unkempt *a* trasandato, spettinato, scarmigliato
unkind *a* sgarbato, poco gentile; **–ness** *n* scortesia
unknot *vt* slegare, snodare
unknowable *a* inconoscibile
unknowingly *adv* inconsapevolmente
unknown *n* sconosciuto; *(math)* incognita;

— *a* sconosciuto, ignoto
unlace *vt* slacciare; **–d** *a* slacciato
unladylike *a* non degno d'una signora
unlatch *vt* disserrare
unlawful *a* illegale, illegittimo, illecito; **–ly** *adv* illecitamente; **–ness** *n* illegalità
unlearn *vt* disimparare; **–ed** non imparato; *(person)* ignorante
unleash *vt* sguinzagliare
unleavened *a* senza lievito, non fermentato; **— bread** pane azzimo
unless *conj* a meno che, salvo che, se non
unlettered *a* ignorante, illetterato, analfabeta
unlicensed *a* senza licenza *(or* permesso*)*
unlifelike *a* inverosimile
unlike *a* dissimile; **— prep** diverso di; **–lihood** *n* improbabilità, inverosimiglianza
unlikely *a* improbabile
unlimited illimitato
unlined *a (paper)* senza righe; *(clothing)* non foderato
unload *vt* scaricare; disfarsi di; **–ing** *n* scarico; **–ed** *a* scaricato, scarico
unlock *vt* disserrare, aprire; **–ed** aperto, dischiuso
unlooked-for inaspettato, inatteso
unloosen *vt* sciogliere, allentare
unlovable *a* antipatico, detestabile
unloving *a* insensibile, non sentimentale, impassivo
unluckiness *n* sfortuna
unlucky *a* sfortunato, disgraziato, sventurato
unman *vt* snervare
unmanageable *a* ribelle, intrattabile
unmanly *a* effeminato, vile, pusillanime
unmannerly *adv* grossolanamente, rozzamente; **— a** scortese, sgarbato
unmarked *a* non marcato, non contrassegnato
unmarketable *a* invendibile
unmarried *a* non sposato
unmask *vt* smascherare; **—** *vi* smascherarsi
unmatched *a* scompagnato, spaiato; incomparato
unmeant *a* involontario
unmeasurable *a* immisurabile
unmelodious *a* stonato, discordante
unmentionable *a* innominabile
unmerciful *a* spietato, senza misericordia
unmerited *a* immeritato
unmindful *a* negligente, smemorato, sventato
unmistakable *a* indubbio, evidente
unmistakably *adv* evidentemente, senza errore, senza dubbio, inequivocabilmente
unmitigated non mitigato; *(complete)*

assoluto
unmixed *a* puro, non mischiato, non misto
unmodified *a* non modificato
unmolested *a* indisturbato
unmounted *a (jewel)* non incastonato
unmoor *vt* disormeggiare
unmourned *a* illagrimato
unmoved *a* immobile; impassibile, inesorabile
unmurmering *a* rassegnato
unnamed anonimo, innominato
unnatural *a* innaturale, non naturale; snaturato, contro natura
unnavigable *a* innavigabile
unnecessary *a* superfluo
unneeded *a* innecessario
unnegotiable *a (com)* non negoziabile
unnerve *vt* snervare
unnoticeable *a* inosservabile
unnoticed, unobserved *a* inosservato
unnumbered *a* innumerabile
unobjectionable *a* ineccepibile
unobliging *a* scompiacente
unobservant *a* inosservante
unobstructed *a* inostruito, non impedito
unobtainable *a* inottenibile
unobtrusive *a* modesto, discreto, riservato; **–ly** *adv* modestamente, discretamente
unoccupied *a* disoccupato; libero, vacante, non occupato
unofficial *a* non ufficiale, ufficioso
unopened *a* chiuso, non aperto
unopposed *a* incontrastato, senza opposizione
unoriginal *a* non originale
unorthodox *a* eterodosso
unostentatious *a* semplice, senza fasto
unpack *vt* disfare, spacchettare, sballare; **—** *vi* disfare i bagagli
unpaid *a* non pagato; *(com)* in sospeso; non saldato
unpalatable *a* sgradevole
unparalleled *a* ineguagliabile, incomparato, senza paralleli *(coll)*
unpardonable *a* imperdonabile
unpatriotic *a* non patriottico, poco patriottico
unpaved *a* non pavimentato, senza selciato
unperceivable *a* inosservabile
unperceived *a* inosservato
unperturbed *a* imperturbato
unpin *vt* levare gli spilli da; staccare
unpitying *a* spietato
unpleasant *a* spiacevole; **–ness** *n* spiacevolezza; disaccordo
unpleasing *a* spiacevole
unpolished *a (person)* grossolano, rozzo; *(surface)* grezzo, non lucidato

unpolluted *a* incontaminato
unpopular *a* non popolare, impopolare, non gradito; **–ity** *n* impopolarità
unpracticed *a* inesperto
unprecedented *a* senza precedenti, inaudito
unprejudiced *a* spregiudicato, senza pregiudizi, imparziale
unpremeditated *a* impremeditato
unprepared *a* impreparato
unprepossessing *a* poco attraente
unpresentable *a* impresentabile
unpresuming *a* senza presunzione
unpretentious *a* senza pretese
unpreventable inevitabile
unprincipled *a* immorale, senza principi
unprintable *a* inatto alla stampa, non pubblicabile
unproductive *a* improduttivo
unprofitable *a* inutile, senza profitto, non vantaggioso
unprogressive *a* conservatore, antiprogressivo
unpromising *a* non promettente
unprompted *a* spontaneo, senza suggerimento
unpronounceable *a* impronunziabile
unpropitious *a* impropizio, sfavorevole
unprotected *a* senza protezione, improtetto
unprovable *a* indimostrabile, improvabile
unproved *a* indimostrato, improvato
unprovided *a* sprovvisto
unprovoked *a* non provocato, senza provocazione
unpublished *a* inedito
unpunished *a* impunito
unqualified *a* incompetente; senza riserva; *(law)* senza titoli; *(official)* non autorizzato
unquenchable *a* inestinguibile, insaziabile, indomabile
unquestionable *a* indiscutibile
unquestioned *a* incontestato; non interrogato
unquestioning *a* indiscusso, assoluto
unravel *vt* sbrogliare, dipanare, sfilacciare
unraveled *a* sciolto, dipanato
unread *a (not)* non letto; *(uneducated)* ignorante, incolto; **–able** *a* illeggibile
unreal *a* irreale
unreasonable *a* irragionevole
unreasoning *a* irragionevole
unreciprocated *a* non contraccambiato
unrecognizable *a* irriconoscibile
unrecognized *a* sconosciuto, misconosciuto
unreconcilable *a* inconciliabile
unreconciled *a* inconciliato
unrecorded *a* dimenticato; non registrato

unrectified *a* non rettificato
unredeemed *a* irredento, non riscattato; non ammortizzato; non rimborsato
unredressed *a* non riparato
unreel *vt* svolgere, sgomitolare; — *vi* svolgersi, sgomitolarsi
unreformed *a* non corretto, non riformato
unrefined *a* crudo, grezzo, non raffinato; rozzo
unrefuted *a* irrefutato
unrehearsed *a* improvvisato
unrelated *a* senza rapporti, non imparentato
unrelenting *a* inesorabile, inflessibile
unreliability *n* inattendibilità
unreliable *a* inattendibile; instabile
unremitting *a* assiduo, incessante, senza tregua
unremunerative *a* infruttifero, non rimunerativo
unrepealed *a* non revocato
unrepentant *a* impenitente, incorreggibile
unrepresentative *a* non rappresentativo
unrequited *a* non ricambiato, non corrisposto
unreserved *a* schietto, non riservato; illimitato
unresponsible irresponsabile
unresponsive *a* insensibile, impassibile
unrest *n* inquietudine *f*; sedizione
unrestrained *a* sfrenato, irrepresso
unrestricted *a* illimitato, senza restrizione
unrevenged *a* invendicato
unrewarded *a* irretribuito, senza ricompensa
unrighteous *a* malvagio, iniquo
unripe *a* acerbo, immaturo
unrivaled *a* impareggiabile, senza rivale
unroll *vt* svolgere; — *vi* svolgersi
unromantic *a* non romantico
unruffled *a* calmo, liscio; non increspato
unruled *a* senza righe
unruliness *n* indisciplina
unruly *a* indisciplinato
unsaddle *vt* dissellare, disarcionare
unsafe *a* malsicuro, pericoloso
unsaid *a* non detto
unsalable *a* invendibile
unsalted *a* non salato
unsanctioned *a* non sanzionato
unsanitary *a* insalubre, antigienico
unsatiable *a* insaziabile
unsatisfactory *a* non soddisfacente
unsatisfied *a* insoddisfatto
unsatisfying *a* insoddisfacente
unscathed *a* illeso, incolume
unschooled *a* inesperto, non istruito
unscientific *a* non scientifico
unscrew *vt* svitare
unscrupulous *a* senza scrupoli

unseal *vt* togliere i sigilli da; aprire, dissigillare; **–ed** *a* aperto, non sigillato
unseasonable *a* inopportuno, intempestivo; fuori stagione
unseasoned *a* non stagionato; *(food)* non condito; *(unaccustomed)* non abituato
unseat *vt* deporre; *(horse)* disarcionare; *(pol)* silurare *(fig)*
unseeing *a* non veggente, cieco
unseemliness *a* sconvenienza, indecenza
unseemly *a* sconveniente
unseen *a* invisibile; non visto
unselfish *a* altruista, non egoista; **–ly** *adv* disinteressatamente; **–ness** *n* altruismo, disinteresse *m*
unserviceable *a* inservibile, fuori uso
unsettle *vt* sconvolgere, turbare, disorganizzare
unsettled *a* incerto, disordinato; squilibrato; inabitato; — **accounts** conti pendenti, conti non saldati
unshakeable *a* fermo, irremovibile
unshaken *a* fermo, saldo; imperturbato, imperterrito
unshapely *a* informe, deforme, sgraziato
unshaven *a* non sbarbato
unsheathe *vt* sfoderare, sguainare
unsheltered *a* improtetto, non riparato
unshoe *vt* *(horse)* togliere i ferri a
unshrinkable *a* irrestringibile
unsightly *a* brutto, sgradevole, deforme
unsigned *a* non firmato, senza firma
unsinkable *a* inaffondabile, non sommergibile
unskillful *a* imperito, inesperto, malaccorto
unskilled *a* inesperto; non specializzato
unsociable *a* insocievole
unsoiled *a* puro, non sporcato, pulito
unsold *a* invenduto
unsolicited *a* non sollecitato, non richiesto
unsolicitous *a* non preoccupato, incurante
unsolved *a* insoluto
unsophisticated *a* semplice
unsought *a* non richiesto
unsound *a* difettoso; errato; malsicuro, debole; **–ness** *n* instabilità; insalubrità; **–ly** *adv* instabilmente, male; non sanamente
unsounded *a* non sondato
unsparing *a* prodigo; inesorabile
unspeakable *a* indicibile; orribile
unspecified *a* non specificato
unspoiled *a* non rovinato, non guasto; *(child)* ben allevato
unspoken *a* non detto, taciuto
unsportsmanlike *a* antisportivo
unstable *a* instabile
unstained *a* *(character)* immacolato, senza macchia; non dipinto

unstamped *a* non affrancato
unstarched *a* non inamidato
unstated *a* non dichiarato
unsteadiness *n* instabilità
unsteady *a* instabile
unstinted *a* copioso, abbondante
unstrap *vt* sfasciare, slegare
unstressed *a* atono, senza accento
unstring *vt* slegare, sfilare; *(nerves)* snervare
unstrung *a (mus)* senza corde; snervato
unstudied *a* naturale, non sforzato
unsubdued *a* indomato, non sottomesso, indomito
unsubstantial *a* poco sostanziale, poco solido
unsubstantiated *a* non confermato
unsuccessful *a* infruttuoso, senza successo, vano; **-ly** *adv* infruttuosamente, senza successo
unsuitable *a* inadatto, non appropriato, intempestivo
unsuited *a* inadatto, inadeguato
unsullied *a* immacolato, senza macchia, non sporcato
unsung *a* non celebrato
unsupported *a* non sostenuto, non confermato
unsure *a* malsicuro, incerto, pericolante
unsurmountable *a* insormontabile
unsurpassable *a* insorpassabile
unsurpassed *a* insuperato
unsusceptible *a* non suscettibile
unsuspected *a* insospettato
unsuspecting *a* senza sospetto
unsuspicious *a* non sospettoso
unswayed *a* non influenzato
unsweetened *a* non addolcito
unswerving *a* non deviante, fermo, irremovibile
unsymmetrical *a* asimmetrico
unsympathetic *a* non simpatico; ostico; incompassionevole; **-ally** *adv* ostilmente; senza simpatia
unsystematic *a* senza metodo, non sistematico
untainted *a* incorrotto, non guasto
untalented *a* senza talento
untamable *a* indomabile
untamed *a* indomito, non addomesticato
untangle *vt* dipanare, sbrogliare
untapped *a* non utilizzato
untarnished *a* non macchiato, puro; *(moral)* senza macchia
untenable *a* insostenibile
untenanted *a* sfitto, senza inquilini
untended *a* incustodito
untested *a* non collaudato
unthinkable *a* impensabile
unthinking *a* sventato, spensierato

unthought-of impensato
untidiness *n* disordine *m*
untidy *a* disordinato
untie *vt* sciogliere, slegare
until *prep* fino a; — *conj* finchè, finchè non; fino a quando
untillable *a* non coltivabile
untilled *a* non coltivato
untimeliness *n* intempestività
untimely *a* prematuro; inopportuno
untiring *a* indefesso, instancabile
untold *a* non detto; incalcolabile, inesprimibile
untouchable *a* intoccabile, impalpabile
untouched *a* intatto, intoccato
untrained *a* inesperto, non esercitato, non allenato
untrammeled *a* senza impacci, non inceppato
untranslatable *a* intraducibile
untraveled *a (person)* che non ha viaggiato molto; *(road)* non percorso, infrequentato
untried *a* non provato, intentato; non processato
untrimmed *a* disadorno, non guarnito; intonso
untrodden *a* non frequentato
untroubled *a* imperturbato, sereno
untrue *a* mendace, falso; *(faithless)* infedele
untrustworthy *a* mendace, indegno di fede
untruth *n* bugia, menzogna, falsità; **-ful** *a* bugiardo; **-fully** *adv* falsamente; **-fulness** *n* falsità
unturned *a* non girato, non voltato
untutored *a* ignorante, senza istruzione
unusable *a* inusabile, fuori uso
unused *a* non abituato
unusual *a* insolito; **-ness** *n* stranezza, straordinarietà; **-ly** *adv* straordinariamente, insolitamente
unvanquished *a* invitto
unvaried *a* invariato
unvarnished *a* non verniciato; *(fig)* naturale, schietto
unvarying *a* invariabile
unveil *vt* svelare; rivelare; **-ing** *n* scoprimento, inaugurazione
unverifiable *a* non verificabile
unverified *a* non verificato
unversed *a* inabile, inesperto
unvoiced *a* inespresso, non pronunciato; *(gram)* muto
unwanted *a* non richiesto, indesiderato
unwarranted *a* ingiustificato; *(com)* senza garanzia, gratuito
unwary *a* sventato, imprudente
unwavering *a* irremovibile, incrollabile
unweakened *a* non indebolito

unwearing *a* instancabile
unwelcome *a* sgradito
unwell *a* indisposto
unwholesome *a* malsano, nocivo
unwieldy *a* ingombrante, poco maneggevole; *(clumsy)* goffo
unwilling *a* restio, maldisposto, riluttante; **-ly** *adv* malvolentieri
unwind *vt* svolgere, srotolare; — *vi* srotolarsi, svolgersi
unwise *a* imprudente
unwitnessed *n* senza testimoni
unwitting *a* inconsapevole, inconscio; **-ly** *adv* inconsapevolmente
unwonted *a* non abituato
unworkable *a* non lavorabile, inattuabile
unworked *a* non lavorato, incoltivato
unworldly *a* non mondano, spirituale
unworthiness *n* indegnità
unworthy *a* indegno
unwounded *a* illeso
unwrap *vt* aprire, districare, togliere da un involucro
unwrapped *a* sfasciato, non involto
unwrinkled *a* liscio, spianato, senza grinze
unwritten *a* tradizionale, non scritto
unyielding *a* inflessibile, rigido
unyoke *vt* togliere il giogo a
up *n* aumento; **-s and downs** alti e bassi; — *a* in su; montante, salente; scaduto; in piedi; *(sport)* in vantaggio; — *prep* su; su per, verso l'alto di; — **to** fino a
up *vt* mettere su, alzare; — *vi* alzarsi; **be** — **to** *(coll)* essere capace di, essere in grado di; **bring** — *(child)* educare, allevare; **make** — inventare; *(peace)* rapacificarsi; *(cosmetics)* truccarsi; **speak** — *(openly)* parlare chiaro; *(loudly)* parlare ad alta voce; **walk** — **and down** camminare su e giù
upbraid *vt* rimproverare
upbringing *n* allevamento, educazione
upheaval *n* sollevamento, tumulto, confusione
uphill *adv* in salita, in su; — *a* montante, difficile
uphold *vt* sostenere, sollevare; **-er** *n* sostenitore *m*
upholster *vt* tappezzare, imbottire; **-y** *n* tappezzeria; **-er** *n* tappezziere *m*
upkeep *n* mantenimento
upland *n* altipiano
uplift *n* edificazione; sollevazione; **-ed** *a* sollevato, elevato, edificato; — *vt* elevare, edificare
uplifting *a* edificante
upon *prep&adv* su, sopra
upper *a* superiore, più in alto; — **case** maiuscole *fpl*; **-cut** *n* *(boxing)* colpo all'insù; — **hand** superiorità, vantaggio

upper-case *a* maiuscolo
upper-class *a* di classe alta
uppermost *a* superiore, il più alto; — *adv* su, sopra, in alto, al disopra di tutti
upright *a* diritto; onesto
uprising *n* insurrezione
uproar *n* tumulto; **-ious** *a* tumultuoso
uproot *vt* sradicare, estirpare
upset *vt* sconvolgere, rovesciare, agitare; — *vi* capovolgersi; turbarsi; — *a* rovesciato; — *n* sconvolgimento
upshot *n* esito, conclusione
upside-down *a* disordinato
upstairs *adv* sopra, su; — *a* disopra; — *n* piano superiore
upstanding *a* diritto, eretto, onorabile
upstart *n* villano rifatto, nuovo ricco
upstream *adv* a monte
up-to-date *a* aggiornato
upturn *vt* volgere in su; **-ed** *a* volto in su
upward *a&adv* in su, in alto
uranium *n* uranio
urban *a* urbano; **-ity** urbanità
urbane *a* cortese
urchin *n* monello
urea *n* urea
uremia *n* uremia
uremic *a* uremico
ureter *n* uretere *m*
urge *vt* esortare, pregare; — *n* impulso, impeto
urgency *n* urgenza; bisogno
urgent *a* urgente
urging *n* sollecitazione
uric *a* urico
urinal *n* orinale *m*, orinatoio; **-ysis** *n* analisi delle urine
urinate *vi* orinare
urine *n* orina
urn *n* urna; **coffee** — caffettiera
us *pron* noi; ci
usable *a* servibile
usage *n* usanza, uso
use *n* uso, impiego; **-fulness** *n* utilità; **be of** — essere utile; **make** — **of** far uso di; **What's the** —? A che serve? **-r** *n* utente *m*, chi usa; **-ful** *a* utile; **-less** *a* inutile
use *vt* usare, adoperare, utilizzare; trattare
used *a* usato; abituato; **be** — **to** essere abituato a; **get** — **to** abituarsi a; — **up** esaurito, esausto, consumato
usher *n* usciere, portiere *m*; *(theat)* accompagnatore *m*; — *vt* scortare; — **in** annunciare
USSR, Union of Soviet Socialist Republics Unione Repubbliche Sovietiche Socialiste
usual *a* solito, comune; **as** — come al solito; **-ly** *adv* ordinariamente, di solito
usurp *vt* usurpare; **-er** *n* usurpatore *m*,

usurpatrice *f*
usurpation *n* usurpazione
usury *n* usura
utensil *n* utensile *m*
uterus *n* utero
utilitarian *a* utilitario
utility *n* utilità; **public —** servizio di pubblica utilità

utilization *n* utilizzazione
utilize *vt* utilizzare
utmost *a* sommo, estremo; **—** *n* massimo
utter *a* estremo, totale; **—** *vt* dire, proferire
utterance *n* espressione
utterly *adv* assolutamente, completamente
uvula *n* ugola

V

vacancy *n* posto libero, vacanza, spazio libero; stanza (*or* appartamento) da affittare
vacant *a* vuoto, libero; (*person*) distratto
vacate *vt* sgombrare, lasciar libero
vacation *n* vacanze, ferie *fpl*
vaccinate *vt* vaccinare
vaccination *n* vaccinazione
vaccine *n* vaccino
vacillate *vi* vacillare
vacillation *n* vacillazione
vacuum *n* vuoto; **— cleaner** aspirapolvere *m*; **— tube** (*elec*) valvola termoionica; **—** *vt* pulire con l'aspirapolvere
vagabond *a&n* vagabondo
vagary *n* capriccio
vagina *n* (*anat*) vagina
vagrancy *n* vagabondaggio
vagrant *n&a* vagabondo
vague *a* vago, incerto; **–ly** *adv* vagamente; **–ness** *n* vaghezza
vain *a* vano; vanitoso; **in —** invano; **–ness — n** vanità; inutilità
vainglorious *a* vanitoso, vanaglorioso
vainglory *n* vanagloria
valedictorian *n* (*school*) oratore che pronuncia il commiato
valedictory *n* discorso di commiato **—** *a* di commiato
valence *n* (*chem*) valenza
valet *n* valletto
valiant *a* prode, valoroso; **–ly** *adv* valorosamente
valid *a* valido; **–ation** *n* convalidazione
validate *vt* convalidare
validity *n* validità
valise *n* valigia
valley *n* valle *f*, vallata
valor *n* valore *m*; **–ous** *a* valoroso; **–ously** *adv* valorosamente
valuable *a* costoso, prezioso, valutabile; **–s** *npl* preziosi *mpl*
valuation *n* stima, valutazione
value *n* valore *m*; **of no —** senza valore; **face —** valore nominale; **–d** *a* stimato, valutato; **–less** *a* senza valore; **—** *vt* valutare, stimare
valve *n* valvola; **exhaust —** valvola di

scappamento; **safety —** valvola di sicurezza
valvular *a* valvolare
vamp *n* (*shoe*) tomaia; (*flirt*) donna fatale, civetta; (*mus*) improvvisazione; **—** *vt* mettere la tomaia; (*patch*) rappezzare; (*beguile*) adescare
vampire *n* vampiro
van *n* furgone *m*, carro; **–guard** avanguardia
vanadium *n* vanadio
Van Allen radiation belt zona radioattiva Van Allen
vandal *n* vandalo; **–ism** *n* vandalismo
Vandyke *n* pizzo a punta
vane *n* banderuola
vanilla *n* vaniglia; **— bean** chicco di vaniglia
vanish *vi* svanire, sparire; **–ed** *a* svanito, sparito, scomparso
vanishing *n* sparizione, scomparsa; **—** *a* che sparisce, evanescente; **— cream** crema evanescente (*or* volatile); **— point** punto all'infinito
vanity *n* vanità; (*furniture*) pettiniera; **— case** portacipria
vanquish *vt* vincere, sopraffare; **–ed** *a* vinto, conquistato; **–er** *n* vincitore *m*
vantage *n* vantaggio; **— point** punto di vantaggio
vapid *a* insipido; **–ity** *n* insipidità; **–ness** *n* insipidezza
vapor *n* vapore *m*; **–ous** *a* vaporoso
vaporization *n* vaporizzazione
vaporize *vt* vaporizzare; **— vi** evaporizzare; **–r** *n* vaporizzatore *m*
variability *n* variabilità
variable *a* variabile
variably *adv* variabilmente
variance *n* disaccordo; divergenza; **at — with** in disaccordo con
variant *n* variante *f*; **—** *a* vario, variante, variabile
variation *n* variazione; modifica
varicose *a* varicoso; **— vein** vena varicosa
varied *a* vario, assortito, variato
variegate *vt* variare
variety *n* varietà

various *a* vario, diverso
varnish *n* vernice *f*; — *vt* verniciare; –**ing** *n* verniciatura
vary *vt&i* variare; –**ing** *a* variante
vascular *a* vascolare
vase *n* vaso
vaseline *n* vaselina
vasomotor *a (anat)* vasomotore
vassal *n* vassallo
vast *a* immenso, vasto; –**ness** *n* vastità, immensità; –**ly** *adv* vastamente
vat *n* tino
Vatican *n* Vaticano; — **City** Città del Vaticano
vaudeville *n* operetta
vault *n* salto; *(arch)* volta; *(bank)* camera blindata; *(burial)* tomba; *(cellar)* sotterraneo, cantina; –**ing** *n* volteggio; — *vi (jump)* volteggiare; — *vt (arch)* costruire a volta
vaunt *vt* vantare; — *n* vanto; –**ing** *n* millanteria
veal *n* vitello; — **cutlet** cotoletta di vitello
vedette *n (mil)* vedetta
veer *n* virata; — *vi* virare, cambiare direzione; — *vt* voltare
vegetable *n* legume *m*, verdura; — *a* vegetale
vegetarian *a&n* vegetariano; –**ism** *n* vegetarianismo
vegetate *vi* vegetare
vegetation *n* vegetazione
vehemence *n* veemenza
vehement *a* veemente; –**ly** *adv* veementemente
vehicle *n* veicolo
vehicular *a* di veicolo
veil *n* velo; –**ed** *a* velato; — *vt* velare; nascondere
vein *n* vena; umore *m*; –**ing** *n* venatura; –**ed** *a* venato
veiny *a* venoso
vellum *n* pergamena, cartapecora
velocipede *n* velocipede *m*
velocity *n* velocità
velum *n (anat)* velo
velvet *n* velluto; — *a* di velluto, vellutato
velveteen *n* velluto di cotone
venal *a* venale; –**ity** *n* venalità, –**ly** *adv* venalmente
vend *vt* vendere
vending machine distributore automatico, distributrice a gettone
vendor *n* venditore *m*, venditrice *f*
veneer *n (furniture)* impiallacciatura; — *vt* impiallacciare
venerability *n* venerabilità
venerable *a* venerabile
venerably *adv* venerabilmente
venerate *vt* venerare

veneration *n* venerazione
venereal *a* venereo; — **disease** malattia venerea
Venetian *n&a* veneziano; — **blinds** persiane, gelosie *fpl*
vengeance *n* vendetta; **to wreak** — vendicarsi
vengeful *a* vendicativo; –**ly** *adv* vendicativamente
venial *a* veniale; — **sin** peccato veniale; –**ity** *n* venialità
Venice Venezia
venison *n* carne di cervo
venom *n* veleno; –**ous** *a* velenoso; *(person)* maldicente, malevolo
vent *n* apertura, sfogo; **to give** — **to** dar sfogo a; — *vt* sfogare
ventilate *vt* ventilare
ventilation *n* ventilazione
ventilator *n* ventilatore *m*
ventral *a* ventrale
ventricle *n* ventricolo
ventriloquism *n* ventriloquio
ventriloquist *n* ventriloquo
venture *n* impresa; –**some** *a* avventuroso; — *vt&i* tentare, azzardare, avventurarsi, rischiare
venue *n (law)* sede *f*
veracious *a* verace
veracity *n* veracità
verb *n* verbo
verbal *a* verbale; — **ly** *adv* oralmente
verbatim *a* testuale; — *adv* testualmente
verbose *a* verboso
verbosity *n* verbosità
verdant *a* verdeggiante
verdict *n* verdetto
verdigris *n* verderame *m*
verdure *n* verzura
verge *n* orlo; limite *m*; **on the** — **of** sull'orlo di; — *vi* propendere, tendere; — **on** essere vicino a
verger *n* sagrestano
verifiable *a* verificabile
verification *n* verifica
verify *vt* verificare
verisimilitude *n* verosimiglianza
veritable *a* vero
verity *n* verità
vermiform *a* vermiforme; — **appendix** appendice vermiforme
vermilion *n&a* vermiglione *m*
vermin *npl* insetti e animali nocivi; –**ous** *a* verminoso
vermouth *n* vermut *m*
vernacular *a&n* volgare *m*
vernal *a* primaverile; — **equinox** equinozio di primavera
versatile *a* versatile
versatility *n* versatilità

verse *n* verso, strofa; poesia; **–d** *a* versato
versifier *n* versificatore *m*
versify *vt* versificare
version *n* versione
versus *prep* contro
vertebra *n (anat)* vertebra
vertebral *a* vertebrale
vertebrate *n&a* vertebrato
vertex *n* vertice *m*
vertical *a* verticale
vertiginous *a* vertiginoso
vertigo *n (med)* vertigine *f*
verve *n* entusiasmo, vigore *m*, brio
very *adv* molto; — *a* stesso, vero; **at the — last** proprio all'ultimo
vesicle *n* vescichetta, pustola
vespers *npl* vespri *mpl*
vessel *n* nave *f*, vascello; *(anat)* vaso; *(container)* recipiente *m*
vest *n* gilè *m*, panciotto
vest *vt* investire, conferire
vestibule *n* vestibolo
vestige *n* traccia
vestigial *a* rudimentale
vest-pocket *a* tascabile
vestment *n (eccl)* paramento sacerdotale
vestry *n (eccl)* sagrestia
Vesuvius *n* Vesuvio
veteran *n&a* veterano
veterinary *n&a* veterinario
veto *n* veto; — *vt* porre il veto a
vex *vt* irritare; **–ation** *n* vessazione dispiacere *m*; **–atious** *a* fastidioso, irritante; **–ed** *a* vessato, irritato; seccato; contrariato; **–ing** *a* vessante, irritante, contrariante
via *prep* via, per, attraverso
viability *n* viabilità
viable *a* viabile
viaduct *a* viadotto
vial *n* fiala
viand *n* vivanda, cibo
vibrant *a* vibrante
vibrate *vi* vibrare, oscillare; — *vt* far vibrare
vibration *n* vibrazione
vibrator *n* vibratore *m*
vicar *n* vicario; **–age** *n* vicariato, canonica
vicarious *a* indiretto; **–ly** *adv* indirettamente
vice *n* vizio, difetto; depravazione
viceroy *n* vicerè *m*
vice-admiral *n* viceammiraglio
vice-consul *n* viceconsole *m*
vice-president *n* vicepresidente *m*
vicinity *n* vicinanza; **in the — of** nei dintorni di
vicious *a* violento; cattivo, maligno, vizioso; **–ness** *n* viziosità; **— circle** circolo vizioso

vicissitude *n* vicenda, vicissitudine *f*
victim *n* vittima; **–ize** *vt* far vittima di
victor *n* vincitore *m*; **–y** *n* vittoria; **–ious** *a* vittorioso
victuals *npl* vettovaglie *fpl*
vicuña *n* vigogna
video *n* televisione; — *a* televisivo
vie *vi* rivaleggiare, gareggiare
Vienna Vienna
Viennese *a&n* Viennese
view *n* veduta, panorama, vista; opinione *f*; **–er** *n* spettatore *m*, spettatrice *f*; **–finder** *n* mirino; **–point** *n* punto di vista; **bird's-eye —** veduta a volo d'uccello; **in — of** in vista di; **point of —** punto di vista; — *vt* guardare; considerare
vigil *n* vigilia, veglia; **keep a —** vegliare
vigilance *n* vigilanza; *(med)* insonnia
vigilant *a* vigilante; **–ly** *adv* vigilmente, vigilatamente
vignette *n* vignetta
vigor *n* vigore *m*
vigorous *a* vigoroso; **–ly** *adv* vigorosamente; **–ness** *n* vigorosità
viking *n* vichingo, normanno
vile *a* vile, basso, disgustoso, abbietto; **–ness** *n* bassezza, viltà
vilification *n* vilipendio
vilifier *n* diffamatore *m*
vilify *vt* calunniare, diffamare
villa *n* villa
village *n* villaggio
villager *n* villico
villain *n* farabutto, mascalzone *m*; **–y** *n* infamia, malvagità; **–ous** *a* malvagio, vile, infame
vim *n* vigore *m*, forza
vincible *a* vincibile
vindicable *a* rivendicabile
vindicate *vt* giustificare, rivendicare
vindication *n* rivendicazione
vindicator *n* rivendicatore *m*
vindictive *a* vendicativo; **–ly** *adv* vendicativamente; **–ness** *n* carattere vendicativo
vine *n* pianta rampicante; *(grape)* vite *f*
vinegar *n* aceto
vineyard *n* vigneto, vigna
vintage *n* vendemmia; anno di raccolto di vino; vini *mpl*
vintery *n* vinaio
vinyl *n* vinile *m*; — *a* vinilico
viola *n* viola
violable *a* violabile
violate *vt* violare, violentare, rapire
violation *n* violazione, infrazione
violator *n* violatore, trasgressore *m*
violence *n* violenza
violent *a* violento; **–ly** *adv* violentemente

violet *n* viola mammola, violetta; — *a* violetto
violin *n* violino
violinist *n* violinista *m&f*
viper *n* vipera; **–ous** *a* viperino
virago *n* virago *f*
virgin *a&n* vergine *f*; **–al** *a* verginale; **–ity** *n* verginità
virile *a* maschio, virile
virility *n* virilità
virology *n* virologia
virtual *a* virtuale; **–ly** *adv* virtualmente
virtue *n* virtù *f*; castità; rettitudine *f*; **by — of** in virtù di
virtuosity *n* virtuosità
virtuoso *n* virtuoso
virtuous *a* virtuoso
virulence *n* virulenza
virulent *a* virulento
virus *n* virus *m*
visa *n* visto; — *vt* vidimare
visage *n* viso, aspetto
vis-a-vis *adv* a faccia a faccia; — *prep* dirimpetto
viscera *npl (anat)* visceri *mpl*
visceral *a* viscerale
viscid *a* viscido
viscosity *n* viscosità
viscount *n* visconte *m*
viscountess *n* viscontessa
viscous *a* viscoso, vischioso
vise *n* morsetto, morsa
visé *n* visto
visibility *n* visibilità
visible *a* visibile
visibly *adv* visibilmente
vision *n* apparizione, visione; *(sense)* vista; **–ary** *a&n* visionario
visit *vt* visitare; *(inflict)* affliggere, infliggere; — *n* visita; **–ation** *n* visita ufficiale; *(eccl)* visitazione; castigo divino; **–ing** *a* da visita
visitor *n* visitatore *m*, visitatrice *f*
visor *n* visiera
vista *n* vista, prospettiva; visuale *f*
visual *a* visivo
visualize *vt* figurarsi, immaginare
vital *a* vitale, — **statistics** statistiche anagrafiche; **–ly** *adv* vitalmente
vitalism *n* vitalismo
vitality *n* vitalità
vitals *npl* organi vitali
vitamin *n* vitamina
vitiate *vt* corrompere, viziare
vitreous *a* vitreo
vitrify *vt* vetrificare; — *vi* vetrificarsi
vitriol *n* vetriolo; **–ic** *a* vetriolico
vituperation *n* vituperio, vituperazione, insulto
vituperative *a* vituperativo

vivacious *a* vivace, brioso
vivacity *n* vivacità, brio
vivid *a* vivido, vivo; **–ly** *adv* vividamente; **–ness** *n* vividezza
vivify *vt* vivificare
viviparous *a* viviparo
vivisect *vt* vivisezionare; **–ion** *n* vivisezione
vixen *n* volpe femmina; *(woman)* megera; **–ish** *a* bisbetico
viz *adv* cioè, ossia, vale a dire
vocabulary *n* vocabolario
vocal *a* vocale; loquace; **–ist** *n* cantante, vocalista *m&f*; — **cords** corde vocali
vocalization *n* vocalizzazione
vocalize *vt&i* vocalizzare
vocation *n* vocazione, professione; **–al** professionale, di mestiere; **–al school** scuola d'arti e mestieri
vociferous *a* clamoroso, rumoroso; **–ly** *adv* clamorosamente, rumorosamente
vodka *n* vodka
vogue *n* moda, voga; **in —** di moda, in voga
voice *n* voce; **–less** *a* muto, senza voce; — *vt* esprimere; **–d** *a* espresso, nominato; sonoro
void *n&a* vuoto; — *vt* annullare; — **of** privo di
voidance *n* annullamento
volatile *a* incostante, volatile
volatility *n* volatilità
volatilize *vt* volatilizzare
volcanic *a* vulcanico
volcano *n* vulcano
volition *n* volere *m*, volontà
volley *n* scarica, raffica; **–ball** *n* pallarete, palla a volo; — *vt* lanciare; *(sport)* colpire al volo; *(mil)* sparare a salve
volt *n* volta; **–age** *n* voltaggio; **–ameter** *m* voltametro
volubility *n* volubilità
voluble *a* loquace, volubile
volume *n* volume *m*; massa
volumetric *a* volumetrico
voluminous *a* voluminoso; **–ly** *adv* voluminosamente; **–ness** *n* voluminosità
voluntarily *a* spontaneamente
voluntary *a* volontario
volunteer *n* volontario; — *vt* offrire; — *vi* arruolarsi; offrirsi
voluptuous *a* voluttuoso; **–ness** *n* sensualità
vomit *vt&i* vomitare; **–ing** *n* vomito
voracious *a* vorace; **–ly** *adv* voracemente; **–ness** *n* voracità
voracity *n* voracità
vortex *n* turbine, vortice *m*, gorgo
votary *n* devoto, fedele *m&f*
vote *n* voto; **put to a —** mettere a voto; **–r** *n* elettore *m*, votante *m&f*; — *vt&i* vo-

tare
voting *n* votazione, scrutinio; — *a* votante
votive *a* votivo
vouch (for) *vi* rispondere di, garantire per
voucher *n* pezza giustificativa, scontrino
vow *n* voto; — *vt* giurare, far voto di
vowel *n* vocale *f*
voyage *n* viaggio di mare; **-r** *n* viaggiatore *m*; — *vi* navigare
vulcanite *n* vulcanite *f*

vulcanization *n* vulcanizzazione
vulcanize *vt* vulcanizzare
vulgar *a* volgare, triviale, **-ism** *n* volgarità, volgarismo; espressione volgare; **-ity** *n* volgarità; **-ization** *n* volgarizzazione; **-ize** *vt* volgarizzare; **-ly** *adv* volgarmente
Vulgate *n* Vulgata
vulnerability *n* vulnerabilità
vulnerable *a* vulnerabile
vulture *n* avvoltoio
vying *a* in concorrenza

W

wadding *n* ovatta, bambagia
waddle *vi* camminare dondolando, barcollare; — *n* dondolio
wade *vt&i* guadare; — **across** passare a guado
wading *n* guado
wafer cialda; *(eccl)* ostia
waffle *n* cialda; — **iron** *n* ferro per cialde
waft *vt* sollevare, trasportare per aria; spargere; — *vi* levarsi, sollevarsi; fluttuare
wag *n* *(tail)* scorinzolio; scuotimento; *(person)* buontempone *m*; — *vt* scuotere; — *vi* dimenarsi; — **the tail** scodinzolare
wage *n* paga, salario; — **earner** salariato; — *vt* intraprendere; — **war** fare la guerra
wager *n* scommessa; — *vt* scommettere
waggish *a* scherzevole
wagon *n* carro, furgone *m*
waif *n* trovatello
wail *vi* lamentarsi; — *n* lamento, gemito
wainscoting *n* zoccolo di parete
waist *n* cintura; *(blouse)* camicetta; **-line** *n* vita
wait *vt&i* aspettare, attendere; — *n* attesa; **lie in** — stare in agguato, appostarsi
waiter *n* cameriere *m*; **head-** *n* capocameriere *m*
waiting *n* attesa; — **game** temporeggiamento; — **list** prenotazione; — *a* d'aspetto; — **room** anticamera, camera d'aspetto; *(rail)* sala d'aspetto
waitress *n* cameriera
waive *vt* rinunciare a, abbandonare
waiver *n* rinuncia
wake *n* *(death)* veglia funebre; *(naut)* scia; **in the** — **of** a conseguenza di; — *vi* svegliarsi; — *vt* svegliare
wakeful *a* sveglio; vigile; insonne; **-ness** *n* vigilanza; insonnia
waken *vi* svegliarsi; — *vt* svegliare
Wales Galles

walk *n* passeggiata, camminata; *(path)* sentiero; *(gait)* andatura; **-away** *n* facile vittoria; **-out** *n* *(coll)* sciopero; — *vi* camminare, passeggiare; — *vt* percorrere; **-ing** *a* passeggiante, camminante
walker *n* *(child's)* andarino; camminatore *m*, pedone *m&f*
walkie-talkie *n* trasmittente-ricevente portatile
walk-up *n* *(coll)* casa senza ascensore
wall *n* muro, parete *f*; **-board** *n* *(arch)* paratia, tramezza; **-eyed** *a* strabico; **-paper** *n* carta da parati; — **plug** presa di corrente; **drive to the** — mettere con le spalle al muro *(fig)*; **go to the** — andare contro il muro *(fig)*; — *vt* cingere di mura
wallet *n* portafogli *m*
wallop *vt* *(coll)* colpire violentemente
walloping *a* *(coll)* madornale
wallow *vi* avvoltolarsi
walnut *n* noce *f*
walrus *n* *(zool)* tricheco
waltz *n* valzer *m*; — *vi* ballare il valzer, valzare
wan *a* pallido, smunto
wand *n* verga, bacchetta
wander *vi* errare, vagare; **-er** *n* nomade *m*
wandering *n* vagabondaggio; — *a* errante, nomade
wanderlust *n* istinto nomade
wane *n* declino; — *vi* decrescere, declinare, decadere, calare
waning *a* decadente, declinante; *(moon)* calante
want *vt* volere, desiderare; mancare, aver bisogno di; — *n* desiderio; mancanza, bisogno; **-ing** *a* deficiente, mancante
wanted *a* ricercato
wanton *a* lascivo, immorale; ingiustificato; sfrenato, sconsiderato; **-ness** *n* licenza
war *n* guerra; **cold** — guerra fredda; **-fare** *n* guerra; **-like** *a* bellicoso; **-monger** *n* guerrafondaio; **-path** *n* spedizione mili-

tare; **–ship** n nave da guerra; **–time** n tempo di guerra; — vi fare la guerra, guerreggiare

warble vt&i gorgheggiare

ward n pupillo; (care) tutela; (city) rione, quartiere m; (hospital) corsia; — **off** respingere, schivare

warden n custode m; direttore di prigione

wardrobe n guardaroba; (to wear) vestiario; — **mistress** (theat) vestiarista; — **trunk** baule armadio

wardroom n (naut) quadrato degli ufficiali

warehouse n magazzino; **–man** n magazziniere m

wares npl mercanzia, merci fpl

warhead n spoletta esplosiva

warily a cautamente

wariness n cautela, precauzione

warm a caldo; caloroso; **be** — (person) aver caldo; (weather) fare caldo; **–hearted** a di buon cuore, affettuoso; **–ly** calorosamente; — vt riscaldare; — vi riscaldarsi

warm-blooded a dal sangue caldo

warming n riscaldamento; — **pan** scaldaletto

warmth n calore m

warn vt ammonire, avvertire

warning n avvertimento, preavviso; — a avvertente

warp n (cloth) ordito, trama; (wood) curvatura, inarcamento; (fig) deformazione; — vi curvarsi; deviarsi; — vt ordire; far curvare; (fig) stornare, pervertire, influenzare; **–ed** a ordito; incurvato; (fig) pervertito; influenzato

warrant vt giustificare; autorizzare; garantire; — n ordine m; autorizzazione, giustificazione; (law) mandato di cattura; — **officer** sottufficiale; **–ed** a certificato, garantito; giustificato

warranty n garanzia

warren n garenna

warring a in conflitto, avverso, ostile

warrior n guerriero

Warsaw Varsavia

wart n porro, verruca

wary a circospetto, cauto; **be** — **of** diffidare di, non fidarsi di

wash n lavatura; bucato; (ship) sciaquio, risucchio; **–bowl**, **–stand** n lavabo, lavandino; **–room** n stanza per lavarsi; gabinetto; **–tub** mastello, tinozza

wash vt lavare; — vi lavarsi; — **one's hands** lavarsi le mani

washable a lavabile

washed-out a (tired) sfinito, esausto; (color) sbiadito

washer n (mech) rosetta, rondella

washerwoman n lavandaia

washing n lavatura; (laundry) lavaggio, bucato; — **machine** macchina lavapanni, lavatrice f

washout n alluvione f, erosione; (sl) fiasco; (school) bocciato

washy a acquoso, bagnato; debole, fiacco

wasp n vespa; **–ish** irascibile, stizzoso; **–s'** **nest** vespaio

wastage n sciupio; consumo

waste n spreco, perdita; rifiuti mpl; sciupio, devastazione; regione incolta; — a di scarto, scartato; (land) incolto; — vt sprecare; sciupare; devastare; dissipare; — vi deperire, consumarsi; logorarsi; — **away** sciuparsi; — **of time** perdita di tempo; **–paper** n carta straccia; — **pipe** tubo di scarico; **–ed** a sciupato, perduto, mancato, sprecato

wastebasket n cestino dei rifiuti

wasteful a spendereccio, prodigo; **–ness** n prodigalità

wasting n dissipazione, sperpero

wastrel n sprecone m

watch n veglia; (naut) guardia; (observance) osservazione; (care) sorveglianza; (timepiece) orologio da polso; **–er** n sorvegliante m&f; — vt&i (care for) vigilare, sorvegliare; (observe) osservare; (sit up) vegliare; **–ful** a guardingo, cauto, circospetto; **–fulness** n vigilanza

watchdog n cane da guardia

watchmaker n orologiaio

watchman n guardiano

watchtower n torre d'osservazione

watchword n parola d'ordine

water n acqua; (med) urina; — **bug** insetto acquatico; — **color** acquerello; **–fall** n cascata; — **front** settore portuale; **–line** n linea d'acqua (or d'immersione; **–mark** n filigrana di carta; **–melon** n cocomero; — **power** energia idraulica; **–proof** a impermeabile; **–shed** n spartiacque m; **–spout** n tromba d'acqua; **–tight** a impermeabile; **–way** n canale navigabile; **–works** npl impianto idraulico

water vt annacquare; inumidire; (com) aumentare il capitale nominale; (stock) provvedere d'acqua; (land) innaffiare, irrigare; — vi rifornirsi d'acqua; (eyes) piangere; abbeverarsi; **–ed** a annacquato; abbeverato

water– (in comp) **–cooled** a raffreddato ad acqua; **–logged** a inzuppato d'acqua; **–repellent** a antiassorbente; **–soaked** a inzuppato d'acqua; **–waved** a ondulato all'acqua

watering n (land) irrigazione, (stock) abbeveraggio; rifornimento d'acqua; (of eyes) lagrimazione; — **can** innaf-

fiatoio
watery *a* acquoso; annacquato
watt *n* watt *m*
wave *n* onda; *(hair)* ondulazione; *(gesture)* cenno, segno; — **length** *(rad, TV)* lunghezza d'onda; — *vt* ondulare; agitare, brandire; — *vi* ondeggiare; far cenno; **–d** *a* ondulato
waver *vi* vacillare, esitare; ondeggiare; **–ing** *a* vacillante, esitante, indeciso, irresoluto; **–ing** *n* vacillazione
wavy *a* ondulato, ondeggiante, ondoso; *(line)* serpeggiante
wax *n* cera; *(ear)* cerume *m*; — **paper** carta cerata; **sealing** — ceralacca; — *vt* incerare; — *vi* divenire, crescere; **–y** *a* cereo
way *n* via, strada; mezzo; maniera, usanza; **all the** — lungo tutto il cammino; in tutti i modi, completamente; **be in the** — ingombrare, impedire; **by the** — a proposito; **by** — **of** via; a titolo di; **give** — cedere, accondiscendere; **give** — **to** lasciare il passo a; **have one's own** — fare a proprio modo; **lose one's** — smarrirsi; **make one's** — farsi largo *(coll);* **make** — aprire il cammino *(coll);* **on the** — per istrada, lungo il cammino; **out of the** — fuori strada, fuori mano; **right** — la via giusta; **under** — in marcia, in lavorazione; — **in** entrata; — **out** uscita
wayfarer *n* viaggiatore *m*
wayfaring *a* viaggiante
waylay *vt* appostare; tendere un agguato
wayside *n* bordo della strada; **leave by the** — lasciare per strada, lasciare indietro, abbandonare
wayward *a* ostinato; capriccioso; **–ness** *n* ostinatezza
we *pron* noi
weak *a* debole; leggero; fievole, infermo; **–ly** *adv* debolmente; **–ling** *n* debole *m&f*; **–ness** *n* debolezza, fievolezza, delicatezza
weaken *vt* indebolire; diluire; attenuare; affievolire; — *vi* indebolirsi; **–ing** *n* indebolimento
weak– *(in comp)* **–kneed** *a* cedevole, timido; debole di ginocchia; **–minded** *a* poco intelligente; **–sighted** *a* debole di vista
weakhearted *a* poco coraggioso
wealth *n* ricchezza; abbondanza; **–y** *a* ricco
wean *vt* slattare, svezzare, disabituare; — *vi* slattarsi; svezzarsi, disabituarsi
weapon *n* arma
wear *vt* portare; stancare; — *vi* logorarsi; *(last)* durare; **–able** *a* portabile, indossabile; — **away** consumare; — **out**

consumare, logorare; — *n* uso; logorio; — **and tear** logorio
weariless *a* instancabile
wearily *adv* con fatica
weariness *n* stanchezza
wearing *a* da indossare; faticoso, esauriente; — **apparel** *n* indumenti *mpl*, vestiario
wearisome *a* faticoso, noioso, fastidioso
weary *a* stanco, esausto; noioso, pesante; — *vt* stancare, esaurire; — *vi* stancarsi
weasel *n* *(zool)* donnola
weather *n* tempo; — **bureau** centro meteorologico; **–man** *n* meteorologo; **–proof** *a* antintemperie; — **report** previsioni meteorologiche; — **vane** banderola; **–worn** *a* logorato dalle intemperie; — *vi* deteriorarsi alle intemperie; — *vt* esporre alle intemperie; resistere; — **the storm** sormontare gli ostacoli
weather–beaten *a* battuto dalle intemperie
weave *vt* tessere; ordire; intrecciare; — *n* tessitura
weaver *n* tessitore *m*
weaving *n* tessitura
web *n* tela, tessuto; rete *f*; *(spider)* ragnatela
webbed *a* palmato
webbing *n* trama, tessuto, ordito
web–footed *a* palmipede
wed *vt* sposare; — *vi* sposarsi
wedded *a* coniugale; sposato
wedding *n* matrimonio; nozze *fpl*; — **cake** torta nuziale; — **ring** anello nuziale
wedge *n* cuneo; — *vt* incuneare
wedlock *n* matrimonio, nozze *fpl*
Wednesday *n* mercoledì *m*
wee *a* minuscolo
weed *n* erbaccia; **–y** *a* pieno d'erbacce; — *vt&i* sarchiare; **–ing** *n* sarchiatura; **–er** *n* sarchiatore *m*; *(mech)* sarchiatrice *f*
weeds *npl* *(mourning)* gramaglie *fpl*
week *n* settimana; **–day** *n* giorno feriale; **–end** *n* fine di settimana; **a** — **from today** oggi a otto
weekly *n&a* settimanale *m*; — *adv* ogni settimana
weep *vt&i* piangere; **–y** *a* lagrimoso
weeping *vt&i* pianto; — *a* piangente; — **willow** salice piangente
weevil *n* *(zool)* punteruolo
weft *n* trama
weigh *vt* pesare; considerare, valutare; *(naut)* levare; — *vi* pesare, avere il peso di; aver importanza; — **down** opprimere; — **in** pesarsi; — **one's words** pesare le parole *(fig)*
weigh–in *n* *(sport)* pesaggio
weight *n* peso; influenza, importanza;

-iness n importanza; **-lessness** n *(aesp)* agravitazione; **-y** a pesante, grave; potente; — vt caricare con peso; **gain** — ingrassare; **lose** — dimagrire

weir n chiusa, cateratta

weird a misterioso, strano, bizzarro, fantastico

welcome n accoglienza; — a benvenuto, gradito; — interj ben venuto!; **You're** — Non c'è di che, Prego; — vt dare il benvenuto a, fare buon'accoglienza a; gradire

weld vt saldare; **-er** n saldatore m; **-ing** n saldatura

welfare n benessere m; — **state** *(pol)* stato socialista; — **work** lavoro assistenziale

well n pozzo; *(stairs)* tromba di scale; — a buono, bene; sano; fortunato; — adv bene; **-born** a ben nato, di origine altolocata; **be** — star bene

well vi sgorgare

well- *(in comp)* **—advised** a prudente, saggio; **—balanced** a equilibrato; **—behaved** a cortese; **—being** n benessere m; **—bred** a costumato, beneducato; **—done** a benfatto; *(food)* ben cotto; **—earned** a ben meritato; **—educated** a colto; **—founded** a ben fondato; **—informed** a ben informato, istruito; **—kept** a ben tenuto; **—known** a ben noto; **—mannered** a di buone maniere; **—meaning** a ben intenzionato, **—off** a agiato, benestante; **—read** a erudito; **—spent** a ben impiegato; **—suited** a adatto; **—timed** a opportuno; **—to-do** agiato, ricco

Welsh n&a gallese m

Welshman n gallese m

welt n bordo, orlo

welter vi avvoltolarsi; — n confusione

welterweight n *(sport)* peso medio-leggero

wen n gozzo

wench n popolana

west n ovest, occidente m; — a d'ovest; **-ern** a occidentale; **W- Indies** Indie occidentali

wet a bagnato, umido; *(paint)* fresco; — **blanket** guastafeste m *(fig)*; **-ness** umidità; — **nurse** balia; — vt bagnare

whack vi *(coll)* colpire; — n *(coll)* colpo; legnata, bastonata

whale n balena

whaling n pesca della balena; — **ship** baleniera

wharf n molo, scalo

what pron che, cosa, che cosa, ciò; quel che; — a che; — adv come, che; — interj che!? cosa!? **W- did you say?** Come? Che cosa hai detto? **W- is it?**

Cos'è? Cosa c'è?

whatever a qualsiasi, qualunque; — pron qualsiasi cosa, qualunque cosa

whatsoever pron checchessia, qualunque cosa; — a qualunque, qualsiasi

wheat n frumento

wheedle vt adulare, vezzeggiare, ottenere con blandizie

wheedling n moine fpl

wheel n ruota; *(naut)* barra; *(auto)* volante m; — **chair** sedia a rotelle; — vi girare, voltarsi; — vt far rotare; trasportare su ruote

wheelbarrow n carriola

wheeling n rotazione, roteamento; **free-** n ruota libera

wheelwright n carraio

wheeze n respiro ansimante; — vi ansimare

wheezing n respirazione ansimante; — a ansimante, asmatico

wheezy a asmatico, ansimante

whelp m cucciolo; — vi partorire, sgravare

when conj&adv quando, qualora; **since** — da quando

whenever conj quando, ogni qualvolta che, qualora

where adv&conj&pron dove

whereabouts n ubicazione; — adv dove, in che posto

whereas conj stante che, siccome, poichè, mentre

whereat conj al che

whereby adv per cui, per mezzo del quale

wherefore adv perciò, onde, per la qual cosa

wherein adv dove

whereupon conj al che, dopo di che

wherever conj dovunque

wherewithal n soldi mpl; mezzi mpl

whet vt *(knife)* affilare; *(appetite)* stimolare

whether conj se, sia, sia che

whetstone n cote f

whey n siero di latte

which pron il quale, la quale, che, i quali mpl, le quali fpl; — a quale; — **way** per dove, dove

whichever a qualunque, qualsiasi; — pron chechessia

whiff n sbuffo, soffio

while n tempo; momento; — conj mentre, intanto che; — **away** trascorrere, passare; **a short** — **ago** poco fa; **be worth** — valere la pena; **in a little** — tra poco; **once in a** — una volta tanto

whim n capriccio

whimper n piagnucolio, piagnisteo, lagna; **-er** n piagnone, piagnucolone m; **-ing** n piagnucolio, pianisteo; **-ing** a pia-

gnucolante; — *vi* piagnucolare, lagnarsi
whimsical *a* bizzarro, capriccioso
whimsy *n* ubbia, capriccio
whine *vi* piagnucolare; — *n* piagnisteo
whining *n* piagnucolio, piagnisteo, lagna; — *a* piagnucolante, lagnante
whinny *n* nitrito; — *vi* nitrire
whip *n* frusta; sferzata; *(pol)* organizzatore politico; — **hand** vantaggio; — *vt* frustare; frullare; stimolare; *(coll)* sopraffare; — *vi* agitarsi; slanciarsi
whipped *a* frullato; — **cream** panna montata
whipping *n* frustata, battitura
whir *n* fruscio; — *vi* frusciare
whirl — *vi* girare rapidamente; — *vi* far turbinare; — *n* giro rapido, vortice *m*; confusione
whirligig *n* carosello; *(toy)* trottola
whirlpool *n* vortice *m*
whirlwind *n* turbine *m*
whisk *n* spazzata, spazzolata; **–broom** scopetta, scopino; — *vt* spazzare, spazzolare, asportare rapidamente; — *vi* muoversi con leggerezza
whisker *n* pelo di barba
whiskers *npl* barba; *(animal)* baffi *mpl*
whisky *n* whisky *m*
whisper *vt&i* sussurrare; — *n* susurro, bisbiglio; *(rumor)* diceria
whistle *vt&i* fischiare; — *n* fischio; *(instrument)* fischietto
whistler *n* fischiatore *m*
whistling *n* fischiamento
whit *n* iota *m*, inezia
white *a* bianco; pallido; **show the — feather** dar prova di viltà; — **elephant** cosa ingombrante; — **heat** incandescenza; — **lie** bugia innocente; — *n* bianco; *(egg)* albume *m*; **–ness** *n* bianchezza, pallore *m*; purezza, candore *m*
whitecap *n* cresta d'onda
white-faced *a* pallido
whitefish *n* pesce bianco, lavareto
white-hot *a* incandescente
white-livered *a* vigliacco, codardo
whiten *vt* imbiancare; — *vi* impallidire; imbiancarsi
whitewash *n* calce da imbiancare; — *vi* imbiancare con calce; dare una mano di bianco
whither *adv* dove
whiting *n (fish)* merlano
whitish *a* biancastro
whittle *vt* tagliuzzare, assottigliare
whiz *n* sibilo; *(sl)* esperto, perito; — *vi* fischiare, sibilare; *(hurry)* sfrecciare
who *pron* che; chi; il quale, la quale, i quali, le quali
whoa *interj* ferma!

whole *a* intero, completo; tutto insieme; — **number** numero intero; — **note** semibreve *f*; — **wheat** grano integrale; — **wheat bread** pane integrale; — *n* intero, totale *m*; **in the** — in fin dei conti, in totale
wholeness *n* interezza, totalità
wholesale *n* vendita all'ingrosso; — *a* &*adv* all'ingrosso; — *a* generale; — *vt* &*i* vendere all'ingrosso
wholesaler *n* grossista *m*
wholesome *a* salubre, sano; **–ness** salubrità
wholly *adv* del tutto, interamente
whom *pron* chi, che, cui; il quale, la quale, i quali, le quali; **–ever** *pron* chiunque
whoop *n* urlo, grido; **–ing cough** pertosse *f*, tosse canina; — *vi* gridare, urlare
whore *n* prostituta, sgualdrina
whorl *n* spirale *m*, spira
whose *pron* di chi; di cui; il cui, la cui, i cui, le cui
why *adv* perchè
wick *n* lucignolo
wicked *a* cattivo, scellerato; **–ness** *n* malvagità
wicker *n* vimine *m*
wide *a* largo; esteso; lontano; **–spread** *a* diffuso largamente; **far and** — in lungo e in largo; **–ly** *adv* largamente
wide– *(in comp)* **–awake** *a* sveglio; vigile; **––eyed** *a* con gli occhi sbarrati; **––open** *a* spalancato
widen *vt* allargare, ampliare; — *vi* allargarsi, ampliarsi, estendersi
widow *n* vedova; — *vt* vedovare; **–hood** *n* vedovanza
widower *n* vedovo
width *n* larghezza; *(cloth)* altezza
wield *vt* maneggiare; esercitare
wieldy *a* maneggiabile
wife *n* moglie *f*; **–ly** *a* di moglie, coniugale
wig *n* parrucca
wiggle *vt* dimenare; — *vi* dimenarsi; — *n* dimenamento, agitazione; **–r** *n* dimenante *m&f*
wigwag *n* segnalazione con bandierine; — *vi* fare segnalazioni con bandierine
wild *a* selvaggio, selvatico, silvestre, impetuoso; **–s** luoghi inesplorati; **–cat** *n* gatto selvatico; **–cat strike** sciopero non autorizzato; **–ness** *n* selvatichezza; sfrenatezza; **–ly** *adv* selvaticamente, selvaggiamente; sfrenatamente
wilderness *n* luogo selvaggio
wildfire *n* fuoco greco
wild-goose chase tentativo inutile, impresa vana
wile *n* astuzia, raggiro

wiliness n malizia, astuzia
will n volontà; desiderio; testamento; **free — libero** arbitrio, — vt&i ordinare, volere; — vt disporre per testamento
willful a premeditato, intenzionale; ostinato; **–ness** n premeditazione; ostinazione; **–ly** adv premeditatamente; ostinatamente
willing a pronto, volenteroso; **be —** volere; **–ness** n buona volontà; accondiscendenza; **–ly** adv volentieri
will-o'-the-wisp n fuoco fatuo
willow n salice m; **–y** a pieno di salici; svelto, grazioso
willy-nilly adv volente o nolente
wilt vi appassire; — vt far appassire
wily a astuto, malizioso
wimple n soggolo
win vt&i vincere, guadagnare; — **over** persuadere; — n vittoria, vincita
wince vi trasalire, indietreggiare
winch n argano, manubrio, manovella
wind n vento; (breath) fiato; **–bag** n (coll) chiacchierone m, ciarlatano; **–breaker** n giacca a vento; **–fall** n fortuna inaspettata; **–mill** n mulino a vento; **–pipe** n trachea; **–storm** n bufera da vento; **— tunnel** (avi) tunnel per vento artificiale; **get — of** aver sentore di; **–less** a senza vento; **–y** a ventoso; verboso, — vt far perdere il fiato; **–ed** a ansimante, sfiatato
wind vt avvolgere; (clock) caricare; — vi serpeggiare, avvolgersi; — n curva
wind– (in comp) —blown a portato dal vento; scompigliato; **—borne** a trasportato dal vento; **—swept** a esposto al vento
winding n svolta, sinuosità; giro; — a serpeggiante, sinuoso; **— sheet** lenzuolo mortuario, sudario
windjammer n veliere m
windlass n argano
window n finestra; (auto, rail) finestrino; (store) vetrina; (box office) sportello; **— dresser** n vetrinista m&f; **–pane** n vetro di finestra; **—sill** n davanzale m; **display —** n vetrina
window-shop vi guardare vetrine; **–er** n chi guarda le vetrine
windshield n parabrezza m; **— wiper** tergicristallo
windup n (end) conclusione
wine n vino; **— cellar** n cantina; **–glass** n bicchiere da vino; **–grower** n viticultore m; **— growing** viticultura; **–ry** n vineria; **— shop** spaccio di vino; — vt provvedere di vino
wing n ala; **–spread** n apertura d'ali; **–less** a senz'ali; **–s** npl (theat) quinte

fpl; **take — prendere** il volo; **under the — of** sotto la protezione di; — vt sorvolare; — vi volare
wink vi strizzare l'occhio; — n ammicco, strizzata d'occhi, occhiolino; istante m
winner n vincitore m, vincitrice f
winning a vincente, vincitore; seducente; **–s** npl guadagni mpl, vincita
winnow vt vagliare
winsome a seducente, affascinante; **–ness** n fascino, attrattività
winter n inverno; — vi svernare; **–ize** vt equipaggiare per l'inverno; **–time** n stagione invernale
wintriness n qualità invernale; freddezza
wintry a invernale; freddo; (fig) triste, brullo
wipe vt asciugare, pulire; **— one's nose** asciugarsi il naso; **— out** cancellare, distruggere
wire n filo metallico; (coll) telegramma m; **barbed — filo** spinato; **–photo** n radiofoto f; **— tapping** uso di apparecchio speciale per captare conversazioni telefoniche altrui; **–puller** n potenza occulta (fig); **–pulling** n manovra dei fili (fig); eminenza grigia (fig); — vt installare i fili; (coll) telegrafare; legare con filo
wire-haired a dal pelo rigido; setoloso
wireless a senza fili, radiotelegrafico; — n radiotelegrafia
wiriness n nerbo, nervo; (hair) rigidezza
wiring n instalazione elettrica
wiry a di filo metallico; (person) nervoso, nerboruto; (hair) rigido
wisdom n saggezza; **— tooth** dente del giudizio
wise a saggio; — n guisa, maniera, modo; **–ly** adv saggiamente
wiseacre n sapientone m, presuntuoso
wish n desiderio, voglia, augurio; **–bone** n forcella; — vt&i desiderare, volere, augurare
wishful a desideroso; **— thinking** illusioni fpl
wishy-washy a insipido
wisp n ciuffo, strofinaccio
wisteria n glicine m
wistful a pensoso; nostalgico, sognante; **–ness** n nostalgia
wit n spirito, arguzia; **to — cioè,** vale a dire; **–less** a povero di spirito, senza intelligenza; **–ty** a arguto, spiritoso
witch n strega; **–craft** n stregoneria; **— doctor** stregone m; **–ing** a incantevole; magico
with prep con; **–in** prep dentro di; entro; **–in** adv dentro; **–out** prep senza; fuori di; **–out** adv fuori
withdraw vt ritirare; — vi ritirarsi

withdrawal *n* ritirata, ritiro
wither *vi* appassire; — *vt* far appassire; **-ing** *a* languente; sprezzante
withers *npl* garrese *m*
withhold *vt* trattenere; rifiutare; — *vi* astenersi; **-ing** *n* astensione; rifiuto; detenzione
withstand *vt&i* resistere a, opporsi a
witness *n* testimone *m&f*; testimonianza; **bear** — fare testimonianza; — *vt* testimoniare, presenziare, attestare
witticism *n* frizzo spiritoso, arguzia
wittily *adv* spiritosamente
wittingly *adv* intenzionalmente, apposta
wizard *n* mago, stregone *m*; **-ry** *n* stregoneria, magia
wizen *vt* raggrinzire; — *vi* raggrinzarsi; **-ed** *a* magro, secco, raggrinzito
wobble *vi* vacillare, tremare
wobbling *a* vacillante; — *n* barcollamento
wobbly *a* malfermo, debole
woe *n* guaio, sventura; **-begone** *a* sconsolato; **-ful** *a* triste, doloroso; **-fully** *adv* dolorosamente
wolf *n* lupo; **-ish** *a* lupesco, di lupo, rapace; — *vt* mangiare con voracità
woman *n* donna; **-hood** *n* femminilità; **-ish** *a* effeminato; **-ly** *a* femminino, femminile, muliebre
woman-hater *n* misogino
womb *n* utero; grembo
wonder *n* meraviglia, stupore *m*; **-ful** *a* meraviglioso; **-fully** *adv* mirabilmente, meravigliosamente; **-land** *n* terra delle meraviglie; **-ment** *n* stupore *m*, meraviglia; — *vt&i* meravigliarsi, domandarsi
wondrous *a* meraviglioso, mirabile
wont *n* abitudine *f*
woo *vt* fare la corte a; **-ing** *n* corteggiamento
wood *n* legno; — **alcohol** alcool metilico; **-craft** *n* lavorazione del legno; — **carving** scultura in legno; **-cut** *n* intaglio su legno; **-cutter** *n* boscaiolo, taglialegna; intagliatore in legno; **-land** *n* terreno boscoso; **-pecker** picchio; **-work** *n* lavoro in legno; infissi di legno; intavolato; **-ed** *a* boscoso; **-en** *a* di legno; duro, goffo; inespressivo
wood-carver *n* scultore in legno
woods *npl* bosco, foresta; **-man** *n* boscaiolo; **-y** *a* boscoso, boschivo
woof *n* trama
woofer *n* altoparlante di bassa frequenza
wool *n* lana; **cotton** — ovatta; **steel** — lana d'acciaio; **pull the** — **over one's eyes** gettar polvere agli occhi *(fig)*; **-en** *a* di lana; **-ly** *a* lanoso, lanuto; *(hair)* crespo
word *n* parola; notizia; **by** — **of mouth**

adv oralmente, a voce; **in a** — in una parola; **leave** — lasciar detto; **-less** *a* senza parola, muto; non espresso; **give one's** — dare la propria parola, dare la parola d'onore; **have -s with** aver parole con, litigare; **in other -s** in altre parole; — *vt* esprimere, formulare
wordiness *n* verbosità
wording *n* dicitura; espressione; modo di dire
wordy *a* parolaio, verboso
work *vt* lavorare; far funzionare; far lavorare; causare; — *vi* funzionare; lavorare; fare effetto; — **out** *(succeed)* riuscire, aver esito; — **up** elaborare; *(excite)* eccitare; *(mix)* mischiare; **-able** *a* lavorabile; sfruttabile; **-er** *n* operaio; lavoratore *m*, lavoratrice *f*
work *n* lavoro; opera; **-aday** *a* ordinario; **-bag** *n* borsa degli attrezzi; **-book** *n* manuale *m*; libro di esercizi; diario di lavoro; **-man** *n* artigiano, operaio; **-manship** *n* mano d'opera, esecuzione; abilità artigiana, finitezza; **-out** *n* *(sport)* allenamento; **at** — all'opera; **-s** *npl* opere *fpl*; *(mech)* meccanismo; fabbrica
working *n* funzionamento, operazione; — **capital** capitale d'esercizio; — **class** classe lavoratrice; — **day** giorno di lavoro; — **hours** orario di lavoro
world *n* mondo; — **without end** fino alla fine dei secoli *(fig)*; **for all the** — per tutto l'oro del mondo *(coll)*; **-liness** *n* mondanità; **-ly** *a* mondano, umano, materialista
world-wide *a* mondiale
worm *n* verme *m*; *(screw)* impanatura; — *vt* liberare dai vermi; fare subdolamente; *(secret)* strappare; — *vi* agire subdolamente; serpeggiare; **-s** *npl* *(med)* parassiti *mpl*; — **one's way into** insinuarsi in
worm-eaten *a* tarlato, bacato; *(out-of-date)* antiquato
wormwood *n* *(fig)* tribulazione; *(bot)* assenzio
worn *a* consumato, logoro
worn-out *a* esausto; logoro
worried *a* preoccupato, ansioso
worry *n* ansia, preoccupazione; angoscia; — *vi* preoccuparsi, affliggersi; — *vt* preoccupare, annoiare, disturbare
worse *a* peggiore; — *adv* peggio; **be** — **off** star peggio; **so much the** — tanto peggio
worsen *vt&i* peggiorare
worship *n* adorazione, culto; — *vt&i* adorare, venerare; partecipare a una funzione religiosa

worst *a* il peggiore, il più cattivo; — *adv* alla peggio; — *n* il peggio; — *vt* sopraffare

worsted *n* tessuto di lana pettinata

worth *n* valore *m*, merito; — *a* degno di, del valore di; **be** — valere; **-less** *a* di nessun valore; **-y** *a* degno

worthily *adv* degnamente

worthiness *n* merito

worthwhile *a* che vale la pena

would-be *a* sedicente, preteso; mancato

wound *n* piaga, ferita; — *vt* ferire; offendere

woven *a* tessuto

wraith *n* spettro, fantasma

wrangle *n* bisticcio, alterco, rissa; — *vi* bisticciarsi; altercare

wrap *vt* avvolgere, impaccare, incartare; —*vi* avvolgersi; — *n* mantello

wrapper *n* fascia, involucro

wrapping *n* imballaggio

wrath *n* ira, rabbia

wreak *vt* sfogare; — **vengeance** vendicarsi

wreath *n* corona, ghirlanda; **-e** *vt* inghirlandare, festonare; **-ed** *a* festonato, inghirlandato

wreck *n* naufragio; relitto; rovina; avanzi *mpl*; — *vt* distruggere, rovinare, demolire; **-age** *n* relitto; **-ed** *a* mancato; rovinato; naufragato; **-ing** *a* (naut) di salvataggio

wren *n* (zool) scricciolo

wrench *vt* storcere; — *n* torsione violenta; (med) slogatura, distorsione, lussazione; (mech) chiave fissa; **monkey** — chiave inglese

wrest *vt* strappare, torcere; — *n* strappo

wrestle *vi* lottare; — *n* lotta; — **with** lottare contro; **-r** *n* lottatore *m*

wrestling *n* lotta; **catch-as-catch-can** — lotta libera

wretch *n* sciagurato, miserabile *m*; **-ed** *a* infelice, meschino, pessimo; **-edness** *n* miseria; meschinità

wrick *n* storta; — *vt* storcersi

wriggle *n* contorsione; dimenamento; — *vi* torcersi, dimenarsi; — *vt* torcere; — **out of** levarsi da

wriggling *n* contorsione

wring *vt* torcere, stringere, spremere; — *vi* torcersi; **-er** *n* cilindro da bucato

wringing *n* torsione

wringing-wet *a* inzuppato, gocciolante, bagnato

wrinkle *n* ruga, grinza; **latest** — (coll) ultimo grido, ultima moda; — *vt* corrugare; sgualcire; — *vi* raggrinzirsi; **-d** *a* grinzoso, rugoso

wrinkling *n* grinza

wrist *n* polso; **-band** *n* polsino; **-let** *n* braccialetto; — **watch** orologio da polso

writ *n* (law) mandato; **Holy W-** la Sacra Scrittura

write *vt&i* scrivere; — **down** mettere per iscritto; — **off** cancellare; scrivere con facilità

writer *n* scrittore *m*, scrittrice *f*; scrivente *m&f*

write-up *n* resoconto, rapporto

writhe *vi* contorcersi

writhing *n* contorsione

writing *n* scrittura, grafia, scritto; opera; — **desk** scrivania; — **pad** cartella per scrivere; — **paper** carta da scrivere; **in** — per iscritto

written *a* per iscritto, scritto

wrong *n* male *m*; torto; danno; ingiustizia; **-doer** *n* malfattore *m*, malfattrice *f*; peccatore *m*, peccatrice *f*; **-doing** *n* malazione; **be** — aver torto; **do** — far male; peccare; **go** — sbagliar strada (fig); **in the** — dalla parte del torto; in torto; **What's** —? Che c'è di male?

wrong *vt* far male a, danneggiare; offendere; accusare a torto; — *adv* erroneamente, malamente, a torto; **-ly** *adv* male; ingiustamente

wrongful *a* ingiusto; **-ly** *adv* ingiustamente

wroth *a* arrabbiato, stizzito

wrought *a* lavorato; — **iron** ferro battuto

wry *a* storto, torto; **make a** — **face** fare una smorfia

wryneck *n* torcicollo

X

xenon *n* (chem) xeno

Xmas, Christmas *n* Natale *m*

X ray raggio X

X-ray *vt* fare una radiografia di; — **pic-** ture radiografia

xylography *n* silografia

xylophone *n* silofono

xylophonist *n* silofonista *m*

Y

yacht *n* panfilo
yank *n* strappo; — *vt* strappare; — *vi* dare uno strappone
Yankee *n&a* americano, statunitense *m&f*
yap *n* abbaiamento, latrato, guaito; — *vi* abbaiare; guaire
yard *n* recinto, cortile *m*; *(naut)* antenna; norma; *(measure)* iarda; *(rail)* stazione di smistamento; **–man** *n (rail)* n manovratore *m*; **–stick** stecca d'una iarda
yarn *n* filato; *(coll)* racconto immaginario
yaw *vi (naut)* cambiar rotta, orzare
yawl *n (naut)* iole *f*
yawn *n* sbadiglio; — *vi* sbadigliare; spalancarsi; **–ing** *a* spalancato; sonnolento, sbadigliante; **–ing** *n* sbadiglio
yea *adv* già; sì; — *n* voto affermativo
year *n* anno; **leap** — anno bisestile; **last** — l'anno scorso, l'anno passato; **school** — anno scolastico; **–book** *n* annuario; **–ling** *n* animale d'un anno
yearly *a* annuale; — *adv* ogni anno
yearn *vi* desiderare ardentemente; bramare, agognare; struggersi per
yearning *n* vivo desiderio; — *a* bramoso
yeast *n* lievito
yell *n* strillo, urlo; — *vt&i* urlare, gridare
yellow *a* giallo; *(coll)* vigliacco; — **fever** febbre gialla; — **journalism** giornalismo sensazionale; **–ish** *a* giallastro; **–ness** *n* giallore *m*; — *vt&i* ingiallire
yelp *n* guaito; — *vi* guaire, latrare
yelping *n* guaiti *mpl*; — *a* che guaisce
yen *n (coll)* desiderio vivo; — *vi* agognare, bramare

yes *adv* sì, già
yesterday *adv* ieri; **day before** — ieri l'altro, avant'ieri
yet *conj* però, tuttavia, nondimento; — *adv* ancora, finora; **as** — finora; **not** — non ancora
yew *n (bot)* tasso
yield *vt&i* produrre, rendere, cedere — *n* raccolto, rendita
yodel *n* canto tirolese; — *vi* cantare alla tirolese
yogurt *n* yogurt *m*
yoke *n* giogo; paio; — *vt* accoppiare; aggiogare
yokel *n* zoticone *m*, villano
yolk *n* tuorlo
yonder *adv* laggiù, là
yore *n*; **of** — di un tempo, anticamente
you *pron* tu; Lei, la, Loro; voi
young *a* giovane; — *npl* i nati; *(animal)* cuccioli *mpl*, *(chicks)* pulcini *mpl*; *(people)* i giovani *mpl*; **–ster** *n* fanciullo; — **lady** signorina; — **man** giovanotto
your *a* tuo, vostro; Suo, Loro, tua, vostra, Sua
yours *pron* il tuo, il vostro, il Suo, la tua, la vostra, la Sua, il Loro, la Loro
yourself *pron* tu stesso, voi stesso, Lei stesso, Lei stessa, voi stessa, ti, si, vi
yourselves *pron pl* voi stessi, voi stesse, Loro stessi, Loro stesse, si, vi
youth *n* gioventù *f*, giovinezza; giovane *m*; **–ful** *a* giovanile; **–fulness** *n* giovinezza
yowl *vi* ululare; — *n* ululato
yule *n* Natale *m*; **–tide** *n* feste natalizie

Z

zany *a* comico, buffo; — *n* buffone *m*, semplicione *m*
zeal *n* zelo
zealot *n* zelante *m&f*, zelatore *m*, zelatrice *f*; fanatico
zealous *a* fervente, zelante
zenith *n* zenit, apogeo *m*
zephyr *n* zeffiro
zero *n* zero, nulla *m*; — **hour** ora zero
zest *n* gusto, sapore *m*; interesse, ardore *m*; **–ful** *a* saporito, aromatico; piacevole, gustoso
zigzag *n* zigzag *m*; — *a&adv* a zigzag; — *vi* andare a zigzag, serpeggiare
zinc *n* zinco

zip *n (coll)* energia; sibilo; — *vi* muoversi fulmineamente, scattare, frecciare; sibilare
zipper *n* chiusura lampo
zodiac *n* zodiaco
zone *n* zona; — *vi* dividere in zone; **–d** *a* a zone
zoo *n* giardino zoologico
zoological *a* zoologico
zoologist *n* zoologo
zoology *n* zoologia
zoom *n (avi)* ascesa verticale; rimbombo; — *vi* rimbombare; *(avi)* salire verticalmente
zoonosis *n* zoonosi *f*

ENGLISH-ITALIAN FIRST NAMES

A

Aaron Aronne
Abel Abele
Abraham Abramo
Ada Ada
Adam Adamo
Adelaide Adelaide
Adele Adele
Adeline Adelina
Adolph Adolfo
Adrian Adriano
Agatha Agata
Aggie Agnesina
Agnes Agnese
Albert Alberto
Alec, Alex Alessandrino
Alexander Alessandro
Alexandra Alessandra
Alfred Alfredo
Alice Alice
Althea Altea
Ambrose Ambrogio
Amelia Amelia
Amy Amata
Andrew Andrea, Sandro
Andy Andreuccio
Angela Angela
Ann Anna
Annie Annina, Annetta
Anthony Antonio
Antoine Antonio
Antoinette Antonietta

Antony Antonio
Archibald Arcibaldo
Arnold Arnaldo
Arthur Arturo
August Augusto
Augusta Augusta
Augustine Agostino
Austin Agostino

B

Baldwin Baldovino
Barbara Barbara
Barnaby Barnaba
Barnard Bernardo
Barney Bernardino
Bartholomew Bartolomeo
Basil Basilio
Beatrice Beatrice
Benedict Benedetto
Benjamin Beniamino
Bernadine Bernardina
Bernard Bernardo
Bernice Berenice
Bertha Berta
Bertram Bertrando
Bertrand Bertrando
Betsy Lisetta
Betty Lisa
Bill Guglielmino
Blanche Bianca
Bob Robertuccio
Bridget Brigida

C

Camille Camilla
Caroline Carolina
Catherine Caterina
Cecil Cecilio
Cecilia, Cecily Cecilia
Charles Carlo
Charlie Carlotto
Charlotte Carlotta
Chloe Cloe
Christian Cristiano
Christine Cristina
Christopher Cristoforo
Clara, Clare Chiara
Clarissa Clarissa, Clarice
Claude Claudio
Claudia Claudia
Clement Clemente
Clementine Clementina
Clio Clio
Conrad Corrado, Corradino
Constance Costanza
Cordelia Cordelia
Corinne Corinna
Cornelia Cornelia
Cornelius Cornelio
Cyrus Ciro

D

Daniel Daniele
Daphne Dafne
David Davide
Davy Davidino

Delia Delia
Delilah Dalila
Dennis Diogini
Diana, Diane Diana
Dick Riccardino
Dolores Dolores
Donald Donaldo
Dora Dora
Doris Doride
Dorothy Dorotea

E

Edgar Edgardo
Edith Editta
Edmund Edmondo
Edward Edoardo
Eleanor Eleonora
Elias Elia
Eliza Elisa
Elizabeth Elisabetta
Ellen Elena
Eloise Eloisa
Elvira Elvira
Emanuel Emanuele
Emilia Emilia
Emily Emilia
Emma Emma
Emmie Emmina
Eric Erico
Ernest Ernesto
Ernestine Ernestina
Esmund Esmondo
Estelle Stella
Esther Ester

Eugene Eugenio
Eugenia Eugenia
Eunice Eunice
Evangeline Evangelina
Eve Eva
Evelyn Evelina

F

Fabian Fabiano
Felicia Felicia
Felix Felice
Ferdinand Ferdinando
Flora Flora
Florence Fiorenza
Frances Francesca
Francis Francesco
Frank Francesco
Fred Federico
Frederica Federica
Frederick Federico

G

Gabriel Gabriele
Gabriella Gabriella
Gaylord Gagliardo
Gene Gino
Genevieve Genoveffa
Geoffrey Goffredo
George Giorgio
Georgette Giorgetta
Georgia Giorgia
Georgiane Giorgiana
Georgie Giorgetto

Gerald Geraldo
Geraldine Geraldina
Gerard Gerardo
Gertrude Geltrude
Gilbert Gilberto
Giles Egidio
Godfrey Goffredo
Gregory Gregorio
Gustav Gustavo
Guy Guido

H

Hal Enrico
Hannah Anna
Harold Aroldo
Harriet Enrichetta
Harry Arrigo
Hatty Enrichetta
Hector Ettore
Helen, Helena Elena
Henrietta Enrichetta
Henry Enrico, Arrigo
Herbert Erberto
Hermione Ermione
Hilary Hilario
Homer Omero
Horace Orazio
Horatio Orazio
Hortense Ortensia
Hubert Uberto
Hugh Ugo
Hughie Ugolino
Humbert Umberto
Humphrey Onofredo

I

Ian Giano
Ida Ida
Immanuel Emanuele
Inez Ines
Irene Irene
Iris Iris
Isaac Isacco
Isabel Isabella
Ivan Ivano

J

Jack Giannetto
Jacob Giacobbe
James Giacomo
Jane Giovanna
Jean Giovannina, Gina
Jenny Giannetta, Giacomina
Jeremiah Geremia
Jeremy Geremia
Jerome Geronimo
Jessica Gessica
Jimmy Giacomino
Joan, Joanna Giovanna
Joe Giuseppino
Joey Peppino
Johanna Giovanna
John Giovanni
Johnny Giannino, Giovannino
Jonah Giona
Jonathan Gionata
Jordan Giordano
Joseph Giuseppe

Josephine Giuseppina
Joshua Giosuè
Judith Giuditta
Jules Giulio
Julia Giulia
Julian Giuliano
Juliana Giuliana
Julie Giulia
Juliet Giulietta
Julius Giulio
Justin Giustino
Justina Giustina

K

Katherine Caterina
Kathie Caterina
Kitty Caterina

L

Lambert Lamberto
Larry Lorenzino
Laura Laura
Lavinia Lavinia
Lawrence Lorenzo
Leah Lea
Leda Leda
Lelia Lelia
Leo Leone
Leonard Leonardo
Leonore Leonora
Leopold Leopoldo
Letitia Letizia
Lewie Luigino

Lewis Luigi
Lionel Lionello
Lisa Lisa
Lorraine Lorena
Lou Luigino
Louie Gigi
Louis Luigi
Louisa Luisa
Louise Luigia
Lucas Luca
Lucia Lucia
Lucian Luciano
Lucinda Lucinda
Lucius Lucio
Lucretia Lucrezia
Lucy Lucia
Ludwig Ludovico
Luke Luca
Luther Lutero
Lydia Lidia

M

Madeleine Maddalena
Madeline Maddalena
Malcolm Malcomo
Manfred Manfredo
Manuel Manuele
Margery Margherita
Margot Margherita
Marianne Marianna
Marie Maria
Marion Marietta
Marius Mario
Mark Marco

Martha Marta
Martin Martino
Mary Maria
Mathilda Matilde
Matthew Matteo
Maude Magda
Maurice Maurizio
Maximilian Massimiliano
May Marietta
Melissa Melissa
Mercedes Mercede
Mercia Mercia
Michael Michele
Mike Michelino
Minerva Minerva
Miranda Miranda
Miriam Miriam
Monica Monica
Monique Monica
Morris Maurizio
Moses Mosè

N

Nan Nina
Nancy Annetta, Annina
Nannette Nannetta
Naomi Noemi
Natalie Natalia
Nathaniel Nataniele
Nicholas Nicola, Nicolò
Nick Nicoluccio
Nicolette Nicoletta
Nina Nina
Noah Noè

Noel Natale
Nora Nora

O

Olive Olivia
Oliver Oliviero
Olivia Olivia
Ophelia Ofelia
Orlando Orlando
Oscar Oscar
Oswald Osvaldo
Otto Ottone

P

Patrick Patrizio
Paul Paolo
Paula Paola
Peggy Marietta
Penelope Penelope
Pete Pietruccio
Peter Pietro
Phil Filippuccio
Philip Filippo
Phoebe Feba
Polly Mariuccia
Priscilla Priscilla
Prudence Prudenza

R

Rachel Rachele
Ralph Rodolfo, Raulo
Randall Randolfo

Randolph Randolfo
Raymond Raimondo
Rebecca Rebecca
Reggie Rinaldo
Reginald Reginaldo
Reynold Rinaldo
Richard Riccardo
Robert Roberto
Robin Robertuccio
Roderick Rodrigo
Roger Ruggero
Roland Rolando
Ronald Rinaldo
Rosalie Rosalia, Rosina
Rosalind Rosalinda
Rose Rosa
Rosette Rosetta
Rowland Rolando
Roxanne Rossana
Rudolph Rodolfo
Rufus Rufo
Rupert Ruperto
Ruth Ruth

S

Sally Sara
Samson Sansone
Samuel Samuele
Sarah Sara
Saul Saul
Sebastian Sebastiano
Sibyl Sibilla
Siegfried Sigfrido
Sigmund Sigismondo

Silvester Silvestro
Simon Simone
Solomon Salomone
Sophie Sofia
Stanislas Stanislao
Stella Stella
Stephanie Stefania
Stephen Stefano
Sue Susanna
Susan Susanna
Susannah Susanna
Susie Susetta
Sylvia Silvia

T

Terence Terenzio
Teresa Teresa
Thaddeus Taddeo
Theodora Teodora
Theodore Teodoro
Therese Teresa
Thomas Tommaso
Timothy Timoteo
Titus Tito
Tobias Tobia
Toby Tobia
Tom Tommasino
Tony Tonio
Tyrone Tirone

U

Ulric Ulrico
Ursula Orsola

V

Valentine Valentino
Valerie Veleria
Veronica Veronica
Vic Vittore
Vicky Vittorina
Victor Vittorio
Victoria Vittoria
Virgil Virgilio
Vincent Vincenzo
Vinny Vincenzina
Violet Viola
Virginia Virginia
Vitus Vito
Vivian Viviana
Vladimir Vladimiro

W

Walter Gualtiero
Wilfred Vilfrido
Wilhelm Guglielmo
Wilhelmina Guglielmina
William Guglielmo
Winfred Vinfrido

Y

Yves Ivone
Yvette Ivetta

Z

Zachary Zaccaria

TRAVELER'S CONVERSATION GUIDE

ARRIVAL

Where is customs, please?

My baggage? I think the ones over there are mine.

I have nothing to declare.

There are only personal belongings in that trunk.

Excuse me, where can I find a porter?

Take everything to a taxi, please.

How much do I owe you?
How much is it?

TAXI

Will you get a cab for me, please?

Take me to Hotel _____.

Is it very far?
Go more slowly, please!

Slower!
Stop here a moment, please.

Go ahead.
Faster, please.

Turn to the left.
Turn to the right.
Keep going straight.

How much is it?
Can you change ten thousand lire?

L'ARRIVO

La dogana, dov'è, per favore? (lâ dō·gâ′nâ dō·vā′ pār fâ·vō′rā)

I miei bagagli? Credo che siano quelli là. (ē myā′ē bâ·gâ′lyē krā′dō kā sē′â·nō kwāl′lē lâ)

Non ho niente da dichiarare. (nōn ō nyān′tā dâ dē·kyâ·râ′rā)

In quel baule ci sono solo effetti personali. (ēn kwāl bâ·ū′lā chē sō′nō sō′lō āf·fāt′tē pār·sō·nâ′lē)

Scusi, dove posso trovare un facchino? (skū′zē dō′vā pōs′sō trō·vâ′rā ūn fâk·kē′nō)

Porti tutto in un tassì, per piacere. (pōr′tē tūt′tō ē·nūn′ tâs·sē′ pār pyâ·chā′rā)

Quanto Le devo? (kwân′tō lā dā′vō)
Quant'è? (kwân·tā′)

IL TASSÌ

Mi vuol trovare un tassì, per favore. (mē vwōl trō·vâ′rā ūn tâs·sē′ pār fâ·vō′rā)

Mi porti all'Albergo _____. (mē pōr′tē âl·lâl·bār′gō)

È molto distante? (ā mōl′tō dē·stân′tā)

Vada più piano, La prego! (vâ′dâ pyū pyâ′nō lâ prā′gō)

Più adagio! (pyū â·dâ′jō)

Si fermi un momento, per favore. (sē fār′mē ūn mō·mān′tō pār fâ·vō′rā)

Avanti. (â·vân′tē)

Acceleri, per favore. (â·che′lā·rē pār fâ·vō′rā)

Volti a sinistra. (vōl′tē â sē·nē′strâ)

Giri a destra. (jē′rē â dā′strâ)

Vada sempre diritto. (vâ′dâ sām′prā dē·rēt′tō)

Quant'è? (kwân·tā′)

Può cambiarmi un biglietto da dieci mila? (pwō kâm·byâr′mē ūn bē·lyāt′tō dâ dyā′chē mē′lâ)

HOTEL

Where is the desk?

Have you reserved a room for me? My name is _____.

Can I pay by the week?

Are meals included?

What are your meal times?

I'd like a room with two beds, a bath, and air conditioning.

I am going to stay a week (two weeks).

I want a single room overlooking the square.

A room on the lake (on the sea) for two nights.

Will you carry my bag for me?

This room is too expensive. Don't you have something a little cheaper?

Please bring me some ice.

Bring me another blanket and another towel, if you please.

Do you have laundry service? I should like to have some things washed.

Please wake me at eight o'clock.

L'ALBERGO

Dov'è la direzione? (dō·vā' lâ dē·rä·tsyō'nä)

È stata prenotata una camera per me? Mi chiamo _____. (ä stâ'tâ prä·nō·tâ'tâ ū'nâ kâ'mä·râ pär mä mē kyâ'mō)

Posso pagare la camera per settimana? (pōs'sō pâ·gâ'rä lâ kâ'mä·râ pär sat·tē·mâ'nâ)

I pasti sono compresi? (ē pâ'stē sō'nō cōm·prä'zē)

A che ore si servono i pasti? (â kä ō'rä sē ser'vō·nō ē pâ'stē)

Vorrei una camera a due letti con bagno ed aria condizionata. (vōr·rä'ē ū'nâ kâ'mä·râ â dū'ā lät'tē kōn bâ'nyō ā·dâ'ryâ kōn·dē·tsyō·nâ'tâ)

Resterò una settimana (due settimane). (rä·stä·rō' ū'nâ sät·tē·mâ'nâ [dū'ā sät·tē·mâ'nä])

Desidero una stanza a un letto che guardi sulla piazza. (dä·zē'dä·rō ū'nâ stân'tsâ â ūn lät'tō kä gwâr'dē sūl'lâ pyâ'tsâ)

Una camera sul lago (sul mare) per due notti. (ū'nâ kâ'mä·râ sūl lâ'gō [sūl mâ'rä] pär dū'ā nōt'tē)

Mi vuol portare la valigia? (mē vwōl pōr·tâ'rä lâ vâ·lē'jâ)

Questa camera è troppo cara. Non ha una più a buon mercato? (kwä'stâ kâ'mä·râ ā trōp'pō kâ'râ nōn â ū'nâ pyū â bwōn mär·kâ'tō)

Mi porti del ghiaccio, per favore. (mē pōr'tē dāl gyâ'chō pär fâ·vō'rä)

Mi dia un'altra coperta e un altro asciugamano, se non Le dispiace. (mē dē'â ū·nâl'trâ kō·pär'tâ ā ū·nâl'trō â·shū·gâ·mâ'nō sä nōn lä dē·spyâ'chä)

Avete il servizio per il bucato? Vorrei far lavare della biancheria. (â·vä'tä ēl sär·vē'tsyō pä·rēl' bū·kâ'tō vōr·rä'ē fâr lâ·vâ'rä dāl'lâ byân·kä·rē'â)

Mi faccia il piacere di svegliarmi alle otto. (mē fâ'châ ēl pyâ·chä·'rä dē zvä·lyâr'mē âl'lä ōt'tō)

Conversation

I want this suit pressed.

Vorrei far stirare quest'abito. (vōr·rā′ē fâr stē·râ′rā qwā·stâ′bē·tō)

I have a suit to be dry cleaned, a shirt to be ironed, and shoes to be polished.

Ho un vestito da pulire, una camicia da stirare e le scarpe da lucidare. (ō ūn vā·stē′tō dâ pū·lē′rā ū′nâ kâ·mē′châ dâ stē·râ′rā ā lā skâr′pā dâ lū·chē·dâ′rā)

When will they be ready?

Quando saranno pronti? (kwân′do sâ·rân′nō prōn′tē)

Do you have a map of the city?

Ha una pianta della città? (â ū′nâ pyân′tâ dāl′lâ chēt·tâ′)

Do you have stamps?

Ha francobolli? (â frân·kō·bōl′lē)

You can buy stamps at the tobacco shop.

I francobolli si comprano al tabaccaio. (ē frân·kō·bōl′lē sē kôm′prâ·nō âl tâ·bâk·kâ′yō)

Are there any letters for me?

Ci sono lettere per me? (chē sō′nō let′tā·rā pār mā)

Please give me my bill.

Mi dia il conto per favore. (mē dē′â ēl kōn′tō pār fâ·vō′rā)

Are taxes and service included?

Il servizio e le tasse sono compresi? (ēl sār·vē′tsyō ā lā tâs′sā sō′nō kōm·prā′zē)

Will you take a traveler's check?

Mi può cambiare un assegno per viaggiatori? (mē pwō kâm·byâ′rā ū·nâs·sā′nyō pār vyâj·jâ·tō′rē)

Have my luggage taken down.

Mi faccia portar giù le valigie. (mē fâ′châ pōr·târ′ jū lā vâ·lē′jā)

AT THE RESTAURANT

Waiter, bring me the menu please.

AL RISTORANTE

Cameriere, il menù, per favore. (kâ·mā·ryā′rā ēl mā·nū′ pār fâ·vō′rā)

I'd like an American breakfast.

Voglio fare colazione all'inglese. (vô′lyō fâ′rā kō·lâ·tsyō′nā âl·lēn·glā′zā)

Bring me two eggs with bacon (with ham), toast, and coffee.

Mi dia due uova con pancetta (con prosciutto), crostini e caffè. (mē dē′â dū′ā wō′vâ kōn pân·chāt′tâ [kōn prō·shūt′tō] krō·stē′nē ā kâf·fā′)

I'd like the Italian breakfast.

Vorrei la colazione italiana. (vōr·rā′ē lâ kō·lâ·tsyō′nā ē·tâ·lyâ′nâ)

Café au lait with rolls, butter, and marmelade.

Caffelatte con brioche, burro e marmellata. (kâf·fā·lât′tā kōn brē·ōsh′ būr′rō ā mâr·māl·lâ′tâ)

To begin with, a cocktail.

Per cominciare, un aperitivo. (pār kō·mēn·châ′rā ū·nâ·pā·rē·tē′vō)

I'll have the table d'hôte.

Desidero il pasto a prezzo fisso. (dā·zē′dā·rō ēl pâ′stō â prā′tsō fēs′sō)

Chicken broth, breaded veal cutlet with peas, wine, and fruit.

Brodo di pollo, cotolette alla milanese con piselli, vino e frutta. (brō'dō dē pōl'lō kō·tō·lāt'tä âl'lâ mē·lâ·nä'zä kōn pē·zäl'lē vē'nō ā frūt'tä)

Bring some hors d'oeuvres, tagliatelle Bologna style, roast veal with fried potatoes, and a pint of white wine.

Porti dell'antipasto, tagliatelle alla bolognese, vitello arrosto con patate fritte e un quartino di bianco. (pōr'tē dāl·lân·tē·pâ'stō tâ·lyâ·tāl'lä âl'lâ bō·lō·nyä'zä vē·tāl'lō âr·rō'stō kōn pâ·tâ'tä frēt'tä ā ūn kwâr·tē'nō dē byân'kō)

Do you have fresh beer?

Ha della birra fresca? (â dāl'lâ bēr'râ frā'skâ)

Strong (weak, spiked) coffee and coffee with cream.

Un caffè ristretto (lungo, macchiato) e un cappuccino. (ūn kâf·fä' rē·strät'tō [lūn'gō mâk·kyâ'tō] ā ūn kâp·pū·chē'nō)

Where is the washroom, please?

Mi dica dov'è la toletta, per favore? (mē dē'kâ dō·vä' lâ tō·lät'tâ pär fâ·vō'râ)

Waiter, a fork (spoon, glass, napkin, knife), please.

Cameriere, una forchetta (un cucchiaio, un bicchiere, un tovagliolo, un coltello) per favore. (kâ·mä·ryä'rä ū'nâ fōr·kät'tâ [ūn kūk·kyâ'yō ūn bēk·kyä'râ ūn tō·vâ·lyō'lō ūn kōl·tāl'lō] pär fâ·vō'râ)

Please bring me some butter.

Mi dia un po' di burro, La prego. (mē dē'â ūn pō dē būr'rō lâ prä'gō)

Waiter, some more bread, please.

Cameriere, del pane, per piacere. (kâ·mä·ryä'râ dāl pâ'nä pär pyâ·chä'rä)

May I please have a glass of milk?

Mi può dare un bicchiere di latte? (mē pwō dâ'râ ūn bēk·kyä'râ dē lât'tä)

Cheese

Formaggio (fōr·mäj'jō)

Grilled steak

Bistecca ai ferri (bē·stäk'kâ â'ē fār'rē)

Macaroni and cheese

Pasta asciuta (pâ'stâ â·shū'tâ)

Mashed potatoes

Purè di patate (pū·rä' dē pâ·tâ'tä)

Mineral water

Acqua minerale (âk'kwâ mē·nä·râ'lä)

Seafood soup

Zuppa di datteri (dzūp'pâ dē dât'tä·rē)

Steak Florentine style

Bistecca alla fiorentina (bē·stäk'kâ âl'lâ fyō·rän·tē'nâ)

Stuffed macaroni in broth

Tortellini in brodo (tōr·tāl·lē'nē ēn brō'dō)

Tomato salad

Insalata di pomodori (ēn·sâ·lâ'tâ dē pō·mō·dō'rē)

Veal roll in spiced sauce

Saltimbocca alla romana (sâl·tēm·bōk'kâ âl'lâ rō·mâ'nâ)

Whipped cream

Panna montata (pân'nâ mōn·tâ'tâ)

Conversation

MONEY

Can I cash a check here or do I have to go to the bank?

Is there a bank near here?

Where can I cash a check?

What is the rate of exchange?

Here is my passport.

Please give me two 10,000-lire notes and one 5,000.

AT THE POST OFFICE

Where is the post office?
Is it far from here?
Is that the telegraph window?

I'd like to send a wire to Chicago.

Give me two 100-lire stamps.

I'd like this letter sent registered and this package insured.

Please send it airmail.

Please give me a post card.

Is this the window for general delivery?

Are there any letters for me?

IL DENARO

Posso cambiare qui un assegno o devo andare alla banca? (pŏs'sō kâm·byâ'rā kwē ū·nâs·sā'nyō ō dā'vō ân·dâ'rā âl'lâ bân'kâ)

C'è una banca qui vicino? (chā ū'nâ bân'kâ kwē vē·chē'nō)

Dove posso riscuotere un assegno? (dō'vā pōs'sō rē·skwô'tā·rā ū·nâs·sā'nyō)

Quant'è il cambio? (kwân·tā' ēl kâm'byō)

Ecco il mio passaporto. (āk'kō ēl mē'ō pâs·sâ·pōr'tō)

Mi dia due biglietti da dieci mila lire ed una da cinque mila, per piacere. (mē dē'â dū'ā bē·lyāt'tē dâ dyā'chē mē'lâ lē'rā ā·dū'nâ dâ chēn'kwā mē'lâ pār pyâ·chā'rā)

ALLA POSTA

Dov'è la posta? (dō·vā' lâ pō'stâ)
È lontano? (ā lōn·tâ'nō)
È quello lo sportello dei telegrammi? (ā kwāl'lō lō spōr·tāl'lō dā'ē tā·lā·grâm'mē)

Vorrei mandare un telegramma a Chicago. (vōr·rā'ē mân·dâ'rā ūn tā·lā·grâm'mâ â chē·kâ'gō)

Mi dia due francobolli da cento lire. (mē dē'â dū'ā frân·kō·bōl'lē dâ chān'tō lē'rā)

Questa lettera me la fa raccomandata e questo pacchetto assicurato. (kwā'stâ let'tā·râ mā lâ fâ râk·kō·mân·dâ'tâ ā kwā'stō pâk·kāt'tō âs·sē·kū·râ'tō)

Me la spedisca per via aerea, per piacere. (mā lâ spā·dē'skâ pār vē'â â·e'rā·â pār pyâ·chā'rā)

Mi dia una cartolina postale. (mē dē'â ū'nâ kâr·tō·lē'nâ pō·stâ'lā)

È qui lo sportello di fermo posta? (ā kwē lō spōr·tāl'lō dē fār'mō pō'stâ)

Ci sono lettere per me? (chē sō'nō let'tā·rā pār mā)

STORES

Bakery	
Barber shop	
Beauty shop	
Book store	
Dairy store	
Drug store	
Florist	
Food shop	
Butcher shop	
Grocery store	
Delicatessen	
Jewelry shop	
Watchmaker	
Dress shop	
Dressmaker	
Tailor shop	
Tobacco shop	
Shoe repair shop	
Shoe store	
Department store	
Bar	
Restaurant	
Liquor store	
Dry goods store	
Stationery shop	
Perfume shop	

I NEGOZI

Fornaio, Panetteria (fōr·nâ'yō pâ·nāt·tā·rē'â)

Barbiere (bâr·byā'rā)

Salone di bellezza (sâ·lō'nā dē bāl·lā'tsâ)

Libreria (lē·brā·rē'â)

Latteria (lât·tā·rē'â)

Farmacia (fâr·mâ·chē'â)

Fiorista (fyō·rē'stâ)

Alimentari (â·lē·mān·tâ'rē)

Macelleria (mâ·chāl·lā·rē'â)

Salumeria (sâ·lū·mā·rē'â)

Drogheria (drō·gā·rē'â)

Gioielleria (jō·yāl·lā·rē'â)

Orologeria (ō·rō·lō·jā·rē'â)

Casa di mode (kâ'zâ dē mō'dā)

Modisteria (mō·dē·stā·rē'â)

Sartoria (sâr·tō·rē'â)

Tabacchaio, Tabaccheria, Sali e tabacchi (tâ·bâk·kâ'yō tâ·bâk·kā·rē'â sâ'lē ā tâ·bâk'kē)

Ciabattino (châ·bât·tē'nō)

Calzoleria (kâl·tsō·lā·rē'â)

Bazar (bâ·dzâr')

Osteria (ō·stā·rē'â)

Trattoria (trât·tō·rē'â)

Fiaschetteria (fyâ·skāt·tā·rē'â)

Merceria (mār·chā·rē'â)

Cartoleria (kâr·tō·lā·rē'â)

Profumeria (prō·fū·mā·rē'â)

SHOPPING

I am going shopping.

I'm going shopping for groceries.

Is there a grocery store near here?

Are there any dress shops?

How much is this hat?

GLI ACQUISTI

Vado a fare delle compere. (vâ'dō â fâ'rā dāl'lā kôm'pā·rā)

Vado a far la spesa. (vâ'dō â fâr lâ spā'zâ)

C'è un mercato qui vicino? (châ ūn mār·kâ'tō kwē vē·chē'nō)

Ci sono negozi di mode? (chē sō'nō nā·gō'tsē dē mō'dā)

Quant'è questo cappello? (kwân·tā' kwā'stō kâp·pāl'lō)

Conversation

What's the price of a dozen handkerchiefs?	*Quanto costa una dozzina di fazzoletti?* (kwân′tō kō′stâ ū′nâ dō·dzē′nâ dē fâ·tsō·lāt′tē)
Could you show me some blouses?	*Può mostrarmi delle bluse?* (pwō mō·strâr′mē dāl′lā blū′zā)
May I see some stockings (shirts, ties)?	*Mi vuol far vedere delle calze (camicie, cravatte)?* (mē vwōl fâr vā·dā′rā dāl′lā kâl′tsā [kâ·mē′chā krâ·vât′-tā])
Show me some leather gloves.	*Mi faccia vedere dei guanti di pelle.* (mē fâ′châ vā·dā′rā dā′ē gwân′tē dē pāl′lā)
What color?	*Di che colore?* (dē kā kō·lō′rā)
What size?	*Di che misura?* (dē kā mē·zū′râ)
May I see something better?	*Mi vuol far vedere una qualità migliore?* (mē vwōl fâr vā·dā′rā ū′nâ kwâ·lē·tâ′ mē·lyō′rā)
These shoes go well with the dress.	*Queste scarpe combinano con il vestito.* (kwā′stā skâr′pā kōm·bē′nâ·nō kō·nēl′ vā·stē′tō)
I prefer solid colors.	*Preferisco le tinte unite.* (prā·fā·rē′skō lā tēn′tā ū·nē′tā)
Do you have it in white?	*Ce l'ha bianco?* (chā lâ byân′kō)
Do you deliver?	*Fanno servizio a domicilio?* (fân′nō sār·vē′tsyō â dō·mē·chē′lyō)
You can send everything to the hotel.	*Mi può mandare tutto all'albergo.* (mē pwō mân·dâ′rā tūt′tō âl·lâl·bār′gō)
Can you give me a discount?	*Mi può fare uno sconto?* (mē pwō fâ′rā ū′nō skōn′tō)
I'm very sorry, but our prices are fixed.	*Mi dispiace, ma qui si vende a prezzo fisso.* (mē dē·spyâ′chā mâ kwē sē vān′dâ â prā′tsō fēs′sō)
We'll give you a ten-percent reduction.	*Le faremo un ribasso del dieci per cento.* (lē fâ·rā′mō ūn rē·bâs′sō dāl dyā′chē pār chān′tō)
Thank you very much! Please take one of these complimentary gifts.	*Molte grazie! La prego, si serva di uno di questi omaggi.* (mōl′tā grā′tsyā lâ prā′gō sē sār′vâ dē ū′nō dē kwā′stē ō·mâj′jē)
I'll take this figurine; it will make a nice souvenir of the Alps.	*Scelgo questa statuetta. È un bel ricordo delle Alpi.* (shāl′gō kwā′stâ stâ·twāt′tâ ā ūn bāl rē·kōr′dō dāl′lā âl′pē)
We'll send everything out before noon.	*Le manderemo tutto prima di mezzogiorno.* (lē mân·dā·rā′mō tūt′tō prē′mâ dē mā·dzō·jōr′nō)

PHOTOGRAPHY

May I take pictures?

May I take my camera into the museum?

How much is the fee for taking pictures?

I need some color film.

Where can I buy camera supplies?

Can you have this roll of films developed?

Does the price include development?

I want three prints of each negative.

Do you have movie film?

Will you put in the film?

EVERYDAY EXPRESSIONS

Good morning!
Good evening!
Good night!
My name is _____.
I understand Italian pretty well, but I don't speak it.

Do you speak English?
Where are you going?
Come here, please.

I want to show you something.

Speak slowly, please.

LA FOTOGRAFIA

È permesso fare fotografie? (ā pär·mās'sō fâ'rā fō·tō·grâ·fē'ā)

Posso entrare con la macchina fotografica nel museo? (pōs'sō ān·trâ'rā kōn lâ mâk'kē·nâ fō·tō·grâ'fē·kâ nāl mū·zā'ō)

Quanto si paga per fare delle fotografie? (kwân'tō sē pâ'gâ pär fâ'rā dāl'lā fō·tō·grâ·fē'ā)

Vorrei delle pellicole per fotografia a colori. (vōr·rā'ē dāl'lā pāl·lē'kō·lā pär fō·tō·grā·fē'â â kō·lō'rē)

Dove posso comprare articoli fotografici? (dō'vā pōs'sō kōm·prâ'rā âr·tē'kō·lē fō·tō·grâ'fē·chē)

Può sviluppare questo rullo? (pwō zvē·lūp·pâ'rā kwā'stō rūl'lō)

Il costo include anche lo sviluppo? (ēl kō'stō ēn·klū'dā ân'kā lō zvē·lūp'·pō)

Desidero tre copie di ciascun negativo. (dā·zē'dā·rō trā kō'pyā dē châ·skūn' nā·gâ·tē'vō)

Ha pellicole per macchine da presa? (â pāl·lē'kō·lā pär mâk'kē·nā dâ prā'zâ)

Vuol caricare la macchina? (vwōl kâ·rē·kâ'rā lâ mâk'kē·nâ)

CONVERSAZIONE GENERALE

Buon giorno! (bwōn jōr'nō)
Buona sera! (bwō'nâ sā'râ)
Buona notte! (bwō'nâ nōt'tā)
Mi chiamo _____. (mē kyâ'mō)
Capisco l'italiano abbastanza bene, ma non lo parlo. (kâ·pē'skō lē·tâ·lyâ'·nō âb·bâ·stân'tsâ bā'nā mâ nōn lō pâr'lō)
Parla inglese? (pâr'lâ ēn·glā'zā)
Dove va? (dō'vā vâ)
Venga qua, per piacere. (vān'gâ kwâ pär pyâ·chā'rā)
Le vorrei far vedere una cosa. (lā vōr·rā'ē fâr vâ·dā'rā ū'nā kō'zâ)
Parli adagio, per favore. (pâr'lē â·dâ'·jō pär fâ·vō'rā)

527

Conversation

I have no time today.	*Oggi non ho tempo.* (ōj'jē nō·nō' tăm'pō)
What can I do for you?	*Desidera?* (dā·zē'dā·râ)
Will you tell me the time?	*Mi vuol dire l'ora?* (mē vwōl dē'rā lō'râ)
Is there a doctor near here?	*C'è un dottore qui vicino?* (chā ūn dōt·tō'rā kwē vē·chē'nō)
How do you say _____ in Italian?	*Come si dice in italiano _____?* (kō'mā sē dē'chā ē·nē·tâ·lyâ'nō)
What does _____ mean?	*Cosa vuol dire _____?* (kō'zâ vwōl dē'rā)
What is that for?	*A che serve?* (â kā sār'vā)
You know what I mean?	*M'intende?* (mēn·tān'dā)
Do you understand me?	*Mi capisce?* (mē kâ·pē'shā)
I'm sorry, but I don't understand you.	*Mi rincresce, ma non La capisco.* (mē rēn·krā'shā mâ nōn lâ kâ·pē'skō)
I understand you when you speak slowly.	*La capisco quando parla adagio.* (lâ kâ·pē'skō kwân'dō pâr'lâ â·dâ'jō)
Where is the Catholic church?	*Dov'è la chiesa cattolica?* (dō·vā' lâ kyā'zâ kât·tō'lē·kâ)
What time is Mass?	*A que ora c'è messa?* (â kā ō'râ chā mās'sâ)
Thank you very much.	*Mille grazie.* (mēl'lā grâ'tsyā)
You are welcome.	*Prego.* (prā'gō)
How are you?	*Come sta?* (kō'mā stâ)
Fine, thank you, and you?	*Bene, grazie, e Lei?* (bā'nā grâ'tsyâ ā lā'ē)
Please repeat.	*Ripeta, per favore.* (rē·pā'tâ pār fâ·vō'rā)
Excuse me.	*Mi scusi.* (mē skū'zē)
Keep the change.	*Si tenga il resto.* (sē tān'gâ ēl rā'stō)
Think nothing of it!	*S'immagini!* (sēm·mâ'jē·nē)
Of course!	*Senz'altro!* (sān·dzâl'trō)
Please send for a doctor.	*Vorrei un medico, per favore.* (vōr·rā'ē ūn me'dē·kō pār fâ·vō'rā)
Where is the lost-and-found office?	*Da che parte si trova l'ufficio oggetti smarriti?* (dâ kā pâr'tā sē trō'vâ lūf·fē'chō ōj·jät'tē zmâr·rē'tē)
I'm very happy to hear that.	*Ne sono proprio contento.* (nā sō'nō prô'pryō kōn·tān'tō)
Very glad to meet you!	*Fortunatissimo!* (fōr·tū·nâ·tēs'sē·mō)
It's a real pleasure to make your acquaintance.	*È un vero piacere di fare la Sua conoscenza.* (ā ūn vā'rō pyâ·chā'rā dē fâ'rā lā sū'â kō·nō·shān'tsâ)

Allow me to introduce you to _____.

Permetta che Le presenti _____. (pär·mät'tâ kä lä prä·zän'tē)

Good-bye!

Addio. (âd·dē'ō)

So long.

Ciao. (châ'ō)

Have a pleasant trip!

Buon viaggio! (bwōn vyâj'jō)

See you later!

Arrivederci! (âr·rē·vä·dār'chē)

Is there someone here who speaks English?

C'è qui qualcuno che parli inglese? (chā kwē kwâl·kū'nō kä pâr'lē ēn·glä'zä)

I need an English-speaking guide.

Ho bisogno d'un cicerone che parli inglese. (ō bē·zō'nyō dūn chē·chä·rō'nä kä pâr'lē ēn·glä'zä)

WEATHER

IL TEMPO

What's the weather like?

Che tempo fa? (kä tām'pō fâ)

The weather is nice.

Fa bel tempo. (fâ bāl tām'pō)

The weather is bad.

Fa cattivo tempo. (fâ kât·tē'vō tām'pō)

It's cold out.

Fa freddo. (fâ frād'dō)

It's hot out.

Fa caldo. (fâ kâl'dó)

It's cool.

Fa fresco. (fâ frä'skō)

It's sunny.

Fa sole. (fâ sō'lä)

It's foggy.

C'è nebbia. (chā neb'byâ)

It's windy.

Tira vento. (tē'râ vān'tō)

It's cloudy.

È coperto. (ā kō·pär'tō)

It's snowing.

Nevica. (ne'vē·kâ)

It's raining.

Piove. (pyō'vä)

It's a beautiful, sunny day.

C'è un bel sole. (chā ūn bāl sō'lä)

It's thundering.

Tuona. (twō'nâ)

It's lightning.

Lampeggia. (lâm·pej'jâ)

TIME

L'ORA

What time is it?

Che ora è? (kä ō'râ ä)

It is one o'clock.

E l'una. (ā lū'nâ)

It is two o'clock.

Sono le due. (sō'nō lä dū'ä)

It is eight o'clock.

Sono le otto. (sō'nō lä ōt'tō)

It is noon.

È mezzogiorno. (ā mä·dzō·jōr'nō)

It is 10:15.

Sono le dieci e un quarto. (sō'nō lä dyā'chē ā ūn kwâr'tō)

It is midnight.

È mezzanotte. (ā mä·dzâ·nōt'tä)

Conversation

It is quarter to eleven.	*Sono le undici meno un quarto.* (sō'nō lā ūn'dē·chē mā'nō ūn kwâr'tō)
It is twenty minutes to seven.	*Sono le sette meno venti.* (sō'nō lā sāt'tā mā'nō vän'tē)
The train leaves at 2 P.M.	*Il treno parte alle quattordici.* (ēl trā'nō pâr'tā âl·lā kwât·tôr'dē·chē)
The concert begins at 9 P.M.	*Il concerto comincia alle ventuno.* (ēl kōn·chār'tō kō·mēn'châ âl'lā vän·tū'nō)

(Note that in the last two sentences above the twenty-four hour system of telling time is used, which counts the hours from midnight to midnight. In Italy, the twenty-four hour system is used for all official functions and for train and airline schedules.)

DAYS	I GIORNI
Sunday	*domenica* (dō·me'nē·kâ)
Monday	*lunedì* (lū·nā·dē')
Tuesday	*martedì* (mâr·tā·dē')
Wednesday	*mercoledì* (mār·kō·lā·dē')
Thursday	*giovedì* (jō·vā·dē')
Friday	*venerdì* (vā·nār·dē')
Saturday	*sabato* (sâ'bâ·tō)

MONTHS	I MESI
January	*gennaio* (jān·nâ'yō)
February	*febbraio* (fāb·brâ'yō)
March	*marzo* (mâr'tsō)
April	*aprile* (â·prē'lā)
May	*maggio* (mâj'jō)
June	*giugno* (jū'nyō)
July	*luglio* (lū'lyō)
August	*agosto* (â·gō'stō)
September	*settembre* (sāt·tām'brā)
October	*ottobre* (ōt·tō'brā)
November	*novembre* (nō·vām'brā)
December	*dicembre* (dē·chām'brā)

THE SEASONS	LE STAGIONI
Spring	*la primavera* (lâ prē·mâ·vā'râ)
Summer	*l'estate* (lā·stâ'tā)
Fall	*l'autunno* (lâū·tūn'nō)
Winter	*l'inverno* (lēn·vār'nō)

AT THE AIRPORT

What is the flying time to Milan?

Will there be many stops?

Please give me a one-way ticket only.

How many pounds of luggage are permitted each passenger?

What is the rate for excess weight?

What time do we leave?
What time do we arrive?

I'd like to reserve a seat, please.

Is that the waiting room?

I'll leave my suitcases here.

I'll take this overnight case and my purse with me.

The gate to your plane is number three.

At what altitude are we flying?

We're already a half-hour late.

RAILROAD

Where is the ticket window?

I want two first class tickets for _____.

One way, please.

ALL'AEROPORTO

Quante ore di volo ci vorranno per arrivare a Milano? (kwân'tä ō'rä dē vō'lō chē vōr·rân'nō pä·râr·rē·vâ'-rä â mē·lâ'nō)

Farà molti scali? (fâ·râ' mōl'tē skâ'lē)

Mi dia solo il biglietto d'andata, per piacere. (mē dē'â sō'lō ēl bē·lyät'tō dân·dâ'tâ pär pyâ·chä'rä)

Quanti chili di bagaglio sono permessi ad ogni passeggero? (kwân'tē kē'lē dē bâ·gâ'lyō sō'nō pär·mäs'sē â·dō'nyē pâs·säj·jä'rō)

Qual'è la tariffa per il peso in eccedenza? (kwâ·lä' lä tâ·rēf'fâ pä·rēl' pā'zō ē·nä·chä·dän'tsâ)

A che ora si parte? (â kä ō'râ sē pâr'tä)

A que ora si arriva? (â kä ō'râ sē âr·rē'vâ)

Vorrei prenotare un posto, per favore. (vōr·rä'ē prä·nō·tâ'rä ūn pō'stō pär fâ·vō'rä)

È quella la sala d'aspetto? (ä kwäl'lâ lä sâ'lâ dâ·spät'tō)

Le valigie le lascio qui. (lä vâ·lē'jä lä lâ'shō kwē)

Questa valigetta e la borsa le porto con me. (kwä'stâ vâ·lē·jät'tâ ā lâ bōr'sâ lä pōr'tō kōn mä)

Il passaggio numero tre è quello del Suo aeroplano. (ēl pâs·sâj'jō nū'mä·rō trä ā kwäl'lō dāl sū'ō â·ä·rō·plâ'nō)

A che altitudine stiamo volando? (â kä âl·tē·tū'dē·nä styâ'mō vō·lân'dō)

Già siamo in ritardo di mezz'ora. (jâ syâ'mō ēn rē·târ'dō dē mä·dzō'râ)

LA FERROVIA

Dov'è la biglietteria? (dō·vä' lâ bē·lyät·tä·rē'â)

Desidero due biglietti di prima classe per _____. (dā·zē'dä·rō dū'ä bē·lyät'tē dē prē'mâ klâs'sâ pär)

Di sola andata, per favore. (dē sō'lâ ân·dâ'tâ pär fâ·vō'râ)

Conversation

Round trip.	*Di andata e ritorno.* (dē ân·dä′tâ ā rē·tōr′nō)
Is the train air-conditioned?	*C'è l'aria condizionata sul treno?* (chā l'â′ryâ kōn·dē·tsyō·nâ′tâ sūl trā′nō)
Is this the train to _____?	*Questo è il treno per _____?* (kwā′stō ā ēl trā′nō pār)
Where is the train to Ravenna?	*Dove si prende il treno per Ravenna?* (dō′vä sē prān′dä ēl trā′nō pār râ·vän′nâ)
I want an upper (lower) berth.	*Vorrei una cuccetta superiore (inferiore).* (vōr·rā′ē ū′nâ kū·chāt′tâ sū·pä·ryō′rä [ēn·fä·ryō′rä])
I want a private compartment.	*Vorrei una cabina ad un letto.* (vōr·rā′ē ū′nâ kâ·bē′nâ â·dūn′ lāt′tō)
On what track is the train?	*Su che binario è il treno?* (sū kā bē·nâ′ryō ā ēl trā′nō)
When do we reach _____?	*A che ora arriveremo a _____?* (â kā ō′râ âr·rē·vä·rā′mō â)
Are we on time?	*Siamo in orario?* (syâ′mō ē·nō·râ′ryō)
How late are we?	*Quanto siamo in ritardo?* (kwân′tō syâ′mō ēn rē·târ′dō)
Is there a dining car?	*C'è un vagone ristorante?* (chā ūn vâ·gō′nä rē·stō·rân′tä)
How late do you serve breakfast?	*Fino a che ora si serve la prima colazione?* (fē′nō â kā ō′râ sē sār′vä lâ prē′mâ kō·lâ·tsyō′nä)
When do you start serving lunch?	*A che ora si serve la colazione?* (â kā ō′râ sē sār′vä lâ kō·lâ·tsyō′nä)
Where is the smoking car?	*Da che parte è lo scompartimento per fumatori?* (dâ kā pâr′tä ā lō skōm·pâr·tē·mān′tō pār fū·mâ·tō′rē)
Is the berth made up?	*È fatto il letto?* (ā fât′tō ēl lāt′tō)
Please take down the suitcase.	*Porti giù quella valigia, per favore.* (pōr′tē jū kwāl′lâ vâ·lē′jâ pār fâ·vō′rä)
Is this seat vacant?	*È libero questo posto?* (ā lē′bā·rō kwā′stō pō′stō)
May I open the door?	*Le disturba se apro la porta?* (lā dē·stūr′bâ sā â′prō lâ pōr′tâ)
Do you think we could turn off the fan?	*Non sarebbe bene chiudere il ventilatore?* (nōn sâ·rāb′bä bā′nä kyū′dā·rä ēl vān·tē·lâ·tō′rä)
Have you seen the conductor?	*Ha visto il controllore?* (â vē′stō ēl kōn·trōl·lō′rä)
Can I check this suitcase?	*Posso depositare questa valigia?* (pōs′sō dā·pō·zē·tâ′rä kwā′stâ vâ·lē′jâ)

AUTOMOBILE

Forty liters of gas, please.

Check the oil.

Fill her up.

I have a flat tire.

Can you fix this puncture?

Where is the next gasoline station?

My car has developed engine trouble.

Can you tow the car to town?

Wash it, change the oil, and check the tires.

What do you charge for a grease job?

Is the road in good condition?

L'AUTOMOBILE

Quaranta litri di benzina, per favore. (kwâ·rân'tâ lē'trē dē bān·dzē'nâ pār fâ·vō'rā)

Verifichi l'olio. (vä·rē'fē·kē lô'lyō)

Faccia il pieno. (fâ'châ ēl pyä'nō)

Ho una gomma a terra. (ō ū'nâ gōm'mâ â tār'rā)

Può accomodare la foratura? (pwō âk·kō·mō·dâ'rā lâ fō·râ·tū'râ)

Dove si trova il distributore più vicino? (dō'vä sē trō'vâ ēl dē·strē·bū·tō'rā pyū vē·chē'nō)

La mia macchina ha un guasto. (lâ mē'â mâk'kē·nâ â ūn gwä'stō)

Si può rimorchiare la macchina fino in città? (sē pwō rē·mōr·kyâ'rā lâ mâk'kē·nâ fē'nō ēn chēt'tâ)

La lavi, cambi l'olio, e verifichi le gomme. (lâ lâ'vē kâm'bē lô'lyō ā vä·rē'fē·kē lā gōm'mā)

Quanto costa l'ingrassaggio? (kwân'tō kō'stâ lēn·grâs·sâj'jō)

È buona la strada? (ā bwō'nâ lâ strâ'dâ)

CONVERTING TEMPERATURES

Fahrenheit to Centigrade

Subtract 32° and multiply by 5/9.
$50°F = 10°C$ $-4°F = -20°C$

Centigrade to Fahrenheit

Multiply by 9/5 and add 32°.
$40°C = 104°F$ $20°C = 68°F$

CONVERTING MEASUREMENTS

American to Italian

1 gallon = 3.8 liters
1 pound = .45 kilos
1 inch = 2.5 centimeters
1 yard = .9 meters
1 mile = 1.6 kilometers
1 acre = .4 hectares

Italian to American

1 liter = .26 gallons
1 kilo = 2.2 pounds
1 centimeter = .4 inches
1 meter = 1.1 yards
1 kilometer = .6 miles
1 hectare = 2.5 acres

The figures given above are approximate equivalents.

To convert American measurements into their Italian equivalents, or vice versa, multiply as indicated in the examples below.

Examples: To determine the approximate number of liters in ten gallons, multiply 3.8 (liters per gallon) x 10 = 38.1 liters.

To determine the approximate number of miles in 14 kilometers, multiply .6 (miles per kilometer) x 14 = 8.4 miles.

Numbers

CARDINAL NUMBERS	I NUMERI CARDINALI
1	*uno, una* (ū′nō ū′nâ)
2	*due* (dū′ā)
3	*tre* (trā)
4	*quattro* (kwât′trō)
5	*cinque* (chēn′kwā)
6	*sei* (sā′ē)
7	*sette* (sāt′tā)
8	*otto* (ōt′tō)
9	*nove* (nō′vā)
10	*dieci* (dyā′chē)
11	*undici* (ūn′dē·chē)
12	*dodici* (dô′dē·chē)
13	*tredici* (tre′dē·chē)
14	*quattordici* (kwât·tôr′dē·chē)
15	*quindici* (kwēn′dē·chē)
16	*sedici* (se′dē·chē)
17	*diciassette* (dē·châs·sāt′tā)
18	*diciotto* (dē·chōt′tō)
19	*diciannove* (dē·chân·nō′vā)
20	*venti* (vān′tē)
21	*ventuno* (vān·tū′nō)
22	*ventidue* (vān·tē·dū′ā)
30	*trenta* (trān′tâ)
31	*trentuno* (trān·tū′nō)
40	*quaranta* (kwâ·rân′tâ)
50	*cinquanta* (chēn·kwân′tâ)
60	*sessanta* (sās·sân′tâ)
70	*settanta* (sāt·tân′tâ)
80	*ottanta* (ōt·tân′tâ)
90	*novanta* (nō·vân′tâ)
100	*cento* (chān′tō)
101	*centuno* (chān′tū′nō)
200	*duecento* (dwā·chān′tō)
201	*duecento uno* (dwā·chān′tō ū′nō)
300	*trecento* (trā·chān′tō)
400	*quattrocento* (kwât·trō·chān′tō)
500	*cinquecento* (chēn·kwā·chān′tō)
600	*seicento* (sāē·chān′tō)
700	*settecento* (sāt·tā·chān′tō)

800	*ottocento* (ōt·tō·chän'tō)
900	*novecento* (nō·vä·chän'tō)
1,000	*mille* (mēl'lä)
1,001	*mille e uno* (mēl'lä ā ū'nō)
2,000	*due mila* (dū'ä mē'lâ)
3,000	*tre mila* (trä mē'lâ)
1 million	*un milione* (ūn mē·lyō'nä)
1 billion	*un miliardo* (ūn mē·lyâr'dō)

ORDINAL NUMBERS

I NUMERI ORDINALI

First	*primo* (prē'mō)
Second	*secondo* (sä·kōn'dō)
Third	*terzo* (tär'tsō)
Fourth	*quarto* (kwâr'tō)
Fifth	*quinto* (kwēn'tō)
Sixth	*sesto* (sä'stō)
Seventh	*settimo* (set'tē·mō)
Eighth	*ottavo* (ōt·tâ'vō)
Ninth	*nono* (nō'nō)
Tenth	*decimo* (de'chē·mō)
Eleventh	*undicesimo* (ūn·dē·che'zē·mō)
Twelfth	*dodicesimo* (dō·dē·che'zē·mō)
Thirteenth	*tredicesimo* (trä·dē·che'zē·mō)
Fourteenth	*quattordicesimo* (kwât·tōr·dē·che'zē·mō)
Fifteenth	*quindicesimo* (kwēn·dē·che'zē·mō)
Sixteenth	*sedicesimo* (sä·dē·che'zē·mō)
Seventeenth	*diciassettesimo* (dē·châs·sät·te'zē·mō)
Eighteenth	*diciottesimo* (dē·chōt·te'zē·mō)
Nineteenth	*diciannovesimo* (dē·chân·nō·ve'zē·mō)
Twentieth	*ventesimo* (vän·te'zē·mō)
Twenty-first	*ventesimo primo* (vän·te'zē·mō prē'mō)
Hundredth	*centesimo* (chän·te'zē·mō)
Hundred-and-first	*centesimo primo* (chän·te'zē·mō prē'mō)
Thousandth	*millesimo* (mēl·le'zē·mō)
Millionth	*milionesimo* (mē·lyō·ne'zē·mō)

Road Signs

ITALIAN ROAD SIGNS

Italian road signs, like those in the United States, have typical shapes depending on their function. Many bear worded instructions, but others have only symbols that relay information to the motorist at a glance. The three distinct shapes and their functions are as follows:

a triangular sign indicates danger.

a circular sign gives definite instructions.

a rectangular sign contains special information.

As in the United States, traffic in Italy proceeds on the right-hand side of the street or highway.

SEGNALAZIONI STRADALI	ROAD SIGNS
Curva (kūr′vâ)	*Curve*
Curva pericolosa (kūr′vâ pā·rē·kō·lō′-zâ)	*Dangerous curve*
Curva e controcurva (kūr′vâ ā kōn·trō·kūr′vâ)	*S-curve*
Svolta (zvōl′tâ)	*Turn*
Discesa pericolosa (dē·shā′zâ pā·rē·kō·lō′zâ)	*Dangerous descent*
Cunetta (kū·nāt′tâ)	*Dip*
Svolta stretta (zvōl′tâ strāt′tâ)	*Sharp turn*
Dosso (dōs′sō)	*Bump*
Strettoia (strāt·tô′yâ)	*Road narrows*
Incrocio (ēn·krô′chō)	*Intersection*
Arresto all'incrocio (âr·rā′stō âl·lēn·krô′chō)	*Stop at intersection*
Divieto di svolta (dē·vyā′tō dē zvōl′tâ)	*No turns*
Divieto di svolta a destra (dē·vyā′tō dē zvōl′tâ â dā′strâ)	*No right turn*
Divieto di svolta a sinistra (dē·vyā′tō dē zvōl′tâ â sē·nē′strâ)	*No left turn*
Divieto di inversione ad U (dē·vyā′tō dē ēn·vār·syō′nā â·dū′)	*No U-turns*
Direzioni consentite (dē·rā·tsyō′nē kōn·sān·tē′tā)	*Right or left turn permitted*
Direzione obbligatoria a destra (dē·rā·tsyō′nā ōb·blē·gâ·tô′ryâ â dā′strâ)	*Right turn only*
Direzione obbligatoria a sinistra (dē·rā·tsyō′nā ōb·blē·gâ·tô′ryâ â sē·nē′strâ)	*Left turn only*

Senso obbligatorio (sän'sō ōb·blē·gä·tô'ryō) — *One-way traffic (indicated by arrow)*

Senso proibito (sän'sō prōē·bē'tō) — *No entry, one-way traffic*

Senso unico (sän'sō ū'nē·kō) — *One-way traffic (indicated by arrow)*

Tenere la destra (tä·nä'rä lä dä'strâ) — *Keep to the right*

Divieto di accesso (dē·vyä'tō dē â·chäs'sō) — *Do not enter*

Confluenza a destra (kōn·flūän'tsâ â dä'strâ) — *Road entering right*

Preavviso di dare precedenza (prä·âv·vē'zō dē dâ'rä prä·chä·dän'tsä) — *Priority road ahead*

Dare precedenza (dâ'rä prä·chä·dän'tsâ) — *Yield right-of-way*

Doppio senso di circolazione (dôp'pyō sän'sō dē chēr·kō·lâ·tsyō'nä) — *Two-way traffic*

Fine del doppio senso di circolazione (fē'nä däl dôp'pyō sän'sō dē chēr·kō·lâ·tsyō'nä) — *End of two-way traffic*

Corsia riservata ai veicoli lenti (kōr·sē'â rē·zär·vâ'tâ â'ē vä·ē'kō·lē län'tē) — *Lane for slow vehicles*

Semaforo a 150 m. (sä·mâ'fō·rō â chän'tō chēn·kwân'tâ mä'trē) — *Traffic signal, 150 meters*

Semafori sincronizzati 40 km. (sä·mâ·fō·rē sēn·krō·nē·dzâ'tē kwâ·rân'tâ kē·lô'mä·trē) — *Signals set for 40 kilometers per hour*

Rotaia (rō·tâ'yâ) — *Traffic circle*

Divieto di transito ai pedoni (dē·vyä'tō dē trân'sē·tō â'ē pä·dō'nē) — *No pedestrians*

Passaggio per pedoni (pâs·sâj'jō pär pä·dō'nē) — *Pedestrian crosswalk*

Sottopassaggio (sōt·tō·pâs·sâj'jō) — *Underpass*

Parcheggio avanti (pâr·kej'jō â·vân'tē) — *Parking ahead*

Sosta vietata (sō'stâ vyä·tâ'tâ) — *No parking*

Sosta regolamentata (sō'stâ rä·gō·lâ·män·tâ'tâ) — *Limited parking*

Sosta di emergenza (sō'stâ dē ä·mär·jän'tsâ) — *Emergency parking*

Vicolo cieco (vē'kō·lō chä'kō) — *Dead end*

Rallentare (râl·län·tâ'rä) — *Slow down*

Strada sdrucciolevole (strâ'dâ zdrū·chō·le'vō·lä) — *Slippery when wet*

Lavori (lâ·vō'rē) — *Men working*

Ponte mobile (pōn'tä mô'bē·lä) — *Drawbridge*

Prudenza (prū·dän'tsâ) — *Caution*

Road Signs

Bambini (bâm·bē′nē)	*Watch for children*
Divieto di sorpasso (dē·vyā′tō dē sōr·pâs′sō)	*No passing*
Fine del divieto di sorpasso (fē′nā dāl dē·vyā′tō dē sōr·pâs′sō)	*End no passing*
Divieto di sorpasso tra autotreni (dē·vyā′tō dē sōr·pâs′sō trâ āū·tō·trā′nē)	*No passing for trailer trucks*
Fine del divieto di sorpasso tra autotreni (fē′nā dāl dē·vyā′tō dē sōr·pâs′sō trâ āū·tō·trā′nē)	*End no passing for trailer trucks*
Riservato alle autovetture (rē·zär·vâ′tō âl′lā âū·tō·vāt·tū′rā)	*Automobile traffic only*
Divieto di transito alle biciclette (dē·vyā′tō dē trân′sē·tō âl′lā bē·chē·klāt′tā)	*No bicycles*
Pista ciclabile (pē′stâ chē·klâ′bē·lā)	*Bicycle path*
Divieto di transito ai motocicli (dē·vyā′tō dē trân′sē·tō â′ē mō·tō·chē′·klē)	*No motorcycles*
Fermata di autobus (fär·mâ′tâ dē â′ū·tō·būs)	*Bus stop*
Via in costruzione (vē′â ēn kō·strū·tsyō′nā)	*Road under construction*
Passaggio a livello con barriere (pâs·sâj′jō â lē·vāl′lō kōn bâr·ryā′rā)	*Guarded railroad crossing*
Passaggio a livello senza barriere (pâs·sâj′jō â lē·vāl′lō sān′tsâ bâr·ryā′rā)	*Unguarded railroad crossing*
Limite massimo di velocità 75 km. (lē′mē·tā mâs′sē·mō dē vā·lō·chē·tâ′ sā·tân·tâ·chēn′kwā kē·lô′mā·trē)	*Speed limit 75 kilometers per hour*
Limite minimo di velocità 45 km. (lē′mē·tā mē′nē·mō dē vā·lō·chē·tâ′ kwâ·rân·tâ·chēn′kwā kē·lô′mā·trē)	*Minimum speed 45 kilometers per hour*
Limitazione di velocità (lē·mē·tâ·tsyō′nā dē vā·lō·chē·tâ′)	*Speed zone ahead*
Fine della limitazione di velocità (fē′nā dāl′lâ lē·mē·tâ·tsyō′nā dē vā·lō·chē·tâ′)	*End speed zone*
Deviazione (dā·vyâ·tsyō′nā)	*Detour*
Autostrada (âū·tō·strâ′dâ)	*Expressway, throughway*
Preavviso di bivio Firenze (prā·âv·vē′zō dē bē·vē′ō fē·rān′tsā)	*Approaching exit for Florence*
Preavviso di canalizzazione (prā·âv·vē′zō dē kâ·nâ·lē·dzâ·tsyō′nā)	*Enter proper lanes ahead*
Uscita operai (ū·shē′tâ ō·pā·râ′ē)	*Employee exit*
Alt! Dogana (âlt dō·gâ′nâ)	*Stop! Customs*

538

Assistenza meccanica (âs·sē·stān′tsâ mäk·kâ′nē·kâ)	*Garage*
Rifornimento benzina (rē·fōr·nē·mān′- tō bän·dzē′nâ)	*Filling station*
Transito con catene (trân′sē·tō kōn kâ·tā′nä)	*Proceed with chains*
Divieto di segnalazioni acustiche (dē· vyā′tō dē sä·nyâ·lâ·tsyō′nē â·kū′- stē·kä)	*No horns*
Ospedale (ō·spä·dâ′lä)	*Hospital*
Pronto soccorso (prōn′tō sōk·kōr′sō)	*First aid*
Telefono (tä·le′fō·nō)	*Telephone*
Campeggio (kâm·pej′jō)	*Camp site*
Terreno per rimorchi (tär·rā′nō pär rē·mōr′kē)	*Trailer park*
Campeggio e rimorchi (kâm·pej′jō ā rē·mōr′kē)	*Camp site with trailer facilities*
Ostello della gioventù (ō·stāl′lō dāl′lâ jō·vän·tū′)	*Youth hostel*
Banchine non transitabili (bân·kē′nä nōn trân·sē·tâ′bē·lē)	*Keep off shoulders*
Caduta di masse (kâ·dū′tâ dē mâs′sä)	*Rock slide*
Frana (frâ′nä)	*Road washed out*
Strada dissestata (strâ′dâ dēs·sä·stâ′- tâ)	*Road in bad repair*
Spegnere i fari (spe′nyä·rä ē fâ′rē)	*Turn off headlights*

ROAD SYMBOLS

All the following symbols are in use throughout Western Europe except those marked (*ITAL*), which are to be found only in Italy.

1 Danger

Uneven Road	Dangerous Curve	Right Curve	S-curve	Intersection

Traffic Circle	Railroad Crossing, Guarded	Railroad Crossing, Unguarded	Railroad Crossing, Unguarded	Dangerous Hill

Road Symbols

 Road Narrows

 Drawbridge

 Men Working

 Slippery When Wet

Pedestrian Crosswalk

 Watch Out For Children

 Cattle Crossing

Side Road

 Low-flying Aircraft

Beware of Animals

 Caution

 Priority Road Ahead

 Two-way Traffic

 Traffic Signals Ahead

2 Instructions

 Road Closed

No Entry

 Motor Vehicles Only (*ITAL*)

 Motorcycles Only (*ITAL*)

 Pedestrians Only (*ITAL*)

 No Motorcycles

 No Motor Vehicles

 No Bicycles

 No Horns

 No Left Turn

 No Passing

Maximum Width

 Maximum Height

 Maximum Weight

 Speed Limit

Stop at Intersection

Stop Customs

No Parking

No Parking
I Uneven Days
II Even Days

Yield Right-of-way

End Speed Limit

End No Passing

Direction of Traffic

One-way Street (*ITAL*)

Minimum Speed

3 Information

Priority Road

End of Priority Road

Parking

You Have Right-of-way

Hospital

First Aid

First Aid

Garage

Telephone

Filling Station

Camp Site

Trailer Park

Camp Site with Trailer Facilities

Distance to Camp Site

Expressway (Undivided)

End Expressway (Undivided)

Expressway (Divided)

End Expressway (Undivided)

COUNTRIES OF EUROPE

Country	Capital	Area in Sq. Mi.	Population (latest official estimate)
Austria	Vienna	32,374	7,171,000
Belgium	Brussels	11,779	9,328,000
Bulgaria	Sofia	42,729	8,078,000
Czechoslovakia	Prague	49,370	13,951,000
Denmark	Copenhagen	16,619	4,684,000
Finland	Helsinki	130,120	4,570,000
France	Paris	212,822	48,090,000
Germany—Democratic Rep. (East Germany)	East Berlin	41,646	16,075,000
Federal Rep. (West Germany)	Bonn	95,928	55,678,000
Gr. Britain, see Un. Kingdom			
Greece	Athens	50,548	8,469,000
Hungary	Budapest	35,919	10,110,000
Ireland, Rep. of	Dublin	27,135	2,841,000
Italy	Rome	116,303	50,619,000
Luxembourg	. . . . . .	998	324,000
Netherlands	Amsterdam & the Hague	12,978	12,079,000
Norway	Oslo	125,065	3,681,000
Poland	Warsaw	120,359	30,940,000
Portugal	Lisbon	35,340	9,112,000
Rumania	Bucharest	91,699	18,813,000
San Marino	. . . . . .	23	17,000
Spain	Madrid	194,884	31,339,000
Sweden	Stockholm	173,666	7,627,000
Switzerland	Berne	15,941	5,860,000
Turkey	Ankara	301,380	30,256,000
in Asia	. . . . . .	292,291	26,660,000
in Europe	. . . . . .	9,089	2,399,000
Union of Soviet Socialist Republics (Soviet Union)	Moscow	8,649,512	224,764,000
in Asia	. . . . . .	6,619,000	52,946,000
in Europe	. . . . . .	2,030,512	171,818,000
United Kingdom of Great Britain and North. Ireland		94,198	53,673,000
England and Wales	London	58,348	47,023,000
Scotland	Edinburgh	30,411	5,205,000
Northern Ireland	Belfast	5,439	1,446,000
Vatican City	. . . . . .	0.17	1,000
Yugoslavia	Belgrade	98,766	19,244,000

SOURCES: *UN Statistical Yearbook, 1963; 1963 Statistical Abstract of the U.S.; UN Statistical Papers,* population report, July, 1964

UNITED STATES OF AMERICA

Area   3,615,211 square miles   (from 1963 *Statistical Abstract of the U.S.*)

Population   1960 official census   179,323,175

                         Mid-1963 estimate   189,375,000
                         (Census Bureau and *UN Population Report*, July, 1964)

EUROPEAN CITIES OVER 1,000,000
(*UN Demographic Yearbook, 1962* Official Estimates)

Name and Country	Population	Name and Country	Population
Moscow, USSR	6,262,000	Milan, Italy	1,581,000*
Berlin, Germany	3,261,000	Barcelona, Spain	1,558,000*
East	1,064,000	Bucharest, Romania	1,229,000
West	2,197,000	Kiev, USSR	1,208,000
London, England	3,195,000	Naples, Italy	1,180,000*
Leningrad, USSR	3,036,000	Warsaw, Poland	1,163,000
Paris, France	2,790,000	Birmingham, England	1,106,000
Madrid, Spain	2,260,000*	Munich, Fed. Rep.	
Rome, Italy	2,161,000*	of Germany	1,084,000
Hamburg, Fed. Rep.		Glasgow, Scotland	1,055,000
of Germany	1,832,000	Gorki, USSR	1,025,000
Budapest, Hungary	1,830,000	Turin, Italy	1,019,000*
Vienna, Austria	1,628,000	Prague, Czechoslovakia	1,005,000

* Metropolitan: includes city and suburban areas

ITALIAN CITIES OVER 250,000
(*UN Demographic Yearbook, 1962*)

English Name	Italian Name	Population*
Rome	Roma (rō'mâ)	2,160,773
Milan	Milano (mē·lâ'nō)	1,580,978
Naples	Napoli (nâ'pō·lē)	1,179,608
Turin	Torino (tō·rē'nō)	1,019,230
Genoa	Genova (je'nō·vâ)	775,106
Palermo	Palermo (pâ·lär'mō)	587,063
Bologna	Bologna (bō·lō'nyâ)	441,143
Florence	Firenze (fē·rän'tsä)	438,138
Catania	Catania (kâ·tâ'nyâ)	361,466
Venice	Venezia (vä·nä'tsyâ)	336,184
Bari	Bari (bâ'rē)	311,268
Trieste	Trieste (tryä'stä)	273,390
Messina	Messina (mäs·sē'nâ)	251,423

*Census data for Italy reports metropolitan population only.

U.S. CITIES OVER 250,000
(1960 Official Census)

City and State	Population	City and State	Population
New York, N.Y.	7,781,984	Indianapolis, Ind.	476,258
Chicago, Ill.	3,550,404	Kansas City, Mo.	475,539
Los Angeles, Calif.	2,479,015	Columbus, Ohio	471,316
Philadelphia, Pa.	2,002,512	Phoenix, Ariz.	439,170
Detroit, Mich.	1,670,144	Newark, N.J.	405,220
Baltimore, Md.	939,024	Louisville, Ky.	390,639
Houston, Texas	938,219	Portland, Oreg.	372,676
Cleveland, Ohio	876,050	Oakland, Calif.	367,548
Washington, D.C.	763,956	Fort Worth, Texas	356,268
St. Louis, Mo.	750,026	Long Beach, Calif.	344,168
Milwaukee, Wisc.	741,324	Birmingham, Ala.	340,887
San Francisco, Calif.	740,316	Oklahoma City, Okla.	324,253
Boston, Mass.	697,197	Rochester, N.Y.	318,611
Dallas, Texas	679,684	Toledo, Ohio	318,003
New Orleans, La.	627,525	St. Paul, Minn.	313,411
Pittsburgh, Pa.	604,332	Norfolk, Va.	304,869
San Antonio, Texas	587,718	Omaha, Nebr.	301,598
San Diego, Calif.	573,224	Honolulu, Hawaii	294,194
Seattle, Wash.	557,087	Miami, Fla.	291,688
Buffalo, N.Y.	532,759	Akron, Ohio	290,351
Cincinnati, Ohio	502,550	El Paso, Texas	276,687
Memphis, Tenn.	497,524	Jersey City, N.J.	276,101
Denver, Colo.	493,887	Tampa, Fla.	274,970
Atlanta, Ga.	487,455	Dayton, Ohio	262,332
Minneapolis, Minn.	482,872	Tulsa, Okla.	261,685
Wichita, Kans.	254,698		